HANS KÜNG

Das Christentum

Die religiöse Situation der Zeit:

Das Christentum

Kein Frieden unter den Nationen
ohne Frieden unter den Religionen.

Kein Frieden unter den Religionen
ohne Dialog zwischen den Religionen.

Kein Dialog zwischen den Religionen
ohne Grundlagenforschung in den Religionen.

Inhalt

In dankbarem Gedenken an
Papst Johannes XXIII., Bischof von Rom,
Athenagoras, Ökumenischer Patriarch von Konstantinopel,
Michael Ramsey, Erzbischof von Canterbury,
Willem Visser't Hooft, erster Generalsekretär des Weltkirchenrats,
die ihr Paradigma von Christentum glaubwürdig verkörperten
und es doch öffneten für die große christliche Ökumene.

Was dieses Buch will

Gerade jetzt ein großes Buch über das Christentum? Ja, gerade jetzt! Denn eine große Krise des Christentums macht eine große Antwort dringend nötig. Und um es gleich vorweg zu sagen: Diese Antwort ist radikal. Sie wird keine christliche Tradition und Kirche vor Kritik verschonen, weil sie nämlich radikal der Sache des Evangeliums vertraut. Sie wird Katholizismus, Orthodoxie, Protestantismus und Anglikanismus ohne Kompromisse und Harmonisierung mit der ursprünglichen Botschaft konfrontieren und ihnen auf diese Weise einen ökumenischen Dienst leisten. Dieses Buch kann und muß kirchenkritisch sein, weil es aus einem unerschütterlichen Glauben an Person und Sache Jesu Christi heraus geschrieben ist und weil es will, daß es die Kirche Jesu Christi auch im dritten Jahrtausend noch gibt.

Doch kann man der christlichen Sache überhaupt noch vertrauen? Muß man angesichts des dritten Jahrtausends nicht am Christentum verzweifeln? Hat das Christentum nicht zumindest in den europäischen Stammländern an Verständlichkeit und Glaubwürdigkeit verloren? Gibt es heute nicht mehr denn je Trends weg vom Christentum: hin zu östlichen Religionen, hin zu Polit- und Erfahrungsgruppen aller Art oder auch nur hin ins bequeme Private ohne alle Verpflichtungen? Verbinden nicht viele auch in unseren »christlichen« und besonders katholischen Landen Christentum mit machtgieriger und uneinsichtiger Amtskirche, mit Autoritarismus und Lehrdiktatur, mit Angsterzeugung, Sexualkomplexen,

Dialogverweigerung und so oft menschenverachtendem Umgang mit Andersdenkenden? Wird insbesondere die katholische Kirche nicht mit Frauendiskriminierung identifiziert, wenn Rom Frauenordination (wie auch Priesterehe, Empfängnisverhütung ...) »endgültig« verbieten möchte? Und ist angesichts solcher Korrekturunfähigkeit die frühere mehr oder weniger wohlwollende Gleichgültigkeit gegenüber dem Christentum mancherorts nicht in Gehässigkeit, ja, offene Feindschaft umgeschlagen?

Was aber ist überhaupt »das Christentum«? Gibt es überhaupt **das** Christentum und nicht nur verschiedene Christentümer: das östlich-orthodoxe, das römisch-katholische, das reformatorisch-protestantische Christentum, von den verschiedenen freikirchlichen Christentümern und all den ungezählten christlichen Sekten und Gruppierungen ganz zu schweigen? Es sei von Anfang an zugegeben: Was das Christentum ist, löst in aller Welt höchst widersprüchliche Empfindungen aus. Was ist nicht alles »Christentum«!? Selbst Christen fühlen ein tiefes Unbehagen. Welche Institutionen, Parteien und Aktionen, welche Dogmen, Rechtssätze und Zeremonien tragen nicht alle das Etikett »christlich«. Und wie oft in der Geschichte ist das Christliche vernachlässigt, verschleudert, ja verraten worden! Wie oft wurde es gerade auch durch die Kirchen vernachlässigt, verschleudert, ja verraten. Statt Christentum nur Kirchentum. Statt christlicher Substanz und christlichem Geist römisches System, protestantischer Fundamentalismus oder orthodoxer Traditionalismus.

Und doch: Noch mehr als das Judentum ist das Christentum eine in allen Kontinenten präsente geistige Macht geblieben – trotz aller Bedrohung durch Unterdrückung im einstmals kommunistischen Osten oder durch Konsumismus im säkularen Westen. Es ist mit Abstand die größte der Weltreligionen, die weder von Faschismus und Nazismus, noch von Leninismus, Stalinismus und Maoismus vernichtet werden konnte. Und obwohl viele Christen mit ihrem Kirchentum nichts mehr anfangen können: Das Christentum aufgeben, das möchten sie nicht. Sie möchten vielmehr wissen, was »Christentum« eigentlich bedeutet, bedeuten könnte. Sie möchten Mut bekommen, Mut zum Christsein auch heute. Gerade dazu möchte auch dieses Buch bei aller Kritik verhelfen und so die reformerischen Kräfte in allen Kirchen unterstützen.

Denn auch für mich ist das Christentum die geistige Heimat geblieben – trotz aller Erfahrungen mit der Unbarmherzigkeit des römischen Systems. Und vielleicht ist die Darstellung des Christentums durch einen engagierten Christen sogar noch spannender als die »neutrale«, religionswissenschaftliche oder konfessionskundliche Beschreibung oder auch die zynische antichristliche Denunzierung oder Karikatur. Nein, ich habe die Hoffnung nicht aufgegeben, daß sich der christliche Glaube auch im dritten Jahrtausend noch glaubwürdig – fromm und kritisch zugleich – leben läßt, mit überzeugenden Glaubensinhalten ohne alle dogmatistische Erstarrung und mit ethischen Weisungen ohne alle moralistische Bevormundung. **Die Christenheit soll christlicher werden** – nichts anderes ist die Zukunftsperspektive auch für das dritte Jahrtausend. Römisches System, orthodoxer Traditionalismus und protestantischer Fundamentalismus – sie sind geschichtliche Erscheinungen des Christentums. Es hat sie nicht immer gegeben, und sie werden eines Tages verschwinden. Warum? Zum Wesen des Christlichen gehören sie nicht!

Soll aber die Christenheit wieder christlicher werden, so wird Umkehr notwendig sein: eine **radikale Reform**, die mehr ist als Psychologisierung oder Remythisierung des Christentums. »Radikal«, »an die Wurzel gehend«, ist eine Reform nur dann, wenn sie das **Wesentliche** wieder zum Leuchten bringt. Was aber ist dieses Wesentliche des Christentums? Hier darf man sich nicht einfach auf religiöse Erlebnisse berufen und sich alle Gedankenarbeit ersparen. Hier muß man mit allen Mitteln der Frage nachgehen: Was hält all die so vielfältigen und in sich verschiedenartigen christlichen Kirchen, all die so verschiedenen christlichen Jahrhunderte überhaupt zusammen? Gibt es – trotz aller Mißbräuche und Vergewaltigungen – so etwas wie ein erkennbares **Wesen des Christentums**, auf das man sich in den verschiedenen Kirchen besinnen kann?

Darüber sind viele und widersprüchliche Bücher geschrieben worden. Dieses Buch nimmt das auf, was ich in »Christ sein« schon 1974 zum Wesen des Christentums breit dargelegt habe. Denn: Ohne **Rückbesinnung auf seine richtungweisenden Ursprünge** in der Bibel, auf seine Gründungsurkunde, seine Ur-Gestalt Jesus Christus, ist die Frage nach dem Wesen des Christentums nicht zu beantworten. Jesus als der Christus ist Grundgestalt und Urmotiv alles Christlichen. Das Christentum gewinnt nur von ihm als der zentralen Leitfigur her Identität und Relevanz.

Zugleich ist dieses Buch jedoch eine Fortschreibung von »Christ sein« in die Geschichte von Theologie und Kirche hinein. Denn: Ohne **kritische Sichtung der kirchlichen Tradition** in ihren verschiedenen konfessionellen Ausprägungen ist keine Antwort auf die Frage nach dem wahrhaft authentisch Christlichen in der zwiespältigen 2000jährigen Geschichte der Christenheit zu erhalten. Nicht das jeweils real existierende Christentum ist Kriterium für das Christliche, sondern Nähe und Ferne zu seinem Ursprung, seinem Fundament und Zentrum.

Auf diese Weise also soll eine **kritische, historische Rechenschaft über zwanzig Jahrhunderte Christentum versucht** werden. Ich weiß: Dies ist ein ungeheuer schwieriges Unternehmen. Und nicht wenige Theologen und Historiker würden es schlicht für unmöglich halten. Und doch muß dieses schwierige Unternehmen gewagt werden, wenn man das Ganze des Christentums nicht völlig aus den Augen verlieren, wenn man die Gegenwart verstehen und für die Zukunft Perspektiven entwickeln will. Um es deutlich zu sagen: Dieses Buch ist weder eine religionswissenschaftlich-neutrale Beschreibung der Geschichte des Christentums noch eine systematisch-theologische Darstellung der Lehre des Christentums. Es wagt den Versuch einer Synthese beider Dimensionen, der geschichtlichen wie der systematisch-theologischen, und ist so zugleich chronologisch erzählend wie sachlich-analytisch argumentierend. Es wird in diesem Buch eine Geschichte erzählt, eine ungeheuer dramatische und komplexe, aber zugleich wird vom Ursprung her immer wieder diese Geschichte kritisch unterbrochen und nach dem Preis gefragt, den das Christentum in einer bestimmten paradigmatischen Konstellation zahlte. Es werden »Fragen für die Zukunft« gestellt, die sich immer dann ergeben, wenn sich eine kirchliche Tradition verhärtet hat und so unfähig wurde zur wahren Ökumenizität. Auf diese Weise ist das Buch interdisziplinär konzipiert, weil es die steril gehaltenen »Fächer« sprengt und eine **multidimensionale Sicht des Christentums** versucht. Es will im besten Sinn des Wortes ein ökumenisches Buch sein, getragen von der Überzeugung, daß die Konfessionen des Christentums nur im Geist und in Gestalt **wahrer Ökumenizität** im dritten Jahrtausend überleben werden. Die vier großen Kirchenführer, denen ich dieses Buch gewidmet habe, stehen für diese Perspektive.

Ein solches Unternehmen aber kann nur gewagt werden, weil mit der Paradigmenanalyse ein Theorieansatz und Begriffsinstrumentarium zur Verfügung stehen, die methodisch schon in meinen Büchern »Theologie im Aufbruch« (1987) sowie »Projekt Weltethos« (1990) reflektiert wurden und die sich für die historische Bilanzierung in »Das Judentum« (1991) bereits bewährt haben. Deshalb kann hier darauf verzichtet werden, die 2000jährige Geschichte des Christentums in den verschiedenen Zeitepochen und Territorien mit all den verschiedenen Strömungen und Führungspersönlichkeiten detailliert zu rekonstruieren; jedes beliebige Handbuch der Kirchengeschichte bietet hier ohnehin mehr.[1] In Paradigmen denken heißt vielmehr: die Geschichte in ihren dominanten Strukturen mit ihren prägenden Figuren verstehen. In Paradigmen denken heißt, die verschiedenen **Gesamtkonstellationen** des Christentums analysieren, deren Entstehen, dann Reifen und (wenn auch nur kurz beschrieben) Erstarren. In Paradigmen denken heißt, das Fortleben traditionalistisch erstarrter Paradigmen in der Gegenwart beschreiben.

Und wozu dies alles? Um die Gegenwart tiefer zu verstehen. Nicht die Vergangenheit als solche interessiert mich hier, sondern **wie und warum das Christentum das geworden ist, was es heute ist – im Hinblick darauf, wie es sein könnte**. Nicht reine Chronologie ist das Spezifikum dieser Art Geschichtsschreibung, sondern Zeit- und Problemverschränkung.

Auf zahllose interessante Einzelheiten, reizende Anekdoten und wichtige Aspekte mußte verzichtet werden, um bei der immer wieder veränderten geschichtlichen Einstellung die notwendige Schärfe der Optik zu erreichen. Mein Bemühen mußte sich darauf konzentrieren, bei jeder der großen Gesamtkonstellationen oder Paradigmen – sei es die judenchristlich-apokalyptische (P I), die hellenistisch-byzantinisch-russische (P II), die mittelalterliche römisch-katholische (P III), die reformatorisch-protestantische (P IV) oder schließlich die aufgeklärt-moderne (P V) – auf dem Hintergrund der knapp skizzierten geschichtlichen Entwicklung die Bedingungen, Gründe und Zwänge, die Konstanten und Variablen herauszuarbeiten, um so das zeitgenössische Paradigma in seinen Grundzügen zu sichten und anzupeilen. Und da die älteren Paradigmen bei der Heraufkunft des neuen nicht etwa absterben, sondern sich parallel zum neuen Paradigma weiterentwickeln und dann vielfach ineinandergreifen, sind kleinere Überschneidungen nicht nur unvermeidlich, sondern durchaus von Nutzen.

Und so soll denn mit diesem Buch der zweite Band »Zur religiösen Situation der Zeit« vorgelegt werden, entstanden im Rahmen des von der Bosch-Jubiläumsstiftung und dem Daimler-Benz-Fonds geförderten Projektes »Kein Weltfriede ohne Religionsfriede«. Und wie bei der Darstellung des Judentums so gehe ich auch hier davon aus, daß dem Christentum eine Untersuchung nur dann gerecht wird, wenn sie gleichzeitig ein Zweifaches anstrebt: **Analyse** der in der Gegenwart noch immer wirksamen geistigen Kräfte einer jahrtausendealten Geschichte, also eine historisch-systematische **Diagnose**. Diese soll dann zu **Prospektiven** von der analysierten Gegenwart auf die in der Zukunft gegebenen verschiedenen Optionen führen, mit praktisch-ökumenischen **Lösungsansätzen**. Es hat sich freilich im Prozeß der Arbeit an diesem Band gezeigt, daß allein die Darstellung der Geschichte und der großen christlichen Traditionen diesen Umfang erfordert. Die Beschreibung der Gegenwart und der Erwartungen für die Zukunft müssen deshalb in einem weiteren Band erfolgen.

Zum Verständnis dieses Buches ebenfalls unverzichtbar: Die in diesem Buch niedergelegte Konzeption ist das **Endprodukt eines langen Denkweges.** Der Verfasser dieser Studie hat ja nicht zum erstenmal über geschichtliche Entwicklungen des Christentums geschrieben. Nach vier Jahrzehnten theologischer Forschung kann hier eine kohärente Gesamtdarstellung vorgelegt werden. Deshalb wird man es mir nicht verübeln, wenn ich in einzelnen Kapiteln auf frühere Bücher verweise, zur Abstützung und Vertiefung der hier gemachten Ausführungen.

Und ein letztes ist mir wichtig: Dieses Buch ist an einer deutschen Universität geschrieben worden, aber doch von einem »Weltbürger« so viel wie möglich **vor universalem Horizont**. Deshalb habe ich mich bemüht, je nach Periode aus der Perspektive auch anderer Länder zu schreiben, wenn für eine bestimmte geschichtliche Konstellation die verändernden und prägenden Kräfte von diesem Land ausgingen. In diesem Buch konnten die außereuropäischen Kontinente freilich nur am Rande behandelt werden: nicht etwa weil sie weniger wichtig sind, auch nicht nur aus Platzgründen, sondern weil von diesen Kontinenten – jedenfalls was das Christentum betrifft – erst in den letzten Jahrzehnten wichtige Impulse auf die christlichen »Stammlande« ausgegangen sind. Für mich ein klares Zeichen (mit anderen) dafür, daß wir nach der eurozentrischen Konstellation der Moderne in eine (seit dem Ersten Weltkrieg sich abzeichnende und seit dem Zweiten Weltkrieg sich durchsetzende) polyzentrische (eben postkolonialistische und postimperialistische) Konstellation einer – so oder anders genannten – »Nach-Moderne« eingetreten sind. Grund genug, den Einfluß und die Eigenbedeutung der außereuropäischen Kontinente (Afrika, Asien, Nord- und Südamerika, Ozeanien) in dem genannten weiteren Band zu beschreiben. Zunächst abgeschlossen aber wird das Projekt mit der angekündigten Trilogie zur religiösen Situation der Zeit, wie vorgesehen, mit einem Band über den Islam, der als nächster folgen soll – so Gott will und wir leben …

Tübingen, im Juli 1994

Hans Küng

A. Die Frage nach dem Wesen

Daß alle Religionen gleich seien, können nur Ignoranten behaupten. Im Gegenteil: Für jede Religion und besonders für jede prophetische Religion, ob Christentum, Judentum oder Islam, ist es von großer Bedeutung zu fragen: Worin unterscheidet sich denn die eigene Religion von anderen Religionen? Was ist denn das Besondere, das Typische, die spezifische Eigenart, das »Wesentliche«, ja das »Wesen« dieser oder jener Religion?[1] Diese Frage möchte ich wie schon für das Judentum jetzt für das Christentum stellen – in ökumenischem Geist, ohne Polemik gegen die anderen Religionen.

I. »Wesen« und »Unwesen« des Christentums

Es ist klar: Die Rede vom Typischen, Eigentümlichen, Wesentlichen der Religion zielt nicht auf die abstrakt-theoretische Frage nach einer systematischen Einheitskonzeption: ein einziges christliches System oder Regime. Sie zielt vielmehr auf die höchst praktische Frage, was im Christentum das **bleibend Gültige** und **ständig Verpflichtende** und **schlechterdings Unverzichtbare** sein soll. Das meine Erkenntnis leitende Interesse sei dabei nicht verschwiegen: Es ist nicht die Bewahrung des Status quo, die den Konservativen in allen Konfessionen so wichtig ist; es ist erst recht nicht die Restauration des Status quo ante, für welche Reaktionäre römisch-katholischer, fundamentalistisch-protestantischer und alt-orthodoxer Provenienz sich einsetzen. Mein Interesse ist – gerade um der Bewahrung des Wesentlichen willen – die **Wandlung, Reform, Erneuerung des Christlichen** im Blick auf einen Status quo post, die Zukunft. Im Blick darauf gilt es zu unterscheiden zwischen Idealbild, Feindbild und Realbild des Christentums.

1. Das Idealbild

Kein Werk menschlicher Staatsweisheit ist oder war jemals auf Erden, das einer Untersuchung so würdig wäre, wie die römisch-katholische Kirche. Die Geschichte dieser Kirche verknüpft die beiden großen Zeitalter menschlicher Bildung miteinander. Keine andere Einrichtung besteht heutzutage, die unsere Gedanken auf jene Zeit zurückführt, da Opferrauch vom Pantheon emporstieg und Giraffen und Tiger im Flavischen Amphitheater umherjagten. Die stolzesten königlichen Häuser sind nur von gestern, wenn man sie mit der Reihe der römischen Kirchenfürsten vergleicht. Diese Reihe können wir ohne Unterbrechung rückwärts verfolgen von dem Papst an, der im neunzehnten Jahrhundert Napoleon krönte bis zu demjenigen, der im achten Pipin den Kurzen krönte ... Aber die Republik Venedig war neu im Vergleich mit dem Papsttum; und die Republik Venedig ist untergegangen, das Papsttum besteht. Das Papsttum besteht, nicht im Verfall, nicht als ein bloßes Altertum, sondern voller Leben und jugendlicher Kraft. Die katholische Kirche schickt noch immer nach den äußersten Enden der Welt Sendboten aus, die so eifrig sind wie jene, welche einst mit Augustinus an der Küste von Kent landeten. Sie tritt feindlichen Königen noch mit demselben Geist entgegen, mit welchem sie dem Attila entgegentrat. Die Anzahl ihrer Kinder ist größer, als sie in irgendeiner früheren Zeit war. Der Zuwachs, den sie in der neuen Welt gefunden, hat sie mehr als entschädigt für das, was sie in der alten verlor. Ihre geistliche Herrschaft erstreckt sich über all die Länder, die zwischen den Ebenen des Missouri und dem Kap Horn liegen; und diese Länder werden vielleicht, wenn noch ein Jahrhundert vergangen ist, eine Bevölkerung enthalten, die der jetzigen Bevölkerung Europas an Zahl gleichkommt. Die römisch-katholische Kirchengemeinschaft umfaßt gewiß nicht weniger als hundertundfünfzig Millionen Seelen; und es wird schwer sein, nachzuweisen, daß alle anderen christlichen Konfessionen zusammen hundertundzwanzig Millionen zählen. Auch ist noch kein Anzeichen vorhanden, daß das Ende ihrer langen Herrschaft herannaht. Sie hat den Anfang aller Regierungen und aller Kirchengemeinschaften gesehen, die jetzt in der Welt vorhanden sind; und nichts gibt uns die Sicherheit, daß sie nicht bestimmt sei, ihrer aller Ende zu sehen. Sie war groß und geachtet, bevor der Sachse den Fuß auf britischen Boden gesetzt, bevor der Franke den Rhein überschritten hatte; zur Zeit, wo noch in Antiochia griechische Beredsamkeit blühte, wo noch im Tempel von Mekka Götzenbilder verehrt wurden. Und sie mag in ungeschwächter Kraft noch bestehen, wenn dereinst ein Reisender aus

Neuseeland, inmitten einer weiten Einöde, sich an einem verfallenen Bogen der London-Brücke aufstellen wird, um die Ruinen der Paulskirche in sein Skizzenbuch aufzunehmen.

So in stilo grande – es ist alles wörtliches Zitat – beschreibt der bedeutende Vertreter der liberalen Geschichtsschreibung Englands und Staatsmann **Thomas B. Macaulay**[2] im vergangenen Jahrhundert die katholische Kirche, die älteste, größte und stärkste Repräsentantin des Christentums. Und wie viele Katholiken, Nichtkatholiken und Konvertiten haben ähnlich wie der Anglikaner Macaulay auch in unserem Jahrhundert diese katholische Kirche bewundert: ihre in einzigartiger Weise durchgehaltene und gestaltete Geschichte, ihr ehrwürdiges Alter und zugleich ihre lebenskräftige Jugend, ihre weltweit verbreitete und zugleich vor Ort präsente wirkkräftige Organisation mit Hunderten Millionen von Mitgliedern und einer straff geordneten Hierarchie, ihren traditionsreichen Kult von erhabener Feierlichkeit, ihr durchdachtes theologisches Lehrsystem, ihre epochalen Kulturleistungen in Aufbau und Gestaltung des christlichen Abendlandes, ihre moderne Soziallehre ... Aber – so konnten bekanntlich auch Machtmenschen und Verbrecher aller Art die katholische Kirche bewundern – unter ihnen Napoleon und der österreichische Katholik Adolf Hitler –, der die Organisation, Dogmenfestigkeit und liturgische Prachtentfaltung[3] der katholischen Kirche bewunderte und nachahmte.

Der bekannte Tübinger Theologe **Karl Adam**, einer meiner Vorgänger im Fach Katholische Dogmatik in Tübingen, hat in seinem in vielen Auflagen und fast allen europäischen Sprachen erschienenen Werk **»Das Wesen des Katholizismus«** schon in der Einleitung diese Stelle von Macaulay zitiert und hinzugefügt: »Das ist es, was in der Wüstenei der Gegenwart unseren Blick gebannt hält: diese Unvergänglichkeit, diese strotzende Lebenskraft, diese ewige Jugend der alten, uralten Kirche.«[4] Und Adam, auch einmal Bewunderer Hitlers (»Aus dem katholischen Süden kam er, aber wir kannten ihn nicht«), der programmatisch vertreten hatte, »Nationalismus und Katholizismus« gehörten zusammen »wie Natur und Übernatur«[5], beschreibt selbst noch nach den Erfahrungen des Nazismus und des Zweites Weltkriegs in den verschiedenen Kapiteln seines Buches wie eh und je die »von Raum und Zeit unberührte katholische Idee«: Kirche als Leib Christi und Reich Gottes auf Erden, ihre Wesensmerkmale, ihren Anspruch, die alleinseligmachende zu sein, und die besonderen Kräfte, durch die sie selig macht.

Und die Wirklichkeit? Erst im Schlußkapitel wendet der Dogmatiker Adam sich vom »Katholizismus in seiner Idee« zum »Katholizismus in seiner Erscheinung« und stellt in matter Apologetik fest, es sei aufgrund der Institutionalisierung des Christentums und all des Menschlichen-Allzumenschlichen in der Kirche »keineswegs verwunderlich, daß sich der geschichtliche Katholizismus mit dem ideellen nicht immer vollkommen deckt, daß vielmehr der tatsächliche Katholizismus hinter seiner Idee beträchtlich zurückbleibt, daß er noch niemals in der Geschichte ein Fertiges, Vollkommenes, sondern immer nur ein Werdendes, mühsam Wachsendes war«[6]. Ja, so hat man sich vor allem seit Deutschem Idealismus und Romantik (Friedrich Schleiermacher im Protestantismus, John Henry Newman im Anglikanismus, Johann Adam Möhler im Katholizismus) die Geschichte des Christentums gedacht: als eine **organisch wachsende Wirklichkeit**, die zwar immer auch faule Früchte und abgestorbene Zweige austreibt, die aber doch in dauernder Entwicklung, Entfaltung und Vervollkommnung begriffen ist: die Geschichte des Christentums als ein Reifungs- und Durchdringungsprozeß.

Doch wie oft erwies sich eine augenfällige Entwicklung als Fehlentwicklung, stellte sich ein scheinbar grandioser Fortschritt als ein am Ende höchst verderblicher Rückschritt heraus. Nein, eine optimistisch-idealistische Auffassung der Kirchengeschichte, die überall – in Lehre, Verfassung, Recht, Liturgie, Frömmigkeit – ein organisches Wachsen feststellen will, ist nicht nur vom Neuen Testament her, sondern erst recht von der Realität der Kirchengeschichte her unhaltbar. Gibt es doch da ganz und gar unorganische, abnormale, widersinnige Fehlentwicklungen, wenn man nur etwa an die zunehmende Aufspaltung des Christentums in große Kirchen und zahllose Sekten denkt. Ja, wie weit sind solche idealistisch-abgehobenen Darstellungen der Kirche trotz gelegentlicher Kritik (kaum je an »Rom« und Papst) von der Wirklichkeit des real existierenden Katholizismus entfernt: die von Karl Adam genauso wie die des bedeutenden französischen Jesuitentheologen Henri de Lubac unter dem Titel »Méditation sur l'Église«[7] oder die seines Schülers Hans Urs von Balthasar unter dem Programmwort »Sponsa Verbi« (Braut des Wortes)[8] (beide nicht umsonst mit dem Kardinalat belohnt) – von den »Hymnen an die Kirche« der Konvertitin Gertrud von Le Fort[9] gar nicht zu reden. Doch wer will heute noch Hymnen an die Kirche singen?

Mit solchen zwar nicht unkritischen, aber für das römische System praktisch folgenlosen Idealisierungen, Mystifizierungen und Glorifizierungen läßt sich die Frage »Was ist Christentum?« jedenfalls nicht mehr beantworten. Da ist vielmehr rückhaltlose **Wahrhaftigkeit** angebracht, die ich mir bei aller persönlichen Hochschätzung auch nicht von Henri de Lubac verbieten lassen konnte, der mir nach meinem Vortrag über »Wahrhaftigkeit in der Kirche« anläßlich des Zweiten Vatikanischen Konzils[10] in St. Peter erklärte: »So spricht man nicht von der Kirche. Elle est quand-même notre mère; sie ist trotz allem unsere Mutter«!? Doch der Mutter-Komplex vieler Kleriker ist unterdessen nicht zuletzt von Eugen Drewermann gründlich analysiert worden.[11] Und so manche schöne »Kirchenträume« scheinen drei Jahrzehnte nach dem Konzil ausgeträumt zu sein. Trotzdem: Zusammen mit Wahrhaftigkeit sind **Gerechtigkeit und Fairness** auch gegenüber Kirche und Christentum gefordert. Deshalb muß jetzt ein Kontrapunkt gesetzt werden.

2. Das Feindbild

»Ich **verurteile** das Christentum, ich erhebe gegen die christliche Kirche die furchtbarste aller Anklagen, die je ein Ankläger in den Mund genommen hat. Sie ist mir die höchste aller denkbaren Korruptionen ... sie hat aus jedem Wert einen Unwert, aus jeder Wahrheit eine Lüge, aus jeder Rechtschaffenheit eine Seelen-Niedertracht gemacht ... Ich heiße das Christentum **einen** großen Fluch, die **eine** große innerlichste Verdorbenheit, den **einen** großen Instinkt der Rache, dem kein Mittel giftig, heimlich, unterirdisch, **klein** genug ist – ich heiße es den **einen** unsterblichen Schandfleck der Menschheit ...«. Dieser haßerfüllte »Fluch auf das Christentum« bildet das Ende jener letzten, noch von **Friedrich Nietzsche** selber zum Druck bestimmten Schrift, die direkt auf die Vernichtung des Christentums zielt: »Der Antichrist«[12].

Statt einer Hymne also ein Fluch! Ein Fluch nur von damals? Ein Fluch, der heute längst überholt ist von der weiteren Geschichte eines Christentums, das sich leicht verfluchen, doch nicht so leicht vernichten ließ? Überholt? Keineswegs! Dieselben Sätze zieren neuerdings als Leitmotiv eine vielgekaufte **»Kriminalgeschichte des Christentums«**, die **Karlheinz Deschner**, anders als der Pastorensohn Nietzsche aus katholisch-konservativem Milieu und sogar kurz Theologiestudent, in insgesamt zehn Bänden weiterzuschreiben gedenkt.[13] Und Deschner meint mit einer solchen kritischen Geschichte keineswegs nur eine Geschichte der Kirchen, »eine Darstellung der diversen Kirchentümer, Kirchenväter, Päpste, Bischöfe, der Häresiarchen und Häresiologen, der Inquisitoren sowie sonstiger heiliger und nichtheiliger Schurken, der rein klerikalen Machtambitionen und Gewaltunternehmen, sondern weit darüber hinaus eben eine Geschichte des Christentums, seiner Dynastien und Kriege, seiner Schrecken und Scheußlichkeiten«. So der Verfasser selber programmatisch in seiner Ankündigung. Ganz konkret will er im Detail berichten von »der unentwegten Verschränkung von sogenannter weltlicher und geistlicher Politik samt den säkularisierten Folgen dieser Religion: Der Kriminalität in der Außenpolitik, in der Agrar-, Handels- und Finanzpolitik, in der Bildungspolitik, in der Kultur, der Zensur, bei der fortgesetzten Verbreitung von Unwissenheit und Aberglauben, der skrupellosen Ausnutzung der Sexualmoral, des Eherechts, des Strafrechts«. Und zugleich kommt die »Geschichte der klerikalen Kriminalität« in den Blick, und zwar »bei privater Bereicherung, beim Ämterschacher, beim frommen Betrug im Wunder- und Reliquienkult, bei den verschiedensten Arten der Fälschungen et cetera, et cetera«[14].

Es gibt eine höchst berechtigte Kritik am kirchlichen System, die keineswegs aus ideologischem Antiklerikalismus kommen muß. Ja, wieviel ätzende Kritik von früheren Gläubigen kommt aus bitter enttäuschter Hoffnung? Ich bin bestimmt der letzte, der die Anklage Nietzsches gegen das Christentum nicht ernst nähme; habe ich sie doch schon vor anderthalb Jahrzehnten nicht nur zitiert, sondern mit viel Empathie ausführlich diskutiert.[15] Und ich bin auch der letzte, der die Anklagepunkte Deschners nicht ernstnähme; habe ich doch einige seiner kritischen Fragefelder schon längst auch unter historischen Gesichtspunkten behandelt, etwa das Verhältnis der Kirche zu den Juden, zu den Häretikern und zu den Schwärmern[16], alle Fragen der innerkirchlichen Reform und immer wieder die Problematik des Papsttums.[17] Und auf manche Verirrung und Verwirrung werde ich, wie schon im Buch »Das Judentum«, so jetzt in diesem Buch über das Christentum eingehen müssen. In vielem hat Deschner einfach recht und bedeutet er für die Kirchenideologen eine Herausforderung zur Wissens- und Gewissensbildung. Und nachdem die offizielle Kirche die ernsthafte Kritik wohlwollender Theologen meinte ignorieren und unterdrücken zu können, muß sie nun mit der übersteigerten Kritik übelwollender »Kriminologen« (und mancher Pamphletisten) vorlieb nehmen. Diese wollen nicht verstehen und kritisch unterscheiden, sondern anklagen und pauschal verdammen.

Aber als Vielerfahrener und Vielgeprüfter in Sachen Kirche wird man mir die Anmerkung doch gestatten: Nicht um neues Material handelt es sich bei Deschners im Detail vielfach anfechtbarer »Kriminalgeschichte« des Christentums (die schon mit dem Judentum beginnt!). Insbesondere die skandalträchtige Ausbeutung der Papstgeschichte durch diesen Autor, der aufgrund schlechter Erfahrungen zum Historiker wurde, ist alles andere als originell. Neu ist nur, von diesem Autor offen eingestanden, die aus dem Geist der »Feindschaft«[18] dem Christentum gegenüber betriebene haßerfüllte Summierung und Massierung aller irgendwo auffindbaren Fehler und Irrtümer, Verbrechen und Laster, all der Fehlentwicklungen und Dekadenzerscheinungen, während alles Gute und Lichtvolle in der zweitausendjährigen Geschichte des Christentums einfach verschwiegen wird. Wozu dieser Höchstaufwand an Ironie, Polemik, Sarkasmus und Invektiven? Um die These aufrechterhalten zu können, daß das Christentum in sich verbrecherisch, kriminell, ein Wahn, Lug und Trug sei, der »wissenschaftlich« zerstört werden müsse. Doch neuere theologische Literatur kennt Deschner kaum und zitiert dafür alte, längst überholte apologetische Schmöker.

Daß man mit Skurrilem, Pathologischem, Verbrecherischem aus zweitausend Jahren Kirchengeschichte mehrere Bände füllen kann, ohne je das Heilige zu Gesicht zu bekommen, versteht sich von selbst. Eine Lebensaufgabe. Mit Leichtigkeit könnte der Verfasser im gleichen Stil und aus ähnlicher Motivation heraus noch weitere »Kriminalgeschichten« schreiben: die Kriminalgeschichte Deutschlands, Frankreichs oder Amerikas, oder vielleicht auch die Kriminalgeschichte des kämpferischen Atheismus und der Religionskritik. Ob aber solche Kriminalgeschichten, die nur Schatten versammeln und Pfützen verzeichnen, auf die Dauer nicht genau so fade werden wie die emphatischen »Hymnen an die Kirche«? Fade, warum? Weil wer aus Leidenschaft nur Schatten sammelt, eben nur ein Schattenspiel bietet. Und wer bewußt in alle Pfützen tritt, sich zu Unrecht über den Weg beschwert.[19]

Nein, beide Büchergattungen – die triumphalistisch-schönfärbenden und fromm-verklärenden ebenso wie die aggressiv-polemischen und zynisch-herabsetzenden – sind mißliche Bücher der Halb-Wahrheiten. Denn Halb-Wahrheiten sind zugleich Halb-Irrtümer, und seriöse Historie sind beide nicht. Haß kann gewiß wie die Liebe hellsichtig machen, aber oft auch blind. Man lese nur des früheren Bamberger Theologiestudenten Haßtiraden »Über die Notwendigkeit, aus der Kirche auszutreten« – für ihn der »Riesenkadaver eines welthistorischen Untiers«, »die Reste eines Monstrums«[20]. Doch: Ein grundsätzlich Anti-Deutscher wird von Deutschland, ein aggressiver Anti-Franzose von Frankreich, ein fanatischer Anti-Amerikaner von Amerika und so eben auch ein militanter Antichrist vom Christentum (bei allen richtigen Beobachtungen) das Eigentliche wohl kaum verstehen. Nämlich: Warum so viele Deutsche, Franzosen, Amerikaner trotz aller Kritik Deutsche, Franzosen, Amerikaner bleiben wollen, warum so viele Christen nicht aufhören, Christen zu sein.

Nein, eine »Chronique scandaleuse« ist noch keine Geschichtsschreibung, sondern – wörtlich nach dem Großen Duden – eine »Sammlung von Skandal- und Klatschgeschichten einer Epoche oder eines bestimmten Milieus«. Das alles heißt: Die Frage, was das Christentum wirklich ist, vermag ein solches Feindbild ebenso wenig zu klären wie ein traditionelles Idealbild. Statt der Verherrlichung oder der Verdächtigung ist historisch-kritisches Verstehen in Wahrhaftigkeit und Gerechtigkeit geboten, das dann freilich Grundlage zu sein hat für ein theologisches Beurteilen: Messen am Ursprung, an der Ur-Kunde des Christentums.

3. Das Realbild: eine doppelte Dialektik

Für ein reales Bild der Kirche, so war mir schon in der Konzilszeit der 60er Jahre klar geworden, bedarf es durchgängig der differenzierten Berücksichtigung zweier Gesichtspunkte, die nun im Kontext der religiösen Situation der Zeit und der großen Weltreligionen allerdings noch bewußter auf die auch soziologisch-politisch-theologisch zu verstehende Größe »Christentum« auszuweiten zu sein wird[21]: das gegensätzliche Aufeinanderbezogensein, das heißt die **Dialektik** von Wesen und Gestalt und die von Wesen und Unwesen.

Wesen und Gestalt

Der Begriff des Christentums wird ständig mitbestimmt von seiner jeweiligen geschichtlichen Konkretion. Die Christenheit kann Gefangener des Bildes werden, das sie zu einer bestimmten Zeit von sich selbst gemacht hat. Jede Zeit hat ja ihr eigenes Bild vom Christentum, herausgewachsen aus einer bestimmten Situation, gelebt und gestaltet von bestimmten gesellschaftlichen Kräften und kirchlichen Gemeinschaften, begrifflich vor- oder nachgeformt von bestimmten geistig prägenden Gestalten und Theologien.

Wer nicht verblendet ist, der kann es jedoch feststellen: Es hält sich bei allen gesellschafts-, kirchen- und theologiegeschichtlichen Strömungen und Gegenströmungen, es hält sich in all den verschiedenen, sich wandelnden geschichtlichen Bildern vom Christentum ein **Bleibendes** durch, dem wir unsere ganze Aufmerksamkeit zu schenken haben werden: Grundkomponenten und Grundperspektiven, die von einem Ursprung her gesetzt sind, der gültige Norm bleibt. Es gibt also in der Geschichte des Christentums und seines Selbstverständnisses ein Beharrendes, ja, ein »**Wesen**« (»essentia«, »natura«, »substantia«). Die mit diesem Wort verbundenen Mißverständnisse sind mir wohlbekannt. Doch gegen allen starren »Essentialismus« füge ich sofort hinzu: Dieses Wesen zeigt sich nur im sich **Verändernden**.

Mit anderen Worten: Es gibt ein Identisches, aber nur im Variablen; ein Kontinuum, aber nur im Ereignis; eine Beständigkeit, aber nur in der wechselnden Erscheinung. Kurz: Das »Wesen« des Christentums zeigt sich nicht in metaphysischer Unbeweglichkeit und Abgehobenheit, sondern nur in einer stets wandelbaren geschichtlichen »**Gestalt**«. Und gerade um dieses – nicht statisch-starre, sondern dynamisch sich ereignende – ursprüngliche, bleibende »Wesen« zu Gesicht zu bekommen, muß man auf die dauernd sich verändernde geschichtliche »Gestalt« achten.

Nur dann, wenn wir das »Wesen« des Christentums in der wechselnden geschichtlichen Gestalt sehen, erfassen wir das Christentum, von dem wir in dieser Darstellung ausgehen wollen: nicht ein Idealchristentum in den abstrakten Sphären einer theologischen Theorie oder Poesie, sondern das real existierende, **wirkliche** Christentum mitten in dieser Weltgeschichte. Auch das Neue Testament beginnt ja nicht mit einer **Lehre** vom Christentum, die dann in der Folge realisiert würde, sondern mit der **Wirklichkeit** des Christentums, über die dann nachträglich reflektiert wird. Das wirkliche Christentum ist in erster Linie ein Faktum, ein Geschehen, eine geschichtliche Bewegung. Des wirklichen Christentums wirkliches Wesen ereignet sich in den verschiedenen geschichtlichen Gestalten. Dabei ist zweierlei zu beachten:

– **Wesen und Gestalt** sind **nicht zu trennen**: Sie dürfen nicht auseinandergerissen, sondern müssen in ihrer Einheit gesehen werden. Die Unterscheidung zwischen Wesen und Gestalt ist nicht eine wirkliche, sondern eine begriffliche. In Wirklichkeit gibt es nirgendwo und gab es nirgendwo ein Wesen des Christentums »an sich«, losgetrennt, chemisch rein herausdestilliert aus dem Fluß der kirchlichen Gestalten. Veränderliches und Unveränderliches lassen sich – wichtig für die Praxis! – nicht säuberlich trennen: Es gibt zwar bleibende Konstanten, aber keine von vornherein irreformablen Bezirke. Wesen und Gestalt verhalten sich nicht einfach wie Kern und Schale. Ein Wesen ohne Gestalt ist gestaltlos und so unwirklich, ebenso wie eine Gestalt ohne Wesen wesenlos und damit ebenfalls unwirklich ist.

– **Wesen und Gestalt** sind **nicht zu identifizieren**: Sie dürfen nicht gleichgesetzt, sondern müssen in ihrer Unterschiedenheit gesehen werden. Wenn auch die Unterscheidung zwischen Wesen und Gestalt eine begriffliche ist, ist sie doch eine notwendige, mit einem Fundament in der Wirklichkeit (»cum fundamento in re«!). Denn wie sollten wir anders das

Bleibende in der Gestaltwerdung bestimmen können? Wie sollten wir anders die konkrete geschichtliche Gestalt beurteilen können? Wie sollten wir sonst ein Kriterium, eine Norm haben, um das zu bestimmen, was in der jeweiligen geschichtlich-empirischen Manifestation des Christentums legitim ist? Wie wichtig gerade dies ist, zeigt sich, wenn wir auch die zweite Perspektive beachten:

Wesen und Unwesen

Gemeint ist damit: In all dem Negativen, an dem die Kirchenkritik sich zu Recht stößt und das eine idealisierende Bewunderung gerne überspielt, äußert sich nicht einfach eine geschichtliche »Gestalt« des Christentums. Das wäre eine Verharmlosung des Bösen im Christentum: Das Positive identifiziert mit dem bleibenden »Wesen«, das Negative mit der flüchtigen »Gestalt«? Nein, so unbequem dies ist: Wir haben auch das Negative der Kirche, das »Un-Wesen« des Christentums ernst zu nehmen. Und das Un-Wesen des Christentums steht zu seinem Wesen, obwohl es von ihm lebt, im Widerspruch. Es ist nicht sein legitimes, sondern sein illegitimes, ist nicht sein echtes, sondern sein pervertiertes Wesen. Als tiefdunkler Schatten begleitet das Un-Wesen das Wesen des Christentums durch alle geschichtlichen Gestalten hindurch. Mit einem Wort: **Des Christentums wirkliches Wesen ereignet sich im Un-Wesen.**

Allen Bewunderern, aber auch allen Feinden des Christentums sei deshalb gesagt: Gerade wem es um die Sache von Christentum und Kirche ernst ist, der muß mit dem dunklen Un-Wesen des Christentums von vornherein rechnen! Wie Wesen und Gestalt, Bleibendes und sich Wandelndes, so sind auch Gutes und Ungutes, Heilvolles und Unheilvolles, Wesen und Un-Wesen ineinander verwoben und durch Menschenrechnung nicht restlos auf- und abzurechnen. Auch das Wesentlichste wandelt sich. Auch mit dem Wesentlichsten kann Unwesen getrieben werden. Auch das Beste ist anfällig für das Böse. Auch mit dem Heiligsten ist Sünde möglich.

Man kann deshalb die Geschichte des Christentums wie unter einem positiven so auch unter einem negativen Vorzeichen sehen. Dann konstatiert man: Bei aller Gestaltung und Bewältigung der Geschichte läßt sich im Christentum auch ein Verfallen, ein Kapitulieren vor der Geschichte erkennen; in aller wirkkräftigen Organisation einen mit recht weltlichen Mitteln arbeitenden Macht- und Finanzapparat; in den imposanten Statistiken von christlichen Massen ein verflachtes substanzarmes Traditionschristentum; in der wohlgeordneten Hierarchie ein immer nach Rom schielendes, oft serviles und bis in die Kleidung hinein weibisches, realitätsfernes, selbstherrliches, geistliches Funktionärstum; in der kultischen Feierlichkeit einen in mittelalterlich-barocker Tradition steckengebliebenen unevangelisch-veräußerlichten Ritualismus; im klaren, dogmatischen Lehrsystem eine starr-autoritäre, mit überkommenen Begriffshülsen manipulierende, ungeschichtliche, unbiblische Schultheologie; in der abendländischen Kulturleistung Verweltlichung und Abweichen von der eigentlichen Aufgabe ... Für viele Menschen ist das die wirkliche, die real existierende Kirche. Und deshalb sind sie denn auch ausgewandert.

Dies alles heißt: Nicht nur Geschichtlichkeit im allgemeinen, sondern gerade die geschichtliche Affiziertheit des Christentums durch das Widerchristliche muß für unsere Betrachtung eine Grundgegebenheit sein, die wir ohne alle falsche Apologetik von vornherein und überall in Rechnung stellen. Gewiß, manche Kirchenaustritte (keineswegs armer Leute) geschehen aus rein finanziellen Erwägungen (Kirchensteuer), und manche Vorwürfe an die Kirche sind unverständlich, überheblich, einseitig, ungerecht, ja sehr oft auch schlicht falsch und manchmal gar bösartig. Auf all dies läßt sich antworten, freilich nicht in einer faulen Apologetik, sondern in einer Apologie, Verteidigung, Rechtfertigung, welche nur berechtigte, begründete Vorwürfe akzeptiert.[22]

In dieser Studie werde ich deshalb nie einfach den gegenwärtigen Status quo des Christentums zum Maßstab nehmen oder gar rechtfertigen. Vielmehr werde ich eine kritische Sichtung anstreben, die Voraussetzung ist für die immer wieder neu notwendige Erneuerung des Christentums – wann immer sie geschehen wird. Denselben Ansatz habe ich ja schon bezüglich des **Judentums** gewählt, und derselbe Ansatz wird auch bei der Darstellung des **Islam** gesucht werden müssen. Gegen alle stets drohende Frustration und Resignation von Reformern in allen Religionen, die manchmal das Gefühl haben, nur wie Hunde den Mond anzubellen und ständig gegen Mauern anzurennen, möchte ich durch eine analytische Betrachtung, die etwas anderes ist als wohlfeile Entlarvung, zu einer Gegenwartsdiagnose verhelfen, die Mißstände anprangert, die Verantwortlichen benennt, den Reformdruck erhöht und zu **Strukturveränderungen** ermutigt. In keiner Religion – weder in Judentum, Christentum oder Islam (um von Religionen indischen oder chinesischen Ursprungs zu schweigen) – können wir uns einfach mit dem Status quo zufrieden geben. Überall stellen sich im Blick auf eine künftige Erneuerung parallele Fragen.

Fragen für die Zukunft

Bildet sich vielleicht mit der Zeit auch im Judentum ein neuer Konsens, der bei aller auch hier unvermeidlichen Dialektik von Wesen und Gestalt, Wesen und Un-Wesen das wieder neu deutlich werden läßt, was das bleibend Gültige, ständig Verpflichtende und schlechterdings Unverzichtbare des jüdischen Glaubens ist?[23]

Welche Möglichkeiten hat der Islam, gegen alle einseitigen Zerrbilder und trotz vielfach belastender Traditionen das Wesentliche vom Unwesentlichen zu unterscheiden und jenseits aller utopischen Idealbilder realistisch das herauszustellen, was das Wesentliche des islamischen Glaubens ist?

Was ist notwendig, damit im Christentum bei allem Wandel der Gestalten und aller Verdeckung durch das Un-Wesen wieder deutlicher in Erscheinung tritt, was das eigentliche Wesen des Christentums ist?

Mit dieser Zielsetzung ist nun in einer nicht abstrakt-idealistischen, sondern nüchtern-realistischen Sicht die Frage nach dem Wesen des Christentums inhaltlich zu konkretisieren: Über die allgemeine Frage nach dem **Wesen** (im Unterschied zu Gestalt und Unwesen) hinaus muß jetzt die Frage nach dem spezifisch, dem **eigentümlich Christlichen** selbst beantwortet werden.

II. »Christentum« im Widerstreit

1. Das Wesen des Christentums – philosophisch durchschaut?

»Das Wesen des Christentums« – unter diesem Titel erschien im Jahr 1841 das Werk eines 37jährigen Philosophen, dessen erklärtes Ziel es war, »die Menschen aus Theologen zu Anthropologen, aus Theophilen zu Philanthropen, aus Kandidaten des Jenseits zu Studenten des Diesseits, aus religiösen und politischen Kammerdienern der himmlischen und irdischen Monarchie und Aristokratie zu freien, selbstbewußten Bürgern der Erde zu machen«[1]. Sein Name: Ludwig Feuerbach.

Religion – Projektion des Menschen (Feuerbach)

Der Anspruch dieses Buchs war gewaltig, wollte es doch jede Religion ein für allemal treffen, indem es das Religiöse durchgängig auf das Menschliche zurückführte. Und die Wirkung dieses Buches war immens, bekehrte es doch nicht nur Max Stirner und Bruno Bauer sowie den jungen Richard Wagner und Friedrich Nietzsche, sondern auch Karl Marx und Friedrich Engels zum Atheismus! Denn der dialektische Materialismus setzte überall im kommunistischen System die von Ludwig Feuerbach durchgeführte Kritik der Religion voraus, der so zum »Kirchenvater« des modernen Atheismus wurde.[2] Ludwig Feuerbachs Philosophie hatte buchstäblich eine welthistorische Dimension gewonnen.

Feuerbachs Grundthese war: »Das **Geheimnis der Theologie** (ist) die **Anthropologie.**«[3] Das heißt: Im Glauben an Gott stellt der Mensch sein menschliches Wesen gleichsam aus sich heraus, sieht es als etwas außer sich Existierendes und von sich selbst Getrenntes. Der Mensch projiziert sein Wesen also als selbständige Gestalt gleichsam an den Himmel, nennt es Gott und betet es an. Kurz: der Begriff von Gott ist nichts anderes als eine **Projektion des Menschen**: »Das **absolute Wesen**, der Gott des Menschen ist **sein eigenes Wesen**. Die Macht des **Gegenstandes** über ihn ist daher die Macht **seines eigenen Wesens.**«[4] Gotteserkenntnis ist somit ein gewaltiges Schein-Werfen; »Gott« ist nichts als projiziertes, hypostasiertes Spiegelbild des Menschen von sich selbst, was die Eigenschaften des göttlichen Wesens aufs schönste bestätigen. Liebe, Weisheit, Gerechtigkeit Gottes? Sie sind in Wirklichkeit die Eigenschaften des Menschen, der menschlichen Gattung! Homo homini Deus est, der Mensch ist der Gott des Menschen: Das ist das ganze Geheimnis der Religion.

Kapitel für Kapitel in erregter, auf die Dauer ermüdender, aber eben sehr nachhaltiger Weise hämmert Feuerbach sein neues Credo dem Leser ein und wendet so seine Grunderkenntnis auf sämtliche christlichen Dogmen, deren Erklärung man sich jetzt beinahe selbst denken kann: Was ist das Geheimnis der Inkarnation, der **Menschwerdung Gottes**? Der menschgewordene Gott ist nur die Erscheinung des gottgewordenen Menschen. Was ist das Geheimnis der Liebe Gottes zum Menschen? Nichts anderes als das Geheimnis der Liebe des Menschen zu sich selbst … So also meinte Feuerbach das Wesen des Christentums, ja, das Wesen jeglicher Religion ein für allemal durchschaut zu haben. Und gleichzeitig war Feuerbach der Überzeugung, daß die Religion und mit ihr das Christentum in dem Maße sich auflöse, wie der Mensch zu sich selber komme.

Nur Projektion?

150 Jahre später freilich sieht die Lage anders aus. Wir können feststellen, daß Feuerbachs Erwartungen unerfüllt geblieben sind. Und das hat auch damit zu tun, daß Feuerbachs so überzeugend klingende Theorie schon philosophisch letztlich nicht schlüssig ist. Feuerbachs von vielen repetierte und variierte Religionskritik kann deshalb heute ihrerseits als durchschaut angesehen werden. Denn im Grunde basiert sie auf zwei Argumenten:

1. Das **Projektionsargument**. Immer wieder wird von Feuerbach die individual- oder sozialpsychologische Argumentation variiert, Religion sei nichts als Projektion des Menschen oder, wie es dann Marx gesellschaftskritisch zuspitzte: »Opium des Volkes«. Aber ist damit schlüssig bewiesen, daß Gott **nur** eine Projektion ist, daß er nur eine interessenbedingte Vertröstung oder nur eine »infantile Illusion« sei, wie es Sigmund Freud später auf der gleichen Linie sagen wird? »Nur«-Sätzen oder »Nichts-als«-Sätzen ist mit Mißtrauen zu begegnen! Sie suggerieren eine Gewißheit, die aber keineswegs begründet ist.

Gewiß ist zuzugeben, daß der Gottesglaube psychologisch erklärt werden kann. Aber Psychologie oder Nichtpsychologie ist hier eine falsche Alternative. Denn psychologisch gesehen weist der Gottesglaube immer Strukturen und Gehalte einer Projektion auf, steht er immer unter Projektionsverdacht. Aber das Faktum der Projektion entscheidet doch keineswegs darüber, ob das Objekt, auf das es sich bezieht, existiert oder nicht existiert. Mit anderen Worten: Dem Wunsch nach Gott kann durchaus ein wirklicher Gott entsprechen. Und warum soll ich nicht wünschen dürfen, daß mit dem Tod nicht alles aus ist, daß es einen Sinn in meinem

Leben, in der Menschheitsgeschichte gibt, kurz, daß Gott existiert? Ludwig Feuerbach hat also durchaus recht: Zweifellos enthält Religion wie alles Glauben, Hoffen und Lieben ein Moment der Projektion. Aber damit hat er keineswegs bewiesen, daß Religion nur Projektion ist. Sie kann ja auch Beziehung zu einer ganz anderen Wirklichkeit sein.

2. Das Argument vom **Absterben der Religion.** Die immer wieder variierte geschichts- und kulturphilosophische Argumentation für ein Ende der Religion gründet ebenfalls auf einer letztlich nicht begründeten Extrapolation in die Zukunft: »An die Stelle des Glaubens« sei »der Unglaube getreten, an die Stelle der Bibel die Vernunft, an die Stelle der Religion und Kirche die Politik, an die Stelle des Himmels die Erde, des Gebetes die Arbeit, der Hölle die materielle Not, an die Stelle des Christen der Mensch«[5]. Wirklich? Heute ist sonnenklar: Weder die »Aufhebung der Religion« durch atheistischen Humanismus (Feuerbach) noch das »Absterben der Religion« durch atheistischen Sozialismus (Marx) noch die »Ablösung der Religion« durch atheistische Wissenschaft (Freud) erwiesen sich als wahre Prognosen. Vielmehr erwies sich faktisch gerade umgekehrt der Glaube (!) an die gute Menschennatur (Feuerbach) als eine begreifliche Projektion, der Glaube an die künftige sozialistische Gesellschaft (Marx) als eine interessenbedingte Vertröstung, der Glaube an die rationale Wissenschaft als gefährliche Illusion. Und so ernst die Problematik des theoretischen wie praktischen Nihilismus zu nehmen ist: Auch Nietzsches Prognose vom Tode Gottes erwies sich als Fehlprognose! Im Gegenteil, wir stehen heute – und das ist eines der deutlichsten Zeichen für eine neue Epoche nach der Moderne – vor der Tatsache der Rückkehr der Religion auch in der lange atheistischen Sowjetunion und im offiziell atheistischen China.

Für die Zukunft der Religion in der post-modernen Zeit aber – ob Christentum, Judentum, Islam oder eine indische oder chinesische Religion – dürfte mitentscheidend sein, ob die betreffende Religion die berechtigten Anliegen dieser großen Religionskritiker ernst nimmt:
– ob Religion in der Postmoderne wieder (wie so oft in der Moderne) Ausdruck der intellektuellen, moralischen und emotionalen Entfremdung und Verarmung des Menschen sein wird – oder aber seine vielfältige Bereicherung und eines wahren theoretischen wie praktischen Humanismus;
– ob sie wieder »Opium«, Mittel sozialer Beschwichtigung, Vertröstung und der Repression sein wird – oder aber Mittel umfassender Aufklärung und sozialer Befreiung;

– ob sie sich als »Illusion«, Ausdruck einer psychischen Unreife oder gar Neurose, der Regression erweisen wird – oder aber als Ausdruck personaler Identität und psychischer Reife.

Bezüglich des Christentums jedenfalls hat sich die Frage seit dem 19. Jahrhundert noch verschärft: Was ist überhaupt Christentum? Damals, in den Hochzeiten des Historismus, hat diese grundlegende Frage die Theologie zunehmend zu beschäftigen begonnen. Und man hat sie zu lösen versucht, indem man neu auf das »Wesen« des Christentums zurückfragte – in nicht mehr philosophisch-spekulativer, sondern in historischer Perspektive.

2. Das Wesen des Christentums – historisch rekonstruierbar?

»Das Wesen des Christentums«: Unter diesem Titel erschienen, gut 50 Jahre nach Feuerbach, im Jahre 1900 die Vorlesungen des großen protestantischen Kirchen- und Dogmengeschichtlers Adolf von Harnack als Buch.[6]

Zurück zum einfachen Evangelium (Harnack)

Wie schon die in Berlin unter diesem Titel gehaltenen Vorlesungen vor Hörern aller Fakultäten, so wurde auch Harnacks Buch ein Riesenerfolg – im Gegensatz zu einem anderen Jahrhundertbuch aus demselben Jahr, der »Traumdeutung« von Sigmund Freud. Warum? Weil hier einer, der die ganze komplizierte Entwicklung der christlichen Dogmatik kannte und in einer vielbändigen Dogmengeschichte dargelegt hatte[7], sich bemüht, in knapper, transparenter und allgemein verständlicher Form auf das Christentum in seiner Urgestalt, auf die christliche Botschaft in ihrer ursprünglichen Einfachheit, Schlichtheit und »Naivität« zurückzufragen: »Was ist Christentum? Was ist es gewesen, was ist es geworden?«[8] Das waren die Leitfragen.

Man kann in der Tat sagen, daß es sich bei Harnacks Unternehmen um einen »einzigen kühnen Versuch« handelt, »für die christliche Theologie zu einer geschichtlich verantwortbaren **Komplexitätsreduktion** zu gelangen, zu einer Art ›Abrüstung‹ in Sachen philosophisch-spekulativ-begrifflicher Überkomplexität, um so den Kernbestand der christlichen Verkündigung für heute neu freizulegen« (K.-J. Kuschel[9]). Freilich – typisch-modern war Harnack noch in seiner eurozentrischen Beschränktheit im Blick auf das Christentum: »Wir hoffen, daß aus der Beantwortung dieser Frage ungesucht auch ein Licht auf jene umfassendere fallen wird: was ist Religion, und was soll sie uns sein? Haben wir es doch in ihr schließlich nur mit der christlichen zu tun; die anderen bewegen uns im Tiefsten nicht mehr.«[10]

Doch Harnacks Vorstoß hat unter anderem auch die Frage provoziert: Seit wann fragt man in der Geschichte der Christenheit überhaupt nach dem »Wesen« des Christentums? Diese Frage ist nicht so neu, wie sie sich anhört. Der protestantische Theologe und Historiker Ernst Troeltsch – er hatte schon vorher die strenge Anwendung des historischen Denkens auch in der Theologie gefordert[11] – setzte sie in einem großen Aufsatz »Was heißt ›Wesen des Christentums‹«[12] in der Zeit von Romantik und Idealismus an, andere jedoch schon in der Aufklärungstheologie[13].

Erst neuerdings hat der evangelische Theologe Rolf Schäfer aufzeigen können, daß schon beim Pietisten-Vater Philipp Jakob Spener in einer Predigt von 1694 die Rede vom »Christentum« und dem »rechten **Wesen davon**« zu finden sei; die Rede vom »Wesen des Christentums« stamme also nicht aus der wissenschaftlichen, sondern aus der erbaulichen Sprache, sei also »nicht eine aufgeklärte, sondern eine pietistische Wortbildung«[14]. Und der katholische Theologe Hans Wagenhammer[15] hat diese Aussage präzisiert: Die Formel »Wesen des Christentums« begegnet schon 1666 (posthum) beim lutherisch-pietistischen Pastor Joachim Betke (»das Principal- und substantialische Wesen des Christentums«), und eine erste Monographie mit dem Titel »Essentia religionis christianae« stammt vom französischen Pietisten (Labadisten) Pierre Yvon[16]. Was ergibt sich aus diesem Befund?

Eine Frage der Reformation wie der Aufklärung

Wenn man die Formel »Wesen des Christentums« zusammennimmt mit Neben- oder Parallelformen wie etwa »Substantia christianismi«, die sich schon beim irenischen Straßburger Reformator Martin Bucer findet, dem am verbindend Christlichen zwischen Lutheranern und Reformierten lag[17], dann drängen sich mir zwei Folgerungen auf:

Die erste: Sofern die Rede von einem »Wesen« (oder der »Substantia«) des Christentums eine Konzentration und Abgrenzung vom Unchristlichen, also vom »Unwesen« des Christentums, besagt, setzt sie die **Reformation** des 16. Jahrhunderts voraus, was sachlich sofort einleuchtet. Warum? Die Reformation wollte sich ja nicht mit der Dekadenz, dem alles überlagernden Unwesen des Christentums abfinden, sondern wollte das ursprüngliche Evangelium zurückgewinnen. Freilich: Das in der Bibel niedergelegte Evangelium galt den Reformatoren und auch noch dem Pietismus selbstverständlich als das **fraglos gegebene Wesen des Christentums**, wie immer man es auch im Konkreten genau bestimmte: als Rechtfertigung, Wiedergeburt oder Gottseligkeit …

Die zweite: Sofern dann aber die Formel »Wesen des Christentums« eine historische Einsicht in die verschiedenen Ausformungen, also die »Gestalten« des Christentums meinte, setzt sie die **Aufklärung** des 18. Jahrhunderts voraus. Warum? Diese bemühte sich ja zunächst um die Vernünftigkeit des Christentums, erkannte dabei jedoch die grundsätzliche Geschichtlichkeit aller Ausprägungen des Christlichen und begann damit auch das schon ursprünglich in der Bibel gegebene **Wesen des Christentums als Frage** zu problematisieren …

Seither wird nun ausdrücklich – nicht um der Reduktion und der Auflösung, sondern um der Konzentration des Christlichen willen! – gefragt nach dem Wichtigen, Entscheidenden, Charakteristischen, also dem »Substantiellen«, »Essentiellen«, »Wesentlichen« des Christentums, das nun allerdings, wie wir sahen, heute nicht mehr idealistisch, sondern realistisch zu verstehen ist:
– als das bleibende Wesen **in** sich verändernden geschichtlichen Gestalten des Christentums;
– als das authentische Wesen trotz des immer wieder virulenten bösen Unwesens, und – so läßt sich nach der Glaubensspaltung und in Aufnahme der versöhnlichen Tendenzen der Aufklärung hinzufügen:
– als das verbindende, gemeinsame Wesen aller der verschiedenen christlichen Konfessionen und Kirchen.

Aufgrund der historischen Forschung dürfte heutzutage Übereinstimmung in der Ablehnung zweier (diametral entgegengesetzter) Standpunkte bestehen: Das Wesen des Christentums kann **nicht** identifiziert werden:
– mit einer **Vernunftreligion**, mit einer angeblich zu allen Zeiten gegebenen vernünftigen Naturreligion, wie dies bahnbrechend für die Aufklärung (und noch durchaus zur Verteidigung des Christentums in seinem Kern) die drei englischen Denker John Locke, »The Reasonableness of Christianity«[18], John Toland in »Christianity not Mysterious«[19] und Matthew Tindal in »Christianity as Old as the Creation«[20] (alle drei Titel sehr bezeichnend!) darlegten;
– oder mit dem Wesen des **Katholizismus**, wie dies faktisch noch nach dem Zweiten Weltkrieg in vorkonziliarem Geist etwa auch noch die beiden deutschen katholischen Theologen Michael Schmaus[21] und Romano Guardini[22] in ihren Schriften über das Wesen des Christentums taten.

Wie kommen wir weiter? Besser: Wo bekommen wir für die Bestimmung des Wesens des Christentums, das keine Naturreligion, sondern eine geschichtliche Religion ist, Grund unter die Füße? Es bleibt nur der Blick auf die **Herkunft** des Christentums. Und da kann – historisch gesehen – kein Zweifel sein: Von seiner ganzen Herkunft her war das Christentum nicht identisch mit einer naturgegebenen, vernünftigen Religion aller Menschen, erst recht nicht identisch mit einem bestimmten römischen Kirchensystem. Vielmehr: Von seiner Herkunft her ist das Christentum undenkbar ohne einen ganz bestimmten – **Namen**.

3. »Christentum« – beim Namen genommen

Auch gutgemeinter Zerdehnung, Vermengung, Verdrehung und Verwechslung des Christlichen möchte ich wehren, indem ich mich um eine klare Sprache bemühe, welche die Dinge beim Namen nennt und die Begriffe beim Wort nimmt. Genug wurde der Begriff des Christlichen verwässert, genug beliebig gedehnt. Ich möchte ihn hier präzise fassen. Denn das Christentum der Christen soll christlich bleiben, ja, vielleicht neu christlich werden.

Kein Christentum ohne Christus

Fixiert man sich nun nicht auf die **Formel** »Wesen« oder »Substanz des Christentums«, sondern hält man Ausschau nach dem **realen Christentum**, dann kann man kaum leugnen: Selbstverständlich gab es schon vor der Fragestellung des Pietismus und der Aufklärung nach dem »Wesen« des Christentums durchaus »wesenhaftes« Christentum. Selbstverständlich gab es schon vor der theologischen Fragestellung der Reformation nach dem »wahren« Christentum »wahrhaftiges« Christentum! Daran ändert auch nichts die Feststellung, daß das Wort »Christentum« in der alten wie vor allem in der mittelalterlichen Kirche relativ selten gebraucht wurde und mehr vom christlichen »Glauben« oder von »Kirche« und ähnlichem die Rede war. Der christliche Apologet des zweiten Jahrhunderts, der Philosoph und Märtyrer Justin, etwa sprach vom Christentum als der »wahren Philosophie«, meinte aber keineswegs nur eine Religionstheorie, sondern auch eine Lebenspraxis.

Doch nicht die Begriffsgeschichte ist für uns entscheidend. Kommt man von der Begriffsgeschichte zur Realgeschichte, dann ist unübersehbar, daß das zweitausend Jahre alte historische Phänomen Christentum als

Weg des Glaubens und des Lebens von allem Anfang an und durch alle Jahrhunderte hindurch – anders als das Judentum – ganz wesenhaft mit einem bestimmten menschlichen Namen zu tun hatte. Theologen verstehen es indessen bisweilen besonders gut, in Wesentlichem um die **Sache** herumzureden, statt sie beim **Namen** zu nennen. Wenn wir im Deutschen sagen, »Das Kind muß doch einen Namen haben«, dann meinen wir: eine Sache bedürfe einer konkreten Herleitung, Identifizierung, Begründung. Wenn man also ganz elementar fragt, warum denn das Christentum Christentum ist, kann die Antwort nur lauten: weil es seinen **Grund** nicht in irgendwelchen Prinzipien, Ideen, Grundsätzen, Begriffen hat, sondern in einer **Person**, die in alter Sprache noch heute **Christus** genannt wird. Gewiß, das ist elementar geantwortet. Aber wir werden es sehen: In den Folgen für Theorie und Praxis erweist sich diese elementare Antwort als höchst komplex.

Von »Christus« – dies wurde der Eigenname dieser Person, die kennzeichnende Benennung, welche sie von anderen unterscheidet – kommt der Name »Christentum«. Nun ist »Christentum« freilich kein biblischer Terminus – vielleicht ein Grund, weswegen noch Martin Luther das Wort selten gebraucht. Und doch ist es fast so alt wie das von ihm bezeichnete Phänomen. Das Wort »**Christen**« findet sich schon in der Apostelgeschichte, die berichtet, dieser Name sei (vielleicht als Übername?) im syrischen Antiochien aufgekommen, wo es neben den aus Jerusalem geflohenen Judenchristen auch die ersten Heidenchristen gab.[23] Möglicherweise ist in Antiochien auch das Wort »**Christentum**« = »**Christianismós**« (wie »Christós« ein griechisches Wort) entstanden – in offensichtlicher Analogie zum Wort »Judentum« = »Judaismós«[24], welches ebenfalls zugleich Lehre und Praxis wie die Gemeinschaft bezeichnet. »Christentum« findet sich nämlich zum ersten Mal gegen das Jahr 110 in den Briefen des Bischofs dieser großen syrischen Metropole, Ignatios, der, unter Kaiser Trajans Verfolgung nach Rom deportiert, auf seiner Reise an die Magnesier schrieb, sie sollten »dem Christentum gemäß« leben[25], wobei er das »Christentum« bereits äußerst scharf vom »Judentum« abgrenzt: es sei, meint er sogar, »nicht am Platz, Jesus Christus zu sagen und jüdisch zu leben«[26]. Im Lateinischen hingegen hieß das Christentum ursprünglich einfach »Nomen christianum«, »christlicher Name«[27].

Christliche Konzentration ohne christozentrische Engführung

So sehr man erstaunt sein kann, daß ein heidenchristlicher Bischof wie Ignatios schon kurz nach der ersten Jahrhundertwende offensichtlich

nichts mehr von einem Juden-Christentum wissen will, so ist doch unübersehbar, daß die Worte »Christ« wie »Christentum« von Anfang an mit diesem Namen Jesus Christus verbunden sind. Von ihm ist denn auch in neutestamentlichen Schriften ständig die Rede: als einer geschichtlichen Person! Dies bestätigen auch die allerersten nichtchristlichen Zeugnisse aus ungefähr derselben Zeit:
– **Josephus Flavius**, der jüdische Geschichtsschreiber. Er berichtet um das Jahr 90 in Rom mit deutlicher Reserve von der im Jahre 62 erfolgten Steinigung des Jakobus, des »Bruders Jesu, des sogenannten Christus«[28].
– **Gajus Plinius II.**, römischer Gouverneur in der kleinasiatischen Provinz Bithynien. Er richtet um 112 an Kaiser Trajan eine Anfrage wegen der vieler Verbrechen angeklagten »Christen«. Diese hätten seiner Überprüfung zufolge zwar dem Kaiser den Kult verweigert, sonst aber anscheinend nur »Christus als einem Gott« Hymnen gesungen und sich auf gewisse Gebote (nicht stehlen, rauben, ehebrechen, betrügen) verpflichtet.[29]
– **Cornelius Tacitus**, der große römische Geschichtsschreiber und Freund des Plinius. Er berichtet etwas später vom großen Brand Roms: Zwar schreibe man allgemein Kaiser Nero selber die Schuld dafür zu, dieser aber habe seinerseits die Schuld auf die »Chrestianer« abgeschoben. »Chrestianer« (Biedermänner)? Das Wort sei abgeleitet von einem unter Tiberius durch den Prokurator Pontius Pilatus hingerichteten »Christus«, nach dessen Tod dieser »verhängnisvolle Aberglaube« wie schließlich alles Schändliche und Gemeine seinen Weg nach Rom gefunden und nach dem Brand sogar eine große Menge Gläubiger gewonnen habe.[30]

Was diese ältesten jüdischen und heidnischen Zeugnisse aus dem 1./2. Jahrhundert über das Christentum sagen, läßt sich durch ungezählte Zeugnisse aus allen zwanzig Jahrhunderten bestätigen und weist hin auf etwas, was eigentlich selbstverständlich sein sollte und doch so gar nicht selbstverständlich ist. Das Christentum als »**Religion**«, das heißt als **Heilsbotschaft und Heilsweg**, meint in seinem Wesen

- nicht irgendeine ewige Idee (und sei es auch die der »Gerechtigkeit« oder der »Liebe«),
- nicht irgendein Dogma (und sei es das feierlichste),
- nicht irgendeine Weltanschauung (und sei es die beste),
- sondern meint die alles bestimmende Bedeutung einer konkreten menschlichen Gestalt: des Christus Jesus.

Lassen wir nämlich zunächst alles beiseite, was sich in der Geschichte des Christentums (in Kirchen, Theologien, Rechtsordnungen, Spiritualitäten, Volksreligiositäten) angelagert und aufgetürmt hat (von all dem wird ausführlich zu reden sein), so steht am **Ursprung** des Christentums nichts als eine Person. Mit ihr allein haben wir das bleibende **Zentrum** des Christentums vor uns, nur von ihr her läßt sich die Frage nach dem **Wesen** des Christentums beantworten.

Es geht mir hier also zunächst ganz und gar um eine **christliche Konzentration**. Christliche Konzentration aber ist **etwas anderes als christozentrische Engführung**! Damit eine solche von vornherein vermieden und der universale humane Horizont allseits offengehalten wird, möchte ich an dieser Stelle einige Zwischenfragen formulieren.

Fragen für die Zukunft

Muß eine Kon-zentration auf das eigentümlich **Jüdische** – Israel als des einen Gottes Volk und Land – jenen einen Juden aus Nazaret von vornherein ausschließen, in dessen Namen der jüdische Glaube an diesen einen Gott in alle Welt hinausgetragen wurde?

Muß eine Kon-zentration auf das eigentümlich **Islamische** – der Koran als des einen Gottes Wort und Buch – eine authentischere Auseinandersetzung mit Geschichte und Botschaft jenes großen Propheten und Messias vor Muhammad nicht einschließen, wie er in den christlichen Quellen selbst mehr als ein halbes Jahrtausend zuvor beschrieben worden ist?

Muß eine Kon-zentration auf das eigentümlich **Christliche** – dieser eine als Gottes Christus und Sohn – von vorneherein zu einer scharfen Trennung von den beiden anderen abrahamischen Religionen führen, oder lassen sich nicht gerade vom christlichen Zentrum her wesentliche Verbindungslinien zu Judentum und Islam ziehen?

Versuchen wir es also, das Wesen des Christentums genauer zu bestimmen, indem wir uns an die Glaubensmitte des Christentums herantasten: Was macht das Zentrum des Christentums aus? Was ist seine Grundgestalt und sein Urmotiv? Was sind seine zentralen Strukturelemente?

B. Das Zentrum

Was für das Judentum zu sagen war, das gilt erst recht für das Christentum: Sein »Zentrum« ist nicht etwa (hegelianisch) zu verwechseln mit einem »Grundbegriff«, einer »Grundidee«, der gegenüber alle anderen Begriffe und Ideen des Christentums nur geschichtliche Entscheidungen und Entfaltungen wären. Sein »Zentrum« ist auch nicht (dogmatisch-orthodox) zu verwechseln mit einem »Grundprinzip«, von dem her sich das Ganze des christlichen Glaubens systematisch konstruieren ließe. Worum geht es dann beim Zentrum des Christentums?

I. Grundgestalt und Urmotiv

Wie aus der Hebräischen Bibel, so lassen sich auch aus dem Neuen Testament kein einheitliches begriffliches System und keine kohärente scholastische Dogmatik deduzieren. Auch wenn die neutestamentlichen Schriften anders als die der Hebräischen Bibel insgesamt kaum ein Jahrhundert umfassen, so hat die historische Kritik gezeigt, wie sehr auch im Neuen Testament verschiedene Traditionen, Schichten und Theologien zu unterscheiden sind. Aber nicht weniger dringend ist auch hier die Frage: Soll es denn bei aller Vielfalt keinen Zusammenhang der Traditionen und Schichten, der Personen und Theologien geben?

1. Was den christlichen Urkunden gemeinsam ist

Ist das Neue Testament etwa nur ein Konglomerat grundverschiedener Schriften, die keinen gemeinsamen Nenner haben? Oder ist es mehr?[1]

Bei aller Verschiedenartigkeit eine Grundgestalt

Sie läßt sich nicht bestreiten, und nur ein blinder und dogmatisch Geblendeter könnte sie nicht wahrnehmen: die **Verschiedenartigkeit**, auch Zufälligkeit, ja teilweise auch Widersprüchlichkeit **der in der Sammlung des Neuen Testaments enthaltenen Schriften**: Da sind Evangelien, die vor allem Reden und Wundersames aus der Vergangenheit berichten, und prophetische Sendschreiben, die der Gegenwart und Zukunft gelten. Ausführliche systematische Lehrschreiben stehen neben wenig geplanten Antwortschreiben auf Fragen der Adressaten. Die Spannweite reicht von einem Gelegenheitsbrieflein, kaum zwei Seiten lang, an den Herrn eines entlaufenen Sklaven, bis zu einer eher langatmigen Beschreibung der Taten der ersten Generation und ihrer Hauptpersonen. Die einen Schriften sind im Stil gewandt, die anderen eher ungepflegt; die einen stammen nach Sprache und Gedankenwelt von aramäisch sprechenden Juden, die anderen von griechisch sprechenden Juden- oder Heidenchristen; die einen stammen wirklich von dem Autor, dessen Namen sie tragen (authentische Briefe des Paulus), die anderen werden dem betreffenden Autor nur zugeschrieben (Pseudoepigraphen); die einen sind sehr früh (um 50), die letzten sehr spät nach Jesu Tod (um 100) verfaßt ...!

Die **Frage** drängt sich fürwahr auf: Was eigentlich hält die so verschiedenen 27 »Bücher« des Neuen Testaments – die hinter ihnen stehenden Verfasser und Gemeinden – zusammen?

Die **Antwort** ist nach den Zeugnissen selber erstaunlich einfach. Es ist der Name eines Juden: **Jesus** von Nazaret, dem seine Anhänger den höchsten Ehrentitel gaben, den Juden einem Menschen verleihen konnten: Maschiach (hebr.), Meschiach (aram.), Christos (griech.), was so viel heißt wie: der von Gott Gesalbte oder Gesandte. Jesus als der Christus Gottes, das ist die **Grundgestalt**, die alle neutestamentlichen Geschichten und Parabeln, Briefe und Sendschreiben, aber auch alle die so verschiedenen judenchristlichen wie heidenchristlichen Gemeinden zusammenhält. In abgekürzter biblischer Formel: »Jesus Christus«.

Dagegen findet sich rein nichts von Jesus von Nazaret in jenen berühmten Schriftrollen, die zwischen 1947 und 1956 in den Höhlen nahe der verfallenen Ruinensiedlung **Qumran** am Toten Meer gefunden worden sind.

Verschlußsache Jesus?

Wenn man selber schon 1974 aufgrund der seriösen Fachliteratur ausführlich sowohl die Gemeinsamkeiten wie die unüberbrückbaren Unterschiede zwischen Jesus und seiner Jüngergemeinde einerseits und den Essenern wie der Qumrangemeinde andererseits aufgezeigt hat (und schon damals waren praktisch alle dafür relevanten Texte bekannt)[2], dann kann man sich nur darüber wundern, wie es einigen wissenschaftlich nicht ernst zu nehmenden Sensationsautoren mit Hilfe bestimmter Medien gelungen ist, Millionen irrezuführen mit der Behauptung, die katholische Kirche und besonders der Vatikan hätten die Wahrheit über Jesus mit repressiven Methoden unterdrücken wollen (»Verschlußsache Jesus«[3]). Obwohl ich selber in diesem Zusammenhang als Opfer der vatikanischen Repression genannt werde, fühle ich mich doch bei allem Kampf gegen die römische Inquisition angesichts dieser »Enthüllungsgeschichten« zu folgenden **Klarstellungen** veranlaßt:

– Eine vatikanische Verschwörung zur Unterdrückung der Wahrheit von Qumran hat es nie gegeben; doch sind solche weithin akzeptierten Phantastereien Indizien für eine Vertrauenskrise in der katholischen Kirche: Dem heute wieder erneut repressiv-autoritären Vatikan glaubt man nichts, traut ihm aber alles zu.

– Anlaß zu solchen Gerüchten bot jenes eigensüchtig-kleinkarierte und zugleich ineffiziente siebenköpfige Forschergremium verschiedener christlicher Konfession (aber leider im damals jordanischen Ostjerusalem ohne einen Juden!), das unbedingt alle (rund 100 000 zum Teil ja nur briefmarkengroße) Fragmente unbedingt selber veröffentlichen wollte und damit nicht vorankam.

– Zugleich manifestiert sich hier das Versagen einer akademischen Theologie, die sich immer wieder als unfähig oder unwillig erweist, die Resultate ihrer Forschung in verständlicher Sprache einer größeren Öffentlichkeit bekannt zu machen; es manifestiert sich aber auch das Versagen der Kirchenleitungen, welche die Ergebnisse einer kritischen Exegese und Historie von den Gemeinden möglichst fernhält (wovon man in der Sonntagspredigt nichts hört, das vernimmt man dann völlig uninformiert im Fernsehen).

– Dies alles entschuldigt aber nicht jene geschäftstüchtigen Verlage und Medien, die ihr Geschäft mit der Dummheit machen: mit angeblich wissenschaftlicher Literatur, die nichts als die Sehnsucht der Massen nach Religiösem, Geheimnisvollem, Okkultem und Skandalträchtigem befriedigt. Wer aber Gründe für den Abschied vom Christentum sucht, kann sich keinesfalls auf diese »Verschlußsache Jesus« berufen und auch nicht auf Jesu (angeblichen) Scheintod, das (unechte)[4] Turiner Grabtuch, die (frei erfundene) Reise Jesu nach Indien[5] und ähnliche Phantastereien oder Verschwörungstheorien[6]. Er müßte seinen Abschied schon solider begründen.

Was nun die **Sachfragen** betrifft, so ist völlig unbestritten, daß die Qumranschriften einen wichtigen Einblick in die jüdische Gesellschaft und Religiosität unmittelbar vor dem Auftreten Jesu und dem Entstehen der ersten christlichen Jüngergemeinschaft bieten.[7] Seriöse Qumranforschung polarisiert nicht Juden und Christen, sondern führt sie zusammen. Denn in vielen vor allem sprachlichen Details helfen die Qumranschriften, das Neue Testament besser zu verstehen (das Wort »Sohn Gottes« zum Beispiel kommt wie in den Psalmen so auch in einem Qumranfragment vor). Schließlich geht es doch um den gemeinsamen jüdischen Glaubens- und Kulturraum, den Wurzelboden des Christentums.

Auch wenn die Funktion der vermutlich 68 n. Chr. durch die Römer zerstörten Siedlung nicht eindeutig zu bestimmen ist, so nimmt doch die Mehrzahl der Forscher nach wie vor mit Recht an, daß es sich um eine Essener- oder Sektenniederlassung gehandelt hat, die da in der Wüste am Toten Meer ihre eigene radikale Tora-Observanz pflegte. Für die Problematik des Urchristentums ist dabei folgendes wichtig:

– Sämtliche relevante Qumranschriften sind, was die von den israelischen Behörden 1991 durchgeführten Radiokarbontests bestätigen, vor Jesu Auftreten, im 2./1. Jahrhundert v. Chr. verfaßt worden (später bestenfalls noch Kopien früherer Schriften).

– Weder Johannes der Täufer noch Jesus selber noch sein Bruder Jakobus noch der Apostel Paulus haben nach den uns bekannten Quellen etwas mit Qumran zu tun gehabt.

– Insbesondere Jesu Namen wird in allen inzwischen bekannten Schriften nicht einmal andeutungsweise oder verschlüsselt erwähnt; daß er mit dem »Lehrer der Gerechtigkeit«, dem uns unbekannten Priester und Ordensgründer, der zwischen 150 und 100 v. Chr. gewirkt hat, identisch sein soll, beruht auf eklatanter Fehldatierung und Fehlinterpretation.

– So finden sich denn überhaupt keine Spuren des Christentums (gar eines gekommenen Messias, ja, eines Gekreuzigten und Auferweckten) in den Schriften von Qumran. Im Gegenteil: Gerade bezüglich der für Qumran typischen wiederholten Tauchbäder, gemeinsamen Mahlzeiten, der Gütergemeinschaft und Hierarchie sind die Unterschiede zu Jesus und seiner Jüngergemeinschaft eklatant.[8]

2. Was die christliche Geschichte zusammenhält

Ist die Geschichte des Christentums nur eine reichlich willkürliche und widersprüchliche Abfolge kontrastierender Ideen und Ereignisse, die von nichts und niemandem zusammengehalten wird? Oder ist sie mehr als das?

Bei allen Widersprüchlichkeiten ein Grundmotiv

Sie lassen sich ebenfalls nicht bestreiten, und nur ein kirchenhistorischer Ideologe könnte sie harmonisieren und überkleistern wollen: alle die Risse, Sprünge und Brüche, die Kontraste und **Widersprüchlichkeiten** in der kirchlichen Überlieferung und überhaupt **in der Geschichte des Christentums.** So geschah es doch nach beinahe soziologischer »Gesetzmäßigkeit«: Die kleinen Gemeinschaften werden zur Großorganisation, die Minorität wird zur Majorität, die Untergrundkirche zur Staatskirche; die Verfolgten werden zu Herrschenden und die Herrschenden nicht selten selber wieder zu Verfolgenden ... Welches Jahrhundert ist das wahrhaft christliche Jahrhundert? Das der neronianischen Märtyrer oder das der konstantinischen Hofbischöfe, das der iro-schottischen Mönche oder das der großen mittelalterlichen Kirchenpolitiker?

Was hat das Christentum nicht alles durchgemacht! Jahrhunderte der konvertierenden Barbaren im Aufgang Europas und die Jahrhunderte des von deutschen Kaisern und römischen Päpsten neu begründeten und auch wieder ruinierten Imperium Romanum. Jahrhunderte der Kreuzzüge wie solche der Judenverfolgungen, Jahrhunderte der Papstsynoden und solche der die Päpste bedrängenden Reformkonzilien. Die Christenheit hat das Goldene Zeitalter der Humanisten und Renaissancemenschen ebenso erlebt wie die große Kirchenrevolution der Reformatoren, der ihrerseits Gegenreformation und Inquisition gefolgt waren: Epochen der barock-katholischen, aber auch der lutherisch-calvinischen Orthodoxie und dann wieder Epochen der evangelischen Erweckung. Perioden der Anpassung und Perioden des Widerstandes, Saecula obscura und das Siècle des lumières, Phasen der Innovation und Phasen der Restauration, Zeiten der Verzweiflung und Zeiten der Hoffnung ...!

Fürwahr, die **Frage** drängt auch hier sich auf: Was eigentlich hält die so ungeheuer gegensätzlichen zwanzig Jahrhunderte der christlichen Geschichte und Tradition zusammen?

Die **Antwort**, elementar auch hier, kann keine andere sein: Es ist der Name jenes **Jesus**, der durch die Jahrhunderte Gottes endzeitlicher

Prophet und Gesandter, sein Stellvertreter und Sohn genannt wird. Der Name Jesus Christus ist so etwas wie der »goldende Faden« im ständig neugewirkten Tauwerk der oft so rissigen und schmutzigen christlichen Geschichte: das auch in aller Dekadenz nie einfach verlorengegangene verbindende **Urmotiv** in christlicher Tradition, Liturgie, Theologie und Frömmigkeit.

Dies gilt bis heute. Man frage sich nur: Was ist so verschiedenartigen Gestalten unseres Jahrhunderts wie der jüdischen Philosophin Edith Stein († 1942) und dem Widerstandskämpfer Dietrich Bonhoeffer († 1945), was dem amerikanischen Bürgerrechtskämpfer Martin Luther King († 1968), dem salvadorianischen Erzbischof Oscar Romero († 1980) und dem polnischen Priester Jerzy Popieluszko († 1984) gemeinsam? Sie waren Christen und haben sich allesamt unter autoritären Gewalt-Regimen in Gewaltfreiheit eingesetzt für ein menschenwürdiges Leben ihrer Zeitgenossen. Sie alle wurden selber mit brutaler Gewalt umgebracht und wurden gerade so ihrem Leitbild, dem gekreuzigten Nazarener, ähnlich.

Damit sind wir zu einer ersten, zwar allgemeinen, aber elementaren und bestimmten Antwort auf die Frage nach dem **Zentrum** des Christentums vorgestoßen:

- Ohne Jesus Christus keine Sammlung der neutestamentlichen Schriften und Gemeinden: Er ist die **Grundgestalt**, die all die (doch nicht völlig heterogenen) Traditionen zusammenhält.
- Ohne Jesus Christus keine Geschichte des Christentums und der christlichen Kirchen: Er ist das sie über alle Brüche hinweg verbindende **Grundmotiv**, das die (doch nicht total verschiedenen) historischen Epochen verbindet.
- Der Name Jesus Christus, schon in neutestamentlicher Zeit zu einem Eigennamen zusammengewachsen, ist somit das **bleibend Gültige**, das **ständig Verpflichtende** und das **schlechterdings Unverzichtbare** im Christentum!

Statt eines abstrakten Prinzips eine konkrete Person

Christentum steht und fällt also nicht mit einer unpersönlichen Idee, einem abstrakten Prinzip, einer allgemeinen Norm, einem rein gedanklichen System. Anders als manche andere Religion steht und fällt das Christentum mit einer konkreten Person, die für eine Sache, einen ganzen Lebensweg steht: Jesus von Nazaret. Er selbst ist die Verkörperung eines neuen »way of life«.

In der Tat: Jesus verkündete keine ewigen Ideen. Deshalb steht im Zentrum des Christentums keine der »ewigen Ideen«, sondern eine Person in ihrer **Anschaulichkeit**. Ideen, Prinzipien, Normen, Systeme sind ausgezeichnet durch Klarheit und Bestimmtheit, Einfachheit und Stabilität, Denkbarkeit und Aussagbarkeit. Aber los-gelöst, ab-strahiert vom Konkret-Einzelnen erscheinen sie einfarbig und entrealisiert: Aus der Abstraktion folgen fast notwendig Undifferenziertheit, Starrheit und relative Inhaltsleere, alles angekränkelt durch die Blässe des Gedankens. Kurz: Ideen, Prinzipien, Normen, Systemen fehlen aus ihrer Natur heraus die Bewegtheit des Lebens, die bildliche Faßbarkeit und der unerschöpfliche, nicht auszudenkende Reichtum der empirischen konkreten Existenz.

Jesus ist anders – eine konkrete Person! Und deshalb muß Christsein anders sein! Und nicht nur das Neue Testament, sondern die Geschichte von zwanzig Jahrhunderten zeigt es: Als konkrete Person hat Jesus nicht nur Denken und kritisch-rationalen Diskurs angeregt, sondern immer auch Phantasie, Einbildungskraft und Emotionen, Spontaneität, Kreativität und Innovation. Als Person hat er es Menschen ermöglicht, im Geist in eine unmittelbare existentielle Beziehung zu ihm zu treten: Von ihm konnte man erzählen und nicht nur über ihn räsonieren, argumentieren, diskutieren und theologisieren. Und wie keine Geschichte durch abstrakte Ideen ersetzt werden kann, so konnte auch im Fall Jesu kein Erzählen durch Proklamieren und Appellieren, konnten keine Bilder durch Begriffe, kein Ergriffenwerden durch Begreifen ersetzt werden.[9] Die Person ließ sich nicht auf eine bestimmte definitive Formel bringen.

Gerade das macht das Spezifische des Christentums aus: **Nicht ein Prinzip, sondern eine lebendige Gestalt**, die im tiefsten und umfassendsten Sinn des Wortes »attraktiv« sein kann: Verba docent, exempla trahunt, Worte lehren, Beispiele reißen mit. Ein Christ soll ja nicht nur eine allgemeine »christliche« Lebensgestaltung realisieren, sondern er kann zu diesem Christus Jesus, dessen Geist noch immer wirkt, selber Vertrauen fassen und sein Leben nach diesem Maß einzurichten versuchen. So erweist sich denn Jesus selber in allem, was er ist und bedeutet, für den Menschen geradezu – wie das Johannesevangelium interpretiert – als **»der Weg, die Wahrheit und das Leben«**[10].

Was aber ist das Besondere an diesem Namen, dieser Person? Die **Wirkungsgeschichte gibt** uns keine oder bestenfalls **verwirrende Antworten**, haben sich doch Reformer und Ketzer, Heilige und Schurken, Fromme und Heuchler, moralische und unmoralische, mächtige und ohnmächtige Menschen zugleich auf ihn berufen. **Klare Antwort** gibt uns nur die

Ursprungsgeschichte, und wenn wir hier jede christozentrische Engführung vermeiden wollen, so müssen wir gerade zur Bestimmung des Besonderen, Typischen, Eigentümlichen, Spezifischen der christlichen Religion auf die neutestamentlichen Urkunden, ja, die neutestamentliche Ur-Kunde zurückfragen. Wir versuchen eine konkrete und zugleich knappe Antwort auf die Frage: Was ist denn in den verschiedenen Urkunden des christlichen Glaubens
– die ständige Voraussetzung (nicht: Prinzip)?
– die maßgebliche Grundvorstellung (nicht: Dogma)?
– die treibende Kraft (nicht: Gesetz)?

Es geht hier um die zentralen Strukturelemente des christlichen Glaubens:
– um den Glauben an den einen Gott als der ständigen Voraussetzung,
– um den Glauben an Jesus, den Christus, als der maßgeblichen Grundvorstellung,
– um den Glauben an den Heiligen Geist als der treibenden Kraft.

II. Die zentralen Strukturelemente

So viele Menschen verlangen nach einer Lebensorientierung: Woher kommen, wohin gehen wir? Darauf antwortet der Glaube an den einen Gott.
So viele Menschen fragen nach einer Wegweisung: Woran soll man sich halten? Das sagt ganz konkret der Glaube an Jesus, den einen Herrn.

So viele Menschen wünschen sich Lebensmut und Lebensfreude: Woher die Kraft nehmen? Diese schenkt der Glaube an den einen Geist.

1. Der Glaube an den einen Gott

»Es gibt verschiedene Charismata, aber nur den **einen Geist**.
Es gibt verschiedene Dienste, aber nur den **einen Herrn**.
Es gibt verschiedene Wirkkräfte, aber nur den **einen Gott**,
der alles in allem bewirkt.«
So der Apostel Paulus in seinem ersten Schreiben an die Gemeinde von Korinth.[1]

Die Gemeinsamkeit der drei prophetischen Religionen

Es ist für die heutige Verständigung zwischen Juden und Christen von grundlegender Bedeutung: Auch die Christen glauben an den einen Gott Abrahams, Isaaks und Jakobs, den Gott Israels. Die Ablehnung eines Judengottes der Schöpfung, der Gerechtigkeit und des Gesetzes zugunsten eines Christengottes des Evangeliums, der Gnade und der Liebe: Eine solche Verwerfung der Hebräischen Bibel um einer radikalen Konzentration und Reduktion auf das Evangelium Jesu Christi willen, wie sie der Reeder und Bischofssohn Markion schon in der ersten Hälfte des zweiten Jahrhunderts vertreten hatte, wurde damals von der jungen Christenheit ein für allemal als Erzhäresie abgelehnt und ausgeschieden. Paulus selber, wie wir ihn gerade hörten, desavouiert Markion, der sich auf ihn als den angeblich einzigen beruft, der Jesus wirklich verstanden habe.

Von Anfang an erweist sich das Christentum so mit dem Judentum und dann auch mit dem Islam als eine typisch **prophetische Religion**, die sich vom Typus der indisch-mystischen wie den der chinesisch-weisheitlichen Religionen unterscheidet[2]: Die entscheidende Initiative im Heilsgeschehen hat **Gott**, mit dem der Mensch weder von Natur aus eins ist noch durch irgendwelche menschliche Bemühung eins wird, sondern »vor« dem (vor dessen »Angesicht«) der Mensch handelt und dem er sich im Glauben anvertrauen darf.

Das heißt: Nicht eine Einheitsmystik wie in Indien oder eine Weltharmonie wie in China, sondern – bildlich gesprochen – das **Gegenüber** von Gott und Mensch bestimmt von Anfang an wie das Judentum so auch das Christentum und dann den Islam. So ist das Christentum wie die anderen beiden prophetischen Religionen eine Religion der **Konfrontation** von Gott und Mensch, von heiligem Gott und sündhaftem Menschen. Aber durch Gottes **Wort** an den Menschen und durch des Menschen **Glauben** an Gott wird sie zu einer Religion der **Kommunikation.**

Deshalb ist vor aller Herausarbeitung des spezifisch Christlichen die große **Gemeinsamkeit des Christentums mit Judentum und Islam** herauszustellen: Gemeinsam ist

- **der Glaube an den einen und selben Gott** Abrahams, des Stammvaters aller drei Religionen[3], der nach allen drei Überlieferungen der große Zeuge dieses einen wahren lebendigen Gottes ist, der in Klage, Lobpreis und Bitte angeredet werden darf: Es geht bei allen dreien um Glaubensreligionen;
- eine nicht in kosmischen Zyklen denkende, sondern **zielgerichtete Schau der Geschichte**: Sie hat ihren Anfang in Gottes Schöpfung, erfährt ihre Bestätigung durch Gottes Handeln und rettende Zeichen in der Zeit und ist ausgerichtet auf ein Ende durch Gottes Vollendung: Es geht um geschichtlich denkende Religionen;
- die immer neue Verkündigung des Wortes und Willens Gottes durch eine ganze Reihe **prophetischer Gestalten**: Es geht nicht um mystisch, sondern um prophetisch geprägte Religionen;
- die Niederlegung einer ein für allemal gegebenen und bleibend normativen Offenbarung Gottes an den Menschen in Gestalt einer **Offenbarungsschrift**: Es geht um Religionen des Wortes und des Buches;
- schließlich das in des einen Gottes Willen begründete **Grundethos** einer elementaren Humanität: die Zehn (oder ihnen entsprechende) Gebote Gottes (»Dekalog«): Es geht um ethisch ausgerichtete Religionen.

Ein gemeinsames jüdisch-christlich-islamisches Grundethos

Schon in unserer Studie über das Judentum ist deutlich geworden: Auch die in der Bibel enthaltenen Gebote und Verbote sind menschlich vermittelte Gebote. Auch die ethischen Forderungen der Tora, der »Weisung«, der »Fünf Bücher Mose«, sind weder dem Inhalt noch der Form nach einfach vom Himmel gefallen.[4] Was für das Ethos der Propheten und Weisheitsliteratur ohne weiteres einleuchtet, gilt auch für all die Weisungen der Tora, der Fünf Bücher Mose. Wir wissen heute, daß die ganze lange Sinai-Geschichte[5] sehr vielschichtiges Gut göttlicher Anordnungen enthält, die verschiedene Zeitphasen widerspiegeln. Und selbst die berühmten Zehn Gebote – »die zehn Worte«[6], die in zwei Fassungen vorliegen[7] – haben eine Geschichte durchlaufen, reichen doch Weisungen der sogenannten »zweiten Tafel« (Pflichten gegenüber den Mitmenschen) in die sittlichen und rechtlichen Traditionen der vorisraelitischen halbnomadischen Sippen zurück. Im Vorderen Orient findet man zahlreiche Analogien dazu. Es hat zweifellos eine lange Zeit des Einübens, Einschleifens und Bewährens gedauert, bis der Dekalog nach Inhalt und Form so universal und knapp geworden war, daß er als ein zureichender Ausdruck des Willens Jahwes gelten konnte.

Dies ist – was immer der historische Hintergrund war – die Bedeutung der Botschaft von **Sinai**: Das unterscheidend Israelische und damit Jüdische sind nicht die einzelnen Gebote oder Verbote an sich, sondern ist der **Jahweglaube**, für den alle diese Gebote und Verbote den Willen Jahwes selber ausdrücken. Spezifisch israelisch sind also nicht diese fundamentalen Minimalforderungen, die in ihrem Ursprung dem Jahweglauben vorausliegen. Spezifisch israelisch ist erst, daß diese Forderungen der Autorität des Bundesgottes Jahwe unterstellt werden, der der »Gegenstand« der »ersten Tafel« (Pflichten gegenüber Gott) ist.

Der neue Jahweglaube hat **Konsequenzen für das bisherige Ethos**: Jetzt umreißen diese Forderungen wie im übrigen auch andere Gebotsreihen, soweit sie mit dem Jahweglauben vereinbar waren, in größtmöglicher Kürze Jahwes Willen an den Menschen. Jetzt ist es Jahwe selbst, der in den Geboten wacht über das elementare Menschsein des Menschen, wie es die »zweite Tafel« sichert in bezug auf Elternehrung, Schutz des Lebens, der Ehe, des Eigentums und der Ehre des Nächsten. Das Eigentümliche alttestamentlicher Sittlichkeit besteht also nicht in der Findung neuer ethischer Normen, sondern in der Verankerung der überlieferten Weisungen in der legitimierenden und schützenden Autorität Jahwes und seines Bundes: in der Aufnahme des vorgefundenen Ethos in das neue Gottesverhältnis. Diese Theonomie setzt die autonome Entwicklung ethischer Normen voraus und setzt sie auch gleichzeitig neu in Gang: Es kommt zur Weiterbildung und – freilich nicht auf allen Gebieten (Ehe, Stellung der Frau) konsequenten – Korrektur der vorhandenen Normen im Lichte eben dieses Gottes und seines Bundes.

Das gemeinsame Grundethos

Der jüdisch-christliche Dekalog (Ex 20,1-21)	**Der islamische Pflichtenkodex** (Sure 17,22-38)
Ich bin der Herr, dein Gott.	Im Namen des barmherzigen und gnädigen Gottes.
Du sollst keine andern Götter neben mir haben.	Setz nicht (dem einen) Gott einen anderen Gott zur Seite.
Du sollst Dir kein Gottesbild machen. Du sollst den Namen des Herrn, deines Gottes, nicht mißbrauchen.	Und dein Herr hat bestimmt, daß ihr ihm allein dienen sollt.
Gedenke des Sabbattages, daß du ihn heilig haltest.	
Ehre deinen Vater und deine Mutter.	Und zu den Eltern (sollst du) gut sein. Und gib dem Verwandten, was ihm zusteht, ebenso dem Armen und dem, der unterwegs ist.
Du sollst nicht töten.	Und tötet nicht eure Kinder aus Furcht vor Verarmung! ... Und tötet niemand, den (zu töten) Gott verboten hat.
Du sollst nicht ehebrechen.	Und laßt euch nicht auf Unzucht ein!
Du sollst nicht stehlen.	Und tastet das Vermögen der Waise nicht an.
Du sollst nicht falsches Zeugnis reden wider deinen Nächsten.	Und erfüllt die Verpflichtung (die ihr eingeht).
Du sollst nicht begehren nach dem Hause deines Nächsten.	Und gebt, wenn ihr zumeßt, volles Maß und wägt mit der richtigen Waage! Und geh nicht einer Sache nach, von der du kein Wissen hast!
Du sollst nicht begehren nach dem Weibe deines Nächsten, nach seinem Sklaven oder Sklavin, nach seinem Rinde oder seinem Esel, nach irgendetwas, was dein Nächster hat.	Und schreite nicht ausgelassen auf der Erde einher!
(Übersetzung Zürcher Bibel)	*(Übersetzung von Rudi Paret)*

Gott selber also **Anwalt der Humanität**, der wahren Menschlichkeit! Normen, in autonomer Weise aufgrund menschlicher Erfahrungen und ihrer Auswertungen entstanden, erscheinen so in der Tora nicht als unpersönliche Gesetze, sondern als Forderungen Gottes selbst. Ein unbedingtes »Du sollst« begründet nicht durch eine menschliche oder staatliche Autorität, sondern von Gottes Wort und Willen her: »So spricht der Herr, dein Gott!« Dies gilt besonders vom Dekalog, jenen »zehn Worten«, die für ein Ethos der Humanität unverzichtbar sind; sind dies doch elementare Imperative der Menschlichkeit. Und insofern das Christentum sich ja diese »Zehn Gebote« (außer bezüglich des Sabbats) wörtlich zu eigen gemacht hat und insofern auch der Koran gegen Ende der mekkanischen Periode eine Zusammenfassung der wichtigsten ethischen Verpflichtungen bietet (mit auffällig vielen Parallelen – wiederum außer bezüglich des Sabbats – zum Dekalog), können wir, wie ich schon im Zusammenhang zum Judentum feststellte, von einem in Gottes Wort und Willen begründeten **gemeinsamen Grundethos der drei prophetischen Religionen** reden, das ein hochbedeutsamer Beitrag zu einem auszuformenden **Weltethos** sein könnte.

Die besondere Gemeinsamkeit mit dem Judentum

Bis heute blieb der Glaube an den einen Gott der jüdischen »Väter« die **ständige Voraussetzung** auch des christlichen Glaubens, der wie der jüdische jeglichen konkurrierenden bösen Gott, aber auch jegliche weibliche Partnergottheit ablehnt.[8] Schon im nachexilischen Judentum wird dieser Gott übrigens als »**Vater**« angeredet.[9] Doch sollte damit nicht etwa sexistisch die Männlichkeit Gottes und die Minderwertigkeit der Frau betont werden, die ja nach dem Buche Genesis wie der Mann nach Gottes Bild geschaffen ist.[10] Vielmehr sollte Gott nach dem Zusammenbruch staatlicher Strukturen in seiner verwandtschaftlichen Schutzfunktion des Familienoberhauptes angerufen werden. Gottes Macht, Gottes Schutz ist gemeint, nicht Gottes »Männlichkeit«. Insofern schließt dieses Gottesbild zwar jeglichen Polytheismus, nicht aber weibliche Züge aus.

Die Gemeinsamkeit des Christentums gerade mit dem **Judentum** geht dabei noch sehr viel weiter. Aufgrund der Überlieferungen der Hebräischen Bibel anerkennt auch der christliche Glaube die **drei Bünde des einen Gottes**[11], der ja der Gott aller Menschen ist:

– den **Noach-Bund** mit der ganzen Schöpfung, dessen Bundeszeichen der Regenbogen ist (Adam = der Mensch: die ganze Menschheit);

– den **Abraham-Bund** mit der abrahamischen Menschheit, dessen Bun-

deszeichen die Beschneidung ist (Abraham: der Vater vieler Völker: Judentum – Christentum – Islam);
– den **Sinai-Bund** mit dem Volk Israel, dessen Bundeszeichen Altar und Bundeslade sind (Jakob = Israel: der Vater der zwölf Stämme, des Volkes Israel).

Damit ist zugleich deutlich geworden: Weil die Christenheit an den einen Gott der Hebräischen Bibel glaubt, akzeptiert sie im Prinzip die zentralen Strukturelemente und Leitbegriffe des israelitisch-jüdischen Glaubens[12]:
– **Exodus**: eine Erwählung des Volkes Israel, die von den Juden ja nicht als stolzer Anspruch, sondern als Gnade und Verpflichtung verstanden wird.
– **Sinai**: den Bundesschluß und die Bundesverpflichtung, wie sie in der Gesetzgebung (Tora) zum Ausdruck kommen.
– **Kanaan**: die Verheißung des Landes, die mit zur Erwählung des Volkes gehört.

Allerdings läßt sich eine Differenz nicht übersehen: Das Christentum anerkennt (zumindest heute wieder) die Realität des erwählten Volkes und des verheißenen Landes im konkreten, vom Christentum unterschiedenen Judentum. Es hat sie aber sich selbst nur in vielfach **vergeistigter** Form zu eigen gemacht: ein geistig verstandenes Gottesvolk und Land der Verheißung. Diese Vergeistigung hängt zusammen mit dem Geschehen um jenen einen Juden, den die Christen als ihren einen Messias, Christus, Herrn anerkennen, ohne jedoch deswegen je den Glauben an den einen Gott und Vater aufzugeben oder einen zweiten Gott neben den einen Gott zu setzen. Sehen wir näher zu.

2. Die Nachfolge Christi

Für das Verständnis des Mannes aus Nazaret[13] ist grundlegend: Der Gott Israels ist auch sein Gott! Auch er steht wie jeder gottergebene Jude diesem Gott, dem »Vater im Himmel«, gegenüber. Er nennt ihn »größer«[14], ja, »allein gut«[15]. Und erst beim stark interpretierenden vierten Evangelisten wird eine Einheit von Wollen und Offenbarung zwischen Jesus und dem Vater durchgängig betont, was jedoch auch hier das Gegenüber von Gott und Jesus nie aufhebt[16]. Doch gerade in beidem, im Gegenüber und in der Einheit mit Gott, seinem Vater, ist Jesus die zentrale Leitfigur des Christentums.

Die zentrale Leitfigur

Was ich im Buch »Christ sein« breit ausgeführt und aus dem Neuen Testament belegt habe, kann ich hier knapp zusammenfassen: Jesus hat sich die **Sache des Gottes Israels** zu eigen gemacht, bestimmt von der typisch apokalyptischen Erwartung, in einer Endzeit zu leben, wo Gott selbst sehr bald auf den Plan treten und seinen Willen durchsetzen, seine Herrschaft aufrichten, sein Reich verwirklichen wird. Dieses Reich, diese Herrschaft, diesen Willen Gottes wollte Jesus vorweg ankündigen, und zwar mit Blick **auf das Heil des Menschen**. Dieses allein macht er zum Maßstab. Nicht einfach das erneute Einhalten von Gottes Geboten fordert er deshalb, sondern eine **Liebe**, die im Einzelfall bis zum selbstlosen Dienst ohne Rangordnung geht, bis zum Verzicht auch ohne Gegenleistung, bis zum Vergeben ohne Grenzen. Eine Liebe, die selbst den Gegner, den Feind einschließt: Gottesliebe und Nächstenliebe nach dem Maß der Eigenliebe (»wie dich selbst«).

Und so **solidarisiert** Jesus **sich** denn auch ganz praktisch und zum Ärger der Frommen mit religiös Andersgläubigen, politisch Kompromittierten, moralischen Versagern, sexuell Ausgenützten, zumal mit Frauen, Kindern und Kranken, ja, mit allen, die an den Rand der Gesellschaft gedrängt worden waren. Für sie alle setzte er – nicht nur Verkünder des Wortes, sondern auch Heiler des Leibes – seine charismatische Heilungsgabe ein, und dies selbst am Sabbat. Gemessen an der Liebe waren ihm bestimmte Gesetzesvorschriften, waren ihm – wiewohl er sich selber im Prinzip durchaus an das Gesetz hielt – bestimmte Speise-, Reinigungs- und Sabbatvorschriften zweitrangig; Sabbat und Gebote waren ihm um der Menschen willen da ...

Ein Mann der prophetischen Provokation zweifellos, der sich in Wort und Tat kritisch zeigte auch gegenüber dem Tempel und der gegen den dort herrschenden Kommerz demonstrierte. Ein Mensch, der die üblichen Schemata sprengte und sich in keine Front einordnen ließ: im Konflikt mit dem politisch-religiösen Establishment (kein Priester und kein Theologe) und doch auch kein politischer Revolutionär (vielmehr ein Prediger der Gewaltlosigkeit). Kein Vertreter der äußeren oder inneren Emigration (kein Asket und kein Qumranmönch) und doch auch kein frommer Gesetzeskasuist (kein Pharisäer voll der »Freude am Gebot«). Insofern unterscheidet sich der Nazarener nicht nur von den großen Repräsentanten der indisch-mystischen und der chinesisch-weisheitlichen Tradition (Buddha und Konfuzius), sondern auch von denen der beiden übrigen nahöstlich-semitischen Religionen (Mose und Muhammad).

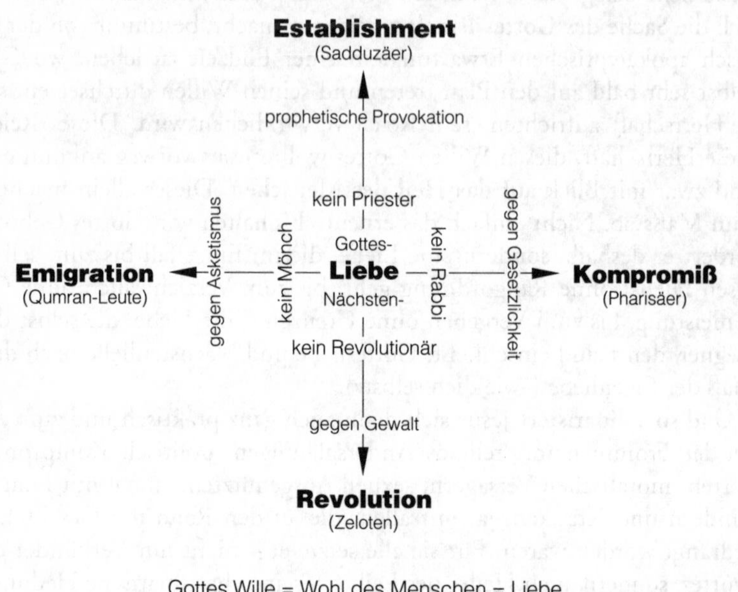

Eine große enthusiastisch-prophetische Gestalt ganz offenkundig, die ohne besonderes Amt und ohne besonderen Titel mit ihren Worten und Heilungstaten den Anspruch eines bloßen Rabbi oder Propheten überstieg, so daß manche in ihm den Messias sahen. Zur Rechtfertigung in dem großen Konflikt, in den er zunehmend geriet, berief er sich auf niemand anderen als auf Gott selber, den er ungemein vertraut mit »Abba« (»Väterchen«, »lieber Vater«) anzureden pflegte. Und daß er in einen **Konflikt** geriet, war kein Wunder:

– Zu radikal war seine Kritik an der überkommenen Religiosität vieler Frommer.

– Zu anmaßend erschien seine öffentliche Protestaktion gegen den Tempelbetrieb und des Tempels Hüter und Nutznießer.

– Zu provokatorisch war sein auf den Menschen ausgerichtetes Verständnis des Gesetzes.

– Zu skandalös war seine Solidarisierung mit dem gesetzesunkundigen gemeinen Volk und sein Umgang mit notorischen Gesetzesbrechern.

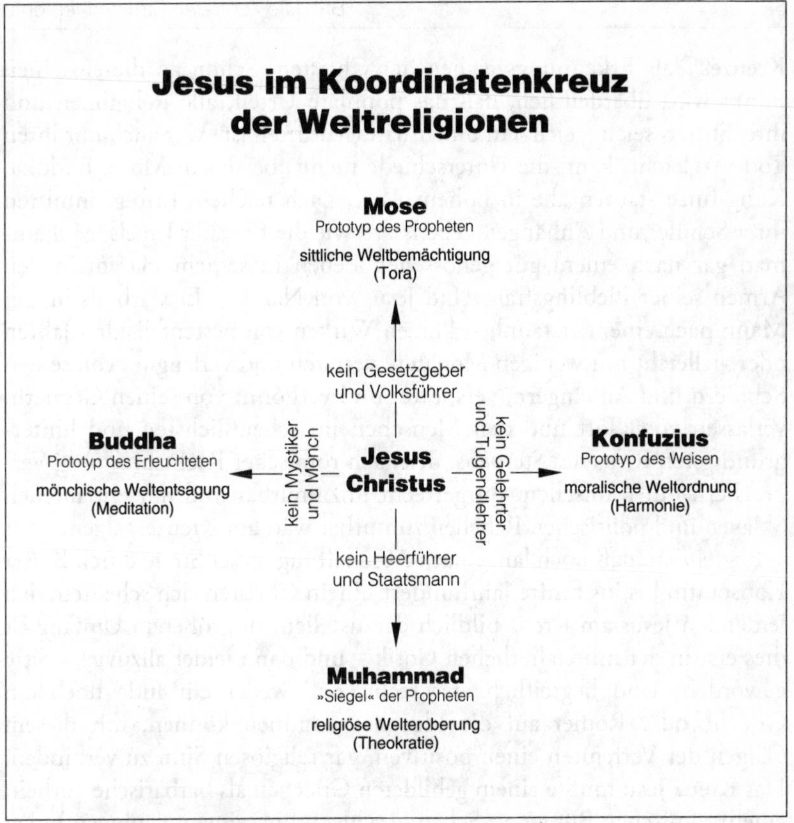

– Zu massiv war seine Kritik an den herrschenden Kreisen, denen er bei seiner zahlreichen Gefolgschaft im Volk nur lästig fiel.

Diesen ganzen Konflikt des Mannes aus Nazaret nicht mit dem Volk, sondern mit den offiziellen Behörden des damaligen Judentums, mit der Hierarchie, die ihn (in einem heute nicht mehr klar durchschaubaren Gerichtsverfahren) dem römischen Gouverneur Pontius Pilatus ausgeliefert hat, habe ich im Buch über das »Judentum« ausführlich behandelt und belegt; das dort aufgezeichnete Koordinatenkreuz möge auch hier an einiges erinnern.

Der Skandal des Kreuzes

Doch muß nun ein entscheidender Punkt zur Bestimmung des spezifisch Christlichen deutlicher herausgearbeitet werden, der bis heute nicht nur für Juden und Muslime und die Angehörigen anderer Religionen, sondern auch für viele Christen schwer zu verstehen ist: die Bedeutung des

Kreuzes[17] als Erkennungszeichen der Christen. Schon an diesem einen Punkt wird überdeutlich, daß das populäre Urteil, alle Religionen und ihre ›Stifter‹ seien gleich, ein unhaltbares Vorurteil ist. Wer auch nur ihren Tod vergleicht, kann die Unterschiede nicht übersehen: Mose, Buddha, Kung-futse starben alle in hohem Alter, nach reichem Erfolg, inmitten ihrer Schüler und Anhänger, ›lebenssatt‹ wie die Erzväter Israels, Muhammad gar nach einem gut genossenen Leben in seinem Harem in den Armen seiner Lieblingsfrau. Und Jesus von Nazaret? Er starb als junger Mann nach einem erstaunlich kurzen Wirken von bestenfalls drei Jahren oder vielleicht nur wenigen Monaten: verraten und verleugnet von seinen Schülern und Anhängern, verspottet und verhöhnt von seinen Gegnern, verlassen von Gott und den Menschen im scheußlichsten und hintergründigsten Ritus des Sterbens, der nach römischer Rechtsprechung Verbrechern mit römischem Bürgerrecht unzumutbar und nur entlaufenen Sklaven und politischen Rebellen zumutbar war: am Kreuzesgalgen.

Begreiflich, daß noch lange nach Abschaffung dieser Strafe durch Kaiser Konstantin bis ins fünfte Jahrhundert hinein Christen sich scheuten, den leidenden Jesus am Kreuz bildlich darzustellen. In größerem Umfang ist dies erst in der mittelalterlichen Gotik – und dann leider allzuviel – Sitte geworden. Und begreiflich erst recht, daß weder ein Jude noch ein Grieche oder Römer auf die Idee hat kommen können, mit diesem Galgen der Verfemten einen positiven, gar religiösen Sinn zu verbinden. Das **Kreuz Jesu** mußte einem gebildeten Griechen als barbarische Torheit, einem römischen Bürger als Schande schlechthin, einem gläubigen Juden aber als Gottesfluch vorkommen. Warum also den Christen als **Heilszeichen**?

Wir haben es schlicht zu konstatieren: So wie das Kreuz eine harte, grausame und unleugbare historische Tatsache ist, so ist es ein ebensowenig zu leugnendes Faktum, daß schon die erste Christengeneration das Kreuz Jesu in einem völlig anderen Licht sah. Warum? Kurz gesagt: Weil sie aufgrund bestimmter charismatischer Erfahrungen (»Erscheinungen«, Visionen, Auditionen) und zugleich biblischer Deutungsmuster zur Überzeugung gekommen war, daß der Gekreuzigte nicht im Tod geblieben war, sondern von Gott **zum ewigen Leben erweckt**[18], in Gottes Herrlichkeit **erhöht** worden war. Wie immer im Einzelnen zu verstehen: Jedenfalls nicht in ein Nichts, sondern in die wirklichste Wirklichkeit, in Gott selbst hinein, war er hineingestorben.

Bald begann man die messianisch verstandenen Lieder des Psalter zu Ehren des vom Tod Erweckten zu singen, besonders die Thronbesteigungspsalmen. Die Erhöhung zu Gott konnte man sich als Jude damals leicht in Analogie zur Thronbesteigung eben des israelitischen Königs denken. Wie dieser – wahrscheinlich in Anlehnung an altorientalische Königsideologie – im Moment seiner Thronbesteigung **zum »Sohn Gottes« eingesetzt** wurde, so jetzt auch der Gekreuzigte durch seine Auferweckung und Erhöhung.

Besonders dürfte es Psalm 110, in welchem König David seinen zukünftigen »Sohn«, der zugleich sein »Herr« war, besang, gewesen sein, der immer wieder gesungen und zitiert wurde: »Es sprach der Herr zu meinem Herrn: Setze dich zu meiner Rechten!« Denn dieser Vers beantwortete den jüdischen Anhängern Jesu die brennende Frage nach dem »Ort« und der Funktion des Auferweckten (Martin Hengel[19]): Wo ist der Auferstandene jetzt? Man konnte antworten: Beim Vater, »zur Rechten des Vaters«: nicht in einer Wesensgemeinschaft, wohl aber in einer »Throngemeinschaft« mit dem Vater, so daß Gottesreich und Messiasreich faktisch identisch werden: »Die Einsetzung des gekreuzigten Messias Jesus als des ›Sohnes‹ beim Vater ›durch die Auferweckung von den Toten‹ gehört so doch wohl zur ältesten, allen Verkündigern gemeinsamen Botschaft, mit der die ›Messiasboten‹ ihr eigenes Volk zur Umkehr und zum Glauben an den gekreuzigten und von Gott auferweckten und zu seiner Rechten erhöhten ›Messias Israels‹ aufriefen.«[20]

Was so für jeden Menschen damals unvorstellbar war, vollbringt der Glaube an den doch durch und bei Gott lebendigen Gekreuzigten: daß dieser schmählich Hingerichtete als der von Gott mächtig Bestätigte erscheint und so dieses **Zeichen der Schmach** als ein Zeichen **des Sieges**! Ja, daß dieser ehrenlose Tod von Sklaven und Rebellen schließlich als Heilstod der Erlösung und Befreiung verstanden werden kann! Das Kreuz Jesu, dieses blutige Siegel auf ein entsprechend gelebtes Leben, wird so ein Aufruf zum Verzicht auf ein egoistisch geprägtes Leben, ein Aufruf zu einem unpretenziösen Leben für andere.

Das war nicht mehr und nicht weniger als eine **Umwertung aller Werte** – dies hat Nietzsche in seinen Invektiven gegen das Christliche richtig erspürt. Gemeint aber war damit nicht ein Weg der Verkrampfung und der schwächlichen Selbsterniedrigung, wie der Pfarrerssohn Nietzsche dies offenbar schon als Kind vermittelt bekommen hatte: ein »Zu-Kreuze-Kriechen«. Gemeint ist damit vielmehr das tapfere Leben im Alltag ohne Angst, auch angesichts tödlicher Risiken: durch den nun einmal unvermeidbaren Kampf, auch alles Leid, ja selbst den Tod hindurch. Alles in unerschütterlichem Vertrauen (»Glauben«) und in Hoffen auf das Ziel der wahren Freiheit, Liebe, Menschlichkeit, schließlich des ewigen Lebens. Aus dem Ärgernis, dem Skandalon, schlechthin war eine erstaunliche

Heilserfahrung, aus dem Kreuzweg ein möglicher Lebensweg geworden für den, der sich darauf einläßt: auf das Christsein.

Selbstverständlich ist die junge Christengemeinde mit dem ungeheuren Anstoß eines gekreuzigten Messias – Jesu Legitimation war ja die geistige Überlebensfrage der Gemeinde! – nicht auf einen Schlag fertiggeworden. Die Verlegenheit der Jünger Jesu war durch die Ostererfahrung nicht einfach beseitigt. Die verschiedenen neutestamentlichen Schriften sind in allen Schichten von der **Auseinandersetzung mit dem Kreuz** durchzogen, und nicht umsonst ist die älteste zusammenhängende Jesus-Geschichte die Geschichte seines Leidens. Erst mit der Zeit erkannte man das Kreuz geradezu als Summe des christlichen Glaubens und Lebens. Denn sowohl die Auseinandersetzungen im Inneren der Gemeinden wie die Rechtfertigung nach außen erzwangen eine vertiefte Reflexion, die bald deutlich machte, wie sehr am Kreuz Christengemeinde einerseits sowie Juden-, Griechen- und Römertum andererseits, ja, Glaube und Unglaube sich scheiden.

An die Stelle der anfänglichen Trostlosigkeit und Sprachlosigkeit war im Licht der Ostererfahrung zunächst einfach die schlichte Überzeugung getreten, daß sich alles, was mit Jesus geschah, doch nach Gottes Ratschluß abgespielt haben muß, daß Jesus nach Gottes Willen diesen seinen Weg gehen »mußte«. Da gab es **Vorbilder aus der Hebräischen Bibel**:
– der von Gott beauftragte, aber von den Menschen verfolgte Prophet;
– der für die Sünden vieler unschuldig und stellvertretend leidende Knecht; – das die Sünden der Menschheit zeichenhaft hinwegnehmende Opfertier. Alle diese Vorstellungen halfen mit, dem grausamen, sinnlosen Kreuzesgeschehen langsam eine Bedeutung zu geben. Sie wollten nicht die archaische Idee von einem nur durch ein Menschenopfer zu befriedigenden blutrünstig-sadistischen Gott oder ein mythisch-rituelles Geschehen von einem zerstückelten und wieder zum Leben erweckten Gott (Dionysos) propagieren. Sondern deutlich werden sollte: Was mit Jesus geschehen war, war nicht einfach willkürlich oder sinnlos. Es geschah alles »gemäß der Schrift«: so sagte man, womit man am Anfang die Hebräische Bibel als ganze meinte, die ja doch, wenn Jesus der Messias war, überall auf ihn hindeuten mußte.

Um dies zu entdecken, war freilich eine eigene Exegese notwendig, die überall im »Alten Testament« den »Typos« des neuen fand. War nicht etwa der beim Propheten Jesaja[21] im Gottesknecht-Lied geschilderte oder gar gekreuzigte Gerechte eine solch klare Vorausdeutung auf Christus? Und konnte die Hebräische Bibel so nicht immer mehr vom Kreuz her verstanden und umgekehrt das Kreuz immer mehr von der Hebräischen

Bibel her interpretiert werden, so daß sich klarer und klarer herausstellte: Auch in Jesus und gerade in ihm hat tatsächlich Gott, der Gott Israels, selbst gehandelt? Im großen Stil findet sich eine solche entwickelte »Theologie des Kreuzes« einerseits in Erzählform im ältesten der vier Evangelien, bei Markus, andererseits in grundsätzlicher Auseinandersetzung in den Briefen des Apostels Paulus. Das Wort vom Kreuz wurde zur großen christlichen Antwort auf die uralte Frage nach der Unbegreiflichkeit des Leidens und vor allem des unschuldigen Leidens.

Christentum als radikaler Humanismus

Damit ist nun das **unterscheidend Christliche** – im Unterschied nicht nur zum Judentum, sondern zu allen Religionen und Humanismen – eindeutig bestimmt: **Das unterscheidend Christliche ist dieser gekreuzigte und doch lebendige Christus selbst!** Und der Glaube an diesen Christus ist wahrhaftig keine leere Formel, auch nicht nur eine Lehrformel. Denn:

- Der Christusglaube bezieht sich auf eine sehr konkrete geschichtliche Person: Jesus von Nazaret. Er hat so den christlichen Beginn, aber auch die ganze große christliche Tradition der 2000 Jahre hinter sich: Christlich ist, was sich auf diesen Christus berufen kann.
- Der Christusglaube drückt sich nicht nur in einer Botschaft, sondern auch in sinnenhaften Ritualen aus: in der Taufe auf seinen Namen und in der Mahlfeier zu seinem Gedächtnis.
- Der Christusglaube bietet zugleich eine grundlegende Wegweisung für Gegenwart und Zukunft: Jesus Christus bringt zwar nicht ein neues Gesetz, wohl aber die Liebe als maßgebliche Grundvorstellung für Leben und Handeln, Leiden und Sterben der Christen.

Auch die ethischen Forderungen des Neuen Testaments sind – wie die neutestamentliche Forschung zeigt[22] – weder der Form noch dem Inhalt nach vom Himmel gefallen. Dies gilt für das Ethos des ganzen Neuen Testaments, es läßt sich jedoch besonders deutlich aus den ethischen Forderungen des Apostels Paulus nachweisen. Von einer paulinischen »Ethik« sollte man von vornherein nicht reden, da Paulus kein System und keine Kasuistik der Sittlichkeit entwickelt hat. Vielmehr schöpft er seine Ermahnung (Paränese) weithin aus hellenistischer und besonders jüdischer Tradition.

Die in der damaligen populären griechisch-römischen Ethik (Epiktet, Seneca) gängigen Haustafeln mit den Ermahnungen für die verschiedenen

Stände finden sich bei Paulus selber freilich nicht, sondern erst im Kolosserbrief[23] und in dem davon abhängigen Epheserbrief sowie in den Pastoralbriefen und bei den Apostolischen Vätern. Doch verwendet auch schon Paulus selber Begriffe und Vorstellungen der damaligen hellenistischen Popularphilosophie. Ein **allgemein-humanes** und auch ein **spezifisch-christliches Ethos schließen sich** offensichtlich **nicht aus!** Und wenn Paulus auch nur ein einziges Mal den für die philosophische Ethik zentralen Begriff der »Tugend« gebraucht, so umgibt er ihn an dieser einen Stelle des Philipperbriefes derart mit griechischer und insbesondere stoischer ethischer Begrifflichkeit, daß man darin geradezu so etwas wie eine Zusammenfassung der landläufigen griechischen Ethik sehen konnte: »Was immer wahrhaftig, was ehrbar, was gerecht, was lauter, was liebenswert, was ansprechend ist, was Tugend heißt oder lobenswert ist, darauf seid bedacht.«[24] In den anderen Tugend- und Lasterkatalogen[25] hält sich Paulus dann freilich mehr an die jüdische als an die hellenistische Tradition.

Spezifisch christlich[26] ist also gerade nicht, daß diese oder jene bestimmte ethische Forderung erwogen wird, die als einzelne unvergleichlich sein soll. Die von Paulus aus jüdischer oder hellenistischer Tradition übernommenen ethischen Forderungen ließen sich auch anders begründen. Paulus hat auch kein bestimmtes Prinzip der Synthese oder Auswahl, vielmehr benützt er zur Begründung seiner ethischen Forderungen verschiedene Motive: Reich Gottes, Nachfolge Christi, eschatologisches Kerygma, Leib Christi, Heiliger Geist, Liebe, Freiheit, Sein in Christus. Auch wenn er Stichworte wie Gehorsam oder Freiheit gebraucht, so meint er damit keine systematischen Leitideen, sondern einfach die Ganzheit und Unteilbarkeit der Verpflichtung des Glaubenden und der glaubenden Gemeinde gegenüber ihrem Herrn.

Spezifisch christlich also ist, daß alle ethischen Forderungen vom gekreuzigten und auferweckten Jesus Christus her verstanden werden. Jesus, dem der Christ in der Taufe durch den Glauben ein für allemal unterstellt **ist, soll** der Herr über ihm bleiben. Dies alles heißt: Wie das Unterscheidende für das jüdische Ethos der Jahweglaube ist, so ist das **Unterscheidende für das christliche Ethos** der **Christusglaube**. Alle einzelnen Gebote oder Verbote sind von Jesus Christus und seinem Geist her zu verstehen und zu befolgen. Und so bestätigt sich nun auch von rückwärts, von der Ethik her, daß in der Bestimmung des Christlichen nicht von einem abstrakten Prinzip, sondern von diesem konkreten Jesus Christus auszugehen ist.

In dieser Perspektive kann nun aber Christsein als ein wahrhaft radikaler Humanismus verstanden werden: als ein **Humanismus**, weil Christsein das Menschsein in Fülle umgreift. Christen sind nicht weniger Humanisten als jene Humanisten, die ihre Humanität unchristlich, gegenchristlich, ja, antireligiös oder auch gar nicht begründen. Kein Christ braucht Berührungsängste vor dem Wort Humanismus zu haben. Doch vertreten Christen einen **radikalen** Humanismus. Sie bejahen in diesem so zwiespältigen Menschenleben, in dieser so konfliktreichen Gesellschaft nicht nur, wie ein idealistischer Neohumanismus sagte, alles Wahre, Gute, Schöne und Menschliche, sondern konfrontieren sich auch mit dem nicht weniger realen Unwahren, Unguten, Unschönen, ja, Unmenschlichen. Gewiß: All dies Negative in Menschenleben und Gesellschaft kann auch der Christ nicht abschaffen (das wäre erneut eine verhängnisvolle Illusion, die zu menschenverachtender Zwangsbeglückung und Massenversklavung führt), wohl aber kann er das Negative ertragen, bekämpfen, verarbeiten.

So und nur so ist auch wahres (keineswegs leidfreies) **Glück** in diesem Leben erreichbar: nicht durch mit allen möglichen Mitteln künstlich produzierte Spitzenerlebnisse, nicht durch eine angestrebte ständige Hochstimmung des Glücks, sondern durch eine auch in Not und seelischen Tiefs durchgehaltene Grundstimmung des Glücks in realistischer Lebenszufriedenheit. Dies alles heißt: Christsein versucht einen Humanismus zu verwirklichen, der nicht nur alles Positive, sondern auch alles Negative, Leid, Schuld, Sinnlosigkeit, Tod zu bewältigen vermag aus einem unerschütterlichen Gottvertrauen heraus, das sich letztlich nicht auf die eigenen Leistungen und Erfolge, sondern auf Gottes Gnade und Erbarmen verläßt.

Was aber hilft diese große Leitfigur der Vergangenheit, wenn sie heute keine Gegenwart und keine Zukunft mehr hätte? Wie soll denn Christus immer wieder Gegenwart werden, Zukunft haben? Wie soll der Christ Lebensmut und Lebensfreude aus diesem Christusglauben gewinnen? Dafür ist das dritte zentrale Strukturelement des christlichen Glaubens von wesentlicher Bedeutung: der Glaube an Gottes Geist, in dem und durch den Jesus lebt und wirkt.

3. Das Wirken des Heiligen Geistes

Der Glaube an den Gott Abrahams ist es, der Juden und Christen vereint; der Glaube an Jesus als den Christus Gottes jedoch ist es, der Christen von anderen Glaubenden und Nichtglaubenden unterscheidet. Neben diese beiden zentralen Strukturelemente tritt ein drittes, das den Glauben der Christen profiliert und zugleich mit anderen Traditionen verbinden kann: die Macht des Geistes. Denn: Christen glauben – aufgrund der neutestamentlichen Zeugnisse – nicht nur an ein isoliertes Ereignis der Auferweckung von den Toten, vollzogen an Jesus, dem Gekreuzigten, sondern genauso daran, daß dieser Auferweckte nun im Geist Gottes weiter lebt, herrscht und wirkt. Wie ist das zu verstehen?

Was ist der Geist?

Am besten auch hier von der **jüdischen Tradition** her. Der Hebräischen Bibel und dann auch dem Neuen Testament zufolge ist Gott Geist, hebräisch weiblich die »ruach«, was ursprünglich Hauch, Braus, Wind heißt. Greifbar und doch nicht greifbar, unsichtbar und doch mächtig, lebenswichtig wie die Luft, die man atmet, energiegeladen wie der Wind, der Sturm – das ist der Geist. Gemeint ist damit nichts anderes als die von Gott ausgehende **lebendige Kraft und Macht**, die unsichtbar wirkt im Einzelnen wie im Volk Israel, in der Kirche wie in der Welt überhaupt. **Heilig** ist dieser Geist, insofern er vom unheiligen Geist des Menschen und seiner Welt unterschieden wird: als der Geist **Gottes**. Er ist – so ist es das Glaubensverständnis der Christen – die treibende Kraft (Dynamis, nicht: Gesetz) in der Christenheit.[27]

Doch man hüte sich vor Mißverständnissen: Vom Neuen Testament her ist der Heilige Geist nicht – wie oft in der Geschichte der Religionen – irgendein von Gott unterschiedenes Drittes zwischen Gott und Mensch: kein magisches, substanzhaftes, mysteriös-übernatürliches Fluidum dynamischer Natur (kein geistiges »Etwas«) und auch kein Zauberwesen animistischer Art (irgendein Geisterwesen oder Gespenst). Vielmehr ist der **Heilige Geist niemand anderer als Gott selbst!** Gott selbst, sofern er nämlich den Menschen und der Welt nahe ist, ja, innerlich wirkt als die ergreifende, aber nicht greifbare Macht, als die lebenschaffende, aber auch richtende Kraft, als die schenkende, aber nicht verfügbare Gnade. Als Gottes Geist ist der Geist also von Gott so wenig abzutrennen wie der Sonnenstrahl von der Sonne. Fragt man also, wie denn der unsichtbare, ungreifbare, unbegreifbare Gott den glaubenden Menschen nahe, gegenwärtig ist, dann lautet die Antwort des Neuen Testaments übereinstimmend: **Gott ist** uns Menschen **nahe im Geist**: gegenwärtig im Geist, durch den Geist, ja, als Geist. Und Christus?

Auf die Person des auferweckten Gekreuzigten bezogen heißt dies:

– Auch der zu Gott aufgenommene und erhöhte Jesus Christus lebt jetzt

in der Existenz- und Wirkweise Gottes. Paulus kann deshalb völlig konsequent den auferweckten Christus den »lebendigmachenden Geist«[28] nennen, ja von ihm als »Geist«[29] reden und umgekehrt vom Geist Gottes als vom »Geist Jesu Christi«[30]. Was konkret heißt: Durch den Geist, im Geist und als Geist vermag Jesus seiner Gemeinde – ob im Gottesdienst oder im Dienst am Nächsten, ob in der Gemeinschaft oder im Herzen des Einzelnen – nahe zu sein, helfend, befördernd, tröstend, richtend.
– Dieser christologische Gesichtspunkt aber darf einen anderen Gesichtspunkt nicht übersehen lassen, der ebenfalls biblisch bezeugt ist: Der **Geist Jesu Christi ist** und bleibt **Gottes Geist**. Und dieser Geist des Unfaßbaren, Unendlichen, Unermeßlichen wirkt nicht nur in der Christenheit, sondern – so schon auf der ersten Seite der Hebräischen Bibel beim Uranfang[31] – in der ganzen Schöpfung, überall. Gottes Geist wirkt auch nach dem Neuen Testament, »**wo** er will«[32], und kann in seiner Wirksamkeit von keiner Kirche beschränkt werden. Mit anderen Worten: Er wirkt nicht nur in der Christenheit, sondern in der ganzen Welt. Was heißt das?

Propheten auch nach Christus

Gewiß, der freie Geist Gottes ist nicht ein Geist der Willkür, der Scheinfreiheit, sondern der wahren Freiheit, ist nicht ein Geist des Chaos, sondern der gerechten Ordnung. Aber er wirkt, **wann** er will, und keine Kirchenordnung in Lehre und Praxis kann ihn zwingen, jetzt zu handeln oder nicht zu handeln. Nein, der Geist Gottes wirkt, wann und wo **er** will, wie an jenem **Pfingstfest**, an welchem nach der Überlieferung des Evangelisten Lukas die erste »Versammlung« der (vor allem) aus Galiläa zurückgekommenen Anhänger Jesu in Jerusalem stattgefunden haben soll und wo sich unter enthusiastisch-charismatischen Begleitumständen die **Geburtsstunde der »Kirche«** (hebr. »kahál«; griech. »ekklesía« = Versammlung) vollzog. So wirkt der Geist auch in der späteren Geschichte der Christenheit und soll – neu – nach einem Wort des Johannesevangeliums »in die ganze Wahrheit einführen«[33].

Und weil der Gottesgeist weiterwirkt, so gibt es den Aussagen des Neuen Testaments zufolge auch **nach Jesu Tod echte Propheten**: Menschen, die, von Gottes Geist inspiriert, ihn und seine Botschaft bestätigen, deuten und in eine neue Zeit und Situation hinein aussagen. So nehmen Propheten und Prophetinnen etwa in den paulinischen Gemeinden (wie aus dem ersten Korintherbrief hervorgeht[34]) die zweite Stelle nach den Aposteln ein. Ist doch die frühe Kirche nicht nur gebaut auf die Apostel, sondern auch auf die Propheten.[35]

Freilich: Die Prophetie – ein Phänomen vor allem judenchristlichen Ursprungs – ist bald nach dem Ende der paulinischen Mission und mit dem Zurücktreten des Judenchristentums aus dem Erscheinungsbild der meisten christlichen Gemeinden verschwunden. Aber vom Neuen Testament her gesehen muß man sich nicht von vornherein dogmatisch dagegen wehren, wenn auch **nach** Jesus neue Propheten auftreten, die beanspruchen, mit seiner Verkündigung des Willens Gottes in grundlegender Übereinstimmung zu stehen. Prominentestes welthistorisches Beispiel: **Muhammad** – für den Islam **der** Prophet, dessen Offenbarung im Koran auf den »Geist« (wie immer verstanden) zurückgeführt wird[36] – als Korrektivum etwa gegenüber einer überhöhten Christologie durchaus ernst zu nehmen.

Wer immer die Bibel, die Hebräische zumal, und den Koran nebeneinander legt und nebeneinander liest, der fragt sich: Haben nicht die **drei Offenbarungsreligionen** semitischen Ursprungs – Judentum, Christentum und Islam –, haben nicht insbesondere Hebräische Bibel und Koran **dieselbe Basis**? Redet nicht in beiden überdeutlich der eine und selbe Gott? Entspricht das »So spricht der Herr« der Hebräischen Bibel nicht dem »Sage« des Koran, das biblische »Geh hin und künde!« nicht dem koranischen »Stell dich auf und warne!«? In der Tat: Auch die Millionen arabisch sprechender Christen kennen für »Gott« kein anderes Wort als – »Allah«! Ist es also nicht vielleicht doch nur ein dogmatisches Vorurteil, wenn wir Amos und Hosea, Jesaja und Jeremia und viele andere als berufene Propheten anerkennen, Muhammad aber nicht?

Das Verhältnis Christentum – Islam

Jahrhundertelang war in der Geschichte der Christenheit der Koran verachtet und der Prophet Muhammad verteufelt worden; der sonst so universal denkende Philosoph Karl Jaspers wollte ihn als unoriginell nicht einmal in sein Buch über die »maßgebenden Menschen«[37] aufnehmen. Erst heute erkennt eine selbstkritische ökumenische Theologie die welthistorische Bedeutung dieses Mannes für die Geschichte des – Juden, Christen und Muslime verbindenden – **Ein-Gott-Glaubens**. Und ohne die Unterschiede zu verwischen, kann heute auch eine christliche Theologie zugeben:

– Die Menschen im Arabien des siebten Jahrhunderts haben zu Recht auf die Stimme Muhammads gehört;

– Gemessen an ihrem sehr diesseitigen Polytheismus wurden die altarabischen Stammesreligionen durch die Verkündigung Muhammads auf ein

ganz anderes religiöses Niveau, eben das einer monotheistischen Hochreligion, gehoben;
– Hunderte von Millionen Menschen zwischen Marokko und Bangladesch, den Steppen Zentralasiens und der indonesischen Inselwelt haben von Muhammad – besser: vom Koran – unendlich viel Inspiration, Mut und Kraft zu einem religiösen Neuaufbruch empfangen: zum Aufbruch in größere Wahrheit und tiefere Erkenntnis, zum Durchbruch auf Verlebendigung und Erneuerung der überlieferten Religion.

Von daher wäre zum **Verhältnis Christentum und Islam**[38] grundsätzlich zu sagen:

- Christen und Muslime glauben an einen einzigen Gott und von daher an eine einzige Heilsgeschichte: Wie die Christen deshalb schon Adam, Noach, Abraham und alle Väter Israels als »Christen« vor Christus betrachten, so anerkennen die Muslime dieselben Väter (wie immer es historisch um die nicht verifizierbare Abstammung von Ismael stehen mag) und auch Jesus als »Muslime« vor Muhammad;
- Für Christen ist dieser Muhammad (der für Jesus Zeugnis ablegte) nicht gleichgültig und kann nicht mehr als Pseudoprophet abgetan werden, als ob es nach Christus keine Propheten mehr gäbe;
- Für Muslime hat dieser Jesus (für den auch Muhammad Zeugnis ablegte) mit seinem Evangelium etwas bleibend Wichtiges zu sagen.
- Christentum und Islam lassen sich also nicht als total geschiedene Religionen voneinander absetzen, sondern sie sind – wie auch Judentum und Christentum – als religiöse Bewegungen ineinander verwoben. Sie bilden zusammen das große prophetisch geprägte religiöse Stromsystem nahöstlich-semitischen Ursprungs, das sich von den beiden anderen großen Stromsystemen – indisch-mystischen und chinesisch-weisheitlichen Charakters – unterscheidet (von den Naturreligionen nicht zu reden). Der Islam, insofern er die Grundbotschaft von dem einen Gott neu einschärfen will, erwies sich als eine von Gottes Geist inspirierte große Lebenshilfe für ungezählte Menschen, nach Gottes Willen zu leben.

Gerade die Auffassung vom Geist also ermöglicht es dem Christen, die Bewahrung christlicher **Identität** mit der Bejahung der religiösen **Pluralität**, also christliche Konzentration mit universaler Humanität, zu verbinden. In solch offener Haltung kann der Christ Menschlichkeit, Gesellschaftlichkeit und Religiosität **überall, wo sie sich findet, anerkennen** – nicht nur im Judentum und Islam, sondern auch in Hochreligionen indischer oder chinesischer Herkunft, in den Naturreligionen und in religiösen und ethischen Gruppen aller Art –, kann sie anerkennen, **ohne sie** von vornherein für das Christentum (etwa als »anonymes Christentum«) **zu vereinnahmen**, allerdings auch ohne sie unkritisch sich zu eigen zu machen.

Doch – und dies ist vor universalem Horizont die Frage nach der christlichen Identität in der Praxis – was macht einen Menschen zum Christen?

4. Was macht einen Menschen zum Christen?

Was also ist – jetzt zusammengefaßt und zugespitzt – das letztlich Unterscheidende des Christentums? Für unsere äußerst knappe Einführung in das Zentrum des christlichen Glaubens schließt sich hier der Kreis.

Das letztlich Unterscheidende des Christentums

- Das Unterscheidende des Christentums gegenüber den alten Weltreligionen und modernen Humanismen ist dieser **Christus selbst.** Was aber bewahrt unseren Glauben vor allen Verwechslungen dieses Christus mit anderen religiösen oder politischen Christusfiguren?
- Das Unterscheidende des Christentums gegenüber den alten Weltreligionen und modernen Humanismen ist der Christus, der mit dem wirklichen, geschichtlichen Jesus von Nazaret identisch ist, ist also konkret dieser **Christus Jesus**. Was aber bewahrt unseren Glauben vor allen Verwechslungen dieses geschichtlichen Jesus Christus mit falschen Jesus-Bildern?
- Das Unterscheidende des Christentums gegenüber den alten Weltreligionen und modernen Humanismen, das letztlich Unterscheidende des Christentums ist ganz wörtlich nach Paulus »Jesus Christus und dieser **als der Gekreuzigte**«[39]. Er ist der Inhalt des Evangeliums, auf seinen Namen wird der Glaubende getauft, seines Leidens, Sterbens und neuen Lebens gedenkt er in der Mahlfeier. Das Kreuz – in noch ganz anderer Weise als der siebenarmige Leuchter (Menora) für das Judentum und der Halbmond für den Islam – ist für das Christentum das Real- und Zentralsymbol.

Der Evangelist Johannes sieht deshalb das unterscheidend Christliche genauso wie Paulus, wenn er, wie wir hörten, in freilich sehr verschiedener Begrifflichkeit Jesus den Weg, die Wahrheit und das Leben[40] nennt und das mit folgenden Bildern veranschaulicht: Er ist das Brot des Lebens[41], das Licht der Welt[42], die Tür[43], der wahre Weinstock[44], der wahre Hirt, der sein Leben hingibt für die Schafe[45]. Jesus ist hier offensichtlich nicht ein Name, der ständig im Munde zu führen ist (»Herr, Herr«-Sagen). Er ist der Weg der Wahrheit des Lebens, die zu tun ist. Ja, es geht im Christentum durchaus um die **Wahrheit**. Doch nicht rein theoretische Vernunftwahrheiten, sondern praktische Glaubenswahrheiten sind hier gemeint, die in Erfahrung, Entscheidung und Tun gründen. Ja, die Wahrheit des Christentums soll nicht »geschaut«, »theoretisiert«, sie soll »getan«, »**praktiziert**« werden. Der christliche Wahrheitsbegriff ist nicht wie der griechische kontemplativ-theoretisch, sondern operativ-praktisch. Eine Wahrheit, die nicht nur gesucht und gefunden, sondern die befolgt und in Wahrhaftigkeit wahr gemacht, bewahrheitet und bewährt werden will. Eine Wahrheit, die auf Praxis zielt, die auf den Weg ruft, die ein neues Leben schenkt und ermöglicht.

Was also macht einen Menschen zum Christen? Nicht einfach, daß er human, sozial oder religiös ist, sondern daß er seine Menschlichkeit, Gesellschaftlichkeit und Religiosität nach dem **Maßstab und Geist dieses Christus zu leben versucht** – »recht und schlecht«, wie es nun einmal Menschenart ist. Was dies bedeutet, wird uns noch weiter zu beschäftigen haben. Doch ist zunächst zu fragen: Ist nicht das Glaubensbekenntnis für das Christwerden grundlegend?

Gemeinsame Kurzformeln des Glaubens

Christlicher Glaube ist nicht stummer Glaube. Er erkennt, was er glaubt, und bekennt, was er erkennt. Kein Glaubensakt (fides qua creditur) ohne einen wie immer bestimmten Glaubensinhalt (fides quae creditur). Und insofern nun dieser erkennende und bekennende Glaube sich ausspricht, ist er auf Worte und Sätze des Glaubens angewiesen. Und insofern christlicher Glaube ja nie nur Glaube von abstrakten Einzelnen, nie individualistisch, solipsistisch ist, sondern Glaube in oder in bezug zu einer **Glaubensgemeinschaft**, ist er für die Kommunikation innerhalb der Glaubensgemeinschaft auf Sprache angewiesen, die in Worten und Sätzen geschieht, auf **Sätze des Glaubens** also im weitesten Sinne des Wortes.

Die Gemeinschaft der Christusgläubigen hat so schon sehr früh **gemeinsame** Sätze des Glaubens formuliert. Es sind dies zusammenfassende Bekenntnisse des Christusglaubens: noch nicht polemisch abgrenzende, defensiv-definierende Sätze, noch nicht Glaubensdefinitionen oder Glaubensdogmata, wie sie dann die spätere Kirche kennt; wohl aber **abkürzend-rekapitulierende** Sätze, Sätze, die in aller Kürze und Knappheit das

Entscheidende zusammenfassen und dem Gedächtnis einprägen wollen, also Glaubensbekenntnisse oder Glaubenssymbola.

Es ist für unsere Fragestellung nicht so wichtig, ob es dabei im einzelnen mehr um das Wort der Verkündigung oder die Ant-Wort des Bekenntnisses geht; ob mehr der Gottesdienst, die Katechese oder die Kirchenordnung konkreter »Sitz im Leben« solcher Sätze ist. Es läßt sich nicht immer eindeutig entscheiden, ob es im Einzelfall mehr liturgische, kerygmatische, katechetische, juridische oder erbauliche Sätze sind; ob es sich genauer um gemeinsame Zurufe (Akklamationen) wie »Amen!«, »Halleluja!«, »Hosianna!«, »Maranatha = Unser Herr komme!«, »Abba = Vater!«, »Jesoũs Kýrios = Herr Jesus!« handelt oder um Lob- und Danksprüche (Doxologien) mit Nennung des Gottes- und dann auch des Christusnamens und späterer hymnischer Ausgestaltung; ob es um Segenssprüche (im Sinne der jüdischen Grußformeln und Seligpreisungen) geht oder um sakramentales Formelgut (liturgische Formulare für Taufe und Abendmahl mit fester Terminologie) oder um im strengen Sinn Bekenntnisformeln oder Homologien. Die Übergänge zwischen den einzelnen Formen und Formeln sind von vorneherein fließend: insbesondere die von der Akklamation zur Doxologie und zur eigentlichen Bekenntnisformel, die vermutlich oft im besonderen Zusammenhang gerade mit dem Taufunterricht und der Taufliturgie gebraucht wurde.[46]

Nicht zu bestreiten ist jedenfalls, daß sich bereits in neutestamentlichen Gemeinden solche **gemeinsamen Kurzformeln des Glaubens** finden, die allesamt um das Christusgeschehen kreisen:

– Die kürzesten dieser Glaubensformeln sind die zahlreichen **eingliedrigen**, die den Eigennamen Jesus mit einem bestimmten aus der jüdischen oder hellenistischen Welt entnommenen Würdetitel verbinden: »Messias ist Jesus«, »Herr ist Jesus«, »Gottes Sohn ist Jesus«[47].

– Zugleich findet man aber im Neuen Testament auch bereits **zweigliedrige** Bekenntnisformeln, die von Gott und Christus handeln[48], oder überhaupt schon weiter ausgeführte kleine Glaubensbekenntisse, besonders bezüglich Tod und Auferweckung Christi[49].

– Schließlich gibt es ganz vereinzelt in liturgischen Stücken Bekenntnisse in **triadischer** Form (der Glaube an Vater, Sohn und Heiligen Geist[50]. Solche alte, neutestamentliche und spätere Kurzformeln des Glaubens haben sich bis heute in den Kirchen erhalten.

Erste christliche Glaubensbekenntnisse

eingliedrig:

»**Jesus** ist der Herr.«

(1 Kor 12,3; vgl. Röm 10,9)

zweigliedrig:

»Für uns gibt es nur **einen Gott**, den Vater,
von dem alle Dinge sind und wir auf ihn hin,
und nur einen Herrn **Jesus Christus**,
durch den alle Dinge sind und wir durch ihn.«

(1 Kor 8,6)

dreigliedrig:

»Die Gnade **Jesu Christi**, des Herrn,
die Liebe **Gottes**
und die Gemeinschaft des **Heiligen Geistes**.«

(2 Kor 13,13)

»Tauft sie auf den Namen des **Vaters**
und des **Sohnes**
und des Heiligen **Geistes**.«

(Mt 28,19)

ausführlicher:

»Was ich empfangen habe:
daß **Christus** für unsere Sünden gestorben ist
gemäß der Schrift;
und daß er begraben worden ist
und daß er am dritten Tage auferweckt worden ist
gemäß der Schrift.«

(1 Kor 15,3f)

»Das Evangelium **Gottes** … von seinem **Sohn**,
der geboren ist aus dem Geschlecht David nach dem Fleisch,
und nach dem **Geist**, der heiligt,
eingesetzt als Sohn Gottes in Macht
aufgrund der Auferstehung von den Toten,
Jesus Christus, unserem Herrn.«

(Röm 1,3f)

Keine Glaubensgesetze

Hält man sich diese christlichen Urbekenntnisse vor Augen, fällt ein Unterschied zum Credo des heutigen christlichen Gottesdienstes sofort auf: Im Mittelpunkt der frühen Bekenntnisse stehen Kreuz und Auferweckung Jesu, **nicht Jungfrauengeburt**, **Höllenfahrt** und **Himmelfahrt** Jesu, von denen nur vereinzelt im Neuen Testament die Rede ist (von der Jungfrauengeburt nur in den Kindheitsgeschichten des Mattäus und Lukas, von der Himmelfahrt nur bei Lukas, von der Höllenfahrt bestenfalls an einer höchst umstrittenen Stelle des nichtauthentischen ersten Petrusbriefes[51]). Kreuz und Auferweckung bilden das **Zentrum** des christlichen Glaubens. Das lange Zeit den Aposteln zugeschriebene »Apostolische Glaubensbekenntnis« gibt es denn auch in dieser ausgefalteten Form nachweisbar erst seit dem vierten Jahrhundert (wie man dieses in vielen Kirchen bis heute gebrauchte Glaubensbekenntnis schrift- und zeitgemäß verstehen kann, habe ich, um dieses Buch nicht allzusehr zu belasten, in einem eigenen kleinen Buch dargelegt[52]).

Es soll also keineswegs bestritten werden, daß solche Kurzformeln, alte oder neue, auch heute einen Sinn haben können, sei es wie von Anfang an im Zusammenhang mit der Taufe, der Katechese oder sonst mit dem Leben der kirchlichen Gemeinschaft. Nur ist dabei zu bedenken: Die ursprünglichen Glaubens- und Bekenntnisformeln waren nie Fragmente eines einzigen Credo. Dafür sind sie bei all ihrer Konzentration auf das Christusgeschehen, auf die Bedeutsamkeit Jesu für die Gemeinde der Glaubenden, zu verschiedenartig: verschieden nach Inhalt und Form, mit diesem oder jenem Ehrentitel, nach dieser oder jener Motivreihe.

Noch wichtiger ist, daß es sich bei den ursprünglichen Glaubensbekenntnissen keineswegs um Dogmen im heutigen Sinne handelt. Sie waren keine Lehrgesetze: Spontan, variabel, vielfältig, wie sie waren, wollten und konnten sie nicht fixierte, unüberbietbare, undiskutable Sätze von definitivem und obligatorischem Charakter sein, die neue und andere Bildungen ausschließen. Nein, der Glaube gründet sich nicht auf solche Formeln, aber er drückt sich in solchen Formeln aus: Glaubenssätze nicht als gesetzliche Begründung, sondern als freier Ausdruck des Glaubens der Gemeinde. Diese Einsicht ist wichtig, um – zur »Erbauung« der Gemeinde und vielleicht auch zur ökumenischen Verständigung zwischen den getrennten Kirchen – wieder die Bildung neuer, für eine neue Zeit vielleicht verständlicherer Glaubensbekenntnisse zu ermöglichen.[53]

Doch dürften sich angesichts der nun immer entwickelteren Glaubensbekenntnisse nicht nur Juden und Muslimen, sondern auch Christen kritische Fragen aufdrängen: ob diese Bekenntnisse zu Jesus Christus, seinem Gott und Vater und zum Heiligen Geist nicht das gefährden könnten, was den drei abrahamischen Religionen vom Ursprung her gemeinsam ist. Deshalb:

Fragen für die Zukunft

Wird im Christentum auf die Dauer der **Glaube an den einen Gott Israels** nicht gefährdet, wenn ein zweiter Glaubensartikel an Jesus Christus im Verlauf der Geschichte immer mehr Gewicht und höheren Rang erhalten sollte?

Wird im Christentum auf die Dauer nicht auch der **Glaube an das weltumfassende Wirken des Geistes** allzusehr auf die Kirche beschränkt, so daß Propheten außerhalb der Kirche, auch der Prophet Muhammad, von vorneherein keine Anerkennung finden können?

Wird im Christentum auf die Dauer nicht auch der vertrauende **Glaube an Jesus Christus** selbst doch allzusehr in einen Satz-Glauben aufgelöst, der abgefragt, eingefordert und mit Sanktionen belegt werden kann, so daß gegenüber dem korrekten Glaubensbekenntnis das Leben nach dem Maßstab und Geist Jesu Christi zweitrangig wird: Orthodoxie statt Orthopraxie?

Gewiß, alle Glaubensbekenntnise der Christenheit – die alten wie die neuen – in Ehren, wichtiger aber für das Christsein ist etwas anderes. Nirgendwo hat Jesus gesagt: »**Spreche mir nach**!«, vielmehr sagte er: »**Folge mir nach**!«[54] Das heißt: Keinem seiner Jünger oder Jüngerinnen hat Jesus zuerst ein Glaubensbekenntnis abverlangt, vielmehr hat er sie in die ganz und gar praktische Nachfolge berufen. Nicht das »Herr, Herr sagen« ist entscheidend, sondern »Tun des Willens des Vaters, der im Himmel ist«[55]. Dafür ist er in seinem ganzen Reden und Wirken, Leiden und Sterben die große, die zentrale Leitfigur von Anfang durch die Jahrhunderte bis in unsere Gegenwart.

Jesus Christus als Leitfigur: das spezifisch christliche Ethos

Was ist für christliches Handeln, für christliche Ethik das Entscheidende, was ist das **Kriterium des Christlichen**, das unterscheidend Christliche in der Praxis, was das vieldiskutierte »**Proprium**« **christlicher Ethik**?[56] Antwort: Jesus als **die maßgebende konkrete Person**, wie wir sahen, in ihrer ganzen Anschaulichkeit, Vernehmbarkeit und Realisierbarkeit! Im Kontext des Buches »Christ sein« habe ich auch dies ausgeführt: Für die Christenheit aller Zeiten bedeutet Jesus Christus ein in vielen Weisen zu realisierendes **Grund-Modell** einer Lebensschau und Lebenspraxis. Er ist in Person, im Positiven wie im Negativen, die Einladung (Du darfst!), der Appell (Du sollst!), die Herausforderung (Du kannst!) für den Einzelnen und die Gesellschaft: Er ermöglicht konkret

- eine neue Grundorientierung und Grundhaltung,
- neue Motivationen, Dispositionen und Aktionen,
- einen neuen Sinnhorizont und eine neue Zielbestimmung.

Der neutestamentliche Schlüsselbegriff christlicher Ethik heißt: Nachfolge Christi.

Nachfolge unterscheidet die Christen von anderen Schülern und Anhängern großer Lehrer der Menschheit, insofern für die Christen eine letzte Verwiesenheit an diese Person, nicht nur an ihre Lehre, sondern auch an ihr Leben, Sterben und neues Leben gegeben ist. Kaum ein Platoniker oder Aristoteliker, ein Marxist oder Freudianer würde das für seinen Lehrer beanspruchen wollen. Obwohl Platon und Aristoteles, Marx und Freud ihre Werke persönlich verfaßt haben, können diese auch ohne eine besondere Bindung an ihre Person studiert und befolgt werden. Ihre Werke, ihre Lehre sind von ihrer Person grundsätzlich ablösbar. Die Evangelien, die »Lehre« (Botschaft) **Jesu** aber, der bekanntlich kein Wort geschrieben hat, versteht man in ihrer eigentlichen Bedeutung erst, wenn man sie im Lichte seines Lebens und Leidens, Sterbens und neuen Lebens sieht: Seine »Lehre« ist im ganzen Neuen Testament von seiner Person nicht ablösbar. Jesus ist so für die Christen gewiß Lehrer und Vorbild, aber auch zugleich entschieden mehr als Lehrer und Vorbild: Er ist **in Person die lebendige, maßgebende Verkörperung seiner Sache**. Jesus als der Christus Gottes, weswegen die an ihn Glaubenden nicht Jesuaner, sondern Christen heißen.

Insofern Jesus in Person die lebendige Verkörperung seiner Sache bleibt, darf er allerdings nie – wie etwa Marx und Engels früher in totalitären Systemen – zu einem leeren, affektlosen Porträt, zur leblosen Maske, zum domestizierten Objekt eines Personenkultes werden. Dieser lebendige Christus ist und bleibt Jesus von Nazaret, wie er gelebt und gepredigt, gekämpft und gelitten hat. Dieser lebendige Christus ruft

- weder zur folgenlosen Anbetung oder gar zur mystischen Einigung,

- noch zur buchstäblichen Nachahmung oder Imitation,
- sondern zur praktischen, persönlichen Gefolgschaft.

Und was meint solche Gefolgschaft? »**Nachfolgen**« – im Neuen Testament gibt es bezeichnenderweise nur das Tätigkeitswort[57] – meint ein »Hinterihmhergehen«, jetzt freilich nicht mehr äußerlich mit ihm quer durchs Land ziehen wie zu Jesu Lebzeiten, aber doch im Zeichen der gleichen Jüngerschaft in Beziehung zu ihm treten, sich auf Dauer an ihn anschließen und seine Lebensentscheidungen nach ihm ausrichten. Das heißt Nachfolge: **sich auf ihn** und seinen Weg einlassen und nach seiner Wegweisung seinen eigenen Weg – jeder/jede hat seinen/ihren eigenen! – gehen. Diese Möglichkeit wurde von Anfang an als die große Chance angesehen: kein Müssen, sondern ein Dürfen. Eine echte Berufung also zu einem solchen Lebensweg, eine wahre Gnade, die nichts voraussetzt als das eine, daß man sie vertrauend ergreift und sein **Leben** danach **einstellt**.

Der christliche Glaube also ist Grundlage jener großen Religion, deren Stärke es ist, zur detaillierten Rechtfertigung und Begründung einer Lebenseinstellung, eines Lebensweges und Lebensstiles auf eine ganz bestimmte maßgebende historische Gestalt hinweisen zu können. Denn mit dem Blick auf Jesus Christus lassen sich – durchaus begründet, wie wir sahen – die Grundeinstellung und die Grundorientierung eines Menschen, lassen sich **Lebensform, Lebensstil und Lebensweg** ebenso umfassend wie konkret umschreiben. Ja, es ist keine Frage, daß die ganze christliche Botschaft nicht nur auf bestimmte Entscheidungen, Aktionen, Motivationen, Dispositionen zielt, sondern auf eine völlig neue **Lebenseinstellung**: auf ein von Grund auf verändertes Bewußtsein, eine neue Grundhaltung, eine andere Wertskala, ein radikales Umdenken und Umkehren des ganzen Menschen (»Metánoia«[58]). Dies ist der Sinn der »Bergpredigt«, des Herzstücks der christlichen Ethik.

Der Sinn der Bergpredigt

»Die Botschaft Jesu, wie ich sie verstehe, ist enthalten in seiner Bergpredigt. Der Geist der Bergpredigt konkurriert unter ziemlich gleichen Bedingungen mit der Bhagavadgita um die Herrschaft meines Herzens. Es ist diese Predigt, die mir Jesus lieb gemacht hat«, so bekennt kein Geringerer als Mahatma Gandhi.[59] Die Bergpredigt[60], in der Mattäus und Lukas die ethischen Forderungen Jesu – kurze Sprüche und Spruchgruppen hauptsächlich aus der Logienquelle Q – gesammelt haben, hat Christen und Nichtchristen, hat auch Jakobiner der Revolution und den

Sozialisten Kautsky, hat Leo Tolstoi wie Albert Schweitzer – immer wieder neu herausgefordert. Was will die Bergpredigt?

Eines jedenfalls sicher nicht: Sie will **keine verschärfte Ethik des Gesetzesgehorsams** sein. Irreführend hat man sie bisweilen – zum Ersatz des jüdischen Gesetzes – als »Gesetz Christi« bezeichnet. In der »Bergpredigt« aber wird gerade das angesprochen, was nicht Gegenstand einer gesetzlichen Regelung werden kann. Gerade das Gebot der Liebe soll ja nicht ein neues Gesetz sein. Vielmehr: Ganz konkret zugreifend, fern aller Kasuistik und Gesetzlichkeit, unkonventionell und treffsicher ruft Jesus den Einzelnen zum **Gehorsam gegen Gott** auf, der sein ganzes Leben umfassen soll. Einfache, durchsichtige, befreiende Appelle, die auf Autoritäts- und Traditionsargumente verzichten, aber Beispiele, Zeichen, Symptome für das veränderte Leben angeben. Große helfende, oft bewußt überspitzt formulierte Weisungen ohne alles Wenn und Aber: Bringt dich dein Auge zu Fall, so reiße es aus! Deine Rede sei ja, ja und nein, nein! Versöhne dich zuerst mit deinem Bruder! Die konkrete Anwendung auf sein Leben hat jeder selbst zu vollziehen.

Eine quantitative Steigerung der Forderungen ist mit der »besseren Gerechtigkeit« oder der »Vollkommenheit« jedenfalls nicht gemeint. Jesus verwirklicht, wie die Antithesen der Bergpredigt[61] erkennen lassen, gerade nicht jenen Gehorsam gegenüber Jota und Häkchen des Gesetzesbuchstabens, den ein judenchristliches Logion, welches von Mattäus zitiert wird[62], fordert. Damit würde der Gehorsam – in diesem Fall nicht liberal, sondern ultrakonservativ – entschärft.[63] Seine Botschaft ist überhaupt nicht eine Summe von Geboten. Ihm nachzufolgen bedeutet nicht die Ausführung einer Anzahl von Vorschriften. Nicht umsonst stehen an der Spitze der Bergpredigt Glücksverheißungen für die Unglücklichen. Das Geschenk, die Gabe, die Gnade geht der Norm, der Forderung, der Weisung voraus: Jeder ist gerufen, jedem das Heil angeboten, ohne alle Vorleistungen. Und die Weisungen selber sind Konsequenzen seiner Botschaft vom Gottesreich. Nur beispielhaft, zeichenhaft nimmt er Stellung.

Dies ist der Generalnenner der Bergpredigt: **Gottes Wille geschehe!** Gottes Forderung unterläuft, überschreitet und durchbricht die weltlichen Begrenzungen und rechtlichen Ordnungen. Die herausfordernden Beispiele der Bergpredigt[64] wollen gerade nicht eine gesetzliche Grenze angeben: nur die linke Wange, zwei Meilen, den Mantel – dann hört die Gemütlichkeit auf. Gottes Forderung appelliert an die Großzügigkeit des Menschen, tendiert auf ein Mehr. Ja, sie geht auf das Unbedingte, das Grenzenlose, das Ganze. Kann Gott mit einem begrenzten, bedingten, formalen Gehorsam – nur weil etwas geboten oder verboten ist – zufrieden sein? Da würde ein Letztes ausgespart, was alle noch so minutiösen Rechts- und Gesetzesbestimmungen nicht fassen können und was doch über die Haltung des Menschen entscheidet. Gott will mehr: Er beansprucht nicht nur den halben, sondern den ganzen Willen. Er fordert nicht nur das kontrollierbare Äußere, sondern auch das unkontrollierbare Innere – des Menschen Herz. Er will nicht nur gute Früchte, sondern den guten Baum.[65] Nicht nur das Handeln, sondern das Sein. Nicht etwas, sondern mich selbst, und mich selbst ganz und gar.

Das meinen die verwunderlichen Antithesen der Bergpredigt, wo dem Recht der Wille Gottes gegenübergestellt wird: Nicht erst Ehebruch, Meineid, Mord, sondern auch das, was das Gesetz gar nicht zu erfassen vermag, schon die ehebrecherische Gesinnung, das unwahrhaftige Denken und Reden, die feindselige Haltung sind gegen Gottes Willen. Jegliches »Nur« in der Interpretation der Bergpredigt bedeutet eine Verkürzung und Abschwächung des unbedingten Gotteswillens: »nur« eine bessere Gesetzeserfüllung, »nur« eine neue Gesinnung, »nur« ein Sündenspiegel im Licht des einen gerechten Jesus, »nur« für die zur Vollkommenheit Berufenen, »nur« für damals, »nur« für eine kurze Zeit ... Im Hinblick auf das Letzte und Endgültige, das Gottesreich, wird eine grundlegende Veränderung des Menschen erwartet. Die Bergpredigt ist zunächst an den Einzelnen gerichtet und tendiert nicht direkt auf eine neue Staats- und Rechtsordnung. Doch wer süffisant meint, mit der Bergpredigt sei »kein Staat zu machen«, der übersieht ihre Implikationen und Konsequenzen für Staat und Gesellschaft, wie wir schon in der Diskussion mit dem Judentum gesehen haben.[66]

Jesu Forderungen sind **radikal**. Drei Beispiele, die sich leicht nicht nur auf einzelne Individuen, sondern auf gesellschaftliche (auch ethnische, nationale, religiöse) Gruppen anwenden lassen:

– Verzicht auf Rechte zugunsten des Anderen: mit dem zwei Meilen gehen, der mich gezwungen hat, eine mit ihm zu gehen.[67]

– Verzicht auf Macht auf eigene Kosten: dem auch noch den Mantel geben, der mir den Rock abgenommen hat.[68]

– Verzicht auf Gegengewalt: dem die linke Backe hinhalten, der mich auf die rechte geschlagen hat.[69]

Gerade diese letzten Beispiele zeigen noch deutlicher als alles Frühere: Jesu Forderungen dürfen **nicht** als wörtlich zu befolgende **absolute Gesetze** mißverstanden werden. Sie sind und bleiben **ethische Appelle**. Jesus vertritt nicht die Meinung: Bei einem Schlag auf die linke Backe ist Vergeltung nicht erlaubt, wohl aber bei einem Stoß in den Magen. Gewiß

Dekalog und Bergpredigt

»Ich bin der Herr, dein Gott. Du sollst keine anderen Götter neben mir haben.	»Niemand kann zwei Herren dienen … Ihr könnt nicht Gott dienen und dem Mammon.« (Mt 6,24)
Du sollst Dir kein Gottesbild machen. Du sollst den Namen des Herrn, deines Gottes, nicht mißbrauchen.	»Ich aber sage Euch, schwört überhaupt nicht, weder beim Himmel … noch bei der Erde … noch bei Jerusalem.« (Mt 5,34f)
Gedenke des Sabbattages, daß Du ihn heilig haltest.	»Wer ist unter Euch, der sein einziges Schaf, wenn es am Sabbat in eine Grube fällt, nicht ergreift und herauszieht? Wieviel mehr ist nun ein Mensch wert als ein Schaf? Deshalb ist es erlaubt, am Sabbat Gutes zu tun.« (Mt 12,11f)
Ehre deinen Vater und deine Mutter.	»Wer Vater oder Mutter mehr liebt als mich, ist meiner nicht wert.« (Mt 10,37)
Du sollst nicht töten.	»Ich aber sage Euch, daß jeder, der seinem Bruder zürnt, des Gerichts schuldig ist.« (Mt 5,22)
Du sollst nicht ehebrechen.	»Ich aber sage Euch, daß jeder, der eine Frau anblickt, sie zu begehren, schon mit ihr in seinem Herzen die Ehe gebrochen hat.« (Mt 5,28)
Du sollst nicht stehlen.	»Wenn Dich jemand auf Deine rechte Backe schlägt, dann halte ihm auch die andere hin.« (Mt 5,39)
Du sollst nicht falsches Zeugnis reden wider deinen Nächsten.	»Eure Rede sei ja, ja, nein, nein, was darüber ist, ist vom Bösen.« (Mt 5,37)
Du sollst nicht begehren nach dem Hause deines Nächsten.	»Alles nun, was ihr wollt, das auch die Leute tun sollen, das tut ihnen auch. Darin besteht das Gesetz und die Propheten.« (Mt 7,12)
Du sollst nicht begehren nach dem Weibe deines Nächsten, nach seinem Sklaven oder Sklavin, nach seinem Rinde oder seinem Esel, nach irgendetwas, was Dein Nächster hat.« (Ex 20,1-21)	»Ich aber sage Euch, daß jeder, der seine Frau entläßt, außer wegen Ehebruch, macht, daß sie die Ehe bricht.« (Mt 5,32)

Übersetzung: Zürcher Bibel

sind diese Beispiele nicht nur symbolisch gemeint: Es sind sehr bezeichnende (und öfters in typisch orientalischer Übertreibung formulierte) Grenzfälle, die jederzeit Wirklichkeit werden können. Aber sie sind nicht gesetzlich gemeint: als ob nur dies und immer wieder dies geboten wäre. Verzicht auf Gegengewalt meint nicht von vornherein Verzicht auf jeden Widerstand. Jesus selber hat nach den Berichten bei einem Schlag auf die Wange vor Gericht keineswegs die andere Wange hingehalten, sondern aufbegehrt. Verzicht darf nicht mit Schwäche verwechselt werden. Es geht bei den Forderungen Jesu nicht um ethische oder gar asketische Leistungen, die aus sich selber einen Sinn hätten. Es geht um drastische Appelle zur radikalen Erfüllung des Willens Gottes von Fall zu Fall zugunsten des Mitmenschen. Aller Verzicht ist nur die negative Seite einer neuen positiven Praxis.

Hier kommt zum Ausdruck, inwiefern nicht nur ein allgemeines Ethos der Humanität, sondern auch **das jüdische Ethos radikalisiert** wird. Sogar die zehn Gebote des Dekalog[70] erscheinen im Lichte der Botschaft Jesu von der »besseren Gerechtigkeit« im dreifachen Sinn des Wortes »aufgehoben«: fallengelassen und doch bewahrt, weil auf eine höhere Ebene gehoben.[71]

Es bedarf nicht vieler Worte, um deutlich zu machen, welche ungeheure **Herausforderung** die Bergpredigt **für die Christenheit selbst** ist. Jede ihrer Aussagen wird zu einer Frage an die Christenheit als ganze, an die verschiedenen Kirchen und Gruppen und an die einzelnen Christen.

Fragen für die Zukunft

† Was könnte es für Politik, Wirtschaft, Kultur und privates Leben als Herausforderung bedeuten, wenn es gälte,

– nicht nur keine anderen Götter neben dem einen Gott zu haben, sondern Gott zu lieben »von ganzem Herzen« und den Nächsten, sogar den Feind, wie sich selbst;

– nicht nur den Namen Gottes nicht unnütz auszusprechen, vielmehr auch bei Gott nicht zu schwören;

– nicht nur den Sabbat durch Ruhe zu heiligen, sondern am Sabbat aktiv das Gute zu tun;

– nicht nur Vater und Mutter zu ehren, um lange zu leben auf Erden, sondern falls um des echten Lebens willen notwendig, die natürlichen menschlichen Zusammenhänge hintanzustellen;

– nicht nur nicht zu töten, sondern schon tötende Gedanken und Worte zu unterlassen;
– nicht nur nicht ehezubrechen, sondern schon ehebrecherische Absichten zu meiden;
– nicht nur nicht zu stehlen, sondern auf das Recht der Vergeltung für erlittenes Unrecht zu verzichten;
– nicht nur kein falsches Zeugnis abzulegen, sondern in uneingeschränkter Wahrhaftigkeit das Ja ein Ja und das Nein ein Nein sein zu lassen;
– nicht nur nicht zu begehren seines Nächsten Haus, sondern sogar Böses zu erdulden;
– nicht nur nicht zu begehren seines Nächsten Frau, sondern die an sich legale Ehescheidung zu vermeiden?

Die Liebe als Erfüllung des Gesetzes

Von daher versteht sich, warum der Apostel Paulus – auch hier in auffälliger Übereinstimmung mit dem Jesus der Geschichte – im Recht war, wenn er die Überzeugung äußerte, wer liebe, habe das Gesetz erfüllt![72] Und nach Augustin hat man es noch zugespitzter formuliert: »Ama, et fac quod vis« – »Liebe, und tue, was du willst!« Kein neues Gesetz, sondern eine neue Freiheit der Liebe. Liebe hier nicht verstanden als primär sentimental-emotionale Zuneigung (die man ja unmöglich jedem Menschen entgegenbringen kann), sondern als wohlwollendes hilfsbereites Dasein-für-andere. Diese Liebe hat Jesus in seinem ganzen Lehren und Verhalten, Kämpfen und Leiden verkörpert. Und hätte er nicht dieses außerordentliche Geschick gehabt – ein Leben und Sterben für seine »gute Botschaft«, sein »Evangelium« –, so wäre uns wohl kaum so etwas wie die Bergpredigt überliefert worden.

Ist diese Botschaft der Liebe vielleicht allzu abstrakt? Ist das Hohelied der Liebe, das Paulus in seinem ersten Schreiben an die Gemeinde von Korinth ganz im Geist Jesu anstimmt, allzu abgehoben? Besser als alle Kasuistik vermögen einige einfache Antithesen eines mir unbekannten Autors deutlich zu machen, wie sehr eine andere Grundhaltung das Leben höchst konkret zu verändern vermag:

Pflicht ohne Liebe macht verdrießlich;
Pflicht in Liebe ausgeübt macht beständig.

Verantwortung ohne Liebe macht rücksichtslos;
Verantwortung in Liebe ausgeübt macht fürsorglich.

Gerechtigkeit ohne Liebe macht hart;
Gerechtigkeit in Liebe ausgeübt macht zuverlässig.

Erziehung ohne Liebe macht widerspruchsvoll;
Erziehung in Liebe ausgeübt macht geduldig.

Klugheit ohne Liebe macht gerissen;
Klugheit in Liebe ausgeübt macht verständnisvoll.

Freundlichkeit ohne Liebe macht heuchlerisch;
Freundlichkeit in Liebe ausgeübt macht gütig.

Ordnung ohne Liebe macht kleinlich;
Ordnung in Liebe ausgeübt macht großzügig.

Sachkenntnis ohne Liebe macht rechthaberisch;
Sachkenntnis in Liebe ausgeübt macht vertrauenswürdig.

Macht ohne Liebe macht gewalttätig;
Macht in Liebe ausgeübt macht hilfsbereit.

Ehre ohne Liebe macht hochmütig;
Ehre in Liebe ausgeübt macht bescheiden.

Besitz ohne Liebe macht geizig;
Besitz in Liebe ausgeübt macht freigebig.

Glaube ohne Liebe macht fanatisch;
Glaube in Liebe ausgeübt macht friedfertig.

Aber halt, spätestens hier hält man zutiefst erschreckt ein: Wie großartig das Ideal – und wie traurig die Wirklichkeit! Was hat die Christenheit in den vergangenen zweitausend Jahren aus dieser Einladung, diesem Appell, dieser Herausforderung ihres Christus gemacht! Nein, nachdem wir uns so eingehend mit dem Wesen und dem Zentrum, den zentralen Strukturelementen und der zentralen Leitfigur des Christentums beschäftigt haben, müssen wir uns mit seiner **Geschichte**, seiner höchst ambivalenten und vielfach gebrochenen Geschichte, so konkret wie im Rahmen eines Buches möglich, auseinandersetzen.

Doch ist hier zunächst eine Abschluß- und Übergangsreflexion anzustellen. Blicken wir auf die vorangegangenen Ausführungen zurück, so ist es nun nicht mehr schwierig zu bestimmen, was in all den wechselnden zeitgeschichtlichen Konstellationen die bleibende Glaubenssubstanz des Christentums war und ist.

Bleibende Glaubenssubstanz und wechselnde Paradigmen

Was sind nach den bisherigen Überlegungen **Zentrum und Fundament**, mit anderen Worten: Was ist die bleibende **Glaubenssubstanz** der christlichen Religion, des Neuen Testaments, des christlichen Glaubens? Antwort: Was immer eine historische, literarische oder soziologische Bibelkritik kritisieren, interpretieren und reduzieren mag: Von den maßgeblichen und geschichtsmächtig gewordenen christlichen Glaubensurkunden her ist der zentrale Glaubensinhalt **Jesus Christus**: er als der Messias und Sohn des einen **Gottes** Abrahams, er, wirksam auch heute durch denselben Gottes**geist**. Kein christlicher Glaube, keine christliche Religion ohne das Bekenntnis: **»Jesus ist der Messias, Herr, Sohn Gottes!«** Der Name Jesus Christus bezeichnet die (keineswegs statisch zu verstehende) »Mitte des Neuen Testaments«.

Natürlich läßt sich vertreten, daß der eine Gott Abrahams selbst die Mitte des Neuen Testaments ausmacht, seine »**Theozentrik**«. Aber das »Neue« am »Neuen Testament« ist gerade dies: Dieser eine Gott wird nie allein gesehen, sondern immer zusammen mit dem, der ihn »neu« verkündet hat. Nicht um die innersten »Geheimnisse der Gottheit« kreisen die neutestamentlichen Schriften, sondern um die Geschichte Jesu Christi, die Konsequenzen für das Verständnis Gottes hat. Immer weniger stehen für diese Juden von damals das (ohnehin bald zerstreute) jüdische Volk und das (ohnehin bald verlorene) jüdische Land als Ausdruck des Bundes Gottes im Mittelpunkt. Mittelpunkt ist dieser Jesus, der nun seinerseits als der Garant des fortdauernden Bundes angesehen wird, der als der »Messias« oder »Herr« (»Menschensohn«, »Davidssohn« oder mit welchem Titel auch immer) erwartet wird.

Bei allem unverrückten Glauben an den einen Gott wird also das **Zentrum des Glaubens neu bestimmt**: Jesu Name steht für das Gottesreich, dessen Kommen er verkündet hatte. Der Glaube an Gott wird so christologisch konkretisiert, ja personifiziert. Christen haben damit keinen zweiten Gott neben den einen Gott gestellt, huldigen keinem Bitheismus anstelle eines Mono-theismus. Aber: Der eine Gott Israels wird durch diesen seinen letzten Propheten und Messias neu gesehen und dieser selber immer mehr neu verstanden: als Gottes Bild, Wort und Sohn. Insofern wird die »Theo-zentrik« bestimmt durch »**Christo-zentrik**«. Insofern ist die Umschreibung der Mitte des Christlichen mit dem Namen Jesus Christus naheliegend, getreu den ursprünglichen Glaubensbekenntnissen der frühen Christenheit.

Umschreibt man die unterscheidenden Strukturelemente und bleibenden Leitlinien des christlichen Glaubens noch genauer, so sind dies – nach allem, was wir hörten – die folgenden:

- der Glaube an Jesus, den Gekreuzigten und zum Leben erweckten Herrn,
- der Glaube an den mit den Juden gemeinsamen Gott Abrahams, den Jesus seinen Vater nannte,
- der Glaube an die Macht des Geistes Gottes, der in und durch Jesus mächtig geworden ist.

Dieses Sonderverhältnis Jesu Christi zu seinem Gott ist keimhafter Ausgangspunkt und konstitutiver Kristallisationskern des Christentums. Und bei allem von Anfang an berichteten Versagen und Sichverweigern des Christenvolkes und allen Entwicklungen und Verwicklungen der Christentumsgeschichte wird dies dennoch die nie aufgegebene Grundvorstellung der christlichen Religion bleiben. Man mag auch als Christ dieses alles bewegende konstante Zentrum verschieden deuten, hier allein gründet des Christentums

- **Originalität** seit frühester Zeit,
- **Kontinuität** in seiner langen Geschichte durch die Jahrhunderte,
- **Identität** trotz aller Verschiedenheit der Sprachen, Rassen, Kulturen und Nationen.

Und wenn auch das Christentum (zusammen mit dem Islam) das welthistorische Vermächtnis des Judentums – den Glauben an den einen Gott – übernommen hat, so geht doch vom Christentum eine neue Herausforderung aus, die auf seine Weise auch der Islam im Prinzip anerkennt: Jesus als der Messias des einen Gottes!

Dieses Zentrum, diese Grundlage, diese Glaubenssubstanz – in unserer schematischen Darstellung ist der Paradigmenwechsel überall mit einem gestrichelten Kreis angedeutet! – war freilich nie abstrakt-isoliert gegeben, sondern ist in den wechselnden Erfordernissen der Zeit immer wieder neu interpretiert und praktisch realisiert worden. Und insofern sind in dem folgenden großen Hauptteil C »Geschichte« die **systematisch-theologische und die historisch-chronologische Darstellung**, ohne die erstere nicht überzeugend begründet werden kann, unbedingt – wie schon in der Darstellung des Judentums – **zu kombinieren** und immer wieder erläuternde Tafeln und aktuelle Zwischenreflexionen einzuschieben.

Nun wird man sagen: Dieser Glaube an Jesus Christus sei doch ein »Gegenstand« des Glaubens, sei als die keineswegs selbstverständliche Offenbarung Gottes nur für die Augen der Glaubenden sichtbar. Gewiß.

Doch als Begriff, Vorstellung, geschichtlich relevante Größe ist er in den biblischen Schriften durchaus für den Historiker – ob er sich dazu gläubig oder ungläubig verhält – erkennbar, umschreibbar und nachprüfbar. Und so auch in der weiteren Christentumsgeschichte.

Immer wieder werden **neue epochale Konstellationen** der Zeit – der Gesellschaft überhaupt, der Glaubensgemeinschaft, der Glaubensverkündigung und Glaubensreflexion – dieses eine und selbe Zentrum neu interpretieren und konkretisieren. Dies ist es, was wir nach Thomas S. Kuhn unter **Paradigma** verstehen: »eine Gesamtkonstellation von Überzeugungen, Werten, Verfahrensweisen usw., die von den Mitgliedern einer gegebenen Gemeinschaft geteilt werden«[73]. Daß und inwiefern eine Übertragung der Paradigmentheorie (im Sinne eines »Makroparadigmas«) aus dem Bereich der Naturwissenschaften in den Bereich von Religion und Theologie möglich, wichtig und dringend ist, habe ich in früheren Publikationen ausführlich begründet[74] und bereits im vorausgegangenen Band »Das Judentum« ad oculos demonstriert.

Ungemein dramatisch, das werden wir sehen, wird nun diese Geschichte des Christentums werden, in der zunächst eine kleine, aber dann außerordentlich rasch wachsende Glaubensgemeinschaft in Antwort auf immer wieder neue große welthistorische Herausforderungen eine ganze Reihe grundlegender religiöser Veränderungen, ja, auf längere Sicht revolutionärer Paradigmenwechsel durchmachen wird. Mein Interesse an diesen Paradigmenwechseln sei zum Schluß nochmals mit den Worten Sören Kierkegaards umrissen: »Die Christenheit hat das Christentum abgeschafft, ohne es selber richtig zu merken; folglich muß man, wenn man etwas ausrichten will, versuchen, das Christentum wieder in die Christenheit einzurücken …«[75]

C. Geschichte

Wie soll heute ein Einzelner noch 2000 Jahre Geschichte der Christenheit überblicken können? Es wäre Wahnwitz, auf den nächsten Seiten auch nur annähernd eine Geschichte des Christentums schreiben zu wollen. Wie aber soll man das Christentum verstehen können, wenn man seine noch immer gegenwärtige 2000jährige Geschichte nicht überblickt? Schon die historische Erfassung des Urchristentums erfordert da zuerst einige grundsätzliche Überlegungen zu Geschichte und Geschichtsschreibung.

I. Das jüdisch-apokalyptische Paradigma des Urchristentums

Der Spezialist weiß immer mehr über immer weniger. Viele Hunderte von Profan- und Kirchenhistorikern, die an allen möglichen Ecken und Enden der Christentums-Geschichte arbeiten, seufzen unter der Komplexität der Details. Ist doch auch in der Historie die Informationsflut so sehr angeschwollen, daß selbst der Spezialist all die Fachartikel, Berichte, Dissertationen und Bücher kaum noch zu bewältigen vermag. Hinzu kommt die explosionsartige Ausdehnung der Informationsverarbeitung mit Hilfe neuartiger Computertechnologie: Über 300000 Schreibmaschinenseiten Text haben allesamt Platz auf einer nur handgroßen Compakt-Disk! Dieser technisch hochgezüchteten Möglichkeit zur Informationsverarbeitung steht der Einzelne mit seinen eigenen begrenzten Verarbeitungskapazitäten völlig überfordert gegenüber.

1. Die Notwendigkeit einer Grundorientierung

Unser Gehirn hilft sich angesichts der Überinformation – schon jetzt, unbewußt, in jedem Moment – durch **Auswahl**. Und wer sich bezüglich der Geschichte des Christentums überhaupt noch einen Überblick erhalten will, dem bleibt auch nur dieses Mittel der Auswahl. Diese Auswahl ist sicher immer abhängig vom Blickpunkt des Betrachters, doch hat sie nicht willkürlich, sondern nach durchschaubaren, sachbezogenen Regeln zu geschehen.

Sichtung der Gesamtkonstellationen

Es ist zu unterscheiden zwischen Informationen, die notwendig, solchen, die nützlich, und solchen, die unnütz sind, zwischen reinem Informationswissen und nötigem Orientierungswissen. Wozu taugt alle Information ohne Grundorientierung?

Schon im Buch »Projekt Weltethos« habe ich dargelegt, warum mir für diese Grundorientierung die **Paradigmentheorie** ein sehr geeignetes Instrument zu sein scheint. Das kann ich hier voraussetzen. In der Tat ist für die globale Beschreibung und Analyse der Hochreligionen das idealistische Geschichtsdenken im Systemzwang von These, Antithese und Synthese (Hegel) ungeeignet, wenig geeignet aber auch die deterministisch-pessimistische Morphologie der großen Kulturen (Spengler) oder die mehr empirische und optimistische Synopse der Kulturkreise (Toynbee). Die streng historische Analyse der Paradigmen einer Religion, jener **Makroparadigmen oder epochalen Gesamtkonstellationen**, ist jedoch eine Möglichkeit, um die Auswahl für einen Gesamtüberblick der Geschichte des Christentums möglichst umfassend und doch zugleich präzis zu vollziehen.

Die Paradigmenanalyse ermöglicht nämlich eine Herausarbeitung der großen historischen Strukturen und Transformationen: durch Konzentration zugleich auf die grundlegenden Konstanten wie auf die entscheidenden Variablen. So jedenfalls lassen sich jene welthistorischen Brüche und die daraus hervorgegangenen epochalen Grundmodelle von Christentum umschreiben, die bis heute die Lage der Christenheit bestimmen.

Gerade die Geschichte des Urchristentums zeigt nun aber, daß es in der Geschichte keinesfalls nur auf die Ideen und Taten der Helden und Mächtigen ankommt, der Völker und Staaten, der großen Politik oder der entscheidenden Schlachten, wie sie für die Geschichtsschreibung der Griechen Herodot und Thukydides oder der Römer Sallust, Livius und

Tacitus charakteristisch sind. Denn von, weltpolitisch gesehen, »großen Figuren« und »großen Ereignissen« – noch im 19. Jahrhundert für die moderne Geschichtsschreibung etwa eines Ranke Gegenstand historischer Darstellung – findet sich gerade in der ersten kurzen, aber grundlegenden Phase des Christentums wenig. Anderes ist wichtiger.

Die »neue Geschichtsforschung«

Heutige, postmoderne Geschichtsforschung hat dafür mehr Sinn, möchte umfassender sein: »... Geschichte der Menschen, aller Menschen, nicht ausschließlich der Könige und hohen Herren. Geschichte der Strukturen und nicht nur der Ereignisse; Geschichte in Bewegung, Geschichte der Entwicklungen und Transformationen, keine statische Geschichte; keine buchhalterische Bestandsaufnahme, sondern Erklärungen anstelle von Erzählungen oder Beschreibungen; Deutungen statt Dogmen ...«: So läßt sich das Programm der französischen »neuen Geschichtsschreibung«, der **»Nouvelle histoire«**[1], umschreiben, die sich, unter Berufung auf Voltaire, Chateaubriand, Guizot und Michelet, schon im Krisenjahr 1929 um die Zeitschrift »Annales d'histoire économique et sociale« gebildet hat, herausgegeben in Straßburg von Lucien Febvre[2] und Marc Bloch[3] und inspiriert vor allem von Fernand Braudel und dessen grundlegendem Werk »La Méditerranée« (1949). Sie haben – freilich konzentriert vor allem auf Frankreich und die mediterrane Welt und zeitlich auf das Mittelalter und die frühe Neuzeit – der Geschichtsforschung insgesamt neue Wege gewiesen, wie es der führende Vertreter dieser Schule heute, Jacques Le Goff, formuliert: Es geht um »neue (thematische und methodologische) Einsichten in die Wirtschafts- und Sozialgeschichte, in die Geschichte der Strukturen, in die ›longue durée‹, in die Geschichte der Außenseiter, des Körpers, der Sexualität, des Imaginären und, vor allem, in die Geschichte der Mentalitäten«[4].

Diese neuen thematischen und methodologischen Einsichten sind gerade für die christliche Geschichtsschreibung fruchtbar zu machen. Denn es wäre töricht, hier etwa einen nationalen Gegensatz zwischen französischer und deutscher Geschichtsschreibung zu konstruieren. Die Vertreter der »Nouvelle histoire« weisen ja selber darauf hin, daß die deutsche »Vierteljahresschrift für Sozial- und Wirtschaftsgeschichte« für die Entstehungsphase der »Annales« das »Vorbild« gewesen sei[5]; und natürlich ist auch Max Weber als Ahnherr zu nennen, der gerade als Soziologe historisch dachte und der schon 1901 den Zusammenhang zwischen Religion und gesellschaftlicher Moral aufgewiesen hatte[6].

Und doch läßt sich nicht übersehen, daß insbesondere die deutsche Kirchengeschichtsschreibung in erster Linie Institutionsgeschichte ist, die gegenüber neueren Methoden und Theorien Berührungsängste zeigte und die die Impulse der Wirtschafts- und Sozialgeschichte bis in die 60er Jahre eher zögerlich aufnahm, wenngleich man etwa in dem von Hubert Jedin herausgegebenen siebenbändigen, an einer bestimmten katholischen Ekklesiologie orientierten »Handbuch der Kirchengeschichte«[7] manches auch über die sozialen, ökonomischen und lebensmäßigen Bedingungen des religiösen Lebens finden wird, ebenso in der von Augustin Fliche und Victor Martin herausgegebenen 21bändigen »Histoire de l'Église«[8]. Dem Programm einer vielschichtigen »histoire totale«, die in ökumenischer Weise eine allseitige Erfassung des Lebens der Christenheit anstrebt, dürfte indessen erst die neueste, im Jahr 1990 begonnene – auf 14 Bände und 16 000 Seiten berechnete – »Histoire du christianisme des origines à nos jours« näherkommen, herausgegeben von Michel Mollat du Jourdin und André Vauchez.[9] Eine gute Ergänzung aus dem deutschen Sprachraum wird dazu die von Henneke Gülzow und Hartmut Lehmann herausgegebene Serie »Christentum und Gesellschaft« sein[10], wo etwa Autoren wie Arnold Angenendt (»Frühmittelalter«), Hartmut Lehmann (»Das Zeitalter des Absolutismus«) oder Martin Greschat (»Das Zeitalter der Industriellen Revolution«) ein mit der französischen Forschung vergleichbares Niveau erreichen.[11]

Natürlich wird selbst der professionelle Kirchen- und Profanhistoriker nicht alle diese an Information überreichen Bände mit der gleichen Intensität verarbeiten können. Aber unbestreitbar ist, daß solche Werke (zusammen mit der Spezialliteratur) von unschätzbarem Wert sind, um in unserer Paradigmenanalyse möglichst viele Aspekte und Facetten all dessen einzufangen, was sich in den zwanzig Jahrhunderten unter dem Etikett »christlich« abgespielt hat. Und wenn es auch völlig unmöglich ist, in den verschiedenen Paradigmen die »**histoire totale**«[12] zu spiegeln, welche die »nouvelle histoire« anstrebt, so können doch Rahmenbedingungen angegeben werden, die für eine »Geschichte des Christentums« in der Postmoderne – in Ergänzung zu der vor allem institutionell und politisch orientierten traditionellen (»modernen«) Kirchengeschichte – von Bedeutung sind.

Die Rückkehr verdrängter Aspekte

Von heutiger Historie wäre anzustreben, was hier nur angedeutet werden kann:

– nicht nur eine Ereignisgeschichte mit einer Anhäufung bloßer Fakten, sondern eine Geschichte der Strukturen, Denkweisen und Mentalitäten, eine Ideen-, Mentalitäts- und Sozialgeschichte also;
– nicht nur eine politische Geschichte der Mächte und Institutionen, der Kirche und des Staates, sondern eine problemorientierte Geschichte auch der Frömmigkeit, der Theologie und Kultur;
– nicht nur eine Geschichte der Großen und Mächtigen, der Eliten, sondern auch eine Geschichte der bislang von der Historie vernachlässigten sozialen Gruppen, der Machtlosen, Unterprivilegierten, der kleinen Leute, der Männer und der Frauen;
– nicht nur eine Geschichte des öffentlichen, sondern auch eine des privaten Lebens: eine Alltagsgeschichte der Lebenswelt;
– nicht nur eine Geschichte des europäischen, sondern auch eine Geschichte des amerikanischen, afrikanischen und asiatischen Christentums: eine universale Geschichte;
– nicht nur eine Geschichte der römisch-katholischen Weltkirche, sondern auch eine Geschichte der östlichen Orthodoxie, des reformatorischen Christentums und der neueren Kirchen, und dies möglichst im Kontext der anderen Weltreligionen: eine ökumenische Geschichte.

Eine Paradigmenanalyse kann natürlich alle diese verschiedenen Aspekte nur höchst beschränkt zur Geltung bringen. Doch geht es gerade dabei um die Perspektive der »longue durée«, also »die Vorstellung, daß die Triebkräfte der Geschichte in langen Zeitabläufen wirken und sich nur in ihnen erfassen lassen ... Systeme, die Jahrhunderte überdauerten«[13]. Allerdings ist bei dieser neueren Geschichtsbetrachtung allen Übertreibungen von einer »fast unbewegten Geschichte« (Fernand Braudel) zu wehren und an den entscheidenden Resultaten der modernen Geschichtsforschung festzuhalten.

Schon in der Geschichte des Judentums hat das eine Beispiel des Königs David gezeigt, daß »große Männer« nicht nur Statisten sind, und Ereignisse wie die Eroberung Jerusalems oder dann wieder seine Zerstörung keine Marginalie. Keine Verachtung also des »Ereignisses«, der Biographie, der erzählenden Geschichtsschreibung und der politischen Historiographie! Keine Trennung von Ereignisgeschichte und Struktur- oder Mentalitätsgeschichte! Auch von seiten der französischen Neuen Geschichtsschreibung gibt man heute zu, daß der Erkenntnisprozeß der Historiker weitergeht und daß heute eine – durchaus ambivalente – **Rückkehr verdrängter Aspekte der Historiographie** festzustellen ist: »die Rückkehr des ›Ereignisses‹ – das spektakulärste (Beispiel); die Rückkehr der Biographie – das vertrauteste; die Rückkehr der erzählenden

Geschichtsschreibung – das polemischste; die Rückkehr der politischen Historiographie – das bedeutendste«[14].

Doch noch einmal: Es soll in diesem Buch nicht eine Geschichte des Christentums geschrieben, sondern – auf dem Hintergrund der Geschichte – eine historisch-systematische **Analyse seiner epochalen Gesamtkonstellationen** versucht werden. Auch die »Nouvelle histoire« betont, daß ein positivistisches (und im Grund illusorisches) Beschreiben, »wie es eigentlich gewesen ist«, nicht ausreicht, sondern daß auch die Geschichtsschreibung ohne dogmatische Parteilichkeit ihre Maßstäbe aus der Gegenwart zu beziehen hat. Mit Henri Lefebvre hat auch Marc Bloch »dem Historiker einen Doppelschritt als Methode vermacht: die Vergangenheit durch die Gegenwart zu verstehen« (J. Le Goff[15]). Es wird sich zeigen, wie weit es gelingt, die sehr verschiedenen Strukturen, Formen und Gestalten des Christseins bis heute zugleich umfassend und konkret genug herauszuarbeiten. Die Arbeitsvorgaben jedenfalls sind klar:

- nicht eine konfessionalistische, sondern eine interkonfessionell-ökumenische Sicht des Christentums soll geboten werden,
- nicht eine eurozentrische, sondern eine universalhistorische Schau der großen geistes- und weltgeschichtlichen Zusammenhänge soll angestrebt werden,
- nicht eine vergangenheitsverliebte, sondern eine kritisch gegenwartsbezogene Geschichtsbetrachtung soll betrieben werden, und zwar so, daß von der Vergangenheit die Gegenwart und von der Gegenwart her die Vergangenheit verstanden werden kann.

2. Die Urgemeinde

Nun dürfte es recht schwierig sein, nach fast 2000 Jahren etwas über das Alltagsleben der ersten Christengenerationen zu ermitteln. Kennen wir doch kaum das Normale und Gewöhnliche ihres Lebens, kaum ihre alltäglichen Sorgen, Ängste und Freuden. Denn wer war das Subjekt dieser Geschichte?

Juden aus niederen Schichten

Drei Gesichtspunkte sind wichtig, wenn man die Geschichte der Urgemeinde erfassen will[16]:

- Es ging hier nicht um eine Geschichte von Römern und Griechen, sondern um eine Geschichte **geborener Juden** im palästinisch-hellenistischen Kulturbereich. Mögen sie im einzelnen aramäisch oder griechisch gesprochen haben, sie haben der ganzen werdenden Kirche jüdische Sprache, Vorstellungswelt, Theologie vermittelt und so die gesamte Christenheit der Folgezeit – auch die kommende heidenchristliche – unauslöschlich geprägt bis auf den heutigen Tag.

- Es ging aber am Anfang nicht um die Geschichte einer Oberschicht, an der sich Geschichtsschreibung zumeist orientiert, sondern um die Geschichte **niederer Schichten**, Fischer, Bauern, Handwerker, kleine Leute, die normalerweise keinen Chronisten haben. Die ersten Christengenerationen verfügten nicht über die geringste politische Macht und strebten auch nicht nach Positionen im religiös-politischen Establishment. Sie bildeten eine kleine, schwache, angefochtene und diskreditierte Randgruppe der damaligen Gesellschaft.
- Es ging schließlich von Anfang an nicht nur um eine Männerbewegung, sondern um eine Geschichte auch von **Frauen**, die Jesus nachfolgten, die ihn und seine Anhänger finanziell unterstützten und ihm bis nach Jerusalem folgten (eine dieser Frauen, Maria Magdalena, hat als erste Jesu Auferweckung bezeugt). Die Praxis, auch Nachfolgerinnen zu berufen, war unkonventionell und unterlief die bestehenden patriarchalischen Strukturen.

Doch eine heile Anfangszeit der Christenheit gab es nicht. Die Nachrichten, die wir über die frühen Christen haben, sind meist stilisiert, »ideologisch« gefärbt, von einer bestimmten Verkündigungsabsicht her ausgewählt. Wenn es etwa in der Apostelgeschichte heißt, daß »die Gemeinde der Gläubigen ein Herz und eine Seele« war, »keiner von dem, was er hatte, sein Eigentum« nannte, sondern »ihnen alles gemeinsam war«[17], dann dürfte es sich hier um eine idealisierte Beschreibung des Lukas zwei Generationen nach den beschriebenen Ereignissen handeln.

Gewiß: **Jesus** selber, aus einer Handwerkerfamilie stammend, aramäisch sprechend, hatte seine Botschaft in provokativer Weise den »Armen« verkündet, die er wie die Weinenden, Hungernden, Getretenen selig pries.[18] Religionssoziologisch gesehen muß es sich bei der von Jesus ausgelösten Erneuerungsbewegung um eine jener typischen Bewegungen aus der **Landbevölkerung** (und Kleinstädten) gehandelt haben, die (ähnlich wie auch die des Täufers und Qumrans) den großen hellenistisch geprägten Städten und besonders der konservativen und reichen Hauptstadt gegenüber mißtrauisch bis feindlich eingestellt waren. Die Gegner Jesu gehörten denn auch vor allem der schmalen kleinbürgerlichen städtischen Mittelschicht (meist Pharisäer) an, die den Primat des Gesetzes aufrechterhielten, sowie der dünnen ebenfalls städtischen (vor allem sadduzäischen) Oberschicht, die einträgliche Positionen rund um den Tempel innehatte und die von Jesu Botschaft sicher nicht nur im religiösen, sondern auch in ihrem sozialen Gewissen beunruhigt wurde.

Doch schon der Prophet Jesaja, den Jesus in seiner Antwort an den Täufer zitiert, versteht das Wort **»anawim«** (die **Armen**) im umfassenden Sinn: gemeint sind alle Bedrängten, Geschlagenen, Verzagten, Verzweifelten, Elenden. Und bei aller Polemik gegen die Reichen hatte Jesus, der kein gewaltsamer Volksbeglücker sein wollte, nicht der Reichen Enteignung, nicht einen »Gulaschkommunismus«, gar eine »Diktatur des Proletariats« gepredigt. Kein Primat des Ökonomischen: »Erst kommt das Fressen, dann kommt die Moral« ist ein Wort Bert Brechts in der »Dreigroschenoper«.[19] Bei Jesus in der Bergpredigt heißt es gerade umgekehrt: »Zuerst das Reich Gottes ... dann wird euch alles andere dazugegeben.«[20] Jesus forderte von allen genügsame Anspruchslosigkeit, vertrauende Sorglosigkeit, innere Freiheit von Besitz, und wer mit ihm, der ein freies Wanderleben führte, ziehen wollte, mußte notwendigerweise alles hinter sich zurücklassen. Aber er verlangte nicht wie das Essenerkloster Qumran am Toten Meer die Abgabe des Besitzes an die Gemeinschaft. Er billigte es, daß Zachäus nur die Hälfte seines Besitzes verteilte, er stellte kein Gesetz und keine Paragraphen auf. Verschiedene seiner Anhänger, auch der für die Urgemeinde dann so wichtige Petrus, nannten Häuser ihr eigen.

Auch noch in der **Urgemeinde** – in Jerusalem und parallel wohl auch in Galiläa – besaßen einzelne Anhänger Jesu, die wohl aus verschiedenen jüdischen Gruppierungen kamen (Pharisäer, Essener, Zeloten, von Priestern ist die Rede), Häuser, die sie für Hausversammlungen zur Verfügung stellten. »Die Armen« (»Anawim« oder »Ebionim«) sind – darin dürfte die Forschung heute übereinstimmen – kein Eigenname für die Urgemeinde; bei der Kollekte des Paulus für die Armen geht es nicht um die Jerusalemer Gemeinde als solche, sondern um ihre wirklich Armen oder Bedürftigen.[21] Gewiß gab es Fälle freiwilligen selbstlosen Besitzverzichtes, möglicherweise besonders unter essenischen Christen[22], und urchristliche Wandermissionare sollten frei von persönlichem Besitz sich ausschließlich der Verkündigung der Jesus-Botschaft widmen, wie dies wohl auch Petrus und die Zwölf getan haben.[23]

Doch Lukas – anders als Paulus – idealisiert nachträglich die Verhältnisse in der Urgemeinde: »Keiner nannte etwas von dem, was er hatte, sein Eigentum, sondern sie hatten alles gemeinsam«[24], und er begründet dies mit von ihm selber (wie der Vergleich mit Markus und Mattäus zeigt) rigoristisch verschärften Jesus-Worten gegen allen Besitz. In Wirklichkeit kannte auch die Urgemeinde bei aller praktizierten Brüderlichkeit und Schwesterlichkeit keinen generellen Verzicht auf Besitz. Selbst Lukas läßt den Unterschied zwischen Bedürftigen und Nichtbedürftigen in seiner Apostelgeschichte (etwa bei der Witwenversorgung) durchscheinen.[25] Hilfe für die Bedürftigen und Teilen, nicht Enteignung der Eigentümer, war offensichtlich die Zielvorstellung. Eine ideale Sozialutopie wurde nicht realisiert, wohl aber eine »soziale Solidargemeinschaft«[26]. Was aber war der geistige Horizont dieser Gemeinschaft, von dem her auch ihre soziale Einstellung verstanden werden muß?

Die Erwartung eines Endes der Zeit

Der geistige Horizont, das geistige »Klima« der aramäisch sprechenden Urgemeinde in Jerusalem (und möglicherweise auch anderswo in Palästina) läßt sich mit einem Wort charakterisieren: Es war **apokalyptisch**, endzeitlich, was konkret heißt: Die frühen Christen rechneten mit dem baldigen Ende der Welt. Damit war diese erste Generation von Christen beeinflußt von jener Bewegung der »Apo-kalyptik« (= »Ent-hüllung«, »Offenbarung«), die seit der Makkabäerzeit im zweiten Jahrhundert v. Chr. unter den jüdischen Frommen, den »chasidim«, immer stärker geworden war und die vorgab, in der Form von Weissagungen, Testamenten, Träumen und Visionen die göttlichen Geheimnisse und vor allem die Zukunft »enthüllen« zu können.[27]

Denn diese Menschen in Palästina interessierte damals nicht, wie so manche in Griechenland, die Physik, das Wissen um die Phänomene auf der Erde und am Himmel, auch nicht die Metaphysik, das Wissen um die Urprinzipien alles Seienden. Sie interessierte die **Zukunft**: und zwar nicht im Sinne des Futurum (was sich da von »unten«, von Mensch und Welt her entwickelt), sondern im Sinne des Adventus: was da von »oben«, von Gott her kommt, anbricht. Und angesichts der großen Enttäuschung über die Dekadenz und den Untergang der Makkabäer war man schon im zweiten Jahrhundert v. Chr. zur Überzeugung gelangt, daß die Rettung nicht von einem irdischen davidischen »Messias« (»Gesalbten«), sondern nur von Gottes Gesandtem direkt aus Gottes Himmel kommen könne, vom himmlischen Messias also, von der präexistenten und transzendenten Richter- und Rettergestalt des »Menschensohnes«.

Und **Jesus**? Auch wenn man sich darüber uneins ist, ob und inwiefern Jesus konkret den Menschensohn-Titel in Anspruch genommen hat, so steht doch fest, daß er, von der großen Welt kaum bemerkt und in ihren

Chroniken nicht verzeichnet, in diesem apokalyptischen Klima gewirkt hat[28], in seinem Denken und Verkünden von einer typisch apokalyptischen Endzeiterwartung bestimmt war; wir deuteten dies im vorigen Teil an.[29] Es gibt nun einmal mehrere recht unbequeme Texte[30], die bezeugen, daß auch Jesus das Reich Gottes für die **allernächste Zeit** erwartet hat. Mit seinem Wirken hatte die Endzeit schon begonnen. In seinem unscheinbaren Reden und Tun, in seinem Wort, das den Armen und Unglücklichen, Weinenden, Getretenen zugerufen wird, und in seinen charismatischen Taten, die den Kranken und Schuldiggewordenen aufhelfen, kündigte sich das erwartete Reich schon an, wo Schuld, Leid und Tod ein Ende haben werden.

Allerdings hat Jesus sich stets geweigert, einen genauen »Termin« für das Weltende anzugeben.[31] Er war überhaupt nicht interessiert an der Befriedigung menschlicher Neugierde, an der genauen Datierung und Lokalisierung des Gottesreiches, an der Enthüllung sensationeller apokalyptischer Ereignisse und Geheimnisse, an der Voraussage des genauen Ablaufs des endzeitlichen Dramas. Doch es bleibt dabei: Auch wenn die Apokalyptik nicht die Mitte von Jesu Verkündigung und Verhalten war, die bekanntlich das Gottesreich selber ist, so doch sein Horizont, der ganze Verstehens- und Vorstellungsrahmen. Das ist nach Erkenntnissen heutiger Exegese unbestreitbar.

Und unbestreitbar ist auch, daß die **Urgemeinde**, ihr ganzes Denken und Wirken, ihre ganze Mentalität von apokalyptischen Vorstellungen geprägt ist.[32] Und nicht nur ihre Theologie, auch ihr Verständnis von Sexualität und Heirat, Gebet und Askese, Leben und Tod ist vor diesem geistigen Horizont zu sehen. Gerade zur Ausmalung der Endereignisse – so schon in der Markus-Apokalypse[33] – übernahm sie apokalyptisches Traditionsgut und deutete so ihre eigenen Erfahrungen rund um den Untergang Jerusalems. Doch erschien diese apokalyptische Erwartung der ersten Jüngergeneration auf zwei Weisen bereits erfüllt: durch die Auferweckung (Erhöhung) Jesu und die Erfahrung des Geistes.

Pneumatisch-ekstatische Erfahrungen

Für die Anhänger Jesu hatte sich diese apokalyptische Erwartung freilich konkret zugespitzt. Hatten sie doch erlebt, wie er, der das Kommen des Gottesreiches verkündet und initiiert hatte, als Gottverlassener hingerichtet worden war. Doch hatten sie deshalb wirklich allen Glauben und alle Hoffnung auf das Gottesreich aufgegeben? Nach dem Schock der Verhaftung und Hinrichtung jedenfalls machten jüdische Frauen (in Jerusalem?)

und Männer (in Galiläa?) verschiedenartige pneumatisch-ekstatische Erfahrungen, eine Reihe von Visionen und Auditionen, welche ihnen die Gewißheit gab, daß Jesus am Leben sei. Wie immer heutige Exegese und Religionswissenschaft diese Phänomene historisch-psychologisch zu erklären versuchen[34]: Jüdische Jüngerinnen und Jünger sahen – zweifellos vor dem Horizont jüdischer Auferweckungshoffnungen und Interpretationsmodelle (z. B. Entrückung des Henoch und des Elia, Auferweckung von Märtyrern, Himmelfahrtslegenden von Mose und Jesaja) – diese Erfahrungen nicht als selbst produzierte Deutungen, sondern als von Gott geschenkte Offenbarungen an: Er, der Erniedrigte und Geschundene, war von Gott selbst nicht im Tod gelassen, sondern **zum Leben erweckt** worden. Und wo war er jetzt? Dies ist ihre Überzeugung: Er, der im Zusammenspiel mit der jüdischen Obrigkeit vom römischen Prokurator Pontius Pilatus verurteilt und hingerichtet worden war, ist zu Gott erhöht worden, weilt nun in himmlischer Glorie bei Gott und herrscht – wie im Psalm 110 angekündigt – auf dem Ehrenplatz »zur Rechten Gottes« über die Welt, bis er wiederkommt zum Gericht. Ja, er ist jetzt der Hoffnungsträger des kommenden Gottesreiches: der Wegweiser, Heilbringer und Weltenrichter. Hier liegt der Ursprung aller Christologie: Gott hat Jesus, der sein Reich in Vollmacht verkündet hatte, trotz des Kreuzestodes durch die Auferweckung »zum Herrn und Messias gemacht«[35].

Jedenfalls war es nun unter Führung des Petrus zur erneuten Sammlung der Jünger, die bei Jesu Verhaftung geflohen waren, gekommen – und zwar wieder in Jerusalem. Der **Pfingstbericht** der Apostelgeschichte von der Ausgießung des Gottesgeistes[36], was immer sich historisch hinter den offensichtlich ekstatischen Phänomenen der Glossolalie und Verzückung verbirgt, zeugt von dem endzeitlich-enthusiastischen Geist, in dem sich die erste **messianische Gemeinde** konstituierte – am jüdischen Erntefest und Wallfahrtsfest, dem »Wochenfest« (sieben Wochen und einen Tag nach dem Paschafest), das man christlich »Pfingstfest« (vom griechischen »Pentekosté« = 50. Tag) nennt. Der Geist Gottes, der traditioneller jüdischer Vorstellung zufolge in der Gegenwart erloschen war, wurde in der jungen Gemeinde erfahren, und nicht wenige Geistbegabte äußerten sich in prophetischem Reden.

So wenig die Apokalyptik eine Frucht des jungen Christentums war, so wenig war das junge Christentum nur ein Kind der Apokalyptik. Vielmehr gibt es eine Interdependenz der Phänomene. Man bestärkte sich in dem Glauben, daß er, der von Gott zum Leben Erweckte, wiederkommen würde als der Weltenrichter, um die bereits angebrochene Gottesherrschaft zu vollenden und das definitive Gottesreich aufzurichten. In der

Zwischenzeit war die Botschaft von ihm zu verkünden; sein Name war das Signet und das Fanal für das kommende Reich, das »schon jetzt« im Geist zu erfahren, aber doch »noch nicht« offenbar, noch nicht realisiert war. Schon jetzt galt es, sich für ihn zu entscheiden. Bedeutete aber diese Entscheidung für Jesus – eine Frage von damals aktueller und zugleich bleibender Bedeutung – Abschied von der jüdischen Gemeinde, Abschied von der jüdischen Nation? Keineswegs.

3. Die christliche Mitte – bleibend jüdisch geprägt

Es bedarf keiner langen Ausführungen, daß die erste Generation derer, die an den Nazarener als den Messias glaubten, noch – wie dieser selber, seine Familie und seine ersten Jünger und Jüngerinnen – ganz **im Judentum integriert** blieb.[37]

Was sind Juden-Christen?

Die Jüngerschar, die nach der Hinrichtung Jesu geflohen war und sich unter dem Eindruck der Auferweckungserfahrung wieder gesammelt hatte, bestand aus aramäisch sprechenden Jüdinnen und Juden, die sich als eine Gruppe im Judentum verstanden, die den äußeren Zusammenhalt mit der jüdischen Umwelt wahrte und zunächst auch als eine jüdische »Sekte« angesehen wurde. Wir nennen sie heutzutage »**Juden-Christen**« (im strengen Sinn). Diese erste Christengemeinde

- teilte mit allen Juden den jüdischen Glauben an den einen Gott der Väter (»Schema Israel«),
- hielt fest an den heiligen Schriften (Tenach),
- beobachtete das Gesetz (Tora): Beschneidung[38], Sabbat[39], Feste[40], Reinheits- und Speisevorschriften[41],
- besuchte den Tempel[42], opferte und betete dieselben Psalmen und Hymnen wie die übrigen Juden.

Die junge messianische Gemeinde, die den Nazarener als den wahren Messias im Glauben angenommen hatte, hoffte darauf, daß schließlich das ganze Volk Israel ihn akzeptieren würde. Sie fühlte sich berufen, die Verkündigung Jesu in seinem Namen fortzusetzen. Auch ihre Mission beschränkte sich zunächst auf die jüdischen Landsleute. Sie geriet damit freilich immer wieder in Gegensatz zum offiziellen Judentum, das Jesus als Gesetzesbrecher und falschen Messias strikt ablehnte. Ja, dieser Streit um

Die Jesus-Bewegung

Urchristlich-apokalyptisches Paradigma (P I):

An **Jesus Christus** glaubten

Juden (="Juden-Christen")

- aramäisch sprechend, aus Palästina stammend: "Hebräer" mit den "Zwölfen"; tempeltreu und **gesetzestreu**
- griechisch sprechend, aus der Diaspora stammend: "Hellenisten" mit den "Sieben"; tempelkritisch und **gesetzeskritisch**

↓

Saulus / Paulus
Apostel der Heiden

↓

Nichtjuden (="Heiden-Christen"): griechisch / lateinisch sprechend; **gesetzesfrei**

↓

Weltreligion:

Altkirchlich-hellenistisches Paradigma (P II)

Jesus von Nazaret, seine provozierende Botschaft, sein unkonventionelles Verhalten und grausames Geschick, barg den Keim der Spaltung in sich.

Denn es läßt sich ja nicht übersehen: Das **ganze Leben der Urgemeinde**, ihr Denken nicht nur, sondern auch ihre Praxis, ihr gottesdienstliches Gedenken und Feiern, **kreiste primär um ihn, Jesus, den Gekreuzigten und doch von Gott Auferweckten**. Er verkörperte zugleich Kontinuität und (wegen der Ablehnung durch das religiös-politische Establishment) Diskontinuität zum offiziellen Judentum der damaligen Zeit. Ihn hatten sie ja persönlich gekannt, ihm galt ihr Bekenntnis, ihn haben sie in der Folgezeit mit verschiedenen jüdischen Würdenamen wie »Davidssohn«, »Menschensohn«, »Messias«, »Christus«, »Gottessohn« ausgezeichnet.

Entscheidend sind dabei nicht diese einzelnen »Titel« und das, was sie an verschiedenen Vorstellungen implizieren. Entscheidend ist: Schon in diesem ersten, noch ganz vom Judentum geprägten apokalyptischen Paradigma ist niemand anderer als Jesus selber die Grundgestalt, die von Anfang an im Mittelpunkt all der verschiedenen Vorstellungen in den verschiedenen Schriften des »Neuen« Testamentes steht, ist er die Zentralfigur, welche die verschiedenen Traditionen verbindet, ja buchstäblich zentriert. Insofern wandelte sich **Jesu theozentrische Verkündigung vom Reich Gottes** ganz selbstverständlich in die **christozentrische Verkündigung von Jesus als dem Christus**: das Evangelium Jesu in das Evangelium von Jesus Christus. Die ganze frühere Geschichte Gottes mit seinem »auserwählten Volk« wird immer mehr so gelesen, daß sie in Jesus einen neuen, definitiven Höhepunkt erreicht hat, daß in Jesus ein neuer Maßstab gegeben ist, von dem her auch Gottes Verhältnis zu **allen** Völkern (den nichtjüdischen Heidenvölkern) neu beurteilt werden kann. Dabei geht es nicht nur um den Glauben Einzelner, sondern um den Glauben einer Gemeinschaft.

Die neue Glaubensgemeinschaft

Wahrhaftig nicht etwa erst bei Paulus, sondern von Anfang an manifestiert sich in diesem ersten judenchristlichen apokalyptischen Paradigma der Gekreuzigte und Auferweckte als das gegenüber dem damaligen Judentum unterscheidend Christliche: **Jesus Christus** als **konstantes Zentrum** und **bleibende Substanz** des christlichen Glaubens und Lebens. Ohne ihn lassen sich schon die Anfänge des Christentums nicht verstehen, ohne ihn nicht die späteren Epochen der Christenheit. Jesus Christus ist – bei allem Ignoriert- und Verratenwerden im Laufe der Kirchengeschichte – unbestritten das im Christentum bleibend Gültige und ständig Verpflichtende. Auf ihn richtet sich der Glaube der Gemeinschaft, an ihn erinnern ihre sinnenhaften Glaubenszeichen.

Der **Glaube** – hier von der Hebräischen Bibel her verstanden als das unbedingte, unerschütterliche **Vertrauen** auf Gott, wie ihn Jesus vorgelebt hatte – war die Grundlage auch der Urchristenheit. Das unterschied diese noch nicht von anderen jüdischen Brüdern und Schwestern. »Dein Wille geschehe«, diese Bitte des Juden Jesus ist jüdisches Urgestein des Glaubens, ein Grund, warum bis heute Juden und Christen das »Vater unser« an sich ohne Schwierigkeiten gemeinsam beten könnten.

Juden aber, die Jesus als Messias anerkannten, sollten bald eine eigene **Gemeinschaft von Glaubenden** bilden. Denn ihr glaubendes Bekenntnis zum Gekreuzigten als dem Messias unterschied sie von allen bisherigen Messiaserwartungen im Judentum und mußte schließlich zu einer eigenen Gemeinschaft von Glaubenden führen, einer Gemeinschaft von **Christus-Gläubigen**. Dies und nichts anderes ist die ursprüngliche Umschreibung dessen, was man mit einem anderen Wort »Kirche« nennen sollte. Der **Christusglaube** – als Antwort der Menschen auf die Christusbotschaft – war schon im Rahmen des urchristlichen Paradigmas die **Basis der neuen Gemeinschaft**: Getragen war diese Gemeinschaft von der Überzeugung, der Auferweckte sei gleichsam Gottes »Agent«[43] – im nachexilischen Judentum wurde dies schon von Gottes Weisheit, von bedeutenden Patriarchen und von hohen Engeln geglaubt! –, zu dem die Christengemeinschaft aufgrund tiefer spiritueller Erfahrungen eine durchaus lebendige Beziehung hat. Gemeinsamer Ausdruck dieses Glaubens war das **Bekenntnis** zu Jesus als dem »Christus«, waren **Hymnen** zum Lobpreis des Erhöhten, waren **Gebete** zu Christus als dem »Herrn«, waren **Prophezeiungen**, die nun als Worte des Erhöhten galten, und war die Berufung auf seinen **Namen**.

Berufung auf seinen Namen? In diesem Zusammenhang stellt sich die Frage: Wie aber wird man Mitglied dieser Glaubensgemeinschaft? Ab wann gehört man sichtbar zu ihr? Und was hatte Jesus mit diesen neuen Zeichen des Glaubens zu tun? Es geht um zwei **Basissymbole** der Glaubensgemeinschaft: um Taufe und Mahlfeier.

Was die Gemeinschaft unterscheidet: Taufe

Man gehört in diese Gemeinschaft, wenn man seinen Glauben sichtbar öffentlich durch einen eigenen **Initiationsritus** bekundet hat: den der **Taufe**.[44] Dies ist das **erste Basissymbol** der neuen Glaubensgemeinschaft. Auch dieses Zeichen mußte die Jesusanhänger zunächst noch nicht von ihrer jüdischen Vergangenheit abschneiden. Denn Formen von Taufe waren längst auch innerjüdisch im Gebrauch. Juden haben ihre Proselyten – zumindest für später bezeugt – getauft, wobei rechtlich-rituelle Gesichtspunkte im Vordergrund standen. Auch im Qumrankloster hat man »getauft«, wobei es sich freilich um Selbsttaufen, um täglich wiederholbare Sühne-Tauchbäder handelte. Zwar hatte Jesus den synoptischen Evangelien zufolge[45] die Taufe nicht selber praktiziert, sie auch nicht zu seinen Lebzeiten von seinen Anhängern ausdrücklich gefordert.[46] Aber wie andere hatte auch er sich selber taufen lassen, und zwar bekanntlich vom »Täufer« Johannes[47], für den der einmalige Taufritus bereits die Reue des Menschen über seine Sünden und seine Erneuerungsbereitschaft gegenüber Gott symbolisierte.[48] Vorbild für die Christentaufe dürfte also eindeutig die Johannestaufe gewesen sein, insofern schon sie als Taufe der Umkehr zur Vergebung der Sünden im Blick auf die Endzeit gespendet wurde: Die definitive Umkehr des Menschen sollte manifestiert und besiegelt werden durch das Eintauchen in reinigendes Wasser, und zwar durch den Täufer (nicht vom Täufling selbst) und ein für alle Mal, so daß eine Wiederholung nicht zulässig war. Diese einmalige Bußtaufe im endzeitlichen Sinn war wohl die originale Schöpfung des Johannes, der nicht umsonst den Beinamen »der Täufer« erhalten hat.

Auch wenn der nachösterliche »Taufbefehl« Jesu nicht historisch ist, die Gemeinde fühlte sich **von Jesus und seiner Botschaft zur Taufe ermächtigt**. Zwar gab es keine formelle »Einsetzung« eines Taufritus, aber eine tauflose Anfangszeit der Christenheit hat es ebenfalls nicht gegeben; die ersten Zeugnisse reichen bis in die Zeit unmittelbar nach dem Tod Jesu zurück.[49] Das Hauptwort »die Taufe« (»to báptisma«) ist – im Gegensatz zum Verb »untertauchen«, taufen« (»baptízein«) – auf den christlichen Sprachgebrauch beschränkt. Die Gemeinde taufte jetzt in Erinnerung nicht nur an die Johannestaufe, sondern an Jesu eigene Taufe, ja, sie taufte **»auf den Namen Jesu«**, wie die Apostelgeschichte[50] und Paulus[51] berichten. Und was heißt »auf den Namen Jesu«? »Name« ist im hebräischen Kontext ein Rechtsbegriff, der die Autorität und Rechtsstellung ausdrücken soll. Der Glaubende soll sich ganz ihm, dem erhöhten Herrn, überantworten, sich so unter dessen Herrschaft und Schutz stellen. Der Getaufte soll so Vergebung der Sünden, Anteil an seinem Leben, seinem Geist, seinem Sohnverhältnis zu Gott erhalten.

In diesem Sinn ist die nur im Mattäusevangelium bezeugte Formel **»im Namen des Vaters, des Sohnes und des Heiligen Geistes«**[52] die Weiterentwicklung des Gehaltes der christologischen Formel »auf den Namen Jesu«, der die Strukturelemente des christlichen Glaubens zum Ausdruck bringt: Die Taufe geschieht auf den Namen und im Namen dessen (= des »Sohnes«), in dem der eine Gott selbst (= der »Vater«) durch seinen Geist (= den »Heiligen Geist«) bei uns ist. Von einer »Einheit« freilich dieser drei höchst verschiedenen Größen gar auf gleicher Ebene wird hier nichts gesagt.

Was die Gemeinschaft zusammenhält: Mahlfeier

Eine weitere Frage drängt sich auf: Was hält die Christengemeinde zusammen? Ein zentrales Element dürfte die gemeinsame Mahlfeier gewesen sein.[53] Man versammelte sich regelmäßig in privaten »Häusern« zum Gebet und zum »**Brotbrechen**« und hielt »Mahlzeiten in Freude und Einfalt des Herzens«[54]. Daß Jesus selber ein Abendmahl sozusagen juristisch »eingesetzt« hätte, ist ebenso fraglich wie die förmliche »Einsetzung« einer Taufe; gerade im ältesten Evangelium nach Markus fehlt eine Aufforderung zur Wiederholung des Mahles. Aber daß Jesus eine Art **Abschiedsessen**, ein letztes Mahl vor seinem Tod mit seinen Jüngern gefeiert hat, läßt sich aufgrund der Quellen nicht bezweifeln. Die Überlieferung dieses Ereignisses ist in den verschiedenen Schriften des Neuen Testamentes ungewöhnlich reichhaltig und vergleichsweise konstant. Vier Varianten sind überliefert[55], wobei die des Ersten Korintherbriefs, niedergeschrieben um 55, besonders wichtig ist. Sie ist die früheste und enthält einen Hinweis auf eine Tradition, die auf Jesus selber zurückgeht und von noch lebenden Augenzeugen hatte kontrolliert werden können.[56]

Doch dieses letzte Mahl Jesu darf nicht aus der konkreten Situation isoliert und dann zu einem sakramentalen Stiftungsmahl hochstilisiert werden. Es muß auf dem Hintergrund einer langen Reihe von Mahlzeiten gesehen werden, die Jesus mit seinen Jüngern gefeiert hat. Denn während für den Täufer die Bußtaufe als Zeichenhandlung charakteristisch war, so war es für Jesus das in fröhlicher Stimmung gehaltene Festessen, in welchem man die gemeinsame Zugehörigkeit zum kommenden Reich feierte. Und im Zeichen der voraus angebotenen Gnade und Vergebung waren auch Diskriminierte und Deklassierte, »Zöllner« und »Sünder« nicht ausgeschlossen. In Erwartung des kommenden Reiches und seines Abschiedes nun wollte Jesus mit den Seinen noch einmal ein solches Mahl halten, das möglicherweise (nach Markus, nicht nach Johannes) ein rituelles Paschamahl war oder jedenfalls bereits im Schatten des jüdischen Paschagedankens stand, falls es eine Nacht früher gefeiert worden wäre.

Die besonderen **Worte Jesu**, bei dieser Gelegenheit gesprochen, fielen nicht als heilige Einsetzungsworte gleichsam vom Himmel. Sie paßten

leicht in den rituell geregelten und zum Teil noch heute in jüdischen Familien üblichen Ablauf eines festlichen jüdischen Mahles:
– Das **Brotwort** im Anschluß an das Tischgebet vor der Hauptmahlzeit: wo der Hausvater über dem Brotfladen den Lobspruch spricht, ihn zerbricht oder zerreißt und die Stücke dieses Brotes an die Tischgenossen verteilt.
– Das **Weinwort** dann im Anschluß an das Dankgebet nach dem Mahl: wo der Hausvater den Becher mit Wein kreisen und jeden daraus trinken läßt.[57]

Jesus hat also keinen neuen Ritus erfunden, wohl aber in dramatischer Stunde dem alten Ritus eine neue Deutung zu geben gewagt. Er hat mit der **alten Symbolhandlung** ein **neues Symbolwort** verbunden. Mit Verweis auf seinen drohenden gewaltsamen Tod deutete er das gebrochene Brot und den blutroten Wein als gleichsam **prophetische Zeichen**, die in diesem Moment das zutiefst symbolisieren, was er war, was er getan und gewollt hat: das Opfer, die Hingabe seines Lebens. Wie dieses Brot, so wird auch sein Leib gebrochen, wie dieser rote Wein, so wird auch sein Blut vergossen: »Dies – mein Leib, dies – mein Blut!« Das später zwischen den christlichen Kirchen so heiß umstrittene »ist« war im Aramäischen (und Jesus sprach die aramäische Volkssprache) aller Wahrscheinlichkeit nach gar nicht ausgesprochen worden. Beide Male war ganzheitlich die ganze Person und ihre Hingabe gemeint. Und wie der Hausvater den Essenden und Trinkenden unter Brot und Wein Anteil am Tischsegen gibt, so gibt Jesus den Seinen Anteil an seinem in den Tod gegebenen Leib (»Leib« oder »Fleisch« meinen im Hebräischen oder Aramäischen immer den ganzen Menschen) und an seinem für »viele« (einschlußweise = alle) vergossenen Blut.

Abschied vom Meister war dem Jüngerkreis angekündigt worden, und doch wurde die Gemeinschaft untereinander und mit ihm aufgrund der Erfahrungen des Todes und der Auferweckung neu begründet: bis sich im Gottesreich die Tischgemeinschaft erneuern würde. In großer Einfachheit und Verständlichkeit wurde so in den Häusern, ob in Jerusalem oder außerhalb, eine **Gedächtnisfeier** (griech. »Anámnesis«, lateinisch »Memoria«), eine **Dankesfeier** (griech. »Eucharistía«) gehalten: in dankbarer, glaubender Erinnerung eine Teilhabe an der Wirkung dieses einmaligen bleibenden Lebensopfers Jesu. Dieses Mahl wurde schon früh »**Herrenmahl**«[58] oder eben »**Eucharistiefeier**«[59] genannt. Dies wurde neben der Taufe das **zweite Basissymbol** der neuen Glaubensgemeinschaft. Ein Gedächtnis- und Dankesmahl, welches zugleich ein Bundes- und Gemeinschaftsmahl, ja, ein Zeichen und Bild des Vollendungsmahles in Gottes

Reich sein sollte. Die aramäische Akklamation »Marána tha« – »Unser Herr komm!« – sollte später sogar noch im griechischen Gottesdienst beibehalten werden.[60]

Wir halten fest: Unter der Voraussetzung des in der Hebräischen Bibel bezeugten Glaubens an den einen und einzigen Gott (und seinen Geist) bildet dieser **Jesus Christus** – der Glaube an ihn und als sinnenhafter Ausdruck dieses Glaubens die Taufe auf seinen Namen und das Mahl zu seinem Gedächtnis – von Anfang an das **konstante Zentrum** und die **bleibende Substanz** des Christentums. Hier lag die ungeheure Dynamik des ursprünglichen Christentums begründet.

Im Rückblick lassen sich nun aber auch bereits einige **Charakteristika** der **judenchristlichen Gesamtkonstellation** genau bestimmen, wie sie auch noch nach der Zerstörung des Tempels im Jahre 70 wichtig blieben:

- der endzeitliche Horizont, den die Juden, die Jesus nachfolgten, mit vielen Juden gemeinsam hatten;
- auch die jüdische Lebenshaltung durch Festhalten am mosaischen Ritualgesetz, vor allem Beschneidung, Sabbat und Feste, Reinheits- und Speisevorschriften;
- schließlich die jüdische Theologie: apokalyptische Motive, Weisheitsspekulationen ...

Freilich: Die Erwartung eines nahen Endes sollte doch enttäuscht werden. Und schon hier zeigt sich, daß eine simple Wiederherstellung des Urchristentums ins Abseits führen müßte. Auf die »Endzeit« der unmittelbaren Erwartung des Reiches Gottes folgte die »Zwischenzeit« der Kirche. Der Kirche? Wollte Jesus überhaupt eine Kirche? Keine rhetorische, sondern eine sehr ernste Frage, besonders für die, denen es mit der Kirche ernst ist.

4. Gründung einer Kirche?

Der Mann aus Nazaret, ohne Amt und Würden, hatte das Gottesreich verkündet, aber er hatte keine von Israel unterschiedene Sondergemeinschaft mit eigenem Glaubensbekenntnis und Kult, eigener Verfassung und eigenen Ämtern ins Leben rufen wollen. Mit anderen Worten: Jesus hatte eine große **endzeitliche Sammelbewegung** ausgelöst, und die Zwölf mit Petrus waren ihm Zeichen für die wiederherzustellende Vollzahl der Stämme Israels. Aber Jesus hatte nicht an die Gründung eines religiösen Großgebildes gedacht, gibt es doch keine an die Öffentlichkeit gerichteten Jesusworte, die programmatisch zu einer Gemeinde der Auserwählten und zur Gründung einer Kirche aufrufen. Ja, er hat den Evangelien zufolge das Wort »Kirche« praktisch nie gebraucht.

Was ist Kirche?

»**Kirche**« im Sinn einer von Israel unterschiedenen religiösen Gemeinschaft ist eindeutig eine Sache schon der judenchristlichen Gemeinden **nach Jesu Tod**: nicht von Jesus gegründet, wohl aber mit Berufung auf ihn, den Gekreuzigten und Lebendigen, entstanden. Denn erst seit Ostern, unter dem Eindruck der Auferweckungs- und Geisterfahrung, gibt es eine endzeitlich ausgerichtete Gemeinde. Deren Grundlage ist zunächst nicht ein eigener Kult, eine eigene Verfassung, eine eigene Organisation mit bestimmten Ämtern, sondern ist, wie wir sahen, einzig und allein das glaubende Bekenntnis zu diesem Jesus als dem Messias, wie es besiegelt wird mit der Taufe und gefeiert wird durch die Mahlfeier zu seinem Gedächtnis.

Gemeinschaft der an Christus Glaubenden – so haben wir »**Kirche**« kurz definiert.[61] »Congregatio« oder »Communio Christifidelium«: die Gemeinschaft derer, die sich auf Person und Sache Jesu Christi eingelassen haben und sie als Hoffnung für alle Menschen bezeugen. Wo also Kirche die Sache Jesu Christi verstellt, statt ihr zu dienen und sie zur Geltung zu bringen, versündigt sie sich gegen ihr Wesen, treibt sie ihr Unwesen! Wie sehr die Kirche auf die Sache ihres Herrn verpflichtet ist, ergibt sich schon aus ihrem Namen. Das in den germanischen Sprachen übliche Wort »Kirche«, englisch »church«, schwedisch »kyrka« (vgl. slawisch »cerkov«) kommt nicht von »curia«, wie Luther meinte. Es kommt wohl über die Goten von der byzantinischen Volksform »Kyrike« und meinte »dem Herrn (»kýrios«) gehörig«, ergänzt: »Haus oder Gemeinde des Herrn«. Die romanischen Sprachen aber haben mit »ecclesia», »iglesia«, »chiesa«, »église« auch den direkten sprachlichen Zusammenhang mit dem im Neuen Testament gebrauchten Wort bewahrt: »ekklesía« meint im profanen Griechisch die **Versammlung**, die politische Volksversammlung. Im Neuen Testament jedoch wird damit der in der Hebräischen Bibel und ihrer griechischen Übersetzung (»Septuaginta«) gebrauchte Begriff »kahál« übersetzt, welcher der feierliche Ausdruck für die einberufene »Versammlung Gottes (Jahwes)« ist.

Wenn die judenchristliche Urgemeinde also gerade diese Bezeichnung übernahm, erhob sie – innerjüdisch – einen großen Anspruch: die **wahre** Gottesversammlung, die **wahre** Gottesgemeinde der Endzeit zu sein, die sich jetzt im Namen und im Geist des von Gott bestätigten Messias versammelte, also die »Kahál Jesu«. »Kahál – Ekklesía« meint im Neuen Testament zugleich den **Vorgang des Versammelns** wie die bestehende **versammelte Gemeinde** selbst. Das heißt: Ohne Versammeln keine Gemeinde, keine Kirche! Die konkrete gottesdienstliche Versammlung wurde schon im judenchristlichen Paradigma angesehen als die Manifestation, Repräsentation, ja Realisation der neu entstandenen Jesus-Gemeinde.

Damit ist ein für allemal die Norm gesetzt: »Ekklesia« meint ursprünglich keineswegs eine abstrakt-ferne Hyperorganisation von Funktionären oberhalb der konkreten Versammlung, sondern meint im Ursprung eine sich an bestimmtem Ort zu bestimmter Zeit und zu bestimmtem Tun versammelnde Gemeinschaft. Allerdings keine isolierte, selbstgenügsame religiöse Vereinigung, sondern eine Gemeinschaft, die mit den übrigen eine umfassende Gemeinschaft bildet. Jede **Ortskirche** vergegenwärtigt voll die **Gesamtkirche**. Ihr ist alles, was sie an ihrem Platz zum Heil der Menschen braucht, gegeben: die Verkündigung des Evangeliums, die Taufe, das Herrenmahl, die verschiedenen Charismen und Dienste. Jede einzelne Gemeinde, alle ihre Mitglieder dürfen sich als Gottesvolk, Christusleib, Geistesbau verstehen.

Die Bedeutung der Frauen

Daß Jesus selber die »Väter« und ihre Traditionen relativierte, auch Frauen in seinen Jüngerkreis berief[62] und selbst Kindern seine Wertschätzung zum Ausdruck brachte, zeigt: Patriarchale Hierarchien können sich nicht auf Jesus berufen. Auch machte er nicht etwa Ehelosigkeit zur Bedingung der Nachfolge. Ein Zölibatsgesetz kann sich ebenfalls nicht von Jesus her legitimieren, wie denn ja auch die Hebräische Bibel die Ehelosigkeit nirgendwo mit Lob bedachte. Die Apostel waren und blieben verheiratet (Paulus sah sich selber als Ausnahme[63]). Man hätte die Kirche des judenchristlichen Paradigmas im besten Sinn des Wortes **demokratisch** (jedenfalls nicht aristokratisch oder monarchisch) nennen können: eine **Gemeinschaft in Freiheit, Gleichheit und Geschwisterlichkeit**: Denn diese Kirche war

– keine Herrschaftsinstitution, gar Großinquisition, sondern eine Gemeinschaft von Freien;
– keine Klassen-, Rassen-, Kasten- oder Amtskirche, sondern eine Gemeinschaft von grundsätzlich Gleichen;
– kein patriarchalisch regiertes Imperium mit Personenkult, sondern eine Gemeinschaft von Brüdern und Schwestern. Schwestern? Gerade dies ist zu erläutern.

Es kann nach dem Stand heutiger Forschung keine Frage mehr sein, daß **Frauen** nicht nur in der Jüngerschaft Jesu, sondern auch in der Urchristenheit eine erheblich gewichtigere Rolle gespielt haben, als dies in den neutestamentlichen Quellen direkt zum Ausdruck gebracht wird. Und es ist vor allem das Verdienst der deutsch-amerikanischen Neutestamentlerin Elisabeth Schüssler Fiorenza, das neutestamentliche Material gerade unter »feministisch-theologischem« Blickwinkel untersucht zu haben. Ihre Untersuchung bestätigt, daß es in der frühen judenchristlichen Jesusbewegung eine »Praxis der Gleichstellung und des Einbeziehens aller« gegeben hat, der Jünger und der Jüngerinnen: »Die meisten von ihnen waren nicht reich wie die kynischen PhilosophInnen, die die Wahl hatten, Eigentum und hohe kulturell-gesellschaftliche Stellung zurückzuweisen, um ›frei vom Besitz zu werden‹. Sie wurden vielmehr aus der bettelarmen, hungernden und schwerbeladenen Landbevölkerung heraus berufen. Sie waren ZöllnerInnen, SünderInnen, Frauen, Kinder, FischerInnen, Hausfrauen, Menschen, die von ihren Krankheiten geheilt und von ihrer Versklavung durch böse Geister befreit worden waren. Die JesusjüngerInnen boten keinen alternativen Lebensstil an, sondern ein alternatives Ethos: Sie waren die, die keine Zukunft hatten, doch nun haben sie neue Hoffnung erhalten. Sie waren die Ausgestoßenen und Marginalisierten, doch nun haben sie neue Gemeinschaft geschenkt bekommen.«[64]

Wieweit freilich Frauen in der frühen judenchristlichen Gemeinde dabei sogar als charismatische Wanderpredigerinnen tätig waren, kann nur vermutet werden. Historisch ist dies genausowenig verifizierbar wie die These, »daß Frauen bei der Ausbreitung der Jesusbewegung auf NichtjüdInnen bestimmend« gewesen seien.[65] Man sollte deshalb sehr zurückhaltend sein, von einzelnen Texten (etwa über die Syrophönikerin in Mk 7,24-30) auf eine »historische Führungsrolle«[66] oder gar auf »Führungspositionen für Frauen«[67] zu schließen. Das gilt auch für die Rolle Maria Magdalenas, welche die wohl bedeutendste Frauengestalt aus dem unmittelbaren Kreis um Jesus gewesen sein dürfte.

Das alles nimmt jedoch die wichtige Erkenntnis nicht zurück, daß das Wirken Jesu eine Nachfolgegemeinschaft von Gleichgestellten ins Leben gerufen hat, die auch für die heutige kirchliche Situation noch Kritisches zu sagen hat. Und wenn ausdrückliche Patriarchatskritik auch kein wesentlicher Bestandteil der Jesusbewegung war, so hat Elisabeth Schüssler Fiorenza doch recht: »Keine/Keiner ist ausgenommen. Jede/Jeder ist eingeladen. Frauen ebenso wie Männer, Prostituierte ebenso wie PharisäerInnen. Die Parabel vom Großen Gastmahl stößt die HörerInnen auf die Erkenntnis, daß das Reich Gottes alle einbezieht. Warnend macht sie darauf aufmerksam, daß die, die ›als Erste‹ eingeladen waren und die Einladung zurückgewiesen haben, ausgeschlossen werden. Nicht die Heiligkeit der Auserwählten, sondern das Heilsein **aller** ist die zentrale Vision Jesu. Deshalb entnimmt er die Bilder seiner Gleichnisse auch der Welt der Frauen. Seine Heilungen und Exorzismen machen Frauen heil. Seine Ankündigung der ›eschatologischen Umkehrung‹ – viele Erste werden Letzte und die Letzten Erste sein – gilt auch für Frauen und deren Verletztsein durch patriarchale Strukturen.«[68]

Zu beachten ist dabei freilich: Obwohl alle Glieder in dieser frühen Kirche grundsätzlich gleichberechtigt sind, grundsätzlich gleiche Rechte und Pflichten haben, so war damit doch **kein uniformer Egalitarismus** gemeint, keine Gleichschaltung und Gleichförmigkeit, welche die Vielfalt der Gaben und Dienste einebnete. Im Gegenteil: Schon die Jerusalemer Urgemeinde, wo man Lukas zufolge »ein Herz und eine Seele« war[69], zeigte gegensätzliche Personen, unterschiedliche Positionen, differenzierte Funktionen.

Provisorische Strukturen: keine »Hierarchie«

Aufgrund der Texte kann man es nicht ignorieren: Von Anfang an gab es – trotz des bald erwarteten apokalyptischen Endes – **provisorische Strukturen** in der Gemeinde: vor allem den Kreis der **Zwölf**, aber auch den Kreis der **Sieben**, die von der Apostelgeschichte als »Hellenisten« bezeichnet werden. Das läßt darauf schließen: In Jerusalem dürfte die Gemeinde, die Jesus nachfolgte, nach Jesu Tod keineswegs nur aus aramäisch sprechenden Juden allein, sondern auch zu einem nicht geringen Teil aus **griechisch sprechenden hellenistischen Juden** bestanden haben.

Der in der Apostelgeschichte 6,1 berichtete Konflikt um die tägliche Witwenversorgung jedenfalls scheint schon in der Urgemeinde selbst eine starke Trennung zwischen »Hellenisten« einerseits und »Hebräern« andererseits zu spiegeln. Sie wird noch dadurch unterstrichen, daß beide judenchristliche Gruppen allem Anschein nach über eine eigene Synagoge und eigene Hausgemeinschaften verfügten, in der die Schrift im Gottesdienst in ihrer Sprache – hebräisch oder eben griechisch – gelesen wurde. Diese Griechisch als Muttersprache sprechenden Judenchristen – soziokulturell dem städtischen Milieu des hellenistischen Diaspora-Judentums entstammend und, weil gebildeter, wohl auch geistig aktiver – dürften vom Stephanuskreis (»die Sieben«, die alle rein griechische Namen tragen) geleitet worden sein: wohl relativ selbständig neben dem die »Hebräer« repräsentierenden Apostelkreis (»die Zwölf«, welche die zwölf Stämme

Israels repräsentieren). Das heißt gleichzeitig: »Die Sieben« dürften wohl kaum einfache, »den Zwölf« unterstellte Armenpfleger gewesen sein, wie die Apostelgeschichte des Lukas eine Generation später berichtet. Man wird sie eher als das »Führungskollegium einer selbständigen Gemeindegruppe« anzusehen haben, das schon damals in Jerusalem missionarisch aktiv war.

Apostel? Apostel waren keineswegs nur die Zwölf oder gar die Sieben, sondern alle, die als die **Urzeugen und Urboten** galten: die als erste Zeugen die Christusbotschaft verkündeten und Gemeinden gründeten und leiteten. Ob der Titel Apostel auch Frauen zukam, läßt sich für das Judenchristentum kaum erweisen; anders wird es im heidenchristlichen Bereich sein. Sicher ist dagegen, daß es schon im Judenchristentum von allem Anfang an – dies wird gern übersehen – neben **Propheten** auch **Prophetinnen** gab: neben Agabos, Judas und Silas werden die vier Töchter des Philippus in der Apostelgeschichte ausdrücklich genannt; daneben gab es Evangelisten und Helfer verschiedenster Art, auch hier Männer und Frauen.

Ämter? So hätte man diese verschiedenen kirchlichen Dienste und Berufungen damals keinesfalls genannt. Im Neuen Testament werden nämlich weltliche Begriffe für »Amt« im Zusammenhang der kirchlichen Funktionen nicht ohne Grund vermieden. Warum? Sie drücken Herrschaftsverhältnisse aus, welche die christliche Gemeinde nicht übernehmen wollte! Stattdessen wird ein anderer Oberbegriff gebraucht, ein durchaus gewöhnliches, unreligiöses Wort von etwas minderwertigem Geschmack, welches nirgendwo Assoziationen mit irgendeiner Behörde, Obrigkeit, Herrschaft, Würde- und Machtstellung wachrufen kann: **»diakonia«**, **Dienst**, ursprünglich Tischdienst. Hier hatte offensichtlich Jesus selber, der seine Jünger am Tisch bediente, das unverrückbare Maß gesetzt. Nur so ist die Häufigkeit des Wortes zu erklären, welches in sechs verschiedenen Varianten überliefert wird: »Der Höchste soll der (Tisch-) Diener aller sein.«

Und **»Hierarchie«** = **»Heilige Herrschaft«**?: Dies wäre am Anfang der Christenheit der allerletzte Begriff gewesen, den man für kirchliche Dienste, die ja jeglichen Herrschaftsstil und jegliche Herrschaftsallüren gerade vermeiden sollten, in Gebrauch genommen hätte; erst ein halbes Jahrtausend später wurde er vom angeblichen Apostelschüler Dionysios (»Pseudo-Dionysios«) eingeführt. Gewiß, auch in der Kirche gibt es Autorität und Macht, aber im Geist Jesu soll sie nie zur Herrschaft (und zur Bewahrung von Privilegien), sondern zum Dienst und zum Wohl des Ganzen eingesetzt werden. Vom Neuen Testament her ist nur **»kirchlicher Dienst«**

gestattet, ein Wort, das allerdings nie mit klerikaler Demutsgestik kirchliche Herrschaft verschleiern darf.

Ja, mehr noch: Im Zusammenhang mit Gemeindefunktionen wird im Neuen Testament auffälligerweise auch das Wort **»Priester«** im religionsgeschichtlichen Sinn des Opferpriesters (»hiereús«, »sacerdos«), werden alle sakralkultischen Titulationen vermieden – und zwar zugunsten von Funktionsbezeichnungen aus dem profanen Bereich. Gewiß: Für die jüdischen und heidnischen Würdenträger wird das Wort »Priester« selbstverständlich gebraucht, aber für die Dienstträger in den christlichen Gemeinden auffälligerweise nie. Aus diesem Grunde wird es in protestantischen Kirchen meist vermieden.

Das deutsche Wort »Priester« (prêtre, prete, presbitero, priest) – obwohl traditionellerweise das kultisch-sakrale Sacerdotium seinen Sinngehalt ausmacht – stammt allerdings ursprünglich vom unkultischen Titel des Gemeindeältesten her, so daß es an sich, wie in einzelnen Kirchen üblich, sachgemäß durch **»Presbyter«** oder **»Ältester«** beziehungsweise »Presbyter parochianus«, also **»Pfarrer«**, ersetzt werden kann. »Zekenim«, Presbyter, Älteste gab es an der Spitze jeder jüdischen Gemeinde, und zwar seit Urgedenken. Wohl schon seit den vierziger Jahren hatte die Jerusalemer Urgemeinde ihre eigenen Ältesten, ohne daß etwas von deren Einsetzung berichtet wird. Vermutlich gab es auch schon gleichzeitig die ebenfalls aus jüdischer Tradition stammende **Handauflegung oder Ordination**, die in der christlichen Gemeinde die bevollmächtigte Sendung bestimmter Mitglieder für einen besonderen Dienst besagte. Lukas berichtet in der Apostelgeschichte erstmals von einer solchen im Zusammenhang mit den erwähnten hellenistischen Sieben.

Historisch gesehen ist es nicht feststellbar, ob es in Jerusalem eine eigentliche Ältestenverfassung mit lokalem und dann gesamtkirchlichem Autoritätsanspruch schon vor dem Ausscheiden des Petrus und der Übernahme der Führung der Jerusalemer Urgemeinde durch Jakobus gegeben hat. Möglicherweise ist das Presbyterkollegium mit dem wachsenden Abstand vom Ursprung entstanden, dem Verschwinden der Zwölf, dem Wachsen der Gemeinde, dem Vorhandensein von älteren, bewährten Gemeindemitgliedern und vielleicht auch der zunehmenden Gefahr der Häresie. Aber der Frage ist nachzugehen: Wie verhält es sich genau mit Petrus und Jakobus, mit Johannes und schließlich auch Paulus, mit deren Namen die ersten Konflikte im Urchristentum verbunden sind?

5. Die ersten großen Konflikte

Nach dem Neuen Testament läß sich nicht bestreiten: Jener Simon, dem vielleicht schon Jesus selber den Beinamen der »Fels« (aramäisch »Kepha«, griechisch »Petros«[70]) gab, dieser aus Betsaida stammende und in Kafarnaum verheiratete Fischer war unbestreitbar – auch wenn seine Rolle nachträglich stilisiert wurde – schon während Jesu öffentlicher Tätigkeit **Sprecher der Jünger**[71], so daß sein Name auch an der Spitze des Zwölferkreises erscheint.[72]

Petrus: Zuwendung zu den Heiden

Allerdings war Petrus der Primus inter pares: der **Erste unter Gleichen**. Und ein Mann – offensichtlich von leidenschaftlichem Einsatz für Jesus, aber wechselhaft und schwankend –, den schon die ersten beiden Evangelien keineswegs idealisieren. Er gehört zu den irrenden und fehlenden Menschen, ist kein Heros oder Genie. Sein Unverständnis, sein Kleinmut, seine Unzuverlässigkeit und schließlich seine Flucht werden ohne Beschönigung berichtet, wie die der anderen Jünger auch. Nur Lukas, der auch die Urgemeinde als Vorbild idealisiert, mildert oder beseitigt einige anstößige Züge: Er übergeht Jesu Satanswort an Petrus nach dessen Messias-Bekenntnis[73], kürzt die Getsemani-Szene zugunsten der Jünger, unterschlägt dann die Notiz von der Jünger-Flucht und macht über Petrus und die Jünger erstaunlich positive Aussagen.[74]

Weiter steht historisch fest: Petrus war – sieht man von Maria Magdalena und den Frauen ab – auch **Erstzeuge der Auferweckung** Jesu[75], und von seinem ersten Osterzeugnis her konnte er durchaus als Fels der Kirche betrachtet werden. Aber mit der gleichen Sicherheit können wir – heute selbst nach katholischer Exegese[76] – annehmen, daß jenes berühmte Wort von **Petrus als dem Felsen**, auf den Jesus seine Kirche bauen werde[77], das einen aramäischen Sprachcharakter aufweist, aber auffälligerweise keine Parallelen in den anderen Evangelien hat, nicht ein Wort des irdischen Jesus, sondern eine nachösterliche Bildung der palästinischen Gemeinde bzw. des Mattäus ist. Was der historische Petrus im einzelnen glaubte und predigte, kann weder aus den lukanisch redigierten Reden der Apostelgeschichte noch aus den (nicht authentischen) neutestamentlichen Petrus-Briefen entwickelt werden.

Gewiß: Petrus wurde als Typos für den Christusglauben und für die Einheit der Kirche aus Juden und Heiden schon im Neuen Testament immer wichtiger (»Petrus-Typologie«[78]). Den ersten Kapiteln der Apostelgeschichte zufolge ist er zunächst unangefochten der Sprecher der Jünger geblieben. Aber exklusive Autorität, gar eine monarchisch-rechtliche Leitungsvollmacht (Jurisdiktion) besaß Petrus keineswegs. Wir kommen historisch um die Feststellung nicht herum, daß Petrus bis zum Jerusalemer »Apostelkonzil« (um 48) **nur zusammen** mit dem Zwölferkreis und später im Kollegium der drei »Säulen«[79] – Jakobus (er jetzt an erster Stelle!), Petrus und Johannes – die **Leitung der Jerusalemer Urgemeinde**[80] innehatte.

Petrus zeigte sich in Jerusalem als ein Vertreter jenes toleranten Judenchristentums, das der paulinischen Heidenmission durchaus freundlich gegenüberstand – im Gegensatz etwa zu jenen in Galatien Verwirrung stiftenden Judenchristen, die von den Heidenchristen volle Gesetzesobservanz verlangt und prompt den Zorn des Apostels Paulus ausgelöst hatten. Zwischen den Jerusalemern (die genannten drei »Säulen«) und Paulus war es denn auch auf dem Apostelkonzil zu einer offiziellen Vereinbarung über die Aufteilung der Mission gekommen: Petrus galt jetzt als von Gott Bestimmter »zum Apostelдienst unter den Beschnittenen«[81], Paulus als von Gott Ausersehener »zum Dienst unter den Heiden«[82]. So betrieb Petrus **eine ans Gesetz gebundene Mission unter Juden**, in deren Folge an verschiedenen Orten des Imperiums judenchristliche Gemeinden entstanden.

Und **Rom**? War Petrus nicht in der damaligen Welthauptstadt gewesen – mit den kirchengeschichtlich bekannten Folgen? Vorsicht ist auch hier historisch angebracht. Zwar steht bei Petrus als einzigem unter den Zwölfen sicher fest, daß er Mission außerhalb Jerusalems betrieben hat, obwohl es ein Itinerar für seine Reisen und eine genaue Chronologie nicht gibt. Wird doch der Aufenthalt des Petrus in Antiochien (wohl 49/50) von Paulus bezeugt[83] und ist ein Besuch in Korinth, wo es möglicherweise eine judenchristliche Gruppe gab, durchaus möglich.[84] Von Rom dagegen liest man im ganzen Neuen Testament – was Petrus betrifft – nichts. Und vor allem: Von einem »Nachfolger« speziell des Petrus (und auch noch in Rom) ist auch nicht andeutungsweise die Rede. Das wäre ja auch schon von der Logik des Fels-Bildes her ziemlich unwahrscheinlich[85]: Der Glaube des Petrus soll ja das ständige Fundament der ganzen Kirche bleiben!

Und doch ist die (zunächst von kirchenpolitischer Tendenz freie!) Rom-Tradition bezüglich Petrus – der sogenannte Klemensbrief[86] (um 96) und Ignatios von Antiochien[87] (um 110) – so alt, so einhellig und vor allem konkurrenzlos, daß wir historisch davon auszugehen haben, daß Petrus am Ende seines Lebens in Rom war und wohl in der Neronianischen

Verfolgung den Märtyrertod erlitten hat. Auch wenn sich sein Grab unter der vatikanischen Basilika archäologisch nicht identifizieren ließ: »Es herrscht zunehmend Übereinstimmung, daß Petrus nach Rom ging und dort den Martertod erlitt«, heißt es in der 1974 in den USA verabschiedeten Gemeinsamen Lutherisch-Katholischen Erklärung, allerdings mit einem bezeichnenden Aber: »aber es gibt kein zuverlässiges Zeugnis dafür, daß Petrus jemals der lokalen Kirche in Rom als Oberhaupt oder Bischof vorstand. Aus dem Neuen Testament erfahren wir nichts über eine Nachfolge des Petrus in Rom.«[88]

Die theologie- und kirchengeschichtlichen Folgen der römischen Petrus-Überlieferung werden uns noch eingehend zu beschäftigen haben. Doch muß schon hier angemerkt werden, was der katholische Neutestamentler Paul Hoffmann zur »Ausbildung einer monepiskopalen Gemeindeverfassung als der Grundlage der späteren hierokratischen Kirchenstruktur« gesagt hat: »Das persönliche Charisma wird durch das Amtscharisma ersetzt, die Institution selbst zu seinem Träger und Garanten, zur ›Gnadenanstalt‹ – ein Prozeß, der im weiteren Verlauf der Kirchengeschichte zur ersten rationalen Bürokratie der Weltgeschichte in der mittelalterlichen Kirche und schließlich im 19. Jahrhundert – legalisiert durch die Dogmatisierung des Jurisdiktionsprimats des Papstes – zur ekklesialen Ausformung einer diktatorischen Bürokratie führt, wie sie den real existierenden Katholizismus heute prägt.«[89]

Jakobus: für die Verbindung mit der Synagoge

Doch nicht Rom (triumphal, aber falsch ist die Aufschrift an der Lateranbasilika: »caput et mater omnium ecclesiarum urbis et orbis«), sondern **Jerusalem** war **Hauptort und Muttergemeinde der ersten Christenheit**. Und spätestens seit dem »Apostelkonzil« und besonders nach dem Weggang des Petrus war in Jerusalem immer mehr ein anderer zur Zentralfigur geworden: der »Herrenbruder« **Jakobus**, so genannt, weil er vermutlich der älteste der vier leiblichen Brüder Jesu war[90] – nicht zu verwechseln mit dem Zebedäussohn Jakobus, dem Bruder des Johannes, der zu den Zwölfen gehörte und um 43 von Herodes Agrippa hingerichtet worden war.[91] Jakobus, Jesu Bruder, der sich wie seine anderen Brüder des Außenseiters zunächst geschämt[92] und sich in der Konfrontation in seiner Heimatstadt Nazaret nicht auf seine Seite gestellt hatte[93], war offensichtlich erst nach Ostern zum Glauben an Jesus gekommen; von ihm wird ein eigenes Christophanie-Erlebnis berichtet[94]. Im »Apostelkonzil« hatte er den Kompromiß mit Paulus großzügig mitgetragen: Befreiung der heidnischen Jesusgläubigen vom jüdischen Ritualgesetz, doch für jüdische Jesusgläubige unbedingtes Festhalten an der strengen Gesetzesbeobachtung.[95] Judenchristen und Heidenchristen sollten in einer einzigen Kirchengemeinschaft zusammenleben und die Judenchristen in der angestammten Synagoge verbleiben können – in der Hoffnung auf eine Bekehrung ganz Israels zum Messias Jesus.

Dieser gesetzesstrenge und zugleich ausgleichende, persönlich untadelige Bruder Jesu wurde also nach dem Weggang des Petrus im Zusammenhang der Verfolgung unter Agrippa I. in den vierziger Jahren zusammen mit gleichgesinnten »Ältesten« der **oberste Leiter der Urgemeinde**, besaß als solcher überregionale Autorität und blieb für das Judenchristentum auch in der Folgezeit die maßgebende Orientierungsgestalt. Während Simon Petrus als »der Fels« verehrt wurde, so Jakobus als »der Gerechte«.

Der Nachricht des jüdischen Historikers, Priesters und Augenzeugen Josephus zufolge[96] wurde er, der »Bruder des Jesus, der Christus genannt wird, mit Namen Jakobus, sowie noch einige andere (Judenchristen)« zwischen dem Tod des Prokurators Festus und dem Eintreffen von dessen Nachfolger Albinus verurteilt. Das war vermutlich im Jahr 62, und die Anklage vom höchsten jüdischen Gerichtshof (»Synedrion«) unter dem sadduzäischen Hohenpriester Hannas II. dürfte auf »Gesetzesübertretung« gelautet haben: **Tod durch Steinigung**, die Strafe für schwere Religionsdelikte. Gegen diesen Justizmord protestierten gerade Pharisäer (»die in der Stadt als besonders rechtlich Denkenden und strenger Gesetzesobservanz Verpflichteten«). Möglicherweise erschien Jakobus als Führer einer messianischen Bewegung politisch destabilisierend, belastet nicht nur durch die Verwandtschaft mit Jesus, sondern auch durch Aufnahme und Duldung des Paulus, des Repräsentanten einer gesetzesfreien Heidenmission. Als »Gesetzesbrecher« (und wegen »Entweihung« des Heiligtums[97]) ist jedenfalls wenig später auch Paulus in Jerusalem verhaftet und nach einem zweijährigen Prozeß in Cäsarea, zwei Jahre nach Jakobus, im Jahr 64 in Rom hingerichtet worden.

Die Hinrichtung ihres Führers Jakobus und der ihm Nahestehenden bedeutete für die Urgemeinde »eine Katastrophe …, von der sie sich nicht mehr erholen sollte«: »Offenbar sahen die Anhänger der Partei des Priesteradels in Jakobus und seinen Freunden eine ähnliche religiös-politische Gefahr für das Volk wie 32 Jahre zuvor in Jesus« (M. Hengel[98]). Für viele Judenchristen wurde Jakobus später zur Legende und zur immer mehr verklärten und verabsolutierten Figur; der ihm zugeschriebene Brief korrigiert an verschiedenen Punkten Paulus; im nicht-kanonischen Hebräerevangelium (nicht zu verwechseln mit dem kanonischen Hebräerbrief) wird Jakobus – im Widerspruch zu allen übrigen Quellen – nicht nur eine Teilnahme am letzten Mahl Jesu, sondern auch die Ersterscheinung des Auferstandenen zugesprochen.

Für das Verhältnis der jungen Christengemeinde zur jüdischen Autorität aber hatte diese Verfolgung **fatale Folgen**: Nach den Hinrichtungen zuerst des hellenistischen Judenchristen Stephanus (und der Flucht der hellenistischen Judenchristen aus Jerusalem) und dann des Zebedäiden Jakobus hat diese Steinigung sicher wesentlich zum Bruch zwischen Juden und Judenchristen beigetragen. Die Verfolgung und dann – nach dem Katastrophenjahr 70 – die Ausstoßung aus der Synagoge hatte die definitive Trennung von der Synagoge zur Folge. Die **Exkommunikation der Christen** durch das jetzt pharisäische Establishment ging aller Verfolgung der Juden durch die Christen voraus.[99] Hier hat jener Antijudaismus auch schon der Judenchristen – so beklagenswert er ist – seine geschichtlichen Wurzeln, wie er sich im Mattäus- und dann besonders im Johannesevangelium niedergeschlagen hat. Deshalb die Frage: Und Johannes?

Exkommunikation durch die Synagoge: die Gemeinde des Johannes

Nach der neuesten Forschung war auch der Autor des griechisch geschriebenen Johannesevangeliums Jude: ein **hellenistischer Jude**, der tief in Hebräischer Bibel und jüdischer Weisheitstradition verwurzelt war und der für eine vorwiegend judenchristliche Gemeinde mit heidenchristlichen Mitgliedern schrieb, denen er des öfteren jüdische Begriffe und Gebräuche erklärte.[100] Und da fällt nun auf, daß, anders als der Name des Petrus, der Name des dritten führenden Mannes in Jerusalem, jenes doch in allen Gemeinden bekannten und hochangesehenen Jakobus, geflissentlich verschwiegen wird, ja, daß die Brüder Jesu in einer markanten Szene sogar allesamt als ungläubig hingestellt werden.[101]

Nun muß man sich freilich vor Augen halten, daß zur Zeit der Abfassung des Johannesevangeliums um das Jahr 100, also mehr als drei Jahrzehnte nach dem Justizmord am Herrenbruder, der Weg des Jakobus – Bekenntnis zum Messias Jesus und Teilnahme am Gottesdienst und Leben der Synagoge – in Jerusalem gescheitert war. Denn jetzt war bereits die **formelle Exkommunikation der Christen in Kraft**: jene verhängnisvolle »Ketzerverfluchung«, die nach dem jüdisch-römischen Krieg und der Zerstörung des Zweiten Tempels ein pharisäisch besetztes »Konzil« in Jamnia (bei Jaffa) ausgesprochen hatte und die am Anfang jedes synagogalen Gottesdienstes wiederholt wurde.[102] Sie betraf zwar auch andere Ketzer, hatte aber für die ausdrücklich genannten jüdischen Nachfolger des Nazareners besonders fatale Folgen: Denn sie waren jetzt vom Gottesdienst und vom ganzen Leben der Synagoge ausgeschlossen, was für sie nicht nur religiöse, sondern auch einschneidend soziale und ökonomische Konsequenzen hatte: »Alte Bindungen (wurden) total zerschnitten, jeder persönliche und gesellschaftliche Verkehr unterbunden und jede Hilfe ausgeschlossen.«[103]

Warum also wird der Herrenbruder **Jakobus im Johannesevangelium** konstant **verschwiegen**, ja, indirekt abqualifiziert? Der Tübinger Exeget Christian Dietzfelbinger ist dieser Frage nachgegangen und hat eine überzeugende Lösung vorgelegt.[104] Seine Antwort: Die Abgrenzungen gegenüber den Brüdern Jesu, die des Unglaubens beschuldigt werden, gelten nicht den historischen Brüdern Jesu, die bereits tot sind, sondern jenen judenchristlichen Gruppen, die sich noch jetzt auf Jakobus und seinen Weg beriefen. Denn der Verfasser des Johannesevangeliums lebt in einer Gemeinde, in welcher jener Ausschluß aus der Synagoge Wirklichkeit geworden ist[105] und die nun ihrerseits gar keine Verbindung mit der Synagoge mehr haben will, da diese eine Verkündigung der Jesusbotschaft nicht mehr zuläßt, der christlichen Gemeinde mit Feindschaft begegnet und sich so als ein Teil der jesusfeindlichen, bösen und dunklen »Welt« erweist. Es muß in der Gemeinde des Johannes eine Atmosphäre der Angst geherrscht haben: eine »Furcht vor den Juden«[106]. Aus der jesuskritischen Synagoge war jetzt eine jesusfeindliche Synagoge geworden.

Eine Verständigung zwischen Christengemeinde und Synagoge ist für den Verfasser des Vierten Evangeliums also nicht mehr möglich: »Glaube an Jesus und Zugehörigkeit zur Synagoge vertragen sich nicht mehr, und sollte beides früher miteinander vereinbar gewesen sein, so hat solche Vereinbarkeit durch das fortgesetzte Nein der Synagoge zu Jesus und zur Jesusgemeinde sein Ende gefunden.«[107] Und so setzt denn die johanneische Gemeinde **dem Nein der Synagoge zum Messias Jesus ihr eigenes Nein entgegen**. Ihr gegenüber sieht sie sich als die neue, verinnerlichte, vergeistigte Gemeinschaft des neuen Äons, die ganz auf Jesus als das Licht der Welt und den guten Hirten konzentriert ist. Ob das Manna des Exodus, die Wasserspende beim Laubhüttenfest oder der Geist der Endzeit – alles wird jetzt auf Jesus bezogen, der auch für den Tempel und das Gesetz steht. Statt der Tora ist Jesus »der Weg, die Wahrheit und das Leben«; nur durch ihn kommt man zum Vater.[108] Und Jesus wird denn auch Johannes zufolge nicht von den Römern als politischer Aufrührer zum Tod verurteilt, sondern von den jüdischen Autoritäten für das religiöse Verbrechen der Blasphemie.

Inwiefern die – im Vergleich zu der offensichtlich als ungenügend angesehenen synoptischen Tradition – sehr **hohe Christologie** (Jesus als der schon vor Abraham bei Gott existierende himmlische Gottessohn) und das ebenfalls sehr hohe Eucharistieverständnis (Jesus als das Brot des Lebens) der johanneischen Gemeinde Voraussetzung oder Folge der Exkommunikation durch die Synagoge war, läßt sich kaum mehr eruieren. Sicher ist: Solche hohen christologischen Aussagen mußten dem orthodoxen Judentum als klare Blasphemie vorgekommen sein. Dieser Vorwurf spiegelt sich denn auch im Evangelium deutlich wider, wo es nicht mehr um einen Konflikt mit dem Gesetz (Sabbat) geht, sondern um die Gleichstellung Jesu mit Gott: »Darum waren die Juden noch mehr darauf aus, ihn zu töten, weil er nicht nur den Sabbat brach, sondern auch Gott seinen Vater nannte und sich damit Gott gleichstellte.«[109] Was im Evangelium als Vorwurf an die Adresse Jesu erscheint, ist Widerspiegelung der Ablehnung der Gemeinde durch »die Juden«: »Wir steinigen dich nicht wegen deines guten Werkes, sondern wegen Gotteslästerung, denn du bist nur ein Mensch und machst dich selbst zu Gott.«[110]

War das aber wirklich Gotteslästerung? Man wird sagen: Ja, schon im berühmten Prolog des Evangeliums erscheint die Präexistenz Jesu grundgelegt. Doch was war das für eine Präexistenz? Antwort: Zumindest im Prolog ist die Rede nicht von der Präexistenz des Sohnes, sondern der des Logos, des Wortes.

Präexistenz des Logos im Johannesevangelium

Es hat sich heute in der Exegese weitgehend durchgesetzt, daß der Prolog-Autor ein älteres, wohl **jüdisch-hellenistisches Lied** verwandt hat, welches, gut jüdisch, nicht ein präexistentes Gottwesen »Sohn« zum Gegenstand hat, sondern Gott und seinen Logos, sein Wort, seine Weisheit in Schöpfung und Offenbarung. Der christliche Prolog-Autor hat diesen Text vom Wort, das von Anfang an bei Gott war, nicht verändert, sondern erst am Ende christlich **zugespitzt**: »Und das Wort ist Fleisch geworden und hat unter uns gewohnt.«[111] Für den christlichen Autor ist dies die »Klimax des Prologs«[112], der auf diese Weise nichts von seiner Universalität verloren hat: Gottes Wort bleibt Leben und Licht der Menschen[113]; Gottes Wort war und ist schon bei der Schöpfung dabei, wirkt überall. Jetzt aber ist es unter uns in einem Menschen sichtbar und greifbar geworden.

Die christliche »Zuspitzung« will also nichts anderes als das universale Wort Gottes in der Geschichte konkret orten: Jesus von Nazaret ist das Fleisch gewordene Wort, der Logos Gottes in Person, **Gottes Weisheit in menschlicher Gestalt**. Schon der Jude Philon von Alexandrien, Jesu Zeitgenosse, hatte den weltumgreifenden stoischen Logos als »Gott« und »Gottessohn« bezeichnet, aber ihn um des strengen Monotheismus willen dem schlechthinnigen Gott (»ho theós«) als »zweiten Gott« untergeordnet. Doch erst der Evangelist Johannes hat die Titel Logos und Gottessohn mit einer konkreten Person, dem irdischen Jesus, identifiziert und so gerade dem Titel Gottessohn eine personale Füllung gegeben, die er bei Philon nicht hatte und die für Juden unakzeptierbar war.[114]

Doch ist immer gleichzeitig zu beachten: Gottes Weisheit wirkt nicht nur in Jesus, sondern überall unter den Menschen. Der Neutestamentler Leonhardt Goppelt hat diese schwierige Problematik auf den Punkt gebracht: »Der Logos des Prologs **wird** Jesus; Jesus ist der fleischgewordene Logos, aber nicht der Logos als solcher.«[115] Und Hans Conzelmann stellt heraus, daß es Johannes hier nicht um eine Präexistenzchristologie geht, sondern um eine Sendungs- und Offenbarungschristologie: »Weder die Präexistenz wird geschildert (Johannes erzählt keine Himmelsgespräche des Sohnes mit dem Vater vor seiner Inkarnation), noch der Vorgang der Inkarnation (es gibt keine Jungfrauengeburt). Sie fallen unter die radikale johanneische Reduktion. Geschildert wird nur, was sich nach der Inkarnation ereignet, das Auftreten Jesu in der Welt. Präexistenz und Inkarnation bilden die **Folie** dieser Schilderung: sie bezeichnen das unanschauliche Woher.«[116]

Erst seit kurzem verfügen wir über eine umfassende Darstellung der **Präexistenzproblematik**, welche sowohl die alt- und neutestamentliche Problemlage wie die systematisch-aktuellen Lösungsversuche (von Harnack und Barth bis zu Rahner und Moltmann) berücksichtigt. In seinem großen Werk »Geboren vor aller Zeit?«[117] hat der Tübinger Theologe Karl-Josef Kuschel das Wesentliche herausgehoben[118]: Von der Selbstvergottung Jesu kann im Johannesevangelium ebensowenig die Rede sein wie von einer Vergottung durch seine Jünger. Ja, gerade die wenigen Aussagen über eine Präexistenz des Sohnes Gottes sind nicht mythologisierend oder begrifflich-spekulierend, sondern stehen im Dienste einer soteriologisch orientierten Sendungsaussage, wie sie Juden seit Jahrhunderten vertraut ist: Der Retter kommt von Gott. Die Christologie des Johannes ist keine Präexistenzchristologie, sondern eine Offenbarungs- und Sendungschristologie, bei der die Präexistenzaussagen die Funktion haben, die Bedeutung des Retters und Messias Jesus von Nazaret zu unterstreichen.[119] Das heißt: »Nicht die Protologie isoliert und für sich interessiert, weder Spekulationen über göttliche Wesenheiten vor aller Zeit noch die Annahme, daß der Mensch Jesus im temporalen Sinn als präexistent gedacht ist, sind Sache der johanneischen Schriften, sondern die vertrauende Grundaussage: Die Existenz Jesu Christi ›in der Welt‹ verdankt sich der Initiative Gottes.«[120]

Wie aber ist dann die **Einheit von Vater und Sohn** zu verstehen, die ja gerade das Johannesevangelium so nachdrücklich betont? Antwort: Daß der Vater und Jesus »eins« sind[121], meint wie ähnliche johanneische Worte, »nicht metaphysische Sätze über eine Einheit von Vater und Sohn« (K. H. Schelkle[122]). Es geht eben noch nicht um eine Einheit in Kategorien der hellenistischen Ontologie, sondern – nicht metaphysisch, sondern personal verstanden – um eine »Wirkeinheit« (J. Gnilka[123]), eine »Aktionseinheit« (F. Mussner[124]), um eine Offenbarungseinheit: »Wer mich (den Menschen) sieht, sieht (Gott) den Vater.«[125] »Bei der **Bestimmung der Einheit**«, sagt Kuschel deshalb zu Recht gegen jede metaphysisch spekulierende Theologie (à la Karl Barth), geht es Johannes also »weder um mythologische Spekulationen noch metaphysische Verbegrifflichungen von Jesu Gottheit, göttlichem Wesen oder göttlicher Natur«[126]. Neuere katholische wie protestantische Exegese sei sich dahingehend einig: »Johannes fragt nicht nach dem metaphysischen Wesen und Sein des präexistenten Christus; ihm geht es nicht um die Erkenntnis, daß es vor der Inkarnation zwei präexistente göttliche Personen gegeben habe, die in der einen göttlichen Natur verbunden seien. Dieses Vorstellungsschema ist Johannes fremd. Fremd ist ihm ebenso die Vorstellung einer ›innergöttlichen Zeugung‹.«[127]

Um was also geht es Johannes positiv? Es geht ihm »um das Bekenntnis: Das von Ewigkeit her bei Gott seiende Wort, Gottes Wort und damit Gott selbst, ist in Jesus von Nazaret Mensch geworden; Jesus **ist** in Person das ewige Wort Gottes, nicht weil Menschen an ihn glauben oder er es von sich behauptet, sondern weil er es von Gott her ist. Jesus **ist** der ewige Sohn Gottes, nicht weil Menschen dies begriffen hätten oder er es plausibel gemacht hätte, sondern weil er es ist, von Gott her ›immer schon‹ war.«[128] Diese Erklärung sprengt strukturell noch nicht den Vorstellungsrahmen dessen, was Juden und Judenchristen glauben können. Im Gegenteil: Die **Christologie des Judenchristen Johannes** verbleibt noch ganz im damaligen jüdischen Verstehenshorizont. Sie ist **Teil des ursprünglich judenchristlichen Paradigmas**.

Wie aber verhält es sich dann mit dem Apostel Paulus, dessen hohe Christologie vielfach für die Entfremdung der Christen vom jüdischen Wurzelgrund verantwortlich gemacht wird?

In Kontinuität mit Jesus: der Glaube des Juden Paulus

Paulus, was immer später über die Einstellung des früheren Pharisäers aus dem Stamme Benjamin zum jüdischen Gesetz zu sagen sein wird, ist nur von seiner Herkunft aus dem Judentum her zu verstehen. Seine Theologie verbleibt durchaus in Kontinuität mit der Verkündigung Jesu und so ganz und gar im jüdischen Wurzelboden.

Die großen Themen paulinischer Theologie sind ohne diese Kontinuität nicht zu verstehen. Mit Jesus teilt Paulus
– die Erwartung des bald kommenden Gottesreiches;
– die Erkenntnis von der faktischen Sündhaftigkeit des Menschen;
– den Aufruf zu Glauben und Umkehr;
– den Glauben an Gottes Wirken in der Geschichte;
– den Glaube daran, daß der Gott Israels auch der Gott aller Völker ist;
– das Verständnis des Glaubens als unbedingtes Vertrauen auf Gott und die Überzeugung, daß der Sünder aufgrund dieses Vertrauens von Gott gerechtfertigt wird, ohne daß er dies durch eigene Leistungen verdient hätte oder durch Gesetzeswerke verdienen würde;
– die Liebe Gottes und die Liebe des Nächsten als faktische Erfüllung des Gesetzes: unbedingter Gehorsam gegenüber Gott und selbstloses Dasein für die Mitmenschen.

In seiner kongenialen Transformation der Verkündigung Jesu – von ihm jetzt interpretiert im Licht von Jesu Tod und Auferweckung – hat Paulus kein neues System geschaffen, keine neue »**Glaubenssubstanz**« kreiert. Er hat als Jude auf jenem Fundament aufgebaut, welches nach seinen eigenen Worten ein für allemal durch Gott gelegt worden ist: **Jesus Christus.**[129] Dieser ist Ursprung, Inhalt und kritische Norm auch seiner, des Paulus Verkündigung. Im Lichte einer gänzlich anderen Situation nach Jesu Tod und Auferweckung hat er also keine andere, sondern die gleiche Sache vertreten: die **Sache Jesu**, die nichts anderes ist als die Sache Gottes und Sache des Menschen – jetzt aber, von Tod und Auferweckung besiegelt, kurz zusammengefaßt verstanden als die **Sache Jesu Christi.**[130] Dieser lebendig erfahrene Jesus Christus war für Paulus Ursprung und Kriterium der neuen Freiheit, die unverrückbare Mitte und Norm des Christlichen.

In der **Glaubenssubstanz** unterscheidet sich Paulus also nicht von den Judenchristen, welche am mosaischen Ritualgesetz festhalten wollten. Auch für ihn ist zentral:
- der Glaube an Jesus als den Messias/Christus Gottes und die praktische Nachfolge;
- die Taufe auf seinen Namen;

• die Mahlfeier zu seinem Gedächtnis.

Doch Rückfrage: Hat sich Paulus denn nicht gerade in seiner Christologie vom Judentum weit entfernt? Findet sich nicht gerade bei Paulus die Vorstellung von einer personalen Präexistenz Jesu als des Sohnes Gottes, die innerjüdisch unerhört ist und in Konflikt mit dem jüdischen Monotheismus steht?

Präexistenz des Sohnes bei Paulus?

Karl-Josef Kuschel hat auch die angebliche »Präexistenzchristologie« des Apostels **Paulus** Schritt um Schritt aufgrund der neuesten exegetischen Forschungslage untersucht und festgestellt[131]:
– Paulus hat die in der jüdischen Apokalyptik und Weisheitstheologie »bereitliegenden« Präexistenzaussagen für seine Christologie auffälligerweise nicht fruchtbar gemacht.
– Bei der Übernahme eines Textes wie dem Philipper-Lied[132], das wohl erstmals im Neuen Testament eine christologische Präexistenzaussage enthält, hat er den Akzent nicht auf die himmlische Herkunft, sondern ganz auf die Erniedrigung und das Kreuz gesetzt.
– Doch auch in seiner weiteren Christologie zeigte Paulus an der Ausgestaltung der himmlischen »Daseinsweise« Christi bei Gott keinerlei Interesse.
– Der Apostel vertrat vielmehr vom Anfang seiner Theologie bis zum Ende, vor apokalyptischem Horizont (Naherwartung), eine Theologie, die auf den auferweckten Gekreuzigten konzentriert ist.

Kuschels Schlußfolgerung, was Paulus betrifft: »**Selbständige Aussagen über ein vorweltliches oder vorzeitiges Sein Jesu Christi** (entweder im Sinne einer direkten Aussage über das ›bei Gott sein‹ vor Erscheinen auf Erden oder im Sinne einer eigenen Schöpfungsmittlerschaft oder gar im Sinne einer Identifizierung mit Gott) **kennt die authentische Christologie des Paulus nicht**, wenn auch Paulus keine Schwierigkeiten hat, eine Präexistenzaussage der hellenistischen Gemeinde zu übernehmen. Die Protologie hat bei ihm keine selbständige Bedeutung. Im strengen Sinne ist das Wort Prä-Existenz für die paulinische Christologie mißverständlich, unbrauchbar und sollte künftig vermieden werden. Die Bekenntnisse des Paulus beziehen sich auf **Ursprung, Herkunft und Gegenwart** Christi aus Gott und in Gott, aber nicht auf eine zeitlich isolierte vorweltliche ›Existenz‹ … **Für Paulus ist Christus die gekreuzigte Weisheit Gottes in Person, nicht die personifizierte präexistente Weisheit.**«[133]

In diesem Punkt ist Paulus im Rahmen der übrigen judenchristlichen Christologie verblieben. Wenn er davon spricht, daß Gott seinen Sohn »gesandt« hat[134], dann liegt dem nicht ein mythologisches Denkschema Präexistenz-Existenz, sondern ein prophetisches zugrunde, wie es Juden seit Jahrhunderten vertraut ist: So wie Gott die Propheten gesandt hat, schickt er nun in der Endzeit den definitiven Retter, den Messias Jesus Christus. Der holländische Exeget Bas van Iersel schreibt zu Recht: »Es liegt ohne weiteres auf der Hand, daß das Senden des Sohnes vor dem Hintergrund der Sendung der Propheten vor ihm verstanden werden muß. Die Absicht ist dann zu sagen, daß Gott sich nicht länger damit begnügt, einen weiteren Propheten zu senden, sondern daß er seinen Sohn sendet, der die Propheten übertrifft. Schickt er diesen Sohn aus dem Himmel? Im Gegensatz zu Weish 9,10, wo das von der Weisheit behauptet wird, wird das nicht ein einziges Mal vom Sohn gesagt. Auch wird von ihm nicht behauptet, daß er ›zuvor‹ bei Gott war, wie es dagegen wohl von der Weisheit in Weish 9,9 behauptet wird. Im Gegenteil: Der Sohn, der gesandt wurde, ist unter dem Gesetz, das heißt zu einer Zeit, da die Tora schon galt, aus einer Frau geboren, als die Zeit erfüllt war (Gal 4,4). Was Paulus also über eine Sendung des Sohnes sagt, bezieht sich nicht auf eine Situation vor dem Anfang der Geschichte, sondern auf ein Ereignis, das der Geburt Jesu folgte und seiner Auferstehung voranging. Von Gott gesandt, hat Jesus mehr über Gott geoffenbart und mehr von Gottes Absichten verwirklicht als jeder Prophet vor ihm oder alle Propheten zusammen.«[135]

Von einer eigentlichen Präexistenzchristologie und erst recht von einem »drei-einigen Gott« also bei Paulus ebenso wie bei Johannes keine Spur. Des Paulus **Christozentrik** bleibt begründet und gipfelt auch wieder in einer strengen **Theozentrik**: Sein gedankliches Modell war **nicht** die **Gleichordnung** von Vater, Sohn und Geist, **sondern** die **Hinordnung** Gottes auf den Menschen: »von Gott durch Jesus Christus im Geist«, und die Hinordnung des Menschen auf Gott: »durch Jesus Christus im Geist zu Gott«. Es verdient festgehalten zu werden: Obwohl Paulus durch seine gesetzesfreie Heidenmission bereits die paradigmatische Wende zum Heidenchristentum eingeleitet hat, so hat er doch in seiner Christologie keinen Moment am jüdischen Monotheismus gerüttelt. Gerade bei ihm werden die so verschiedenen »Rollen« und Funktionen von Vater, Sohn und Geist oft durch drei verschiedene Präpositionen (zum Beispiel: aus Gott – durch Christus – im Geist) oder aber durch verschiedene Eigenschaften und Tätigkeiten gekennzeichnet. Gott selber wird von Paulus allerdings sehr viel weniger »**Herr**« genannt, da dieser Name zumeist – zur

Absetzung von den vielen Herren und Göttern – für den »Herrn« Jesus gebraucht wird. Umgekehrt aber wird Jesus kaum jemals »**Gott**« genannt.

Gott? Warum ist eigentlich nie die Rede vom »drei-einigen Gott«? Müßte nicht gerade im Neuen Testament von diesem »drei-einigen« oder »dreifaltigen Gott«, von der »Dreifaltigkeit«, der »Trinität« die Rede sein, wenn es sich hier, wie manche Theologen sagen, geradezu um das »Zentralgeheimnis« des Christentums handeln soll? Doch: Wo ist im Neuen Testament die Rede von einer Trinität?

6. Was Judenchristen glauben

In der **judenchristlichen Urgemeinde** war der Glaube an den einen Gott so sehr eine Selbstverständlichkeit, daß der Gedanke an die Konkurrenz durch ein anderes gottgleiches Wesen von vornherein nicht aufkommen konnte. Daß der Hingerichtete von Gott zu Gott erhöht wurde und jetzt (ganz nach Psalm 110) den Ehrenplatz »zu Rechten Gottes« einnahm, daß er durch die Auferweckung »zum Herrn und Messias gemacht« wurde[136] und er jetzt der Wegweiser, Heilbringer und kommende Weltenrichter ist: dies alles wurde im judenchristlichen Paradigma – auch bei Paulus und Johannes – **nicht** als eine **Konkurrenz zum Glauben an den einen Gott, sondern als dessen Konsequenz** angesehen. Jesus Christus – die Verkörperung der Herrschaft und des Reiches Gottes, das schon jetzt im Geist erfahren werden kann. Sinnenhaftes Zeichen des Glaubens war ja die Taufe, zuerst »auf den Namen Jesu«, schließlich auch – eine liturgische Weiterentwicklung der christologischen Formel in der Gemeinde des Mattäus – »im Namen des Vaters, des Sohnes und des Heiligen Geistes«: Die Taufe geschieht auf den Namen und im Namen dessen (des »Sohnes«), in dem der eine Gott selbst (der »Vater«) durch seinen Geist (der »Heilige Geist«) bei uns ist. Und doch:

Keine Trinitätslehre im Neuen Testament

So viele triadische Formeln es im Neuen Testament auch gibt, so steht doch von einer »Einheit« dieser drei doch höchst verschiedenen Größen, einer Einheit auf gleicher göttlicher Ebene, im ganzen Neuen Testament kein Wort. Es gab freilich im ersten Johannesbrief einmal einen Satz (Comma Johanneum), der im Zusammenhang des Wortes vom Geist, vom Wasser und vom Blut stand und anschließend vom Vater, vom Wort und vom Geist redete, die »eins« seien.[137] Doch historisch-kritische Forschung hat diesen Satz als eine im dritten oder vierten Jahrhundert in Nordafrika oder in Spanien entstandene Fälschung entlarvt, und es nützte der römischen Inquisitionsbehörde nichts, daß sie diesen Satz noch zu Beginn unseres Jahrhunderts als authentisch zu verteidigen suchte.[138]

Was heißt das im Klartext anderes als: Im Judenchristentum, ja, im ganzen Neuen Testament, gibt es zwar den **Glauben an Gott, den Vater, an Jesus, den Sohn und an Gottes heiligen Geist**, gibt es **aber keine Lehre von einem Gott in drei Personen (Seinsweisen)**, keine Lehre von einem »drei-einigen Gott«, einer »Dreifaltigkeit«. Wie aber versteht das Neue Testament das Verhältnis von Vater, Sohn und Geist?

Es gibt im Neuen Testament wohl keine bessere Geschichte, uns das Verhältnis von Vater, Sohn und Geist zu vergegenwärtigen, als jene Verteidigungsrede des Protomärtyrers Stephanus, die uns Lukas in seiner Apostelgeschichte überliefert hat. Während dieser Rede hat Stephanus eine Vision: »Erfüllt vom Heiligen Geist, blickte er zum Himmel empor, sah die Herrlichkeit Gottes und Jesus zur Rechten Gottes stehen und rief: ›Ich sehe den Himmel offen und den Menschensohn zur Rechten Gottes stehen.‹«[139] Hier also ist die Rede von Gott, Jesus, dem Menschensohn, und dem Heiligen Geist. Aber Stephanus sieht nicht etwa eine dreigesichtige Gottheit und erst recht nicht drei gleichgestaltige Männer, auch kein Dreieckssymbol, wie es Jahrhunderte später in der westlichen christlichen Kunst verwendet werden sollte. Vielmehr:

– Der **Heilige Geist** ist auf des Stephanus Seite, ist in ihm selbst. Der Geist, die von Gott ausgehende unsichtbare Kraft und Macht, erfüllt ihn ganz und öffnet ihm so die Augen: »im Geist« zeigt sich ihm der Himmel.

– **Gott** selber (»ho theós« = »der« Gott schlechthin) bleibt verborgen, ist nicht menschenähnlich; nur seine »Herrlichkeit« (hebräisch »kabod«; griechisch »dóxa«) ist sichtbar: Gottes Glanz und Macht, der Lichtglanz, der voll von ihm ausgeht.

– **Jesus** schließlich, sichtbar als der Menschensohn, steht (und wir wissen schon um die Bedeutung dieser Formel) »zur Rechten Gottes«: das heißt in Throngemeinschaft mit Gott in gleicher Macht und Herrlichkeit! Als Sohn Gottes erhöht und aufgenommen in Gottes ewiges Leben, ist er Gottes Stellvertreter für uns und zugleich als Mensch der Stellvertreter der Menschen vor Gott.

Was heißt: Glauben an Vater, Sohn und Geist?

Man könnte schriftgemäß die Zuordnung von Vater, Sohn und Geist so umschreiben:

– Gott, der unsichtbare Vater **über** uns,
– Jesus, der Sohn des Menschen, als Gottes Wort und Sohn **mit** uns,
– der Heilige Geist, als Gottes Kraft und Liebe, **in** uns.

Der Apostel **Paulus** sieht das ganz ähnlich: Gott selber schafft das Heil **durch** Jesus Christus **im** Geist. Wie wir auch **im** Geist **durch** Jesus Christus **zu** Gott beten sollen: die Gebete sind »per Dominum nostrum Jesum Christum« an Gott, den Vater, selbst gerichtet. Jesus als dem zu Gott erhöhten Herrn ist Gottes Macht, Kraft, Geist so sehr zu eigen geworden, daß er nicht nur vom Geist ergriffen und des Geistes mächtig ist, sondern daß er aufgrund der Auferweckung sogar selbst in der Existenz- und Wirkweise des Geistes ist. Und im Geist kann er den Gläubigen gegenwärtig sein: präsent nicht physisch-materiell, aber auch nicht unwirklich-unreal, sondern als geistige Wirklichkeit im Leben des Einzelnen und der Glaubensgemeinschaft, und da vor allem im Gottesdienst, in der Mahlfeier mit dem Brechen des Brotes und Trinken des Kelches zum dankbaren Gedenken an ihn. Und deshalb geht es in der Begegnung von »Gott«, »Herr« und »Geist« für den Glaubenden letztlich um die eine und selbe Begegnung, um das eigene Handeln Gottes selbst, wie es Paulus etwa in der Grußformel zum Ausdruck bringt: »Die Gnade des Herrn Jesus Christus und die Liebe Gottes und die Gemeinschaft des Heiligen Geistes sei mit euch allen!«[140].

So könnte man auch von Vater, Sohn und Geist in den Abschiedsreden bei **Johannes** sprechen, wo dem Geist die personalen Züge eines »Beistandes« und »Helfers« (dies und nicht etwa »Tröster« meint »der andere Parakletos«[141]) … Der Geist ist gleichsam des erhöhten Christus Stellvertreter auf Erden. Er ist gesandt vom Vater in Jesu Namen. So redet er nicht von sich aus, sondern erinnert nur an das, was Jesus selber gesagt hat.

Aus all dem dürfte deutlich geworden sein: Die **Schlüsselfrage zur Trinitätslehre** ist nach dem Neuen Testament nicht die als undurchdringliches »Geheimnis« (»mysterium stricte dictum«) deklarierte Frage, wie drei so verschiedene Größen ontologisch eins sein können, sondern die **christologische Frage**, wie schriftgemäß das Verhältnis Jesu (und dann folglich auch des Geistes) zu Gott selber ausgesagt werden soll. Dabei darf der Glaube an den einen Gott, den das Christentum mit Judentum und Islam gemeinsam hat, jedenfalls keinen Moment in Frage gestellt werden: Es gibt außer Gott keinen anderen Gott! Entscheidend aber für das Gespräch gerade mit Juden und Muslimen ist die Einsicht: Das **Prinzip der Einheit** ist dem Neuen Testament zufolge eindeutig nicht die eine, mehreren Größen gemeinsame göttliche »Natur« (»phýsis«), wie man sich dies seit der neu-nizänischen Theologie des vierten Jahrhunderts denken wird. Das Prinzip der Einheit ist für das Neue Testament wie für die Hebräische Bibel eindeutig **der eine Gott** (ho theós: **der** Gott = der Vater), aus dem alles und auf den hin alles ist.

Bei Vater, Sohn und Geist geht es somit dem Neuen Testament zufolge nicht um metaphysisch-ontologische Aussagen über Gott an sich und seine innerste Natur: über ein statisches, in sich ruhendes, uns gar offen stehendes inneres Wesen eines dreieinigen Gottes. Es geht vielmehr um soteriologisch-christologische Aussagen, wie **Gott selbst sich** durch Jesus Christus in dieser Welt **offenbart**: um Gottes dynamisch-universales Wirken in der Geschichte, um sein Verhältnis zu dem Menschen und um des Menschen Verhältnis zu ihm. Es gibt also bei aller Verschiedenheit der »Rollen« durchaus eine **Einheit** von Vater, Sohn und Geist, nämlich als **Offenbarungsgeschehen und Offenbarungseinheit**: Gott selbst wird durch Jesus Christus offenbar im Geist. Dies also ist die Denkstruktur, wie sie im Rahmen des judenchristlichen Paradigmas geprägt wurde und wie sie als Struktur – anders als die von einem »drei-einigen Gott« – auch einem Juden bis heute nicht unbedingt fremd sein müßte.

So kann es nicht überraschen, wenn gerade die Judenchristenheit auch in der Folgezeit immer auf der historischen Tatsache insistierte, daß der Messias und Herr Jesus von Nazaret nicht ein göttliches Wesen, ein zweiter Gott, sondern ein Mensch aus Menschen gewesen ist. Nicht überraschen, wenn gerade sie sich bei der doktrinalen Entwicklung ab dem zweiten Jahrhundert Zurückhaltung auferlegten, was die Vorstellung der Präexistenz Jesu Christi anging. Der heidenchristliche Kirchengeschichtsschreiber Eusebios, allerdings ohne jegliches Verständnis für das Judenchristentum, berichtet denn auch nicht von ungefähr noch für das 3./4. Jahrhundert von judenchristlichen Kreisen, die nicht zugeben wollten oder wollen, daß Jesus Christus »als Gott, Logos und Weisheit präexistiere«[142]. Die schwerwiegende Frage drängt sich deshalb auf: Nachdem weder der Jesus der Geschichte (der ja nur implizit eine Christologie vertrat) seine eigene Präexistenz verkündet hat, noch die judenchristliche Gemeinde (die eine explizite Christologie vertrat) eine Trinitätslehre aufkommen ließ: Woher stammt diese Lehre von der Trinität eigentlich? Antwort: Sie ist ein Produkt des großen Paradigmenwechsels von der apokalyptisch-urchristlichen zum hellenistisch-altkirchlichen Paradigma. Davon werden wir später hören.

Wir fragen zum Abschluß: Wie geht die Geschichte des Judenchristentums weiter? Was war das Schicksal der Jerusalemer und der übrigen judenchristlichen Gemeinden, die ja nun einmal – können wir dies je vergessen? – die ursprüngliche Christenheit ausmachten?

7. Das Schicksal der Judenchristenheit

Eusebios berichtet in seiner Kirchengeschichte[143], daß die judenchristliche **Jerusalemer Urgemeinde** nach der Hinrichtung des Jakobus vor dem Ausbruch des jüdisch-römischen Krieges im Jahr 66 aus Jerusalem **ausgewandert** und **nach Pella** im Ostjordanland übergesiedelt sei. Man hat das bestreiten wollen.[144]

Das Ende der Jerusalemer Urgemeinde

Warum aber sollte eine Emigration von vornherein auszuschließen sein, wenn man bedenkt, daß Jesus selber es entschieden abgelehnt hatte, zum »König«, das heißt: zum Anführer eines antijüdischen Aufstandes, gewählt zu werden? Was uns in der Bergpredigt zusammenfassend überliefert wurde, ist das Gegenteil von einer Ideologie des nationalen Aufstandes gegen das römische Imperium, ist eine Botschaft der Gewaltlosigkeit. Sie liegt auf der Linie jener Einstellung der Propheten Jesaja und Jeremia, die ausdrücklich vor Krieg, ja bewaffnetem Widerstand gegen sehr viel stärkere fremde Mächte gewarnt hatten. Und nachdem jetzt das Oberhaupt der Urkirche, Jakobus, und andere von den jüdischen Behörden hingerichtet worden waren – da hätten sie noch gegen ihre religiöse Überzeugung in einem Aufstand gegen Rom mitkämpfen sollen?

Jedenfalls haben es neueste Untersuchungen[145] als glaubwürdig bestätigt, daß zumindest gewichtige Teile der Urgemeinde vor dem jüdischen Krieg gegen die Römer, der von vornherein keine Aussicht auf Erfolg hatte, aus Jerusalem ins Ostjordanland emigriert sind: »Die durch die Hinrichtung des Herrenbruders Jakobus (und anderer Christen?) während des Prokuratoreninterregnums im Jahr 62 entstandene Gefährdung und tiefe Verunsicherung der Jerusalemer Gemeinde, namentlich ihrer ›angesehenen‹ Mitglieder, nährte den (durch eine göttliche Offenbarung an eben jene ›dokimoi‹ sanktionierten) Entschluß, der Stadt den Rücken zu kehren und ins nächstgelegene Ausland, die Dekapolis, zu emigrieren. Möglicherweise noch im Jahr 62 verließ daher eine größere Anzahl Jerusalemer (und anderer judäischer?) Christen den jüdischen Herrschaftsbereich und erreichte – womöglich auf dem Weg über Jericho und das Jordantal – die zur Dekapolis gehörende Stadt Pella, wo sie sich (in ihrer Mehrheit?) niederließ« (J. Wehnert[146]).

Wieweit Mitglieder der Urgemeinde in Jerusalem blieben oder nach dem Krieg dorthin zurückkehrten, läßt sich nicht mehr feststellen. Immerhin zählt man, der Bischofsliste des Eusebios zufolge[147], nicht weniger als fünfzehn judenchristliche »Bischöfe« in Jerusalem – allesamt beschnitten (vielleicht wurden Presbyter und Verwandte Jesu mitgezählt) – bis zu jenem verhängnisvollen Jahr 135, welches nach dem erneuten jüdischen Aufstand die völlige Zerstörung Jerusalems, die Vertreibung aller Juden, die Umbenennung der Stadt in Aelia Capitolina und damit auch das **Ende der judenchristlichen Gemeinde Jerusalems** und ihrer beherrschenden Stellung in der jungen Christenheit brachte. Ihr Nimbus war nun gerade für die Heidenchristen dahin. Und moderne Kirchenhistoriker scheuten sich nicht, das Judenchristentum abschätzig die »paläontologische Periode« der Kirchengeschichte zu nennen. Zu Recht?

Die dunkle Geschichte des Judenchristentums

Zugegeben: Es gehört die Geschichte des Judenchristentums in den nächsten Jahrhunderten zu den **dunkelsten Kapiteln** der Kirchengeschichtsschreibung. Aber warum?[148] Die wichtigsten Gründe sind die:
– Während die europäische »Altertumswissenschaft« zunächst ausschließlich auf die griechisch-römische Antike ausgerichtet war, verstand die christliche Patrologie das Judenchristentum lange Zeit unkritisch (im Anschluß an die häresiologischen Aussagen der Kirchenväter) als eine einheitliche, und zwar als eine einheitlich häretische Größe.
– Schon die griechisch-lateinisch sprechenden Theologen der ersten Jahrhunderte zeigten für Manuskripte in semitischen Sprachen wenig Interesse; jetzt aber traten neben das Aramäische/Hebräische auch das Syrische, das Arabische sowie später das Äthiopische.
– Die an das römische Reich angrenzenden judenchristlichen Gemeinden galten, da in Kontakt geraten mit jüdischen Täufer- und Gnostikersekten, von vornherein als häresieverdächtig.
– Ein Großteil der Schriften ging verloren, da die judenchristlichen Gemeinden um Euphrat und Tigris nicht das Glück der Leute von Qumran am Toten Meer oder der Gnostiker im ägyptischen Nag Hammadi hatten, deren Schriften bekanntlich durch das trockene Wüstenklima vor der Vernichtung bewahrt worden waren.

So sind wir denn bezüglich der judenchristlichen Gemeinden des Nahen Ostens, wo wir oft – überspitzt formuliert – für hundert Jahre Geschichte nur ein paar Dokumente haben, sehr viel mehr auf Vermutungen angewiesen als in der Kirche des Westens, wo wir für zehn Jahre oft Tausende von Seiten Quellenmaterial auswerten können. Und während Simon Petrus im Neuen Testament rund 190 mal und Saulus/Paulus rund 170 mal namentlich erwähnt werden, so Jakobus nur 11 mal (in der

Apostelgeschichte sogar nur 3 mal), was nach manchen heutigen Exegeten auf eine Verdrängung des Judenchristentums (und der Brüder Jesu) in der heidenchristlichen Kirche schließen läßt.

Wurde also aus dem Judenchristentum, wie von der traditionellen Kirchengeschichte ebenfalls behauptet, weil es auf seiner früheren Stufe verharrte, schon bald eine **ketzerische Sekte**? Heute wird in der Forschung zumindest nicht mehr bestritten, daß es auch nach der Eroberung Jerusalems im Jahre 70 weiterhin eine Judenchristenheit gab, und viele Fachleute widmen sich der spannenden Aufgabe, **frühe Spuren** des weitverzweigten Judenchristentums zu finden.[149]

Allgemein wird anerkannt: Judenchristlichen Ursprungs aus dem ersten Jahrhundert ist jene (aus dem Aramäischen durch einen glücklichen Zufall ins Griechische übersetzte und ins Mattäus- und Lukasevangelium integrierte) **Spruch-Quelle** (in der Forschung abgekürzt »Q« genannt), die bestimmte Jesus-Worte aus der allerersten Zeit aufbewahrt hatte.[150] Im judenchristlichen Milieu beheimatet sind auch das **Mattäusevangelium** (um 80 möglicherweise in Antiochien geschrieben), der **Jakobusbrief** und – gerade weil hier die Auseinandersetzung mit »den Juden« noch schärfer ist als bei Mattäus, wie wir sahen, auch das **Johannesevangelium** (um 100). Doch gibt es Spuren des Judenchristentums auch außerhalb des Neuen Testaments?

Spurensuche

Zu den neutestamentlichen Schriften kommen die (aus Bruchstücken der Kirchenväter zu rekonstruierenden) **drei nichtkanonischen judenchristlichen Evangelien**, das Hebräer-Evangelium, das Nazoräer-Evangelium und das Ebioniter-Evangelium, das mit dem Mattäusevangelium verwandt sein dürfte, aber wie das älteste kanonische Evangelium (Markus) auf eine Kindheitsgeschichte verzichtet und die Gottessohnschaft Jesu vom Herabkommen des Heiligen Geistes in der Taufe her versteht.[151] Judenchristen scheinen, wenn man der Hypothese des amerikanischen Neutestamentlers Louis Martyn trauen darf, noch im zweiten Jahrhundert sogar eine die Gesetzesbeobachtung fordernde Heidenmission betrieben zu haben[152]; sie dürften sich bereits hinter den **Opponenten des Paulus in Galatien** (auch in Philippi) verbergen, die ja offenkundig Christus im Licht von Gottes Gesetz – statt wie Paulus das Gesetz im Lichte Christi – sehen[153] und sich, weil sie dem Gesetz gehorchen (Beschneidung, Feste, Reinheitsvorschriften), als die eigentlichen Kinder Abrahams verstehen wollten.[154] Aufschlußreich ist auch die judenchristliche Schrift **»Die**

Himmelfahrt Jesajas« (ca. 100-130), in welcher eine Gruppe von Propheten vor apostolischem Horizont dem Propheten Jesaja Offenbarungen in den Mund legen und gerade so die Treue zu Jesus als dem Messias zum Ausdruck bringen.[155]

Die **Fortexistenz von Judenchristen**, die sich – statt auf Paulus – auf Petrus oder Jakobus berufen und die noch keineswegs von der Gnosis infiziert sind, scheint auch durch weitere Traditionsstücke belegbar, die in einen (Klemens von Rom zugeschriebenen, daher Pseudoklementinen genannten) **christlichen Roman einer Wiedererkennung** (Bekehrung des Römers Klemens, Begleiter des Petrus in Palästina und Syrien, und Wiederfinden seiner totgeglaubten Familie) eingearbeitet wurden: neben den »Kerygmata Petrou« (»Verkündigungen Petri«) vor allem die »Himmelfahrt (»anábathmoi«) des Jakobus«[156]:

Den Hintergrund bilden hier griechisch sprechende Judenchristen wohl in Transjordanien in der zweiten Hälfte des zweiten Jahrhunderts, welche die Taufe im Namen Jesu üben, doch zugleich das Gesetz des Mose (und wohl auch die Beschneidung) beobachten. Sie verehren Jakobus als den Führer der Jerusalemer Gemeinde und klagen Paulus an als einen, der durch seine gesetzesfreie Mission die mögliche Bekehrung des ganzen jüdischen Volkes zum Messias Jesus verhindert habe. Von der neuen heidenchristlichen Großkirche trennt diese judenchristliche Gemeinde das Insistieren auf der Gesetzesbeobachtung, vom Hauptstrom des Judentums aber der Glaube an Jesus, der ein Prophet wie Mose und identisch mit dem Messias war, den so viele Juden erwartet hatten.[157]

Des weiteren gibt es in Syrien gesetzestreue judenchristliche Gemeinden, die von der »**Didaskalía**« (»Unterweisung«) der Apostel bezeugt werden. Im Jordantal und am Oberlauf des Euphrat gibt es die Anhänger des **Elkesai**, die eine judenchristliche, aber zugleich gnostisch-synkretistische Sekte darstellen.

Gegen die offensichtlich noch weitverbreiteten judenchristlichen Bräuche mußten selbst noch in der Zeit der Konstantinischen Wende christliche Synoden Stellung nehmen: in Spanien die Synode von Elvira (um 305), in Kleinasien die Synode von Laodikeia (zwischen 343 und 381). Und noch um die Wende des 4./5. Jahrhunderts werden wir von Hieronymus unterrichtet über die Existenz einer ihm bekannten – von der Großkirche offensichtlich noch nicht getrennten – kleinen judenchristlichen Gemeinde von »**Nazaraei**« (»Nazareni«) in Beröa (Aleppo/Syrien), die Paulus als Apostel der Heiden durchaus anerkannten, aber offensichtlich ein hebräisches Mattäusevangelium benutzten.[158]

Aber noch immer wissen wir von den nahöstlichen Heidenchristen –

wiewohl diese vom orthodox-chalkedonischen Stand aus zum Großteil später ebenfalls als »Häretiker« (Monophysiten oder Nestorianer) angesehen wurden – unendlich viel mehr als von jener Judenchristenheit, die nach dem Untergang Jerusalems älteste Glaubensanschauungen und Lebensordnungen bewahrt und wohl noch immer in Palästina und den angrenzenden Gebieten ihren Schwerpunkt hatte, aber bis nach Rom und Ägypten, nach Mesopotamien und Südarabien ihre Anhänger hatte. Nach den kritisch zu lesenden Kirchenväter-Quellen muß man jedenfalls **verschiedene Gruppierungen** in verschiedenen Gebieten und mit verschiedenen Namen unterscheiden, auch wenn man nur noch schwer historisch rekonstruieren kann, was sich hinter den Namen real verbirgt[159]: Während »Nazoräer« (im Anschluß an den »Nazoräer« Jesus) auf die hebräisch-aramäische Bezeichnung der Juden für die Christen zurückgeht (von den »Nasaräern«, einer schon vorchristlichen Sekte, wohl zu unterscheiden), sind die »Ebioniten« (die »Armen« vor Gott) die Selbstbezeichnung einer bestimmten judenchristlichen Gruppe gewesen (einen »Ebion« gab es nicht); »Kerinthianer«, »Symmachianer« und »Elkesaiten« gehen auf eine Person (Kerinth, Symmachos, Elkesai oder Elchasai) zurück.

Ketzerische oder legitime Erben der frühen Christenheit?

Was alle diese Gruppierungen als **»Judenchristen«** im strengen Sinn qualifiziert, haben wir bereits im Zusammenhang des Kapitels über den jüdischen Kontext und die christliche Mitte beschrieben: Judenchristen verkörpern eben – noch einmal knapp gesagt – **jene Form des Christentums**, dessen Mitglieder (zumeist jüdischer Herkunft) **ihren Glauben an Jesus als den Messias mit der Beobachtung des mosaischen Ritualgesetzes verbunden haben**. Gerade in Gesetzesbeobachtung wollten diese Judenchristen die Nachfolge Jesu leben. Die eigene jüdisch geprägte Lebenshaltung und Theologie wollten sie beibehalten, diese Christen, diese Juden, die nicht selten auch mit der werdenden Großkirche in Kontakt blieben und bisweilen Sabbat und Sonntag nebeneinander feierten.

Freilich: Das Schicksal dieser judenchristlichen Gemeinden war es, daß sie von den klassisch gebildeten Heidenchristen schon früh ignoriert, verachtet und schließlich – weil sie die Entwicklungen der immer höheren und komplizierteren hellenistischen Christologie nicht mitmachen konnten – **verketzert** wurden: Verketzert zuerst von Bischöfen wie Ignatios von Antiochien, der schon um 110 jegliche Verbindung von Christusglauben und jüdischer Praxis kategorisch ausgeschlossen hatte[160], und dann 180-

185 vom ebenfalls griechisch schreibenden Irenäus von Lyon, der die Judenchristen völlig undifferenziert als »Ebioniten« (bei ihm taucht dieser Name zuerst auf) ausdrücklich unter die »Häretiker« einreihte.[161]

Dabei hatte doch vor ihm ein Kirchenvater, der selber aus Palästina (Nablus) stammte, sich über das Judentum wohlinformiert zeigte und um die Mitte des zweiten Jahrhunderts über diese Judenchristen berichtete, nämlich **Justin der Märtyrer** (ähnlich auch Hegesipp), noch ein differenziertes Bild vom vielgestaltigen Judenchristentum. Das Wort Häresie vermied er und unterschied genau zwischen der Großzahl der durchaus **rechtgläubigen Judenchristen**, die als Christen jüdisches Ritualgesetz und Beschneidung zwar bewahren, sie aber so wenig wie Paulus oder das Apostelkonzil den Heiden aufdrängen wollen, und andererseits jenen von seinem Standpunkt aus inakzeptablen **legalistischen Judenchristen**, die das Gesetz als heilsnotwendig auch den Heidenchristen auferlegen wollen. Judenchristen nehmen Justin zufolge Jesus als Messias/Christus an, behaupten aber, er sei »ein Mensch von Menschen gewesen« und sei zum Messias/Christus »erwählt« worden.[162] Aber war das schon häretisch? Im Osten jedenfalls ist man – so etwa Origenes und Eusebios – dem Judenchristentum gegenüber, das man zum Teil noch aus eigener Anschauung kennt, weniger abweisend. Erst der Häretikerspezialist Epiphanios von Salamis bringt in seiner berühmten Darstellung von achtzig Häresien aus den Jahren 374-377 (»Panarion«) mehrere judenchristliche Gruppierungen unter, die er aus verloren gegangenen Schriften oder auch persönlich kennt. Was sich hinter den einzelnen Ketzernamen real verbirgt, läßt sich freilich nur schwer historisch verifizieren! Von den »Nazoräern« jedenfalls sagt er nur dies: »Die Nazoräer bekannten zwar Jesus als den Sohn Gottes, lebten aber sonst ganz nach dem jüdischen Gesetze.«[163]

Und in der Tat: Schlechterdings häretisch kann diese Aussage schon deshalb nicht sein, weil Jesu erste Jünger, der Großteil der Urgemeinde und alle uns bekannten christlichen Missionare Juden waren, genauer – wie wir hörten – »Judenchristen« (was sonst?). Und sie haben sich im Prinzip an Gesetz und Beschneidung gehalten, haben eine **jüdisch geprägte Christologie** vertreten, die eine einleuchtende Verbindung von Messiasglauben und Gesetzesbeobachtung bot und die erst später als häretisch (weil angeblich »natürlich« oder »adoptianisch«) abgestempelt wurde. Man hat sieben Typen judenchristlicher Christologie unterschieden, die sich indessen keineswegs gegenseitig ausschließen.[164] Drei Christologien »von unten«: die königliche (Jesus als »Davidssohn«), die prophetische (als »neuer Mose«) und die priesterliche (als »Hohepriester«); vier Christologien »von oben«: die des »Menschensohnes«, die des über allen Engeln

Stehenden, die des »Gottessohnes« und die des »Gotteswortes« – alles Vorstellungen mit deutlich jüdischem Hintergrund.

In der Tat fing ja die Christologie bekanntlich in aller Bescheidenheit »von unten« an, aus der Perspektive der jüdischen Jünger Jesu: nicht mit hohen metaphysischen Spekulationen, sondern mit der Frage »Wer ist dieser?«[165] und »Kann denn aus Nazaret etwas Gutes kommen?«[166]. Wollte man die Christen der vornizänischen Zeit im nachhinein allesamt vom Konzil von Nikaia her beurteilen, dann wären ja nicht nur die Judenchristen, sondern auch fast alle griechischen Kirchenväter (zumindest materiale) Häretiker; denn sie lehrten ganz selbstverständlich eine **Unterordnung** des »Sohnes« unter den »Vater« (»Sub-ordinatianismus«), die nach dem späteren Maßstab der gleichordnenden Definition einer »Wesensgleichheit« (»Homo-ousie«) durch das Konzil von Nikaia als häretisch gilt. Angesichts dieses Befundes ist die Frage kaum zu umgehen: Wenn man statt des Neuen Testaments einfach das Konzil von Nikaia zum Maßstab machen will, wer war denn in der alten Kirche der ersten Jahrhunderte überhaupt noch orthodox?

Wie immer die judenchristlichen Quellen im einzelnen zu beurteilen sein mögen: Heutige Forschung sieht jedenfalls mehr die **Kontinuität** des Judenchristentums mit den Anfängen der frühen Christenheit und weniger dessen häretische Verzerrung. Die Judenchristen gelten ihr als **legitime Erben der frühen Christenheit**, während das übrige Neue Testament größtenteils die Sicht des Heidenchristentums widerspiegelt, wie es von Paulus und seinen Anhängern verteidigt wurde.

Deutlich stellt der Göttinger Exeget Georg Strecker, hochverdient um die Erforschung des Judenchristentums, die aktuelle theologische Bedeutung des Judenchristentums für das Verhältnis von Christen und Juden heraus: »In der Universalität seines Erscheinungsbildes, das nicht nur in der frühchristlichen Zeit, sondern bis in die Gegenwart sich vielfältig konkretisiert hat, zeigt sich das Judenchristentum als Bindeglied zwischen Synagoge und Kirche. Gegenüber der Synagoge bezeugt es, daß durch das Christusgeschehen die Väterverheißungen erschlossen werden und der im Alten Testament geoffenbarte Gotteswille sich verwirklicht. Gegenüber der Kirche bringt es das jüdische Erbe zur Geltung und repräsentiert den bleibenden Anspruch Israels. So wenig Judenchristentum mit einer ›natürlichen‹ ebionitischen Christologie identifiziert werden darf (es findet sich auch die Vorstellung der Präexistenz), so sehr kann es durch die Rückwendung zu den historischen Grundlagen des christlichen Glaubens die großkirchliche oder außerkirchliche Neigung zu Doketismus und Spiritualisierung begrenzen helfen.«[167] Judenchristliche Theologie also durchaus ein kritisches Korrektiv gegen eine allzu abgehobene, der Gefahr des Doketismus und der Spiritualisierung ausgesetzte Christologie!

Freilich: Seit Epiphanios ist das Judenchristentum nun auch im Osten als eine »Häresie« bleibend abgestempelt. Und 386/7 fühlt sich Johannes Chrysostomos verpflichtet, in Antiochien acht antijüdische Predigten[168] zu halten, in denen er gegen Christen angeht, die sich vom synagogalen Gottesdienst, von jüdischen Festen und Bräuchen (auch Beschneidung) angezogen zeigten. Doch nach der ersten Hälfte des fünften Jahrhunderts scheinen sich die Spuren des Judenchristentums mehr und mehr zu verlieren. Synkretistische Tendenzen wurden stärker. Was aber ist aus den judenchristlichen Gruppierungen geworden? Weder das Judentum noch die Großkirche können sie voll aufgesogen haben.

Zwei Spuren – hier nicht genauer zu verfolgen – weisen ins heutige Afrika und Indien:

– In **Äthiopien** scheint dem offiziellen monophysitischen Christentum ein früheres judenchristliches Paradigma zugrunde gelegen zu haben, wie ich es bei einem Besuch in Addis Abeba an einem Epiphaniefest beobachten konnte: Verehrung der Bundeslade des Mose (Tabot); semitische Liturgiesprache; Priester, die Psalmen singen und unter Trommel- und Trompetenbegleitung tanzen; neben der Taufe die Beschneidung, neben dem Sonntag der Sabbat, schließlich besondere Fasten- und Speisevorschriften (Verbot von Schweinefleisch).[169]

– In **Südindien** gibt es eine ethnisch unterschiedene Gruppe von ungefähr 70 000 Menschen, Tekkumbagam-Christen oder Southists genannt, die nach ihrer Lokaltradition von einem Thomas von Cana (Kanaan?) mit 72 christlichen Familien von Syrien oder Mesopotamien im Jahr 345 nach Kerala gekommen seien: Judenchristen, die an Jesus als den Messias für die Juden glaubten, während die schon in Kerala lebenden Christen Jünger des Apostel Paulus waren.[170]

Doch eine dritte Spur war damals noch folgenreicher. Denn da war ja jener vornehme Perser **Mani** (griech. Manes, Manichaios, 216-276), der im Anschluß an Zarathustra, Buddha und vor allem an den gnostisch verstandenen Christus eine neuartige »christliche« Weltreligion begründen wollte, die sich denn auch im 3./4. Jahrhundert als eine ernsthafte Konkurrentin des Christentums vom Atlantik bis nach China, vom Kaukasus bis zum Indischen Meer verbreitete: der dualistische und asketische **Manichäismus**. Die Neuentdeckung in unseren Tagen aber war: Mani hat nach der Überlieferung des arabischen Bibliographen Ibn an-Nadim und dem in Köln neuentdeckten griechischen Mani-Kodex[171] **in seiner Jugend der judenchristlichen Sekte der Elkesaiten angehört**: »Jüdische Einflüsse, wie Gesetzlichkeit und apokalyptisches Denken, sind über das Judenchristentum auf ihn (Mani) gekommen«, sagt anläßlich eines eigenen Kongresses zum Kölner Codex der Tübinger Mani-Spezialist Alexander Böhlig: »Die Täufer, unter denen Mani groß wurde, waren ja Elkesaiten. Sie sahen Elkesai als den Stifter ihres Gesetzes an … Der gesetzliche Charakter des Judenchristentums bildet die Grundlage für den gesetzlichen Charakter des Manichäismus.«[172] Die Elkesaiten sind also das Bindeglied zwischen palästinischem Täufertum und Judenchristentum auf der einen und dem Manichäismus auf der anderen Seite. Aber – es gibt noch eine weiterführende, sehr viel wichtigere Spur.

8. Judenchristentum und Koran

Eine andere, überraschende Wirkung des Judenchristentums muß uns gerade aus ökumenischem Interesse noch mehr beschäftigen. Kann man den entsprechenden Forschungen trauen, so dürften die judenchristlichen Gemeinden mit ihrer Theologie – aller Verketzerung, Vermischung und Auslöschung zum Trotz – eine Wirkung entfaltet haben, die sogar von weltgeschichtlicher Bedeutung werden sollte: und zwar in Arabien durch die monotheistische Reformbewegung, die der arabische **Prophet Muhammad** sechshundert Jahre nach Jesu Tod und dreihundert Jahre nach dem Konzil von Nikaia ausgelöst hat.

Judenchristentum auf der arabischen Halbinsel?

Untergründige Beziehungen zwischen Judenchristentum und koranischer Botschaft werden denn auch von christlichen Forschern seit langem diskutiert.[173] Schon 1926 hatte der bedeutende protestantische Exeget **Adolf Schlatter** in seiner »Geschichte der ersten Christenheit« geschrieben: »Ausgestorben war die jüdische Kirche jedoch nur in Palästina westlich vom Jordan. Christengemeinden mit der jüdischen Sitte bestanden dagegen in den östlichen Gegenden weiter, in der Dekapolis, in der Batanäa, bei den Nabatäern, am Rand der syrischen Wüste und nach Arabien hinein, völlig von der übrigen Christenheit gelöst und ohne Gemeinschaft mit ihr … Der Jude war für den Christen nur noch ein Feind, und die griechische Stimmung, die über das Morden der Generäle Trajans und Hadrians als über das wohlverdiente Schicksal der boshaften und verächtlichen Juden hinwegsah, ging auch in die Kirche hinüber. Auch ihre führenden Männer, die in Cäsarea lebten und lehrten, wie

Origenes und Eusebios, blieben über das Ende Jerusalems und seiner Kirche erstaunlich unwissend. Ebenso sind ihre Nachrichten über die fortbestehende jüdische Christenheit dürftig. Sie (sic!) waren, weil sie sich dem in der übrigen Christenheit geltenden Gesetz nicht unterwarfen, Häretiker und deshalb von ihr geschieden.« Aber er fügt hinzu: »Keiner von den Führern der Reichskirche ahnte, daß dieser von ihnen verachteten Christenheit noch einmal der Tag kommen werde, an dem sie die Welt erschüttern und einen großen Teil des von ihnen aufgebauten Kirchentums zertrümmern werde; er kam damals, als Muhammad den von den jüdischen Christen bewahrten Besitz, ihr Gottesbewußtsein, ihre den Gerichtstag verkündende Eschatologie, ihre Sitte und ihre Legende, übernahm und als ›der von Gott Gesandte‹ ein neues Apostolat aufrichtete.«[174]

Monotheismus statt Trinitätslehre, Knecht-Christologie statt Zwei-Naturen-Christologie: Die These vom Einfluß des Judenchristentums auf den Koran war schon früher von Adolf von Harnack[175] und später von Hans-Joachim Schoeps[176] diskutiert und erhärtet worden. Auch heutige Forscher wie Christopher Buck kommen zu der Ansicht: »Im Verlauf der Zeit scheinen die Ebioniten zusammen mit den sabäischen Täufern Arabien durchsetzt zu haben. Diese Befruchtung lädt zu der Hypothese ein, daß der Koran ebionitische Prophetologie widerspiegelt.«[177] Ja, Georg Strecker nennt es »nicht bestreitbar«, »daß der **Islam** nicht nur jüdischen und christlichen, sondern auch judenchristlichen Einwirkungen gegenüber offen stand, auch wenn es sich hierbei um ein weitgehend noch unbearbeitetes Forschungsgebiet handelt«[178]. Das ursprüngliche **judenchristliche Paradigma** dürfte also, in welcher Form auch immer, weitertradiert worden sein. Aber gibt es da wirklich eine Verbindung zum Koran? Immerhin liegt zwischen der Judenchristenheit des 4./5. Jahrhunderts und dem Koran mehr als ein Jahrhundert.

Man wird bezüglich möglicher **Bindeglieder zwischen Judenchristentum und Koran** wohl nicht direkt an die frühchristlichen Nazoräer denken dürfen. Vielmehr verweist man schon seit Harnack auf gnostisch geprägte Judenchristen wie die Elkesaiten, die nach neuesten Forschungen mit den im Koran genannten »Sabiern« identisch gewesen sein dürften.[179] Jedenfalls kann die Existenz eines judenchristlichen Schrifttums in arabischer Sprache heute kaum mehr bestritten werden. Nicht nur haben sich die Ibadier von Hira und Anbar sowie einige Dichterpersönlichkeiten schon von Julius Wellhausen[180] namhaft machen lassen. Es haben sich, worauf der Berliner Religionswissenschaftler Carsten Colpe zusammenfassend hinweist[181], genug Hinweise auf liturgische Bücher für eine arabisch-christliche Liturgie gefunden, die auf die Präsenz christlicher Gemeinden auf der arabischen Halbinsel verweisen; vom Psalter und von den Evangelien scheint es arabische Übersetzungen gegeben zu haben.

Colpe hat aber darüber hinaus eine überraschende Entdeckung gemacht: daß die berühmte Bezeichnung des Propheten Muhammad als »**Siegel der Propheten**«[182] sich schon in einer der frühesten Schriften des frühesten lateinischen Kirchenvaters, in Tertullians »Adversus Judaeos« (vor 200)[183] findet – als Bezeichnung Jesu Christi natürlich.[184] Ob der Titel »Siegel der Propheten« in Auseinandersetzung mit Judenchristen oder Manichäern vom Propheten Muhammad in Anspruch genommen wurde? »Man braucht nicht soweit zu gehen«, sagt Colpe, »die jüdischen Stämme, mit denen sich Mohammed in Medina kriegerisch auseinandersetzte, im Ganzen für judenchristlich zu erklären. Aber daran, daß das Judentum auf der arabischen Halbinsel von einer Variante durchsetzt war, die wir im Sinne eines Additionswortes judenchristlich nennen dürfen, ist kein Zweifel. Es kann dieses Judenchristentum gewesen sein, zu dem der Titel ›Siegel der Propheten‹ gelangte, und er kann dort wie grundsätzlich überall im Judenchristentum benutzt worden sein, um eine bestimmte konfessionelle Identität zu gewährleisten.«[185]

Manche andere Spuren dürften sich noch finden lassen. Die **eine Spur** verfolgt Colpe selbst, wenn er anhand eines Textes aus der 439-450 verfaßten Kirchengeschichte des Byzantiners Sozomenos auf Judenchristen hinweist, die ihre Legitimität gerade in der Abkunft von Ismael und seiner Mutter (Hagar) sahen, also auf Ismaeliten oder Hagarener: »Damit tritt eine orientalisch-judenchristliche ›Konfession‹ hervor, die älter ist als Nestorianer und Jakobiten, und die später neben den letzteren vornehmlich unter Arabern bestehen blieb. Nach ihrem Typus könnten sie Juden gewesen sein, von denen Mohammed seine jüdischen Überlieferungen bekam – Juden mit Midraschim aber ohne Talmude, gleichzeitig Christen mit Jesus- und Marienverehrung, aber ohne dyo- oder monophysitische Christologie. Ein solches Judenchristentum ist auch auf der arabischen Halbinsel denkbar, vor allem in Medina. Es kann der Träger biblischer und bibelauslegender Traditionen von der Art gewesen sein, wie sie sich im Koran finden.«[186]

Eine **zweite Spur** fanden die jüdischen Gelehrten S. M. Stern und S. Pines in einem arabischen Manuskript des ʻAbd-al Javar (Gabbar), der in Bagdad im zehnte Jahrhundert gewirkt hatte, oder auch eines früheren muslimischen Gelehrten, in welchem ein judenchristlicher Text wohl aus dem 5./6. Jahrhundert verarbeitet worden war. Dieser enthält eine Frühgeschichte der christlichen Gemeinde, beklagt die Spaltung von Judentum und Christentum, kritisiert die »Romanisierung« der Christenheit und beansprucht zugleich, die ursprüngliche, noch nicht verdorbene Tradition der Jerusalemer Gemeinde fortzusetzen, wie sie begründet war durch Jesu erste Jünger, die glaubten, daß er ein Mensch und nicht ein göttliches Wesen war und die mosaischen Gebote beachtete[187]. Hier wird ein Judenchristentum sowohl für den palästinisch-syrischen wie den arabischen und babylonischen Raum – lebendig jedenfalls bis ins siebte Jahrhundert hinein – bezeugt.[188]

Verwandtschaft von judenchristlichem und koranischem Jesusbild?

Wenn es vielleicht schließlich offen bleiben muß, welche historisch-genetischen Bezüge der Koran in welcher Intensität zu welcher christlichen Gruppe aufweist – dies eine dürfte nicht zu bestreiten sein: Die **inhaltlichen Analogien zwischen dem koranischen Jesusbild und einer judenchristlich geprägten Christologie** bleiben verblüffend; die Parallelen sind unabweisbar und harren der historischen Erklärung.

Claus Schedl hat in seiner umfassenden Studie zum koranischen Jesusbild einen ersten Versuch gewagt. Das Ergebnis: »Den Entwurf einer Knecht-Gottes-Christologie, wie er fragmentarisch in der Apostelgeschichte erhalten ist, hat zwar die hellenistische Kirche des Westens nicht weiter ausgebaut, für die syrisch-semitische Christenheit des Ostens scheint aber die Bezeichnung Jesu als Knecht (ʿabd) die dominierende christologische Bekenntnisformel gewesen zu sein. Wenn daher Muhammad den Knechts-Titel in das Zentrum seiner Verkündigung über ʿIsa (= Jesus) stellt, nimmt er damit einen urchristlichen Entwurf auf, reinigt ihn von zeitgenössischen Mißdeutungen, vermeidet aber – was man vom hellenistisch-östlichen Denken her erwarten würde – genaue ontologische Präzisierungen … Man sollte daher aufhören zu sagen, Muhammad habe nur eine mangelhafte Kenntnis des Christentums gehabt; sicher setzt er sich im Koran nicht mit den Lehrentscheidungen der Konzilien der Westkirche auseinander; das Gesamtbild, das wir aus unseren Untersuchungen gewonnen haben, dürfte aber zeigen, daß er die Grundstruktur der syrisch-semitischen Christologie sehr wohl gekannt und eigenständig weiterentwickelt hat. Soll ein muslimisch-christlicher Dialog fruchtbar werden, muß von diesen Grundgegebenheiten ausgegangen werden.«[189]

Und in der Tat eröffnen diese historischen Bezüge überraschende Möglichkeiten für das Gespräch zwischen Juden und Muslimen. Dem muslimischen Gesprächspartner ist dabei freilich von vorneherein zu versichern: Wiederbelebt werden soll mit diesem Blick in die Geschichte nicht die alte Apologetik, mit deren Hilfe Christen den Koran auf jüdische oder judenchristliche Quellen und deren »häretische« Verarbeitung zu reduzieren pflegten. Hat man doch unter Christen seit den Tagen des letzten Kirchenvaters, Johannes von Damaskus, den Islam gern als »christliche Häresie« abqualifiziert. Nein, man stellt die **Echtheit der koranischen Offenbarung**[190] nicht in Frage, wenn man zu den christlichen Traditionen Verbindungen herstellt, genausowenig wie man die christliche Offenbarung verwässert, wenn man alle möglichen jüdischen Quellen rekonstruiert. Parallelen und Analogien werden hier also nicht angeführt, um die Überlegenheit des Christentums zu beweisen oder die Echtheit der koranischen Offenbarung zu bezweifeln, sondern um auf die christlich-islamische Verwandtschaft hinzuweisen, die ja für alle am Dialog Beteiligten Zumutung und Chance in einem bedeutet.

Man mache sich nur einen Moment lang klar, was es für ein Gespräch zwischen Juden, Christen und Muslimen bedeutete: wenn Muhammad von Christen verstanden werden könnte als »judenchristlicher Apostel« des einen und wahren Gottes in arabischem Gewand, dessen Tag kam, als er »den von den jüdischen Christen bewahrten Besitz, ihr Gottesbewußtsein, ihre den Gerichtstag verkündende Eschatologie, ihre Sitte und ihre Legende, übernahm und als ›der von Gott Gesandte‹ ein neues Apostolat aufrichtete«, um Adolf Schlatter noch einmal zu zitieren.[191]

Chancen für ein interreligiöses Gespräch

Wenn die Zeichen der Zeit nicht trügen, stehen wir trotz all der ungeheuren politischen Schwierigkeiten und all der ethnisch-religiösen Spannungen, ja sogar Kriege, vor neuen theologischen Gesprächsansätzen, welche die sattsam bekannten und hier nicht zu leugnenden Unterschiede zwischen den drei großen monotheistischen Religionen in einem anderen Licht sehen lassen könnten.

Auch der jüdisch-christliche Dialog ist in dem Moment entscheidend vorangekommen (nach einer jahrhundertelangen gegenseitigen Verfluchungsgeschichte), als Juden und Christen gemeinsam die bleibenden jüdischen Grundzüge von Gestalt und Botschaft Jesu für ihren Glauben ernst zu nehmen begannen. Für den christlich- muslimischen Dialog wären – je früher desto besser – die Implikationen der Einsicht in die **urchristlich-urislamische Verwandtschaft** fruchtbar zu machen: das koranische Jesus-Verständnis nicht mehr länger als muslimische Häresie, sondern als eine urchristlich gefärbte Christologie auf arabischem Boden! Für alle drei prophetischen Religionen wären diese Einsichten, darüber muß man sich im klaren sein, zunächst höchst unbequem. Doch wenn es zu einer Verständigung kommen soll, müssen gerade die sich aufdrängenden Fragen beantwortet werden:

Fragen für die Zukunft

† Dürfen Christen sich noch unüberlegt auf die hohe Christologie der hellenistischen Konzilien berufen und sie zur einzigen Norm für alle »Kinder Abrahams« bezüglich des Glaubens an Jesus als den Gesandten Gottes machen? Welche Bedeutung messen sie dem **Judesein Jesu** von Nazaret zu, welchen Stellenwert geben sie ihm für ihren Glauben? Wieweit sind sie bereit, die sehr viel ursprünglichere Christologie der jüdischen Jünger Jesu und der frühen judenchristlichen Gemeinden ernst zu nehmen, wie sie sich auch im Koran spiegelt?

Dürfen Juden heute die Gestalt Jesu noch einfach polemisch ausgrenzen und für das jüdische Glaubensleben ignorieren? Welche Bedeutung kommt Jesus auch für den Glauben von Juden heute zu, wenn man ihn als **letzten großen Propheten des jüdischen Volkes** mit bleibenden jüdischen Zügen ernst nimmt, wie dies ja auch der Koran tut?

Dürfen Muslime sich heute noch mit der Kritik der (den Monotheismus angeblich gefährdenden) hellenistischen Christologie zufriedengeben? Welche Bereitschaft besteht bei ihnen, die religiöse Bedeutung Jesu auch aus der **Perspektive des Neuen Testamentes** zu betrachten, um so die authentische Gestalt Jesu umfassender zu verstehen und Verengungen und Einseitigkeiten zu vermeiden?

Keine Frage, allen drei abrahamischen Religionen wird viel zugemutet. Doch diesselbe unbequeme Einsicht in die Verwandtschaft judenchristlicher und koranischer Christologie könnte sich als höchst fruchtbar erweisen. **Allen drei prophetischen Religionen** wird hier, auch darüber muß man sich im klaren sein, **eine Chance eröffnet:**

- Eine Chance für die **Juden:** Sie könnten durchaus an ihrem Glauben an den einen Gott der Väter, Abrahams, Isaaks und Jakobs, festhalten. Und sie könnten doch den Nazarener als großen Sohn Israels erkennen und sich diesem letzten der großen Propheten stellen, der nur um Gottes und der Menschen willen die absolute Geltung von Abstammung, Sabbat und Gesetz relativierte und sich mit seiner Botschaft und seinem Geschick als Nachfolger Moses und doch als »mehr denn Mose« erwies.

- Eine Chance für die **Christen**: Sie bräuchten von ihrem Glauben an Jesus als den einen Messias oder Christus Gottes nichts abzustreichen. Und doch könnten sie ihr Verständnis von der »Sohnschaft« in einer für Juden und Muslime verständlicheren Weise erklären: insofern von der Hebräischen Bibel und von der judenchristlichen Gemeinde her bei dieser Gottessohnschaft an keine sexuell-physische oder auch metaphysisch-ontische »Zeugung« gedacht sein konnte, wohl aber an die »Einsetzung« und Inthronisierung Jesu aufgrund seiner Auferweckung durch Gott selbst als »Messias« (König) »in Macht«.[192]
- Eine Chance für die **Muslime**: Sie könnten an ihrem Glauben an den einen und einzigen Gott und die Unmöglichkeit einer »Beigesellung« oder »Partnerschaft« eines irdischen Wesens zu Gott ganz und gar festhalten. Und doch könnten sie Jesus, den »Gesandten Gottes«, das »Wort«, den »Messias« Gottes, der nach dem Koran zu Gott erhöht wurde, vom Neuen Testament her in umfassenderer Weise zu verstehen suchen.

II. Das ökumenisch-hellenistische Paradigma des christlichen Altertums

Ein **Paradigma** ist – um die Definition von Thomas S. Kuhn zu wiederholen – »an entire constellation of beliefs, values, techniques, and so on shared by the members of a given community«[1]; »eine ganze Konstellation von Überzeugungen, Werten, Verfahrensweisen usw., die von den Mitgliedern einer gegebenen Gemeinschaft geteilt werden«[2]. Ein **Paradigmenwechsel** aber ist die Ablösung eines bisher geltenden Paradigmas durch ein neues.

Will man nun, wie ich dies in meiner Analyse der »religiösen Situation der Zeit« versuche, die Paradigmentheorie auf Geschichte und Gegenwart der Weltreligionen anwenden, so legt es sich nahe, zu unterscheiden zwischen

– **Mikroparadigmen**: Paradigmenwechsel in Einzelfragen, wie zum Beispiel der Übergang von der Feier des Sabbats (oder des Sabbats und des Sonntags) zur Feier des Sonntags allein;
– **Mesoparadigmen**: Paradigmenwechsel in Teilgebieten, wie zum Beispiel der Übergang von einer apokalyptischen Christologie (Christus das Ende der Zeit) zu einer frühkatholischen Christologie (Christus die Mitte der Zeit);
– **Makroparadigmen**: Paradigmenwechsel in Theologie, Kirche, Gesellschaft überhaupt, wie der Übergang vom Judenchristentum zum Heidenchristentum.

Nun ist es keine Frage, daß es sich bei dem schon in neutestamentlicher Zeit sich abzeichnenden Paradigmenwechsel vom Judenchristentum zum Heidenchristentum um eine Ablösung des Makroparadigmas handelt, das ungezählte Meso- und Mikroparadigmen einschließt. Der damit gegebene Konflikt und Streit war durchaus Ausdruck von Kreativität und Vitalität. Bei so fundamentalen Paradigmenwechseln geht es selbstverständlich nie nur um Einzelpersonen, Einzelereignisse und Einzelsymptome, geht es nie nur um einzelne Theologen, Theologien und Theologenschulen. Trotzdem: Einzelpersonen (einzelne Theologen oder Kirchenmänner) können dabei als Katalysator eine geradezu revolutionäre Rolle spielen. Und der erste Theologe – er sollte nicht der letzte sein –, der bei einem Paradigmenwechsel eine grundlegende Rolle gespielt hat, war ohne Zweifel jener Christenverfolger/Christusverkünder, der zum Judenchristentum zugleich in Kontinuität und in Diskontinuität stand: Saulus/Paulus.

1. Der Initiator der paradigmatischen Wende: Paulus

Paradigmenwechsel gerade im religiösen Bereich vollziehen sich normalerweise nicht plötzlich. Bevor ein Makroparadigma sich historisch durchsetzt, braucht es eine lange Zeit der Reifung. Auch das **ökumenisch-hellenistische Paradigma (P II)**, welches das apokalyptische Paradigma (P I) der Urkirche fast im ganzen Imperium Romanum ablöst, ist im 3./4. Jahrhundert nicht einfach »da«, sondern wurde initiiert durch Personen und Umstände bereits im ersten Jahrhundert.

Eine Schlüsselrolle kommt dabei zweifellos der Person des Apostels Paulus zu. Dem Paulus den Weg bereiteten aber hellenistische Judenchristen (besonders der Apostel Barnabas aus Cypern), die nach dem Martyrium des Stephanus aus Jerusalem geflohen waren und sich in **Antiochien** (heute: Antakie), der Hauptstadt der damaligen römischen Doppelprovinz Syrien und Kilikien, niedergelassen hatten, jener nach Rom und Alexandria drittwichtigsten Stadt des Imperium Romanum, die ein internationales Handelszentrum war und zugleich die Landwege kontrollierte, die Kleinasien, Mesopotamien und Ägypten verbanden.[3] Hier wandten sich hellenistische Judenchristen mit ihrer Verkündigung direkt an die Heiden. Hier wurde die **erste** aus geborenen Juden und geborenen Heiden **gemischte Gemeinde** gegründet.[4] Hier erhielten die Christusgläubigen zum erstenmal den Namen »Christen« (griech.: »Christianoí« = »Christusleute«).[5]

Kein Zufall somit, daß die Großstadt Antiochien zum Zentrum der christlichen Heidenmission wurde. Schon damit zeichnet sich hier soziokulturell – in Milieu und Sprache – ein Paradigmenwechsel ab, worauf vor allem Gerd Theißen[6] hingewiesen hat:

– Während die palästinische Jesusbewegung im ländlichen Milieu beheimatet war, wird das Christentum jetzt ein **städtisches Phänomen** (die »Pagani« = »Dorfbewohner« werden am Ende der Antike geradezu zum Synonym für die letzten »Heiden«).

– Während das Judenchristentum sich an die alten, auf dem Land gesprochenen Volkssprachen (im syrisch-palästinischen Raum an das Aramäische) halten konnte, mußte das Heidenchristentum sich in den Städten an die allgemeine Verkehrssprache des **Koiné-Griechisch** halten.

Früher Pharisäer – jetzt Apostel

Von grundlegender Bedeutung aber für den sich nun abzeichnenden Paradigmenwechsel im Christentum wurden die **Theologie und Mission**

des Paulus, des mit weitem Abstand erfolgreichsten unter den urchristlichen Aposteln. Er stammt, so sahen wir im Zusammenhang des judenchristlichen Paradigmas, ganz und gar aus dem jüdischen Wurzelboden, durchtränkt allerdings von hellenistischem Geist. Und aufgrund seiner rastlosen geistig-theologischen wie missionarisch-kirchenpolitischen Tätigkeit wird nun von Paulus, dem Apostel der Heiden, innerhalb der jungen Christenheit der erste große Wandel eingeleitet: der Übergang vom (teils aramäisch, teils griechisch sprechenden) Judenchristentum zu einem ausschließlich griechisch (oder dann lateinisch) sprechenden Heidenchristentum. Der bekannte Konflikt von Paulus mit Petrus in Antiochien hatte diesen Hintergrund.[7]

Wir können hier voraussetzen, was wir im Buch über »Das Judentum« zum theologischen Profil des Apostels Paulus (vor allem was seine Einstellung zur Tora betrifft) und zu seinem Konflikt mit dem jüdischen Establishment seiner Zeit zu sagen hatten[8]: daß der Jude Paulus – streng pharisäisch erzogen – ursprünglich mit großem Eifer für Gott und sein Gesetz gegen die christlichen Gemeinden gewütet hatte; daß er aber nach einer radikalen Wende aufgrund einer Christusoffenbarung sich zum bevollmächtigten Gesandten zur Missionierung der Heiden berufen fühlte. Auch jüdische Gelehrte nehmen ja heute die »Authentizität der Bekehrungserfahrung des Paulus«[9] ebenso ernst wie die der Propheten Israels: die **Bekehrung des gesetzestreuen Pharisäers Saulus vom Pharisäismus zum Glauben an Jesus Christus**, den er visionär als lebendig erfahren hatte: eine Christophanie, die er als gleichwertig mit den Auferweckungserfahrungen der Urapostel ansah. Und diese Bekehrung sollte sich für ihn selber als sehr viel mehr denn nur als ein innerjüdischer Paradigmenwechsel herausstellen.

Denn die entscheidende Folge der Berufungserfahrung des Paulus bestand darin, daß er sich aufgerufen sah, Jesus, den **Messias Israels, als Messias der ganzen Welt aus Juden und Heiden** zu verkünden. Und obwohl selber Judenchrist, sah er für sich selber die Einhaltung des jüdischen Ritualgesetzes, der Halacha, nicht mehr für in jedem Fall verbindlich an: »Gerecht« steht der Mensch vor Gott nicht da, wenn er peinlich genau alle die besonderen »Werke des Gesetzes« erfüllt. Entscheidend ist das unbedingte Vertrauen (»Glauben« = »pistis«) auf Gott, das vertrauende Sich-Einlassen auf seinen Willen – und dies kann man auch unabhängig davon tun, ob man die spezifisch jüdischen Gebote des Ritualgesetzes, der Halacha, erfüllt oder nicht. Paulus hatte damit nicht mehr und nicht weniger getan, als die exklusive Heilsfunktion des umfassenden halachischen Systems zu unterlaufen – unter Verweis auf den Gott, der den im Namen des Gesetzes Gekreuzigten auferweckt und ihn so als Messias und Herrn bestätigt hat.

Kein Wunder, daß Paulus überall, wohin er kam, vom jüdischen Establishment der Apostasie verdächtigt und angefeindet wurde. Dabei hatte Paulus nicht im Traum daran gedacht, die Halacha einfach abzuschaffen. Er hielt sich ja selber an sie, wenn er sich unter Juden bewegte. Um dieser Botschaft willen wollte er »allen alles werden«: den »Juden ein Jude«, den »Gesetzlosen ein Gesetzloser«, immer »an das Gesetz Christi« (der Liebe) gebunden.[10] Ebensowenig wollte Paulus den jüdischen Ein-Gott-Glauben durch einen christlichen Zwei-Götter-Glauben ersetzen. Vielmehr sah er den durch Gottes Geist zu Gott erhöhten Jesus diesem einen Gott und Vater stets untergeordnet: als des einen Gottes Messias, Christus, Bild, Sohn. Seine Christozentrik bleibt also gegründet und gipfelt auch wieder in einer Theozentrik: »von Gott durch Jesus Christus« – »durch Jesus Christus zu Gott«[11]. Insofern ist die Christologie des Paulus mit dem jüdischen Monotheismus ohne weiteres vereinbar. Doch etwas anderes war entscheidend:

Auf dem Weg zu einer Weltreligion

Paulus wollte unbedingt auch den Heiden, die nicht zum auserwählten Volk Gottes gehörten, Zugang zum Glauben an den universalen Gott Israels verschaffen, ohne daß sie sich vorher der Beschneidung und damit den sie befremdenden jüdischen Reinheitsgeboten, den Speise- und Sabbatvorschriften der Halacha unterziehen mußten. Das heißt: Ein Heide soll Christ werden können, ohne vorher Jude zu werden, ohne dann die spezifischen »Werke des Gesetzes« erfüllen zu müssen.[12] Und diese theologische Einsicht und missionarische Praxis des Paulus bedeutete für die ganz junge Christenheit schon früh einen **welthistorischen Umbruch** mit – langfristig gesehen – **welthistorischen Folgen**:

– Durch Paulus ist die christliche Heidenmission (die es schon vor und neben Paulus gab) im Gegensatz zur jüdisch-hellenistischen ein durchschlagender **Erfolg** im ganzen Imperium (bis nach Spanien?) geworden.

– Durch ihn ist es zu einer echten **Inkulturation** der christlichen Botschaft in der hellenistischen Kulturwelt gekommen.

– Durch ihn hat sich aus der kleinen jüdischen »Sekte« schließlich eine **Weltreligion** entwickelt, in der Orient und Okzident enger miteinander verbunden wurden als selbst durch Alexander den Großen.

Es bleibt dabei: Ohne Paulus keine katholische Kirche, ohne Paulus keine griechisch-lateinische Vätertheologie, keine christlich-hellenistische

Kultur, keine Konstantinische Wende. Aber zugleich bleibt wahr: Paulus wird dadurch nicht zum eigentlichen »Gründer des Christentums«, wie manche Unbelehrbaren leider bis heute ohne neue Argumente immer neu behaupten.[13] Nein, Jesus Christus, der Gekreuzigte und Auferweckte, ist dem ganzen Neuen Testament und auch Paulus zufolge die Gründungsfigur, seine Botschaft ist die Grundlage des Christentums. Wohl aber ist Paulus dafür verantwortlich, daß trotz dessen universalen Monotheismus' nicht das Judentum, das damals ebenfalls und gerade auch in Antiochien intensiv Heidenmission betrieb, sondern das Christentum zu einer **universalen Menschheitsreligion** wurde.

Das neue heidenchristlich-hellenistische Paradigma

Paulus wird damit nicht zum Gründer des Christentums, wohl aber zum **ersten christlichen Theologen**, der kongenial theologisch explizierte und praktizierte, was Jesus faktisch tat und nur implizit sagte. Dabei nützten dem Paulus als hellenistisch gebildetem römischen Bürger von Tarsus (Kleinasien) nicht nur seine rabbinische Schulung und Exegese, sondern auch Begriffe und Vorstellungen seiner **hellenistischen Umwelt**. Diese war damals gewiß nicht nur, wie die historische Forschung lange annahm, verunsichert und lag mit sich entzweit in der Krise, sondern stand in vieler Hinsicht in Blüte: eine bunte Welt von Kulten, Sekten, Religionen. Wir haben gesehen, daß die Theologie des Paulus in Kontinuität mit der Verkündigung Jesu verbleibt. Und doch erscheint die Jesus-Überlieferung in seinen Briefen – seine ursprüngliche Katechese besitzen wir leider nicht! – zunächst in einem eher verfremdenden Licht. Warum? Sie ist umgeschmolzen in ganz andere Perspektiven, Kategorien und Vorstellungen: Sie ist hineinübertragen in eine ganz andere Gesamtkonstellation, in ein anderes, eben **hellenistisches Paradigma**!

Von Paulus her ist es indessen völlig unzweideutig: das Unterscheidende, das **»Wesen« des Christentums** gegenüber dem Judentum und allen Weltreligionen ist und bleibt dieser **Christus Jesus selbst**. Denn gerade als der Gekreuzigte unterscheidet er sich von den vielen auferstandenen, erhöhten, lebendigen Göttern und vergotteten Religionsstiftern, Cäsaren, Genies, Herren und Heroen der Weltgeschichte. Und zugleich ermöglicht der Glaube an den konkreten Jesus als den Christus Gottes die universale Offenheit, daß alle Menschen durch Jesus zu Gott gelangen können. Dies ist das Neue: Nicht länger ist die Zugehörigkeit zu einem bestimmten (auserwählten) Volk entscheidend, sondern der Glaube allein. Nur dies erklärt, warum es im **Christentum nicht nur um ein anderes**

innerjüdisches Paradigma, sondern schließlich wirklich um eine **verschiedene Religion mit freilich unaufgebbarem jüdischem Wurzelboden** geht, nachdem Jesus als der Messias Israels nun einmal vom Großteil des Volkes Israel abgelehnt und von vielen Heiden angenommen worden war.

Von den Judenchristen unterscheidet sich Paulus also nicht durch die Glaubenssubstanz, wohl aber durch das völlig verschiedene Paradigma. Und überdeutlich zeigen sich schon bald die Konsequenzen dieses ersten innerchristlichen Paradigmenwechsels vom Judenchristentum zum hellenistisch geprägten Heidenchristentum. Ein neues Makroparadigma, das mehrere Paradigmenwechsel im Mesobereich einschließt, ein Paradigmenwechsel im Verständnis der Bibel, des Gesetzes, des Gottesvolkes.

1. Ein neues **Bibelverständnis**:
– Schon die Juden-Christen hatten begonnen, die Hebräische Bibel in der Retrospektive zu lesen, um sie auf den Messias Jesus hin zu deuten. Gut jüdische Würdetitel wie »Messias«, »Herr«, »Davidssohn«, »Menschensohn«, auch »Gottessohn« (in den hebräischen Schriften nur vereinzelt für Israels König und das ganze Volk gebraucht) wurden auf ihn übertragen, um so seine Bedeutung für Gott und die Menschen zum Ausdruck zu bringen.
– Die Heiden-Christen nun lasen das »Alte Testament« begreiflicherweise ganz in ihrem hellenistisch geprägten Kontext. Wie sein älterer Zeitgenosse Philon von Alexandrien, ebenfalls hellenistischer Jude aus der Diaspora, hatte ja schon Paulus die Hebräische Bibel allegorisch, symbolisch interpretiert und dem »Geist« den Primat über den »Buchstaben« zugestanden. Heiden-Christen konnten mit jüdischen Vorstellungen und Würdetiteln wie »Davidssohn« oder »Menschensohn« nichts anfangen. Sie konzentrierten sich dafür auf einen bei ihnen populären Titel wie »Gottessohn« (für Kaiser und andere Heroen benutzt), der dann nachneutestamentlich unter dem Einfluß der griechisch-hellenistischen Ontologie immer stärker naturhaft verstanden wurde.

2. Ein neues **Gesetzesverständnis**:
– Schon die Juden-Christen (besonders die hellenistischen) hatten begonnen, die zeremoniell-rituellen Gebote in Übereinstimmung mit Jesu Einstellung zum Sabbat weniger ernst zu nehmen als die ethischen, wobei sie auf die tätige Liebe ganz besonderen Wert legten.
– Die Heiden-Christen aber fühlten sich an das jüdische Zeremonialgesetz überhaupt nicht mehr gebunden: kein Zwang zur Beschneidung und zur rituellen Halacha.

3. Ein neues **Gottesvolkverständnis:**
– Schon die Juden-Christen, wiewohl sie sich dem Volk Israels von Natur aus und aufgrund der Beschneidung zugehörig fühlten, hatten, besonders sofern sie griechisch sprachen, ein eher distanziertes Verhältnis zu Tempel und Gesetz.
– Die Heiden-Christen aber, die nicht von vornherein zum auserwählten Volk gehörten, erkannten als entscheidend für die Zugehörigkeit nicht mehr die Abstammung, sondern den Glauben an Jesus Christus, wie er im Initiationsritus der Taufe auf Jesu Namen besiegelt wurde.

Nun war Paulus bekanntlich nicht nur ein scharfsinniger Theologe, sondern auch ein ungemein effektiver Organisator, nicht nur ein Kirchentheoretiker, sondern auch ein Kirchenpraktiker, Kirchengründer, Kirchenleiter. Und Christen lebten bekanntlich schon damals nicht allein und für sich, sondern in Gemeinschaften, Gemeinden, die eine konkrete Struktur oder Verfassung benötigten. Auch hier – bei der Frage der Kirchenverfassung – ist (ebenfalls von Paulus initiiert) ein Mesoparadigmenwechsel erkennbar.

2. Die Entstehung der hierarchischen Kirche

In Gemeinschaften haben Menschen in der Regel Aufgaben, Dienste, Funktionen, und eine ganze Reihe von Funktionen lassen sich schon im Neuen Testament unterscheiden: für die Verkündigung die Funktionen der Apostel, Propheten, Lehrer, Evangelisten und Mahner; dann als Hilfsdienste die Funktionen der Diakone und Diakoninnen, der Almosenverwalter, der Krankenpfleger, der der Gemeinde dienenden Witwen; schließlich für die Gemeindeleitung die Funktionen der Erstbekehrten, Vorsteher, Episkopen, Hirten …

Charismatische Kirche bei Paulus

Alle diese Funktionen in der Gemeinde (und nicht nur bestimmte »Ämter«) werden von Paulus, über dessen Gemeinden wir weitaus am besten Bescheid wissen, verstanden als Gaben des Geistes Gottes und des erhöhten Christus. Wer solche Funktionen ausübt, darf sich als **von Gott zu einem bestimmten Dienst in der Gemeinde berufen** fühlen. Solch eine Gabe des Geistes heißt bei Paulus in griechischer Sprache kurz **Charisma**. Der evangelische Exeget Ernst Käsemann[14] hat die charismatische

Dimension der Kirche bei Paulus scharf herausgearbeitet: Charismen, Geistesgaben, sind Paulus zufolge nicht nur die in heutigen charismatischen Gemeinden hochgeschätzten außerordentlichen Erscheinungen (wie Zungenreden, Krankenheilungen), sondern auch durchaus alltägliche und sozusagen »private« Gaben und Dienste wie die Gabe des Tröstens, des Ermahnens, der Wissenschaft, der Weisheitsrede, der Unterscheidung der Geister. Sie beschränken sich gerade nicht auf einen bestimmten Personenkreis. Weder von Klerikalismus noch von Enthusiasmus kann bei Paulus die Rede sein. Im Gegenteil: **Jeder** Dienst, der faktisch (permanent oder nicht, privat oder öffentlich) zum Aufbau der Gemeinde geleistet wird, ist nach Paulus Charisma, ist **kirchlicher** Dienst; er verdient als konkreter Dienst Anerkennung und Unterordnung. **Jedem** Dienst, ob offiziell oder nicht, eignet also auf seine Weise Autorität, wenn er zum Nutzen der Gemeinde in Liebe verrichtet wird.

Wie aber gelang es in den paulinischen Gemeinden, **Einheit und Ordnung** zu bewahren, die ja oft genug – durch rivalisierende Gruppen, chaotisches Benehmen, moralisch zweifelhafte Praktiken – gefährdet waren? Die paulinische Korrespondenz mit seinen Gemeinden ist hier eindeutig: Paulus wollte Einheit und Ordnung gerade nicht durch die Einebnung der Verschiedenheiten herstellen, durch Uniformierung, Hierarchisierung, Zentralisierung. Einheit und Ordnung sah er vielmehr durch das Wirken des einen Geistes gewährleistet, der nicht jedem alle Charismen, wohl aber jedem sein Charisma schenkt (Regel: Jedem das Seine!); ein Charisma, das er nicht egozentrisch, sondern zum Nutzen der anderen gebrauchen (Regel: Miteinander füreinander!) und in Unterordnung unter den einen Herrn üben soll (Regel: Gehorsam dem Herrn!). Wer sich nicht zu Jesus bekennt und wer seine Gabe nicht zum Nutzen der Gemeinde gebraucht – so nämlich lassen sich die Geister unterscheiden! –, der hat den Geist nicht von Gott. Solidarisches Verhalten, kollegiales Einvernehmen, partnerschaftliche Mitsprache, Kommunikation und Dialog – dies sind im Leben der Gemeinde Zeichen des Geistes Gottes, welcher mit dem Geist Jesu Christi identisch ist.

Im **judenchristlichen** Paradigma gab es – so haben wir gehört – angesichts des bald erwarteten apokalyptischen Endes provisorische Strukturen in der Gemeinde: die Zwölf, die Sieben, die Apostel, Propheten, Älteste, Evangelisten. Auch **Paulus** – ebenfalls die baldige Ankunft Christi erwartend – kennt in seinen Gemeinden Ordnungs- und Leitungsdienste.[15] Doch in seiner Charismentafel rangieren die »Hilfeleistungen« und »Leitungsgaben« in weitem Abstand hinter Aposteln, Propheten und Lehrern – und zwar an vorletzter (!) Stelle, unmittelbar vor der am meisten

Apostolische Gemeindeordnung

Judenchristliche Urgemeinde von Jerusalem um 48

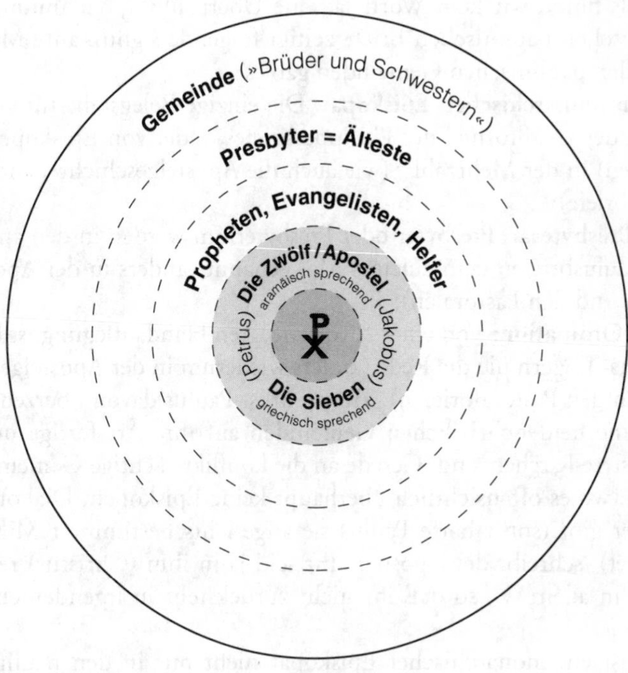

»Bei ihrer Ankunft in Jerusalem wurden sie (Paulus und Barnabas) von der Gemeinde und von den Aposteln und den Ältesten empfangen.« (Apg 15,4)

»Ich (Paulus) ging hinauf (nach Jerusalem) aufgrund einer Offenbarung, legte der Gemeinde und im besonderen den ›Angesehenen‹ das Evangelium vor, das ich unter den Heiden verkündige ...« (Gal 2,2)

»Und sie erkannten die Gnade, die mir verliehen ist. Deshalb gaben Jakobus, Kephas, und Johannes, die als ›Säulen‹ Ansehen genießen, mir und Barnabas die Hand zum Zeichen der Gemeinschaft ...« (Gal 2,9)

»In diesen Tagen kamen Propheten von Jerusalem herab nach Antiochien.« (Apg 11,27) relativierten Glossolalie oder enthusiastischen Zungenrede.[16] Soweit wir es heute noch feststellen können, haben sich in den von Paulus gegründeten Gemeinden die Ordnungs- und **Leitungsdienste** zunächst **autonom selber eingerichtet**. Von einer rechtlichen Einsetzung (aufgrund einer »apostolischen Vollmacht« des Paulus) in die verschiedenen Gemeindedienste jedenfalls hören wir kein Wort. Ja, eine Überprüfung der unumstritten authentischen paulinischen Briefe zeitigt folgende signifikante Merkmale[17]: In den paulinischen Gemeinden gab es

– **keinen monarchischen Episkopat**: Die einzige Belegstelle für »Epískopos«, in der Grußformel des Philipperbriefes, redet von Episkopen (und Diakonen) in der Mehrzahl[18] (wie auch die Apostelgeschichte, anders die Pastoralbriefe);

– **kein Presbyterat**: Presbyter oder Presbyterium werden in den authentischen Paulusbriefen kein einziges Mal genannt (anders in der Apostelgeschichte und den Pastoralen);

– **keine Ordination**: Von einer zuvor erfolgten Handauflegung ist bei den Charisma-Trägern nie die Rede (anders wiederum in der Apostelgeschichte und in den Pastoralbriefen). Trotzdem ist Paulus davon überzeugt, daß auch seine heidenchristlichen Gemeinden auf ihre Art fertige und voll ausgerüstete Kirchen sind. Gerade an die konfliktträchtige Gemeinde von Korinth, wo es offensichtlich überhaupt keine Episkopen, Diakone oder Presbyter gibt (sonst hätte Paulus sie angesichts bestimmter Mißstände angeredet), schreibt der Apostel: »Ihr seid ja in ihm (Christus) reich geworden in allem ..., so daß ihr nicht zurücksteht in irgendeinem Charisma ....«[19]

Nun ist ein monarchischer Episkopat nicht nur in den paulinischen Gemeinden und in der Didaché, sondern in der ersten Zeit überhaupt nirgendwo feststellbar, auch nicht in der Apostelgeschichte.[20] Nach der »Didaché« (»Lehre« der Apostel), der ältesten urchristlichen Gemeindeordnung (um 100), haben vor allem Propheten und Lehrer und erst in zweiter Linie gewählte Bischöfe und Diakone die Eucharistie gefeiert.[21] Die Gemeinde von Antiochien war offensichtlich nicht von Episkopen und Presbytern, sondern von Propheten und Lehrern geleitet, und diese Aussage dürfte historisch verläßlich sein.[22] Auch in Rom gab es zur Zeit des Römerbriefes offenbar noch keine Gemeindeordnung von Presbytern und Episkopen. Es bleibt dabei: Paulus kennt noch kein überall in den Gemeinden in gleicher Weise zu institutionalisierendes Amt, in das man eingesetzt wurde und das allein zur Feier der Eucharistie berechtigte. Zwar ist in seinem frühen ersten Thessalonicherbrief die Rede von »Vorstehern«[23], in den beiden wichtigen Korintherbriefen aber nicht; Stephanas

Charismatische Gemeindeordnung

Heidenchristliche Gemeinde von Korinth
nach Paulus um 55

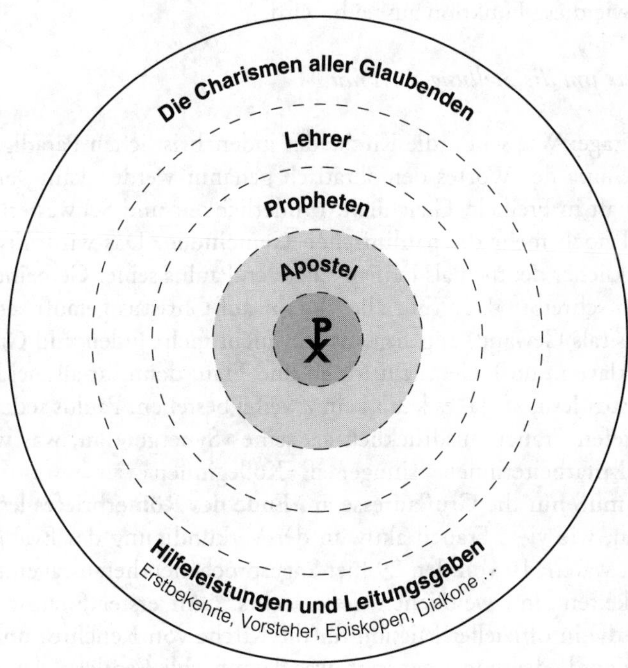

»Ihr seid ja in ihm (Christus) reich geworden in allem …, so daß ihr nicht zurücksteht in irgendeinem Charisma …« (1 Kor 1,5. 7)

»Jedem aber wird die Offenbarung des Geistes zum Nutzen gegeben.« (1 Kor 12,7)

»Und Gott hat in der Gemeinde eingesetzt erstens Apostel, zweitens Propheten, drittens Lehrer …« (1 Kor 12,28)

»Gott aber vermag jede Gnade im Überfluß über euch zu bringen, damit ihr in allem allezeit alles zur Genüge habt …« (2 Kor 9,8) und seine Familie hatten sich von sich aus zur Verfügung gestellt[24]. Das heißt: Die paulinischen Gemeinden sind weitgehend noch Gemeinschaften freier charismatischer Dienste, was gerade nicht bedeutet, daß solchen Diensten keine Autorität zukäme. Im Gegenteil: Diesen freiwilligen, charismatischen Gemeindediensten, besonders auch von reichen Frauen, die ihre Häuser zur Verfügung stellten, kam durchaus Autorität zu; Unterordnung konnte verlangt werden. Echter Dienst hängt eben für Paulus nicht einfach vom Besitz einer bestimmten Funktion ab, sondern von der Weise, wie diese Funktion ausgeübt wird.

Konflikte um die Stellung der Frau

Keine Frage: Wie schon die Kirche des judenchristlichen Paradigmas im besten Sinne des Wortes demokratisch genannt werden kann, eine Gemeinschaft in Freiheit, Gleichheit, Brüderlichkeit und Schwesterlichkeit, so wohl noch mehr die **paulinischen Gemeinden**. Das wird nirgendwo eindrücklicher deutlich als in dem Satz, den Paulus seiner Gemeinde nach Galatien schreibt: »Denn ihr alle, die ihr auf Christus getauft seid, habt Christus (als Gewand) angelegt. Es gibt nicht mehr Juden und Griechen, nicht Sklaven und Freie, nicht Mann und Frau; denn ihr alle seid ›einer‹ in Christus Jesus.«[25] Ja, es kann kein Zweifel bestehen: Paulus redet in seinen Briefen Frauen ausdrücklich als seine »Synergoi« an, was wörtlich heißt: »Mitarbeiterinnen«, sinngemäß »Kolleginnen«.

Man muß nur die **Grußadresse am Ende des Römerbriefes** lesen, um zu sehen, wie viele Frauen aktiv an der Verkündigung des Evangeliums beteiligt waren: 10 von den 29 hier angesprochenen herausragenden Persönlichkeiten sind weiblichen Geschlechts.[26] An erster Stelle erscheint **Phöbe**, die in offizieller Mission für die Kirche von Kenchreä unterwegs war. Sie wird »diakonos« genannt, was darauf schließen läßt, daß sie eine Hausgemeinde geleitet hat.[27] Von besonderer Bedeutung ist **Junia**, von Paulus sogar zusammen mit Andronikos als »angesehen unter den **Aposteln**« bezeichnet, die sich schon vor ihm »zu Christus bekannt« habe.[28] Apostel (im Griechischen gibt es kein Femininum »Apostolin«) ist für Paulus höchstes Prädikat. Junia dürfte denn auch – wie Ulrich Wilckens mit Recht festgestellt hat – »zu dem zahlenmäßig begrenzten Kreis derjenigen führenden Missionare« gehört haben, »denen als ›Aposteln‹ eine außerordentliche Autorität zukam und zu denen Paulus selbst erst nachträglich hinzugekommen ist. Es handelt sich um einen größeren Kreis als die Gruppe der Zwölf.«[29]

Der allgemeine Befund ist jedenfalls unzweideutig: Viele der von Paulus erwähnten Frauen werden »Schwerarbeiterinnen« für das Evangelium genannt – ein Lieblingswort von Paulus für apostolischen Einsatz.[30] Nach dem Philipperbrief haben Frauen wie Eudonia und Syntyche – mit Paulus und den übrigen männlichen Mitarbeitern völlig gleichwertig – »für das Evangelium gekämpft«[31]. Ihr Streit, auf den Paulus anspielt, war ihm offenbar so wichtig, daß er Einmütigkeit unter den beiden Frauen anmahnt. Von besonderer Stellung ist auch eine Frau wie **Priska**, die zusammen mit ihrem Mann Aquila mehrfach in der paulinischen Korrespondenz erwähnt wird.[32] In Ephesus dürften sie ein Haus besessen haben, in dem sie eine Hausgemeinde versammelten[33], und anzunehmen ist auch, daß sie später in Rom in ihrem Haus eine Gemeindegruppe geleitet haben. Daß Priska in der Regel vor ihrem Mann Aquila genannt wird, zeigt die besondere Bedeutung dieser Frau als Missionarin und Kirchengründerin.

Daß auch die Aktivität von **Prophetinnen** einwandfrei bezeugt ist, haben wir gehört, auch wenn uns das Neue Testament für den heidenchristlichen Bereich keine individuelle Persönlichkeit mehr nennt. Auch Paulus kennt solche Prophetinnen. Zwar will er den prophetisch redenden Frauen in Korinth das Tragen eines Schleiers im Gottesdienst zur Pflicht machen, aber er bestätigt damit zugleich ihr Recht auf freie Rede in der Gemeindeversammlung: »Eine Frau aber entehrt ihr Haupt, wenn sie betet oder prophetisch redet und dabei ihr Haupt nicht verhüllt.«[34] Es kann also kein Zweifel bestehen: Die Gemeinde, wie Paulus sie sieht, und die nach dem Epheserbrief »auferbaut ist auf dem Fundament der Apostel und Propheten«[35], dürfte eine **Kirche auch der Apostolinnen und Prophetinnen** gewesen sein. So wird man mit Elisabeth Schüssler Fiorenza zusammenfassend sagen dürfen: »Die paulinische Literatur und die Apostelgeschichte lassen uns noch erkennen, daß Frauen zu den angesehensten MissionarInnen und LeiterInnen der frühchristlichen Bewegung gehörten. Sie waren wie Paulus Apostolinnen und Leiterinnen, und einige waren Mitarbeiterinnen, Predigerinnen und Wettstreiterinnen im Wettrennen für das Evangelium. Sie gründeten Hauskirchen und nutzten als angesehene Patroninnen ihren Einfluß zur Unterstützung anderer MissionarInnen und ChristInnen.«[36]

Doch bereits in Korinth zeichneten sich die ersten **Konflikte** um die öffentliche Verkündigung durch Frauen ab, und selbst Paulus verhält sich hier zwiespältig: Obwohl er das Recht der Frauen zu reden verteidigt, macht er sich doch zur Durchsetzung des **Schleiers** Argumente aus einer antifeministischen Polemik des Frühjudentums[37] zu eigen, die er christologisch verstärkt: der Mann sei das Haupt der Frau, Christus das Haupt des Mannes[38]. Wenige Jahrzehnte später wird dann in einigen Texten den

Frauen das **Reden** in der Gemeinde ganz untersagt: Das berüchtigte Wort »Die Frau soll in der Kirche schweigen« wird sogar in denselben Korintherbrief hineinmanipuliert[39], obwohl Paulus drei Kapitel zuvor das Recht zu prophetischer Rede ausdrücklich bestätigt hatte. Seinen schärfsten Ausdruck findet das Redeverbot dann in den sogenannten Pastoralbriefen, die zwar die Autorität des Heidenapostels für sich in Anspruch nehmen, aber aus einer späteren Zeit stammen: »Eine Frau soll sich still und in aller Unterordnung belehren lassen. Daß eine Frau lehrt, erlaube ich nicht, auch nicht, daß sie über ihren Mann herrscht.«[40]

Das alles zeigt: Nicht immer und überall wurde das von Paulus im Galaterbrief von uns zitierte frühchristliche Taufbekenntnis von der Einheit von Mann und Frau »in Christus« wirklich in die Tat umgesetzt. Es waren immer auch **Kräfte am Werk, welche die Gleichbehandlung von** Juden und Griechen, von Freien und Sklaven, **Männern und Frauen einschränken wollten**. Diese Tendenz hat sich schließlich durchgesetzt, so daß allmählich selbst die im Neuen Testament genannten Frauen in Vergessenheit gerieten oder in ihrer Bedeutung heruntergespielt wurden. So hat man im lateinisch-sprachigen Westen aus der im Römerbrief mit dem Aposteltitel ausgezeichneten **Junia** über Jahrhunderte einen Mann »Junias« gemacht.[41] So wird auch später die (freilich im Neuen Testament nicht genannte) predigende und taufende Apostelschülerin Thekla von Ikonium zur zurückgezogenen Asketin umfunktioniert.[42] So wird auch **Maria Magdalena**, die bei den Synoptikern noch als führende Gestalt unter den Frauen aus Galiläa geschildert wird, schon im Johannesevangelium nicht mehr als erste der Frauen unter dem Kreuz genannt, sondern verdrängt durch Maria, die Mutter Jesu[43], die den synoptischen Evangelien zufolge unter dem Kreuz auffälligerweise nicht zu finden ist. Gewiß wird Maria Magdalena gerade im Johannesevangelium dann zur »Erstzeugin der Auferstehung«[44], später sogar deswegen mit dem Titel »Apostolin der Apostel« geehrt.[45] Doch Konsequenzen für das Recht der Frauen, wie Männer das Evangelium zu verkünden, wollte man je länger desto mehr nicht mehr ziehen. Ja, gerade die Frage der Stellung der Frau zeigt eine zunehmende Zurückdrängung der ursprünglich »demokratischen« und »charismatischen« Strukturen zu Beginn des Christentums, zeigt einen Prozeß der Institutionalisierung, der nun immer mehr zugunsten der Männer verlief.

Institutionalisierung: Apostolische Sukzession?

Freilich: Auf die Dauer war eine **Institutionalisierung** auch in den paulinischen Gemeinden nicht zu vermeiden, nachdem ja auch in der palästinischen Tradition – wie wir hörten – eine gewisse **Institutionalisierung** schon sehr früh eingesetzt hatte: **durch Übernahme des Ältestenkollegiums und des Ritus der Handauflegung aus dem Judentum**. Die lukanische Apostelgeschichte in den 80er Jahren und erst recht die noch späteren Pastoralbriefe – das wichtigste Bindeglied zum späteren monarchischen Episkopat – zeigen denn auch für die paulinischen Gemeinden bereits ein fortgeschrittenes Stadium der Institutionalisierung (Ordination durch Handauflegung, aber noch immer keine Unterscheidung von Bischöfen und Presbytern nach Amt und Titel[46]). Das gilt auch für die so charismatisch strukturierte Gemeinde von Korinth, wo sich – vermutlich nicht ohne Widerstand (1. Klemensbrief!) – das System der Presbyter-Episkopen ebenfalls durchzusetzen begann. Andere Gemeinden (im Umkreis des Mattäus oder Johannes) weisen jedoch gegen Ende des ersten Jahrhunderts noch immer ausgesprochen »bruderschaftliche« Strukturen auf, so daß noch am Ende der neutestamentlichen Zeit die nicht harmonisierbare **Vielfalt der Gemeindeverfassungen und Vielfalt der Ausprägungen der** (teils charismatischen, teils schon institutionalisierten) **Leitungsdienste** groß ist, ohne die Einheit der Gemeinden untereinander aufzuheben.

Der historische Befund war aufgrund der Schrifttexte in aller Komplexität herauszuarbeiten. Erst jetzt können die mehr systematisch-theologischen Fragen beantwortet werden. Denn eine Reihe von Problemen scheint ja jetzt erst recht unlösbar: Kann man nach einem solchen historisch-kritischen Resultat hinsichtlich der Gemeindeordnung noch von einer **»apostolischen Sukzession«** sprechen, jener apostolischen Nachfolge, auf die sich bis heute orthodoxe, katholische und zum Teil auch protestantische Amtsträger berufen, um ihre Amtsvollmacht zu legitimieren und ihre Amtsforderungen durchzusetzen? Verschiedene Teilaspekte sind dabei zu unterscheiden:

1. Stichwort: **Apostolat**. Unter den ständigen öffentlichen Gemeindediensten hat, wie wir schon in Zusammenhang des judenchristlichen Paradigmas sahen, der **Apostolat** eine für die Kirche aller Zeiten **kirchenbegründende Funktion** und Bedeutung. Die Apostel (erst vom Evangelisten Lukas auf die Zwölf = »zwölf Apostel« reduziert) sind die Urzeugen und Urboten, die allen kirchlichen Diensten vorangehen, denen deshalb die gesamte Kirche und jedes einzelne Glied verpflichtet bleiben. Haben

sie doch als erste Zeugen die Christusbotschaft verkündigt, die ersten Kirchen gegründet und geleitet und zugleich für die Einheit unter den Kirchen gesorgt. Auf sie ist somit – zusammen mit den Propheten – die Kirche gebaut.

2. Stichwort: Die **»apostolische Nachfolge« der Kirche**. Grundsätzlich ist die Nachfolge nicht einfach Sache bestimmter Amtsträger, sondern Sache der gesamten Glaubensgemeinschaft überhaupt und Sache eines jeden einzelnen Christen. Gemeint ist: Die Kirche als solche und jeder Christ haben sich immer wieder neu zu bemühen um den sachlichen Zusammenhalt mit den Aposteln, konkret: um die bleibende Übereinstimmung mit dem **apostolischen Zeugnis** (uns überkommen im Neuen Testament) und um den ständigen Nachvollzug des **apostolischen Dienstes** (Aufbau der Gemeinde und missionarisches Zeugnis in der Welt). Apostolische Nachfolge ist also primär eine Nachfolge im apostolischen Glauben und Bekennen sowie im apostolischen Dienen und Leben.

3. Stichwort: Die **»apostolische Nachfolge« der Bischöfe.** Wie läßt sich angesichts dieser grundsätzlichen Überlegungen eine besondere »apostolische Nachfolge« für Bischöfe aufrechterhalten? Die historische Antwort fällt zunächst nüchtern aus: Es läßt sich **nicht** verifizieren, daß **die Bischöfe in direktem und exklusivem Sinn die Nachfolger der Apostel** (und gar noch des Zwölferkollegiums) sind. Als die unmittelbaren Erstzeugen und Erstgesandten Jesu Christi waren die Apostel von vornherein durch keine Nachfolger ersetzbar und vertretbar. Eine ununterbrochene Reihe von »Handauflegungen« von den Aposteln bis zu den heutigen Bischöfen, eine ununterbrochene Kette von Sukzessionen (wie sie in späteren Sukzessionslisten aufgeführt sind) ist historisch nicht beweisbar.

Trotzdem kann mit Recht von einer **funktional verstandenen besonderen apostolischen Nachfolge** der vielfältigen Leitungsdienste in der Kirche gesprochen werden. Warum? Weil gerade die Leitungsdienste – Bischöfe sowie Presbyter/Pfarrer, die zwar rechtlich-disziplinär, aber nicht theologisch-dogmatisch, weil in der Frühzeit identisch, unterschieden werden können – den apostolischen Auftrag der **Kirchenleitung und Kirchengründung** in besonderer Weise weiterführen. Insofern wurde die Berufung in den kirchlichen Dienst durch die Gemeindeleiter (Bischöfe) – allerdings unter Beteiligung der Gemeinde – zu Recht der (freilich nicht exklusive) Normalfall.

Das heißt: Die **besondere** »apostolische Nachfolge« der Bischöfe (und Pfarrer) besteht in Leitung und Gründung von Gemeinden/Kirchen, die aber ganz in der Verkündigung des Evangeliums wurzeln soll. Dabei sollen sie die anderen Charismen nicht »auslöschen«[47], sondern unterstützen.

Propheten und **Lehrer** haben ihre eigene ursprüngliche Autorität.[48] Ordination unter Handauflegung, wie sie sich schließlich durchgesetzt hat, ist kein automatisch oder mechanisch wirkender Ritus; sie setzt Glauben voraus und fordert Glauben, der in apostolischem Geist tätig sein soll. Dies schließt die Möglichkeit des Verfehlens und Irrens bei den Kirchenleitern in keinem Fall aus; deshalb bedürfen diese der ständigen Überprüfung durch die Gemeinschaft der Glaubenden. Doch wie ging die Entwicklung weiter?

Konzentrierung auf den einen Bischof

Die **presbyterial-episkopale Kirchenverfassung**, die nicht nur die östlich-orthodoxen Kirchen, sondern auch die katholische, die anglikanische und die methodistische und einzelne lutherische Kirchen bis heute beibehalten haben, ist weder Zufall noch Abfall, sondern Teil des von Paulus initiierten Paradigmenwechsels zum hellenistischen Paradigma und damit Folge einer geschichtlichen Entwicklung. So wichtig und aufs Ganze gesehen auch erfolgreich diese Amtsstruktur war, so ungeschichtlich wäre es, heute nach wie vor auf der traditionell-dogmatischen Erklärung zu bestehen, die episkopale Kirchenverfassung beruhe auf »göttlicher Einsetzung« oder auf einer »Einsetzung durch Jesus Christus«, auf göttlichem Recht (ius divinum) also.

Die historische Forschung ergibt eindeutig: Diese bischofszentrierte Kirchenverfassung ist auf eine lange und nicht unproblematische **geschichtliche Entwicklung**[49] zurückzuführen, die in verschiedenen Regionen recht verschieden ablief.

Phase 1: Die ortsgebundenen **Presbyter-Bischöfe** setzten sich gegenüber den (vielfach wandernden) Propheten, Lehrern und anderen charismatischen Diensten als die führenden und schließlich **alleinigen Gemeindeleiter** (auch für die Eucharistiefeier) durch. Problematisch daran ist: Aus der »Kollegialität« (»communio«) **aller** Glaubenden wurde immer mehr eine Kollegialität (»collegium«) bestimmter Dienstgruppen **gegenüber** der Gemeinde, so daß sich schon früh eine Scheidung von »Klerus« und »Laien« abzeichnet.

Phase 2: Gegenüber einer Mehrzahl von Mitpresbytern in den Gemeinden dringt immer mehr der **monarchische Episkopat eines einzelnen Bischofs** in einer Stadt durch: zuerst im syrischen Antiochien bei Ignatios, bei dem sich zuerst die Drei-Ämter-Ordnung – Bischof, Presbyterium, Diakone – findet. Gewiß: Was Ignatios über den Bischof schrieb, war damals wohl in manchem noch Wunschdenken; offensichtlich wurde

Drei-Ämter-Ordnung

Heidenchristliche Gemeinde von Antiochien
nach Ignatios um 110

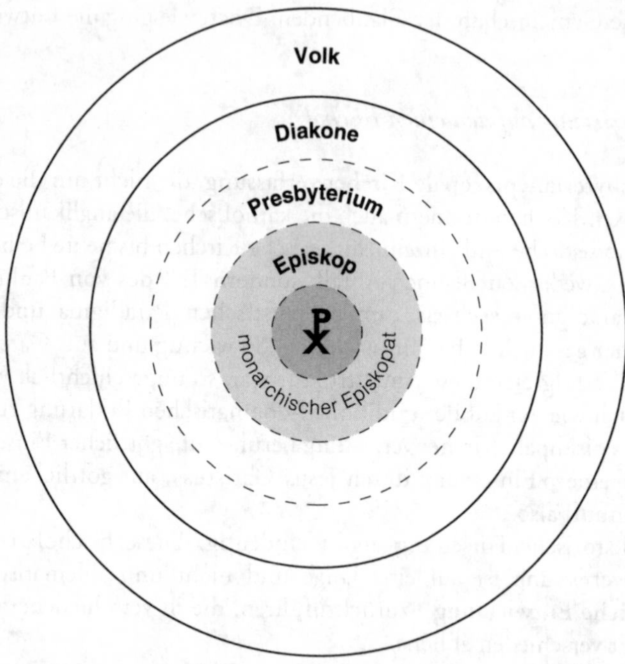

»Folgt alle dem Bischof wie Jesus Christus dem Vater, und dem Presbyterium wie den Aposteln; die Diakone aber achtet wie Gottes Gebot! Keiner soll ohne Bischof etwas, was die Kirche betrifft, tun. Jene Eucharistiefeier gelte als zuverlässig, die unter dem Bischof oder einem von ihm Beauftragten stattfindet. Wo der Bischof erscheint, dort soll die Gemeinde sein, wie da, wo Christus Jesus ist, die katholische Kirche ist. Ohne Bischof darf man weder taufen, noch das Liebesmahl halten; was aber jener für gut findet, das ist auch Gott wohlgefällig, auf das alles, was ihr tut, sicher und zuverlässig sei ... Gut ist es, Gott und den Bischof anzuerkennen. Wer den Bischof ehrt, steht in Ehren bei Gott; wer hinter dem Rücken des Bischofs etwas tut, dient dem Teufel.« (Smyrn 8,1f. 9,1)

die Eucharistie vielfach noch ohne Bischof gefeiert. Aber problematisch an dieser Entwicklung war schon damals: Aus der Kollegialität der verschiedenen Bischöfe oder Presbyter wird nun die Kollegialität des **einen** Bischofs mit seinem Presbyterium und seinen Diakonen, so daß sich die Scheidung von »Klerus« und »Volk« endgültig durchsetzt.

Phase 3: Mit der Ausbreitung der Kirche von den Städten auch auf das Land wird aus dem Bischof als dem Vorsteher einer Stadtgemeinde nun der **Vorsteher eines ganzen Kirchengebietes**, einer Diözese usw.: der Bischof im heutigen Sinn, für den die »apostolische Sukzession« jetzt historisiert, formalisiert und auch veräußerlicht wird durch das Aufzählen von Sukzessionsreihen in Sukzessionslisten. Problematisch daran ist: Neben der Kollegialität von Bischöfen und Presbyterium wird nun immer wichtiger die Kollegialität nicht nur der einzelnen monarchischen Bischöfe untereinander (des Bischofskollegiums), sondern auch, wenngleich nur im Westen, in Verbindung mit dem Bischof von Rom.

Der langsame Aufstieg des Bischofs von Rom

Daß im ganzen Neuen Testament von einem **Bischof von Rom** (oder von Petrus in Rom) nicht die Rede ist, haben wir schon im Zusammenhang mit dem judenchristlichen Paradigma (P I) gesehen.[50] Noch auffälliger ist: Auch **in den ältesten nachneutestamentlichen Quellen** ist **von einem Bischof in Rom nicht die Rede**:

– **Ignatios** von Antiochien[51] (um 110), der sich so sehr um die Kirche (erstmals gebraucht er das Wort »katholische Kirche«), um die Einheit der Gemeinde und ihrer Eucharistie und die Abwehr der (judenchristlichen oder doketischen?) »Häresien« bemüht zeigt, redet in seinen Briefen an kleinasiatische Gemeinden bereits mit Betonung monarchische Bischöfe an und verteidigt den monarchischen Episkopat (nach dem Vorbild des Jakobus?) mit theologisch-ideologischen Argumenten; doch gerade in seinem Brief an die römische Gemeinde, die ihm zufolge »den Vorsitz der Liebe führt«, adressiert er wie schon der Apostel Paulus auffälligerweise an keinen Bischof.

– Auch im ältesten Schreiben der römischen Gemeinde selbst (an die Gemeinde von Korinth um 96), dessen Verfasserschaft (nach einer bei Eusebios festgehaltenen Aussage des Dionysios von Korinth um 170) einem **Klemens** zuzuschreiben sei, tritt ein einzelner Verfasser nirgendwo hervor; es wird weder für Rom noch für Korinth ein monarchischer Bischof erwähnt.

– Da die Gemeinden weiter im Westen (dem Brief **Polykarps** zufolge etwa in Philippi in Makedonien) anders als in Antiochien und in Kleinasien noch im ersten Viertel des zweiten Jahrhunderts keinen monarchischen Episkopat kennen, äußern manche Historiker die Vermutung, daß »diese Institution, aus dem Osten kommend, sich erst allmählich im Westen durchgesetzt« haben könnte (Martin Hengel[52]).

Wann trat dann ein **monarchischer Bischof in Rom**, dieser Großstadt mit ihren vielen Hauskirchen, zum erstenmal aus der Schar der Episkopen und Presbyter hervor? Dies ist nicht mehr festzustellen. Die Nachrichten über die Nachfolger des Petrus – etwa die älteste römische Bischofsliste bei Irenäus, die jedoch nicht Petrus, sondern Linus den ersten Bischof Roms nannte, dem Petrus **und** Paulus den Episkopendienst übertragen hätten – sind Rekonstruktionen des zweiten Jahrhunderts, die unter Umständen noch bekannte römische Namen mitverwertet haben. Ein monarchischer Episkopat ist erst spät – etwa ab der Mitte des zweiten Jahrhunderts (Bischof Anicet) – nachweisbar. Unsere Informationen über die römische Kirche und ihre Bischöfe sind bis vor die Mitte des dritten Jahrhunderts sehr fragmentarisch; die erste genaue chronologische Datierung eines römischen Pontifikats ist die Abdankung Pontians vom 28. September 235.

Trotzdem ist es keine Frage: Die römische Gemeinde besaß von Anfang an verständlicherweise ein **hohes Selbstbewußtsein**[53] und genoß mit Recht ein **hohes Ansehen**[54]. Warum?
– Sie war die Gemeinde der Reichshauptstadt,
– sie war alt, groß und wohlhabend,
– sie war Ort der Gräber der zwei Hauptapostel Petrus und Paulus[55],
– sie war durch ihre karitative Tätigkeit (»Vorsitz der Liebe«) berühmt[56],
– sie hat sich im Kampf gegen die Gnosis als Hüterin apostolischer Tradition, wie Irenäus von Lyon bestätigt[57], bewährt.

Und wenn auch in Rom weder die Gemeinde noch ein Einzelner lange Jahrhunderte einen Primatsanspruch erhob, so war doch jetzt – nach dem Untergang Jerusalems und seiner judenchristlichen Gemeinde im Jahre 135 – faktisch Rom zur führenden Kirche des Christentums geworden. Symbolischer läßt sich der **Paradigmenwechsel** von der judenchristlichen (P I) zur heidenchristlichen (P II) Konstellation kaum noch beschreiben: **Statt Jerusalem** ist **Rom** (mit anderen Städten des heidnischen Imperiums) zum Hauptträger und Haupttradenten des Christentums geworden. Auch im neu aufgebauten Aelia Capitolina (Jerusalem) gibt es jetzt nur noch eine heidenchristliche Gemeinde.

Strukturmerkmale des altkirchlichen Paradigmas

Blickt man auf die komplexe bisherige Entwicklung der jungen Heidenchristenheit in ihrem ersten Jahrhundert zurück, so zeigen sich – bei gleichbleibender Glaubenssubstanz – folgende **dominierende Strukturmerkmale** des von Paulus initiierten neuen Paradigmas:

- statt einer Kirchengemeinschaft aus Juden jetzt eine aus Juden und Heiden und schließlich aus **Heiden** allein;
- statt des Hebräischen und Aramäischen jetzt das **Griechische** als beherrschende Sprache, in der uns auch alle neutestamentlichen Schriften überliefert wurden;
- statt des ländlichen palästinensisch-nahöstlichen Wurzelbodens jetzt die Inkulturation in die **hellenistisch-römische Kultur**;
- statt Jerusalem jetzt **Rom** Mittelpunkt und führende Kirche der Christenheit;
- statt der presbyterial geleiteten Gemeindeverfassung jetzt eine zunehmend institutionalisierte **presbyterial-episkopale Kirchenverfassung.**

Ja, die dreistufige presbyterial-episkopale Kirchenordnung (Bischof – Presbyter – Diakone) hat sich in einer langsamen und komplexen Geschichte in der nachapostolischen Christenheit schließlich durchgesetzt – aus auch heute noch nachvollziehbaren und akzeptablen Gründen. Allerdings: Allgemeingültigkeit kann sie nicht beanspruchen, wie gerade unsere Paradigmenanalyse deutlich gemacht hat. Gemessen an den Intentionen Jesu selber (gegenseitiges Dienen!) und den Impulsen der ersten judenchristlichen Gemeinde (keine Hierarchie, sondern gegenseitige Diakonie), aber auch der charismatischen paulinischen Gemeindeverfassung (jeder hat sein Charisma!) – kommt ihr, so ungern dies Bischöfe hören mögen, keine absolute Bedeutung zu.

Der Neutestamentler Paul Hoffmann hat die negativen Folgen dieser Entwicklung richtig umschrieben: »Der Preis für das ›(über)mächtige Überdauern‹ der Männer- und Väterkirche sind nicht zuletzt die Diskreditierung der Frau, die Degenerierung der mündigen Gemeinde, die weitgehende Verdrängung der charismatischen Begabungen zugunsten des alle Kompetenzen an sich ziehenden einen Leitungsamtes, die Spaltung der Kirche in Kleriker und Laien, der Ersatz prophetischer Verkündigung durch eine sich zunehmend versteinernde Tradition – bis hin zu den Vielen, die im Namen der ›Einheit der Kirche‹ oder der ›Reinheit der Lehre‹ für die Erhaltung des Systems geopfert wurden. Am Ende steht der Verlust der Einheit der Kirche.«[58]

Die ökumenische Brisanz einer solchen Feststellung ist leicht erkennbar für den, der die jahrhundertealten Legitimations- und Argumentationsstrategien der Kirchen für die Aufrechterhaltung der eigenen Lehr- und Machtpositionen kennt. Deshalb müssen wir schon hier einige selbstkritische Fragen stellen, die zeigen, welche ökumenische Bedeutung diesem historischen Befund auch für die Zukunft zukommt, auch wenn man keineswegs eine anachronistische Repristination neutestamentlicher Gemeindestrukturen anstrebt:

Fragen für die Zukunft

• Sind die **orthodoxen Kirchen des Ostens** für die Zukunft gut beraten, die eindeutig nachbiblische Drei-Ämter-Kirchenordnung (Bischof – Presbyter – Diakone) weiterhin so zu behandeln, als ob sie in jeder Hinsicht unveränderlich sei? Müßte man sich in Zukunft statt an den »Vätern« (meist Bischöfen) nicht mehr am Evangelium selbst orientieren, das in so vielen Fragen der Kirchenverfassung und Kirchendisziplin (Heirat der Bischöfe, Frauenordination) Freiheit gewährt?

• Kann die **katholische Kirche des Westens** die Zukunft bestehen, wenn sie an ihrem absolutistisch-zentralistischen System festhält, das im Mittelalter die auch im Westen durch ein Jahrtausend gut funktionierende presbyterial-episkopale Kirchenordnung faktisch außer Kraft gesetzt hat und das alle Fragen des Dogmas, der Moral und der Kirchendisziplin durch einen faktisch absolut regierenden Papst von der römischen Zentrale aus zu regeln versucht?

• Müssen die **Kirchen der Reformation** auch in Zukunft am gegenwärtigen Status quo ihrer Kirchenordnung unbedingt starr festhalten? Wurde die alte presbyterial-episkopale Ordnung nicht zunächst aus Not (Fürsten als »Notbischöfe«) und dann aus Prinzip (als »Summepiscopi«) weithin ersetzt durch eine »Fürstenkirche«, dann durch Systeme einer lokalen (Ortskirche), regionalen (Landeskirche) oder nationalen (Nationalkirche) Autonomie – alles vielfach um den Preis kirchlichen Provinzialismus ohne Zusammenhang mit der Gesamtkirche?

• Können die **Kirchen der orthodoxen und katholischen Tradition** auch in Zukunft noch den Kirchen der reformatorischen Tradition die Gültigkeit ihrer Ämter und Abendmahlsfeiern mit Berufung auf eine angeblich fehlende apostolische Sukzession bestreiten? Wurden gerade von der paulinischen bzw. heidenchristlichen Kirchenverfassung her nicht von Anfang an auch andere Wege in Leitungsdienst und apostolische Nachfolge der Kirchenleiter offengelassen? Und könnte nach dem Neuen Testament jemand nicht auch Kirchenleiter werden aufgrund der Berufung durch andere Gemeindeglieder oder auch aufgrund eines frei aufbrechenden Charismas zur Gemeindeleitung oder -gründung?

Wir werden also auch in den folgenden Überlegungen stets scharf auf die historische Relativität bestimmter Entwicklungen und daraus hervorgehender Verfassungsformen zu achten haben. Da nach dem Neuen Testament selber andere Möglichkeiten bestehen oder jedenfalls nicht ausgeschlossen sind, muß sich **jede Kirche für andere Optionen offenhalten**. Und es ist ihr nicht erlaubt, andere kirchliche Verfassungsstrukturen als unchristlich, unevangelisch oder unkirchlich zu brandmarken. Das einzige Kriterium für die Wahrheit oder Unwahrheit einer Entwicklung in der Kirche hat das Evangelium selber zu sein, und hier ist streng darauf zu achten, ob es sich um eine »evolutio contra evangelium« (eine Entwicklung gegen das Evangelium), eine »evolutio secundum evangelium« (eine Entwicklung gemäß dem Evangelium) oder eine »evolutio praeter evangelium« (eine Entwicklung am Evangelium vorbei) handelt. Gerade mit der Paradigmenanalyse kann es gelingen, für absolut gehaltene Entwicklungen in der Kirche vom »Absoluten« selbst her zu relativieren, angeblich göttlich sanktionierte Ordnungen von Gottes ursprünglichem Willen her (bezeugt im Evangelium) in Frage zu stellen, um so Entwicklungsdynamik und Ursprungstreue zugleich in das ökumenische Gespräch zwischen den christlichen Kirchen einzubringen.

Doch nach dieser kurzen kritischen Zwischenbesinnung haben wir uns der weiteren Geschichte der jungen heidenchristlichen Kirche zuzuwenden, die hier natürlich nicht im Detail erzählt werden kann, wohl aber jetzt im Hinblick auf die weitere Entwicklung dieses Paradigmas der alten Kirche zu analysieren ist.

3. Christenverfolgung und Glaubensstreit

Wer im Imperium Romanum hätte hundert Jahre nach der Hinrichtung des Nazareners unter Pontius Pilatus dem Christentum eine Chance gegeben, sich in der griechisch-römischen Welt mit ihren zahlreichen

Religionen und Philosophien, ihren Abertausenden von Tempeln und Theatern, ihren Arenen und Gymnasien durchzusetzen?[59]

Eine verfolgte Minderheit

»Im zweiten Jahrhundert der christlichen Ära«, schreibt der aufgeklärte britische Historiker **Edward Gibbon** in der Einleitung zu seiner berühmten siebenbändigen »Geschichte des Verfalls und Untergangs des römischen Reiches« (freilich etwas allzu optimistisch) über die Zeit nach Nero und Domitian: »Im zweiten Jahrhundert der christlichen Ära umfaßte das römische Imperium den größten Teil der Erde und den zivilisiertesten Teil der Menschheit. Die Grenzen dieser ausgedehnten Monarchie wurden garantiert durch uraltes Ansehen und disziplinierte Tapferkeit. Der sanfte, aber machtvolle Einfluß der Gesetze und Sitten hatte allmählich die Union der Provinzen gefestigt. Deren friedliche Einwohner genossen und mißbrauchten die Vorteile von Reichtum und Luxus. Das Bild einer freien Verfassung wurde mit der geziemenden Ehrfurcht bewahrt. Der römische Senat schien die souveräne Autorität zu besitzen und hatte den Kaisern alle exekutive Macht der Regierung abgetreten. Während einer glücklichen Periode von mehr als achtzig Jahren war die öffentliche Verwaltung geleitet worden durch die Tugend und die Fähigkeiten eines Nerva, Trajan, Hadrian und der beiden Antoninen.«[60]

Aus jener Zeit (genau dem Jahr 112) stammt der erste amtliche römische Bericht über die Christen, der bereits zitierte Brief des jüngeren **Plinius**, Gouverneur der Provinz Bithynien am Schwarzen Meer, wo es schon viele Christen selbst auf dem Lande gab, an den eben genannten Kaiser Trajan: Manche Tempel stünden leer, und das Opferfleisch sei praktisch unverkäuflich. In der Tat: Die Christen verweigerten den Staatsgöttern und dem Kaiser den Kult. **Verweigerung des Staatskultus und der Staatsgesinnung** aber war ein **Staatsverbrechen** (»crimen laesae Romanae religionis«); insofern war kein Christ vor Anklage und Strafe sicher. Er hätte einige Christen, die nicht römische Bürger gewesen seien, hinrichten lassen, schreibt denn auch Plinius ungerührt, andere aber nach Rom zum Prozeß geschickt. Sonst aber hätte er, und deshalb seine Anfrage, keine der ihnen zur Last gelegten Verbrechen feststellen können. Zahlreiche Gerüchte über Atheismus und Staatsverrat, ja, Inzest (im Zusammenhang mit Agape?) und Kannibalismus (im Zusammenhang mit Eucharistie?) in ihren nächtlichen Zusammenkünften gingen damals um. Diese Menschen würden nur an einem bestimmten Tag (sicherlich dem Sonntag) vor Tagesanbruch »Christus als einem Gott« alternierend ein

Lied (Psalm?) singen und hätten den Schwur (das Taufgelübde?) abgelegt, sich von Diebstahl, Raub, Ehebruch, Vertrauensbruch und Betrug zu enthalten.[61]

Kaiser **Trajans** berühmte Antwort (»Reskript«) ist die erste uns bekannte staatsrechtliche Regelung für die Christenprozesse, die im Prinzip bis in die Mitte des dritten Jahrhunderts die Politik auch der folgenden Kaiser blieb: auf keine anonyme Anzeige eingehen, auch keine allgemeine Fahndung und Untersuchung durchführen, aber auf ordnungsgemäße Einzelanklage hin tätig werden, dann aber die Widerrufenden, die den Göttern Gebete darbringen, laufen lassen und nur die Hartnäckigen bestrafen. Die Kaiser hielten die Christen – an Zahl noch gering – zunächst nicht für so staatsgefährdend, daß sie eine allgemeine Verfolgung glaubten anordnen zu müssen.

Christenverfolgungen[62] – die erste unter Nero im Jahre 64 (zahlreiche Christen grausam hingerichtet als Sündenböcke für den selbstinszenierten Großbrand in Rom) und die zweite unter Domitian (81-96, er hatte den »Eid« beim Genius des Kaisers für obligatorisch erklärt) – waren bis zum Jahr 250 nicht systematisch und ununterbrochen, sondern erfolgten lokal beschränkt, sprunghaft und sporadisch. Die Kirche wurde deshalb nicht überall in die Katakomben getrieben; das ist eine spätere »romantische« Vorstellung. Die Eucharistie feierte man ohnehin in Privathäusern. Doch die Neronianische Verfolgung war ein fataler Präzedenzfall: Man konnte – ob Mann oder Frau, Freier oder Sklave – verurteilt werden, nur weil man Christ war! Ja, Christ werden bedeutete jetzt stets ein Risiko, weil der christliche Glaube eine Entscheidung verlangte. Christ sein hieß, unter Umständen bereit sein zum »martyrein«, zum »Zeugnis ablegen« für den christlichen Glauben: durch Leiden, durch Folter (und für Frauen Freigabe zur Prostitution) und schließlich durch den Tod. Aber auch hier hüte man sich vor Idealisierungen. Zweifellos gab es zahlreiche Christenprozesse, aber die Zahl der »Märtyrer« und »Märtyrinnen« wie Ignatios, Polykarp und Justin, Blandina, Perpetua und Felicitas – das Wort Märtyrer wurde jetzt immer mehr im strengen Sinn des »Blutzeugen« gebraucht – blieb durchaus beschränkt. Überdies verschafften sie dem Christentum überaus große Publizität. Hohes Ansehen genossen auch jene »Bekenner« und »Bekennerinnen« (»confessores«), die die Verfolgung überlebten. Den Ernstfall des Martyriums sollte der Christ bestehen, aber – und so verhielt man sich tatsächlich – nicht etwa provozieren.

Die frühesten christlichen Theologen

In dieser prekären Situation entstanden die sogenannten »Apologien«, die erste christliche Literatur.[63] Dabei muß man sehen: Die wenigen christlichen »**Apologeten**« wie Quadratus, Aristides, Justin und andere sahen sich mit ihren teilweise dem Kaiser überreichten Schutzschriften gegen all die heidnischen Mißverständnisse, Angriffe und Verleumdungen auf ziemlich aussichtslosem Posten. Ihre publizistische und politische Wirkung in der Gesellschaft von damals war zunächst gering. Dafür war ihre innerkirchliche Wirkung umso größer. Waren diese allesamt griechisch schreibenden Autoren doch die **ersten christlichen Literaten**, die zum erstenmal christliche »Literatur« produzierten, weil sie anders als die neutestamentlichen Schriftsteller und die ihnen nachfolgenden »apostolischen Väter« (Ignatios, Polykarp und einige weitere[64]) nicht bloß Schriften (zumeist »Briefe«) für den innerkirchlichen Gebrauch verfaßten, sondern für die Öffentlichkeit schrieben, um das Christentum mit allgemein verständlichen hellenistischen Begriffen, Anschauungen und Methoden als glaubwürdig darzustellen. Hier wurde nicht nur die Schrift zitiert, sondern philosophisch argumentiert! Auf solche Weise aber wurden diese Verteidiger des Christentums die – nach Paulus – **ersten christlichen Theologen**, die innerhalb der Kirchengemeinschaft einen bisher nicht gekannten geistig-intellektuellen **Hellenisierungsschub** auslösten.

Schon früh kündigte sich freilich innerhalb des Christentums jene verschiedene Einstellung zur griechischen **Philosophie** an, die sich durch alle die Jahrhunderte hindurch immer wieder finden sollte: Während Theophilos und Tatian und später der lateinische Nordafrikaner Tertullian sich ablehnend verhielten, zeigten sich Athenagoras und Justin wie später die Alexandriner Klemens und Origenes philosophiefreundlich. Wichtig für die Zukunft sollte vor allem **Justin**[65] werden, jener uns bereits bekannte, aus Palästina stammende und dann auch in Rom im Philosophenmantel öffentlich wirkende Mann (hingerichtet um 165), der als einziger der Apologeten über eine philosophische Ausbildung verfügte. Intelligent und nachdrücklich argumentierte er gleichzeitig in vier Richtungen: gegen den Spott der Intellektuellen, die Unterdrückung durch den Staat, die Feindschaft der Juden und die Streitereien der Häretiker. Er verstand es, platonische Metaphysik, stoische Ethik und hellenistische Mythenkritik zu nutzen, um einerseits den heidnischen Polytheismus sowie den heidnischen Mythos (die unmoralischen Göttererzählungen) und Kultus (Blutopfer, Tierverehrung) als Aberglauben und Werk der Dämonen zu entlarven, andererseits aber die großen Philosophen wie

Heraklit und Sokrates als »Christen vor Christus«[66] in Anspruch zu nehmen – alles für ein Christentum, das Justin jetzt als die universale, allein **wahre Philosophie** verkünden wollte. Christentum war für ihn eine der Vernunft angemessene Weisheit geworden, welche die uralten Weissagungen der Propheten erfüllte, welche tapfere Märtyrer und furchtlose Bekenner hervorgebracht und sich nicht umsonst in kürzester Zeit über die ganze Ökumene (faktisch bereits vom Kaspischen und Schwarzen Meer bis nach Spanien und Britannien) ausgebreitet hatte.

Von besonderer Bedeutung freilich sollte es werden, wie dieser Justin, der, wie wir hörten, die Beziehungen zu Judenchristen nicht abgebrochen hatte, den Gott der Philosophen und den Schöpfergott der Bibel zusammendachte. Zugleich griff er einen populären Schlüsselbegriff der hellenistischen Geistigkeit auf, den **Logos**[67], der sich in jüdischer Form als »Wort« (= »Weisheit«) schon im hymnischen Johannesprolog findet: der Logos, der »von Anfang bei Gott war«[68]. Jetzt wird Logos verstanden als die göttliche Vernunft, die als »Samen spendender Logos« (als »lógos spermatikós«[69]) jedem Menschen den Samen der Wahrheit einpflanzt und als »das wahre Licht jeden Menschen erleuchtet«[70]. Und dieser Logos hat sich nicht nur durch die Propheten Israels, sondern auch durch die Weisen Griechenlands offenbart, ist dann in Jesus Christus wahrhaft »Fleisch geworden«[71] und hat eine menschliche Gestalt angenommen. Kann er bei anderen Menschen nur schwach und unklar erkannt werden, so jetzt in Jesus klar und eindeutig.

Zweifellos eine großartige, zukunftsträchtige Konzeption, die Christus, die leibhaftige Offenbarung des göttlichen Logos, als das Zentrum des Christentums bewahrte und die doch auch anderen Philosophen, Dichtern und Geschichtsschreibern, die ja alle am göttlichen Logos Anteil haben, gerecht zu werden versucht: »Was immer bei ihnen gut gesagt wird, gehört uns Christen.«[72] Allerdings – eines ließ sich bei dieser Hellenisierung des Evangeliums von Anfang an nicht übersehen: Unter Christentum verstand man jetzt immer weniger die existentielle Nachfolge Jesu Christi als vielmehr – in intellektueller Verengung – die Annahme einer geoffenbarten Lehre über Gott und Jesus Christus, Welt und Mensch. Und vor allem die Logos-Christologie sollte es sein, die den Jesus der Geschichte immer mehr zurückdrängt zugunsten einer Glaubenslehre und schließlich eines Kirchendogmas vom »menschgewordenen Gott«.

Vermischen oder abgrenzen?

Aber auch angesichts solcher christlicher Apologetik fragten sich damals gebildete Römer und auch so bekannte Kritiker des Christentums wie Galen und Kelsos im zweiten Jahrhundert oder Porphyrios im dritten und noch später Julian, der »Apostat«, im vierten Jahrhundert[73]: Soll eine solche Religion **im Imperium Romanum eine Chance** haben, sich durchzusetzen? Doch bestenfalls dann,
wenn auch das Christentum sich einpaßt in die bestehende römische Gesellschaftsordnung;
wenn es – »leider« ein Abkömmling des Judentums, freilich ohne das jüdische Gesetz beizubehalten – die großartige hellenistische Kultur voll und ganz übernimmt;
wenn es, da es nun doch um eine neue Religion geht, sich schließlich auf die alte römische Staatsreligion einläßt, den anderen Religionen gegenüber tolerant ist, keinen Aufruhr fördert oder die Moral untergräbt;
wenn es sich damit an dieselben Sitten und Bräuche hält, die von Generation zu Generation immer wieder neu tradiert wurden;
wenn es sich schließlich und endlich zu den Göttern bekennt, denen das Imperium nun einmal seine Größe und Stärke verdankt.

Nun war das Christentum in der Tat wohl oder übel gezwungen, sich in dieser Welt zu etablieren; die Abkehr vom judenchristlich-apokalyptischen Paradigma war die Antwort auf die neue kulturelle, gesellschaftliche und politische Situation. Theologen, die noch heute reichlich anachronistisch für »Apokalyptik« plädieren, müßten zur Kenntnis nehmen: Die **apokalyptische Erwartung eines nahen Endes**, wie sie mit vielen Juden die Urgemeinde und auch Paulus hegten, hatte sich nun einmal **nicht erfüllt** (und wurde auch später immer wieder enttäuscht). Nach dem Tod des Paulus und der Zerstörung Jerusalems – die Zeit, in der die Evangelien und weitere neutestamentliche Schriften redigiert wurden –, was blieb den christlichen Gemeinden anderes übrig, als sich in der Welt des Imperium Romanum **auf Dauer** einzurichten?

Schon im Neuen Testament bezeugen es gegen Ende des ersten und zu Beginn des zweiten Jahrhunderts vor allem die lukanischen Schriften, die Pastoralbriefe und schließlich der zweite Petrusbrief, in anderer Weise aber auch das Johannesevangelium: In aller Stille war die endgeschichtlich-apokalyptische Sicht des Christentums überwunden worden – abgesehen von den im Volk weitverbreiteten recht irdischen »chiliastischen« Hoffnungen auf ein »tausendjähriges« Messiasreich auf Erden vor dem Weltgericht. Stattdessen galt jetzt eine **heilsgeschichtliche Sicht**: Jesus Christus nicht einfach das Ende der Zeit, sondern die »Mitte der Zeit«[74]. Zwischen ihm und dem Kommen des Reiches Gottes wird eine offensichtlich längere Zwischenzeit angesetzt: die **Zeit der Kirche.**[75] Sie war inzwischen, wie wir sahen, aus einer Kirche von Juden zu einer Kirche aus Heiden geworden. Sie begann sich nun, um ihren jüdischen Ursprung reichlich unbekümmert, immer mehr zu hellenisieren, zu institutionalisieren und zu etablieren.[76]

Doch gerade bei dieser Abkehr vom Judentum und dem immer stärkeren Eindringen von Kirche und Theologie in die hellenistisch-römische Welt stellt sich die **Grundsatzfrage**, die bis heute von Bedeutung ist:

– Sollte das Christentum nicht wie die römische Staatsreligion alles Religiöse einfach aufnehmen und sich so **vermischen** mit anderen Religionen der hellenistischen Welt: »Synkretismus« als »Verschmelzung« der Religionen?

– Oder sollte sich das Christentum im Entscheidenden total **abgrenzen** von diesen doch vielfach faszinierenden Religionen, ihren geheimnisvollen Kulten (»Mysterien«) und Lehren, die in Syrien wie in Ägypten stark von orientalischem Denken (das letztlich vielleicht auch indische Wurzeln haben mochte) beeinflußt waren?

Gnosis: Erlösung durch Erkenntnis

Im Trend der Zeit und im Interesse des römischen Staates lag der Synkretismus, und ein Schlagwort der Zeit – schon im Korinth des Paulus – war **»Gnosis«**: **»Erkenntnis, Wissen«**! Aber »Gnosis« war mehr als eine Parole. »Gnosis« (wie im Französischen und Englischen auch »Gnostizismus«) war eine der großen religiösen Bewegungen der Spätantike, die für eine Elite ein erlösendes Wissen um die Geheimnisse von Mensch, Welt und Gott versprach.

Schon seit dem ersten christlichen Jahrhundert hatten sich in den östlichen Provinzen des Römerreiches höchst verschiedene gnostische Gruppen, Richtungen, Schulen und Systeme gebildet.[77] Über sie sind wir heute nicht mehr nur durch die Berichte und Widerlegungen der Kirchenväter, des Irenäus (ca. 140-200) in erster Linie, unterrichtet.[78] 1945-1948 machte man in der oberägyptischen Wüste beim heutigen Städtchen **Nag Hammadi** die sensationelle Entdeckung einer Sammlung von gnostischen und nichtgnostischen Handschriften in koptischer Sprache, niedergeschrieben in der zweiten Hälfte des vierten, aber ursprünglich griechisch verfaßt im 2./3. Jahrhundert. Seither steht uns erstmals eine kleine Bibliothek von 13 Bänden mit 51 verschiedenen Schriften (1153

Seiten) zur Verfügung, welche die »Weltsicht« von Gnostikern selber wiedergeben, ob diese nun nicht-christlich oder christlich, christianisiert-gnostisch oder gnostisch-christlich waren.[79] Christlich jedenfalls war der Großteil; denn Nag Hammadi ist das Territorium des alten Chenoboskion, wo Pachomios (in einem Briefstück erwähnt) im selben vierten Jahrhundert die ersten Klöster für christliche Mönche gegründet hatte, von denen vermutlich manche ihre Buchrollen in die Wüste mitgenommen hatten. Möglicherweise wurden solche Buchrollen nach einem antihäretischen Osterbrief des alexandrinischen Patriarchen Athanasios, der im Jahr 367 ins Koptische übersetzt und den ägyptischen Mönchen bekanntgegeben wurde, vergraben.

Viele **historische Fragen** bezüglich der Gnosis waren lange umstritten, etwa ob es schon eine vor- und außerchristliche Gnosis gab (was spätestens nach den Nag-Hammadi-Funden von nicht christlich beeinflußten Schriften erwiesen ist), ob jener Simon, der in der Apostelgeschichte genannte Magier, der erste Gnostiker war (was, von Irenäus behauptet, nicht erwiesen ist) oder ob Markion zu den Gnostikern gerechnet werden muß (was eine Definitionsfrage ist), ja, ob das Neue Testament überhaupt bereits gnostisch beeinflußt ist (was bezüglich der Briefe des Paulus und der Paulusschule sowie johanneischer Schriften nicht ausgeschlossen ist).[80] Unbestritten ist, daß die Gnosis mit Basilides aus Alexandrien und vor allem mit dem in Rom lehrenden Ägypter Valentinos um die Mitte des zweiten Jahrhunderts ihre große Zeit erlebte und im dritten Jahrhundert mit der synkretistischen Weltreligion des Mani sozusagen ihre Spitze erreichte.[81]

Woher stammt die Gnosis? Sie stammt vermutlich aus jüdischem Wurzelboden: zum einen aus dem Bereich der jüdischen Apokalyptik, die schon immer Elemente des iranischen Dualismus und Endzeitdenkens aufgenommen hatte, zum anderen aus der jüdischen Weisheitslehre, die mit der Zeit eine Wende zur Skepsis genommen hatte. Verbunden hatte sie sich aber auch mit dem aufgeklärten griechischen Denken und philosophisch besonders mit dem mittleren Platonismus, dessen Dualismus und Abstieg-Aufstieg-Denken sie übernahm. Griechisch-hellenistisch waren somit Sprache, Vokabular, Begrifflichkeit, ja das ganze Kleid der Gnosis. Doch vom iranisch-jüdischen und vom griechisch-platonischen Dualismus unterschied sich der gnostische Dualismus durch seine ausgesprochene **Welt-, Materie-, Leibfeindlichkeit**.

Aus der Optik der Gnostiker selber, ihren irenischen und polemischen Schriften, wird der Charakter der Gnosis natürlich deutlicher als durch die oft tendenziösen Berichte und Zitate der sie bekämpfenden Kirchenväter. Dabei ist wichtig zu sehen: Die **Grenzen zwischen Gemeindekirche und Gnosis** waren für manche Christen und Christinnen noch lange **fließend.** Gnosis war nicht von vornherein Häresie und Ketzerei; fanden sich doch schon im Neuen Testament selbst Traditionen (vor allem Johannesprolog, Philipperhymnus), an die gnostisch orientierte Christen und Christinnen anknüpfen konnten.[82] Noch im dritten Jahrhundert haben viele Gnostiker im Rahmen der Gemeindekirche gelebt und gewirkt. Gnosis ist ja zunächst eine nicht nur im Christentum verbreitete **religiöse Denkform, Haltung und Stimmung** von nach »Erkenntnis« Strebenden. Gnostiker sind diejenigen, welche die gemeinchristliche Tradition auf ihre höchst eigene Weise deuten wollen. Klaus Koschorke hat aufgewiesen, daß die christlichen Gnostiker, die ja von außen her gar nicht als solche zu erkennen waren, die vielmehr von innen her die Masse der Gemeindechristen zu beeinflussen suchten, sich verstanden als der »innere Kreis, das geistige Zentrum der Großkirche«: Das gnostische Christentum hat sich also »nicht als Gegensatz **gegen**, sondern als höhere Stufe **über** dem gemeinen Christentum konstituiert, dieses voraussetzend und auf diesem aufbauend«[83]. Der Glaube der Kirchenchristen wird also nicht von vornherein abgelehnt, er wird relativiert. Er darf eben nicht absolut und exklusiv gesetzt werden: er ist der niedere, vorläufige Heilsweg für die »Simplices«, das einfache Volk.

So hat es denn »schon im frühen Christentum **Wechselwirkungen zwischen christlichen und gnostischen Vorstellungen**« gegeben.[84] In höchst verschiedener Weise versuchten die in die christlichen Gemeinden eingedrungenen gnostischen Theologen, Material aus dem griechischen, jüdischen und iranischen Bereich in das Christentum zu integrieren. Das Christentum sollte keine kultisch ausgerichtete und hierarchisch geprägte Volksreligion bleiben, sich vielmehr zu einer intellektuell reflektierten, hochgeistigen Elitereligion der »Wissenden« erheben: zu einer hellenistischen »Mysterienreligion«, die man ganz persönlich leben, erfahren und weiterdenken konnte. Bei »Gnosis« handelt es sich also um eine philosophisch-theologisch orientierte esoterische Tradition »der Wenigen« (meist wohl Intellektuelle vor allem in den hellenistischen Großstädten des Ostens und in Rom mit Gefolgschaft aus den niederen Schichten). Sie sollte man denn auch heutzutage nicht, das Gemeindechristentum abwertend, zu einem breiten Strom erklären, als hätte die großkirchliche Tradition nur eine »ausgesonderte kleine Auswahl bestimmter Quellen« vorgenommen.[85] Dies bestärkt unnötig die Auffassung derer, die der Gnosisforschung ohnehin das Programmwort »Alles ist Gnosis« unterstellen.

Warum machte die Gnosis auf manche Menschen der damaligen Zeit mehr Eindruck als die biblische Botschaft? Die Antwort kann nur lauten: Die Gnosis beansprucht vor allem, eine umfassende Antwort auf die immer wieder neu bedrängende Frage nach dem Zustand der Menschheit zu geben: dem **Ursprung des Bösen** und dem ganzen Prozeß von Gott und Welt. Der Gnosis zufolge hatte der Ursprung des Bösen nicht einfach wie in der Bibel mit dem zum Bösen neigenden Menschen zu tun, sondern mit dem (verschieden erklärten) stufenweisen Abfall von der höchsten Gottheit selber. Der daraus hervorgegangene niedrigere Schöpfergott, der unwissende Demiurg, hat durch seine selbstherrlichen Aktionen die gottferne, böse Welt geschaffen, in der allerdings Funken der ursprünglichen göttlichen Lichtwelt, eingesperrt im menschlichen Leib, noch erhalten geblieben sind. Gewiß, die christlich-gnostischen Systeme des 2./3. Jahrhunderts waren höchst unterschiedlich, doch ihr »Kerngedanke« war das **Abwärts und Aufwärts des göttlichen »Funkens«**[86]. Die gnostischen Denk- und Welterklärungsmodelle sind also bestimmt von einer pessimistisch-dualistischen Auffassung vom unbekannten, unfaßbaren, transzendenten Gott (mit einer »Fülle« von Engeln, Himmelswesen und Hypostasen) und der von bösen Mächten beherrschten sichtbaren Welt, der bösen Materie, des Leibes, der das Gefängnis der Seele, des Lichtfunkens, ist.

Doch es war dies ein weltfeindlicher Dualismus auf kosmologischer wie anthropologischer Ebene mit einem durchaus hoffnungsvollen Ausblick. Denn zugleich versprach die Gnosis einen **Weg zur Erlösung** und bot für die Befreiung des Menschen aus den Zwängen des irdischen Seins und der Verstrickung mit den Weltmächten **Erkenntnis** (und auch sonstige Mittel) an. Also Selbsterlösung? Nein, denn nur aufgrund eines Erwekkungsrufes durch einen Erlöser, einer Missionspredigt oder esoterischen Belehrung schafft es die von bösen Dämonen eingeschläferte, betäubte Seele, die Finsternis der Unwissenheit zu zerbrechen und zur Selbsterkenntnis zu kommen. Und diese Selbsterkenntnis besteht gerade in der Erkenntnis des göttlichen Lichtteils (»Geist«, »Seele«), der das eigentliche Wesen des Menschen ausmacht. Ziel somit ist es, dem göttlichen Funken die Rückkehr aus der bösen Welt der Materie in die göttliche Lichtheimat zu ermöglichen. So beginnt ein von den weltbeherrschenden Mächten immer wieder höchst gefährdeter »Seelenaufstieg« oder eine »**Reise der Seele**« durch die überirdischen Sphären zurück in jene göttliche Einheit, welche ganz am Anfang ein niedriger, arroganter Schöpfergott durch die Schöpfung der Welt zerbrochen hatte.

Eine wichtige Rolle spielte dabei in vielen gnostischen Schriften eine

Erlösergestalt (manchmal auch mehrere), die möglicherweise schon vor- oder außerchristlich existierte oder erst durch das Christentum hervorgebracht wurde: ein Erlöser, der als Lichtgestalt das Schicksal der ihm wesensverwandten Lichtfunken teilt und sie mit sich in die Lichtwelt heimholt. Dabei kennt die Gnosis keinen einheitlichen »Erlösermythos«, wie noch Rudolf Bultmann (in der Nachfolge Wilhelm Boussets und Richard Reitzensteins) annahm. Die Schriften von Nag Hammadi zwingen zur Aufgabe dieser Position, finden sich doch hier sehr verschiedene Konzeptionen von einem Erlöser, Befreier, Offenbarer, Boten.

Für die Gnostiker ist entscheidend: Erlösung kann schon hier und jetzt erfahren und eingeleitet werden, kommt freilich erst durch die Trennung des Lichtfunkens vom Körper im Tod endgültig zum Durchbruch. Den Hintergrund des gnostischen Dualismus bildet somit eine monistische Einheitsvision. Erlösung wird verstanden als Rückkehr der Seele aus Welt und Körper zu ihrem präexistenten, reingeistigen Urzustand, und nicht wie in den neutestamentlichen Schriften als geschichtlicher Neuanfang des Menschen durch Jesus Christus, als Befreiung von Sünde und Schuld!

Hinzu kommt: Als **Mittel gegen die Gefahren der Seelenreise** wurden von den hochgeistigen Gnostikern merkwürdigerweise, aber gewiß werbewirksam, auch sehr materielle Hilfsmittel angeboten: Erkennungs- und Schutzzeichen (»Siegel«), magische Sprüche, Amulette und Totenzeremonien (mit der Mitteilung der Paßworte). Und für viele faszinierend war zweifellos auch, daß die Welt in diesen gnostischen Systemen öfters mit Hilfe von polaren Gegensatzpaaren beschrieben wurde und daß dabei die menschliche Zweigeschlechtlichkeit durch Paargenossen (Syzygien) ganz anders als bei einem männlich aufgefaßten Gott zum Zuge kam. Männliches und Weibliches erschien damit gleichrangig in der Gottheit aufgehoben, Anlaß für einzelne Interpretinnen heute, in der Gnosis den Gedanken eines Frauenpriestertums besser begründet zu sehen als im orthodoxen Christentum. Ja, man kann sich auch heute noch leicht vorstellen, daß es für viele damals, Frauen und Männer, Gebildete und Ungebildete, höchst verlockend gewesen sein muß, statt sich an die einfachen Evangelien, Gebote und Riten der Kirche zu halten, sich auf besondere »Offenbarungen«, Mythen, Geheimtraditionen und Weltsysteme sowie mysteriöse Rituale und magische Praktiken einzulassen.

Wie immer: Es ging in der Gnosis um Antwort auf die Frage nach dem Ursprung des Bösen und einem Weg zur Erlösung aus einem Leben von Angst und Verwirrung, von Leid und Tod. Es ging keineswegs nur um eine primär theoretische »Religionsphilosophie«, wie der Begründer der Gnosisforschung, der Tübinger Kirchenhistoriker Ferdinand Christian

Baur, meinte; es ging im Kern um – allerdings zunächst denkerisch zu bewältigende – **existentielle Fragen**, was schon Hans Jonas und Rudolf Bultmann herausgestellt haben.[87] Angesichts von so viel kultureller Stagnation und politischer Apathie besonders im östlichen Teil des römischen Reiches sollte in der Gnosis mit Hilfe auch der in die hellenistische Kultur eingeströmten orientalischen Religiosität eine bestimmte Daseinshaltung erreicht werden, die eine Überwindung der Entfremdung und einen Ausweg aus den politischen und sozialen Zwängen ermöglichte. Insofern kam in der Gnosis auch ein sozialer Protest zum Ausdruck.

Dabei wollten die Gnostiker – anders als »die Vielen« in der Großkirche – sich nicht einfach an einer bestimmten Glaubensregel und Auswahl heiliger Schriften, an bestimmten kirchlichen Ritualen und an der klerikalen Hierarchie festhalten. Sie wandten sich gegen die kirchliche Gottes- und Schöpfungslehre, Christologie, Ekklesiologie und Sakramentenlehre. Sie ihrerseits wollten den Weg der Einsamkeit und der Innerlichkeit gehen, der sie nur das akzeptieren ließ, was durch eigene religiöse Erfahrung bestätigt wurde. Dabei vertraten sie nicht, wie die Kirchenväter es vielfach verzeichneten, eine »substanzhafte Heilstheologie«, als ob die Gnostiker, substanzhaft mit der Lichtwelt zusammenhängend, »von Natur aus Erlöste« gewesen wären, die weder auf Gnade noch auf Bewährung angewiesen gewesen seien. Nein, der Lebenswandel eines Gnostikers mußte durchaus dem erleuchteten Zustand eines Gnostikers entsprechen; er hatte sich ethisch zu bewähren bis zu seinem Eingang ins »Pléroma«, in die »Fülle«.

Und manche fragten sich denn auch in der Tat: Ist der einfache »**Glaube**« (griech. »pístis«) der christlichen Gemeinde nicht vielleicht doch nur eine simple, vordergründige Vorform dieser höheren, radikal geistigen »**Erkenntnis**«? Und ist gegenüber vielfach autoritär auftretenden Bischöfen, Presbytern und Diakonen der institutionellen Kirche eine Reaktion und Berufung auf eigene religiöse Einsichten, spirituelle Erfahrungen und eine Ethik der Freiheit nicht berechtigt?[88] Die neuere Forschung hat uns ja die Augen dafür geöffnet, daß man an den gnostischen Spekulationen, Praktiken und Systemen nicht nur das Sonderbare, Abstruse und Unchristliche sehen darf! Und daß manche Gnostiker Vorstellungen von einer biologischen Jungfrauengeburt Jesu oder einer wortwörtlich verstandenen leiblichen Auferstehung als naiven Glauben verwarfen: Kann man dies aus heutiger Sicht nicht allzugut verstehen?

Die Gefahr der Gnosis: Mythologisierung und Synkretismus

Doch auch die wohlwollendsten Interpreten der Gnosis können deren **Gefahr für das Christentum** nicht übersehen: Reichlich unbekümmert um den doch unmythologisch-geschichtlichen Ursprung des Christentums, ja, in Verachtung des einfachen Kirchenglaubens der bloß »Gläubigen«, der »Pistiker«, versuchten christliche »Gnostiker«, »Wissende« – all die Valentinianer, Basilidianer, Ophiten (Schlangenverehrer) und konkurrierende Unter- und Nebengruppen – die historisch verankerte Christusbotschaft mit Hilfe aller möglichen Mythen, Bilder, Metaphern, Symbole und Rituale in eine **mythische Theologie** zu transformieren. Sie verhießen eine radikale Vergeistigung und Befreiung von irdischen Fesseln und zeigten eine meist weltfeindlich-asketische (manchmal auch libertinistische, für Nag Hammadi allerdings nicht bezeugt!) Tendenz. Bestand damit nicht die Gefahr, daß der ursprüngliche jüdisch-christliche Glaube im Sog eines alles verschlingenden hellenistischen Synkretismus verschwand?

Selbstverständlich war gegen eine immer wieder neue Darstellung des Christlichen nichts einzuwenden, und man kann ja auch den antignostischen Theologen von Irenäus bis Origenes, die von der Gnosis zweifellos gelernt haben, die Originalität nicht absprechen. Aber theologische Spekulation ohne Grenzen? Ist Christus etwa der wiedergeborene große Seth, Sohn des Adam? Sollte jede beliebige Allegorie, jede willkürliche Symbolik und jede verstiegene Begriffsakrobatik erlaubt sein? Darf man gegen das, was man im Buche Genesis liest, Gott, den Schöpfer, zu einem niederen feindlichen Wesen machen, der den Menschen die erlösende »Erkenntnis« neidet? Soll man gegenüber diesem angeblich neidischen Gott gar der zur »Erkenntnis« verführenden Paradies-Schlange recht geben als der Trägerin der erlösenden Uroffenbarung, die bis heute immer wieder neu zu vollziehen sein wird? Und muß von daher die gesamte jüdische Geschichte, weil Werk dieses Schöpfergottes, lächerlich gemacht werden?

Die **Gefahr des Synkretismus** war real: Sollte die junge Christenheit unter Umständen mehr als einen Gott und Erlöser annehmen? Wahre Götter und Erlöser auch aus anderen Religionen? Neben Gottvater auch Gottmutter? Und anstelle des Glaubens an Vater, Sohn und Geist eine Dreieinigkeit von Vater, Mutter (oder Frau) und Sohn? Eine Mythisierung des Paares also, so daß dann neben dem himmlischen Christus als Paargenossin auch die himmlische Weisheit als Allmutter zu stehen hat? Darf man zum Beispiel gegen das, was man in den (im Gottesdienst der

Gemeindekirche vorgelesenen) Evangelien liest, annehmen, daß Christus (in manche gnostische Texte wohl erst nachträglich eingefügt) als Geistmensch gar nicht leiden konnte und auch gar nicht gekreuzigt wurde?

Gewiß: Man darf die gnostischen Vorstellungen nicht von der späteren kirchlichen Christologie her beurteilen; wir werden sehen, daß es im Ur- und Frühchristentum ein sehr unterschiedliches Verständnis des Verhältnisses Jesu zu Gott gab. Trotzdem kann man die negative Reaktion der Kirchenväter auf die **gnostische Christologie** auch heute noch nachvollziehen, wenn man mit dem Gnosis-Spezialisten Kurt Rudolph bedenkt[89]:

1. Die gnostische Christologie hat eine Vergeschichtlichung der gnostischen Erlösergestalt vorgenommen, die zugleich eine **Mythologisierung** der Christusgestalt zur Folge hatte: eine »›Mythologisierung‹ der Christusgestalt, die in ihrem Ausmaß kaum zu überbieten ist«. In der Tat: »Diese Seite der Entwicklung ist es vor allem gewesen, die es verhinderte, daß der Gnosis auf die Dauer Heimatrecht im christlichen Denken gewährt wurde, auch wenn es immer wieder – bis heute – dazu Ansätze gegeben hat.«[90]

2. Um den historischen und mythischen Aspekt auf einen Nenner zu bringen, haben die gnostischen Theologen eine »**Aufspaltung** des christlichen Erlösers in zwei völlig getrennte Wesenheiten« vorgenommen: Während der irdische und vergängliche Jesus von Nazaret »als vorübergehende irdische Erscheinung des Christus die erwähnte Aufgabe als Offenbarer gnostischer Lehren wahrnimmt«, ist der himmlisch-ewige Christus »ein höheres Lichtwesen, das seit Anbeginn im Pleroma beim ›Vater‹ weilt, meist als sein ›Abbild‹, als ›Selbstentstandener‹, als ›Sohn‹ oder ›Erstgeborener‹ bezeichnet (bzw. mit diesen identifiziert). In dieser Eigenschaft spielt er eine Rolle in der Lichtwelt ...«[91]

3. Der antiweltliche Dualismus der Gnosis, der das Irdisch-Körperliche völlig abwertete, ging in manchen Systemen so weit, daß man Jesus nur noch einen **Scheinleib** zuschreiben konnte. Zwar gibt es Nag-Hammadi-Schriften, die eine dem Johannesevangelium verwandte Anschauung von Christus vertreten, die nicht des Doketismus verdächtigt werden kann. Aber es gibt auch Nag-Hammadi-Texte, in denen Jesus selber die Gestalt Simons von Kyrene annimmt und bei der **Kreuzigung** lachend zuschaut: »Nicht ich war es, auf den sie mit dem Rohr schlugen. Ein anderer war es, der das Kreuz auf seinen Schultern trug, nämlich Simon. Ein anderer war es, dem sie die Dornenkrone aufs Haupt setzten. Ich aber frohlockte in der Höhe über den (vergeblichen) Reichtum der Archonten (weltbeherrschenden Mächten) und den Samen ihres Irrtums (und) ihres eitlen Ruhms. Und ich lachte über ihre Unwissenheit ...«[92]

4. Aufgrund dieser Sicht der Kreuzigung, die nicht die Kreuzigung Jesu ist, läßt sich auch verstehen, daß für Gnostiker die **Auferstehung** Christi schon vor oder gleichzeitig mit der Kreuzigung erfolgt ist – Befreiung des Geistes und Vernichtung des Fleisches in einem. Es ist von daher keine Frage, daß die Gnosis auf die **Auflösung der christlichen Substanz** zielte: »›Erlösung‹, ›Kreuzigung‹ und ›Auferstehung‹ sind von der Gnosis weithin als symbolische Vorgänge von kosmischem Ausmaß verstanden worden und unterlagen dementsprechend ganz neuen Deutungen, die oft nur bei näherem Hinsehen sichtbar werden. Dies war eine der Tatsachen, die die Gefährlichkeit der gnostischen Lehren für das orthodox christliche Verständnis unter Beweis stellte.«[93]

Sollte es also eine **doppelte Wahrheit** in der Kirche geben: eine allgemein verständliche für das Volk und eine esoterische für die Wissenden? Die schwerwiegende Kritik an der Gnosis war von allem Anfang an, daß in vielen Fällen ein diametraler Gegensatz bestand zwischen dem Text des Neuen Testaments und der gnostischen »Erkenntnis«. »Sie reden zwar Ähnliches wie die Gläubigen, verstehen darunter aber nicht nur Unähnliches, sondern sogar Entgegengesetztes und durchaus Gotteslästerliches«, bemerkt Irenäus.[94] Nein, nichts gegen einen wissenden Glauben und ein glaubendes Wissen; Paulus spricht öfters vom Wissen des Glaubens, und das Johannesevangelium setzt Glauben und Erkennen weithin gleich. **Glauben** kann Voraussetzung des Erkennens und **Erkennen** Voraussetzung des Glaubens sein. Aber nach dem Neuen Testament darf sich das Wissen nie über den Glauben hinausschwingen und den Glauben dialektisch ins Wissen hinein aufheben, wie dies dann später auch Hegel in seiner Religionsphilosophie versuchen sollte.[95]

Unter diesen Umständen erwies sich die Existenz der Gnostiker innerhalb der Gemeinden als immer schwieriger. Kein Wunder, daß sie, die sich selber als die »Auserwählten«, »Kinder des Lichts«, »Geistigen«, »Freien«, ja, als Gottes »unwandelbares Geschlecht«, als »Samen« der Lichtwelt und deshalb »Geschlecht des Seth«, verstanden, auch eigene **Gemeinden** bildeten, über deren Zusammensetzung aus elitären Gebildeten (den »Kennern« und Leitern) einerseits und einer relativ ungebildeten Gemeinde andererseits wir nur mutmaßen können: mehr charismatisch strukturierte »Kultvereine« (Genossenschaften) mit Arkandisziplin offensichtlich als hierarchisch organisierte »Kirchen«.

Sicher ist, daß **Frauen**[96] bei Gnostikern Funktionen wahrnehmen konnten, die ihnen in der offiziellen Kirche verboten waren: und zwar nicht nur als Prophetinnen, Lehrerinnen und Missionarinnen, auch als Liturginnen bei Gebeten, Hymnen und Predigten, aber auch bei Taufe und

Eucharistie, soweit diese Riten bei grundsätzlicher Kultfeindlichkeit der Gnostiker überhaupt gefeiert wurden. In einem Fragment von Nag Hammadi sind jedenfalls auch Taufe und Eucharistie bezeugt, bezeugt sind ebenfalls Waschungen, Salbungen mit Öl, Mahlfeiern und Sterberiten … Als ethische Basis des Zusammenlebens dürfte der Gedanke einer Geschwisterlichkeit der Erlösten gedient haben: Geschwisterlichkeit im Blick nicht auf die Gestaltung des weltlichen Miteinanderseins, sondern auf die Erlösung aus dem weltlichen Dasein.

Allerdings muß gerade hier vor einer **Idealisierung der Gnosis** – auf Kosten der Gemeindekirche – gewarnt werden. Neben der praktisch-kultischen Gleichstellung der Frau finden sich in manchen Texten auch eine ausgesprochene Abwertung der Frau, ja, eine Verteufelung des Weiblichen und eine Verwerfung der Ehe. Angesichts des Ideals der Zweigeschlechtlichkeit, die teilweise auch dem höchsten Wesen zugeschrieben wird, wird die Schuld an der Trennung der Geschlechter oft der Frau (Eva) zugeschoben. Ja einzelnen Texten zufolge muß die Frau zum Mann gemacht werden, damit sie in das »Pleroma« eingehen kann.

Deshalb stellt sich – trotz aller schon längst fälligen Rehabilitierung der Gnosis durch die neueste Forschung – die Frage: War die junge Christenheit nicht gezwungen, sich von den gnostischen Spekulationen, Kompositionen und Kompilationen **abzugrenzen**? Oder sollte sie im Zeichen der höheren Erkenntnis alle möglichen mythologischen oder religiösen Vorstellungen der unterschiedlichsten Religions- und Kulturbereiche in den Gemeinden zulassen? Wäre also durch die gnostische Vermischung und Transformation das monotheistische Erbe des Judentums nicht in ein synkretistisches Heidentum verwandelt worden? Hätte sich das Gemeindechristentum nicht in zahllose gnostische Gruppen und Grüppchen aufgelöst? Dabei sei nicht bestritten, daß jede Religion auch ein synkretistisches Gebilde ist, da es »reine« Religionen in concreto ebensowenig gibt wie »reine« Rassen. Aber es besteht ein wesentlicher Unterschied zwischen einem Paradigmenwechsel, in welchem die Substanz dieser Religion unverletzt bewahrt wird, und einem Zusammenwachsen und Zusammenschmelzen von Religionen, bei dem sich nicht nur das Paradigma, sondern die Substanz verändert: Dies ist **Synkretismus** im eigentlichen Sinn.

Auf diese nun eben doch existenzgefährdende Herausforderung durch eine im Grunde »parasitäre« Religiosität hatten die **Kirchenväter** – Bischöfe, Theologen und Theologen-Bischöfe – des späten zweiten und des dritten Jahrhunderts die damals ausschlaggebende Antwort gegeben: in griechischer Sprache nach Irenäus von Lyon dessen »Schüler« Hippolyt von Rom (ca. 160/170-238), im lateinischen Bereich zunächst Tertullian von Karthago (ca. 160-220). Man sollte ihnen bei all ihrer Parteilichkeit und Konstruktion einer »Successio haereticorum« nicht alle Toleranz absprechen, sie nicht einfach des Klerikalismus anklagen. In der Forschung besteht manchmal die Tendenz, von einem Extrem in das andere zu fallen. Statt wie früher unkritisch dem Gnostiker-Bild der Kirchenväter zu folgen, sollte man dieses jetzt nicht – wiederum unkritisch – prinzipiell verdammen. Kirchenlehrer von Irenäus bis Klemens und Origenes, die ja noch konkrete Erfahrungen mit Gnostikern hatten, gingen zum Teil durchaus differenziert mit dem antiken Bildungserbe und mit der gnostischen Theologie um und sonderten aus der gnostischen Weltanschauung die im Licht der ursprünglichen christlichen Botschaft brauchbaren Gedanken aus. Die gnostischen Lehren gaben so auch durchaus positive Anstöße zur Lehrentfaltung der Kirchenväter. So ergänzte zum Beispiel schon Irenäus die paulinische Adam-Christus-Typologie durch die Eva-Maria-Typologie, und von Klemens und Origenes werden wir noch ausführlicher hören. Im ganzen jedoch sprachen sich die Kirchenväter gegen eine undifferenzierte Vermischung oder Kreuzung mit irgendeinem Fremdkult aus, zu Recht plädierten sie für ein eigenständiges theologisches, ethisches und spirituelles christliches Profil.

Theologisch-politisch hieß dies: Das **Christentum sollte sich nicht** mit Hilfe gnostischer Spekulationen **in das bestehende synkretistische staatsreligiöse System einpassen**. In doppelter Hinsicht hielt man am jüdischen Erbe fest und wehrte sich gegen jeglichen Kompromiß des Christentums mit einer anderen Religion oder Philosophie:

– Gegenüber den vielen Göttern hielt man fest am **einen Gott**, der keine anderen Götter, selbst nicht den Gott-Kaiser oder (für Frauen) Isis und (für Männer) Mithras neben sich duldet. Und der Christus Jesus, der für den einen Gott stand und den sie deshalb hymnisch priesen, sollte keinesfalls in das heidnische Pantheon eingeebnet oder in die Höhen einer völlig unkontrollierten Spekulation und wuchernden Phantasie entführt werden.

– Angesichts des Sittenzerfalls der späteren Kaiserzeit besonders in den Großstädten hielt man am **Ethos**, an den strengen Geboten des Gottes Israels fest und hämmerte sie unverdrossen ein. Darüber hinaus forderte man nicht in erster Linie philosophische »Erkenntnis«, sondern entschiedenen Einsatz für die Notleidenden, Speisung der Armen, Sorge für die Kranken, Bestattung der Toten. Magische Losungsworte für den Eintritt in die vielstufigen Himmel kannte man in der Kirche nicht. Die Gnosis zeigte, aufgrund ihrer Weltabwendung und Jenseitsorientierung, mehr Desinteresse gegenüber der Gesellschaft als Interesse an

Gesellschaftsgestaltung, mehr innere Distanz zu den bestehenden Herrschaftsverhältnissen als Willen zur Gesellschaftsreform. In der Gnosis wurden aus der Weltfeindlichkeit sowohl asketische wie libertinistische Konsequenzen gezogen. In der Gemeindekirche blieb man im allgemeinen auf einem Mittelkurs zwischen Weltverfallenheit und Weltfeindlichkeit, zwischen Libertinismus und Asketismus. Nur so konnte das Christentum zu einer breiten Massenbewegung werden, während die Gnosis schließlich stagnierte und sich spätestens im sechsten Jahrhundert verlor.

Freilich ließ sich bei dieser gemeindekirchlichen Entwicklung nicht übersehen, daß die Betonung von Monotheismus und Moral zu Intellektualismus und Moralismus führte und beides seinen Preis hatte: Das spezifisch Christliche wurde allzusehr zurückgedrängt. Und mit der Ablehnung der Gnosis ging auch einiges verloren, was hier an echten Alternativen angeboten wurde: etwa bezüglich des Ursprungs der Autorität, der Gleichberechtigung der Frau, des Verhältnisses zu anderen Religionen. Manches wurde wohl allzu rasch verdrängt und mußte erst in späteren Jahrhunderten wieder ins Bewußtsein treten. Einige **gnostische Ideen wirkten noch lange nach**, sogar in der christlichen Dogmatik (etwa in der Zwei-Naturen-Lehre der Christologie), besonders aber über den Manichäismus im Islam, schließlich bei den mittelalterlichen Katharern in Südfrankreich und bei den Bogomilen in Bulgarien. Doch nur eine einzige der alten gnostischen Sekten konnte sich bis in unsere Tage halten: die Täufersekte der Mandäer (von den Muslimen Sabier, Täufer, genannt) mit etwa 15 000 Anhängern im südlichen Euphrat-Tigris-Gebiet.

Gab es eine Alternative zur Ausscheidung der synkretistischen Gnosis? »Wäre das Christentum vielgestaltig geblieben«, muß auch Elaine Pagels, welche die Gnosis stark idealisiert, um sie durch tendenziöse Selektion zu einer Präfiguration eines alternativen, demokratisch-feministisch-ökologischen Christentums emporzustilisieren, am Ende ihres Buches über die gnostischen Evangelien einräumen, »hätte es sehr wohl zusammen mit Dutzenden von rivalisierenden religiösen Kulten der Antike aus der Geschichte verschwinden können. Ich meine, daß wir das Überdauern der christlichen Tradition der organisatorischen und theologischen Struktur verdanken, die die entstehende Kirche entwickelt hat.«[97] Aber sicher ist: Zuerst gab es auch im Christentum größere Vielfalt und erst mit der Zeit eine mehr strukturierte Ordnung. Man fragt sich: Um was für eine organisatorische und theologische Struktur geht es denn hier?

Drei Regulative: Glaubensregel – Kanon – Bischofsamt

Wie half sich die frühe Christenheit angesichts der Fluten gnostischer Weisheit? Antwort: Zunächst jedenfalls nicht durch Gewalt, wohl aber durch klare **Maßstäbe** (griech. »Kanón« = Maßstab, Richtschnur, Regel). Diese **Regulative** lagen im Grund schon bereit, an sich sind sie uns bekannt. Doch wurden sie nun in der zweiten Hälfte des zweiten Jahrhunderts in aller Form zur **Grenzziehung** der »katholischen Kirche« – jetzt auch ausdrücklich »Große Kirche«, »Großkirche« genannt – **gegenüber der Häresie** aufgerichtet und mit Berufung auf die (jetzt bereits hochidealisierten) Apostel kurzerhand als »apostolisch« erklärt. Wegweisend für die Großkirche des dritten Jahrhunderts waren jener griechisch schreibende Bischof von Lyon **Irenäus** und der Rhetor, Jurist und Schöpfer der lateinischen Kirchensprache **Tertullian** von Karthago. Bei dieser Grenzziehung ging es um drei Parallelvorgänge:

- Aus dem **Glaubensbekenntnis** – von den Christen anläßlich der Taufe abgelegt – wird jetzt die **Glaubensregel** (»Kanón písteos«, »regula fidei«), = **Wahrheitsregel** (»Kanón aletheías«, »regula veritatis«), welche die Hauptereignisse des Heilsgeschehens zusammenfaßt: ein erstes Regulativ.

Aus dem Christusbekenntnis bei der Taufe war gerade in Rom schon früh ein dreigliedriges Bekenntnis zu Vater, Sohn und Geist geworden, das immer mehr ausgestaltet, im 4./5. Jahrhundert schließlich zum gegenwärtigen »apostolischen Glaubensbekenntnis« wurde.[98] Die Glaubensregel wurde auch immer mehr zur Norm für die Auslegung der Bibel, wiewohl sie doch ihrerseits nur von der Bibel her begründet und interpretiert werden konnte. Von daher entwickelten sich die altkirchlichen Dogmen vor allem rund um Christologie und Trinität, während andere Bereiche lehrmäßig nicht »de-finiert«, »ab-gegrenzt« wurden.

- Am **Alten Testament** (Hebräische Bibel in der griechischen Septuaginta-Übersetzung) wird festgehalten, doch wird jetzt ein **Kanon des Neuen Testaments** festgelegt: ein »kanonisches«, also amtliches Korpus heiliger Schriften, ausgesondert nach dem Kriterium des apostolischen Ursprungs: ein zweites Regulativ.

Auf die Verwerfung des Alten Testaments (= »Gesetz« des bösen Schöpfergottes) zugunsten des Neuen Testaments (= »Evangelium« des guten Erlösergottes) ließ sich die junge Christengemeinde also nicht ein. Sie war von einem überzogenen Paulus-Verehrer mit Namen Markion, einem

Kleinasiaten, vorgeschlagen worden, der zugleich jegliche symbolisch-allegorische Erklärung der Hebräischen Bibel ablehnte. Markion, der den christlichen Kanon auf das Lukasevangelium und einige Paulusbriefe einschränken wollte, wurde in Rom um 144 exkommuniziert – mit der Folge, daß es damals zu einer mächtigen markionitischen Gegenkirche kam. Im Gottesdienst der Großkirche aber waren schon früh die drei oder vier Evangelien und die Paulusbriefe vorgelesen worden. Als kanonische Schriften galten die (wirklich oder vermeintlich!) von den Aposteln oder Apostelschülern stammenden Evangelien und Briefe sowie Apostelgeschichte und Apokalypse des Johannes.[99] Doch zu Glaubensregel und biblischem Kanon kam ein Drittes: In Streitfällen, so argumentiert vor allem Irenäus[100], orientiere man sich an den ältesten Kirchen, in denen schon die Apostel gewirkt haben.

- Das monarchische **Bischofsamt**, schon länger Brennpunkt der Einheit der Kirche, wird jetzt zum **Lehramt**, das sich immer mehr auch von den Mitpresbytern abhebt, das (jetzt immer wichtiger) für die Verwaltung der kirchlichen Einkünfte zuständig ist und dem man aufgrund einer seit den Aposteln angeblich ununterbrochenen **Sukzessionskette** die Entscheidung auch über die richtige apostolische Lehre zutraut: ein drittes Regulativ.

Auf die historische Problematik der Entwicklung zum monarchischen Episkopat habe ich deutlich hingewiesen. Das erst mit der Zeit sich herausbildende dreistufige Ämtersystem mit jetzt immer mehr hauptberuflichen Amtsträgern hatte sich mit der Zeit überall durchgesetzt. Dieses führte jetzt zu einem Provinzialsystem (Metropolitanverfassung), welches den Bischöfen der Hauptstädte der Reichsprovinzen eine besondere und denen der drei größten Städte des Imperiums (Rom, Alexandrien und Antiochien) die höchste Würdestellung verlieh. Zuerst außerordentliche, dann regelmäßige Provinzialsynoden waren faktisch von den Bischöfen dominierte Synoden. Zur Feststellung der sichersten Tradition – Rom als Reichshauptstadt mit den Gräbern der beiden Hauptapostel war hier von besonderem Gewicht – wurden Bischofslisten angelegt. »**Überlieferung**«, griech. »**parádosis**«, lat. »**traditio**« wird jetzt zu einem gewichtigen Wort. Mit den charismatischen Lehrern verschwinden auch die Propheten; das letzte Aufflackern des urkirchlichen Prophetismus, wir kommen darauf zurück, zeigte sich im sogenannten Montanismus.

Keine Frage, daß diese Entwicklung zu einem ungeheuren **Machtzuwachs für den Bischof** führen mußte. Aus einem Diener der Gemeinde wurde immer mehr der Herr der Gemeinde mit Binde- und Lösungsgewalt, welcher der allein entscheidende Lehrer, Hohepriester und Mystagoge zu sein beanspruchte. Institutionell etabliert wurde jetzt jener schon früh angelegte Gegensatz zwischen dem »Klerus« und den »Laien«, die, von der Zustimmung zur Bischofswahl abgesehen, fast alle ihre ursprünglichen Rechte als »heilige Priesterschaft«[101] verlieren. Aber das nahm man zunächst gern in Kauf, da der Bischof sich immer mehr zu einem »Patronus« oder »Schirmherrn« im System der spätantiken Gesellschaft entwikkelte, einem Schirmherrn, dessen Fürsprache von seiner Klientel immer mehr nicht nur für den Himmel, sondern auch auf Erden gefragt war; in nachkonstantinischer Zeit sollte denn auch das Schreiben von Empfehlungs- und Bittbriefen und die Durchführung von Schlichtungsverfahren zu einer (einem Augustin oft lästigen) Hauptbeschäftigung der Bischöfe werden.

Doch wie immer: Normative Glaubensregel, biblischer Kanon, bischöfliches Lehramt – anhand dieser drei Instanzen ließ sich jetzt in der dadurch fest zusammengeschlossenen katholischen Großkirche jederzeit bestimmen, wo die wahre, die apostolische Lehre zu finden ist. Mit der Einführung von **Glaubensregel – Kanon – Bischofsamt** hatte **das ökumenische Paradigma der ungeteilten alten Kirche** seine **drei klassischen Maßstäbe** bekommen! Das apokalyptisch-judenchristliche Paradigma ist damit endgültig abgelöst. Und diese Regulative werden auch von der sich später herausbildenden mittelalterlich-römisch-katholischen Kirche beibehalten – wenngleich papalistisch überformt. Erst durch die Reformation sollte das dritte (Bischofsamt), durch die Aufklärung dann das zweite (Kanon) und schließlich auch das erste (Glaubensregel) dieser Regulative in Frage gestellt werden. Doch behielten und behalten sie bis in die Gegenwart hinein für die meisten Kirchen eine große, wenngleich vielfach revidierte Bedeutung.

Doch für unseren Gedankengang stellt sich die Frage: Wie verhält sich diese nach innen gefestigte Kirche nach außen, zu den Problemen der römisch-hellenistischen Gesellschaft? Wichtiger, als was die Christen glaubten, war für ihre heidnische Umwelt, wie sie lebten. »Christentum ist auch Antike« (Jacques Fontaine), ist eingebunden in die spätantike Umgebung, gewiß. Aber Christentum ist nicht nur Antike, sondern auch »Neuheitserlebnis« (Karl Prümm) und manifestiert innovatorische, gesellschaftsverändernde Kraft.

4. Sind die Christen anders?

Was die konkreten gesellschaftlichen Fragen betrifft, so war die Position der Christen durchaus differenziert:

– Auch wenn sie den Kaiserkult ablehnten, verhielten sich Christen dem **Staat** gegenüber durchaus loyal – nach der Devise Jesu »Gebt dem Kaiser, was des Kaisers ist«[102] und der des Apostels Paulus, der eine gottgewollte Funktion der staatlichen Obrigkeit zur Bekämpfung des Bösen bejahte und von daher Gehorsam gegenüber staatlicher Gewalt und Bezahlung der Steuern forderte.[103]

– Auch die gesellschaftlich so tief verwurzelte Institution des **Sklaventums** – die ganze römische Gesellschaft war weniger nach Klassen als nach einem Patronatssystem von Patron und Klient strukturiert – wurde in den ersten Jahrhunderten von den Christen (wie auch von den Sklaven selbst) nicht in Frage gestellt. Weil vor Gott Unterschiede der Rasse, der Nation, des Geschlechts und des Standes nicht gelten sollten und allen Menschen die gleiche Würde zukommt, so wurde nur eine brüderliche Behandlung der Sklaven gefordert, die auch zu Priestern und Diakonen (im Fall des Freigelassenen Kallistos sogar zum römischen Bischof) werden konnten. Die anfänglich weithin praktizierte Gleichstellung der Sklaven in den Gemeinden selber konnte sich auf die Dauer allerdings nicht durchsetzen.

– Zum **Militärdienst** verhielt man sich zunächst zurückhaltend: Überwiegend war man der Auffassung, der Soldat brauche nach Konversion und Taufe die Armee nicht zu verlassen; der bereits Getaufte solle aber keine Karriere in der Armee beginnen. Kleriker vor allem sollten sich vom Militärdienst und anderen anstößigen Berufen fernhalten. Im allgemeinen abgelehnt wurden Berufe, die mit Götzendienst, sexueller Permissivität, Aberglauben, Astrologie, magischen Praktiken zu tun hatten, Gladiatoren, Schauspieler, Künstler vor allem.

– Strikt war man auch in der **Ehemoral**: Christen erkannte man an ehelicher Treue, an der Ablehnung der Ehescheidung und vor allem der Wiederverheiratung. Ehelosigkeit aber war, wenn schon aus asketischen Gründen, freiwillig; ein Zölibatsgesetz für Bischöfe und Priester gab es – zunächst – nicht.

Die sanfte Revolution

Darüber kann kein Zweifel sein: Das Christentum hat sich über die Gemeinden hinaus als eine **moralische Kraft** bewiesen, welche die Gesellschaft veränderte. **Peter Brown**, Patrologe in Princeton, der gerade als

Erforscher des »privaten Lebens« »privates« und »öffentliches« Leben keinesfalls trennen will, sieht den mit dem Christentum eintretenden gesellschaftlichen Wandel zunächst in einem neuen ethischen Ideal: ein Handeln nicht einfach nach Gesetz, Sitte und Klassenmoral, sondern aus der immer wieder neu zu überprüfenden Personmitte heraus: aus unverfälschtem, ungeteiltem, **einfachem Herzen** heraus – im Blick auf Christus und auf die Mitmenschen. Nicht wie im Heidentum die Moral der oberen heidnischen Klassen, die sozusagen als Feuerwerk eines Tages (»panem et circenses«) eine große Summe für »ihre« Stadt, zu deren und ihrem Ruhm, auszugeben pflegten. Sondern die alltägliche Moral eines jeden, der mehr Mittel als andere hat und sich in kontinuierlicher, regelmäßiger Solidarität für die Leidenden und Armen einsetzt: »Die schließlich erfolgende Ablösung jenes Modells von städtischer Gesellschaft, das die Pflicht der Vornehmen, **ihre** Stadt zu fördern, betont, durch ein Modell, das beruht auf der impliziten Solidarität der Reichen mit den Armen im Unglück: sie bleibt eines der klarsten Beispiele des Wandels der klassischen Welt in eine nach-klassische, christianisierte.«[104]

Ein **Christ** – in dieser Welt, aber nicht von dieser Welt – konnte in der antiken Gesellschaft also keinesfalls alles mitmachen; er behielt ein **eigenes Profil**. Und der **soziale Zusammenhalt** der Christen, die sich aufgrund ihres gemeinsamen Christusglaubens als »Brüder« und »Schwestern« ansahen, war bei allen Unterschieden der Rasse, Klasse und Bildung für viele Außenstehende noch lange erstaunlich und für nicht wenige attraktiv. Denn die christlichen Gemeinden entwickelten in vieler Hinsicht nicht nur eigene Strukturen, sondern ließen auch ursprüngliche jesuanische Impulse zur Auswirkung kommen: die organisierte Sorge für Arme, Kranke, Waisen, Witwen, Reisende, Gefangene, Notdürftige und Altgewordene – möglich gemacht durch (meist im Gottesdienst dargebrachte) ungewöhnlich hohe freiwillige Spenden, die vom Bischof verwaltet und zugeteilt wurden.

Die gemeinsame Eucharistiefeier, die niemanden diskriminierte, stärkte das Gemeinschaftsbewußtsein ebenso wie die fremden Christen gegenüber geübte Gastfreundschaft. Richtiges Leben (Ortho-praxie) war in dieser Zeit noch immer wichtiger als richtiges Lehren (Ortho-doxie) und war sicher eine Hauptursache für den unerwarteten Erfolg des Christentums. Die Toleranz in Lehrfragen war trotz aller verbalen Polemik noch relativ groß. In der Tat: Durch eine **sanfte Revolution** hat sich das Christentum langsam im Imperium Romanum durchgesetzt. Oder wie der Oxforder Patrologe Henry Chadwick das »**Paradox des Christentums**« dieser Zeit umschreibt: »daß es eine revolutionäre religiöse Bewegung darstellte, jedoch ohne eine bewußte politische Ideologie; es zielte darauf, die Gesellschaft in allen ihren Schichten zu erobern, aber gleichzeitig war seine Gleichgültigkeit gegenüber den Machtverhältnissen in dieser Welt einer seiner charakteristischen Züge«[105]. Chadwick sieht den humanisierenden Einfluß des Christentums vor allem in folgenden Punkten:

– Gewicht auf dem Gewissen des Einzelnen und dem Wert des Individuums;
– Streben nach einer gerechteren Gesellschaft mit einem höheren Maß an Gleichheit für die Menschen als Kinder Gottes;
– Schaffen von Wohlfahrtseinrichtungen für die Bedürftigen, Waisen, Witwen und andere Deklassierte in großem Umfang;
– Glauben an einen göttlichen Plan in der Geschichte und an die Möglichkeit wirklicher Veränderung bei Individuum und Gesellschaft.[106]

Sehen wir noch genauer zu.

Was sich veränderte

So vieles hat sich in den ersten christlichen Jahrhunderten freilich auch in der kirchlichen Institution verändert, was heutzutage oft noch als »urchristlich« empfunden wird, was aber späteren und teilweise sogar heidnischen Ursprungs ist:

– Für die **Taufe**, noch immer meist nicht eine Kinder-, sondern eine Erwachsenentaufe, begann man, eine längere Vorbereitungszeit (Katechumenat) einzuführen, was allerdings oft (wegen der Sündenvergebung) zum Hinausschieben der Taufe möglichst bis kurz vor dem Sterben führte. Mit immer reicherem Zeremoniell wurde die Taufe jetzt versehen: Exorzismen vor allem und **Salbung** mit Öl nach der Taufe, woraus sich später ein separates Sakrament der **Firmung** entwickeln sollte.
– Die **Mahlfeier**, jetzt am Morgen gefeiert und nur für die Getauften erlaubt (Arkandisziplin, Stillschweigen gegenüber den Nichtgetauften), wurde durch einen öffentlichen **Wortgottesdienst** nach jüdischem Vorbild (Schriftlesung, Psalmen, Hymnen, Gebete, Predigt) ergänzt. Während der Gottesdienst des Urchristentums opferlos war, wurde die Eucharistiefeier jetzt immer mehr als **Opferfeier** verstanden. Dabei wurden nicht nur die mitgebrachten und auf dem Altar niedergelegten Spenden (für die Feier selber und die Armen), sondern auch das Sprechen des Eucharistiegebetes mit der Darbietung von Brot und Wein bzw. Leib und Blut Christi durch den Bischof oder Priester als Opfer verstanden. Die ursprünglich mit dem abendlichen Mahlfeiern verbundenen Agapen (Liebesmahle) verschwanden mit der Zeit bzw. wurden wegen Mißständen abgeschafft.

– Während ursprünglich gottesdienstliche Versammlungen in **Privathäusern** stattfanden, waren schon im dritten Jahrhundert eigene **Gottesdienstgebäude** (= »Kirchen«) im Gebrauch. Die charakteristischen christlichen Sakralbauten sollten die – vorher für alle möglichen öffentlichen Zwecke gebrauchten – **Basiliken** werden. Aus dem eucharistischen **Tisch** wurde immer mehr ein **Opferaltar**, der auch außerhalb der Mahlfeier als »heilig« galt.
– Schon in den vielfach unterirdischen antiken **Grabstätten** (»Katakomben«) finden sich Anfänge einer stark symbolischen altchristlichen **Malerei** und auch Sarkophagplastik. Sie übernahm nicht nur jüdische oder griechisch-römische Motive, sondern entwickelte auch eigene christliche Typen: die Oranten (Betenden), den Fisch, Jesus als den guten Hirten (als bartlosen Jüngling), verschiedene alt- und neutestamentliche Szenen, aber keine Passionsdarstellungen.
– Schon im 2./3. Jahrhundert findet sich eine **Märtyrer- und Reliquienverehrung**: Gräberkult, viele Kapellen für Märtyrer, Apostel, Patriarchen, Erzengel und immer massiverer Wunderglaube (heilige Knochen, Amulette). Christliche Heilige verdrängen zunehmend heidnische Heroen und Götter.

Daraus folgt: Bei aller **Distanz** zur Kultur des Hellenismus kam das Christentum je länger desto weniger um eine praktische Anpassung an die bestehenden Verhältnisse herum. Dies galt besonders für Fragen der Kirchendisziplin. Im Urchristentum gab es in der Regel nur eine **einmalige Buße**: die vor der Taufe, welche alle Sünden vergab. Und Ex-communicatio, Ausschluß aus der Communio, war von Anfang an die Strafe für schwerwiegende moralische Vergehen und wurde in dieser Zeit immer mehr auch gegen lehrmäßige Abweichungen eingesetzt.

Nun aber war es auf Dauer doch nicht zu vermeiden, im Fall schwerer Verfehlungen eine »**zweite Buße**« zu gewähren – ein Büßerdasein zunächst auf Lebzeit, dann aber auch auf beschränkte Zeit. Nach einer langen, sehr strengen Bußzeit unter Ausschluß von der Eucharistie wurden die Büßer schließlich doch wieder in die volle kirchliche Gemeinschaft aufgenommen, wobei zunächst die drei Todsünden Mord, Ehebruch (Hurerei) und Glaubensabfall nicht vergeben wurden. Doch pastorale Klugheit, wie sie im dritten Jahrhundert vor allem von der Kirche Roms vertreten wurde, riet dazu, zunächst die Unzuchtsünde, dann aber – nach der hohen Zahl der Abgefallenen (»Lapsi«) in der Verfolgung des Kaisers Decius – auch die Apostaten wieder in die volle Kirchengemeinschaft aufzunehmen. In Nordafrika setzte Bischof Cyprian auf einer Synode in Karthago 251 eine allein vom Bischof geregelte

Wiederaufnahme der Abgefallenen durch – gegen allzu vergebungsbereite Märtyrer und Bekenner wie gegen eine Presbyterrevolte. Zweifellos ein beträchtlicher Machtzuwachs für den Bischof! Ähnlich wandte sich zur gleichen Zeit der Bischof von Rom Cornelius gegen den Rigorismus des hochintelligenten, sittenstrengen Presbyters Novatian, was zur Gründung einer über das ganze Reich zerstreuten häretischen Kirche der »Reinen« (»Katharoi«) führte, die im Westen bis zum fünften und im Osten bis zum siebten Jahrhundert Bestand hatte.

Die Verlierer der Geschichte: die Frauen

Keine Frage: Die heidenchristliche Kirche hat sich gegen die erste große äußere Bedrohung (Verfolgungen) ebenso behauptet wie gegen die erste große innere Krise (Gnosis). Doch seit der grundlegenden Arbeit von **Walter Bauer** über Rechtgläubigkeit und Ketzerei im ältesten Christentum[107] weiß man, daß sich die frühchristlichen Autoren dennoch nicht so leicht in Sieger und Verlierer, in »Rechtgläubige« und »Ketzer« einteilen lassen – wenn man in streng historischer Perspektive zurückschaut. Denn heute weiß man, daß auch die Theologie- und Kirchengeschichte vorwiegend von den Siegern auf Kosten der Verlierer – nach dogmatischen oder kirchenpolitischen Gesichtspunkten – geschrieben wurde. Verlierer in dieser Art traditioneller Kirchengeschichte sind dabei nicht nur einzelne »Ketzer«, die von der neueren Geschichtsschreibung rehabilitiert wurden.[108] Verlierer sind ganze Teile der Christenheit, wie etwa, wir sahen es, die im 2./3. Jahrhundert bereits mehrheitlich als häretisch angesehenen Judenchristen. Verlierer, das sind – wie wir gleich noch genauer sehen werden – die ganze »andere Hälfte« der Christenheit: **die Frauen**.

Wahrhaftig: Allzu lange hat die traditionelle Geschichtsschreibung die Frage nach Frauen als Subjekten von Geschichte vernachlässigt – ein Hauptfeld für jene andere Art »neuer Geschichtsschreibung«, von der wir zu Beginn des Teiles C gesprochen haben. Freilich: War die **Quellenlage** für die Situation von Frauen schon im Urchristentum **dürftig**, so ist sie für das Christentum der frühen Kirche beinahe hoffnungslos. Zwar gibt es zahlreiche Äußerungen von zahlreichen Kirchen-Vätern »über« Frauen, aber es gibt nur wenige Zeugnisse von Frauen selbst, insgesamt nur vier gesicherte, aber höchst verschiedene Schriften von Frauen.[109] Oder es gibt zerstreute und fragmentarische Hinweise in von Männern verfaßten Texten, die meist andere Fragen zum Gegenstand haben.

Man hat immer wieder darauf hingewiesen, wie viele Aussagen sich gerade bei den griechischen Kirchenvätern finden über die **Gleichwertigkeit**

von Mann und Frau vor Gott: Beide sind sie nach Gottes Bild geschaffen; beide haben gleiche ethische und spirituelle Fähigkeiten und Verpflichtungen; Frauen sind die ersten Zeugen der Auferweckung Jesu. Auf der anderen Seite aber kann auch nicht geleugnet werden, daß es im Christentum schon früh – und nicht nur im Mönchtum, aber von dorther besonders gefördert – leibfeindliche und **Frauen abwertende Tendenzen** gab. Selbst ein so weltoffener Theologe wie Klemens von Alexandrien, der im Geist der Stoa die Gleichheit von Mann und Frau verteidigt, der der lebenslangen sexuellen Enthaltsamkeit reserviert gegenübersteht und die Ehelosigkeit keineswegs als das höhere Lebensideal für Christen ansehen will, plädiert ohne weiteres für die Unterordnung der Frau unter den Mann. Und mit ihm ungezählte Bischöfe und Theologen, die konstant die Minderwertigkeit des Weiblichen und den Ausschluß der Frau vom kirchlichen Amt verfechten.

Die Auslegungsgeschichte des Neuen Testaments und der frühkirchlichen Schriften spricht hier eine eigene Sprache. Und gerade in der »Frauenfrage« wird deutlich, wie sehr die Interpretation der Fakten vom jeweiligen ideologischen Interesse einer Zeit abhängig ist. Lange Zeit hat man wie selbstverständlich die kirchlich gewünschte Unterordnung der Frauen als göttliche Offenbarung und heilige Tradition legitimiert, und einige ewiggestrige Kleriker in Rom, England und anderswo tun dies noch heute. Heute besteht in der christlichen Welt eher die Tendenz, bei den Kirchenvätern die positiven Aussagen »über die Frau« zu betonen und dem Christentum ein besonderes Verdienst an der Frauenemanzipation zuzuschreiben. Wer hat recht?

Hier hat schon sehr früh der Historiker **Klaus Thraede** in einer komprimierten Bestandsaufnahme das Material gesichtet und auf den entscheidenden Punkt aufmerksam gemacht: Zwar scheint der Anteil der Frauen an den Gemeinden des 2./3. Jahrhunderts hoch gewesen zu sein, aber die kirchliche Gleichbehandlung der Frau hat dem nicht Rechnung getragen; orthodoxe Theologen versuchten vielmehr, die Emanzipation der Frauen einzudämmen: »Hier denkt das orthodoxe Christentum, je mehr sich in ihm asketische Ideale durchsetzen ..., ausgesprochen altmodisch, einschließlich der durchweg stereotypen Kritik an Kosmetik, Hygiene und Mode ... In der ethischen Grundhaltung bleibt, entgegen einer heute verbreiteten Ansicht, das Christentum habe die Emanzipation der Frau gefördert, die Großkirche hinter den wirklichen Verhältnissen der Kaiserzeit weit zurück (z. T. auch hinter den philosophischen Lehren; es überwiegt das Erbe der vorchristlichen emanzipationsfeindlichen Sittenpredigt).«[110]

Um nun aber nicht nur die Zeugnisse der Kirchenväter »über« die Frau, sondern die Lebenswelt und das Selbstverständnis der Frauen von damals einigermaßen zu erfassen, müßte die gesamte **»patristische« Literatur** neu, zum Teil »gegen den Strich« gelesen werden – ein schwieriges Geschäft. Denn selbst wenn man sich beschränkt auf frühkirchliche Kanones und Kirchenordnungen, asketische Traktate und hagiographisch-narrative Schriften, so bedarf es auch hier einer in mühseliger Kleinarbeit zu leistenden historischen **Spurensuche, um die Lebensrealität und das Selbstverständnis von Frauen zu rekonstruieren**. Im Rahmen des Tübinger Forschungsprojekts »Frau und Christentum« hat die katholische Theologin und Historikerin **Anne Jensen** hier Pionierarbeit geleistet, auf deren Hauptergebnisse ich mich nun stützen kann.[111] Mit Recht hat sie sich bemüht, eine traditionelle Kirchengeschichtsschreibung zu überwinden, in der die »Sicht der Sieger« dominiert, das heißt, welche die Grenzziehng unkritisch übernimmt, die spätere Jahrhunderte zwischen der Großkirche und den »Häretikern« gezogen haben.[112]

Schon ein Vergleich der vier maßgebenden **Kirchengeschichten** der frühen Kirche, der des Eusebios, des Sokrates, des Sozomenos und des Theodoret, von Anne Jensen zum erstenmal vorgenommen[113], zeitigt ein eindeutiges Ergebnis: In der Berichterstattung über die ersten drei Jahrhunderte durch Eusebios, den Bischof von Caesarea, um 325 erfahren wir wesentlich mehr über die aktive Beteiligung von Frauen am kirchlichen Leben als bei den drei späteren Verfassern, die über das vierte und fünfte Jahrhundert berichten; bei ihnen ist eine deutliche Tendenz zur **Marginalisierung** und **Anonymisierung von Frauen** festzustellen. Auffälligerweise fehlen in diesen Kirchengeschichten Berichte über autonome Asketinnen, von deren großer spiritueller Autorität andere Quellen berichten; bei Eusebios und den von ihm erwähnten Zeugen fehlen dagegen die Diakoninnen bzw. ihre Vorgängerinnen, die kirchlich anerkannten »Witwen« im Dienst der Gemeinden. Aber auch die Tatsache, daß man in den späteren Jahrhunderten vermehrt auf diese ordinierten Amtsträgerinnen stößt, zeugt keineswegs von einer Aufwertung aktiver Gemeindearbeit der Frauen. Vielmehr zeigt die kritische Konfrontation mit anderen Quellen, daß die Errichtung des Diakonats als eine der Tendenz nach restriktive Maßnahme anzusehen ist, selbst wenn sie Frauen gewisse Handlungsräume im Raum der Kirche offen ließ. Das gleiche gilt für die zunehmend unter bischöflicher Aufsicht stehenden Kommunitäten der »Jungfrauen«, die entschieden autonom lebenden Asketinnen vorgezogen wurden.

Wiederzuentdecken: Martyrinnen – Prophetinnen – Lehrerinnen

Nach diesem Gesamtpanorama, das anhand der antiken Kirchengeschichten erstellt wurde, hat Anne Jensen auch einzelne, besonders wichtige Gruppen von Frauen in der Frühzeit des Christentums untersucht. Die Auswertung der Berichte über **Martyrinnen**[114] führt zu dem Schluß, daß zwar auch hier zahlenmäßig die Männer überwiegen, daß aber Frauen, wenn sie erwähnt werden, als ebenbürtig und gleichgestellt geschildert werden. Besondere Aufmerksamkeit verdienen die Martyriumsakten des Prozesses von Lyon im Jahre 177, in denen die Sklavin Blandina im Mittelpunkt steht, und des Prozesses von Karthago (203) gegen Perpetua und Felicitas, über den Perpetua selbst während ihrer Haft Aufzeichnungen gemacht hat – eines der wenigen Selbstzeugnisse einer Frau aus dieser Zeit. Die theologische Analyse dieser Dokumente kann zeigen: Bekennerinnen, die ihr Leben im Zeugnis für Christus riskiert haben, wurden in gleicher Weise wie männliche Bekenner als vom Geist ermächtigte Zeugen der Auferstehung anerkannt. Von vielen Gemeindemitgliedern wurde ihnen in der Verfolgungszeit das Recht zuerkannt, abgefallene Christen wieder in die kirchliche Gemeinschaft aufzunehmen. Allerdings muß hier vor einer Verallgemeinerung gewarnt werden: Die egalitäre Praxis einzelner Gruppen dieser »bekennenden Kirche« war nur teilweise repräsentativ für die damalige Christenheit.

Als vom Geist ermächtigte Zeuginnen galten in der Frühzeit des Christentums vor allem die **Prophetinnen**[115]. Wir stoßen hier wieder auf den bereits erwähnten »Montanismus«, eine prophetische Bewegung im Phrygien des zweiten Jahrhunderts, die mit den Namen der Prophetinnen Priska und Maximilla sowie mit Montanus verbunden ist. Kaum eine Richtung des frühen Christentums ist durch die unkritische Lektüre späterer polemischer Texte so verketzert und bekämpft worden wie diese »Neue Prophetie« – so die Selbstbezeichnung dieser Bewegung, die sich zu einer eigenständigen Kirche entwickelte. Durch die Befragung der frühen Quellen aber auf die Fakten, die sich hinter der Polemik verbergen, sowie die Untersuchung der wenigen überlieferten Prophetensprüche konnte nachgewiesen werden, daß die neuzeitliche Bezeichnung »Montanismus« in doppelter Hinsicht verfehlt ist: einmal, weil sie nicht die geistlichen Führerinnen dieser Bewegung ins Zentrum stellt, sondern Montanus, den »Anwalt« der Prophetinnen, der ihnen den organisatorischen Halt gab; vor allem aber, weil sie ein »Oberhaupt« für eine Bewegung suggeriert, das es nicht gab, da diese Bewegung gerade ein egalitär-charismatisch orientiertes Ethos vertrat. Nach den erhaltenen Quellen muß **Priska** die bedeutendste Persönlichkeit der Neuen Prophetie gewesen sein. Wir entdecken also auch hier wieder die **Spuren einer realen Gleichstellungspraxis von Männern und Frauen** in den Gemeinden des zweiten Jahrhunderts. Besonders auffällig ist hier, daß erst in der späteren Polemik die Aktivität der Frauen als solcher zum Gegenstand der Kritik wird.

Wie fruchtbar es ist, wenn man in der Geschichtsschreibung die »Sicht der Sieger« überwindet, zeigt gerade die Untersuchung jener Frauen, die als **Lehrerinnen**[116] öffentlich in den Gemeinden tätig waren. Diese muß man vor dem Hintergrund besonders der Gnosis verbundener Bewegungen verstehen. Wiederentdeckt und gewürdigt werden kann dann **Philumene**, eine heute fast vergessene, aber bedeutende Theologin, die im Rom des zweiten Jahrhunderts an der Spitze einer Schule stand und keinem geringeren als Markion Konkurrenz machte. Eine gemäßigte Position zwischen Gnosis und Großkirche einnehmend, trat diese Lehrerin und Prophetin für ein radikal geistiges (körperfreies) Verständnis von Auferstehung ein, ohne dabei einem christologischen Doketismus zu verfallen. Der Gedanke, daß die Schöpfung durch einen Demiurgen geschaffen wurde, setzt den guten Schöpfergott zwar in Distanz zum Bösen in der Welt, führt aber nicht zu einem radikalen Dualismus, in dem Welt und Materie als böse abgelehnt werden. Philumene war also ihrerseits eine wichtige Wegbereiterin für die neue Synthese zwischen jüdisch-biblischem und hellenistisch-philosophischem Denken in der Spätantike. Doch schon im vierten Jahrhundert, aber weit mehr noch in der modernen Kirchengeschichtsschreibung ist die Initiatorin dieser Schule in den Schatten ihres Schülers Apelles geraten, der ihre Verkündigung schriftlich festgehalten hat und ihre Lehre verbreitete.

Blickt man auf die Ergebnisse der bisherigen Frauenforschung, so ergibt sich ein komplexeres Bild als vielleicht erwartet. Ähnlich wie bei den Arbeiten von Elisabeth Schüssler Fiorenza für die neutestamentliche Zeit werden auch durch die Untersuchung von Anne Jensen Widersprüche deutlich:

- Frauen waren viel intensiver an der Ausbreitung des Christentums beteiligt, als es die androzentrisch gefärbten Quellen zunächst vermuten lassen.
- Gleichzeitig sind überall auch Kräfte am Werk, welche die Gleichstellung der Geschlechter verhindern wollen. Der Widerstand gegen die konsequente Verwirklichung eines egalitären Ethos nimmt zu.

Alternative Lebensformen für Frauen – und die Schattenseiten

Nun hat Anne Jensen zeigen können, daß die vielen Maßnahmen, die kirchliche Aktivität von Frauen zurückzudrängen, zunächst wenig Erfolg hatten, da die zu Christinnen gewordenen hellenistischen Römerinnen sich nicht so ohne weiteres disziplinieren ließen. Wenn sie auch keinen Zugang zu politischen Ämtern hatten, so waren sie dennoch »e-manzipiert« im wörtlichen Sinn: Sie standen nicht mehr unter der »manus« (= Hand im Sinne von Macht und Schutz) eines Ehegatten, sondern waren freie Partnerinnen und ökonomisch unabhängig, sofern sie über ein Vermögen verfügten. Für Frauen der Oberschicht war deshalb eine Selbstbestimmung auch innerhalb der Ehe durchaus möglich. Und dies erklärt, daß es in den Quellen keinerlei Indizien dafür gibt, daß Frauen sich durch den Übertritt zum Christentum eine Verbesserung ihrer »condition féminine« erhofften.

Dennoch entschieden sich viele noch oder wieder ledige Frauen gegen ein traditionelles Familienleben. **Witwen** spielen deshalb jetzt in den Gemeinden eine bedeutende Rolle, aber bald auch **Jungfrauen**, junge Frauen also, die von vornherein keine Ehe eingehen wollten. Gewiß: Vorliebe für Enthaltsamkeit war ein allgemeines Phänomen der Zeit, also weder frauen- noch christenspezifisch. Und doch schufen diese freiwillig zölibatären Christinnen innerhalb der Kirchen Organisationen, die im zeitgenössischen Hellenismus in dieser Verbreitung einmalig sind. Außerhalb des Christentums waren es fast immer nur einzelne Individuen, die der traditionellen Rolle als Gattin und Mutter eine Absage erteilten. Im Christentum werden nun für eine große Gruppe von Frauen **alternative Lebensformen** möglich, die sich nicht von der biologischen Bestimmung her definierten. Durch die Institutionalisierung war sowohl eine materielle Versorgung garantiert wie auch ein hoher Grad an gesellschaftlicher Anerkennung. Die Festlegung von Frauen auf eine bestimmte soziale Rolle war damit durchbrochen und transzendiert. Zweifellos waren es die Christinnen selbst, die die Grundlagen für diese neuen weiblichen Lebensformen geschaffen haben, und bis heute wird die Alternative zur Ehe in Klöstern, Kommunitäten und Verbänden verschiedenster Ausprägungen von wesentlich mehr Frauen als Männern gewählt. Dieses neue Verständnis von Weiblichkeit, das sich von der ausschließlich biologischen Bestimmung der Frau freimacht, war ein **wesentlicher Beitrag zur Emanzipationsgeschichte**.

Freilich: Diese Relativierung der alten Geschlechterrolle hatte ihre eigene Problematik. Denn nur durch radikalen **Sexualverzicht** war es möglich, sich der biologischen Determiniertheit zu entziehen. Und soziale Anerkennung fand die Nicht-Gattin und Nicht-Mutter im Christentum nur dann, wenn dieser Sexualverzicht **religiös-asketisch begründet** wurde. An eben diesem Punkt aber entzünden sich die **Konflikte**. Warum? Offensichtlich war die Motivation von Frauen, die sich gegen das übliche Familienleben entschieden, unterschiedlicher Natur. Denn für die einen bedeutete Sexualverzicht zugleich die radikale Absage an ein weltliches Leben, und so wurde er kirchlicherseits akzeptiert, ja schließlich gepriesen. Für die anderen aber erfolgte der Sexualverzicht, um befreit von den biologischen Zwängen andere Aufgaben wahrzunehmen. Dies jedoch wurde von vielen als Griff nach der »männlichen« Rolle und dem mit ihr verbundenen Führungsanspruch angesehen. In Ausnahmefällen konnte das zwar toleriert werden, aber als Massenphänomen wurde dies kirchlicherseits offensichtlich als immer bedrohlicher empfunden. So kommt es zu ambivalenten Reaktionen:

– Die **»positive« Lösung** war das theologische Konstrukt der/des **»geschlechtslosen« Parthénos** (die Jungfrau / der »jungfräuliche« Mann), also die radikale Transzendierung des Geschlechtes, die in der Theorie zur vollkommenen Gleichberechtigung von Frauen und Männern und in der Praxis zu einem unbefangen-geschwisterlichen Umgang führen sollte. Eine Geschlechterhierarchie war in diesem Modell nicht denkbar. Die angestrebte Überwindung des Geschlechtlichen ist also hier nicht von vornherein mit Sexualfeindlichkeit gleichzusetzen, aber leicht konnte sie dazu werden.

– Die **»negative« Lösung** bestand in einer spezifischen Form von Frauenverachtung, die in einem Teil der asketischen Bewegung bald dominieren sollte. Die Angst vor einem möglicherweise nicht mehr beherrschbaren Trieb bringt das Feindbild der Verführerin hervor. Diese Tendenz beginnt sich zunehmend in der alten Kirche durchzusetzen und führt zum Prinzip der Trennung der Geschlechter.

Damit setzt eine fatale Wechselwirkung ein: In der Reichskirche verdrängt hierarchisches Denken immer stärker ursprünglich christliche egalitäre Bestrebungen und färbt auf das Asketentum ab; umgekehrt wirkt sich der wachsende Sexualpessimismus auch außerhalb der Klöster in Kirche und Gesellschaft aus. Selbst unverheiratete Frauen, die sich aktiv am kirchlichen Leben beteiligen wollen, werden schließlich fast ganz aus dem Klerikerstand eliminiert. In der Definition des Geschlechterverhältnisses siegt schließlich das hierarchische Denken – und erst in den freikirchlichen Bewegungen der Neuzeit gewinnt das egalitäre Ethos innerhalb des Christentums wieder an Boden. Kann man also von einer

Emanzipation der Frau in der Zeit der frühen Kirche durch das Christentum reden?

Emanzipation der Frau durch das Christentum?

Als irrig erwiesen sich Anne Jensen zufolge zwei gängige Thesen, die im Grunde nur die apologetisch-feministische bzw. konservativ-antifeministische Variante eines ähnlichen Trugschlusses darstellen: (1) Die Häresien seien frauenfreundlicher als die Großkirche gewesen; (2) weil Frauen für häretische Strömungen anfälliger gewesen seien, habe die Kirche den Frauen das Lehren verbieten müssen. Eine genaue Untersuchung der Quellen führt vielmehr zu diesem Schluß: Auch in den bekämpften »häretischen« Kirchen konnte sich ein konsequentes egalitäres Ethos nicht lange halten. Das heißt: Die **Demarkationslinie zwischen Frauenfeindlichkeit und Frauenfreundlichkeit** in der Spätantike war also **weder mit den Religions- noch mit den Konfessionsgrenzen identisch**.

Wichtig auch: In der traditionellen christlichen Apologetik wird der Vorwurf der Sexualfeindlichkeit gern an die Heiden weitergegeben, und zwar unter Berufung auf biblisches Erbe. Doch auch damit macht man es sich zu leicht. Denn die frühe Christenheit hat die Tendenz zur Abkehr von der Welt nicht bloß vom Hellenismus übernommen. Mit ihrer ursprünglichen Naherwartung des Weltendes und Weltgerichts hat sie die Weltabkehr erheblich verschärft. Dies wird im **Enthaltsamkeitsideal** besonders deutlich: Während in der außerchristlichen Spätantike die Entscheidung für ein asketisches Leben letztlich eine Frage individueller Präferenz bleiben konnte, erhielt die **Ehelosigkeit in der Lehre der Kirche** mit der Zeit einen heilsgeschichtlich begründeten **Vorrang**. Dies führte direkt zu einer Abwertung des Geschlechtlichen und indirekt zu einer Abwertung der Frauen, die man, sofern sie nicht enthaltsam lebten, zunehmend einseitig biologistisch als Geschlechtswesen definierte.

Gewiß: Es ist unbestreitbar, daß schon das Humanitätsideal der Antike die gleiche menschliche Würde aller Menschen betonte, die gleiche Würde von Männern und Frauen, Sklaven und Herren, Armen und Reichen. Ein Bündnis zwischen dem christlichen und dem antiken egalitären Ethos wäre also zu erwarten gewesen. Aber warum verlief die historische Entwicklung anders? Weitere Faktoren müssen im Spiel gewesen sein. Denn mit der Ausbreitung des Christentums **allein** kann die zunehmende Diskriminierung des weiblichen Geschlechtes in der Geschichte der abendländischen Christenheit nicht erklärt werden.

Daher erscheint es sachgemäßer, zunächst neutral zu fragen: **Was hat**

eine wahre Emanzipation von Frauen in der frühen Kirche verhindert? Unter den verschiedenen Faktoren, die dafür in Frage kommen, erscheinen drei besonders wichtig, die nun leider zunehmend für das altkirchlich-hellenistische Paradigma bestimmend werden:

– Die Durchsetzung **hierarchischer Strukturen**: Zwischen egalitärem Ethos und politischen Machtinteressen besteht wie im römischen Reich so auch in den Kirchen eine Konkurrenz; das Gleichheitsprinzip behauptet sich vorwiegend nur im privaten Bereich, während besonders im Bereich des Sakramentalen die Männerherrschaft sich durchsetzt.

– Die **Sexualfeindlichkeit**: Sie stammt nicht aus dem Christentum, sondern ist ein allgemeines spätantikes Phänomen; aber in der Christenheit erhält sie ihre besondere Ausprägung.

– Die **Abwertung von Bildung**: Bildung war ein hellenistisches Ideal, das in der Christenheit zunächst nicht vernachlässigt, dann aber teilweise – gerade für Frauen – offen verachtet wird. Dies trägt erheblich dazu bei, Frauen ausschließlich als »Leib« wahrzunehmen.

Tradition als Argument heute?

Wie also ist diese frauenfeindliche Tradition zu werten, wenn sie verglichen wird mit der Grundeinstellung Jesu, der judenchristlichen Gemeinden in Palästina und auch der heidenchristlichen Gemeinden paulinischer Prägung? Der Befund ist eindeutig: Immer mehr begannen vertikale Hierarchien die von Jesus und den frühen Christen geprägte Brüderlichkeit und Schwesterlichkeit zu verhindern. Sexualfeindlichkeit wird aus antiker Tradition übernommen und zu Lasten der Frauen propagiert, obwohl in der jesuanischen Predigt nichts dergleichen festzumachen ist, bestenfalls eine starke Relativierung von Ehe und Familie zugunsten des Reiches Gottes. Bildung kommt als positiver Wert in der jesuanischen Predigt zwar kaum in den Blick; man kann auch als Nicht-Gebildeter in das Reich Gottes eingehen. Aber schon Paulus tritt uns als ein gebildeter Judenchrist entgegen, ebenso die (anonymen) Verfasser so hochtheologischer und damit hochgebildeter Briefe wie des Epheser- und Hebräerbriefes. Aber eine Abwertung von Bildung kann sich ebenfalls nicht auf Jesus berufen, von Paulus und anderen Verfassern ganz zu schweigen. Insbesondere keine Abwertung von Bildung, die in ein »Lehrverbot« für Frauen mündet oder als Alibi dient, Frauen ausschließlich von ihrer Geschlechterrolle her zu definieren.

Welche Bedeutung also hatte das Christentum für die Emanzipation der Frau in der frühen Kirche? Antwort: Das Christentum hat Frauenbefreiung nicht hervorgebracht, aber es hätte sie fördern können und mehr fördern sollen als nur durch alternative Lebensformen. Stattdessen wurden im 2./3. Jahrhundert die Weichen gestellt für eine zunehmende Frauenfeindlichkeit in kirchlicher Lehre und kirchlicher Praxis der folgenden Jahrhunderte. Als in der spätantiken Gesellschaft die Frau ihre Emanzipation bereits weithin erreicht hat, beglaubigen »die reichlichen Verbote kirchlich-amtlicher Betätigung von Frauen seit dem dritten Jahrhundert, je öfter wiederholt, desto deutlicher gegenteilige Praktiken«: »So geht das politische und dogmatische Wachstum der Orthodoxie Hand in Hand mit dem Kampf gegen Frauenemanzipation sowohl auf kirchlicher wie auf gesellschaftlicher Ebene« (K. Thraede)[117].

Es hätte alles nicht so kommen müssen, denn sowohl das Erbe der antiken Humanität wie die Botschaft des Evangeliums hatten den Weg in eine andere Richtung gewiesen. Doch muß im Blick auf heute gesagt werden: Was für das Christentum des altkirchlich-hellenistischen Paradigmas noch »verstehbar« sein mag, völlig unbegreiflich wird es, wenn offene oder latente Frauendiskriminierung auch heute noch in christlichen Kirchen mit der »**kirchlichen Tradition**« begründet und aufrechterhalten wird. Deshalb stellen sich auch hier Fragen für die Zukunft.[118] Diese Fragen müssen vor allem an die orthodoxe und an die römisch-katholische Kirche gerichtet werden.

Fragen für die Zukunft

- Mit welchem Recht verweigert die orthodoxe und die römisch-katholische Kirche den Frauen die volle Gleichbehandlung bis hin zum kirchlichen Amt? Müßten nicht traditionelle theologische Legitimationsstrukturen, wie etwa eine Frau könne nicht »Symbol für Christus« sein, vom ursprünglichen Ethos Jesu und der frühen christlichen Gemeinde[119] in Frage gestellt werden? Darf angesichts leitender Funktionen von Frauen in der Urkirche (Phöbe, Prisca) und angesichts der heute völlig veränderten Stellung der Frau in Wirtschaft, Wissenschaft, Kultur, Staat und Gesellschaft die Zulassung der Frau zum Priesteramt länger hinausgezögert werden? Waren Jesus und die frühe Kirche in der Wertung der Frau ihrer Zeit nicht voraus, so daß Kirchen, welche das Ordinationsverbot für Frauen aufrechterhalten, weit hinter dem Evangelium und der Praxis anderer Kirchen zurückbleiben?

• Die methodistische Kirchengemeinschaft hat als allererste Kirchengemeinschaft 1980, die anglikanische Kirchengemeinschaft der USA 1989 und die evangelisch-lutherische Kirche in Deutschland 1992 erstmals in ihrer Geschichte eine Frau ins Bischofsamt gewählt. Mit welchem Recht drohen Vertreter der katholischen und der orthodoxen Kirche ernste Probleme und Schwierigkeiten für den ökumenischen »Dialog« an? Darf der ökumenische »Dialog« zwischen den Kirchen auf Kosten der Gleichstellung der Frau gehen? Müßten nicht gerade umgekehrt Kirchen, die das Bischofs- und Priesteramt für Frauen ablehnen, ihre eigene Praxis selbstkritisch am Evangelium und der frühen kirchlichen Tradition überprüfen?

• Wäre es nicht an der Zeit, daß orthodoxe und katholische Kirche zugeben, daß die evangelische und die anglikanische Kirche in der Frage Amt und Frau näher am Evangelium sind als sie selber? Ist die Berufung auf konservative »Schwesternkirchen« nicht ein Alibi, um Reformen in der eigenen Kirche aufzuhalten? Ist es nicht an der Zeit, im Geiste des Evangeliums die Praxis der Diskreditierung, Diffamierung und Diskriminierung von Frauen zu beenden und ihnen auch in der Kirche die ihnen zukommende Würde und angemessene juristische und soziale Stellung zu gewährleisten?

Eines nur sollten auch Frauen nie vergessen: Die Männerherrschaft, die sich unübersehbar in der Kirche des altkirchlich-hellenistischen und dann erst recht des mittelalterlich-römisch-katholischen Paradigmas einstellte, wäre in dieser Form kaum denkbar gewesen ohne jenes Verbot, das sich im Neuen Testament nirgendwo findet: das **Eheverbot für Kleriker** (Zölibatsgesetz) – in den östlichen Kirchen freilich nur für Bischöfe, in der römisch-katholischen Kirche aufoktroyiert auch allen Priestern und Diakonen. »An diesem Punkt hat die Christenheit die ›große Verweigerung‹ gewählt«, sagt Peter Brown zu Recht. »Gerade in jenen Jahrhunderten, da das Rabbinat seine herausragende Stellung erreicht, weil es die Ehe als quasi-obligatorisches Kriterium von Weisheit akzeptiert, da orientieren sich die Leiter der christlichen Gemeinde in eine diametral entgegengesetzte Richtung. Der Zutritt zu den Führungspositionen in der christlichen Gemeinschaft wird identifiziert mit dem quasi-obligatorischen Zölibat. Selten hat sich eine Machtstruktur mit solcher Geschwindigkeit und solch scharfer Grenzziehung aufgebaut auf der Basis eines so intimen Aktes wie des sexuellen Verzichts.«[120]

5. Paradigmenwechsel in der Christologie

Henry Chadwick zufolge ist der alexandrinische Philosoph Kelsos (Celsus) im dritten Jahrhundert der erste gewesen, der die Stärke der jungen Christenheit erkannt hatte: »daß diese unpolitische, quietistische und pazifistische Gemeinschaft die Macht in Händen hatte, die soziale und politische Ordnung des römischen Imperiums zu verändern«[121]. Es bedurfte damals des fähigsten Kopfes der christlichen Kirche dieses dritten Jahrhunderts, um auf Kelsos und dessen umfassende philosophisch-theologische Begründung der traditionellen polytheistischen Religion in überzeugender Weise zu antworten. Und das war kein anderer als der vielgepriesene und vielumstrittene **Origenes**[122] aus dem ägyptischen Alexandrien, der Stadt der Wissenschaft. Über Origenes habe ich in meinem letzten Buch »Große christliche Denker« ein langes Kapitel verfaßt, so daß ich mich hier auf die nötigsten Informationen beschränken kann.

Das erste Modell einer wissenschaftlichen Theologie: Origenes

Wichtig für unseren Zusammenhang ist, zu sehen: Origenes, das einzig wirkliche Genie unter den griechischen Kirchenvätern, ein Mann unersättlichen Wissensdurstes, umfassender Bildung und ungeheuren Schaffensdranges (2000 »Bücher« soll das von Eusebios angelegte Schriftenverzeichnis gezählt haben) trieb Theologie aus einer großen Leidenschaft heraus: der definitiven Versöhnung von Christentum und Griechentum, besser: der **Aufhebung des Griechentums ins Christentum** hinein. Aber diese Christianisierung des Hellenismus mußte auch eine Hellenisierung des Christentums zur Folge haben. Die Theologie des Origenes bedeutet so zwar nicht einen Paradigmenwechsel, wohl aber die theologische **Vollendung des von Paulus initiierten heidenchristlich-hellenistischen Paradigmas.**

Vollendung hieß: Origenes, ein zutiefst überzeugter Christ, der Hellene blieb (wie Porphyrios, der Biograph Plotins, bewundernd-erbittert bezeugt), ein Pazifist, der den Militärdienst für Christen ablehnte und doch der staatlichen Autorität (von Glaubensfragen abgesehen) loyal gegenüberstand: Er schuf, ja, er verkörperte geradezu das **erste Modell einer wissenschaftlichen Theologie** – mit gewaltigen Auswirkungen für die gesamte alte Christenheit. Kritisch und konstruktiv zugleich, versuchte dieser universale Geist, der überall Wertvolles fand, alle bisherigen theologischen Ansätze und Materialien zu verarbeiten, die gnostischen eingeschlossen. So erwies sich dieser fromme Denker als kultureller Vermittler par excellence, ja, als der größte Gelehrte des christlichen Altertums, der nach übereinstimmender Auffassung der Patrologen als Erfinder der Theologie als Wissenschaft gelten kann. Zu Recht sagt deshalb der französische Patrologe Charles Kannengiesser: »Origenes begründete die geeignete **Praxis** für diese Art Theologie, und er begründete die methodologische **Theorie**, deren sie bedurfte. Man fragt sich nur, ob die Schaffung eines neuen Paradigmas immer so viel Neuerung mit sich bringen muß, wie des Origenes Kreativität es tat.«[123]

Wie immer: Ganz beheimatet in der kirchlichen Gemeinschaft und doch zugleich im dauernden Gespräch mit den heidnischen und jüdischen Gebildeten seiner Zeit, verstand es Origenes, in verständlicher Sprache differenziert neue Wege zu eröffnen: nicht nur für die christliche Apologetik (er widerlegte in seinem Werk »Contra Celsum« den heidnischen Philosophen Satz um Satz) und die biblische Exegese (Kommentare und Homilien zu allen möglichen Büchern der Schrift), sondern auch für die systematisch-theologische Durchdringung der biblischen Botschaft. Und was Vollendung des heidenchristlich-hellenistischen Paradigmas hieß, läßt sich noch genauer konkretisieren:

Origenes eröffnete neue Wege in der **systematischen Darstellung des Christentums:** Vermutlich als Antwort auf lautgewordene Kritik unterbricht Origenes, der größte Philologe des christlichen Altertums, seine Arbeit an der »Hexapla« (seiner sechsspaltigen textkritischen hebräisch-griechischen Bibelausgabe) und an seinem gewaltigen Genesis-Kommentar, um in einem großen systematischen Entwurf seine theologischen Auffassungen zusammenzufassen. Dieser ist in seinem Idealismus von Platon und in seinem evolutiven Charakter von der Stoa inspiriert. »Von den Prinzipien« (griech. »Peri archón«, lat. »De principiis«) heißt dieses Werk und handelt von den Grundprinzipien des Seins, der Erkenntnis, der christlichen Lehren. Wegen einiger allzu kühner Thesen (besonders über die Präexistenz der Seelen und die Allversöhnung am Ende) macht es Origenes zum umstrittenen Theologen und trägt ihm bis über den Tod hinaus den Vorwurf der Häresie und schließlich Verurteilung ein – mit verheerenden Wirkungen für sein Werk, das uns nur in Bruchstücken erhalten blieb (sein »Peri archón« vor allem in der lateinischen Übersetzung des Rufinus). Dabei unterschied Origenes genau zwischen den festzuhaltenden »dogmata« der kirchlichen Tradition und den zu diskutierenden »problemata«, den offenen Fragen, zu deren Beantwortung er schon damals gegenüber den Bischöfen für den Theologen die Freiheit des Denkens beansprucht und praktiziert.[124]

Das Christentum als vollendetste aller Religionen

Origenes hat christlichen Glauben und hellenistische Bildung so zu vereinen versucht, daß das **Christentum als die vollendetste aller Religionen** erscheint. Dargelegt wird dies in einem ersten theologischen Lehrsystem, das auf der Heiligen Schrift, allerdings gemessen an der Glaubensüberlieferung der Apostel und der Kirche, aufbauen wollte: weniger eine erste »Dogmatik« als eine erste »christliche Glaubenslehre«[125]. Kohärenz der Abhandlungen über verschiedene Themen war für diesen hochreflektierten Problemdenker ein Zeichen der Wahrheit. In den vier Teilen (»Büchern«) seiner »Prinzipien«-Schrift stellt Origenes denn auch das Ganze des Christentums dar, und zwar in drei großen Gedankengängen: Gott und seine Entfaltungen; der Abfall der kreatürlichen Geister; Erlösung und Wiederherstellung (Teil 4 handelt vom allegorischen Schriftverständnis). Aus den zentralen »Elementen und Fundamenten« des Christentums erarbeitet Origenes so ein »zusammenhängendes und organisches Ganzes«[126], eine große Synthese. Sie entspricht durchaus griechisch-philosophischem Denken, insofern hier alles im platonisch-gnostischen Schema des Falles und Wiederaufstiegs und der durchgängigen Scheidung von ewiger Idee und zeitlicher Erscheinung dargestellt erscheint.

Menschheitsgeschichte kann so – ganz auf der Linie seines Vorgängers Klemens von Alexandrien – als ein grandioser, kontinuierlich aufwärtsführender **erzieherischer Prozeß** verstanden werden: **als Gottes Pädagogik (»paideía«) mit den Menschen**! Das heißt: Das durch Schuld und Sünde im Menschen verschüttete Bild Gottes wird durch die Vorsehung und Erziehungskunst Gottes selber in Christus wieder hergestellt. Der Mensch wird so nach einem ganz bestimmten Heilsplan zur Vollendung geführt. In Christus hat »die Vereinigung der göttlichen Natur mit der menschlichen ihren Anfang genommen, damit die menschliche durch enge Verbindung mit dem Göttlichen selbst göttlich werde«[127]. Nach dieser »oikonomía« ist die **Menschwerdung Gottes** selber die **Voraussetzung der Gottwerdung des Menschen**!

Instrument der Durchführung dieser systematischen Konzeption bildet das **allegorische Schriftverständnis.** Wie vor ihm griechische Philosophen die Mythen (besonders die homerischen) und um die Zeitenwende in Alexandrien der Jude Philon die Fünf Bücher Mose, so erklärt jetzt Origenes das Alte und das Neue Testament im wesentlichen nicht historisch, sondern **»allegorisch«**, das heißt symbolisch, sinnbildlich, geistig. Dies tut er nicht nur, weil die Schrift, wörtlich genommen, oft Gottes

Unwürdiges, Unmoralisches und Widersprüchliches enthält, was Gnostiker und Markion schon früh als Kritik gegen die Hebräische Bibel ins Feld geführt hatten. Origenes glaubt vielmehr, nur auf diese Weise die Bibel in ihrer ganzen Tiefe und Geheimnishaftigkeit als inspiriertes Wort Gottes, als Ort der Präsenz des Logos, ausloten zu können. Hat doch in der Heiligen Schrift für ihn alles einen »geistigen«, aber keineswegs hat alles einen historischen Sinn. Wie ja auch Kosmos und Menschen aus Leib, Seele und Geist bestehen, so hat auch die Schrift einen **dreifachen Sinn**[128]:

– den somatisch-buchstäblich-historischen (der Somatiker vermag in Christus bloß einen Menschen zu erkennen);
– den psychisch-moralischen (der Psychiker erkennt in Jesus nur den historischen Erlöser seines Weltalters);
– den pneumatisch-allegorisch-theologischen (der Pneumatiker erschaut in Christus den ewigen Logos, der schon am Anfang bei Gott ist).

Versucht man das Werk des Origenes, dieses kulturellen Vermittlers par excellence, historisch zu werten, so stellt man fest: Wie verschieden ist doch hier alles von dem, was wir über das Judenchristentum – zu dieser Zeit noch durchaus lebendig – gehört haben! Hier handelt es sich um eine neue große, jetzt von der jüdisch-apokalyptischen völlig verschiedene, nämlich **hellenistisch** ausformulierte »Gesamtkonstellation der Überzeugungen, Werte und Verfahrensweisen«, das für diese Zeit des Hellenismus – würden wir heute sagen – »moderne« Paradigma: »Indem er als Individuum den ungehinderten Zugang des christlichen Glaubens zur allgemeinen Kultur, zu der er gehörte, beispielhaft darstellte«, sagt Kannengiesser, »hat Origenes mit den einzigartigen Fähigkeiten seines Genius das erfahren, was das Paradigma für die ganze Kirche der nächsten Generationen werden sollte: **die Aufnahme der ›Moderne‹ in die christliche Theologie.**«[129]

Die Charakteristika der neuen Konstellation – biblischer Kanon, kirchliche Glaubenstradition, Bischofsamt, dazu das mittel- und neuplatonische philosophische Denken –, dies alles bildet den hermeneutischen Rahmen auch für die allegorische Schriftauslegung des Alexandriners, die den biblischen Wortlaut überhöht und – kein Zweifel – vielfach umdeutet. Aber seine geistlich-pneumatische Schriftauslegung setzt sich auf die Dauer in der Theologie des Ostens wie Westens weithin durch – auch gegen die mehr nüchtern wörtlich und historisch interpretierende antiochenische Schule, die sich auf Lukian aus Samosata zurückführt. Und anstelle jenes Modells der vom Judentum übernommenen apokalyptischen Naherwartung steht nun jene (bereits im lukanischen Doppelwerk vorbereitete) heilsgeschichtliche Konzeption von Jesus Christus als der Mitte der Zeit zum erstenmal vollendet da. Die Menschwerdung Gottes in Christus als der Angelpunkt der Weltgeschichte, verstanden als Drama von Gott und Welt. Und doch alles in allem:

Eine problematische Verschiebung des Zentrums

Denn unübersehbar ist: Origenes' Denken bedeutet eine **Schwerpunktverlagerung** des christlichen Denkens unter Einfluß eines neuplatonisch geprägten Hellenismus. Sie zeichnete sich schon lange ab, wurde jetzt aber überdeutlich. Auch wenn man nicht so weit gehen will wie Adolf von Harnack, der in der »Einbürgerung der Logoschristologie in den **Glauben** der Kirche – und zwar als articulus fundamentalis« – geradezu »die Umwandlung des Glaubens in eine Glaubens**lehre** mit griechisch-philosophischem Gepräge«[130] sehen will, so wird man Origenes doch kritische Fragen nicht ersparen dürfen:

– Was ist für Origenes das grundlegende Problem, vor das sich der Mensch gestellt sieht? Es ist der radikale Dualismus von geistigem und materiellem Kosmos, von Gott und Mensch, wie ihn so weder das Alte noch das Neue Testament kennt.

– Und was ist deshalb für das Systemdenken des Origenes das zentrale Heilsereignis dieser Heilsgeschichte? Die Überwindung dieser unendlichen Differenz zwischen Gott und Mensch, Geist und Materie, Logos und Fleisch durch den Gott-Menschen Christus in einer Weise, die dem Neuen Testament fremd ist.

Der Preis? Das Zentrum der christlichen Theologie sind jetzt nicht mehr wie bei Paulus, Markus und im Neuen Testament überhaupt Kreuz und Auferweckung Jesu. Im Zentrum stehen jetzt weithin spekulative Fragen: Wie drei Hypostasen in der einen Gottheit sich vertragen; wie die Inkarnation des göttlichen Logos und damit das Überschreiten der platonischen Kluft zwischen der wahren, idealen, himmlischen Welt und der unwahren, materiellen, irdischen Welt zu denken ist; wie Jesus als der »Gott-Mensch« (»the-ánthropos«) beschrieben werden kann: Sohn der Jungfrau und »Gottesgebärerin« (»theo-tókos«), der als Mensch zwar essen und trinken können muß, aber als Gott keine Notdurft verrichten und keinen Geschlechtstrieb spüren konnte. Wie schwierig und verzerrt war das Christusbild geworden – gemessen an der ursprünglichen Botschaft!

Es ist nicht zu übersehen: Schon bei den frühen griechischen Vätern verschob sich das theologische Hauptinteresse von der konkreten Heilsgeschichte des Volkes Israel und des Rabbi aus Nazaret auf das große

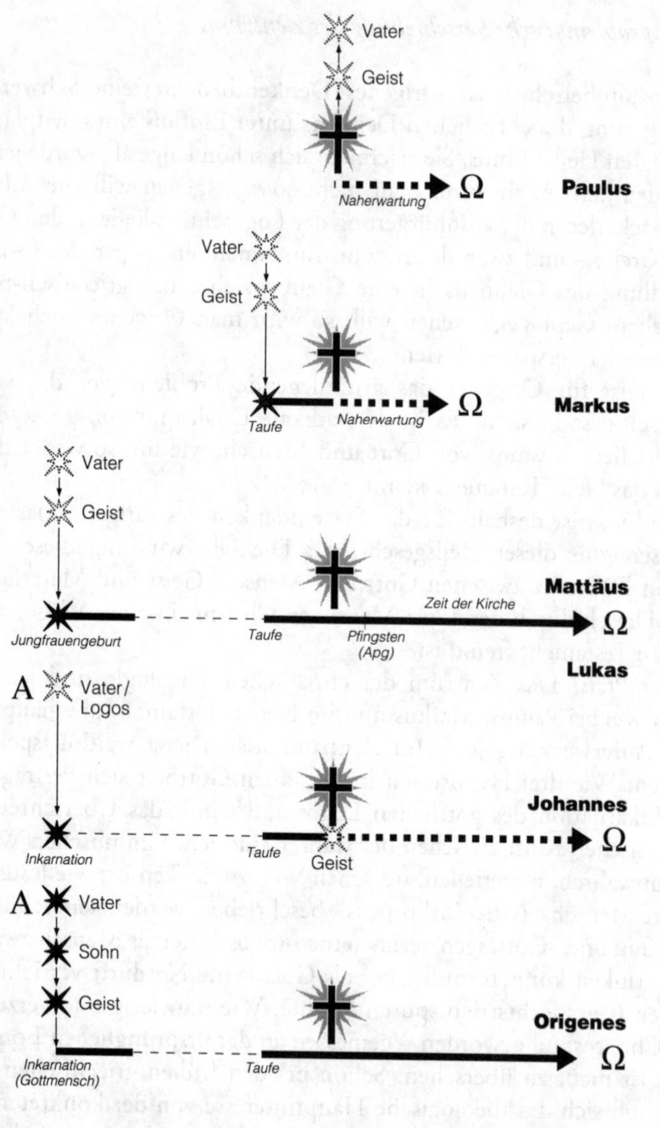
Akzentverschiebungen
in der Christus-Verkündigung
Vater
Geist
Naherwartung
Ω
Paulus
Vater
Geist
Taufe
Naherwartung
Ω
Markus
Vater
Geist
Zeit der Kirche
Mattäus
Jungfrauengeburt
Taufe
Pfingsten
(Apg)
Ω
Lukas
A
Vater/
Logos
Johannes
Inkarnation
Taufe
Geist
Ω
A
Vater
Sohn
Geist
Origenes
Inkarnation
(Gottmensch)
Taufe
Ω

soteriologische System und hier vom – selbstverständlich nie verschwiegenen – Karfreitag (und Ostern) auf Weihnachten (Epiphanie), ja die Präexistenz des Gottessohnes (sein göttliches Leben vor aller Zeit) und so die drei »Hypostasen« (im Westen »Personen« geheißen) in der Gottheit.

Fragen für die Zukunft

Im Hinblick auf das Judentum: Ist es der Hebräischen Bibel angemessen, wenn christliche Theologen die Bibel, ihre göttliche Inspiriertheit übersteigernd, als ein Buch tiefer christlicher Geheimnisse ansehen, die sie mit Hilfe der allegorischen, sinnbildlichen Methode zu entschleiern versuchen, so daß sie im »Alten Testament« sogar eine Trinität aus Vater, Sohn und Geist zu entdecken meinen?

† Im Hinblick auf das Christentum selbst: Wird die ursprüngliche Botschaft Jesu und die Verkündigung des Neuen Testaments von Jesus, dem gekreuzigten, auferweckten und im Geist präsenten Christus Gottes, nicht verzerrt, wenn in christlicher Theologie, Literatur und Frömmigkeit sich das Hauptinteresse von Kreuz und Auferweckung auf Geburt und »Erscheinung«, ja, auf die Präexistenz des Gottessohnes und sein göttliches Leben vor aller Zeit verlagert hat? Ist so aus dem Evangelium, dem »Wort vom Kreuz«, nicht eine von vornherein triumphalistische Lehre, eine »Theologie der Glorie«, geworden?

Im Hinblick auf den Islam: Entspricht es der Hebräischen Bibel und dem Neuen Testament, wenn die in den biblischen Büchern erzählte Heilsgeschichte immer mehr in ein zunehmend kompliziertes dogmatisches System gezwängt wird, welches schon im Jahrhundert nach Origenes die Kirche spaltet und sie in immer unübersehbarere Streitigkeiten verwickelt, so daß dann der Islam mit seiner – dem Judenchristentum nahen! – einfachen Botschaft vom einen Gott, dem Propheten und Messias Jesus und dem »Siegel« der Propheten Muhammad einen so durchschlagenden Erfolg haben kann?

Origenes war felsenfest überzeugt, daß er in seiner ganzen Theologie – in Exegese, Apologetik und Systematik – nichts anderes als seine heißgeliebte Heilige Schrift entziffert und entschlüsselt hätte. Aber er war sich nicht bewußt, wie weit er selber doch in einer ganz bestimmten philosophischen Weltanschauung befangen blieb. Und bis auf den heutigen Tag ist man in der östlichen Orthodoxie der allzu selbstverständlichen Überzeugung geblieben, daß die orthodoxe Lehre der Kirchenväter mit der Botschaft des Neuen Testaments schlechterdings identisch sei und die östlichen Kirchen so in bruchloser Kontinuität zur Urkirche stünden – als ob gar kein Paradigmenwechsel stattgefunden habe!

Blickt man nun aber näher auf die Entwicklung gerade der hellenistischen Christologie und die Herausbildung einer spekulativen Trinitätslehre, wie sie sich mit Origenes abzeichnet, so drängt sich doch die Notwendigkeit auf, genauer zu untersuchen, ob gerade für das Zentrum des christlichen Glaubens in diesem hellenistischen Paradigma wirklich nur die biblische Botschaft ausgelegt wurde oder ob die Botschaft des Neuen Testaments nicht von hellenistischen Begrifflichkeiten und Vorstellungen her überfremdet wurde. Doch nicht vergessen sei, in welcher schwierigen Lage die junge Christenheit sich damals befand.

Die reichsweiten Verfolgungen

Als Origenes – nach Verhaftung, Folterung und Haftentlassung mitten in einer neuen Christenverfolgung – starb, bildete die Christenheit – bisher vor allem im östlichen Reichsteil verbreitet und selbst in Rom bisher griechisch sprechend – noch immer eine relativ kleine Minderheit. Am weitesten verbreitet war im dritten Jahrhundert der aus dem indoiranischen Bereich stammende Mithraskult, ein Sonnenkult, der sich mit dem Kaiserkult, nicht aber mit dem Hellenismus zu verbinden vermochte. Ganz anders das Christentum. Verfügte es seit Origenes nicht über die Kräfte und Denkmethoden der hellenistischen Philosophie? Hatte es nicht auch viele Impulse der synkretistisch-hellenistischen Frömmigkeit – etwa zum Verständnis der Taufe (jetzt immer mehr verbreitet als Kindertaufe) und der Eucharistie (verstanden als Opfer) – aufgenommen? Hatte es nicht zugleich in Anlehnung an das Imperium immer mehr eine straffe Disziplin und kompakte Organisation entwickelt?

Die Frage stellt sich jetzt für viele: Gehört dem Christentum als der das Reich immer mehr durchdringenden Religion nicht vielleicht doch die Zukunft? Kein Zweifel: Origenes hatte mit seiner Verbindung von Glauben und Wissenschaft, Theologie und Philosophie jene **theologische Wende** erreicht, welche die **kulturelle** Wende (Verbindung von Christentum und Kultur) möglich machte und die ihrerseits die **politische** Wende (Verbindung von Kirche und Staat) vorbereitet hat. Es ist erstaunlich, daß es schon gut 50 Jahre nach Origenes' Tod so weit sein sollte – trotz aller Reaktionen des heidnischen Staates, die jetzt an Heftigkeit zunahmen.

Die Verfolgungen der Kaiser Decius (249-251) und Valerian (253-260), welche die Gefahr für den heidnischen Staat erkannten und das Christentum mit reichsweiten Maßnahmen auszurotten versuchten, waren die ersten nicht nur sporadischen und regionalen, sondern allgemeinen Christenverfolgungen, die der Christenheit ein ganzes Jahrzehnt des Terrors brachten. Insbesondere das Valerianische Edikt von 258 hatte für alle Provinzen des Reiches frühere Edikte verschärft: sofortige Todesstrafe für Bischöfe, Presbyter und Diakone; Todesstrafe auch für christliche Senatoren und Ritter, falls Rangverlust und Güterkonfiskation keine Einsicht brachten; für vornehme Frauen Güterverlust und gegebenenfalls Verbannung; für kaiserliche Hofbeamte Güterverlust und Zwangsarbeit auf kaiserlichen Gütern; Konfiskation aller Kirchengebäude und Begräbnisstätten. Zahllos waren die Blutopfer in diesen Jahren, darunter Gestalten wie Bischof Cyprian von Karthago, der große Verteidiger der episkopalen Rechte gegen den immer mehr Macht beanspruchenden römischen Bischof …

Doch allen Zwangsmaßnahmen zum Trotz waren die Verfolgungen ein Fiasko. Valerians Sohn Gallienus sah sich denn auch 260/61 gezwungen, die Antichristen-Dekrete zurückzunehmen. Es folgte eine rund vierzigjährige Friedenszeit, so daß sich das zwar nicht rechtlich, aber faktisch geduldete Christentum immer mehr auch in Mesopotamien, Persien und Armenien, in Nordafrika und Gallien, gar in Germanien und Britannien ausbreiten konnte. Und zunehmend fand es als eine mehr philosophisch-geistige Form der Gottesverehrung ohne blutige Opfer, Götterstatuen, Weihrauch und Tempel auch bei Gebildeten und Wohlhabenden (gar am kaiserlichen Hof und im Heer) Zugang.

Diese relative Friedenszeit war eine der Voraussetzungen für die kommende Blütezeit der kirchlichen Theologie, ohne welche sich kaum eine breite Diskussion und eine ausgebaute Theologie hätten entwickeln können. Gerade im Zentrum der Christologie sollten sie den folgenschweren Paradigmenwechsel zu Ende führen.

Die Wende zur hellenistischen Metaphysik

Wir erinnern uns: Von Anfang an glaubten die Christengemeinden:
– daß der Mensch Jesus, der Gekreuzigte, von Gott zu neuem Leben erweckt und als Messias eingesetzt worden war und als erhöhter Herr über die Erde herrscht;
– daß Gott, der Gott Abrahams, Isaaks und Jakobs, auch derjenige Gott ist, den Jesus seinen Vater nannte,

– daß die Macht des Geistes, der in und durch Jesus mächtig geworden war, Gottes Geist ist, der nicht nur alle Schöpfung durchdringt, sondern auch allen, die an Jesus als den Christus glauben, Kraft und Trost verleiht.

Wir sprachen deshalb von drei wesentlichen Strukturelementen und bleibenden Leitlinien des christlichen Glaubens, die schon im Neuen Testament in Glaubensbekenntnissen zum Ausdruck gebracht wurden – in eingliedrigen (an Jesus Christus), zweigliedrigen (an Gott und Jesus Christus), dreigliedrigen (an Gott, Jesus Christus, den Geist).[131] Nirgendwo aber wird die Bedeutung des **Paradigmenwechsels auch für das Zentrum des christlichen Glaubens** deutlicher als in diesem von Anfang an gegebenen Glauben an – so die triadische Taufformel der mattäischen Gemeindetradition – »Vater, Sohn und Geist«. Gerade dieses Zentrum wurde bereits in der Heidenkirche der ersten Jahrhunderte in einer epochal anderen Konstellation gesehen. Und nur wenn man diesen Paradigmenwechsel in der Christologie versteht, versteht man,

– warum der Messiasglaube nicht nur der Christen und der Juden, sondern auch der Heiden- und der Judenchristen so weit auseinandergedriftet ist,

– warum der Christusglaube auch innerhalb der hellenistischen heidenchristlichen Kirchen des Ostens zu Kirchenspaltungen geführt hat und

– warum schließlich auch zwischen Ost- und Westkirche schon im ersten Jahrtausend eine tiefe Kluft entstanden ist, die dann im zweiten Jahrtausend zum definitiven Schisma führte.

So verlief die Entwicklung: Jene Christologie des Judenchristentums, die zumeist keine Präexistenz des Gottessohnes kannte, geriet nach dem Untergang Jerusalems immer mehr ins Abseits, während sich umgekehrt der Johannesprolog mit seiner Aussage über die Präexistenz und Inkarnation des Wortes mächtig aufdrängte und buchstäblich Geschichte machte: Dogmen-Geschichte. Der **Paradigmenwechsel** wird unübersehbar in dem Moment, wo schon Justin und die frühen christlichen Apologeten im zweiten Jahrhundert den jüdisch-hellenistisch geprägten johanneischen Logosbegriff mit der griechischen Logosmetaphysik in Verbindung bringen, auch wenn sie damit zugleich den Ein-Gott-Glauben und die universelle Bedeutung Jesu Christi herausstellen wollten. Warum? Weil der Ausgangspunkt der Christologie verschoben wurde: vom irdischen und erhöhten zum vorausexistierenden Christus. Zu Recht merkt der große Dogmengeschichtler Friedrich Loofs zu diesem Prozeß kritisch an: »Die Apologeten … haben, die Übertragung des Sohnesbegriffs auf den **präexistenten** Christus als selbstverständlich betrachtend, die Entstehung des christologischen Problems des vierten Jahrhunderts ermöglicht; sie haben den Ausgangspunkt des christologischen Denkens verschoben (von dem historischen Christus weg in die Präexistenz), Jesu Leben der Menschwerdung gegenüber in den Schatten gerückt; sie haben die Christologie mit der Kosmologie verbunden, mit der Soteriologie sie nicht zu verknüpfen vermocht.«[132]

Was genau charakterisiert diesen Paradigmenwechsel in der Christologie, der sich mit den Apologeten durchsetzt und mit Origenes seinen ersten Höhepunkt erreicht? Die Dogmengeschichtler haben in vielfältiger Weise herausgestellt, was die Dogmatiker im allgemeinen wenig ernst genommen haben. Drei Gesichtspunkte:

– Statt im nach vorne ausgerichteten apokalyptisch-zeitlichen Heilsschema (irdisches Leben – Jesu Leiden, Tod und Auferweckung – Wiederkunft) denkt man jetzt vornehmlich von oben nach unten in einem **kosmisch-räumlichen Schema**: Präexistenz – Niederkunft – Auffahrt des Gottessohnes und Erlösers.

– Statt in biblisch-konkreter Redeweise (Jesuslogien, Erzählungen, Hymnen, Taufbekenntnisse) erklärt man sich die Beziehung Jesu zu Gott jetzt in **seinshaft-ontologischen Begriffen** der zeitgenössischen hellenistischen Metaphysik. Griechische Begriffe wie »hypóstasis«, »ousía«, »physis«, »prósopon« oder lateinische wie »substantia«, »essentia«, »persona« beherrschen die Diskussion.

– Statt das dynamische Offenbarungswirken Gottes durch seinen Sohn im Geist in der Geschichte dieser Welt weiter zu bedenken, verlagert sich der Schwerpunkt der Reflexion auf eine eher statische **Betrachtung Gottes an sich in seiner Ewigkeit und seine innerste, »immanente« Natur** und damit auf die Probleme der Präexistenz von drei göttlichen Gestalten. Das entscheidende theologische Problem ist nicht mehr wie im Neuen Testament: Wie verhält sich Jesus, der Messias, zu Gott?, sondern wird immer mehr: Wie verhalten sich Vater, Sohn und Geist schon vor aller Zeit zueinander?

Nur ein Beispiel für den Perspektivenwechsel: der Unterschied zwischen dem alten (wohl schon vorpaulinischen) Glaubensbekenntnis aus der Einleitung des Römerbriefs und der berühmten christologischen Formel des Ignatios von Antiochien, ungefähr zwei Generationen später! Beide reden von Christus als **Sohn Gottes**, aber in deutlich verschiedener Weise:

– Das **paulinische** Bekenntnis, ähnlich wie die bekannte Passage aus der Petrusrede in der Apostelgeschichte[133], ergibt knapp eine Skizze der Geschichte Jesu, indem es von unten mit dem Menschen Jesus aus dem Stamme Davids beginnt, der seit der Auferweckung zum Sohn Gottes eingesetzt sei: »Das Evangelium von seinem Sohn, der dem Fleische nach geboren ist als der Nachkomme Davids, der dem Geist der Heiligkeit nach eingesetzt ist als Sohn Gottes in Macht seit der Auferstehung von den Toten, das Evangelium von Jesus Christus, unserem Herrn.«[134] – **Ignatios** dagegen redet bereits ganz selbstverständlich davon, daß Jesus Christus »von Ewigkeit beim Vater war und am Ende der Zeiten erschienen«[135] sei. Ja, er setzt schon ohne Bedenken Gott und Jesus in eins und spricht von Jesus als einem »ins Fleisch gekommenen Gott«, was dann zu paradoxen Formulierungen wie diesen führt: »Einer nur ist Arzt, fleischlich sowohl wie geistlich, geboren und ungeboren, ins Fleisch gekommener Gott, im Tode wahrhaftiges Leben, aus Maria sowohl wie aus Gott, erst leidensfähig, dann unfähig zu leiden, Jesus Christus, unser Herr.«[136]

Es läßt sich nicht übersehen, daß in der Folgezeit die ursprünglich judenchristlich geprägte, von unten ansetzende und in Tod und Auferweckung zentrierte **Erhöhungschristologie** (Erhöhung des menschlichen Messias zum Sohn Gottes, Zwei-Stufen-Christologie) faktisch immer mehr **verdrängt** wird: **durch eine oben einsetzende Inkarnationschristologie** (Logoschristologie), welche die Linien des Johannesevangeliums oder auch einzelner Präexistenz- und Schöpfungsmittlerschaftsaussagen in den Hymnen des Kolosser- und Hebräerbriefes ontologisch verstärkt: Präexistenz und Menschwerdung des Gottessohnes, dessen Entäußerung und Erniedrigung die Voraussetzung sind für die spätere Erhöhung zu Gott. Man kann auch sagen: Für die »aufsteigende« Aszendenz-Christologie bedeutet die Gottessohnschaft alttestamentlich eine Erwählung und Annahme an Sohnes Statt (in Erhöhung, Taufe, Geburt). Sie wird jetzt ergänzt oder gar ersetzt durch eine »herabsteigende« **Deszendenz-Christologie**. Für sie bedeutet die Gottessohnschaft eine – immer genauer in hellenistischen Begriffen und Vorstellungen zu umschreibende – **seinshafte Zeugung** höherer Art. Ja, was hat man da alles ins Neue Testament hineingelesen und als »apostolisch« legitimiert!

In der Tat geht es in Zukunft weniger um die im Sinn der Hebräischen Bibel verstandene Rechts- und Machtstellung Jesu Christi, sondern um seine hellenistisch verstandene **Abkunft**. Es geht in Zukunft weniger um die Funktion des Erlösers als um dessen Wesen. Begriffe wie Wesen, Natur, Substanz, Hypostase, Person, Union erhalten eine wachsende Bedeutung. Aber – wie sollte unter diesen neuen Voraussetzungen das Verhältnis von Vater und Sohn (und schließlich auch Geist) umschrieben werden? Immer mehr trat als zentrales theologisches Problem ins Bewußtsein, das damit gegeben war, daß man einerseits Christus als Gott bezeichnete und zu ihm betete, andererseits aber aufgrund der jüdischen Tradition doch unbedingt an der Einheit und Einzigkeit (»monarchia«) Gottes festhalten wollte. Die einzige Lösung schien in der scharfen Unterordnung des Logos (Sohnes) unter Gott und des Geistes unter den Logos zu bestehen, die aber beide an der göttlichen »substantia« teilhaben sollten. Doch wie dies alles? Darüber begann man nun lange zu streiten.

Der Kampf um die Orthodoxie

Wäre man beim Neuen Testament geblieben, hätte man sich die jetzt aufkommenden notorischen Schwierigkeiten um das Verhältnis von drei Personen »in« Gott erspart, all die Spekulationen um die Zahlen 1 und 3. Nun lag aber so etwas wie eine **Spekulation mit der Zahl 3** damals in der Luft. Das griechische Wort »trias« findet sich schon beim Apologeten Theophilos von Antiochien im zweiten Jahrhundert (aber für Gott, den Logos und die Weisheit[137]), das lateinische »trinitas« zuerst beim Afrikaner Tertullian im dritten Jahrhundert. Bei diesem findet sich auch zuerst die Formel von den drei »personae« in einer »substantia«[138], die aber kaum Einfluß auf die geistig führende griechische Theologie hatte. In vielen Religionen und philosophischen Systemen der Zeit kannte man ja die Faszination für die Zahl 3, so daß der Gedanke an eine innergöttliche Dreiheit sich auch für die christliche Theologie damals durchaus aufdrängte:
– wegen der Anziehungskraft, die schon in der Zahlensymbolik der Pythagoräer von der Primzahl 3 ausgeht (eine Vielfalt in einer geschlossen-geordneten Einheit);
– wegen der (offenbar beinahe magischen) Bedeutung dieser »heiligsten Zahl« im Mythos, in der Kunst, der Musik, der Literatur, aber auch im Alltag (»dreimal«);
– wegen der Dreiergottheiten nicht nur im alten Babylonien und Ägypten, in Indien und China, sondern vor allem im hellenistischen Bereich: in Delphi, im Dionysos-Kult, in der Asklepios-Religion, im Kaiserkult;
– wegen der metaphysischen Triaden in der Gnosis (Vater – Mutter – Sohn; Gott – Ratschluß – Vernunft) oder im Neuplatonismus (das Eine – der Geist – die Weltseele).

Das Letzte war besonders wichtig: Die damalige philosophische Wissenschaft in ihrer neuplatonischen Ausprägung hielt drei Hypostasen in Gott für notwendig, und entscheidende Bedeutung für die Entwicklung einer – jetzt »wissenschaftlichen« – Trinitätslehre kommt erneut **Origenes** zu. Er hat die intellektuell anspruchsvolle trinitarische Spekulation grundgelegt, die mit der Zeit zu einem immer komplexeren Begriffsapparat führt. Denn Origenes ist es, der sich die mittelplatonisch-neuplatonische

Lehre von der **Hypostase** (lat. »sub-stantia«)[139] zu eigen gemacht hat, um das Verhältnis zwischen Vater, Sohn und Geist denkerisch zu bestimmen. Kühn deutet er die drei »Größen« als drei Hypostasen, das heißt als drei seinsmäßig selbständige Wesenheiten, die allerdings untereinander abgestuft, ja einander klar untergeordnet sind:

– Nur der Vater ist »Gott im strengen Sinne« (geschrieben mit Artikel: »ho theós«) oder wie Origenes sagt: »autótheos« = »Gott selbst«.

– Der Sohn ist (wie der Logos im Johannesprolog) nur »theós« (»Gott«, geschrieben ohne Artikel), der eben nicht Gott der Vater ist, sondern an Gott teil hat. Der Sohn ist nicht etwa geschaffen, und erst recht nicht bloß adoptiert, sondern er ist von Gott gezeugt, wie der Glanz des Lichtes ständig vom Licht selbst gezeugt wird.[140]

– Bei diesem Verständnis von Vater und Sohn (und Geist) steht Gottes in sich ruhendes ewiges Wesen im Vordergrund der Betrachtung, und Jesu Menschlichkeit und Geschichte wird weithin außer acht gelassen. Es geht um das Geheimnis Gottes an sich und in sich und nicht primär um Gottes Wirken in der Welt, Gottes Offenbarung für uns.

Was ursprünglich am Rande des Glaubens und Bekennens stand, rückt jetzt ins Zentrum und wird gerade so der Kontroverse ausgesetzt. Die Christenheit wird nun immer stärker aufgrund verschiedener philosophischer Spekulations-Systeme in eine **Orthodoxiekrise** hineingetrieben, die verheerende Folgen haben sollte. Denn es war ja keineswegs so, daß Origenes die theologische Szene damals allein beherrscht hätte. Freilich ist gerade die zweite Hälfte des dritten Jahrhunderts nach Origenes quellenmäßig außerordentlich dürftig belegt und für die Historiker eine eher dunkle Zeit. Und dies nicht nur, weil wir oft nur sehr fragmentarische Zeugnisse besitzen und nicht wissen, wie weit hinter bestimmten Namen auch (mehr oder weniger große) Gemeinden stehen, sondern

weil 1. viele eigenständige Theologen (wie etwa Paul von Samosata) als Häretiker abgeurteilt wurden, obwohl sie, wie die Rehabilitation durch Historiker unseres Jahrhunderts bezeugt, auf ihre Weise durchaus orthodox waren;

weil 2. die meisten Bücher der »Ketzer« (auch manche von Origenes nach dessen Verurteilung) vernichtet wurden, so daß wir auf die oft tendenziösen und selektiven Zitationen durch ihre Gegner angewiesen sind;

weil 3. die damals gebrauchten hellenistischen Termini vieldeutig waren und oft gegensätzlich gebraucht wurden: »hypó-stasis« etwa (mit dem lateinischen »sub-stantia« ohnehin nur in der etymologischen Bedeutung identisch) konnte sowohl für Gott allein (also nur eine göttliche Hypostase) oder für Gott, den Vater, und den Sohn (zwei Hypostasen) oder auch noch für den Heiligen Geist (drei göttliche Hypostasen) gebraucht werden.

Ja, wer zählt die Namen, die in den Verlauf der Kämpfe um den korrekten »richtigen Glauben«, um die »Orthodoxie« – dieses unbiblische Wort wird um die Wende zum vierten Jahrhundert im kirchlichen Sprachgebrauch immer häufiger – verwickelt waren? Wenig Sinn hätte es, all die Personen und Schulen aufzuzählen, ihre Positionen zu bestimmen und ihre Entwicklungen zu skizzieren. In jeder Dogmengeschichte kann man dazu lange Kapitel nachlesen.[141] Es sollte jedoch nicht vergessen werden, daß man noch im dritten Jahrhundert allen hellenistischen Logos-Hypostasen-Lehren nachhaltig Widerstand entgegensetzte – im Namen vor allem des jüdischen Erbes. Hier geht es nun einmal um einen Ein-Gott-Glauben, den auch griechische Theologen im Namen der »**Monarchia**«, der »Alleinherrschaft« oder »Einzigkeit« Gottes entschieden verteidigten. Deshalb spricht man in oft verwirrender Weise von »Monarchianismus«, der aber zwei völlig entgegengesetzte Varianten hat, die beide in Rom auch erhebliche kirchenpolitische Turbulenzen auslösten, aber im Volk noch länger virulent blieben:

– Die **adoptianische Christologie** (der beiden Theodoros aus Byzanz und, nach der Meinung seiner Gegner, nachher auch des Paul von Samosata, Bischof von Antiochien), die Jesus als einen gewöhnlichen, aber durch einzigartige Gottesfurcht ausgezeichneten Menschen ansah, der bei seiner Taufe (oder früher) als Sohn Gottes »angenommen«, »adoptiert«, worden war (Paul verbindet mit dieser Lehre die eines von außen kommenden, unpersönlichen göttlichen Logos, was besonders Kritik hervorrief).

– Die **modalistische Christologie** (des Noëtos und des Sabellius), für die Christus und der Vater identisch sind: nur verschiedene Modi, Energien, Namen, Gesichter, Rollen, Erscheinungsweisen des einen Gottes. Wenn nun aber Christus als Erscheinungsweise (gar Maske) des Vaters verstanden wird, so hat man damals schon kritisch entgegengehalten, dann sei ja der Vater selber Fleisch geworden und hätte gelitten (»Patripassianismus«), was den Evangelien völlig widerspreche, denen zufolge Jesus zum Vater gebetet und in dessen Hände er sterbend seinen Geist befohlen habe.

Die meisten namhaften Theologen der zweiten Hälfte des dritten Jahrhunderts blieben indessen auf der Linie der Logostheologie und Drei-Hypostasen-Lehre des Origenes, subordinatianisch verstanden: der Logos dem Vater unter- und nachgeordnet. Sowohl die wenig biblische modalistische (»sabellianische«) Christologie als auch die besser in der Schrift begründete adoptianische Christologie, wiewohl sie mit der Glaubensregel nicht unvereinbar war, wurden als häretisch verurteilt.

6. Die Konstantinische Wende und der christologische Streit

Alle Verfolgung zur Ausrottung des Christentums – auch die letzte große unter Kaiser Diokletian zu Beginn des vierten Jahrhunderts – war gescheitert; so blieb dem römischen Staat nur der Weg der Duldung und der Anerkennung. Das heidenchristlich-hellenistische Paradigma der alten Kirche, das so lange Jahrzehnte theologisch, kirchlich, kulturell aufgebaut worden war, konnte jetzt in wenigen Jahren auch politisch zum Durchbruch gelangen. Der Verbindung von Glaube und Wissenschaft, Theologie und Philosophie, Kirche und Kultur folgte ganz konsequent die Verbindung von Christentum und Imperium.

Von der Verfolgung zur Duldung: Konstantin

Vorbereitet wurden Duldung und Anerkennung durch ein Edikt des Kaisers Galerius vor dessen Tod 311, vollzogen hat sie der neue Augustus mit Namen **Konstantin**, der – selber kein Christ und ein harter Machtmensch – seinen Sieg über den römischen Usurpator Maxentius an der Milvischen Brücke zu Rom nicht ohne spätantiken Aberglauben dem Christengott und dem Zeichen des Kreuzes zuschrieb. Im folgenden Jahr 313 erließ er in Mailand – zusammen mit dem östlichen Mitregenten Licinius – eine Konstitution, die nun für das ganze Reich **uneingeschränkte Religionsfreiheit** gewährte. Dabei war Konstantin weder ein frommer Christ noch ein Heuchler. Eher war er ein das Christentum in seine Machtpolitik kühl einbeziehender Staatsmann, der von spätantikem Aberglauben nicht frei war. In seinem Feldlager führte er fortan immer eine kostbare Standarte mit dem Monogramm Christi (eine Nachbildung davon in jeder Heeresabteilung) mit sich. Das Christentum begünstigte er bald auf mannigfache Weise. So kommt es 315 zur Abschaffung der (den Christen so sehr mißfälligen) Kreuzigungsstrafe, 321 zur Einführung des Sonntags als gesetzlichen Feiertages und zur Ermächtigung der Kirche, Vermächtnisse anzunehmen, 324 zum Sieg über den mehr dem Heidentum zuneigenden Mitkaiser Licinius. 325 bereits ist Konstantin Alleinherrscher. Und dies hieß praktisch: Mit ihm konnte sich das Christentum im ganzen Reich entfalten, wiewohl der Realpolitiker Konstantin immer klug die übrigen Kulte tolerierte.

So hatte denn das **Universalreich** bald wieder eine **Universalreligion**, und zwar eine, die vielen Verelendeten karitative Hilfe und jedem Einzelnen Hoffnung auf Unsterblichkeit bot. Es wäre in jedem Fall falsch, den **»Sieg« des Christentums** nur seiner umfassenden und lokal solide verwurzelten kirchlich-karitativen Organisation oder auch allein seiner Anpassung an die spätantike Gesellschaft zuzuschreiben. War doch unübersehbar, daß sich der christliche Monotheismus gegenüber dem mythenreichen Polytheismus als die fortschrittlichere, aufgeklärte Position empfahl und daß das hohe Ethos der Christen, von Asketen und Märtyrern bis in den Tod bezeugt, sich dem heidnischen überlegen zeigte. Auf Probleme wie die der Schuld und des Todes gab es hier klare Antworten. Dabei erschien die christliche Religion ganz anders als die heidnische begründet in einem heiligen Buch, der Bibel, das als Buch tiefer Geheimnisse mit anderem sittlichen Ernst als die Göttermythen die Heilsgeschichte vom Anfang der Schöpfung bis zum Ende der Zeiten aufriß. Großartig zentriert erschien die neue Religion in der Idee von der Menschwerdung des Sohnes Gottes in dieser verdorbenen Welt. Und praktisch gewährleistet wurde sie nicht nur durch Predigt und Katechese, sondern durch heilige Mysterien wie Taufe und Herrenmahl, welche Befreiung von den ungeheuren Dämonenängsten und ewiges Heil versprachen.

Ungeheuer war die Erleichterung und Freude über den welthistorischen Umschwung in der noch vor kurzem verfolgten und unterdrückten Christenheit (Ereignisse, zu vergleichen mit denen in Osteuropa im Jahr 1989)! Aber beklagenswert zugleich (und wiederum zu vergleichen mit den Ereignissen nach 1989): Als nun endlich die ersehnte Religionsfreiheit gewährt war, traten auch die schon so lange vorhandenen religiösen Spannungen innerhalb der Christenheit deutlich ans Tageslicht, Spannungen, die vor allem von der hellenistischen Christologie und nicht zuletzt von der Drei-Hypostasen-Lehre des Origenes herrührten.

Die **große Krise** brach schon bald nach der Wende aus, als ein frommer, selbstbewußter alexandrinischer Presbyter und beliebter Prediger, **Arius** (griech. Areios), sich gegen seinen Bischof Alexander, einen bedeutenden Origenes-Schüler, stellte, bei dem er der Neuerung angeklagt war. Dogmatisch ging es dabei um die Frage nach Christus und die Art seiner Präexistenz als Voraussetzung für ein bestimmtes Verständnis von Erlösung. Wir müssen hier genauer auf diese folgenreiche Kontroverse eingehen.

Christus – Gott oder Halbgott?

Arius ging es grundlegend um den einen Gott, der für ihn, der vom mittelplatonischen Geist geprägt war, in absoluter Transzendenz weilt: ungeworden und ungezeugt, ewig, anfangslos und unwandelbar.[142] Dabei nimmt auch Arius, gut origenistisch, drei Hypostasen in Gott an, die einander untergeordnet sind. Aber aufgrund seiner streng monotheistischen Voraussetzung gilt für ihn: Nur die erste Hypostase, Gott selbst, ist ungeschaffen, die zweite, der **Sohn**, ist **geschaffen**, zwar nicht einfach in der Zeit, korrigierte er, wohl aber »vor aller Zeit«. So wandte er sich, sehr formal philosophisch argumentierend, gegen des Origenes und des Bischofs Alexander Lehre von der »Gleichzeitigkeit« des präexistenten Logos mit dem Vater.[143] Am meisten Anstoß erregte sein vielzitierter (aber im Original kaum zu belegender) Satz: »Es war einmal (eine Zeit), da er (der Sohn) nicht war.«[144] Der Sohn ist für Arius zwar »vor aller Zeit« da (und darin unterscheidet er sich fundamental von allen anderen »in der Zeit« geschaffenen Geschöpfen), aber er ist nicht ungeschaffen, er ist nicht ewig, da er nun einmal vom ewigen Gott geschaffen worden ist: Gottes vornehmstes und wichtigstes Geschöpf.

So ist der Sohn für Arius zwar das große göttliche Zwischenwesen und Werkzeug für die Weltschöpfung, aber gerade so vom Vater wesentlich verschieden: **nicht eines Wesens mit dem Vater** (**»homo-oúsios«**, »wesensgleich«[145]), vielmehr dem Wesen des Vaters unähnlich. Auf diese Weise wollte Arius eben aufs heftigste den Monotheismus verteidigen. Sein Gott kann als transzendent-unberührbare, als ungezeugte, anfanglose, ewige, unveränderliche Substanz gar keinen Sohn im eigentlichen Sinn haben. »Gott« kann der Sohn nur analog genannt werden dank der Gnade des Vaters, der ihm wie allen Geschöpfen nur Anteil an seiner Gottheit gibt. Das erklärt, warum nach Arius der »Vater« für diesen Sohn letztlich »unerkennbar« sei, der »Sohn« also den »Vater« im Tiefsten nicht kenne. Der Logos ist nicht im strengen Sinn Gott (nicht »**ho** theós«), sondern erstes Geschöpf und als solches allerdings Schöpfer der Welt.[146] Das erklärt aber auch, warum der Sohn veränderlich ist, warum er »werden« kann und ihm und nur ihm die Menschwerdung und Erniedrigung ins Fleisch zuzumuten ist. Im Menschen nimmt dieser Logos für Arius sogar die Stelle der menschlichen Seele ein und verbindet sich unmittelbar mit dem Fleisch (»sárx«); wir haben hier eine ausgesprochene Logos-Sarx-Christologie vor uns. Der fleischgewordene Logos ist so der Erlöser und das hohe Vorbild aller Menschen.

Es wäre sicher falsch, wollte man Arius – man hat ihn den meistverfluchten Häretiker des Jahrhunderts genannt – alle Schuld an den folgenden Wirren geben. Hier war im hellenistischen Paradigma nur etwas durchgebrochen, was schon längst ein Grundproblem war: Je mehr nämlich Jesus als der Sohn – anders als im judenchristlichen Paradigma – auf eine **Seinsebene** mit dem Vater gestellt wurde und je mehr Theologen dieses Verhältnis mit **naturhaften Kategorien** beschrieben, um so mehr Schwierigkeiten hatten sie, den Monotheismus und die Gottessohnschaft Christi überzeugend zusammenzudenken!

Der Hauptkontrahent von Arius war der Diakon **Athanasios**[147], die rechte Hand des Bischofs Alexander, der bald selber Bischof von Alexandrien werden sollte, ein glaubensstarker, pastoral gesinnter Theologe und kämpferischer Kirchenpolitiker. Ihm ging es um mehr als nur philosophische Theologie, ihm ging es um Frömmigkeit, Kirchenpraxis, Mönchtum, Askese, Erlösung. Ja, ihm war ebenfalls an der Einheit Gottes gelegen, aber noch mehr an der **Erlösung durch Gott** und deshalb an der **Einheit von Vater und Sohn**. Er war der Überzeugung: Wer wie Arius zu Gott eine zweite Hypostase oder Substanz als göttlich zu verehrende hinzufügt – gewissermaßen einen »deúteros theós«, einen »zweiten Gott« –, der führt durch die Hintertür den hellenistischen Polytheismus wieder ein. Denn was ist jenes erschaffene Mittelwesen zwischen Gott und Welt zum Zweck der Weltschöpfung anderes als ein mythologisches Wesen, das ebenso unnütz wie sinnlos ist? Und soll Gott wirklich nicht von ewig Vater sein, soll er erst Vater werden durch die Schaffung des Sohnes? Das ist für Athanasios nicht mehr der christliche Gott!

Ja, wie soll die Erlösung des Menschen zu göttlichem Leben und die Gewißheit des Heils in Jesus gewährleistet sein, wenn Jesus nur ein Geschöpf und nicht der **Gottmensch** war? Der Sohn kann doch nicht Erlöser sein, wenn er nicht eins **ist** mit Gott und Gott nicht in die Menschheit eingegangen ist! Und der physisch real verstandene Erlösungsgedanke – daß der Mensch von Gott selber vergöttlicht, zum Sohn adoptiert und unvergänglich gemacht wird – war für Athanasios ganz und gar entscheidend, wie sein berühmtes (an Irenäus anknüpfendes Wort) sagt: »Er (Gott) wurde Mensch, auf daß wir vergöttlicht würden (griech.: theopoiéthomen).«[148] Durch die Menschwerdung Gottes und die Gottwerdung des Menschen unterschied sich für Athanasios das Christentum sowohl vom Judentum wie vom Heidentum. Durch die Konzentration auf Menschwerdung und Vergottung motivierte er aufs stärkste das unterdessen in Ägypten immer stärker werdende Mönchtum. Es ist klar: Athanasios hatte eine eindeutige Gegenposition zu Arius formuliert, und der Streit drängte auf eine Entscheidung.

Die Etablierung der Orthodoxie: die Konzilien der alten Kirche

Nicht nur Theologen und Bischöfe beteiligten sich an dieser Auseinandersetzung mit Leidenschaft, sondern alle Bevölkerungsschichten, Christen,

Juden und Heiden, Gebildete und Ungebildete. **Kaiser Konstantin** selber kam der auf den ganzen Osten übergreifende Kirchenstreit höchst ungelegen, drohte er doch das endlich unter ihm wieder politisch geeinte Reich geistig zu spalten. Nach vergeblichen Vermittlungsversuchen in Alexandrien rief er, der ein paar Jahre zuvor in Arles eine Bischofssynode von nahe miterlebt hatte, im Jahr 325 die Bischöfe des Reiches – die, vor nicht langer Zeit noch verfolgt, jetzt die Reichspost benutzen durften! – zu einer Reichssynode zusammen: zu einem »**ökumenischen Konzil**«, für das er seine prächtige Palastaula **in Nikaia** nahe der kaiserlichen Residenz Nikomedien zur Verfügung stellte.[149] Aus dem Westen waren außer seinem Berater Bischof Ossius von Cordoba nur zwei römische Presbyter als Vertreter des Bischofs von Rom und ein Vertreter des Bischofs von Karthago und je ein kalabrischer, gallischer und pannonischer Bischof präsent.

So war denn von allem Anfang an klar, **wer auf dem ökumenischen Konzil** – auf diesem und dann auch auf den folgenden! – **das Sagen hatte**: nicht etwa der Bischof von Rom, wie es spätere Ideologen eines absolutistischen Papsttums gerne sehen möchten, sondern einzig und allein **der Kaiser**: Er berief das ökumenische Konzil nicht nur ein, er leitete es durch einen beauftragten Bischof unter Assistenz kaiserlicher Kommissare, er vertagte und schloß es; durch seine Bestätigung wurden die Konzilsbeschlüsse Reichsgesetze. Konstantin benützte dieses erste Konzil nicht zuletzt, um die **Kirchenorganisation der Staatsorganisation anzupassen**: Den Reichsprovinzen sollten die Kirchenprovinzen mit je einem Metropoliten und einer Provinzialsynode (besonders für die Wahl der Bischöfe) entsprechen. Auch eine übergeordnete Patriarchalverfassung zeichnete sich bereits auf dem ersten Konzil ab durch die Hervorhebung der Patriarchatssitze von Rom, Alexandrien, Antiochien und mit gleichem Ehrenrang auch Jerusalem (jetzt nicht mehr judenchristlich, sondern hellenistisch!). Mit anderen Worten: Das Reich hatte jetzt seine **Reichskirche**!

Dem politischen Strategen Konstantin war klar: Die Reichskirche braucht mehr als nur die mehr oder weniger verschiedenen Glaubensbekenntnisse der einzelnen Lokal- oder Provinzialkirchen. Sie braucht ein einheitliches »**ökumenisches Glaubensbekenntnis**«, und dieses soll für alle Kirchen zum **Kirchen- und Reichsgesetz** werden. Nur so glaubte er die Einheit des Reiches sichern zu können nach der Devise: ein Gott – ein Kaiser – ein Reich – eine Kirche – ein Glaube! Der kaiserliche Hoftheologe und Kirchenhistoriker Eusebios legte einen Entwurf vor. Aber deutlicher als er wollte das Konzil selber auf der Linie des Athanasios (und einiger Abendländer) auf der ontologischen Gleichrangigkeit von

Gott-Vater und Jesus Christus insistieren. Weder eine Degradierung Christi zum reinen Geschöpf sei deshalb zulässig, noch ein Gottesbegriff ohne das spezifisch Christliche (Gott seit jeher Vater dieses Sohnes). Das sollte heißen: Gott ist nicht der dunkle, unbegreifliche Urgrund der Neuplatoniker, Gott hat von sich nicht nur einen Teil, er hat sich selber rückhaltlos in Christus geoffenbart. Dieser kennt den Vater ganz, und in ihm ist deshalb ohne jede Reduktion der ursprungslose, ungeschaffene, ewige, lebendige Gott und Vater selber präsent. Christus ist zwar nicht ein zweiter Gott oder Halbgott neben dem wahren Gott, wohl aber ist durch ihn der wahre Gott selber präsent: »**Gott von Gott, Licht vom Licht, wahrer Gott von wahrem Gott, gezeugt, nicht geschaffen**, aus der Substanz (griech. »usía«) des Vaters.«[150] Nur weil es in Christus um Gott geht, der wirklich Gott ist, ist auch die Erlösung des Menschen, der Anteil an der Gottheit und ihrem ewigen Leben, durch Christus Realität. Um das deutlich zu machen, wurden verschiedene Sätze des Arius ausdrücklich verdammt und er selber exkommuniziert.

Die Einheit Christi mit Gott sollte durch das eingeschobene Wort »**homo-oúsios**« = »**wesensgleich**« oder »substanzgleich« (mit dem Vater) unterstrichen werden, das jede Unterordnung im Sinn des Origenes und der Theologen der Vorzeit durch eine Gleichordnung des Sohnes mit dem Vater und eine strenge Einheit ersetzte: Der Sohn hat mit dem Vater das eine und selbe Wesen gemeinsam (über den Heiligen Geist machte sich das Konzil keine Gedanken, was bald große Diskussionen auslösen sollte!). Zweifellos ist »homo-oúsios« ein unbiblisches Wort, das aus dem Neuplatonismus und der Gnosis stammt, das von einer früheren wichtigen Synode verurteilt worden war und schließlich aus theologischen oder politischen Gründen vom Kaiser persönlich, der sonst eine einseitige Parteinahme vermied, dem Konzil aufoktroyiert wurde (vielleicht auf Anregung des Abendländers Ossius). Ein wissenschaftlicher Begriff mit materialistischem Beigeschmack (usía = »Substanz«, »Stoff«), der durchaus mißverständlich und irreführend sein kann. Athanasios selber (seit 328 Bischof von Alexandrien) hat nach dem Konzil das Wort relativiert und es viele Jahre kaum gebraucht; später hat er auch den Gegenbegriff »homoioúsios« = »wesensähnlich« akzeptiert, wenn hinzugefügt wurde: »kata panta« = »in allem«. Nicht auf dieses Wort als Schibbolet der Orthodoxie, sondern auf die Sache der Erlösung kam es ihm an. Aber für uns stellt sich nun die Frage nach dem Ertrag des Konzils.

Die Hellenisierung der Christologie

Hat das Konzil das Problem gelöst? Wenn man nur nach einer Formel sucht, dann bestimmt. Aber eine Lösung der theologischen Sachfrage und der Kircheneinheit? Die Wirren gingen weiter, wie sich im wechselhaften Geschick des Athanasios zeigte. Übersehen werden darf jedenfalls nicht: Es hat die (schon im Neuen Testament einsetzende) **Hellenisierung der christlichen Botschaft** mit dem Konzil von Nikaia einen ersten auch offiziellen Höhepunkt erreicht, wie dies Adolf von Harnack deutlich herausgestellt hat. Und wenig überzeugend ist es, wenn besonders katholische Dogmengeschichtsschreibung (etwa Alois Grillmeier) versucht, faktisch zwei Arten von Hellenisierung zu unterscheiden: eine gute, orthodoxe, und eine schlechte, häretische Hellenisierung. Nach einem solchen Schema hätte das Konzil von Nikaia faktisch ent-hellenisiert, weil es neuplatonische Spekulationen über die Gottheit und ihre Emanationen, über diese absteigenden Entwicklungen des Göttlichen, nicht mitgemacht und sich so gegen das hellenistisch-neuplatonische Hypostasen-Denken des Arius gewandt habe. Nur Arius und die Häretiker hätten dann, aus den gegenteiligen Gründen, »hellenisiert«. Nein, allzu durchsichtig dogmatisch dürfte ein solch apologetisches Schema sein, als daß es der historischen Wirklichkeit entspräche.

Nimmt man Maß am Neuen Testament, kann man nicht leugnen, daß das Konzil von Nikaia zwar zweifellos an der neutestamentlichen Botschaft festgehalten und diese gewiß nicht total hellenisiert hat. Aber ebenso unbestreitbar ist, daß das Konzil ganz und gar in hellenistischen Begriffen, Vorstellungen und Denkmodellen gefangen blieb, die dem Juden Jesus von Nazaret und der Urgemeinde völlig fremd gewesen wären. Der Paradigmenwechsel vom judenchristlich-apokalyptischen zum altkirchlich-hellenistischen wirkte sich gerade hier massiv aus.

Es besteht nun einmal ein gewaltiger Unterschied zwischen einer eschatologisch-endzeitlichen »**Throngemeinschaft**« Gottes mit seinem Christus **nach** dessen irdischem Leben durch Auferweckung und Erhöhung, wie sie im Neuen Testament verkündet wird, und einer protologisch-vorzeitlich zu denkenden, das heißt von Ewigkeit her immer schon gegebenen und ontologisch verstandenen »**Wesensgemeinschaft**« zwischen einem Gott Vater und einem Gott Sohn. In dieser Perspektive erschien manchen Konzilsvätern selbst der johanneische Begriff des Logos, des Wortes Gottes, gefährlich – weil er von Arianern mißbraucht werden konnte. So wurde das sehr viel weniger mißverständliche Wort »Logos« in dem von dem (ohnehin des Arianismus verdächtigten) Bischof Eusebios von Caesarea dem Konzil vorgelegten Glaubensbekenntnis gestrichen und durch »Sohn« Gottes ersetzt. Dabei aber bestätigte sich: Je mehr der Sohn auf eine Seinsebene mit dem Vater gestellt und dieses Verhältnis mit naturhaften Kategorien umschrieben wurde, um so schwieriger wurde es, gleichzeitig Jesu Unterscheidung von Gott und seine Einheit mit Gott begrifflich zusammenzudenken. Da blieb dann nur noch übrig, an ein Begriffsmysterium zu appellieren, wie es freilich weder Jesus verkündigt noch die Apostel bezeugt, wohl aber die Theologen durch die Transposition der biblischen Aussagen auf eine andere Ebene produziert hatten.

Also nochmals: Hat das Konzil die Probleme gelöst? Das hat man zumindest im nachhinein so gesehen. Doch faktisch war die Folge zunächst ein ungeheurer Wirrwarr verschiedener Gruppen und Strömungen und ein halbes Jahrhundert des – mit theologischen und auch politischen Mitteln durchgeführten – Streites. Konstantin selber verfolgte bis zu seinem Tod 337 (erst kurz vorher hatte er vielleicht die Taufe empfangen) eine gegenüber den Heiden tolerante und in der Kirche eine Orthodoxe und Arianer integrierende »Friedenspolitik«. Die Söhne Konstantins jedoch, die das Reich teilten, Konstantius (Herr über den Osten) vor allem, betrieben gegenüber den Heiden eine fanatisch-intolerante Politik: Androhung der Todesstrafe für Aberglauben und Opfer, Einstellung der Opfer und Schließung der Tempel – für den christlichen Pöbel ein Aufruf zum Tempelsturm (der heidnische Restaurationsversuch Julians, des »Apostaten«, 361-363 mit Hilfe einer neuplatonischen Staatskirche nach christlichem Vorbild blieb Episode). Innerkirchlich unterstützten die Söhne Konstantins zuallermeist die arianische Position, welche im maßgebenden östlichen Episkopat bisweilen die Mehrheit hinter sich hatte. Dabei weitete sich dieser Streit jetzt noch aus auf die Frage nach der Wesensgleichheit des Heiligen Geistes, die von zahlreichen Bischöfen, »Bekämpfern des Geistes« (»Pneumatomachen«) genannt, energisch bestritten wurde.

Staatsreligion und Staatsmacht gegen Ketzer und Juden

Die definitive kirchenpolitische Festlegung im arianischen Streit erfolgte mit Kaiser **Theodosios dem Großen** (379-395), der ein Abendländer und überzeugter Nizäner war. In seinem Religionsedikt »Cunctos populos« (»Alle Völker«) ging es allerdings nicht generell um gesetzgeberische Maßnahmen gegen Juden und Heiden, sondern um die Arianer. Erst gegen Ende seiner Regierungszeit 392 erließ er »das generelle, nie mehr widerrufene Verbot aller heidnischen Kulte und Opferriten, und er stellte

Zuwiderhandelnde unter die Strafandrohung ›laesae maiestatis‹«[151]. So machte er faktisch das Christentum zur **Staatsreligion**, die katholische Kirche zur **Staatskirche** und die Häresie zum **Staatsverbrechen**.

Wie kurz kann auch das Gedächtnis der Kirche sein: Keine hundert Jahre hat es gebraucht, um aus der **verfolgten Kirche** eine **verfolgende Kirche** zu machen! Der Feind der Kirche ist jetzt auch der Feind des Reiches und wird entsprechend bestraft. 385 wird der spanische asketisch-enthusiastische Laienprediger Priscillian mit sechs Gefährten wegen Häresie in Trier hingerichtet – ein schlimmes Zeichen für die kommenden christlichen Jahrhunderte. Zum ersten Male töten Christen andere Christen wegen verschiedenen Glaubens. Trotz Einspruch von verschiedener Seite gewöhnte man sich bald daran. Schon Leo der Große äußerte sich befriedigt über dieses Vorgehen.

Ja, die Kirche begann, alle staatlichen Zwangsmaßnahmen gegen Arianer und Heiden mitzutragen, sogar durch erneute Tempelstürme zu verschärfen. Auch Bischöfe (prominent wie Johannes Chrysostomos) waren dabei aktiv. Die **Christianisierung des öffentlichen Lebens** wurde konsequent vorangetrieben: Der römische Senat schwor jetzt dem alten Glauben feierlich ab (auch wenn einzelne Mitglieder senatorialer Familien noch lange Heiden blieben), entfernte den Altar der Victoria adveniens aus dem Sitzungssaal und hob alle Privilegien für heidnische Priester und Vestalinnen auf. Die Olympischen Spiele wurden verboten, und Gratianus, Mitkaiser des Theodosius während der ersten Jahre, legte den Titel des römischen Oberpriesters »Pontifex Maximus« nieder, so daß er dann seit dem fünften Jahrhundert ohne viel Aufhebens vom römischen Bischof in Anspruch genommen werden konnte.

Das Christentum durchdrang jetzt nicht nur die politischen Institutionen und die religiösen Überzeugungen, sondern auch das philosophische Denken und die künstlerische Kultur. Eine **Inkulturation** in einer Tiefe und Breite, wie sie das Christentum in späteren Paradigmen kaum noch einmal erreichte! Das Heidentum verschwand aus dem öffentlichen Leben der Städte mehr und mehr und konnte sich nur noch bei einzelnen philosophisch Gebildeten in den Großstädten und auf dem Land, bei den »Dörflern« (»pagani«), halten.

Besonders hart traf die Etablierung der christlichen Kirche als Reichskirche jedoch das **Judentum**, das die Katastrophen der Jahre 70 und 135 (Zerstörung des Tempels und der Stadt Jerusalem) überlebt hatte und verstreut im römischen Reich weiterexistierte. Daß die christliche Kirche einmal aus der Kraft seiner Wurzel gelebt hatte, wie Paulus sagte, daran erinnert man sich nun nicht mehr; bemerkt-unbemerkt begann sich allmählich aus dem bereits existierenden heidnisch-staatlichen ein spezifisch **christlich-kirchlicher Antijudaismus** herauszubilden.[152] Auch dies gehört – Gott sei es geklagt – zur Signatur des altkirchlich-hellenistischen Paradigmas. Und es wäre kein Dienst an der interreligiösen Verständigung, wenn wir dies unterschlagen würden.

Dabei hatten einige **Kirchenväter** durchaus noch von jüdischen Lehrern Hebräisch und Bibelexegese gelernt, und der erste wissenschaftlich arbeitende christliche Theologe, der geniale **Origenes**, lebte als Leiter der Katechetenschule von Alexandrien unter Juden, unterhielt freundschaftliche Beziehungen zu ihnen und verteidigte sie gegenüber den Heiden, auch wenn er sie in den Homilien wegen ihrer Ablehnung des Messias Jesus heftig tadelte. Woher aber kam es, fragt man sich, daß das »Anti« zwischen Juden und Christen nun immer schriller werden sollte und sich schon im zweiten Jahrhundert eine ausgesprochen judenfeindliche **»Adversus-Judaeos«-Literatur** (Barnabasbrief, Meliton von Sardes, Tertullian, Hippolyt) bildete?[153]

Bibliotheken sind darüber geschrieben worden, und im Band über das Judentum habe ich die Ursprünge des völligen Auseinanderlebens von Juden und Christen ausführlich behandelt.[154] Zum Verständnis der fatalen Entwicklung seien hier kommentarlos nur einige gewichtige (im konkreten Leben vielfach ineinandergreifende) **Faktoren** genannt, die **für den spezifisch kirchlichen Antijudaismus** verantwortlich waren:

1. Wachsende Entfremdung der Kirche vom alttestamentlichen Wurzelboden aufgrund der Hellenisierung und Doktrinalisierung der christlichen Botschaft.

2. Immer exklusivere Beanspruchung der Hebräischen Bibel (ohnehin nur in Form der griechischen »Septuaginta«) durch eine Kirche, die diese nicht mehr in sich würdigte, sondern mit Hilfe der typologisch-allegorischen Schriftauslegung fast ausschließlich zur Legitimation ihrer eigenen Existenz benutzte.

3. Abbruch der gegenseitigen Gespräche zwischen Kirche und Synagoge und wechselseitige Isolierung, wobei der Dialog meist durch den apologetischen Monolog ersetzt wurde.

4. Belastung mit dem Kreuzestod Jesu, der nun allgemein »den Juden«, ja, allen Juden zugeschrieben wurde. Die Verstoßung und Zerstreuung der Juden wird jetzt als berechtigter Fluch Gottes über ein verdammtes Volk angesehen.

Schon in der zweiten Hälfte des zweiten Jahrhunderts fällt beim kleinasiatischen Bischof **Meliton** von Sardes das (von einer unjüdisch-antijüdischen Christologie bestimmte) verderbliche Wort, das sich geschichtlich als besonders verhängnisvoll erweisen sollte: »Hört es, alle Geschlechter der Völker, und seht es: Ein nie gewesener Mord geschah in Jerusalem ... Gott ist getötet, der König Israels ist durch Israels Rechte beseitigt worden.«[155] Der Vorwurf, die Juden seien »Gottesmörder«, war damit in der Welt. Schon hier war man nicht mehr auf Bekehrung, sondern auf Bekämpfung der Juden aus.

Die Konstantinische Wende 312/313 selber freilich hatte für das Judentum noch keine Verschlechterung seines Status gebracht. Gewiß: Konstantin war in der Wortwahl gegenüber den Juden (besonders wenn er sich an die Kirche wandte) höchst unfreundlich (vielleicht der Einfluß seiner christlichen Berater?). Und doch wäre es – wie G. Stemberger entgegen Pauschalurteilen, die vom Ende der Toleranz gegenüber den Juden sprechen, feststellt – »verfehlt, Konstantin als einen ausgesprochenen Gegner der Juden zu bezeichnen«, zumal »die Gesetze, die Konstantin erlassen hat, für die Juden keine reale Verschlechterung gebracht, in mancher Hinsicht ihr Privilegrecht vielmehr gestärkt« haben.[156]

Die eigentliche Wende in der Reichspolitik gegenüber den Juden kam ziemlich genau ein Jahrhundert nach Konstantins Tod. Schon Theodosios der Große hatte ja die Konversion zu heidnischen Kulten verboten. Jetzt unter Kaiser **Theodosios II.** (401-450) geht man auch direkt gegen das Judentum vor. Es wird durch **staatskirchliche Ausnahmegesetze** (»Codex Theodosianus« 438) aus dem sakralen Reich, zu dem man nur durch die kirchlichen Sakramente Zugang hatte, ausgeschieden. Und da die Juden nach Bildung einer **Reichskirche** konsequenterweise nun auch die christlich gefärbte Reichsideologie ablehnten (der christliche Kaiser als Abbild des himmlischen Herrschers!), wird nun auch der spezifisch heidnische Antijudaismus von der Reichskirche in aller Form übernommen und durch christliche Motive mächtig verstärkt.

Ihres eigenen Verfolgtseins erinnert sich die Kirche nun nicht mehr. Im Gegenteil: Dieselbe christliche Kirche, die im römischen Reich vor noch nicht allzu langer Zeit eine rechtlose, verfolgte Minderheit war, reduziert jetzt mit Hilfe des Staates das Judentum (im römischen Reich bisher immerhin »religio licita«, eine »erlaubte Religion«) zu einer Größe minderen Rechtes. Diese soll zwar nicht wie die Häresien ausgerottet, wohl aber aus den christlichen Lebensbereichen ausgesondert und sozial isoliert werden. Zu diesem Zweck werden die **ersten Repressionsmaßnahmen** durchgeführt: Verbot von Mischehen bei Proselyten (Konvertiten zum Judentum); Verbot der Besetzung von Beamtenstellen durch Juden; Verbot des Baues oder der Erweiterung von Synagogen; Verbot jeglicher Proselytenwerbung. Gerade dieses Werbeverbot zwingt das Judentum, das früher eine offensiv-erfolgreiche Missionsreligion war, zu einer verhängnisvollen Selbstkonzentration und Selbstreproduktion, so daß man von ihm später leicht als von einer eigenen »jüdischen Rasse« sprechen konnte! Insofern bedingen sich in dieser Zeit rabbinische Selbstabsonderungsbestrebungen (aus halachischen Gründen) und christliche Diskriminierungspraxis (aus politisch-theologischen Gründen) und führen zu einer völligen Isolation des Judentums im ausgehenden römischen Reich.

So lebten die Juden jetzt auf Reichsgebiet praktisch außerhalb des Reiches, was viele Juden ihre Situation doch mehr denn früher als die einer »gola«, eines wirklichen Exils, empfinden und wieder erneut auf das baldige erlösende Kommen des Messias hoffen ließ. Und während Theologen und Bischöfe wie **Augustin** gegenüber den Juden noch eine missionarische Aufgabe sahen (für Augustin, entgegen der gängigen Gottesmordthese, blieb den Juden trotz ihrer Schuld die Hoffnung auf Bekehrung), verhinderten andere wie **Ambrosius** den Wiederaufbau von Synagogen, ja, predigten Bischöfe wie **Chrysostomos** gegen die Juden bereits im Stil späterer antijüdischer Hetzer[157]: Die Synagoge – ein Ort der Gesetzeswidrigkeit, ein Quartier des Bösen, ein Bollwerk des Teufels; die Juden – festfreudige Schlemmer und habgierige Reiche, die, zur Arbeit untauglich, nur mehr zur Schlachtung (!) geeignet seien. Doch allen Gegenmaßnahmen zum Trotz blieb das Judentum überall im Reich als eine lebendige Religion präsent. Ja, es gab zur Zeit des Chrysostomos noch Christen (»Ioudaizantes« = judaisierende Christen oder Judenchristen?), die an Sabbaten und Feiertagen zur Synagoge gingen und auch sonst Freude an jüdischen Zeremonien hatten.

Die Krönung der Staatsreligion: das Trinitäts- und Christusdogma

Festgelegt auf ihr Bekenntnis von Nikaia mußte die christliche Kirche nun ihrerseits ihre Lehrbildung weiter vorantreiben. Das war schon aus reichspolitischen Gründen geboten. Denn in jenem Religionsedikt »Cunctos populos« hatte der orthodoxe Spanier Theodosios der Große 380 »alle Völker« seines Reiches aufgefordert, den in der römischen und alexandrinischen Kirche vertretenen Glauben an die eine Gottheit des Vaters, des Sohnes und des Heiligen Geistes in gleichartiger Majestät und heiliger Dreifaltigkeit (»trinitate«) anzunehmen. Und genau dieser Glaube sollte nun auch gegen diejenigen, die im Heiligen Geist nur einen »Diener« oder ein »Geschöpf« sahen, auf einem weiteren Konzil definitiv zur Beendigung des arianischen Streites festgelegt werden.

Schon im Jahre 381 berief der Kaiser ein orientalisches Konzil in die

Hauptstadt ein, das man dann später als das **Zweite Ökumenische Konzil von Konstantinopel**[158] bezeichnete. Dieses Konzil verurteilte Arianer, Semi-Arianer (Pneumatomachen), Apollinaristen und weitere Häresien und sprach sich (ohne das Wort »homooúsios« zu gebrauchen) aus für die **Wesensgleichheit des Heiligen Geistes mit Gott**. Ins Glaubensbekenntnis wurde eingefügt der Glaube »an den Heiligen Geist, den Herrn und Lebensspender, der aus dem Vater hervorgeht und mit dem Vater und dem Sohn angebetet und verherrlicht wird«[159]. Vermutlich wurde diese Ergänzung übernommen aus einem »Symbolum Romano-Nicaenum«, aufgestellt von einer römischen Synode.[160] Dieses Glaubensbekenntnis wurde jedenfalls erst später das »nicäno-konstantinopolitanische« Credo genannt und ist bis heute in liturgischem Gebrauch. Und der Arianismus? Der lebte noch Jahrhunderte weiter, vor allem weil die ein Jahr nach dem Konzil ins Reich aufgenommenen und von Wulfila bekehrten Westgoten Arianer waren und blieben und ihren arianischen Glauben den übrigen Germanenstämmen weitergaben …

Doch man beachte: Während auf dem Konzil von Nikaia 325 von einer einzigen Substanz oder Hypostase in Gott die Rede war, geht man im Konzil von Konstantinopel 381 von drei Hypostasen aus: Vater, Sohn und Geist. Man hat in der Dogmengeschichte viel darüber diskutiert, ob es bei dem Übergang von der Ein-Hypostasen-Theologie zur Drei-Hypostasen-Theologie um eine nur terminologische Veränderung oder – wahrscheinlicher (wie schon das zeitweilige Schisma in Antiochien zwischen Alt- und Neuorthodoxen zeigt) – auch um eine sachliche Veränderung des Vorstellungsmodells geht. Sicher ist jedenfalls, daß man erst nach dem Zweiten Ökumenischen Konzil von Konstantinopel von einem **Trinitätsdogma** sprechen kann.

Auch auf dem Konzil selber hatte es starke Spannungen zwischen den (mit Rom verbündeten) Ägyptern und den jetzt wissenschaftlich führenden, in der origenistischen Tradition wurzelnden Kleinasiaten gegeben. Die klassische Trinitätslehre war nämlich in der zweiten Hälfte des vierten Jahrhunderts von drei berühmten Theologen und Bischöfen aus Kappadokien in Kleinasien entwickelt worden: Basilios dem Großen, nach dem Tod des Athanasios 373 der hervorragendste Kirchenmann im Osten, dessen Freund Gregor von Nazianz und dessen jüngerem Bruder Gregor von Nyssa. Diese **drei Kappadokier** verstanden es, den athanasianischen Glauben mit der origenesischen Theorie zu verbinden. Sie nannte man aufgrund ihrer Neuinterpretation von Nikaia »Neuorthodoxe« oder auch »Jungnizäner«. Nach einem höchst komplexen, vielfach widersprüchlichen und in jedem Fall langwierigen christologischen Denkprozeß nach

Das Credo der Konzilien

Wir glauben an den **einen Gott**,
den Vater, den Allmächtigen,
der alles geschaffen hat, Himmel und Erde,
die sichtbare und die unsichtbare Welt.

Und an den einen Herrn **Jesus Christus**,
Gottes eingeborenen Sohn,
aus dem Vater geboren vor aller Zeit:
Gott von Gott, Licht vom Licht,
wahrer Gott vom wahren Gott,
gezeugt, nicht geschaffen,
eines Wesens mit dem Vater;
durch ihn ist alles geschaffen.
Für uns Menschen und zu unserm Heil ist er vom Himmel gekommen,
hat Fleisch angenommen durch den Heiligen Geist
von der Jungfrau Maria
und ist Mensch geworden.
Er wurde für uns gekreuzigt unter Pontius Pilatus,
hat gelitten und ist begraben worden,
ist am dritten Tage auferstanden nach der Schrift
und aufgefahren in den Himmel.
Er sitzt zur Rechten des Vaters
und wird wiederkommen in Herrlichkeit,
zu richten die Lebenden und die Toten;
seiner Herrschaft wird kein Ende sein.

Wir glauben an den **Heiligen Geist**,
der Herr ist und lebendig macht,
der aus dem Vater und dem Sohn hervorgeht,
der mit dem Vater und dem Sohn angebetet und verherrlicht wird,
der gesprochen hat durch die Propheten,
und die eine, heilige, katholische und apostolische Kirche*.
Wir bekennen die eine Taufe zur Vergebung der Sünden.
Wir erwarten die Auferstehung der Toten
und das Leben der kommenden Welt. Amen.

* Die reformatorischen Kirchen gebrauchen die Formulierung »christliche Kirche« oder »allgemeine christliche Kirche«.

Das nizäno-konstantinopolitanische Glaubensbekenntnis

Nikaia konnten sie schließlich die neue Sprachregelung durchsetzen: Gott – **ein göttliches Wesen** (eine Substanz, Usia, Physis), aber **in drei Hypostasen** (drei Personen, Subsistenzen, Prosopa).

Diese klassisch gewordene Formel war schon bei Origenes und im Lateinischen mit »eine Substanz, drei Personen« (freilich nur im Offenbarungsgeschehen und einander streng untergeordnet) bei Tertullian grundgelegt worden; sie gefiel so auch den Lateinern. Aber während für die **Lateiner** die substantielle Einheit der klare Ausgangspunkt und die Vielfalt das Mysterium war, war umgekehrt für die **Orientalen** die Dreiheit göttlicher Hypostasen der sichere Ausgangspunkt und die Einheit das Mysterium. Wie Origenes bezogen die drei Kappadokier den **Heiligen Geist** von vornherein in die Gottheit ein, indem sie das Bekenntnis zum »homooúsios« verbanden mit der Aussage von drei nicht einander untergeordneten (so Origenes), sondern ganz und gar gleichgeordneten Hypostasen in der einen Usia, im einen Wesen Gottes. Jede der Hypostasen behielt allerdings ihre Eigentümlichkeit, ihre eigene Existenzweise, ihr Merkmal: die »Unerzeugtheit« für den Vater, das »Erzeugtsein« für den Sohn, das (man fand kein spezifischeres Wort) »Hervorgehen« für den Heiligen Geist. Keine Frage: Von jetzt an erst kann in aller Form von einem **drei-einigen Gott** in der Christenheit geredet werden. Dabei war das Prinzip der Einheit, die »arché«, aber wieder deutlicher als in Nikaia die Monarchie des Vaters. Aus ihm allein als dem Wurzelgrund der Gottheit ging auch der Geist hervor.

Doch die theologischen Konflikte waren mit den Entscheidungen von Nikaia und Konstantinopel keineswegs beendet; sie gingen weiter. Und jetzt mußte es um die Person Jesu Christi direkt gehen. Denn durch die große kappadokische »Lösung«, niedergelegt im nizäno-konstantinopolitanischen Bekenntnis, war im Grunde bereits ein neuer Kirchenstreit vorprogrammiert worden. Dieser sollte eine ganze Reihe weiterer Konzilien zur Folge haben und schließlich die östliche Kirche definitiv spalten. Was war das Problem? Es stellte sich eigentlich schon mit der Formel von Nikaia: Wenn der Sohn eines Wesens mit dem Vater ist, wie verhalten sich dann **in dem einen Jesus Christus göttliches und menschliches Wesen**? Hier gab es selbstverständlich die verschiedensten Modelle. Schon ein bekannter Zeitgenosse und Lehrer der drei großen Kappadokier, der antiarianische Apollinaris von Laodikaia, hatte behauptet, in Christus nehme der göttliche Logos zwar menschliches »Fleisch« und eine menschliche »Psyche«, nicht aber einen menschlichen »Geist« an. Der göttliche Logos ersetze nämlich einfach den menschlichen Geist, was viele religiöse Menschen damals durchaus ansprach: Jesus ganz Gott in menschlichem

Gewand! Doch daß der Logos an die Stelle des menschlichen Geistes treten sollte, leugnete nach der Auffassung der meisten Theologen die volle Menschlichkeit, die ganze Menschennatur Christi. Und so wurde denn diese Lehre auf mehreren Synoden des Ostens und Westens verurteilt. Doch die Problemstellung des Apollinaris wirkte weiter: Wie sollte in Christus »zwei = eins« sein können? Ein weiteres »Geheimnis« wie das »drei = eins« der Trinität?

Zu Beginn des fünften Jahrhunderts geriet die christologische Frage in die heftigen Machtkämpfe der Patriarchate Konstantinopel und Alexandrien um den kirchlichen Primat im Orient und in die Rivalitäten der hinter ihnen stehenden Schulen von Antiochien und Alexandrien. Der Streit erhielt erneut dramatische Ausmaße, und seine Wirren und Windungen brauchen hier nicht im einzelnen nachgezeichnet zu werden. Es genügt die Markierung der grundsätzlichen Fronten, wie sie 428 durch die Polemik des Patriarchen von Konstantinopel Nestorios gegen den Patriarchen von Alexandrien Kyrill aufbrachen:

– Der alexandrinische Patriarch Kyrill und die **alexandrinische Schule** verfochten in der Tat eine völlige **Einheit** und Gottheit der Person Christi; der Logos habe die menschliche Natur wie ein Kleid angenommen, ja, die menschliche Natur gehe in der göttlichen unter, so daß nur eine »einzige Natur« (deshalb Mono-Physitismus) übrig bleibe: die gottmenschliche; deshalb die Rede von Maria, der »theo-tókos«, der »Gott-Gebärerin«. Dies schien die »frömmere« und volksnahere Lösung zu sein.

– Der Patriarch von Konstantinopel Nestorios und die **antiochenische Schule** aber wollten keine substantielle Einheit, sondern hielten unbedingt fest an einem **Unterschied** von göttlicher und menschlicher Natur in Jesus Christus; die volle Menschlichkeit Christi schien ihnen nur so gewährleistet. Dies schien die »wissenschaftlich« klarere Lösung zu sein. Mit dem Namen »Gottgebärerin« (statt »Christusgebärerin«) für Maria mache man sich überdies in der Praxis der Verkündigung lächerlich.

Kyrill freilich war ein skrupelloser Machtpolitiker, der keine Hemmungen hatte, seine Position auf einem neuen Konzil auch mit Hilfe von Manipulationen durchzudrücken. 431 ließ er auf dem **Konzil von Ephesos**[161], das ganz unter seinem Einfluß stand, den Rivalen aus Konstantinopel und mit ihm die antiochenische Theologie verurteilen, ohne die Ankunft des Nestorios auch nur abgewartet zu haben. Das Konzil, ganz auf der Linie von Kyrills monophysitischer Christologie, verwarf denn auch für Maria den Titel »Christusgebärerin« und definierte stattdessen »**Gottesgebärerin**«, was bis auf den heutigen Tag kirchliches Dogma ist. Nestorios und die Seinen antworteten – begreiflicherweise – mit einer

Gegenverurteilung (und Gegenabsetzung) des Kyrill; wieder einmal drohte der Christenheit eine tiefe Spaltung, so daß Kaiser Theodosios II. beide Seiten auf einem weiteren Konzil von Ephesus (433) zu einer Union drängen mußte, ohne aber den Streit schlichten zu können. 449 folgte nochmals ein Konzil in Ephesus, wo Dioskur, der nicht weniger machthungrige Nachfolger Kyrills, mit seinem Mönchshaufen die Konzilsväter terrorisierte und die bedeutendsten antiochenischen Theologen absetzte (deshalb von Papst Leo nicht »concilium«, sondern »latrocinium« = »Räubersynode« genannt).

Ein politischer Umschwung in Konstantinopel freilich sollte bald die Situation verändern. Kaiserin Pulcheria und ihr Mann Markian bestiegen den Thron und waren entschlossen, die traditionelle kaiserliche Kirchenherrschaft gegen kirchliche Machtansprüche wieder durchzusetzen. In Abstimmung mit Papst Leo I. beschlossen sie den Sturz des sich allzu »päpstlich« gebärdenden Alexandriners Dioskur und luden 451 zu einem neuen Konzil ein, nach **Chalkedon**.[162] Dieses Konzil anerkannte nur die Synoden von 325 (Nikaia), 381 (Konstantinopel) und 431 (Ephesus) und keine anderen als ökumenisch und wird deshalb als das **Vierte Ökumenische Konzil** gezählt. Dioskur wurde in einem schmählichen Prozeß abgesetzt. Damit war der Weg für den Kaiser frei, dem Konzil die ihm einleuchtenden christologischen Aussagen zu diktieren, und zwar aus einem Schreiben Papst Leos. Auf diese Weise kam weder die kyrillische noch die nestorianische Position zum Zuge, sondern weithin die westliche, lateinische Christologie von Tertullian, Novatian und Augustin. Ihr verdankt die Christenheit im wesentlichen die später klassisch gewordene christologische Formel des Konzils von Chalkedon: der »eine und selbe« Herr Jesus Christus ist »vollkommen der Gottheit und vollkommen der Menschheit nach, wahrer Gott und wahrer Mensch«. Der eine und selbe ist »wesensgleich dem Vater der Gottheit nach und wesensgleich uns seiner Menschheit nach«. Also der »eine und derselbe Christus ..., der in zwei Naturen unvermischt, unverwandelt, ungetrennt und ungesondert besteht.«[163] Die berühmten vier Adverbien waren sowohl gegen die alexandrinischen Extremisten (unvermischt, unverwandelt), aber auch gegen Nestorios (ungetrennt und ungesondert) gerichtet.

Aber das Eingehen des Konzils auf diese von der lateinischen Christologie bestimmten Formeln hat dasselbe Konzil nicht gehindert, wiederum auf Anregung des Kaisers dem bereits allzu mächtigen und jetzt theologisch gestärkten römischen Bischof auf politischem Gebiet eine empfindliche Niederlage beizubringen. Schon Kanon 3 des Zweiten Ökumenischen Konzils von Konstantinopel 381 hatte ja den Grundstein für die

Machtstellung des Bischofs von Neu-Rom gelegt: »Der Bischof von Konstantinopel soll nach dem Bischof von Rom den Ehrenvorrang haben, weil diese Stadt das neue Rom ist.«[164] Und so spricht jetzt auch der berühmte (von Alt-Rom freilich, wie wir noch sehen werden, nie anerkannte) Kanon 28 der »Heiligen Kirche von Konstantinopel« **dem »jüngeren Rom« den gleichen Primat** zu wie dem alten Rom – ein Primat, der für beide Sitze nicht theologisch mit Petrus, sondern politisch mit der Stellung der Reichshauptstadt begründet wird. Zwischen 381 und 451 haben sich so die **fünf klassischen Patriarchate** ausgebildet, und zwar in folgender Rangfolge: Rom, Neu-Rom (Konstantinopel), Alexandrien, Antiochien und – zuletzt – Jerusalem! Auch dies ein deutliches Indiz für den eingetretenen Paradigmenwechsel. Bis heute wird der Bischof von Konstantinopel (jetzt Istanbul) »ökumenischer Patriarch« genannt.

Rückfragen im Interesse der ökumenischen Verständigung

Aber, so wird man sich heute fragen, hatte das Konzil von Chalkedon sein **Ziel erreicht**? Adolf von Harnack hat die chalkedonische Formel als einen rein äußerlichen, mit Negationen arbeitenden Kompromiß bezeichnet: »Die kahlen, negativen vier Bestimmungen (unvermischt etc.), mit denen alles gesagt sein soll, … entbehren des warmen, konkreten Gehaltes; sie machen aus der Brücke, die dem Gläubigen sein Glaube ist, aus der Brücke von der Erde zum Himmel, eine Linie, die schmaler ist als das Haar, auf dem die Bekenner des Islam einst in das Paradies einzugehen hoffen.«[165] Aber wollte das Konzil von Chalkedon etwa das Neue Testament ersetzen? Nein, auch für dieses Konzil blieb das Neue Testament die Basis. Umgekehrt aber wird man Hemmungen haben, die triumphalistische römisch-katholische Apologetik zu übernehmen, welche das Dogma von 451 »als das reife Ergebnis und gewissermaßen als den Abschluß aller Bemühungen« ansieht, »die in den vorangegangenen Jahrhunderten unternommen worden waren, um den Offenbarungsgehalt über die Person Christi richtig zum Ausdruck zu bringen«[166]. Selbst ein bewußt systemimmanent denkender Dogmatiker wie Karl Rahner sah sich anläßlich jenes 1500-Jahre-Jubiläums veranlaßt, die provokative Frage zu stellen: »Chalkedon – Ende oder Anfang?«[167]

Unterdessen ist die Diskussion über die Rahner'sche Kompromißtheologie hinausgelangt, und die Resultate werden nicht mehr unter rein dogmatischen, sondern unter sehr viel umfassenderen Gesichtspunkten gewertet. Gewiß hat die in Chalkedon gefundene christologische Formel (vere homo – vere deus) der byzantinischen wie der westlichen Kirche eine dauernde dogmatische Grundlage gegeben, die selbst für die Liturgie von Bedeutung werden sollte. Wie schon in der Trinitätslehre so jetzt auch wieder in der Christologie eine Formel, die man nur als ein der Vernunft schlechthin uneinsichtiges »Geheimnis« akzeptieren kann! Aber beendet hat diese Formel die Kämpfe keineswegs. Im Gegenteil:

– Die **christologischen Streitereien** um Chalkedon **gingen** im byzantinischen wie im westlichen Bereich noch jahrhundertelang **weiter**; denn der Streit um eine oder zwei Naturen in Christus ging jetzt, mit viel Politik und Diplomatie vermischt, über in einen Streit um eine oder zwei Energien, dann um einen oder zwei Willen in dem einen Christus (monergistischer und monotheletischer Streit). Zunehmende Spannungen und Reibereien auch zwischen Byzanz und Rom waren damit verbunden. Ja, es kam aufgrund einer vom Konstantinopeler Patriarchen Akakios mitgetragenen kaiserlichen »Einigungsformel« (»Henótikon« 482) und seiner Anerkennung des monophysitischen Patriarchen von Alexandrien zu einer ersten förmlichen 35jährigen Kirchenspaltung zwischen Ost- und Westrom (akazianisches Schisma 484-519).

– Die christologischen Streitereien wurden immer mehr mit kirchenpolitischen Aspekten vermischt. Denn in ihnen kam nicht nur der Antagonismus zwischen Ost- und Westkirche zum Ausdruck, sondern auch die ganzen nationalen Ressentiments insbesondere der Ägypter und Syrer gegen das dominierende Byzanz. Selbst die Kaiser konnten schließlich die Einheit nicht mehr erzwingen. Im Gegenteil: die **Reichskirche löste sich auf**.

Bis heute haben mehrere alte und wichtige christliche Kirchen das allzu sehr von westlicher Theologie bestimmte Konzil von Chalkedon nicht anerkannt. Diese **nicht-chalkedonischen Kirchen**[168] halten sich deshalb von der orthodox-byzantinischen Kirche des Ostens bis heute ebenso getrennt wie von der römisch-westlichen:

1. die monophysitische koptische Kirche in Ägypten;
2. die nestorianische syrische Kirche, die dann vor allem in Persien, aber auch in Indien (»Thomaschristen«) und in Ostasien bis nach Peking verbreitet war;
3. die armenische und die georgische Kirche, die später zum Monophysitismus übergingen.

Man lasse noch einmal diese ganze Entwicklung Revue passieren. Gewiß: Die christlichen Kirchen mußten in ihren Lehrbildungen zu Entscheidungen kommen. Doch kann man zugleich den Preis übersehen, den dieser Prozeß gekostet hat? Man bedenke:

– Durch die auf den Konzilien manifest gewordene Theologie hat man sich weit **vom Neuen Testament entfernt**. Aus der einfachen und leicht verständlichen triadischen Taufformel bei Mattäus war in vier Jahrhunderten eine hochkomplexe Trinitätsspekulation geworden, die aber das Problem, wie drei »Größen« eins sein können, nur logisch-formal durch verbale Unterscheidungen zu »lösen« vermochte. In der Sache kann es keinen Zweifel geben: **Nicht das Triadische** ist das **unterscheidend Christliche**. Das entscheidend Christliche ist das Christologische. Nein, nicht eine Christuslehre, über die man spekulieren soll, nicht ein Christusdogma, das man »glauben muß«, sondern wie wir es in den Grundlagenüberlegungen über Wesen und Zentrum des Christentums[169] sahen: Jesus Christus selbst, dem man nachfolgen darf, auf dem Weg zu Gott, seinem Vater, bewegt vom Heiligem Geist. Theologisch kommt alles auf die schriftgemäße Zuordnung von Sohn, Vater und Geist an. Norm auch der Interpretation der Konzilien von Nikaia, Ephesos, Konstantinopel und Chalkedon kann nicht eine hellenistische Ontologie sein, sondern allein das Neue Testament. Auch die Konzilsväter wollten übrigens unbedingt am Monotheismus festhalten (und mit ihm allerdings die Göttlichkeit Jesu verbinden), und sie hätten sich im Grabe herumgedreht, wenn man ihrer Trinitätstheologie in der Art moderner Theologen eine (für sie schon logisch unmögliche) Mittelposition zwischen Monotheismus und Polytheismus zugeschrieben hätte.

– Entfremdet hat die Theologie sich ebenfalls **von der volksnahen Verkündigung**. Die Trinitätslehre war zu einer intellektuell höchst anspruchsvollen Begriffskunst, einer Art höheren »Trinitäts-Mathematik«, geworden, der selbst Theologen und Prediger weithin mit Desinteresse begegnen, die man aber dem vernünftigen Menschen noch immer einfach als ein »mysterium stricte dictum« hinstellt, das er mit einem »sacrificium intellectus« (»Hinopfern des Verstandes«) einfach zu akzeptieren habe.[170] Dabei sind zumindest in der lateinischen Liturgie bis heute die Gebete nie an die »Trinität«, sondern an »Gott, den allmächtigen Vater« gerichtet, »durch Jesus Christus im Heiligen Geist«. Doch gegen jede vernünftige Rückfrage auf das Trinitätsdogma immunisieren sich traditionalistisch denkende orthodoxe, katholische wie evangelische Theologen systemimmanent mit dem irrationalen Verdikt »Das ist Rationalismus!«. Immer mehr Christen fragen sich freilich, ob solch griechische Spekulation, die kühn in schwindelnden Höhen das Geheimnis Gottes zu erspähen versuchte, nicht vielleicht doch dem Versuch des Ikaros gleicht, dem Sohn des Daidalos, Ahnherr des athenischen Kunsthandwerkes, der mit seinen aus Federn und Wachs gefertigten Flügeln der Sonne allzu nahe kam – und abstürzte.

– Die konziliaren Entscheidungen haben die Christenheit in ungeahnte theologische Verwirrungen mit ständigen kirchenpolitischen Verwicklungen gestürzt. Sie haben **Spaltungen** hervorgebracht und **Ketzerverfolgung** ausgelöst, die in der Religionsgeschichte einzigartig dastehen. Die Christenheit wurde so in Verkehrung ihres Wesens aus einer verfolgten Minderheit zu einer die anderen verfolgenden Mehrheit. Im Namen Jesu Christi, des Predigers der Gewaltlosigkeit und Friedfertigkeit, wurden Andersgläubige verfolgt, ja umgebracht, wurden unschätzbare Kulturgüter (Bücher!) und Kunstschätze nicht nur zerstört und diskriminiert, sondern ausradiert. Und bis heute ist die Christenheit selber in die verschiedenen Kirchen gespalten. Diese Spaltung hat mit den ersten Konzilien begonnen, als die Arianer aus der Kirche herausgedrängt, schließlich verfolgt wurden und als auch nach dem Konzil von Chalkedon eine ganze Reihe von Kirchen aus der Gesamtkirchengemeinschaft ausgeschlossen wurde.

Diese Entwicklung muß die christlichen Kirchen, soll Jesus von Nazaret noch der Maßstab bleiben, zur Kritik, zur Umkehr und zur Erneuerung führen. Deshalb stellen sich Fragen für die Zukunft:

Fragen für die Zukunft

† Immer zugespitzter wurden die philosophisch bestimmten Begriffe, immer differenzierter die Unterscheidungen zwischen den Schulen, immer komplizierter die Erklärungen, immer zahlreicher die Absicherungen der Orthodoxie durch Dogmen, die Staatsgesetze wurden. Aber auch immer zahlreicher wurden die Mißverständnisse, die Parteiungen, ja Spaltungen, die gegeneinander gerichteten Synoden und die sich gegenseitig exkommunizierenden Bischöfe. Wäre es in einer neuen Weltepoche nicht angebracht, statt die alten hellenistischen Dogmen nur zu wiederholen, sich neu auf die neutestamentliche Botschaft selber zu konzentrieren und sie für zeitgenössische Christen auch wieder neu auszulegen, wie dies nun einmal die hellenistischen Theologen für ihre Zeit zu Recht getan haben?

Dem jüdischen Wurzelboden erscheint die hellenistische Christenheit – trotz ihres Festhaltens am »Alten Testament« – weithin entfremdet. Und bis heute können Juden die Unterscheidung zwischen der Einheit Gottes (»ein Wesen«) und einer realen Dreiheit in Gott (»drei Personen) nur als faktische Infragestellung des Monotheismus interpretieren. Wird man also von einem Juden je eine

Zustimmung zu den hellenistischen Konzilien von Nikaia bis Chalkedon, zur Zwei-Naturen-Christologie und zur Drei-Personen-Theologie erwarten dürfen? Wäre es also nicht notwendig, sich in bezug auf Begriffe wie »Gottes Sohn« und Jesu Verhältnis zu Gott wieder ganz neu auf den ursprünglich hebräischen Kontext und die Wurzeln in der Hebräischen Bibel zu besinnen?

☾ Das göttliche Moment in Jesus wurde in Nikaia so stark und ausschließlich betont, daß alles Menschliche an Jesus zurücktrat. Und das Problem, worin die unterschiedene Personalität des Sohnes besteht, wurde durch das Gezeugtsein (im Unterschied zum Zeuger) allzu formal und unzureichend gelöst. Der Christus der Geschichte trat zurück hinter den Christus des Dogmas und die Evangelien hinter die Glaubenslehren der Kirche, die Nachfolge Christi hinter die Orthodoxie der Lehre und der Liturgie. Bis auf den heutigen Tag hat der Islam, der Jesus durchaus als Prophet und gar Messias annimmt, aber die hellenistische Christologie ablehnt, nicht verstehen können, wie es hier noch um einen geschichtlichen Menschen und ein persönliches menschliches Leben geht. Wäre es also nicht notwendig, zum Verständnis Jesu Christi wieder »von unten« anzusetzen und ihn als Mensch so ernst zu nehmen wie der Koran, um von dort her zu verstehen, wie in ihm Gottes Weisheit eine menschliche Gestalt angenommen hat?

Wenn wir uns in dem vorausgegangen Abschnitt ausführlich – für manche vielleicht allzu ausführlich – mit der theologisch-christologischen Problematik beschäftigt haben, so aus zwei Gründen:
1. Das Dogmengebäude, das sich im 4./5. Jahrhundert im hellenistischen Paradigma herausgebildet hat, ist nicht nur für die Kirche des Ostens, sondern auch des Westens über die Jahrhunderte hinweg von entscheidender Bedeutung geblieben.
2. Die in dieser Zeit herausgebildete Christologie vom eingeborenen Sohn des Vaters sollte nach der Legitimationskrise der kaiserlichen Autorität im dritten Jahrhundert die neue Legitimationsbasis für das Kaisertum im vierten Jahrhundert liefern: der kaiserliche Autokrator als Freund und Stellvertreter Christi.

So wird denn das christologische Dogma ein konstitutives Element sowohl für Theologie und Kirche wie für Kaiser und Staat in dieser alten und doch neuen byzantinischen Welt, die da im Entstehen begriffen ist.

7. Byzanz – Geburtsstätte der Orthodoxie

Das **hellenistische** Paradigma ist das **ökumenische Paradigma der alten Kirche**, der ganzen alten Kirche, des Ostens und Westens. Seine Schwerpunkte freilich – »apostolische«, von Aposteln gegründete Kirchen, später Patriarchate, Konzilien, Wissenschaftszentren und Klöster – lagen bei aller Bedeutung der alten Reichshauptstadt Rom vor allem im Osten. Und von diesem **Reich des Ostens** wurde das Paradigma denn auch nach der Verlegung der Reichshauptstadt an den Bosporus noch gut tausend Jahre weitertradiert – bis auch Ostrom und damit das Reich der Römer überhaupt 1453 untergehen sollte …

Das Zweite Rom: Byzanz als Norm

Lange lag die politisch-kulturelle Trägerschaft des altkirchlich-hellenistischen Paradigmas vor allem bei **Ostrom**, während, wie wir sehen werden, im Westen mit dem römischen Staat auch weithin die antike Kultur versank und gleichzeitig die römischen Bischöfe, jetzt Päpste genannt, ihre Unabhängigkeit von Ostrom und ihre Autokratie über die westliche Kirche zielstrebig auf- und ausbauten. Und diese Vorherrschaft der Päpste sollte im Westen – zusammen mit der spezifisch lateinischen Theologie Augustins und schließlich der politischen Vormacht der Germanen – die wesentliche Voraussetzung für die Heraufkunft einer neuen welthistorischen Konstellation bilden: des neuen, lateinischen, spezifisch römisch-katholischen Paradigmas (P III); im elften Jahrhundert sollte es mit der Gregorianischen Reform durchbrechen und zugleich zur definitiven Spaltung zwischen West- und Ostkirche führen.

Doch bevor wir auf diese Geschichte des Westens eingehen, müssen wir zunächst unsere Analyse des jetzt vor allem im Osten weitertradierten und nach außen wie innen tapfer verteidigten altkirchlich-hellenistischen Paradigmas (P II) in seiner Entfaltung bis in die Gegenwart hinein fortsetzen. Vielleicht aufgrund der schwierigen politischen und wissenschaftlichen Lage hat die neuere östliche Orthodoxie relativ wenig Interesse an Ostrom gezeigt und seine Erforschung – von Spezialproblemen abgesehen – zumeist säkularen Historikern überlassen.[171]

Am 11. Mai 330 hatte Kaiser Konstantin seine neue Hauptstadt eingeweiht: **Konstantinopel** am Bosporus an der Stelle der antiken griechischen Stadt Byzántion, eingedeutscht **Byzanz**, was die neuzeitliche wissenschaftliche Bezeichnung für das oströmische Reich werden sollte. Das neue Zentrum war mit Vorbedacht gewählt worden: Es lag näher bei

Donau und Euphrat und somit näher bei den von Germanen und Persern bestürmten Reichsgrenzen; näher auch bei den jetzt wirtschaftlich prosperierenden Gebieten; näher schließlich bei den religiösen Zentren des Ostens. Noch in Europa und doch das Tor nach Asien, am Kreuzungspunkt großer Handelswege: die neue Repräsentation und Demonstration römischer Macht und der starke Stützpunkt der Christenheit im Osten. Ebenfalls mit Vorbedacht war die neue Hauptstadt Konstantinopel in ihrem Stadtplan dem alten Rom angeglichen worden: Ein eigener Senat war in ihr gegründet worden, und sowohl die wichtigsten Senatorenfamilien wie auch die kaiserliche Verwaltung waren an den Bosporus umgezogen. Konstantin nannte sie jetzt stolz das »**zweite Rom**«, später wurde sie auch das »**neue Rom**« genannt, was im Grunde »die Fortsetzung von Rom« meint und was denn auch vom ökumenischen Konzil von Konstantinopel 381, wie wir hörten, feierlich bestätigt werden sollte.

395 wird nach dem Tod des Theodosios das **Reich endgültig in ein west- und oströmisches Reich geteilt**. Dessen Grenzen verlaufen durch ein Land, das sich in unserem Jahrhundert Jugoslawien nannte und in dem in jüngster Neuzeit der alte Antagonismus zwischen West- und Ostrom, römischem Katholizismus und byzantinischer Orthodoxie aggressiv verschärft wurde, wiewohl früher durchaus auch ein fruchtbarer kultureller Austausch (etwa westliche Mönche von der Adria als Baumeister für byzantinische Kirchen) stattgefunden hat. Römisch blieben damals im byzantinischen Reich zwar die Institutionen, lateinisch blieb zunächst noch die Staats- und Rechtssprache. Griechisch aber war – von einigen lateinischen Westprovinzen abgesehen – die Bevölkerung, die Volkssprache, die Kultur und erst recht die Religion. Während aus dem römischen Reich im Westen im Laufe der Jahrhunderte durch die Verbindung mit den Franken ein **germanisches** Reich werden wird, so im Osten durch Byzanz ein **griechisches** Reich, dessen primäre Blickrichtung immer weniger Rom und der Westen als der Osten, Asien, sein wird, woher dem Reich ständig neue Bedrohungen erwachsen.

Die Einwohner des oströmischen Reiches nannten sich indessen einfach »Romaioi«, »Römer«. Denn sie betrachteten ihr Ostreich als die geradlinige Weiterentwicklung des römischen Reiches, während das Westreich unter den nun heranrollenden Wellen der germanischen Völkerwanderung immer mehr zerfiel und 476 schließlich endgültig zusammenbrach. Das **hellenistische Paradigma (P II) der alten Kirche wird beibehalten**, zunächst nur die alte heidnische Hauptstadt durch die neue christliche abgelöst. Und ist diese Ablösung nicht ganz nach dem Plan der göttlichen Vorsehung erfolgt? So lautete bald die offizielle Ideologie: Das neue Rom sei dazu ausersehen, die Weltherrschaft des alten Roms zu übernehmen und diese Weltherrschaft nun im Zeichen Christi auszuüben. Ein wahrer **Heilsstaat**: Denn dieses neue, christliche Rom, von den Dämonen des heidnischen Rom befreit, besitze für die Weltherrschaft nicht nur die bestmögliche politische Verwaltung, es besitze darüber hinaus auch den einzig wahren Glauben.

Was also konstituiert »Byzanz« als Stadt und Reich? Leben, Kultur und die ganze Entwicklung von Byzanz leben aus drei sehr verschiedenen »Hauptquellen«: »Nimmt man eines dieser drei Elemente weg, so ist byzantinisches Wesen nicht denkbar«, sagt der große Erforscher der Geschichte des byzantinischen Staates, der in Petersburg geborene Georg Ostrogorsky[172]. Um welche Elemente geht es? Es sind drei Elemente, welche die Permanenz des altkirchlich-hellenistischen Paradigmas deutlich bezeugen:

- das römische Staatswesen,
- die griechische Kultur,
- der christliche Glaube.

Was das dritte und für das Christentum zentrale Moment betrifft: **Glauben** wird jetzt nicht mehr wie im Neuen Testament in erster Linie als gläubiges Vertrauen (auf Gott, Jesus Christus) verstanden, sondern vor allem als **Rechtgläubigkeit**, als **Orthodoxie**, als Überzeugung von der Richtigkeit bestimmter, vom Staat sanktionierter Lehrsätze der Kirche. Die Worte »Orthodoxie« und »orthodox« finden sich im Neuen Testament bezeichnenderweise nicht, werden aber im vierten Jahrhundert populär. Die »Orthodoxie« ist es, welche die byzantinische Kirche vom Urchristentum (P I) und schließlich auch von anderen Kirchen unterscheidet. Sie wird ihr Eigenname.

Ohne das orthodoxe Byzanz läßt sich wiederum die heutige östliche Orthodoxie auf keinen Fall verstehen. Der zu früh verstorbene russische Theologe Alexander Schmemann, dem ich für mein Verständnis der Orthodoxie viel verdanke, hat es deutlicher als andere formuliert: »In einem gewissen Sinn muß die byzantinische Periode als die entscheidende in der Geschichte der Orthodoxie angesehen werden, als das Zeitalter der Kristallisation des kirchlichen Lebens. Die moderne Orthodoxie ist – von der Geschichte her gesehen – die Kirche von Byzanz, die das byzantinische Imperium um 500 Jahre überlebt hat.«[173] Selbstverständlich sind später auch im Bereich der östlichen Orthodoxie einzelne Entwicklungen der Liturgie, Theologie, Ikonographie, Frömmigkeit und des Rechtes mit manchen Umbrüchen festzustellen. Doch ist nicht zu übersehen: Wie die konkrete Gestalt der katholischen Kirche des Westens bis auf den heutigen Tag vom mittelalterlichen Rom bestimmt bleibt, so bleibt die konkrete **Gestalt der orthodoxen Kirche des Ostens bis heute von Byzanz geprägt**. Sieht man von Sonderentwicklungen in den nichtchalkedonischen Kirchen ab, so stellt man fest, was im folgenden deutlich werden wird:

- Byzantinisch geprägt bleibt die Liturgie.
- Byzantinisch ausgeformt ist die Theologie.
- Byzantinisch normiert erscheint die Ikonographie.
- Byzantinisch inspiriert bleibt die Frömmigkeit.
- Byzantinisch grundgelegt sind Recht und Verfassung.

Dieser letzte Punkt bedarf besonderer Beachtung.

Koexistenz von Heidentum und Christentum

Natürlich darf man sich nicht der Illusion hingeben, die Welt des Imperium Romanum sei mit Konstantin über Nacht christlich geworden. Der Großteil der Reichsbevölkerung war zur Zeit Konstantins noch immer heidnisch. Alle neueren Forschungen zur Spätantike – und es wird heutzutage neben dem öffentlichen immer mehr auch das private Leben untersucht[174] – zeigen, daß sich **Christentum und Heidentum** gerade im Osten, auch abgesehen von den vielen häretischen Gruppen und Sekten, **keineswegs** als **starre Blöcke** gegenüberstanden, sondern weithin gleichzeitig und durchwachsen existierten.[175] Hatte Konstantin gegenüber den heidnischen Kulten nicht eine weise Toleranz geübt und den Bau neuer heidnischer Tempel auch in Konstantinopel zugelassen? Und so sehr nun der direkt politische Einfluß des Heidentums in der Folgezeit zurückging, so sehr blieb es bis ins sechste Jahrhundert hinein als Grundlage der Kultur erhalten. Der Hauptgrund dafür ist einfach: Selbst die Kirchenväter, »klassisch« gebildet, wollten zuallermeist auf »klassische« Bildung im Rahmen der Kirche keinesfalls verzichten, und klassische Bildung, von der gesamten Elite noch immer angestrebt, hatte nun einmal mit heidnischer Literatur, Kunst, Rhetorik, Wissenschaft und Philosophie zu tun. Man konnte das alles nicht haben, ohne die griechisch-römische Götterwelt zur Kenntnis zu nehmen.

Kein Wunder also, daß das heidnische **Schul- und Bildungssystem** zunächst intakt blieb. Ja, es wurde für Christen sogar neu attraktiv, nachdem Kaiser Julian Apostata in seiner kurzlebigen heidnischen Restauration die Christen von ihm hatte ausschließen wollen. Obwohl die christliche Philosophie samt Dichtung und Geschichtsschreibung rein innerkirchlich orientiert war, verstanden es die geistigen Führer der Kirche doch, die früher nur für eine gewisse Elite bestimmte heidnische Philosophie zu »demokratisieren« und sie für das völlig neue Gebäude des christlichen Glaubens nutzbar zu machen. Zumindest also als Propädeutikum war diese Bildung auch für Christen wichtig, bei aller bleibenden normativen Bedeutung von Bibel und kirchlicher Tradition. Und so besuchte die Großzahl der christlichen Kinder die heidnischen Schulen, und auch die Christen drängten zu den antiken Bildungsstätten: vor allem nach Athen, nach Antiochien (bis zum großen Erdbeben 526 und zur Eroberung und Entvölkerung durch die Perser 540) und besonders nach Alexandrien, wo mit Heiden auch Christen unter anderen die berühmte neuplatonische Philosophin Hypatia hörten, bis diese 415/16 vom christlichen Pöbel gesteinigt wurde ...

Viele heidnische soziale Strukturen und äußere Lebensformen blieben also gerade im Osten im 4./5. Jahrhundert relativ unverändert. Nach wie vor galt in oberen Gesellschaftsschichten Arbeit als unwürdig. Und während sich auch die christlichen Vornehmen einem Leben in Luxus und Genußsucht hingaben, hielt man sich in niederen Schichten, ob heidnisch oder christlich, nur zu oft durch Arbeitsscheu und Vergnügungssucht schadlos. Im Osten war die Kultur der »Spätantike« von den »Barbaren« noch weniger bedroht.

Und **die Kirche**? Die der Kirche, den Bischöfen und dem Klerus vom Kaiser gewährten Privilegien änderten an der Lage der Eliten zunächst wenig, und auch in der Volkskultur blieben zum Ärger der Geistlichkeit viele heidnische Sitten (Theater, Zirkus, Gladiatorenkämpfe, Wagenrennen, Bäder) und abergläubische Praktiken (Amulette, Wahrsagerei) in Übung. »So imposant die Kirche des vierten Jahrhunderts erschien, sie bleibt für das ›saeculum‹ marginal«, kann denn auch einer der besten Kenner der Spätantike, der britische Historiker und Patrologe Peter Brown[176], schreiben, »marginal für eine ›Welt‹, deren Hauptstrukturen sich entwickeln unter den gewaltigen Pressionen der Macht und des Bedürfnisses nach Sicherheit und Hierarchie. Das Christentum ist peripher für dieses ›saeculum‹, selbst wenn es jetzt der nominelle Glaube der Mächtigen ist.« Was aber eint die christliche Gemeinschaft? Nochmals Brown: »eine ganz besondere Vorspiegelung: die einer Solidarität, die sich jetzt am hellichten Tag Ausdruck verschaffen kann während der Zeremonien in der Basilika des Bischofs«[177]. Im Gottesdienst also, wo im Gegenüber zu Bischof und Klerus alle gleich sind, da seien nun einmal Hierarchie und Struktur »der Welt« nicht vorhanden; hier seien alle ohne Unterschied mit drei neuen Themen konfrontiert, für welche die Kirche und sonst niemand zuständig ist, Themen, die sie auch den Mächtigen predigt und mit deren Hilfe sie die spätantike Gesellschaft schließlich doch »verchristlichen« sollte: die Themen der Sünde (alle sind Sünder!), der Armut (alle zu Spenden verpflichtet!) und des Todes (alle ständig des Todes gewärtig!). Verpflichtungen, die allesamt für die Erlangung des ewigen Seelenheils von elementarer Bedeutung sind.[178]

Doch nach und nach erfolgte, wie dies R. A. Markus herausgearbeitet hat[179], eine »Christianisierung von Zeit und Raum«. So ließen sich allmählich manche heidnischen Feste, Hochzeits- und Begräbnisbräuche doch mit christlichem Geist füllen. Ein christlicher Kalender mit vielen Märtyrer- und Bekennerfesten löste den heidnischen Kalender ab, und durch die Reliquien wurden die Kirchen zu christlichen Heiligtümern, welche bald durch ein Netz von Wallfahrtswegen miteinander verbunden waren und die Topographie der heidnischen Heiligtümer überlagerten: Immer mehr galt so nicht mehr das Leben in der assimilierten säkularen Kultur, sondern die Abkehr von der Welt, die **Askese,** als das Merkmal echten Christentums. Die **öffentliche Buße** freilich wird jetzt immer weniger geübt. Ein öffentliches Sündenbekenntnis? Das konnte ja nun nicht mehr vor einer kleinen Gemeinde, sondern mußte vor der großen Öffentlichkeit stattfinden – mit womöglich fatalen sozialen Konsequenzen! Im Osten entwickelte sich deshalb anstelle der öffentlichen Buße zuerst in aller Stille eine **private Beichte**: zuerst von Mönchen untereinander und dann auch von Laien freiwillig einem Mönch (nicht Priester) gegenüber. Keine Verpflichtung also, sondern eine Chance. Doch für viele am wichtigsten von all dem, was die Kirche Neues brachte, war das **soziale Netz**, welches die nun immer reichere Kirche aufbaute, um den durch die Latifundienwirtschaft und hohen Steuerdruck verelendeten Massen zu helfen. Besonders im Osten gab es zahlreiche Stätten für Arme, Witwen und Findelkinder, für Zugewanderte, Kranke, Aussätzige und Greise.

Die andere Seite der Medaille darf freilich nicht verschwiegen werden: daß die Kirche, indem sie sich nun selber zur größten **Latifundienbesitzerin** entwickelte, dieses Hauptübel der spätantiken Ökonomie, statt es zu bekämpfen, vermehrte und damit zum Massenelend nicht unwesentlich beitrug. Und als Latifundienbesitzerin wurde sie ganz selbstverständlich auch im großen Stil zur **Sklavenhalterin**. An der gesetzlichen Besserstellung oder gar Freilassung der Sklaven war sie nun sehr viel weniger interessiert als viele von stoischer Ethik beeinflußte Heiden schon vor der Konstantinischen Wende. Ja, während früher ein Sklave (so der Freigelassene Callixt) sogar römischer Bischof werden konnte, verbot jetzt Leo der

Große die Wahl eines Sklaven zum Bischof. Und während sich die Situation der Sklaven im Abendland unter den Germanen eher verbesserte, bestand die Sklaverei in Byzanz noch bis zum Untergang des Reiches fort: im Rahmen also eines »christlichen« Staates und einer »christlichen« Kirche, beide jetzt unter einem »christlichen« Kaiser.

Theokratie: politische Theologie

Konstantin der Große blieb das Urbild aller christlichen Caesaren, Kaiser, Zaren. Das hieß: im Mittelpunkt des Imperium Christianum, welches Staat und Kirche verbindet, steht nicht ein Bischof oder Papst, sondern der Imperator Romanus. Dieser, wiewohl »Laie« (und Konstantin war bis kurz vor seinem Tod nicht einmal getauft), hat mehr als jeder Kleriker auch in der Kirche letztlich das Sagen, auch wenn er sich nicht ständig »päpstlich« in die alltäglichen Dinge der Kirche einmischte. Der Kaiser steht nach Konstantins Überzeugung näher zu Gott als jeder Bischof. Ganz in der Nachfolge des altrömisch-heidnischen Gott-Kaisers sieht sich nämlich auch der christliche Imperator als **Stellvertreter Gottes auf Erden**. Er hat von Gott und niemandem sonst die Herrschaft übertragen bekommen. Ja, der Kaiser sieht sich jetzt als **Freund Christi, des wesensgleichen Sohnes Gottes** (Nikaia!). Er hat die Macht und Pflicht, alle Menschen dem wahren Gesetz Gottes und Christi zu unterwerfen. So hat der Kaiser geradezu eine Art Apostelamt und wird als (freilich nicht unfehlbarer) Bekenner des wahren Glaubens anerkannt.[180]

Keiner hat die christliche Kaiserideologie früher begründet, besser propagiert und schließlich tiefer in Geschichtsbewußtsein, Staats- und Kirchenidee der östlichen Orthodoxie (der Byzantiner und dann auch der Süd- und Ostslawen) eingeprägt als **Eusebios von Caesarea** († 339). Nicht zufällig war er ein Schüler des großen Wegbereiters Origenes, konnte dessen bedeutende Bibliothek in Caesarea benutzen und war nach anfänglichen Sympathien für den Arianismus zum Hoftheologen Konstantins avanciert mit Zugang auch zu den Staatsarchiven.

Will man Eusebios gerecht werden[181], so darf man nicht vergessen, was es für die Generation, die wie er noch die Reihen von Märtyrern in seiner Heimatstadt erlebt hat, bedeutete, daß das Christentum jetzt im Reich »religio licita«, »erlaubte Religion« wurde. Von daher war es verständlich, daß Eusebios in seiner Kirchengeschichte (entstanden um 324/25, am Vorabend des Konzils von Nikaia, als man in Rom gerade die Petersbasilika zu bauen beginnt) die ganze bisherige Geschichte des Christentums nach Gottes gnädiger Vorsehung im christlichen Kaiser gipfeln läßt.

Eusebios kann ihn denn auch sonst in Schriften und Lobreden nicht genug preisen. Von einer besonderen Stellung des römischen Bischofs weiß er wie andere Zeitgenossen nichts. Erst recht nichts von einer Übertragung der Stadt Rom und der Westhälfte des Reiches an den Papst (»Donatio Constantini«, heute erkannt als eine Fälschung aus dem 8./9. Jahrhundert!).

Eusebios, der Vater der Kirchengeschichte und Vater der Hoftheologie, ist so auch zum **Vater der politischen Theologie** geworden, die sich nun doch als die religiöse Verbrämung der Ideologie der Herrschenden, ja, des Herrschers schlechthin entpuppt. Daß Eusebios in seinem »Basilikon« (»Rede an den Kaiser« 335) den Prunkbau der Grabeskirche zu Jerusalem gegen die Kritik der Zeitgenossen mit dem Hinweis auf die Göttlichkeit des Logos verteidigte, ist noch die harmlosere Form seiner Mystifikationen; Prunk wird jetzt allenthalben in der Kirche des armen Nazareners und reichen Kaisers massiv zur Schau gestellt. Schlimmer war, daß Eusebios so ganz anders als die klassischen griechischen und römischen Historiker in seiner »Lebensbeschreibung des seligen Kaisers Konstantin« (nach dessen Tod 337 verfaßt) breit die religiösen Züge des Kaisers beschrieb (ein »neuer Mose« auf dem Weg der Kirche in die Freiheit), aber alles Negative an dessen Person und Politik einfach unterschlug; dies hat bei christlichen Hoftheologen und Hofhistorikern in Ost- und Westkirche in fataler Weise Schule gemacht.

Aber welthistorisch am wichtigsten war, daß Eusebios schon in seiner Kirchengeschichte die **Funktion des Kaisers als des providentiellen Schutz- und Schirmherrn der Kirche** (des Episkopos über die »äußeren« Kirchenangelegenheiten) so stark herausgestellt hat, daß daraus leicht alle möglichen kirchenrechtlichen und theologischen Konsequenzen gezogen werden konnten. Dabei war die Stellung des absoluten römischen Herrschers ohnehin übermächtig. Konstantin nutzte sie nun auch gegenüber der durch ihn befreiten Kirche, um in eigener Machtvollkommenheit das erste ökumenische Konzil der Kirche in seiner Residenz zu Nikaia einzuberufen und es durch seine Beamten bis in Formulierungen des Glaubensbekenntnisses hinein weithin nach seinem Willen zu lenken. Konstantin und dann auch seine Nachfolger haben eine »potestas suprema«, einen **Jurisdiktionsprimat** gegenüber der Kirche ausgeübt, auch wenn ihnen Johannes Chrysostomos und viele byzantinische Theologen die Gewalt über die Kirche abgesprochen haben. Sie besaßen nun einmal eine dreifache kaiserliche Gewalt:

– höchste gesetzgeberische Gewalt: Einberufung, Leitung und Bestätigung ökumenischer Konzilien; Konzilsentscheidungen wurden Staatsgesetze;

– oberste richterliche Gewalt: Appellationsinstanz für Bischöfe, die von Provinzialsynoden abgesetzt wurden;
– administrative Oberaufsicht: Ernennung der Patriarchen, öfters Bestätigung der Bischofswahl, Eingreifen auch in Angelegenheiten der Einzelgemeinde.

Trotzdem läßt sich kaum aufrechterhalten, was noch Anton Michel unter Heranziehung hunderter von Quellen aller Art meinte bewiesen zu haben und was Franz Dölger (er hat die Grundlage der byzantinischen Urkundenforschung gelegt[182]) wie folgt zusammenfaßt: »daß in Byzanz von Anfang an der Kaiser – als der Nachfolger des göttlichen Konstantin d. Gr., als der ›Stellvertreter Christi‹ – der alleinige Herr der Kirche gewesen ist, und zwar in allen Bereichen, in der kirchlichen Organisation und Verwaltung, in der kirchlichen Gesetzgebung und Gerichtsbarkeit, bis hinein in die innersten geistlichen Angelegenheiten der Kirche«[183]. Das ist allzu römisch-katholisch interpretiert. Griechisch-byzantinisch gedacht wird man besser vom Kaiser als dem Abbild des göttlichen Urbildes reden. Aber unbestreitbar bleibt natürlich: Die **Herrschaft des Kaisers**, schon in vorkonstantinischer Zeit überall auch in der Kirche fühlbar, charakterisierte das **hellenistisch-byzantinische Paradigma**, in dem nach Konstantin Hellenismus und Staatskirchentum durch die **Theokratie des Kaisers der Römer** verbunden erscheinen: die Menschheit geeint im christlichen Glauben, vereint in einem politischen Körper unter dem Kaiser.

Der Ausbau des Staatskirchentums: Justinian

Das **Ende des Heidentums** kam unwiderruflich mit dem sechsten Jahrhundert, als sich die christliche Kultur, nicht ohne Zwang, total durchsetzte. Das oströmisch-christliche Reich, das am Anfang vom Balkan und der Donau über Griechenland und Kleinasien bis nach Syrien, Ägypten und Libyen gereicht, dann aber während der germanischen Völkerwanderung viele Gebiete an die »Barbaren« verloren hatte, wurde im sechsten Jahrhundert vom bedeutendsten Nachfolger Konstantins, dem stark lateinisch geprägten Makedonier **Justinian I.** (527-565), förmlich »restauriert«: außenpolitisch durch Rückeroberung verlorener Gebiete und innenpolitisch durch Verwaltungs- und Rechtsreform. Ja, Justinian hat das Imperium Romanum – wie sich zeigen sollte, freilich nur vorübergehend – wieder auf den ganzen Mittelmeerraum ausgedehnt: durch Kriege gegen die Vandalen (in Nordafrika), die Ostgoten (in Italien) und die Westgoten (in Spanien).

Darüber hinaus aber hat Justinian, entschiedener Anhänger der Orthodoxie, auch die innere, die **griechisch-orthodoxe Ausgestaltung des Reiches vollendet**. Nur ganz wenige Daten:
– 527: Alle Häretiker und Heiden (»Hellenen«) verlieren Staatsämter, Ehrentitel, Lehrbefugnis und öffentliche Gehälter.
– 528: Erster Auftrag Justinians für eine umfassende Gesetzessammlung, die mit griechischer Übersetzung zur neuen Rechtsbasis werden sollte (später Corpus iuris civilis genannt).
– 529: Schließung der Philosophenschule in Athen, der letzten Stütze kultureller heidnischer Eigenständigkeit, und Zwang der in Konstantinopel und Kleinasien noch immer zahlreichen Heiden zur Taufe.
– 535: Griechisch wird mit der Veröffentlichung der Justinianischen Gesetzesnovellen offizielle Amtssprache (Gräzisierung doch wohl auch als politische Strategie).
– 537: In Konstantinopel, mit jetzt rund 300 000 Einwohnern symbolischer Mittelpunkt des Reiches, kommt es zum Bau der Hagia Sophia, der größten Kirche der Christenheit, künftig die Krönungskirche für die Kaiser (von da an in der östlichen Architektur Siegeszug der Kuppel, mit ihren Mosaiken für die Gläubigen Zielpunkt der Gebete, Bild und Tor zum Himmel).
– 553: Fünftes Ökumenisches Konzil in Konstantinopel, einberufen wegen erneuter christologischer Streitigkeiten (theopaschitischer Streit, dann Drei-Kapitel-Streit). Es erhebt die kyrillisch-monophysitische Deutung der Definition von Chalkedon zur alleinberechtigten, kann die Monophysiten jedoch trotz aller Begünstigung nicht zur Zustimmung gewinnen.

Mit Justinian (dem die Geschichte den Titel »der Große« vorenthalten hat) war das **byzantinische Staatskirchentum** politisch, rechtlich und kulturell voll durchgesetzt und ausgestaltet worden – bis hin zur finanziellen Aushungerung des heidnischen Erziehungswesens, zur Reglementierung der Lehrpläne und Übernahme der Schulen durch Christen. War man doch besonders seit der Justinianischen Restauration in Byzanz überzeugt: Das Zweite Rom ist dem alten Rom jetzt nicht nur gleichgestellt, sondern **das neue Rom ist politisch dem alten übergeordnet**. Denn war Byzanz im Gegensatz zum altgewordenen, abgestorbenen Rom des Westens, das unter den Barbarenstürmen zusammengebrochen, ausgeplündert und weithin zerstört worden war, nicht eindeutig das erneuerte, das lebenskräftige, das bleibende Rom? Kein Zweifel: Mit Justinian erreichte die Idee eines römischen Kaisertums in christlichem Gewand einen Höhepunkt.

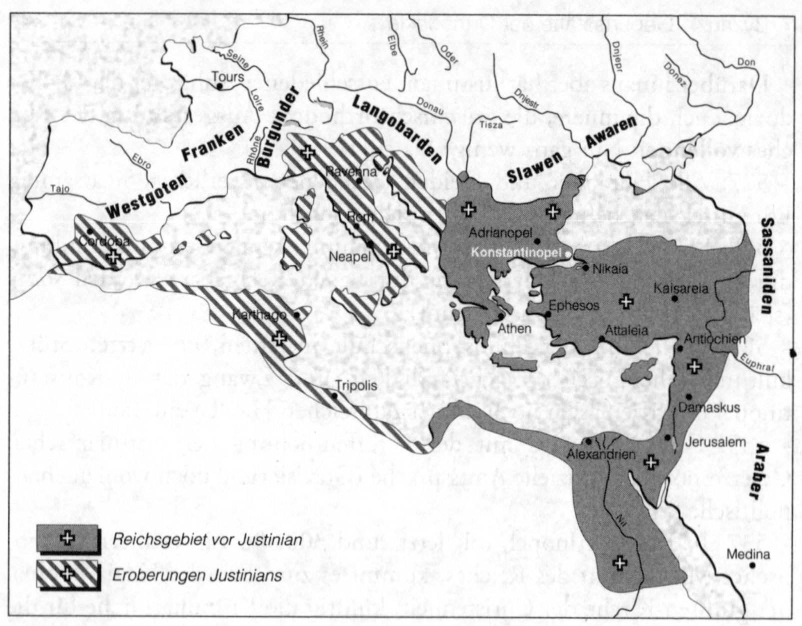

Das Reich Justinians I. um 565

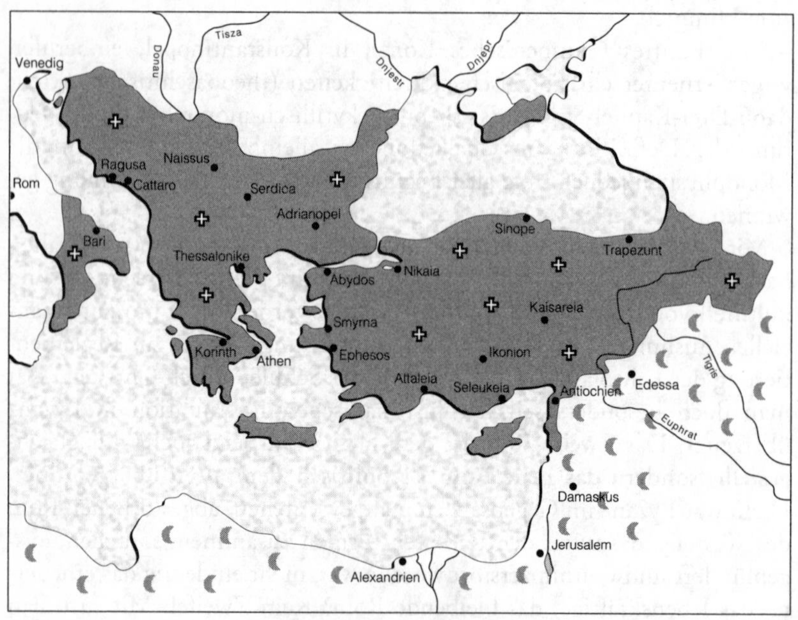

Das Reich Basileios' II. um 1025

Karten nach G. Ostrogorsky, Geschichte des byzantinischen Staates, München [3]1963.

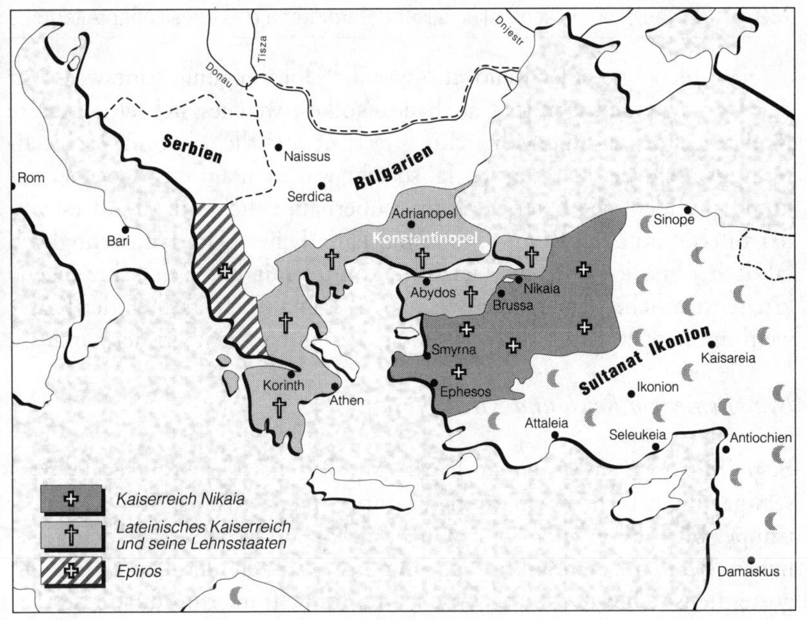

Kleinasien und der Balkan um 1214

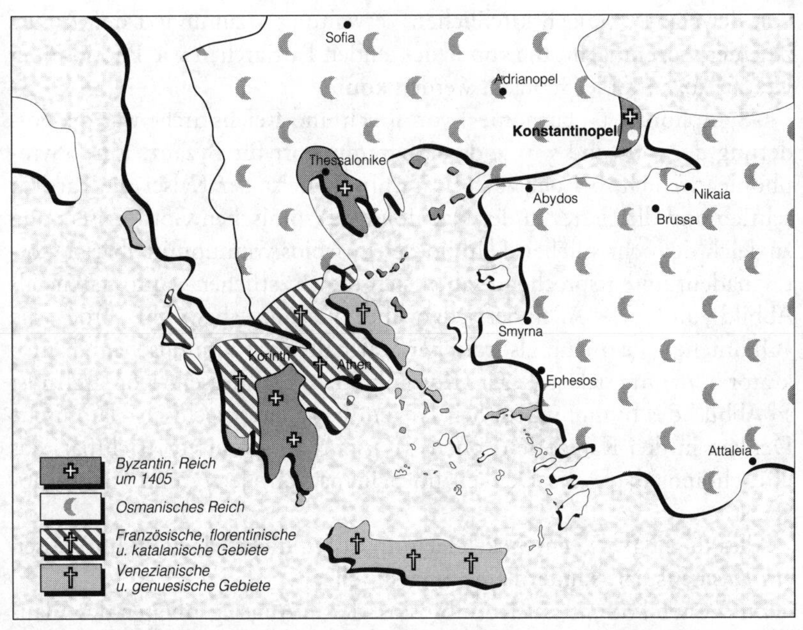

Der Verfall des byzantischen Reiches im 14./15. Jahrhundert

Diese Ideologie einer Renovatio war die Überzeugung keineswegs nur der Herrschenden, sondern auch des Volkes, welches sich eine bessere Regierungsform als die Monarchie – jetzt in christlicher Form – schlechterdings nicht denken konnte. Ja, so sehr war man auf die eigene staatskirchliche Ideologie fixiert, daß man überhaupt nicht auf die Idee kam, der Bischof im alten Rom – immerhin kaiserlicher Untertan, wenngleich faktisch ohne kaiserlichen Herrn! – könnte mit der Zeit seine eigene kirchenstaatliche Ideologie entwickeln ... Denn noch erschien der Kaiser weithin unangefochten als Herr des Staates und Schirmherr der Kirche.

Symphonie von Reich und Kirche

Begreiflich, daß im Osten ein Papst als politischer Gegenspieler des Kaisers gar nicht recht hochkommen konnte. Der **Patriarch von Konstantinopel** blieb denn auch in seinen Funktionen fast völlig auf den geistlichen Bereich beschränkt: Wahrung der Reinheit der Lehre und der gottesdienstlichen Ordnung im engeren Sinn. Immerhin durfte der Patriarch vor der Krönung eines Kaisers die Rechtgläubigkeit des kommenden Herrschers überprüfen und entwickelte so doch – auch abgesehen von der eigenständigen kirchlichen Verwaltung – zumindest den Ansatz zu einer Gegenmacht, die von bedeutenden Patriarchen wie Photios oder Kerullarios ins Spiel gebracht werden konnte.

»**Symphonie**« (»Harmonie«) von Reich und Reichskirche war die Forderung der Zeit und wurde das Programmwort für Byzanz. Eine »Symphonie« freilich, bei der auch weiterhin zumeist der Kaiser die Partitur schrieb und dirigierte. In der Nachfolge des römischen Gott-Kaisers und zugleich dem christlichen Leitbild des Eusebios vom unmittelbaren Gottesgnadentum entsprechend sahen sich die christlichen »Autokraten« als Abbild von Gottes Alleinherrschaft über die ganze »bewohnte Erde«, die »Ökumene«. Justinian, als irdischer Statthalter des himmlischen »Pantokrators«, nannte sich stolz gar »Kosmokrator«. Das irdische Königreich ist so Abbild des himmlischen. Seit langem hatte das griechisch-platonische Denken in den Kategorien »oben« (unsichtbar) – »unten« (sichtbar) das jüdisch-apokalyptische Denken im Schema von »jetzt« und »dann« abgelöst.

Alles in allem also entwickelt sich im Osten **nicht** wie dann im Westen ein **Kirchenstaat, sondern** eine **Staatskirche**.

– Im Westen kommt es seit Ambrosius, der in Angelegenheiten des Glaubens und der Kirchengüter den Kaiser als Christenmenschen **unter** den Bischöfen sieht, durch das expansive Wirken der römischen Päpste, von

Byzanz lange Zeit gar nicht ernsthaft zur Kenntnis genommen, mit der Zeit zu einem ausgesprochenen Antagonismus zwischen Kirche und Staat (»Gottesstaat« und »Weltstaat«) und schließlich zu einem System des **Papalismus**, in dem die Kirche ganz auf den »Papa«, den »Papst«, ausgerichtet ist.

– Im Osten dagegen etabliert sich jene Einheit von Staatsgewalt und oberster Kirchengerichtsbarkeit, dann überhaupt von Kirche, Staat und Volkstum, die man im Westen mit **»Cäsaropapismus«** bezeichnet, ein Etikett, das man freilich besser vermeidet. Der Kaiser zugleich Papst? Der Kaiser ist kein Priester und verfügt nicht wie ein moderner Papst über Unfehlbarkeit. Eher als ein System einseitiger Abhängigkeit herrscht da eine **Interdependenz** von kirchlicher und staatlicher Gewalt. Dem Kaiser kommt anders als dem Papst heute keine absolute Gewalt in Fragen kirchlicher Lehre zu, und mehr als einmal wird er bei Durchsetzung dogmatischer Positionen (etwa zugunsten des Monophysitismus oder der Einigung mit Rom) scheitern. Ja, ein Kaiser, welcher der Orthodoxie untreu wird, ist als Tyrann zu betrachten.

Trotz allem: In der Praxis haben die Kaiser wenig Hemmungen, sich »päpstlicher als der Papst« aufzuführen, nicht nur Päpste nach Konstantinopel zu beordern, sondern auch widerstrebende Patriarchen einfach abzusetzen. Für sie gilt nicht nur das neutestamentliche »Ein Gott, ein Glaube, eine Taufe«, sondern auch das konstantinisch-justinianische **»Ein Reich, ein Gesetz, eine Kirche«**. In der engen, »harmonischen«, »symphonischen« Verbindung von Kirche und Staat besitzen der Staat und dessen höchster Repräsentant, durch ein seit Jahrhunderten ausgefeiltes Zeremoniell und hochsakrale Symbolik von allen Menschen abgehoben, das Übergewicht. Dies ist ein **Charakteristikum des hellenistisch-byzantinischen Paradigmas** geblieben – von Byzanz bis nach Moskau, wo der Zar sogar über die absolute Macht verfügen wird. Freilich: Es ist die Staatskirche nur sozusagen die Außenseite der Orthodoxie. Was bestimmt sie von innen?

Die Liturgie – lebendiges Rückgrat der orthodoxen Kirche

Die **ökumenische Kirche der ersten Jahrhunderte** bleibt eine Kirche, die sich selber nicht primär als eine hierarchische, zentralistisch gelenkte Großorganisation versteht, sondern als die große, über die ganze »Ökumene«, den ganzen »bewohnten Erdkreis« verbreitete Gemeinschaft der an Christus Glaubenden. Diese Gemeinschaft ist konkret lebendig in den einzelnen Orts- und Bischofskirchen, und hier vor allem im Gottesdienst.

Denn man vergesse gerade ob der Übermacht des Staates nicht: Durch all die wechselhaften Epochen sollte die **Liturgie** die **größte Stärke der orthodoxen Kirche** bleiben, sozusagen ihr lebendiges Rückgrat, das sie auch in schwierigen Zeiten aufrechterhält und sie zugleich an die verschiedenen Nationen anpassungsfähig macht. Es ist dies eine Liturgie, in deren Zentrum nicht die »unblutige Wiederholung« des Kreuzesopfers Jesu steht (wie später im lateinischen Mittelalter), sondern das messianische Hochzeitsmahl des erhöhten Herrn mit seiner Gemeinde. Eine Liturgie, deren Grundtenor nicht Buße und Vergebung für die Sünden ist, sondern österliche Freude und Jubel über die Gegenwart des Herrn. Eine Liturgie, die deshalb nicht kniend wie im Westen mit gefalteten (altgermanisch: gefesselten) oder mit aufeinandergepreßten Händen (Symbol der »Flamme«) gefeiert wird, sondern im Prinzip aufrecht stehend mit herabhängenden oder nach oben ausgestreckten, manchmal auch gekreuzten Armen (begleitet allerdings, auch dies ist byzantinisch, von zahllosen Bekreuzigungen, Kniebeugungen, Prostrationen und Küssen sakraler Objekte).

Dabei war aus dem Gedanken der persönlichen Begegnung der Gläubigen mit dem auferstandenen Herrn in den ersten Jahrhunderten eine ganze Fülle spontaner und sehr verschiedener liturgischer Formen (oft improvisierte Eucharistiegebete) entstanden. Eine ursprüngliche Freiheit und Vielfalt, die dann freilich immer mehr eingeschränkt wurde. Nach der Konstantinischen Wende bildeten sich um die großen Metropolen **Liturgiefamilien**[184]:

– von Alexandrien aus die griechische »Markus-Liturgie« und die koptische und äthiopische Liturgie;
– von Antiochien aus die griechische »Jakobus-Liturgie«, die west- und ostsyrische Liturgie;
– von Konstantinopel aus die byzantinische und auch die armenische Liturgie.

Diese östlichen Liturgien waren so verschieden wie ihre Kirchen, entwickelten sich aber trotz ihrer regionalen Sprachen und Eigenheiten allesamt im Rahmen des hellenistischen Paradigmas (P II). Zunehmend deutlich unterschieden sie sich von der von Rom aus sich verbreitenden römischen Liturgie, die vor allem das Frankenreich prägen und ein eigenes liturgisches Paradigma (P III) hervorbringen sollte.

Später drängte wie im Westen Rom, so im Osten Konstantinopel – natürlich nicht zuletzt aus politischen Gründen – auf liturgische Uniformität. Und wie sich die römische Stadtliturgie im ganzen weströmischen und dann fränkischen Reich durchsetzte, so die byzantinische

Stadtliturgie im ganzen oströmischen und in den meisten slawischen Reichen. Bis ins zehnte Jahrhundert schien im byzantinischen Bereich die Liturgie des Basileios des Großen am meisten im Gebrauch gewesen zu sein, dann mehr die aus Antiochien stammende Liturgie des Johannes Chrysostomos.

Diese Erinnerung an die Liturgie ist wichtig, denn sie sagt etwas aus über das innere Leben der Kirche im staatskirchlichen System. Denn gerade für die Kirchen der ersten Jahrhunderte gilt: Wenn sich diese Kirchen nach der Konstantinischen Wende auch immer mehr institutionalisierten und sich auf Wunsch Konstantins der Organisation des einen Reiches anpaßten, so waren sie doch keineswegs eine straff von oben unter einem Oberbischof organisierte Einheitskirche. Sie bildeten noch immer eine **Koinonía, Communio, Gemeinschaft von Kirchen**, deren Einheit und Zusammenhalt nicht primär juristisch-institutionell, sondern sakramental-geistlich verstanden wurde: Ein **föderativer Verband** von Kirchen also, in dem sich die vielen Stadtbischöfe kollegial verbunden fühlten, untergeordnet dem Metropoliten und dem Patriarchen, in Verbindung gewiß mit dem Bischof von Rom. Diesen betrachteten sie als Bischof der alten Reichshauptstadt und anerkannten ihn als ersten der Patriarchen (»primus inter pares«), aber nicht wegen einer besonderen »Verheißung« oder »Vollmacht«, sondern wegen der Gräber der beiden Hauptapostel Petrus und Paulus. Doch viele dieser östlichen Kirchen waren ja selber apostolische Gründungen und in diesem Sinn »sedes apostolicae«, »apostolische Sitze«: Jerusalem, Antiochien und Alexandrien ebenso wie Ephesos, Thessaloniki oder Athen. Sie hatten den Glauben direkt von den Aposteln empfangen und nicht etwa (wie die meisten späteren germanischen Kirchen) von Rom oder (wie die meisten späteren slawischen Kirchen) von Byzanz.

Doch bei allem Lob der Orthodoxie: Es wäre eine große Täuschung, wollte man übersehen, daß schon die damalige **Liturgie und Verfassung der orthodoxen Kirche nicht mehr einfach die ursprünglich-apostolische** (P I) waren. Warum? Man denke – neben der übermächtigen Stellung der Bischöfe – an die Stellung des Klerus überhaupt. Im judenchristlich-apokalyptischen Paradigma gab es – wie wir sahen – volle Freiheit in der konkreten Gestaltung kirchlicher Ämter, solange sie Dienst und nicht Herrschaft bedeuteten. Einen besonderen kirchlichen Dienst auszuüben war lange Zeit eine nicht geringe Last und ein großes Risiko; so viele bezahlten einen hohen Preis, in Zeiten der Verfolgung sogar mit dem Blut. Dies alles änderte sich mit dem Machtzuwachs des Bischofsamtes und indirekt auch des Klerus schon im Jahrhundert vor Konstantin. Seit der Konstantinischen Wende aber fand eine Entwicklung statt, die den Klerus nun immer mehr zu einem eigenen sozialen Stand werden ließ.

Der Klerus – jetzt ein eigener Stand

Der jüdisch-hellenistische Ausdruck **»Laie«** (**»laikós«**) meint im griechischen Sinne die nicht unterrichtete Masse, im jüdischen Sinne den Mann, der weder Priester noch Levit ist. Der Ausdruck findet sich im ganzen Neuen Testament nicht, wohl aber im sogenannten Klemensbrief[185] zu Beginn des zweiten Jahrhunderts. Hier meint er den einfachen Gläubigen im Gegensatz zu Hohepriestern, Priestern und Leviten. Seit dem dritten Jahrhundert wird dieser Ausdruck in der ganzen Kirche geläufig.

Das griechische Wort »kléros« dagegen meinte ursprünglich »Los«, »Anteil« und wurde schon in der vorkonstantinischen Kirche für den Anteil am Presbyterium und dann auch für andere Amtsträger gebraucht. Schon bei Origenes ist **»kléros«** eine feste **Bezeichnung für kirchliche Amtsträger im Unterschied zum Volk.**[186] In der nachkonstantinischen Zeit wurde aus der biblischen Scheidung zwischen (priesterlichem!) »Volk« (»laós«) und »Nicht-Volk« (»ou laós«[187]) immer mehr die Scheidung zwischen »Volk« (= »laici«) und »Priestern« (= Klerus).[188]

Nach Konstantin erfolgte eine erstaunliche **Rückwendung zum Alten Testament** – bis hinein in die jetzt immer mehr fixierten liturgischen Texte, das Zeremoniell, die Gewänder der Priester, die Gestaltung des Gotteshauses.[189] Überall griff man zurück auf die Symbolik eines Tempels und Tempelgottesdienstes, den doch Jesus selber relativiert und die frühe Heidenchristenheit ignoriert hatte, den die nachkonstantinische Christenheit nie mit eigenen Augen gesehen hat, jetzt aber zu ihrem verklärten Vorbild nimmt. Als ob, wie schon Justin gemutmaßt hatte, Tempel und Tempelgottesdienst dem jüdischen Volk durch Gottes Strafe genommen und jetzt der Kirche als dem »neuen Gottesvolk« und dem »wahren Israel« gegeben worden sei. »Salomo, ich habe dich übertroffen«, soll Kaiser Justinian angesichts des fertiggestellten Baus der Hagia Sofia ausgerufen haben. Und »Sion« nannte man manche Kirchen in Syrien und Georgien. Ob das Christentum mit seinem bisher nur in großen Zügen festgelegten Gottesdienst – jetzt als anerkannte Religion in Konkurrenz mit anderen Religionen – sich vielleicht ebenfalls, wie Fairy von Lilienfeld vermutet, mit einem konkreten »Nomos« (= »Gesetz« oder »Religionsausübung«, die Ritus und Kirchenrecht in einem meint), also mit einer straffen Gottesdienstordnung ausweisen wollte?

Immer mehr hatte sich jedenfalls die Spannung zwischen Kirche und

Welt (die nun selbst immer mehr zu einer »christlichen« wird) in das Innere der Kirche verlagert: Sie war zu einer Spannung zwischen »Klerus« und »Laien« geworden! Dabei erhielt der Klerus zunehmend eine gesellschaftliche Sonderstellung und entwickelte sich zu einem eigenen sozialen Stand. Drei ineinandergreifende Vorgänge sind hier zu beobachten, die den **Paradigmenwechsel in der Stellung des kirchlichen Dienstes zur Vollendung** bringen: die Entwicklung zur Professionalisierung, zur Privilegierung und zur Ehelosigkeit. Machen wir uns die Unterschiede in aller Knappheit deutlich:

a) Im judenchristlich-apokalyptischen Paradigma waren die meisten kirchlichen Dienste **nebenberuflich**; selbst der Apostel Paulus verdiente sich seinen Lebensunterhalt – der Überlieferung zufolge – durch Webarbeiten. Jetzt aber wurden die höheren kirchlichen Dienste immer mehr **vollamtlich**. Bischof, aber auch Presbyter und Diakon zu sein, wurde ein **Beruf**. Dies hatte zur Folge, daß die Spenden nicht nur für die Armen, sondern auch vermehrt für den Unterhalt des Klerus aufgewandt werden mußten; daß man an der Wahl gutsituierter Bischöfe interessiert war, die dann ihr Vermögen der Kirche vermachen konnten. So wurden die Kirchen jetzt reich, was dem Klerikernachwuchs förderlich, dem Klerikerleben aber weniger förderlich war, wie viele Mißbräuche bald zeigen sollten.

Von den Laien unterschied sich jetzt der Klerus »wesentlich«: durch die Ordination, die mit Handauflegung (Pastoralbriefe!) und Salbung vollzogen wurde. Ein Presbyter konnte jetzt nur noch vom Bischof, ein Bischof nur noch vom Metropoliten (mit Nachbarbischöfen) ordiniert werden. Auch gab es immer mehr Abstufungen innerhalb des Klerus, die abhängig waren von der entsprechenden Weihe (niedere oder höhere Weihe). Und neben dem Klerus gab es, besonders in den größeren Gemeinden, eine ganze Reihe von Verwaltungsbeamten und manchmal Hunderte von kirchlichen Musikern, Krankenträgern und Totengräbern – eine auch politisch einsetzbare Macht.

b) Im judenchristlich-apokalyptischen Paradigma hatten die meisten kirchlichen Dienste in der Gesellschaft **keine privilegierte Stellung**, im Gegenteil, sie gehörten aufgrund ihres Christusglaubens zu den Unterprivilegierten, die vielfach mit Anzeigen, Benachteiligungen und Schlimmerem zu rechnen hatten. Doch in der nachkonstantinischen Zeit entwickelte sich der Klerus immer mehr zu einem eigenen **privilegierten Status**. Dies bedeutet:

– **Standesprivilegien**: Das begann schon unter Konstantin mit der Befreiung von Personallasten und zum Teil Gewährung eigener Gerichtsbarkeit (Schiedsgericht, Interzessions- und Asylrecht).
– **Standessymbole**: so seit dem fünften Jahrhundert die Tonsur, jenes Ausscheren der Haupthaare, das von den Mönchen (ursprünglich von den Isispriestern?) übernommen worden war; dann auch besondere Kleider (vom Papst Coelestin I. 428 noch streng verworfen).
– **Verfeierlichung des Kultes**: Dazu gehören prachtvolle liturgische Gewänder und kostbare Kirchengeräte; ein in vielfacher Weise angereichertes Zeremoniell mit aus dem Alten Testament und aus dem Heidentum (trotz ursprünglicher Ablehnung) übernommenen Bräuchen: brennende Kerzen, Räuchern mit Weihrauch (gegen die Dämonen), Bittprozessionen, schließlich der kirchliche Kunstgesang (eigene Schola) in den großartigen, mit kostbaren Mosaiken geschmückten Basiliken …

Dies mußte den Klerus, der jetzt hochfeierlich den Gottesdienst »für« das Volk zelebrierte, faktisch nun doch gewaltig von dem zunehmend passiv »beiwohnenden« Volk abheben. Dem Volk gestattete man dafür großzügig einen früher nur im polytheistischen Heidentum üblichen »niedrigen Kultus«: Heilige, Engel und besonders Maria als »Patrone« oder Heilsmittler, zu denen man betete; Reliquien und Reliquienhandel; Bilderverehrung und Wallfahrten nach Palästina, Rom und Tours.

c) Im judenchristlich-apokalyptischen Paradigma waren die meisten kirchlichen Dienstträger **verheiratet**; Ehelosigkeit im Dienst an den Menschen, exemplarisch vorgelebt von Jesus und von Paulus, war kein Gesetz, sondern ein Charisma, das heißt eine frei ergriffene Berufung. Jetzt aber beginnt sich für den höheren Klerus langsam die **Ehelosigkeit** durchzusetzen. Ein Phänomen, das auf dem Hintergrund der weitverbreiteten Entwicklung zur Askese in der Spätantike gesehen werden muß. Denn asketische Lebensformen finden sich damals im Judentum wie im Hellenismus. Besonders die Stoa plädierte für Disziplin und Maßhalten im Geschlechtsverkehr; gäbe der Mann zu viel von seiner Kraft, so war die Meinung, geriete er in Gefahr, an Virilität – eine Haupttugend der alten Römer – zu verlieren und zu verweichlichen …

Schon im dritten Jahrhundert bildete sich die Sitte, daß Bischöfe, Presbyter und Diakone, die bisher (natürlich auch in Rom) normalerweise verheiratet waren, **nach ihrer Ordination** nicht mehr heiraten durften; andernfalls mußten sie aus dem Amt scheiden. Will man wissen, warum man vor der ersten Weihe (zum Diakon) geheiratet haben muß, muß man die Reinheitsvorschriften des Buches Levitikus und die Priestervorschriften der Chronikbücher nachlesen; bestimmte alttestamentliche Vorschriften bezüglich »rein« und »unrein« bilden den Hintergrund vieler Handlungsweisen der orthodoxen Kirchen, ihrer Bischöfe und Priester.

Seit dem vierten Jahrhundert tritt eine Verschärfung ein. Es mehren sich die Versuche, auch verheiratete Kleriker auf geschlechtliche Enthaltsamkeit festzulegen. Während westliche Synoden (zuerst die rigoristische Synode von Elvira in Spanien 306/12) diese Forderungen aufgreifen, hat sich ihnen das Konzil von Nikaia verweigert. Und es ist für die verschiedene Entwicklung von Ost und West bezeichnend, daß man sich im Osten auch hier mehr an die ursprüngliche Kirchenordnung hielt. Bis heute orientiert sich der Osten an der zweiten Trullanischen Synode von 691 oder 692, abgehalten im byzantinischen Kaiserpalast (»Hullos«) unter Justinian II. Sie läßt verheiratete Männer wie eh und je zur Priesterweihe zu und gestattet ihnen auch als Klerikern weiterhin ehelichen Verkehr – und so blieb es bis heute, anders als im Westen, wo seit dem elften Jahrhundert auch der ganze Weltklerus von rigoristischen Päpsten gesetzlich zur grundsätzlichen Ehelosigkeit (= Zölibat im eigentlichen Sinn) verpflichtet wurde. Nur von Bischofskandidaten wird im Osten die Trennung von der Ehefrau (die zustimmen muß) verlangt, was theologisch inkonsequent war und fatale praktische Folgen hatte. Denn diese Regelung führte auf Dauer dazu, daß die Bischöfe des Ostens fast nur noch aus dem Mönchtum gewählt werden konnten. Im übrigen blieb der Zölibat im Osten bis heute auf die Mönche beschränkt, die diese Lebensform frei wählten. Allerdings dürfen auch verwitwete Priester nicht wieder heiraten.

Der Paradigmenwechsel in der Stellung des kirchlichen Amtes hatte also erhebliche Konsequenzen für Geist und Aufbau der Kirche. Hier ging es um mehr als die nötige kulturelle Anpassung. Es kam zu inhaltlichen Verschiebungen im Verständnis des kirchlichen Amtes: neben der sozialen Standesbildung eine **Sakralisierung des kirchlichen Dienstes**, die sich auch im Alten Testament und seiner Abgrenzung von »rein« und »unrein« findet, dem Neuen Testament aber fremd ist. Wo ist im Neuen Testament der Amtsträger eine heilige Person, ausgesondert aus den übrigen Menschen, erhoben über die gewöhnlichen Christen als Mittler zu Gott, so daß die Ordination oft wichtiger erscheint als die Taufe? Auch nicht in den Pastoralbriefen. In der Orthodoxie aber erscheint die Taufe nur als eine Art »Beginn«, »Keim« christlichen Lebens; erst die Mönchsweihe oder die Weihe in den Klerus bringt eine wirklich »neue Kreatur« hervor.

Doch eine sogenannte »christologische« Begründung des kirchlichen Dienstes, die mit falscher Berufung auf paulinische Aussagen unter Überspringen der Christengemeinde den Kirchenleiter als einen »zweiten Christus« und »Mittler« von der Gemeinde isoliert, entspricht nicht der neutestamentlichen Auffassung von der Einzigkeit der Mittlerschaft Christi und vom allgemeinen Priestertum der Glaubenden. Im Gegenteil: Dem Neuen Testament zufolge haben ja alle Glaubenden am Priestertum Christi Anteil, haben alle durch Glauben und Taufe in der Welt eine besondere Stellung, um nach dem Evangelium für die Welt, die Mitmenschen zu leben. Fragen drängen sich auf, nicht nur für die Orthodoxie, wo »das königliche Priestertum« aller Glaubenden, zwar bejaht, im Leben der Kirche kaum eine große Rolle spielt. Fragen drängen sich auf, die durchaus auch aus jüdischer und islamischer Perspektive zu stellen sind.

Fragen in bezug auf die Zukunft des geistlichen Amtes

† Wenn der **kirchliche Dienst** am Anfang nicht vollamtlich war und nicht unbedingt Beruf sein mußte, ist er dann nicht auch in Zukunft wieder als nebenberufliche Tätigkeit denkbar, die unter Umständen nicht lebenslänglich, sondern als Dienst auf Zeit ausgeübt werden kann?

Wenn der kirchliche Dienst am Anfang nicht ein sozialer Stand sein mußte, ist er dann nicht auch in Zukunft wieder als Dienst eines Menschen unter Menschen ohne besondere Standesprivilegien und Standessymbole denkbar?

Wenn der kirchliche Dienst am Anfang auch für Bischöfe und Priester nicht mit der Ehelosigkeit verbunden war und er in den östlichen Kirchen zumindest für Priester bis heute Ehelosigkeit nicht einschließt, soll dann die Ehelosigkeit für Presbyterat und Episkopat zukünftig nicht auch in der Westkirche wieder eine frei ergriffene Berufung sein können? Ein Dienst also, der in unserer Zeit auch Frauen offen stehen kann, wie dies in vielen Kirchen des Westens bereits Brauch ist?

Wenn so der kirchliche Dienst am Anfang nicht sakralisiert war und der Amtsträger nicht als »heilige Person« aus den übrigen Menschen ausgesondert und zum Mittler mit Gott erhoben war, sollte da der jetzt herrschende unbiblische Klerikalismus nicht wieder überwunden werden können?

Das Judentum kennt seit der Zerstörung des Zweiten Tempels keine Priester mehr, aber doch so etwas wie Religionsgelehrte. Doch diese **Rabbiner** sind keine sakralen Personen, sondern Kundige der Bibel (Tora) und der Tradition (Mischna, Talmud), insbesondere des allumfassenden religiösen Rechtes (Halacha). Sie können diesen Dienst durchaus auch nebenberuflich ausüben und sind jedenfalls nicht zölibatär vom Volk abgekapselt. Ist aber deshalb die Gefahr eines »Klerikalismus« im Judentum schon gebannt? Wird nicht von vielen dieser Kenner und Deuter des religiösen Rechtes den Menschen ein allumfassendes Rechtssystem auferlegt: zwar nicht eine Orthodoxie, wohl aber eine Orthopraxie, die ebenfalls zur Last werden kann?

Der Islam kennt anders als das Judentum von vornherein keine Priester, wohl aber wie das Judentum so etwas wie Religionsgelehrte: sunnitisch **Ulama**, schiitisch **Mullas** genannt. Auch sie sind Kundige der Schrift (Koran) und – außer bei den Schiiten – der Tradition (Sunna) und wiederum besonders des religiösen Rechtes (Scharia). Auch sie können diesen Dienst nebenamtlich ausüben und sind im Normalfall verheiratet. Ist aber deshalb die Gefahr eines »Klerikalismus« im Islam schon gebannt, wenn auch im Islam Religionsgelehrte unter Umständen einem ganzen Volk eine allumfassende, bis ins Kleinste ausgeklügelte Lebensordnung – mehr in der Tradition als im Koran begründet – auferlegen und dieses islamische »System« unter Umständen mit allen staatlichen Mitteln politisch auch allgemein durchsetzen wollen?

Dies zum Klerus im allgemeinen. Was die **»Laien«** und ihre Moral betrifft, so ist oft vom Rigorismus der Orthodoxie in Sachen Erotik und Sexualität die Rede. Eine genauere Überprüfung ergibt indessen: »Die Kluft zwischen öffentlicher und privater Sittlichkeit einerseits und den Normen der kirchlichen Autorität andererseits ist in Byzanz so tief wie fast überall … Die Orthodoxie hatte es mit Verdikten gegen die erotische Literatur keinesfalls eilig. Wir kennen aus der Kirchengeschichte von Byzanz genug Fälle, wo Bücher indiziert, verbrannt, jedenfalls ihre Lektüre ausdrücklich untersagt wurde. Dabei ging es so gut wie ausschließlich um Werke, welche mit der orthodoxen Dogmatik auf dem Kriegsfuß standen. Es scheint, daß sich darunter kein einziger Text befand, den man zur erotischen oder der Erotik nahestehenden Unterhaltungsliteratur hätte zählen können.«[190]

Anders verhielt es sich freilich mit dem **Mönchtum**, das zunächst nicht aus Klerikern bestand, das aber andererseits auch nicht nur durch Glauben und Taufe in der Welt ausgesondert sein wollte, sondern das geradezu die Emigration aus der Welt suchte. Das Mönchtum ist – wie in seinem Zusammenhang auch der Bilderkult – eindeutig im Osten entstanden und hat dort bis heute eine beherrschende Bedeutung behalten. Und da Mönchtum wie Bilderkult zur Signatur der östlichen Orthodoxie unverzichtbar gehören, müssen wir ihnen jetzt unsere Aufmerksamkeit in der gebotenen Knappheit schenken.

8. Signatur der Ostkirche: Mönchsherrschaft und Bilderkult

Das Mönchtum[191] ist keine christliche Erfindung, auch keine jüdische (Qumran!), sondern eine alte **indische Einrichtung**. Schon die Upanishaden liefern eine Begründung dafür, warum der Verzicht eine der höchsten Tugenden sein kann. Zentral ist das Mönchtum dann für den Buddhismus, der in seinem Ursprung und Kern eine Mönchsreligion ist, waren doch diejenigen, welche dem Buddha nachfolgten und seine Lehre als maßgebend annahmen, zumeist Eremiten und Wandermönche, dann auch Koinobiten (Zusammenlebende) in Klöstern. Es sind denn auch Mönche, die in den Sutren von Buddha Gautama allenthalben angesprochen werden, wenngleich die Botschaft indirekt auch den Laien gilt.

Was Mönchtum ursprünglich war und wollte

Blickt man nun vom indisch-buddhistischen Mönchtum auf die Geschichte des christlichen Mönchtums, so zeichnen sich trotz sehr verschiedenen Hintergrundes auffällige **Ähnlichkeiten zwischen buddhistischer und christlicher Spiritualität** ab.[192] Und nachdem mit dem Untergang der kämpferischen Mönche im zweiten jüdisch-römischen Krieg 135 das **jüdische** Mönchswesen in Qumran am Toten Meer sein Ende gefunden hatte und uns von einem **judenchristlichen** Mönchswesen nichts berichtet wird, hat man sich schon immer gefragt, ob die Entstehung des Mönchtums in Ägypten (aber gleichzeitig auch in Syrien und Kleinasien) vielleicht auf **indische** Einflüsse zurückgehe. Seit der Zeit Alexanders des Großen fand ja ein kommerzieller und kultureller Austausch zwischen Indien und Ägypten statt. Und deshalb ist es nicht erstaunlich, daß die erste Erwähnung Buddhas in christlichen Quellen sich schon um 200 in den »Teppichen« (Stromata) jenes uns bekannten Klemens von Alexandrien findet, der die christliche Gnosis als das jeder anderen Gnosis überlegene Ideal aufweisen will: »Und es gibt in Indien auch diejenigen, die den Geboten Buddhas folgen, den sie wegen seiner übergroßen Heiligkeit wie einen Gott verehren.«[193] Aber wie weit sich indischer Einfluß im Niltal und in der hellenistischen Welt überhaupt ausgewirkt hat, ist im einzelnen schwierig zu belegen. Einflüsse durch die Gnosis und besonders den pessimistischen Manichäismus, durch die hellenistische Philosophie und die asketische Theologie und Seelenmystik des Origenes sind offenkundiger. Und so müssen wir die Frage der historischen Abhängigkeit offen lassen, wollen aber erwähnen, daß die Vita Buddhas als Barlaam-Josaphat-Legende im östlichen Christentum weite Verbreitung erlangt hat.[194]

Aber lagen die Anfänge des christlichen Mönchtums nicht schon bei der Urgemeinde? Hat es nicht schon da Gütergemeinschaft, Armut und Ehelosigkeit als urchristliche, apostolische Ideale gegeben? Aber ganz abgesehen davon, daß es sich hierbei um generalisierende und idealisierende Darstellungen handelt, ist zu bedenken: Weder Gütergemeinschaft noch Armut noch Ehelosigkeit allein sind Kennzeichen des Mönchtums. Tendenzen zu Einsamkeit und Selbstgenügsamkeit gab es schon in der klassischen Antike; heidnische Asketen (zum Beispiel die selbstgenügsamen Kyniker) gab es ebenso wie jüdische (Philon zufolge die ägyptischen Therapeuten).[195] Und so ist es nicht verwunderlich, daß es schon im zweiten und in größerer Zahl im dritten Jahrhundert in den antiken Städten und Dörfern auch christliche Asketen gab. Sie verzichteten auf Ehe, begnügten sich mit einem Minimum an Besitz und widmeten sich dem Gebet und den »Werken der Barmherzigkeit«. Aber dieses Asketentum – noch ganz ohne Regel, besondere Kleidung und gemeinsame Kasse – hatte noch nicht die Form des Mönchtums.

Denn: Charakteristisch für den Mönch ist der **Rückzug aus der Welt** in die Einsamkeit – was ja nun gerade nicht die Einstellung der Urgemeinde gewesen ist. Mönch, vom griechischen »mónachos« = »Alleinlebender«, ist der, der allein in der Welt lebt; er kann auch »Anachoret«, der (aus der Welt in die Wüste) »Entwichene«, »Zurückgezogene« genannt werden oder – da Wüste griechisch »éremos« heißt – »Eremit«, »Wüstenbewohner«. In der eremitisch-anachoretisch-monastischen Tradition geht es also um kritische Distanzierung und Rückzug von der Welt, vollzogen im Namen Jesu Christi. Zuerst geschah dieser Rückzug (auch von der gewöhnlichen Christengemeinde!) in den Umkreis der Dörfer, auch der Städte, schließlich in die völlige Einsamkeit der Wüste hinein, allerdings oft in Gruppen, die sich um »Väter«-Gestalten sammelten. Der Kampf gegen die Dämonen spielte dabei zumindest Athanasios zufolge eine außerordentliche Rolle[196], galt doch die Wüste vielfach als der Ort, wohin sich die heidnischen Dämonen, die es zu bekämpfen galt, zurückgezogen hatten.

Doch andererseits war gerade der Rückzug in die Wüste ein Zeichen dafür, daß diese Aussteiger eine besondere, neue Beziehung zum Himmel hatten.[197] Die Wüste ein Ort nicht nur des Auszugs, der Dämonen, sondern auch der Einkehr, der Gottesnähe. Hier wurde den Menschen der damaligen Gesellschaft eine **alternative Lebensform** gezeigt: daß ein Mensch einsam, autark, auf sich gestellt, wahrhaft frei sein konnte. Ging es doch nicht nur um die Abtötung des Leibes, die Überwindung des Hungers und den Triumph über sexuelle Bedürfnisse, sondern vor allem um die vollständige Distanzierung von einer früheren Siedlungsgemeinschaft. »Sozialer Tod« war die Alternative, um durch Selbstprüfung und Selbstabtötung ein neues Leben zu gewinnen, ein »neuer Adam« zu werden. Für die Heidenwelt der Antike war dies ein völlig neuer Zugang zum Göttlichen, der hier in der christlichen Spätantike des 4./5. Jahrhunderts aufgezeigt wurde. Nicht mehr jener ganz selbstverständliche, bequeme Zugang, den etwa die heidnischen Priester zu haben meinten, welche die immer nahe Gottheit nur zu rufen brauchten. Vielmehr ein den Dämonen und vor allem der eigenen Sündhaftigkeit mühselig abgerungener Zugang zu dem jetzt keineswegs mehr nahen Himmel, dem verborgenen Gott. Der christliche Mönch also stellt so etwas wie einen »heiligen Mann« neuer Art dar, der, gerade indem er weltliche Macht verwarf, geistige Macht erhielt, die nicht wie bei heidnischen »Gottesfreunden« aus Trancen, Träumen und Visionen stammte, sondern durch ständige äußerst asketische Anstrengungen erreicht wurde. Nicht nur vorübergehende Visionen von jenseitigen Dingen wurden vermittelt, sondern die ständige Gabe, die Herzen der Menschen hier und jetzt zu erforschen. Eine **neue geistige Elite** von christlichen »Gottesfreunden« war hier im Entstehen, die schließlich ihre eigene Organisation und Gesetzgebung, Literatur, Kunst und Architektur entwickeln sollte.

Der **Ursprung des christlichen Eremitentums**? Er ist historisch schon vor 300 greifbar – und zwar in Ägypten. In jenem von der hochkultivierten hellenistischen Stadt Alexandrien so verschiedenen ländlichen Ägypten, wo aufgrund des wachsenden Steuerdruckes Not, Verarmung und Rechtsunsicherheit in den Dörfern zugenommen hatten. Da lebte ein Mann namens **Antonios**. Früher ein wohlhabender Landbesitzer, doch Analphabet, hauste er lange außerhalb des Dorfes in einem Grabmal, dann in einer verlassenen Burg, schließlich in einem wilden Felsengebirge, wo er seinen Kampf mit den »Dämonen der Sinnlichkeit« führte und wo Menschen zu ihm kamen, die von ihm Trost, Rat und Hilfe begehrten. Athanasios hat uns nach dem Tod des angeblich über hundertjährigen Antonios († um 356) eine mit Legenden verwobene idealisierte Beschreibung des Lebens dieses Wüstenvaters hinterlassen (»Leben des Antonios«). Hier nehmen der Kampf gegen die Dämonen, die Wundertaten und die Ablehnung der arianischen (und vielleicht auch der gnostischen?) Häresie breitesten Raum ein. Es sei das Evangelium vom reichen Jüngling gewesen[198], das Antonios angeregt habe, seine Habe den Armen zu geben und in die Einsamkeit zu gehen.

Andere taten es Antonios nach, und die bei dieser Gelegenheit geäußerten Aussprüche (die »Apophtegmata patrum«) der hochverehrten Wüstenväter sollten den Anfang der Mönchsliteratur, all der geistlichen Briefe, Biographien und moralischen Traktate, bilden. Aus ihnen ergibt sich, daß sich die Wüstenväter stark in der Nachfolge der Propheten der Wüste sahen (neben Amos besonders Elia und Johannes der Täufer, Patrone vieler Wüstenkirchen). Die Mönche protestierten später oft gegen die reiche liturgische Ausgestaltung der Stadtkirchen, wendeten sich aber im übrigen nicht an das Volk als solches, sondern an den Einzelnen.

Des Athanasios Schrift hat das **Eremitentum** rasch im griechischen Osten und erst sehr viel später auch im Westen **populär** gemacht. Tausende zogen in die Wüste, oft sozialer Not gehorchend (und zugleich den ungeliebten römischen Staat finanzieller, administrativer und produktiver Kräfte beraubend). Eremitenniederlassungen wie Klöster dehnten sich denn auch bald in Palästina und Syrien aus, wo es zu seltsamen Sonderformen kam: »Säulensteher« (Styliten); einander für ewige Anbetung ablösende »Schlaflose« (Akoimeten); »Wundertäter« (Thaumaturgen[199]). Solche Mönche waren normalerweise keine Kleriker; oft waren sie von Haus aus ungebildete Bauern, die nicht Griechisch verstanden. Viele waren echte Gottsucher, einige freilich finanziell Ruinierte und Steuerflüchtlinge, Psychopathen und flüchtige Verbrecher …

Noch populärer aber wurde das **Koinobitentum**, das »gemeinsame Leben« der organisierten **Mönchsgemeinschaft**. Es sollte schließlich in seiner disziplinierten, humanen und sozialen Art mehr als die Eremiten das christliche Mönchtum prägen, nicht zuletzt, weil es von Männern und von Frauen gelebt werden konnte. Es war der frühere Rekrut **Pachomios** (292-346) aus einer koptischen Bauernfamilie, Zeitgenosse des Antonios, der – angesichts zahlloser zweifelhafter Wandermönche – in Südägypten am Nil (in Tabennisi) zum erstenmal ein genauestens geregeltes Klosterleben mit römisch-militärischer Disziplin organisiert: unbedingter

Gehorsam gegenüber einem Oberen als Grundlage; Verpflichtung auf Armut und Keuschheit; Schweigen (ein altägyptisches Lebensideal) und Verrichtung schwerer Handarbeit. Neun Männerklöster unterstanden schließlich Pachomios, zwei Frauenklöster seiner Schwester Maria, die mit mehreren tausend Mitgliedern die bedeutendste Mönchsorganisation der frühen Christenheit bildeten. Des Athanasios »Leben des Antonios«, die Aussprüche der Väter, die Klosterregeln des Pachomios und die Viten des Abtes Schenute und seiner Schüler sind bis heute die Hauptschriften für die **Kopten**, jene von den (oft als arrogant empfundenen) griechischen Eindringlingen so verschiedene, uralt eingesessene ägyptische Bevölkerungsgruppe christlichen Glaubens, welche das Koptische, die letzte Stufe der ägyptischen Sprache, tradiert.[200]

Aber erst der große **Basileios**, Bischof von Caesarea, sollte angesichts des frommen Individualismus, Separatismus und oft auch Exhibitionismus der Mönche dem Mönchtum zu einer theologischen Grundlage verhelfen: Ausrichtung auf das Evangelium und praktische Nächstenliebe. Er war es auch, der den Mönchen eine **feste Regel** schenkte: Noviziat, Gelübde, strenger Gehorsam gegenüber dem Oberen mit Strafen sowie Kontrolle des extremen Asketismus. Seine Regel bildet die geistliche Lektüre in allen orthodoxen Klöstern und hat auf diese Weise im ganzen Osten Allgemeingültigkeit erlangt, so daß es hier keine unterschiedlichen Orden gab und gibt. Das Konzil von Chalkedon 451 hat schließlich das oft noch unorganisierte Mönchtum in die kirchliche Organisation integriert und der Aufsicht der Bischöfe unterstellt.

Die goldene Zeit der Klostergründungen war dann die Regierungszeit Justinians im sechsten Jahrhundert, wobei jedoch eine von Laien getragene Kultur im Osten – im Gegensatz zum Westen – erhalten blieb. Johannes Kassianus, ein kluger und gemäßigter Mönch skythischer Herkunft, hat das Mönchtum mit seinen »Institutiones« dem lateinischen Westen (vor allem in Marseille) vermittelt, und **Benedikt von Nursia** hat im selben sechsten Jahrhundert mit seiner Benediktinerregel (unter der Verwendung der anonymen »Regula magistri«) auch dem abendländischen Mönchtum seine Form gegeben. Die entscheidenden **Elemente mönchischer Lebensform** sind und bleiben:

- **Gemeinsamer Lebensraum** in Wohnung, Arbeits- und Gebetsstätte;
- **Gleichförmigkeit** in Kleidung, Nahrung, asketischer Haltung;
- **Schriftliche Regel** zur Sicherung der Gemeinschaft und deshalb
- **Gehorsam** gegenüber dem Oberen.[201]

Man kann sich leicht vorstellen, daß es von Anfang an auch immer wieder **Spannungen zwischen Mönchtum und Bischöfen** gegeben hat:

wegen der Trennung von der Ortskirche und ihrem Gottesdienst, wegen übertriebener Askese oder hierarchiefeindlicher Forderungen der Mönche. Die Absonderung schwächte die Gemeinden, aber nicht selten bildeten Horden bäurischer Mönche bei der Zerstörung heidnischer Tempel und bei Konflikten mit »Häretikern« die Sturmtrupps der Bischöfe (etwa eines Kyrill von Alexandrien). Als noch bedenklicher für die Zukunft erwies sich freilich die Auffassung, daß das Mönchtum die höhere Form christlichen Lebens verkörpere, welche die Verheirateten in ihrem aktiven Leben in der Welt nun einmal nicht erreichen könnten. Doch wie ist das Mönchtum – diese Frage drängt sich im Rahmen der Paradigmenanalyse auf – theologisch zu werten?

Gewiß ging es den Mönchen um die wortwörtliche Nachfolge Jesu. Aber beriefen sie sich in vielem nicht mit mehr Recht auf Johannes den Täufer? Schaut man nämlich ins **Neue Testament**, findet man nichts von einer Aufforderung Jesu wie: »Geh in die Einsamkeit«. Jesu Forderung lautet: »Folge mir nach«, was gerade nicht meinte: »Sondere dich von allem ab«, »stirb den ›sozialen Tod‹«. Zwar war Jesus den Evangelien zufolge nach seiner Taufe durch Johannes selber vom Geist Gottes in die Wüste getrieben worden, wo er (schon hier die symbolische Zahl) 40 Tage unter Tieren gelebt, von Engeln bedient und eine Satansverführung erlebt haben soll.[202] Aber wie viel oder wie wenig an dieser Erzählung, die Jesus möglicherweise als »neuen Adam« herausstellen will, historisch ist: Jesus blieb nicht in der Wüste, wurde kein »Wüstenvater«. Er lebte zwar ehelos, führte aber kein öffentliches Büßerleben und war kein Vertreter eines pessimistischen Dualismus und einer gnostischen Leibfeindlichkeit. Er rief Frauen in seine Nachfolge, und anders als bei den späteren Eremiten hören wir bei Jesus nichts von ständigen ungeheuren Kämpfen mit Dämonen, die als schrecklich wilde Tiere, als Satyrn oder verführerische Frauen erscheinen (Verdrängungsphänomene?). Nichts von einem Schweigegebot oder einem Gehorsamsgebot gegenüber einem Oberen. Nichts von verbissenen Bestrebungen, durch Werke asketischer Selbstabtötung Zugang zu Gott zu finden und eine neue Identität zu erlangen.

Aber die »Vollkommenheit«? Noch auffälliger ist, daß Jesus auf diese berühmte Frage hin den Fragesteller (den reichen Jüngling) nicht in das damals bekannte jüdische Kloster von Qumran am Toten Meer geschickt hat, wo er »gemeinsames Leben« in strengster Toraobservanz hätte praktizieren können. Nein, von Jesus her gesehen ist das **Mönchtum nur als Charisma** zu begreifen, nur als eine besondere persönliche Berufung im Blick auf das Himmelreich.[203] Es hat also nur als **eine** Lebensform in der Nachfolge Jesu zu gelten, wie Paulus im Hinweis auf die verheirateten

Petrus, Brüder des Herrn und anderen Apostel richtig ausgelegt hat[204], nicht aber als die höhere Form von Nachfolge für alle Christen. Eine weltabgewandte Spiritualität, wie sie unter dem Einfluß der Mönche immer mehr die Spiritualität der Orthodoxie werden sollte, hat Jesus selber nicht vertreten. Allerdings wird in der klassischen geistlichen Literatur, die das orthodoxe und altorientalische Mönchtum bis heute zur erbaulichen Lektüre benutzt[205], nirgendwo eine Selbstrechtfertigung des Menschen vor Gott durch Werke der Frömmigkeit oder Askese gelehrt, wie sie nach Jesus von einem Mann wie Paulus radikal verworfen wurde. Dies ist erst (unter römisch-katholischem Einfluß?) in neuzeitlicher orthodoxer Theologie geschehen.

Der Siegeszug des Mönchtums war nicht aufzuhalten, und gerade Palästina wurde jetzt das gelobte Land der Mönche (der heilige Sabas, gestorben 532, leitete dort sieben Anachoretenverbände). Zunächst lebten die Mönche freilich noch ziemlich isoliert am Rande von Kirche und Gesellschaft, und die Klöster waren zumeist arm und ohne kommerziell-ökonomischen Ehrgeiz. In der Regierungszeit Justinians aber wurden besonders viele Klöster gegründet, was zur Folge hatte, daß diese nun auch in der Reichskirche und am Hof eine gewisse politische Rolle zu spielen begannen. Zwar wurden die wichtigsten Klöster in Ägypten, Palästina und Syrien im siebten Jahrhundert vom Islam überrollt, in Byzanz selber aber wurde die Position der Mönche immer unangreifbarer.

Die große politische Stunde des Mönchtums schlug dann im 8./9. Jahrhundert. Denn es waren Mönche, die in jenem großen Streit eine historische Rolle spielten, der die orthodoxe Kirche samt dem Staat in den Grundfesten erschüttern sollte: im sogenannten Bilderstreit. Ein Streit um Bilder? Wie kann man, so fragte man sich schon immer im Westen, ausgerechnet wegen Bilder in Streit geraten?

Dürfen Bilder verehrt werden?

Wer – aus dem Westen kommend – heute eine östlich-orthodoxe Kirche betritt, dem fallen sofort die vielen Heiligenbilder ins Auge, die von den Gläubigen in hierarchischer Reihenfolge begrüßt und geküßt werden. Oft teilt ja, besonders in Rußland, eine ganze Bilderwand (Ikonostase) den Altar- vom Gemeinderaum. Und in der Tat: Waren die »konstantinischen« Basiliken und die Mosaiken noch West- und Ostkirche gemeinsam, so sind die **Ikonen** (griech. »eikón« = »Bild«) eine spezifisch östliche Entwicklung. Sie fand vor allem im 6./7. Jahrhundert statt, als **aus Bildern zur frommen Erinnerung Bilder zur kultischen Verehrung** wurden, von denen man glaubte, sie würden die Hilfe des betreffenden Heiligen vermitteln.[206]

Man beachte dabei: Zur Zeit des heidnischen Imperiums war in der Kirche noch jegliche Bilderverehrung verpönt gewesen. Selbst in nachkonstantinischer Zeit sah man darin zunächst heidnisches Denken weiterwirken. Man berief sich dabei vor allem auf das alttestamentliche Verbot der Abbildung Gottes. Frühe Bilder von Christus (etwa vom guten Hirten auf Sarkophagen), von Heiligen und Heilsereignissen hatten deshalb rein symbolischen Charakter. Sie wollten nicht den Gottessohn repräsentieren oder gar porträtieren, sondern auf das verweisen, was das Heil vermittelt: Christus, der Hirte, die Taufe oder die Eucharistie. Nicht durch Bilder also, sondern durch den lebendigen Christus, sein Wort und seine Sakramente, wurde man der Gnade teilhaftig. Eusebios etwa hatte überhaupt jegliche bildliche Darstellung, selbst die der irdischen Menschlichkeit Christi verworfen. Dessen geistig-göttliches Wesen könne ohnehin nicht abgebildet werden, und eine Abbildung des Menschen Jesus allein sei nicht die Abbildung des wahren Gottessohnes. Und Epiphanios von Salamis hatte noch am Ende des vierten Jahrhunderts die Bilderverehrung kurzerhand als eine neue Form der Götzenverehrung angeprangert.

Verteidigt dagegen wurden die Bilder von den drei großen Kappadokiern, von Basileios und den beiden Gregor sowie von Chrysostomos. Schließlich habe man ja früher auch das Bild jedes neuen Kaisers in alle Provinzen getragen, um seine Gegenwart auch in den äußersten Winkeln des Reiches erfahrbar zu machen. Die Ehre, die dem **Bild** erwiesen werde, ziele auf das **Urbild**, meine in Wirklichkeit Christus, Maria oder die Heiligen … Man erklärte dies jetzt platonisch: als »Partizipation« des von Menschen gemachten Bildes an seinem göttlichen Urbild. Jedenfalls hatte man schon im 5./6. Jahrhundert in der östlichen Christenheit keine Hemmungen mehr, vor Bildern in Kirche und Haus brennende Kerzen oder Lampen aufzustellen, Weihrauch zu opfern, die Bilder zu küssen, liturgisch zu waschen und zu kleiden oder vor ihnen niederzuknien – ganz wie früher unter Nichtchristen üblich. Wer die Ikone küßt, sagte man jetzt, küßt Christus und die Heiligen selbst, deren Kraft und Gnade im Bild gegenwärtig ist. Wie im Heidentum wurde jetzt auch im christlichen Volk dem christlichen Bild eine schützende und wundertätige Wirkung zugeschrieben.

Diese neue Art christlicher Bilderverehrung war eine ausgesprochene Bewegung von unten. Die Theologie mit ihren Theorien von der »Inkarnation« Gottes in Christus, die erlaube, das Göttliche (in Gestalt Christi) zu malen, suchte die Bilderverehrung nachträglich zu rechtfertigen und bisweilen zu korrigieren. Wer die Malbarkeit Christi ablehne, lehne auch die wirkliche Inkarnation Gottes in Christus ab. Und es waren vor allem die Mönche, die auf die uralte **Sehnsucht des Volkes nach Anschauung und Hilfe**, nach Erlebnissen von **Gnade und Wunder** eingingen. Insbesondere an den Wallfahrtsorten wurde dies alles kräftig gefördert. Die nicht nur unter Mönchen weitverbreitete monophysitische Auffassung von »Christus unserem Gott«, für die das Irdische nur das Kleid des Göttlichen ist, hat diese Tendenzen zweifellos noch verstärkt. Gefördert wurde die Bilderverehrung obendrein, wie archäologische Funde beweisen, durch Wallfahrten zum Säulenheiligen Simeon. Und bald war der Glaube weitverbreitet, einige Bilder Christi (später auch Marias) seien auf wunderbare Weise entstanden und hätten deshalb wundersame Wirkungen. Ikonen könnten Wunder aller Art wirken, könnten Kranke heilen, Tote erwecken, Teufel austreiben, gar in Kriege eingreifen, Pfeile zurückschießen und feindliche Belagerungsmaschinen zerstören, wie sie sich ja auch bei ihrer Schändung rächen könnten (etwa durch Bluten). Keine Frage: Auch für all diese Wunder gibt es Muster im vor- und außerchristlichen Raum.

Und so sind denn schließlich die **Bilder** in der Welt von Byzanz **allgegenwärtig**, werden sie nicht nur in der Kirche, in Häusern, Geschäften und Mönchszellen aufgestellt, sondern auch in Prozessionen herumgeführt, auf die Reise oder in den Krieg mitgenommen. Im Jahr 626 bestätigt schließlich der Patriarch von Konstantinopel höchstpersönlich die Wunderwirkung der Ikonen und läßt angesichts des Avarensturms schützende Marienbilder an den westlichen Toren der Hauptstadt anbringen. Wie weit da allüberall nur »Verehrung« und nicht auch »Anbetung« (die »an sich« Gott allein gebührt) geübt wurde, wie weit man zwischen Bild und dargestellter Person unterschied, wie weit echte Frömmigkeit und wie weit Aberglaube und Magie am Werke waren, läßt sich nicht immer klar feststellen. Volksreligiosität geht ja nur zu oft über theologische Unterscheidungen hinweg. Jedenfalls scheinen nun einige Ikonenliebhaber des 7./8. Jahrhunderts die Bilder geradezu als eine neue Form der Inkarnation gedeutet zu haben: Christus inkarniere sich jetzt und hier in Holz und Öl, wie er sich damals und dort in Fleisch und Blut inkarniert habe, eine Auffassung, die freilich nicht zur orthodoxen Lehre erhoben wurde.[207]

Was sagt dazu die Bilderkritik? Natürlich war die – wie wir hörten – schon früh geäußerte Skepsis und Kritik an dieser neuartigen Bilderverehrung nie verstummt. Zeugnisse davon haben wir nicht nur aus Armenien und Kleinasien. Oft war ja die materiell-physische Berührung der Ikonen (etwa: Küssen) wichtiger als die Liturgie selber, und Berichte über kruden Aberglauben (ähnlich dem in bezug auf Reliquien auch im Westen) lassen sich nicht übersehen. Die eher zurückhaltende theologische Ikonen-Theorie und die exorbitante fromme Ikonen-Praxis lagen weit auseinander. Und die Traktate der Theologen kamen nicht an gegen die höchst populäre Legendenliteratur, die farbig vom wunderbaren Verhalten und Wirken der Ikonen berichtete. Aber eine große Zahl von Christen muß dennoch diese neuartige, materialisierte Ikonen-Frömmigkeit als Götzendienst im christlichen Gewand empfunden haben. Denn nur so ist der Ausbruch eines großen Streits um die Bilder erklärbar. Er kam im achten Jahrhundert.

Ein fanatischer Streit um die Bilder

Über hundert Jahre sollte dieser Streit, der mit Hilfe von Theologie, Disziplin und Polizei ausgetragen wurde, das Reich in Kämpfe stürzen, schlimmer als dies vor und nach dem Konzil von Chalkedon der Fall war. Ausgelöst wurde er auffälligerweise gerade durch Kaiser **Leon III.**, einen Soldaten aus den östlichen Grenzstaaten, der die bereits zweite Belagerung Konstantinopels durch die Araber 717/18 abgewehrt und die unmittelbare Bedrohung wie die innere Unordnung des byzantinischen Reiches beendet hatte. Man hat unter Historikern viel darüber diskutiert, was im einzelnen die Beweggründe Leons gewesen sein mögen, nicht nur eine bilderkritische, sondern sogar eine **bilder-zerbrechende** (**ikono-klastische**) **Bewegung** zu unterstützen. Ging es ihm um die Stärkung der im Osten gegen die Armeen des Kalifats kämpfenden Truppen: geopolitische Erklärung? Ging es ihm um ein Entgegenkommen gegenüber einer Bewegung unter den mittelständischen Bauern und ihren Bischöfen in den östlichen Randstaaten: sozialpolitische Erklärung? Oder ging es um die einsame Entscheidung eines Mannes, der 725/26 die ersten bilderfeindlichen Ansprachen hielt und das beliebte Christusbild über dem Bronzenen Tor seines Palastes zur Stadt hin zerstören ließ: individualpsychologische Erklärung?[208] Wie immer: Unangebracht ist es jedenfalls, angesichts der starken bildlosen oder bildkritischen Tradition, die es im Raum der Kirche bereits gab, den Streit um die Bilder einfach auf »Neuerer« und auf direkte islamische und jüdische Einflüsse zurückzuführen. Das hatten Bilderverehrer schon im achten Jahrhundert versucht, um die Bilderkritiker in eine unchristliche Ecke zu drängen. Aber wie der Tübinger Byzantinist Stephen Gerö nach eingehender Untersuchung der Quellen feststellt: »Es gibt wenig konkreten Anhalt in den Quellen zu Gunsten eines direkten jüdischen oder muslimischen Einflusses.«[209] Vielmehr verstanden sich die Bildergegner selber als Hüter der alten christlichen Tradition gegen »heidnische Neuerungen«.

Vielleicht hat man indes doch zu wenig beachtet, daß Leon III., der Gründer der syrischen Dynastie in Konstantinopel, ein religiöser Reformer war, der aus jener christlich-semitischen Tradition stammte[210], die der griechischen Kultur und ihrem Bilderenthusiasmus von vornherein reserviert gegenüberstand; ähnlich wie die Armenier hatten auch die Syrer die Bilder zwar als Illustrationen der biblischen Schriften akzeptiert, wollten sich aber mit der Bilderverehrung nicht einer neuheidnischen Idolatrie verdächtig machen.[211] Hier von hellenistischem »Spiritualismus«, von »asiatischer Artung« (im Gegensatz zu griechischer Eigenart)[212] oder gar von »einer Art der Säkularisierung der Kunst«[213] zu reden, ist angesichts des biblischen Bilderverbots töricht.[214] Hans-Georg Beck, einer der besten Kenner der byzantinischen Kirchengeschichte, bemerkt zu Recht, »daß die Bilderfreunde alles taten, um von den realen Ursachen, nämlich den Exzessen der Bilderverehrung, abzulenken«, und hält es von daher für wahrscheinlich, »daß auch dem Kaiser der Überschwang des Bilderkultes widerchristlich zu sein schien, ob er nun aus eigenem zu dieser Ansicht kam oder andere ihn davon überzeugten«[215]. Mit anderen Worten: Die Anti-Bilderbewegung **entstand** nicht außerhalb, sondern **innerhalb der Reichskirche**! Die staatliche Autorität intervenierte nachweislich erst nachträglich. Und als der Kaiser 730 die Bilder gänzlich verbot, hatte er nicht nur den Großteil der Armee, sondern auch viele in der Bevölkerung für sich.

Die Mönche freilich und damit die Klöster hatte er gegen sich, für die ein Gnadenbild sowie die Herstellung und der Vertrieb von Ikonen oft den ganzen Ruhm und zugleich die Existenzgrundlage ausmachten. Gegen sich hatte er auch das vom Mönchtum beherrschte Volk; gegen sich hatte er mit dem direkten Bilderverbot auch die westlichen lateinischen Gebiete und den Papst, nachweislich allerdings erst ab Gregor III. (731-41). Gegen sich hatte er schließlich (hier wichtiger als der Papst) einen bedeutenden Theologen: **Johannes von Damaskus** (ca. 700-753), der als der letzte der großen Kirchenväter angesehen wird. Er gilt als der bedeutendste Systematiker der orthodoxen Kirche, dessen Dogmatik unter dem Titel »Quelle der Erkenntnis« bis heute überall in der Orthodoxie maßgebend blieb. Johannes, vorher eine Zeitlang Schatzmeister des Kalifen, schrieb paradoxerweise unter arabischem Schutz als Mönch im Kloster des heiligen Sabas zu Jerusalem seine **drei Schriften gegen die Bilderstürmer**. Darin entwickelt er eine umfassende Bildtheologie: Herstellung und Verehrung der Bilder Christi (und erst recht der Heiligen) werden ausführlich von der Menschwerdung Gottes her gerechtfertigt, die allem in der Welt eine neue Bedeutung gegeben und auch die Materie zur Heiligung bereitet habe. Deshalb sei Sehen mehr als Hören und das Bild Gottes (in Menschengestalt) eindeutiger als das Wort Gottes. Deshalb sei Bilderkult Pflicht.

Aber: Unter Leons bedeutendem Sohn und Nachfolger Konstantin V., der die militärische, ökonomische und administrative Reform des Staates weiterführte, wird auf dem großen Konzil in Hiereia bei Chalkedon im Jahre 754, das sich als das Siebte Ökumenische verstehen wollte, der **Ikonoklasmus** zur **Kirchenlehre** der gesamten östlichen Hierarchie erklärt. Auch unbekümmert um die Tatsache, daß dieser vom Papst ausdrücklich vorher verurteilt worden war. Die bilderfeindliche Theologie dieses Konzils insistierte nun nicht mehr nur auf der wesentlichen Unbegreiflichkeit und Nichtabbildbarkeit Gottes selbst, sondern auch auf der grundsätzlichen Unmöglichkeit einer Darstellung Christi. Eine solche müsse entweder die menschliche und göttliche Natur Christi auseinanderreißen oder seine göttliche Person verkürzen, da diese nun einmal nicht dargestellt werden könne.

Was jetzt Dogma der Reichskirche war (Johannes von Damaskus war zum Häretiker erklärt worden!), führte zunächst nicht zu Verfolgungen. Allerdings wurden viele öffentliche Bilder (nicht die privaten!) vernichtet oder übertüncht. Erst Jahre später wurden Bilderfreunde verfolgt, Klöster zerstört oder säkularisiert, manche Mönche, die sich oft der kirchlichen Oberhoheit des Kaisers überhaupt widersetzten, wurden verjagt, verbannt, zum Heiraten gezwungen, gequält oder in Einzelfällen gar getötet. Bischöfe und sonstige Kleriker findet man damals kaum unter denen, die man dann als »Martyrer« verehren sollte (766 aber ließ der Kaiser auch 19 höhere Beamte und Offiziere hinrichten).

Ein erstes Einlenken kam erst nach dem Tod Leons IV. (Konstantins Sohn) unter dessen Kaiserinwitwe Irene (780-802). Aus den griechischen Stammlanden kommend, stand sie unter dem Einfluß der Mönche, setzte ihren Staatssekretär als Patriarchen ein und ließ in Abstimmung mit dem Papst (der Bilderverehrung allerdings nur im Sinn der illustrierenden »Armenbibel« gestattete) in **Nikaia 787** auf dem bis heute als Siebten gezählten Ökumenischen Konzil die **Bilderverehrung wieder gestatten**. So entschied das Zweite Nizänum, welches Bild und Wort nicht trennen will, sondern als zwei Seiten der einen Sache betrachtet: »Die Verehrung des Bildes geht über auf das Urbild (›protótypos‹)« (Basilius). Die wahre »Anbetung« (»latreía«, »adoratio«) bleibe dabei Gott vorbehalten, gegenüber den Bildern aber sei eine relative Verehrung (»timetiké proskynesis«,

»veneratio«) gestattet: durch Kniebeugung, Kuß, Weihrauch und Kerzen.[216] Alles ein Plädoyer für die »kirchlichen Überlieferungen« und eine Verurteilung aller »Neuerungen«. Es sollen in Zukunft Bischöfe und Klerus über das entscheiden, was dargestellt werden darf; die Künstler sollen einfach die Bilder ausführen. Eine für die byzantinische Kunst schwerwiegende Entscheidung: »Zum ersten Mal in der Geschichte des Christentums« ist hier »eine Kontrolle der Kirche über die darstellende Kunst« beschlossen worden, die stillschweigend voraussetzte, »daß die Freiheit des christlichen Malers beschränkt werden sollte« (A. Grabar[217])! Die theologische Reglementierung der byzantinischen Kunst, auch wenn sie zunächst nur das Inhaltliche betraf, war grundgelegt.

Heute sieht die orthodoxe Kirche mit dem Siebten Ökumenischen Konzil (Nikaia II) ihre **offizielle Lehrbildung** als **abgeschlossen** an. Ihre wichtigen dogmatischen Konzilsdefinitionen kreisen ja allesamt um die beiden Themen Trinität und Inkarnation. Und gerade die Entscheidung für die Bilder hat man schon damals als eine letzte Konsequenz aus der Lehre von der Inkarnation angesehen. Für die östliche Orthodoxie ist seither **Wahrheitskriterium die Tradition**. Konkret: Weniger die Bibel als vielmehr

- der Glaube der sieben ökumenischen Konzilien sowie
- der Konsens der alten Väter.

Beendet hatte das Zweite Nizänum den Streit freilich keineswegs. Im Gegenteil: Nach dem Tod Irenes kam es im neunten Jahrhundert unter dem ikonoklastischen Leon V. und seinen Nachfolgern – er war wiederum nicht griechischer, sondern armenischer Abstammung! – zu einer dreißigjährigen **zweiten Phase des Bilderstreits** (814-843), gekennzeichnet durch Palastintrigen und Patriarchenwechsel, wobei sich die kirchliche Hierarchie dem Kaiser gegenüber (mit Ausnahmen) als ebenso gefügig erwies wie die Mönche als fanatisch und privilegiengierig. In dieser Phase spielte, nach der Absetzung und Verbannung des bilderfreundlichen Patriarchen Nikephoros, der Abt des in der Hauptstadt von ihm restaurierten Studiu-Klosters eine Hauptrolle zugunsten der Bilderfreunde: Theodor Studites, der eine ganz auf Gehorsam gegenüber dem Abt aufgebaute, durchorganisierte Mönchsgemeinschaft hinter sich hatte.

Doch erst wieder unter einer Frau, der mönchs- und bilderfreundlichen Kaiserinwitwe Theodora, die Methodios, den Mönch, als neuen Patriarchen einsetzte, wurde der Streit auf einer Synode von Konstantinopel 843 **endgültig zugunsten der Bilder** entschieden und wurden bilderfeindliche Bischöfe (wie vorher bilderfreundliche) abgesetzt. Zum Gedenken an diesen Sieg der Bilderfreunde über diese letzte der großen »Häresien« feiert die orthodoxe Kirche jedes Jahr bis heute am ersten Fastensonntag das »**Fest der Orthodoxie**«. Alles scheint jetzt erreicht: die Orthodoxie des Glaubens und die der Bilder. Aber wir haben heute auch hier nach den Kosten des Bilderstreits zu fragen: den ästhetischen, theologischen und politischen.

Theologie der Ikonen – kritische Rückfragen

Seit dieser Zeit haben sich die **orthodoxen Ikonen** gewiß noch verändert, aber – sehr viel mehr als die offizielle orthodoxe **Theologie**, die seit Johannes von Damaskus dogmatisch feststeht? Natürlich wirken sich Zeit und Ort ihrer Entstehung auf Technik und Motivik der Ikonen wie auf Methode und Thematik der Theologie aus. Und wie Theologiegeschichtler verschiedene Phasen der östlichen Theologie unterscheiden können, so Kunstwissenschaftler verschiedene Perioden der byzantinischen Malerei und Mosaikkunst; schließlich haben ja auch westliche Renaissance oder Barock die Ikonenmalerei in Rußland und auf dem Balkan beeinflußt. Trotzdem blieb es, von nichtrepräsentativen Ausnahmen abgesehen, beim **byzantinischen Stil**, auf den sich denn auch die heutigen orthodoxen Werke über die Theologie der Ikonen berufen. Wegen dieser sich nach wie vor auswirkenden Ästhetik von Byzanz und seiner Nachfolgekirchen kommen diese alten ostkirchlichen Bilder, so sehr viele von ihnen vom Wort der Heiligen Schrift bestimmt sind, manchen westlichen Menschen noch heute höchst fremdartig vor, allzu streng, allzu archaisch. Doch unterdessen haben sich – nicht zuletzt aufgrund mancher Ausstellungen und Veröffentlichungen – viele westliche Vorurteile gegenüber den Ikonen aufgelöst. Man weiß heute: Auf den künstlerischen Einfallsreichtum einer Künstlerpersönlichkeit kommt es den Ikonenmalern – anders als den westlichen Künstlern seit der Renaissance – gerade nicht an. Ihre Kunst versteht man nicht von einem westlichen Originalitäts- und Individualitätsprinzip her, wie es sich im 19. Jahrhundert freilich auch in Rußland, in der religiösen (oft antikirchlichen) Kunst des bereits weithin entkirchlichten Landes, durchsetzte.

In der Orthodoxie sind heute nicht nur die dogmatische Theologie, sondern auch die ästhetische Gestaltung weithin kanonisch normiert, wenngleich diese es lange Jahrhunderte nicht war. Die Lehre der Kirche ist mit den sieben ökumenischen Konzilien und dem Konsens der alten Väter ein für alle Male definiert, wenngleich es später, worauf zurückzukommen ist, noch gewichtige Weiterentwicklungen von Theologie und

Frömmigkeit wie etwa den Hesychasmus gab. Neues wird – wie in der Theologie so auch in der Kunst – in der Regel verdächtigt als »**neoterismós**«: **Neuheit = Häresie.** Schöpferische Phantasie sind hier wie dort verpönt. Vielmehr sind standardisierte Normen, über Jahrhunderte auch ohne gesetzliche Vorschriften tradiert, einzuhalten. Überdies sollen wie die Theologie auch die Bilder mit den Texten der Liturgie genau übereinstimmen, wo von der Geburt Jesu etwa in einer Höhle (und nicht in einem Stall) die Rede ist. Überall sollen bestimmte Idealtypen eingehalten werden, was beim Ikonenmalen selbst dann geschehen kann, wenn jeweils ein Maler etwa nur die Augen und ein anderer nur die Hände einer Figur malt.

Ja, noch mehr: Ikonen sollen **die himmlischen Archetypen, die göttlichen Urbilder wiedergeben.** Sie sollen wie bunte mittelalterliche Glasfenster die Ewigkeitsbedeutung irdischer Gestalten durchscheinen lassen; russische Religionsphilosophen des 20. Jahrhunderts (E. N. Trubeckoj, P. A. Florenskij) haben die schon früher platonisch geprägte Bilder-Theorie noch verstärkt. Von diesem Verständnis her erklärt sich die relativ konstante Symbolik der Farben und Formen, der Kleidung und Gestik, vor allem das symbolische Gold (Gelb, Ocker) als ständiger Hintergrund.[218] Von daher erklärt sich die Beschränkung auf eine zweidimensionale Darstellung, in der sich das Urbild spiegeln kann, und umgekehrt das in der byzantinischen Kunst streng eingehaltene Verbot der Rundplastik, die ursprünglich wohl zu sehr an heidnische Götterbilder erinnerte. Von daher erklärt sich, daß Malen von Ikonen zum religiösen Akt wird: Nicht nur wird vor Beginn der Arbeit gebetet und gefastet, werden Farben und Werkzeuge gesegnet, sondern es wird das fertige Bild in einer eigenen Liturgie geweiht und die Identität des gemalten Bildes mit dem Urbild von der Kirche bestätigt. »Gültig« ist eine Ikone, wenn sie den Namen des Dargestellten oder eine biblische Szene abbildet.

Ikonen, das dürfte jetzt deutlich sein, sind mehr als bloße ästhetische Übungen, auch mehr als pädagogische Instrumente zur Bildung des schlichten Volkes. Ikonen sind vielmehr für das orthodoxe Verständnis neben Wortverkündigung und Eucharistiefeier so etwas wie »Sakramentalien«: eine besondere Form der **Kommunikation der Gläubigen mit Gott.** Das sollte auch im Westen verstanden und nicht abgeurteilt werden. Trotzdem drängen sich angesichts des Traditionalismus in Kunst und Theologie Rückfragen auf, die im ökumenischen Gespräch der Kirchen nicht ausgeklammert werden sollten.

Zunächst zur neobyzantinischen **Ästhetik:** Kunstwerke früherer Kunstepochen verlieren auch im Westen nach einem Paradigmenwechsel keineswegs ihren Wert; die alten Werke behalten im Prinzip ihre Geltung; denn alle echte Kunst hat einen überzeitlichen, bleibenden Wert. Doch so sehr man in der Kunst die »alten Meister« auch schätzt: Ist eine in einer bestimmten Zeit zurückgebliebene und nur noch mehr oder weniger kopierte Kunst (wie eine nur mehr oder weniger formal tradierte Theologie) nicht vielleicht doch ein Indiz dafür, daß auch eine bestimmte Kirche und Theologie und so eben auch eine bestimmte Kunst in einer früheren Epoche, in einem früheren Paradigma zurückgeblieben sind? Dieses frühere Paradigma braucht deshalb noch nicht total »überholt« zu sein; niemand will ja heute noch die Bilder (oder eine traditionelle Theologie) einfach abschaffen. Aber besteht nicht doch die Gefahr, daß den alten Vorbildern und Vordenkern in einer neuen Zeit der alte Inhalt abhanden kommt? Lebensgeist und Geistesleben lassen sich nun einmal nicht von einer früheren Zeit ausleihen.

Die Frage zielt also nicht auf die östlichen Künstler oder Theologen, denen niemand von vornherein die schöpferische Kraft absprechen sollte (die großen Initiatoren der gegenstandslosen modernen Kunst waren die Russen Kandinsky und Malevič!), sondern auf die Kirche: Reduziert diese Kirche nicht ihre großen Künstler (und Theologen) aufgrund ihrer normativen Ästhetik (und Dogmatik) zu besseren Kopisten? In einer neuen Gesamtkonstellation können zwar **»alte Werke«** ihren **Kunstwert** für die Frömmigkeit behalten. Ein **»alter Stil«** aber läßt sich in der **Kunstproduktion**, es sei Neugotik oder Neubyzantinismus, nur um den Preis der Erstarrung durchhalten. Denn in der Kunst (und in der Theologie) führt eine Zeitkrise früher oder später zu einer Stilkrise und diese wiederum zu einem Stilwandel, was die Übernahme alter Stilelemente in einer neuen Zeit allerdings nicht ausschließt.

Dann aber auch direkt Fragen zur **Theologie**: Es stellt sich wie angedeutet die allgemeine Frage nach der Geschichtlichkeit und ständigen Erneuerungsbedürftigkeit der Theologie. Mit den Entscheidungen des Bilderstreits war der Ausbau des dogmatischen Gebäudes der östlichen Orthodoxie beendet und die Gestalt von Liturgie und Theologie im wesentlichen geprägt. Natürlich gab es auch später noch interessante Entwicklungen, etwa im Bereich des Mönchtums (besonders auf dem Athos) der **»Hesychasmus«**[219]. Er stellt eine seit dem zwölften Jahrhundert nachweisbare Form mittelalterlicher ostkirchlicher Mystik dar, die durch eine bestimmte Atemtechnik und unaufhörliches Anrufen Jesu zur »Hesychia«, zum Schweigen in Ruhe, und zur Schau des unerschaffenen göttlichen Lichtes führen sollte. Im 14. Jahrhundert wurde sie unter Gregorios Palamas psychotechnisch verfeinert und strebte mit einer auch theologisch durchdachten ekstatischen Visionstechnik die unmittelbare Schau der göttlichen Energien des dreifaltigen Gottes an. Die Schriften des Palamos wurden von zwei Synoden verurteilt, aber seit Kaiser Johannes VI. Kantakuzenos (Mitte 14. Jh.) als orthodox anerkannt. Sowohl die Altgläubigen in ihrem Widerstand gegen die Liturgiereform wie das Starzentum im 19. Jahrhundert haben sich vom Hesychasmus inspirieren lassen. Das bereits **verfestigte Paradigma der östlichen Orthodoxie** vermochte er zu verlebendigen, aber kaum entscheidend zu verändern.

Aber es stellt sich auch die besondere Frage nach der **Communio**. Theologisch legt die orthodoxe Kirche großen Wert auf die Koinonia, die Gemeinschaft. Und in der Gemeindepraxis lebt ja auch der orthodoxe Presbyter sehr oft in größerer Nähe zu seiner Gemeinde als der zölibatär lebende katholische Kleriker. Aber die Jahrhunderte nach Nikaia II in den orthodoxen Kirchen aufgekommene Bilderwand, ähnlich wie der gotische Lettner in den westlichen Kirchen aus einer einfachen niederen Schranke entstanden, hat nun doch zu einer unbiblischen **Trennung der Gemeinde vom eucharistischen Tisch des Herrn** geführt, zu einer Trennung von Priestern und Volk, Klerikern und Laien in der Liturgie. Als einziger Laie durfte ja nur der Kaiser, der als »Isapóstolos« (»den Aposteln gleich«) angesehen wurde, im Sanctissimum hinter der Ikonostase die Kommunion unter beiden Gestalten empfangen – obwohl noch die Trullanische Synode in ihrem 69. Dekret festgehalten hatte, daß dieses Recht an sich dem Laienstand überhaupt zukomme.

Ist es nun aber – so sehr sich die orthodoxen Gläubigen an bestimmte theologische Rechtfertigungen dieses Zustandes gewöhnt haben – nicht doch eine eher alttestamentliche Vorstellung, das »Allerheiligste« (als Abbild des Himmels auf Erden gedeutet) vom Kirchenschiff und Kirchenvolk (der irdisch-pilgernden Kirche) abzutrennen? Als ob neutestamentlich gesehen der Vorhang zum Allerheiligsten nicht zerrissen wäre und Jesus Christus durch seine Hingabe nicht allen Glaubenden das freie Zutrittsrecht zum Allerheiligsten eröffnet hätte![220] Es soll in der Eucharistie doch die »Koinonía«, die »Communio« der Gläubigen mit ihrem Herrn und untereinander gefeiert werden. Deshalb drängen sich hier Fragen nach Reform auf, die es würdig wären, auf einer panorthodoxen Synode[221] erörtert zu werden.

Fragen für die Zukunft

– Eine genau geregelte Hierarchie der Heiligen auf der Bilderwand trennt das Volk vom Klerus; wäre nicht auch in den orthodoxen Kirchen die Frage einer **Liturgiereform** zu erörtern, welche die reformatorischen Kirchen im 16. und dann die katholische Kirche – 400 Jahre zu spät – im 20. Jahrhundert mit guten Gründen durchgeführt haben? Der eucharistische Tisch wieder nach alter Tradition nahe beim Volk, die Eucharistie wieder gefeiert angesichts der ganzen Gemeinde, die Presbyter dabei dem Volk zugewendet: das Abendmahl Jesu also (und nicht der Jerusalemer Tempel) als Vorbild.

– Müßte von daher nicht auch die Praxis der **Ikonenverehrung** überprüft werden? Gewiß, wird man sagen, die Bilderwand läßt den Himmel auf Erden erscheinen. Doch ist ein nun einmal von Menschenhänden (auch den heiligsten) gemachtes Werk nicht immer noch ein Menschenwerk? Und bleibt nach der Auffassung der Theologen auch ein heiliges Bild, das eine kirchliche, ja liturgische Funktion hat, nicht immer ein Abbild, wie ja auch das schönste Mosaik oder Glasfenster nur Widerschein und Widerspiegelung und gerade nicht ein durch Menschenhände zu erreichendes Erscheinen des Heiligen selbst sein kann? Und ist nicht auch die Eucharistiefeier, wo in der orthodoxen Kirche besonders feierlich das Erscheinen Christi mit all seinen Engeln und Heiligen zelebriert wird, doch nur eine Repräsentation und nicht eine Inkarnation? Wäre also eine Veränderung des irdischen Ab-Bildes wirklich schon eine Abänderung des himmlischen Ur-Bildes selbst?

– Auch wenn im Westen Kunst und Theologie mehrere epochale Paradigmenwechsel durchgemacht haben, so hat sich doch das lateinische Christentum des Westens seit dem Mittelalter immer mehr aus einer Religion des Hörens und Nachfolgens zu einer Religion des Sehens und Tastens entwickelt: Müßten also nicht auch im römisch-katholischen Bereich Phänomene unaufgeklärter Religiosität wie Reliquienkult und Gnadenbilderkult einer theologisch-pastoralen Überprüfung unterzogen werden?

Dies zielt nicht auf aufgeklärten Rationalismus: Selbstverständlich soll der **Bildgedanke** in der orthodoxen Theologie **nicht aufgegeben** werden:
– Mit Recht legen orthodoxe Theologie und Kirche Gewicht auf die biblische Aussage, daß der Mensch nach Gottes Bild und Gleichnis geschaffen wurde und der Mensch so Gottes Ikone in sich trägt.

– Mit Recht hat sich in der Welt von Byzanz keine solche Erbsündenlehre entwickelt wie im Westen, derzufolge gar noch aufgrund sexueller Implikationen das Bild Gottes im Menschen völlig beschmutzt und entstellt wird.
– Mit Recht wird Christus nicht nur als der Logos, sondern auch als das ursprüngliche Ebenbild Gottes angesehen, in welchem das ursprüngliche Bild des Menschen wieder erneuert werden soll. Dieser Glaube an den göttlichen Pantokrator hat deshalb – so sollte sich zeigen – mit Recht den Glauben an den kaiserlichen Autokrator überdauert. Dies aber läßt nun auch nach den politischen Kosten des Bilderstreits fragen.

Der Sieg der Mönche

Gibt es einen **Sieger** im großen Bilderstreit? Der Sieger ist zweifellos das **Mönchtum.** Es kann sich der Autorität von Patriarch und Bischöfen immer mehr entziehen, beziehungsweise selber in solche Leitungsämter einrücken. Zunächst werden viele durch den Bilderstreit heruntergekommene Klöster zur Restauration an finanzstarke Kleriker oder Laien abgegeben (»Kommenden«); was als Hilfe gedacht war, wurde aber in vielen Fällen zur leicht vom Grundherrn auszubeutenden Pfründe. Zunehmend aber wurden im 9./10. Jahrhundert vom Kaiser und anderen Vermögenden neue Klöster gegründet, vor allem in Konstantinopel und dann auf dem Berg Athos. Auf diesem »heiligen Berg« hat sich in jener Zeit eine mehr oder weniger unabhängige »Mönchsrepublik« entwickelt, die nun das geistliche und kirchenpolitische Zentrum des byzantinischen Mönchtums wurde, das freilich seine eigenen Probleme hatte.

Denn in der Folgezeit stieg die Zahl der Mönche in Byzanz auf rund 100 000 an. Eine ungeheure Zahl im Vergleich zur Gesamtbevölkerung und natürlich – wegen der privilegierten Stellung (Steuerexemtion) – eine Belastung für den byzantinischen Staat, der auch mit Mitteln der Gesetzgebung kaum dagegen ankam. Die Klöster wurden reich und weiteten das Klostergut immer wieder aus; Mißbräuche und Mißstände stellten sich ein. Mönche waren jetzt überall in der byzantinischen Gesellschaft präsent als Berater, Mentoren, Beichtväter.

Man mache sich noch einmal klar: Als eine charismatische individuelle, private Laienbewegung am Rand der Kirche, so sahen wir, hatte das Mönchtum begonnen. Jetzt aber betrachtet es sich geradezu als den für die Kirche (und damit auch den Staat) konstitutiven inneren Kern. Eine **neue Mönchsideologie** entsteht, propagiert vor allem vom scharfsinnigen und energischen Abt Theodor vom Studiu-Kloster. Die früher sich selber als die »Entwichenen« und »Wüstensöhne« bezeichnet hatten, werden nun zu den »Nerven« der Kirche, ja, halten sich für das »Salz der Erde« oder das »Licht der Welt«. Denn das Entscheidende des Evangeliums liegt für Theodor im verzichtenden Rückzug aus der Welt. Und wer kann ihn vollkommener leben als die Mönche, während die übrigen Menschen mit der Welt Kompromisse schließen und sich durch Minimalismus und oft Laxheit »auszeichnen«? Und obschon es grundsätzlich auch außerhalb des Mönchtums Heil gibt, so ist doch das Mönchtum jetzt, dieser mönchischen Auffassung zufolge, ganz und gar die Norm des Christlichen.

Kein Wunder, daß sich die Mönche jetzt auch als Wahrer der rechten Lehre und Seelenführer des Volkes fühlen und daß das Studiu-Kloster für Byzanz als so etwas wie eine Kontrollinstanz des orthodoxen Glaubens und als Bischofsschmiede fungiert. Theodor Studites wird wie manche andere Mönche als Heiliger verehrt, während Laien es kaum je zu dieser Ehre bringen. Mönchshagiographien, in denen der Bilderstreit meist kaum erwähnt wird, haben anders als die Theologie Hochkonjunktur, während es wiederum kaum hagiographische Viten von Laien gibt. Auch oppositionelle Gruppierungen wie die Paulikianer und die frommen, aber hierarchiefeindlichen und sozialrevolutionären Bogomilen finden darin kaum Erwähnung. Doch läßt sich andererseits nicht leugnen, daß das Mönchtum sich im Osten immer wieder als stark staatskritische oder zumindest distanzierte Kraft erwies.

Kirche und Staat – eine wirkliche Symphonie?

Natürlich bedeutete der Sieg des Mönchtums nicht einen Umsturz des byzantinischen Staatskirchentums. Der **Kaiser** behielt seine starke Position – gerade auch gegenüber dem Patriarchen; sieht er sich doch als Vollstrecker des göttlichen Willens bestätigt. Der **Patriarch** – wiewohl im Kontext seiner »ständigen Synode« in Konstantinopel alles Kirchliche bestimmend – bleibt mit der ganzen Hierarchie vom Kaiser abhängig. So wagte es die frömmelnde Kaiserin Theodora nach dem Bilderstreit (847), unkanonisch (unter Umgehung der Synode) den eifernden Mönch Ignatios zum Patriarchen zu ernennen, was zu endlosen Streitereien in Byzanz und mit Rom und schließlich zu einem Coup gegen Theodora (die ins Kloster verbannt wurde), zur Deportation des Ignatios und zur Wahl des hochgebildeten Photios führte. Dann aber erfolgte wieder eine Einsetzung (und später wieder Absetzung) des Ignatios. Und selbst ein geistig so überragender Patriarch wie Photios mußte in diesen schweren Verwicklungen zweimal eine Verbannung über sich ergehen lassen. Angesichts dieser Entwicklung verstand es sich beinahe von selbst, daß zukünftig die Mönche an die Stelle der Intellektuellen traten, so wie sie viele Bischofssitze und auch das Patriarchat übernommen hatten. Ja, der Bilderstreit hatte neben diesem »Panmonachismus« noch eine weitere Folge: das Faktum »häretischer« Kaiser nämlich. Mit einem Schlag war so die ganze Problematik der von Konstantin etablierten Verbindung und von Justinian genau definierten »Symphonie« von Staat und Kirche offenkundig geworden.

Wie aber muß man die Entwicklung bewerten? Ist die byzantinische Kirche gegenüber dem Staat vielleicht im Kampf um ihre Eigenart Siegerin geblieben, im Kampf um ihre Freiheit aber erlegen? Hat eine völlige Verschmelzung von Staat und Kirche den von Justinian eingeleiteten Prozeß schließlich gekrönt? So der protestantische Kirchen- und Dogmenhistoriker Adolf von Harnack[222], dessen Meinung auch viele westliche Forscher vertreten. Oder ist nicht das Imperium, sondern die Kirche in diesem Kampf siegreich geblieben? So der orthodoxe Theologe Alexander Schmemann[223], der wie schon Georg Ostrogorsky[224] die Gegenthese vertritt: Für die späte byzantinische Theokratie sei diejenige Verhältnisbestimmung von Staat und Kirche wirksam geworden, die am Ende des zehnten Jahrhunderts Basilios I., der Makedonier, in der »Epanagogé« (gedacht als Einführung zu einem Rechtshandbuch) vorgenommen habe: eine parallele Stellung von Kaiser und Patriarch. Dem Patriarchen kommt das Wächteramt über Orthodoxie und die Interpretation der Lehre zu; vom Kaiser ist Treue zum orthodoxen Glauben gefordert; Kirche und Staat bedürften der juristischen Abgrenzung der Aktionssphären nicht, da beide durch den orthodoxen Glauben verbunden seien. Aber Anton Michel hat darauf aufmerksam gemacht, daß dieser (offensichtlich von Photios geschriebene ideale) Entwurf nie zum Gesetz wurde[225], und auch Schmemann weiß, daß in der Praxis von der Theorie der Doppelherrschaft (Dyarchie) von Kaiser und Patriarch wenig übrig blieb: »Die vollständig willkürliche Natur der Staatsautorität blieb allezeit eine unheilbare Wunde im Leben der Kirche; noch schlimmer war die beinahe ebenso vollständige Annahme dieser Willkür durch die kirchliche Hierarchie.«[226]

Es liegt auf der Hand: Nachdem die Kirchenlehre vollständig Staatsdoktrin geworden war, brauchte die Kirche gegenüber der kaiserlichen Autorität in der Tat keine Grenzen mehr zu setzen. Und nachdem der Kaiser total orthodox geworden war, brauchte er selber gegenüber der Kirche noch weniger Grenzen einzuhalten. Je klerikalisierter der byzantinische Staat (und bis hinein ins Hofzeremoniell und in die Armee geschah alles im Namen des »Christus Pantokrator«), um so effizienter konnte der Kaiser auch in Kirchendingen bestimmen – soweit nicht wie im Dogma schon ohnehin alles festgelegt war. Während es im Bilderstreit des 8./9. Jahrhunderts und im Streit mit Rom im elften Jahrhundert noch bedeutende Patriarchen gab, so sollten die Patriarchen der Folgezeit – mit wenigen Ausnahmen – immer mehr hinter dem Glanz des Kaisers verschwinden. Im übrigen fielen in dieser Spätzeit die Grenzen von Kirche und Imperium ohnehin weithin zusammen, da alle nichtorthodoxen Territorien verloren gingen und alle nichtorthodoxen Dissidenten ausgeschieden wurden.

Angesichts dieses orthodoxen staatskirchlichen Systems, für dessen Einheit in der Zweiheit man manchmal sogar die christologische Formel von Chalkedon »unvermischt und ungetrennt« bemühte, drängen sich spätestens hier **kritische Fragen** auf. Sie werden nicht aus konfessionalistischem, sondern aus ökumenischem Geist gestellt, haben sie doch durchaus ihre ökumenische Kehrseite. Denn wir werden später – selbstkritisch gegenüber der römisch-katholischen Tradition – sehen, daß die Probleme der westlichen Theokratie der Päpste, die den Staat der Kirche unterwerfen wollten, ebenso schwerwiegend sind wie die der östlichen Theokratie der Kaiser, welche die Kirche dem Staat unterworfen haben. Überdies geht es bei diesen Fragen nicht um anachronistische Urteile über ein vergangenes System, das in vieler Hinsicht unumgänglich war und seinen Dienst getan hat, sondern um Fragen für die Zukunft. Sie betreffen nicht nur das byzantinische, sondern auch das russische und überhaupt jedes Kirchensystem, welches eine Harmonie mit dem betreffenden Staat zur Voraussetzung hat.

Fragen für die Zukunft

– Führt eine Gleichschaltung von Kirche und Staat – sie sei byzantinischer, moskowitischer oder welcher Art auch immer – nicht fast notwendig zu einer Suprematie des Staates über die Kirche und letztlich zu einer Kapitulation der Kirche gegenüber dem Staat?

– Verlieren eine Kirche und Theologie, die in den Staat integriert sind, nicht ihre prophetische Funktion, die sie, wenn sie dem Evangelium treu bleiben wollen, in der Gesellschaft notwendig haben müssen?

– Tendiert ein Staat, dem stets weniger an der Wahrheit des Glaubens als an Einheit und Frieden des Imperiums gelegen ist, nicht zur

Wahrung des Status quo und zur Vermeidung jeglicher Unruhe? Ist eine Orthodoxie der Kirche und des Staates nicht eine Wiege des Traditionalismus?

Doch die Geschichte des hellenistisch-altkirchlichen Paradigmas beschränkte sich nicht auf Byzanz und das Griechentum. Es ist von der welthistorischen Mission der byzantinischen Kirche zu reden.

9. Die Slawen zwischen Byzanz und Rom

Schon vom vierten bis siebten Jahrhundert vollzog sich die Abwanderung der Germanen aus Osteuropa und die Ausbreitung der **Slawen** aus ihren bisherigen Stammgebieten zwischen Karpaten und Dnjepr. Sie drangen im Westen bis zur Ostsee und im Süden bis zur Adria, zum Balkan und nach Griechenland vor und zerstörten da die kirchliche Organisation. Doch wurden sie langsam christianisiert und dabei von Byzanz wie von Rom aus umworben. Das zeigt schon, daß Christianisierung immer zugleich eine religiöse und eine politische Angelegenheit war.

Christianisierung als Inkulturation: slawische Liturgie

Kein Zweifel: Die Christianisierung der südlichen und östlichen Slawenvölker ist das **epochale Verdienst von Byzanz**. Einige dieser Völker, die von Byzanz immer wieder hinter die Donau zurückgeworfen worden waren, aber bereits 580 in großen Scharen Griechenland überflutet hatten, waren im siebten Jahrhundert schließlich in den römischen Provinzen Illyrien, Mösien, Dakien, Thrakien und Makedonien seßhaft geworden. Und nach dem Bilderstreit war Byzanz wieder so stark, daß es im 9./10. Jahrhundert eine große missionarische Kraft unter den noch bäuerlich-agrarischen Slawen zu entfalten vermochte.

Byzanz, das neue Rom: Es erschien allen diesen »Barbaren« als Königin der Städte und Mittelpunkt der Welt, die alles verkörperte, was es an Reichtum, Kunst und Kultur gibt. Berühmt seine Gastfreundschaft, erprobt seine Diplomatie, einzigartig seine Geschichte und Vorgeschichte. Hier und nicht im alten Rom hatte die griechisch-römische Kultur durch alle die Jahrhunderte überlebt: griechische Dichtung, Philosophie und Wissenschaft wie auch das römische Recht. Kein Wunder, daß sich gerade Byzanz für viele heidnische Fürsten als attraktiv erwies, vor allem sein sakrales monarchisches Staatsprinzip; beliebt waren auch schon bald irgendwelche niedrige Hoftitel. Denn für die Fürsten und ihre gleichzeitig getauften Untertanen bedeutete die Bekehrung zum Christentum den Übergang aus dem »Barbarentum« in die Weltkultur und die eine ökumenische Kirche, an deren Spitze als Gottes Stellvertreter der Kaiser stand.

Von **Byzanz**[227] aus kam es zur Christianisierung jener **Südslawen**, die im achten Jahrhundert in das durch die Pest verödete Griechenland eingedrungen waren. Dort wurden sie hellenisiert und im neunten Jahrhundert zum Christentum bekehrt. Wichtig war vor allem die Christianisierung der **Bulgaren**. Sie empfingen das Christentum 864 mit der Taufe von Khan Boris, der durch eine Politik des Lavierens zwischen Rom und Byzanz auf ein eigenes Patriarchat und eine möglichst autonome Kirche hinarbeitete, was aber weder Rom noch Byzanz zulassen wollten. 870 wurde Bulgarien im Anschluß an das Konzil von Konstantinopel von einer vom Kaiser einberufenen Konferenz der Vertreter der östlichen Patriarchate gegen den heftigen Einspruch der päpstlichen Legaten dem Patriarchat Konstantinopel zugesprochen.

Schon seit 863 wirkten in Mähren die beiden Brüder **Methodios und Konstantin** aus dem von Slawen umgebenen Thessaloniki. Schon als Kinder hatten sie die slawische Sprache erlernt und gehörten zur intellektuellen Elite von Byzanz. Von Patriarch Photios als Missionare gesandt, waren sie hier in Mähren deshalb so erfolgreich, weil sie im Gottesdienst nicht wie die Franken Latein oder wie die übrigen Byzantiner Griechisch, sondern – damals noch eine literaturlose Bauernsprache – Slawisch verwendeten. In bewußtem Gegensatz zur damaligen byzantinischen Praxis, zu griechischem Sprachhochmut und Reichsanspruch, standen die Brüder ein für grundsätzliche Gleichheit aller Völker vor Gott und für freie Länder und Monarchen, die nur durch geistliche Verwandtschaft der Fürsten Europas verbundenen sind.

Denn Konstantin, ein Gelehrter, Philosoph und Linguist, war es, der nach dem Vorbild des Armeniers Maschtotz-Mesrop höchst kreativ im Hinblick auf eine – sagt man heute – »Inkulturation« des Christentums das altslawische (glagolitische) Alphabet erfunden hatte, die **erste slawische Schrift**. Evangelien wie liturgische Texte wurden in die slawische Sprache übersetzt. Die beiden Brüder begründeten so in Mähren und Pannonien eine von Ostfranken unabhängige Mission mit **slawischer Liturgie**, was damals für dieses an sich unter römischer Oberhoheit stehende Gebiet zunächst römische Billigung fand.[228]

Denn Papst Hadrian II. lud Konstantin und Methodios, als sie, um in Konstantinopel Hilfe zu suchen, in Venedig einen Zwischenaufenthalt eingelegt hatten, nach Rom ein und nahm sie gegen die Opposition bayerisch-ostfränkischer Bischöfe und die Vertreter der »Drei-Sprachen-Tradition« in Schutz, die für die Liturgie nur die »drei heiligen Sprachen« Hebräisch, Griechisch, Lateinisch anerkannten. Konstantin, schwer erkrankt, nahm in Rom das Ordenskleid, erhielt den Namen **Kyrill** und starb nach kurzer Zeit. Methodios, nun in Rom zum Priester und Erzbischof für Mähren und Pannonien geweiht, konnte wegen eines Machtwechsels nicht nach Mähren zurück und wirkte nun in Pannonien, wo er auf heftigen Widerstand besonders des lateinischen Salzburger Erzbischofs stieß, der dieses Gebiet für sich beanspruchte. 870 wird Methodios sogar verhaftet, verurteilt und eingesperrt, bis Papst Johannes VIII. drei Jahre später seine Freilassung erreicht. Die slawische Liturgie wird zunächst verboten, später eingeschränkt wieder zugelassen, bis sie schließlich nach des Methodios' Tod 885 von Papst Stephan ganz verboten wird.

Bereits die Nachfolger von Methodios und Kyrill wurden aus Mähren, das im ostfränkischen Reich unter fränkisch-römischem Einfluß blieb, vertrieben. Aber sie fanden im neubekehrten Bulgarien Aufnahme, und dort wird nun das glagolitische Alphabet in das einfachere Kyrillische umgebildet und findet von da aus unter den südlichen Slawen rasch allgemeine Verbreitung. »Apostel und Lehrmeister der Slawen« werden Methodios und Kyrill deshalb zu Recht genannt. Ihre Bemühungen um ein **slawisches Christentum**, die nicht zuletzt auch Rußland zugute kommen werden, sollten welthistorische Bedeutung erhalten. Es war eine eigene byzantinisch-slawische Ökumene grundgelegt worden.

Byzantinisch-slawische Ökumene

Die Autonomie, welche die **Bulgaren** trotz allem wünschten, erreichten sie unter dem griechisch gebildeten Zar Symeon (893-927), einem Enkel des Khan Boris. Er verschaffte Bulgarien eine großartige slawisch-byzantinische Kultur – slawisch die Sprache und byzantinisch der Geist. Er strebte als erster slawischer Herrscher danach, mit aller Gewalt selber Kaiser von Byzanz zu werden, was den ersten großen Bürgerkrieg in der orthodoxen Welt zur Folge haben sollte. Die Konkurrenz zwischen Bulgaren und Griechen dauerte an, bis Bulgarien nach einem weiteren dreißigjährigen grausamen Krieg von Kaiser Basileios II., dem »Bulgarentöter«, zurückerobert und wieder ganz als eine Provinz ins byzantinische Reich eingegliedert wurde; sie erreichte aber am Ende des zwölften Jahrhunderts neue Stärke und gar eine vorübergehende Koalition mit Rom – bis schließlich am Ende des 14. Jahrhunderts auch das bulgarische Reich unter türkisch-islamische Herrschaft fiel.

Mit der Christianisierung der Bulgaren kam es von Byzanz aus auch zur Christianisierung der **Serben**. Schon lange hatten diese unter Bulgariens politischem und kulturellem Einfluß gestanden, konnten sich dann aber 1077 unter dem Fürsten Michail Vojislaw verselbständigen. Aus politischen Gründen wandten sie sich – vorübergehend – Rom zu und bekamen sogar von Papst Gregor VII. eine Königskrone zugesandt. Aber auch die serbischen Herrscher strebten in der Folgezeit nach der byzantinischen Krone und erhielten nach dem Vierten Kreuzzug 1204 vom byzantinischen Kaiser die Autonomie der serbischen Kirche und schließlich auch des Staates.

Zur selben Zeit war es auch zur Christianisierung der **Rumänen** gekommen, die nicht nur aus den romanisierten Dakern hervorgegangen waren (so die Ceaucescu-Ideologie), sondern der Sprache und Siedlungsgeschichte nach mit den Vlachen (»Walachei«!) und Aromunen verwandt sind und wohl großenteils erst im 13.-15. Jahrhundert ins Donaudelta einwanderten, dort unter bulgarischer Herrschaft standen und so trotz ihrer romanischen Sprache das Kirchenslawische als Kirchen-, Liturgie- und auch Kanzleisprache übernahmen.

Die eine slawische Welt – doch zwei Paradigmen

Anders war das Schicksal der Ungarn, der Westslawen (Böhmen, Polen) und der westlichen Südslawen (Kroaten, Slowenen). Sie orientierten sich nicht nach Byzanz, sondern nach dem alten **Rom**:

– So die **Ungarn**, ursprünglich ugro-finnische Steppennomaden aus dem Gebiet zwischen Don und Dnjepr, die bisweilen bis nach Mittelgriechenland vordrangen. Sie bleiben nach Seßhaftwerdung und Christianisierung (ungarische Gesandte wurden 948 in Konstantinopel getauft) in die westlich-römische Christenheit eingegliedert, was durch Stephan I., den Heiligen (997-1038), besiegelt wird, der sich durch eine vom Papst gesandte Krone 1001 zum König krönen läßt.

– So die westslawischen **Böhmen**. Sie werden im neunten Jahrhundert unter den Premysliden von Regensburg aus christianisiert und erhalten 973/76 ihr eigenes Bistum Prag. Sie übernehmen das lateinische Alphabet und die lateinische Liturgiesprache.

– So auch die ebenfalls westslawischen **Polen** zwischen Weichsel und Oder, unter den Piasten geeint. Sie schließen sich im zehnten Jahrhundert unter Herzog Mieszko dem katholischen Christentum des Westens an, was durch die Taufe des Herzogs und die Errichtung des Missionsbistums Posen 966 zum Ausdruck kommt. Unter Boleslaw I. Chrobry ist Polen

Glied des Imperium Romanum Ottos III. und Vormacht innerhalb der christianisierten Slawenwelt (zeitweise bis Kiew). Schon früh verfügt es über eine eigene Landeskirche, das Erzbistum Gnesen, das 999/1000 gegründet wird. Auch die Polen bleiben in Alphabet und Liturgiesprache westlich-lateinisch orientiert.

– So schließlich die südslawischen **Kroaten** (und **Slowenen**). Deren Territorium, die römische Provinz Illyrien, war schon von Kaiser Herakleios im siebten Jahrhundert kirchlich dem Papst als dem Patriarchen des Westens zugeteilt worden; doch blieb das Illyricum ein ständiger Zankapfel zwischen Rom, Byzanz und dann auch der fränkischen Reichskirche (die Bischöfe von Salzburg und Passau beanspruchten die Jurisdiktion auch über Pannonien und Illyrien). Vor allem seit der Frankenherrschaft im neunten Jahrhundert werden Kroaten und Slowenen nun vom Westen aus christianisiert und auch latinisiert. Unter Fürst Tomislaw (910-928), der den Königstitel annimmt, lösen sie sich definitiv von der byzantinischen Oberhoheit und bleiben so – im Gegensatz zu den Serben – im Wirkungsbereich der romanisch-germanischen Kultur.

Natürlich kam es in den folgenden Jahrhunderten noch zu mannigfachen Verschiebungen der Grenzen und Einflußsphären, was uns hier nicht beschäftigen muß. Aber das Schicksal des späteren Süd-Slawien = Jugo-Slawien entschied sich im Grunde schon im neunten Jahrhundert: Eine Zweiteilung auf Dauer! Und leider nicht nur schiedlich-friedlich. Im Gegenteil: Durch das Auftreten griechischer Missionare in Bulgarien und Mähren war es zu einem Kampf zwischen lateinischer und griechischer Kirche um die Slawenmission gekommen, der schließlich von einem heftigen Streit zwischen dem Papst (Nikolaus I.) und dem byzantinischen Patriarchen (Photios) begleitet werden sollte, von dem noch die Rede sein wird.

Die Folge: Seither sind wir konfrontiert mit der **Aufteilung der Slawenwelt zwischen byzantinischer und römischer Kirche**, zwischen einer griechisch-byzantinisch und einer germanisch-romanisch bestimmten Kultur, wo sich bereits jetzt **zwei völlig verschiedene Paradigmen** abzeichnen: das altkirchlich-hellenistische und das mittelalterlich römisch-katholische. Dabei unterstand das mährisch-ungarische Missionsgebiet – trotz mancher Verbindungen mit Byzanz – Rom, die große bulgarische Kirche aber mit ihrem eigenen Patriarchen blieb – wie auf die Dauer auch die serbische – mit Byzanz verbunden. Die Wirkungen dieser Polarisierung zwischen Rom und Byzanz sind bis heute zu spüren, ja sind gerade in der postkommunistischen Ära wieder besonders virulent. Denn die unterschiedlichen kirchlichen Entwicklungen – verschiedenes Alphabet, verschiedene Liturgie- und Literatursprache und so auch verschiedene Kultur – wirken sich bis heute auf die ethnischen, politischen und kulturellen Identitäten und Antagonismen der Südslawen aus. Die heutigen Nationalitätenkonflikte sind ohne diese fast ein Jahrtausend bestehende Grenze zwischen Ostrom und Westrom gar nicht zu verstehen.

Welthistorisch sehr viel bedeutungsvoller aber sollte die Entwicklung der **Ostslawenstämme** werden, die an die Schwarzmeerküste vorgedrungen waren, die 860 sogar Konstantinopel angriffen und die dann das **russische Reich** aufbauten.

Kiew: die erste Phase der russischen Geschichte

Seit dem neunten Jahrhundert hatten sich nämlich unter den Rurikiden – die erste historisch nachweisbare russische Herrscherfamilie, die auf die normannisch-schwedischen Waräger zurückging – die ostslawischen Stämme der Rus im **Reich von Kiew** von den östlichen Steppenvölkern unabhängig gemacht.[229] Daß dabei schon der Apostel Andreas auf dem Weg nach Rom durch Rußland gekommen sei, ist eine Ende des zehnten Jahrhunderts entstandene Legende, aus der aber (anders als in Byzanz in Reaktion auf Rom) keine direkt kirchenrechtlichen Ansprüche abgeleitet werden.[230] Wie eine erste Bekehrung von führenden Adligen um die Mitte des neunten Jahrhunderts, so blieb auch die Taufe der Großfürstin Olga von Kiew 955 zunächst Episode. Doch 988 führt deren Enkel Großfürst Wladimir, der nach seinem Sieg in einem blutigen Bruderkrieg eine dauerhafte ideologische Grundlage für sein Land suchte, Rußland in die Gemeinschaft der christlichen Völker ein: Taufe des Fürsten, Heirat mit einer byzantinischen (»purpurgeborenen«) Prinzessin und Massentaufe der Kiewer Bevölkerung in den Wassern des Dnjepr.[231]

Wie schon die Taufe der Bulgaren zuvor, so war also auch die der Russen eine wohlüberlegte Staatsangelegenheit, die den **Eintritt Rußlands in die christliche Tradition der kultivierten Welt** bezweckte. Auch in Rußland wuchs das Christentum also nicht nur von unten, sondern wurde schließlich von oben auferlegt, wobei Wladimir sich schon nach seiner Taufe um den Bau von Spitälern, Armenhäusern und ein gerechteres Staatswesen gekümmert hat. Aber noch lange blieb das Christentum mehr eine Angelegenheit der politischen und religiösen Elite, während das Volk vielfach bei seinen alten heidnischen Auffassungen und Praktiken blieb. Angesichts dieser Lage kann man verstehen, daß manche russischen Historiker gegenüber der Kiewer Christenheit einen kritischen Standpunkt eingenommen haben, den dann neuere Forscher, wie etwa G. Fedotov[232], durch Ausführungen zur Kiewer Periode als der »goldenen Tage der Kindheit«, als »einem Standard, einem goldenen Maß, einem königlichen Weg« der russischen Christenheit auszugleichen versuchten.

Auch Rußland hatte spätestens seit dem elften Jahrhundert Verbindungen mit Rom und hatte zu wählen zwischen dem hellenistisch-byzantinischen und dem lateinisch-römischen Paradigma. Es wählte das byzantinische in seiner slawischen Form. Das bedeutete ein Doppeltes:

– Einerseits übernimmt Rußland die **slawische Liturgie- und Literatursprache**, auch wenn Methodios und Kyrill entgegen der Legende nie in Rußland waren; zweifellos gingen starke Impulse gerade von Bulgarien aus.

– Andererseits fügt sich Rußland in die **byzantinische Kirchenorganisation** unter den Patriarchen von Konstantinopel ein. Dieser ernennt den Metropoliten von »Kiew und ganz Rußland«, dessen Kirche sich von den nördlichen Wäldern bis zu den Karpaten und vom Baltikum bis zur unteren Wolga erstreckt. In den ersten 250 Jahren der russischen Kirchengeschichte, bis zum Beginn der Tatarenherrschaft, hat er einen bestimmenden Einfluß auf die russische Metropole, was freilich nicht ohne Spannungen abging. Denn nur zweimal in den langen Jahrhunderten waren die Metropoliten von Kiew Russen[233]; sonst waren es immer Griechen, die zumeist ihre eigenen Kleriker, Künstler und Diplomaten mitbrachten. Doch im Unterschied zu Bulgaren und Serben waren die Russen nie formell Glieder des byzantinischen Reiches, so daß keine politischen Autonomiebestrebungen die religiöse, emotionale und kulturelle Verbindung Rußlands mit Byzanz störten. Schon Wladimirs Gesandte nach Konstantinopel hatten ja 987 einen faszinierten Bericht über Byzanz mit nach Hause gebracht: über die Schönheit der Hagia Sophia und der byzantinischen Liturgie, welche Gottes Gegenwart ahnen lasse. Vladimir selber erlebte die Überlegenheit der byzantinischen »Philosophie« durch die Rede eines griechischen Philosophen oder Theologen in Kiew. Und bei dieser Bewunderung blieb es auch in Zukunft.

Keine Frage, die Kiewer Periode ist nicht, wie man bisweilen meinte, nur ein Vorspiel, sondern sie ist die erste bedeutungsvolle Phase der Geschichte Rußlands und seiner Christenheit, die man denn auch – wie wir hörten – als »goldenes Zeitalter« zu präsentieren versucht: eine Periode der Heiligen (vor allem Boris und Gleb, die von ihrem Bruder ermordeten Söhne Wladimirs) sowie des berühmten Kiewer Höhlenklosters. Dieses wurde vom heiligen Antonij gegründet und ist vom heiligen Abt Feodosij (Theodosios † 1074) nach den Regeln des byzantinischen Studiu-Klosters organisiert worden. Es wurde die Bildungsschule des russischen Klerus (über 50 Bischöfe) und das geistliche Zentrum des Kiewer Reiches. Zumindest dies wird man sagen können: In Rußland war die Christenheit von Anfang an stark **monastisch** bestimmt (weniger byzantinische Theologie als byzantinische Heiligenleben waren gefragt!) und im Geist des damaligen Byzanz auch stark **traditionalistisch** ausgerichtet! Doch zeigte sich auch hier zugleich eine »Symphonie« von Staat und Kirche, bei welcher der Kirche mit ihren christlichen Leitvorstellungen zunächst die Führung zukam, obwohl das heidnische Slawentum (wie das Germanentum) bereits ein sakrales Königtum kannte.

Keine Frage auch, daß diese epochale Entwicklung für Byzanz selbst zu einer gewaltigen Ausweitung seines Kulturbereichs führte. Griechische Architekten bauten jetzt zahlreiche Kirchen, so die mit Mosaiken geschmückte Kathedrale der heiligen Sophia in Kiew. Byzantiner errichteten Schulen und gründeten Städte in Rußland, so daß gerade unmittelbar vor dem west-östlichen Schisma unter Wladimirs Sohn, dem gebildeten Jaroslaw dem Weisen (1019-1054), sich eine kulturelle Blütezeit entwickelte. Jaroslaw läßt durch eine ganze Equipe zahlreiche byzantinische Bücher übersetzen, so daß seine Zeit mit den Anfängen der russischen Geschichtsschreibung und Literatur identisch ist. Zur Zeit der Mongoleninvasion (1240) zählt Rußland bereits sechzehn Bistümer.

Fazit: Um die Jahrtausendwende war der wesentlich von Byzanz geleistete Europäisierungs- und Christianisierungsprozeß der süd- und ostslawischen Völker- und Staatenwelt abgeschlossen, auch wenn die Geschichte dieser Staaten – manchmal selbständig, manchmal nicht – außerordentlich wechselhaft blieb. So sollte durch den Mongolensturm des 13. Jahrhunderts, der von Asien aus sogar den Rand Mitteleuropas erreichte, der kulturelle Zusammenhalt der slawischen Christenheit schwer erschüttert werden, während das byzantinische Reich selbst davon eher am Rande betroffen war.

Im Kontext unserer Paradigmenanalyse wäre es nun aber wenig sinnvoll, das höchst wechselhafte Geschick der slawischen Völker wie des byzantinischen Reiches im einzelnen zu schildern: all die Entwicklungen von der frühbyzantinischen über die mittelbyzantinische bis schließlich zur spätbyzantinischen Phase … Ein Reich, welches immer wieder einen politischen und kulturellen Aufschwung (Blüte der byzantinischen Kunst und Literatur unter der makedonischen Dynastie 867-1056 und besonders unter den Paläologen 1259-1453) erlebt, an seinen langen Grenzen aber in ständige Auseinandersetzungen verwickelt ist und seit dem elften Jahrhundert durch das Vordringen der muslimischen Türken im Osten und der Normannen im Westen, durch die Aufstände der Slawen und schließlich die »Kreuzzüge« der »Lateiner« immer mehr in die Defensive gedrängt werden sollte.

Unumgänglich jedoch zum Verständnis der heutigen Frontstellungen ist eine genauere Analyse jenes welthistorischen Konfliktes, in welchen das alte und das neue Rom, das Rom der Päpste und das Rom der Kaiser, hineingeraten sollten. Denn alle politischen Antagonismen zwischen Byzanz und den slawischen Reichen (Bulgaren und Serben vor allem) zerstörten doch nie die Einheit der byzantinisch geprägten Orthodoxie, die das Paradigma auch der slawischen Kirchen blieb. Der Konflikt zwischen Byzanz und Rom aber gründete mit allen politischen Implikationen letztlich in der Ausprägung von zwei höchst verschiedenen Paradigmen von Christenheit. Er ging entsprechend tief, sprengte die Einheit der Kirche und führte so zu jener Kirchenspaltung zwischen Ost und West, die bis heute nicht aufgehoben ist. Dies gilt es zu verstehen.

10. Wie es zur Spaltung zwischen Ost- und Westkirche kam

Will man die beinahe unausrottbaren, in einer langen Geschichte begründeten und noch 1989 zum Teil wieder neu virulenten Aversionen zahlloser östlicher Christen gegen Rom verstehen, so muß man die verschiedenen Faktoren kennen, die zum ost-westlichen Schisma führten. Die Vergangenheitsbewältigung zwischen katholischer und orthodoxer Kirche ist nicht nur ein theologisch-dogmatisches, sondern zunächst ein historisch-psychologisches Problem. Ein historischer Einblick – Slawisten und Byzantinisten mehr als vertraut – ist notwendig.[234]

Die allmähliche Entfremdung

Es mag befremdlich klingen: Das Schisma zwischen Ost- und Westkirche kann eigentlich nicht datiert werden. Es gibt kein einzelnes Trennungsdatum, wohl aber eine lange Trennungsgeschichte. Zu Recht hat deshalb der allzu früh verstorbene russisch-orthodoxe Theologe Johannes Meyendorff, Professor für Kirchengeschichte und Patristik am St. Wladimir Orthodox Seminary in New York, geschrieben: »Alle Historiker stimmen heute darin überein, daß Ost und West sich aufgrund einer **progressiven** Entfremdung voneinander trennten, die mit dem gleichfalls **progressiven** Wachstum der päpstlichen Autorität zusammenfiel.«[235] Und der katholische Historiker Francis Dvornik (Washington), der wohl beste Kenner der

Genese des ost-westlichen Schismas, hatte festgestellt: »Wenn wir die Entwicklung des Verhältnisses von Byzanz gegenüber dem Papsttum und seiner Stellung in der Kirche betrachten, so müssen wir anerkennen, daß die Ausdehnung der absoluten und direkten Autorität des Papstes über alle Bischöfe und Gläubigen, wie die Reformer (des 11. Jh.s) sie predigten, für die byzantinische Mentalität im Widerspruch zu der Tradition stand, die Byzanz vertraut war.«[236]

Schon bei der Beschreibung der unterschiedlichen Geschichte der slawischen Völker hat sich gezeigt: Ihre Spaltung ist Produkt eines Paradigmenwechsels im Westen! Und in der Tat: Zwischen Rom und Byzanz lief je länger desto deutlicher alles auf die Herausbildung **zweier verschiedener Paradigmen von Christentum** hinaus: ein neues, lateinisches, römisch-katholisches Paradigma (P III, das wir eigens zu untersuchen haben werden) neben dem bestehenden altkirchlich-hellenistischen (P II), als dessen Erbe Byzanz anzusehen ist.

Gewiß ist unleugbar, daß auch der Osten durch die seit Justinian zunehmende **Gräzisierung** auf seine Weise zur besonderen Ausformung des früher beiden gemeinsamen Paradigmas und so zur Entfremdung beider beigetragen hat. So hatten sich die griechischen Eliten – anders als die Slawenapostel Kyrill und Methodios – stets geweigert, Latein oder auch, in Syrien oder Ägypten, östliche (und jetzt auch noch »häretische«) Lokalsprachen zu sprechen. Antibyzantinische Ressentiments wurden so allenthalben gefördert. So sind als wichtige Faktoren der Entfremdung festzuhalten:

- die verschiedenen **Sprachen** von West- und Ostkirche: Sie haben vielfach zur gegenseitigen geistig-kulturellen Abkapselung und zu zahlreichen Mißverständnissen bis in die theologische Terminologie hinein geführt. Selbst ein hochgebildeter Papst wie Gregor der Große (590-604), vorher Botschafter in Konstantinopel, konnte nicht griechisch sprechen, umgekehrt beherrschten die byzantinischen Patriarchen das Latein nicht. Im Verkehr miteinander war man ständig auf Übersetzer, Sekretäre und Experten angewiesen;
- die verschiedenen **Kulturen** mit verschiedenen geistigen Werten und Haltungen: Die Griechen erscheinen den Lateinern als hochnäsig, spitzfindig und hinterlistig, umgekehrt die Lateiner den Griechen als ungebildet und barbarisch; über neue Entwicklungen auf der anderen Seite (etwa die von Cluny ausgehende mittelalterliche Reformbewegung) war man nicht oder nur schlecht informiert;
- die verschiedenen »**Riten**«: Für die Orientalen bedeuten sie nicht nur ein verschiedenes liturgisches Zeremoniell, sondern eine eigenständige

und gleichberechtigte gesamthafte kirchliche Lebens- und Glaubensform, welche Theologie, Gottesdienst, Frömmigkeit, Kirchenrecht, Verfassung und Organisation umfaßt. Vom fünften Jahrhundert an entwikkelten sich diese liturgischen »Riten«, auch der liturgische Kalender, die Heiligenkulte und die Frömmigkeitsformen auseinander, überhaupt – trotz gemeinsamen Dogmas – das so wichtige religiöse Gefühl. In der Ostkirche blieb das Bußsakrament den Mönchen vorbehalten. Den Lateinern waren die barttragenden, verheirateten orthodoxen Kleriker fremd, umgekehrt betrachteten die Orientalen die glattrasierten, zölibatären lateinischen Priester mit Abscheu.

Aber machten diese kulturell-religiösen und dann auch sozialpsychologischen Faktoren eine Spaltung notwendig? Keineswegs. **Entscheidend** dafür waren vielmehr gewisse **kirchenpolitische Faktoren**. Gewiß: In den oft äußerst verwirrenden kirchlichen Auseinandersetzungen leisteten sich sowohl Rom wie Byzanz zahlreiche Provokationen und diplomatische Manöver, die man hätte vermeiden können. Aber entscheidend war wohl doch das »progressive Wachstum der päpstlichen Autorität« (Meyendorff), das von der Kirche im Osten bei aller Anerkennung Roms als des ersten Patriarchats in der Christenheit bis in unsere Tage als bedrohlich empfunden wird. Dies wird aus heutiger Perspektive von Franz Dvornik, der viele westliche Vorurteile gegen den konstantinopolitanischen Patriarchen Photios beseitigt hat, bestätigt: »Man darf mit vollem Recht behaupten, daß heutzutage das einzige ernsthafte Hindernis für eine weitere Annäherung zwischen den orthodoxen Kirchen und der katholischen Kirche in der Frage des römischen Primates liegt. Die übrigen Hindernisse, vor allem die Unterschiede in den Riten und liturgischen Formen, die in der griechischen und lateinischen polemischen Literatur vom 11. bis zum 15. Jahrhundert eine so große Rolle gespielt haben, können als überwunden angesehen werden.«[237]

Gewiß: Es hat auch der Osten (wie wir sahen) seine Ekklesiologie unter dem Einfluß hellenistischen Denkens umgestaltet, mehr als er sich dessen wohl bewußt war, und sich so in wachsendem Maß verselbständigt. Doch eine monarchisch-absolutistisch-zentralistische Einheitskirche, wie sie sich im Westen langsam ausbildete, war im Osten von Anfang an als Neuerung abgelehnt worden. Das östliche (und afrikanische!) Kirchenverständnis ging stets nicht von einem Universalbischof, sondern von der »Koinonía«, der »Gemeinschaft« der Glaubenden aus, von den Ortskirchen und ihren Bischöfen. Eine so starke Fixierung auf das Rechtliche wie bei den Römern betrieb man nicht. Nicht das »ius canonicum«, sondern Sakramente, Liturgie, Glaubenssymbole standen im Zentrum einer Kirche, die sich als eine kollegial geordnete, föderative Gemeinschaft von Kirchen begriff.

Gewiß: Der Patriarch von Konstantinopel betätigte sich nun immer mehr als eigene kanonische Instanz, da nach dem Siebten Ökumenischen Konzil für den Osten keine ökumenischen Konzilien mehr stattfanden. Ein byzantinisches Dekretalenrecht hatte sich zu entwickeln begonnen, dem dann auch wie im Westen eine zum Teil recht entwickelte Kirchenrechtswissenschaft (Kanonistik) folgte. Doch wird man stets zugestehen müssen: Es hat die Kirche des Ostens, die sich eben als **Kirche der »sieben Konzilien«** begriff (von Nikaia I 325 bis Nikaia II 787), weit stärker als die des Westens die ursprüngliche Kirchenordnung bewahrt. In Sachen Kirchenverfassung hat die Christenheit des Ostens das Neue Testament mehr auf seiner Seite als die römische Kirche des Westens. Und auch die reformatorischen Kirchen des Westens sind ja später zu manchen Grundelementen dieser Kirchenverfassung wieder zurückgekehrt.

In Rom aber wollte man von dieser älteren Kirchenverfassung je länger desto weniger etwas wissen. Mit allen Mitteln des kanonischen Rechtes, der Politik und der Theologie war man darauf aus, den römischen Primat über alle Kirchen und damit ein zentralistisches, auf Rom und Papst zugeschnittenes Kirchensystem auch im Osten zu etablieren. Die Zeichen zwischen Ost- und Westkirche begannen zunehmend auf Entfremdung, Spannung und Spaltung zu stehen. Und es gehört heute zur notwendigen psychologisch-historischen Vergangenheitsbewältigung zwischen Rom und Byzanz, wenn man sich **drei Phasen der Entfremdung** in Erinnerung ruft und sie in aller historischen Ehrlichkeit und Fairness anspricht. Wir blicken deshalb – im Interesse einer künftigen ökumenischen Verständigung – zunächst zurück und dann nach vorn:

Neu-Rom gegen Alt-Rom: Phase 1 (4./5. Jh.)

Wäre der römische Kaiser am Tiber geblieben, hätten die Bischöfe Roms auf keinen Fall ihre politische Macht so kaiserähnlich auf- und ausbauen können. Der Kaiser aber war nun einmal ins »neue Rom« gezogen, und das so lange unbesiegbare »alte Rom« sollte zunächst einmal Opfer jener neuen politischen Weltkonstellation werden, die mit der Völkerwanderung der Germanen zusammenhing. Zum erstenmal seit seiner Frühgeschichte wurde Rom im Jahre 410 erobert und drei Tage lang geplündert – und zwar von den Heeren des germanischen Westgotenführers Alarich. Welch ein ungeheures, geradezu apokalyptisches Ereignis! Rom als Staats- und Verwaltungszentrum ausgelöscht! Der Götter Strafe für das christlich gewordene Rom, sagten viele Heiden. Gottes Strafe für das alte heidnische oder noch heidnisch gebliebene Rom, sagten viele Christen. Wer hatte Recht?

Aber war das, was »Rom« bedeutet, nicht längst nach dem weisen Plan der Vorsehung ersetzt worden, und zwar durch das neue, zweite, jetzt christliche Rom? So sah man es vor allem in Byzanz. Im Westen aber sah man das ganz anders, wie wir in späterem Zusammenhang (P III) feststellen werden. Byzanz und seine Ansprüche wurden von Rom immer mehr bewußt ignoriert. Und die römischen Bischöfe taten alles, um in den Wirren der Völkerwanderungszeit das im Westen entstandene Machtvakuum durch ihre eigene Macht auszufüllen.

Zunehmend mit Berufung auf einen »Primat« Petri ging man daran, einen Führungsanspruch Roms in Kirche und Politik zu legitimieren und auch wahrzunehmen – bis hin zur Eintreibung von Steuern. In den Augen des zumeist anderweitig in Atem gehaltenen Byzanz sah dies naturgemäß wie Obstruktion aus – gegenüber der einzig legitimen kaiserlichen Autorität. Jedenfalls verstand man sich in Ost und West immer weniger und **begann sich gegenseitig den kirchlich-politischen Führungsanspruch zu bestreiten**:

– Von **Alt-Rom** aus versuchte man das **papstkirchliche Prinzip** durchzusetzen, was schon auf der Synode von Sardika 342 zu einem ersten Bruch zwischen Ost und West geführt hatte. Doch erst am Ende des fünften Jahrhunderts beansprucht ein Papst wie **Gelasius I.** eine von der kaiserlichen Gewalt völlig unabhängige, unumschränkte oberste priesterliche Gewalt über die ganze Kirche.

– Dagegen verteidigte **Neu-Rom** – mit oft ebenfalls nicht wählerischen Mitteln – das **reichskirchliche Prinzip**, das man, im 6./7. Jahrhundert wiedererstarkt, auch im Westen kompromißlos durchzusetzen versucht. So lassen die **Kaiser Justinian** (im »drei Kapitel-Streit« des sechsten Jahrhunderts) **und Konstans II.** (im monotheletischen Streit des siebten Jahrhunderts) aus ihrem traditionellen Amtsverständnis heraus widerstrebende Päpste einfach gefangennehmen und nach Konstantinopel transportieren, um ihnen dort ihren kaiserlichen Willen auch in politischen wie dogmatischen Fragen aufzuzwingen. Von einer Unfehlbarkeit des römischen Papstes nirgendwo auch nur eine Spur! Der Konflikt trieb auf einen ersten Höhepunkt zu.

Ein Germane als Kaiser und Photianisches Schisma: Phase 2 (8./9. Jh.)

Reichsverrat, Verrat an Staat und Kirche – so riefen im achten Jahrhundert im Osten viele. Was war passiert? Papst Stephan II. war an den Hof des **Frankenkönigs Pippins** gereist, um sich auf Kosten ehemals byzantinischer Gebiete einen Kirchenstaat garantieren zu lassen (»Pippinsche Schenkung« 754). Das aber verstieß eklatant gegen die bisher als sakrosankt aufrechterhaltene politische Einheit der Christenheit. Denn der Papst agierte nun auch als ein politischer Herrscher über ein Territorium, was bisher einzig und allein dem Kaiser zustand. Und überdies: Aus rein politischen Gründen hatte sich der Papst den Reichsfeinden, den Barbaren, zugewandt!

Definitiv wurde der politische Bruch, als Papst Leo III. aus eigener Machtvollkommenheit gut 50 Jahre später noch einmal einen entscheidenden Schritt weiterging: **Den Cäsarentitel** – bisher dem Kaiser von Byzanz (und seinen Stellvertretern) vorbehalten – sprach er eigenmächtig einem Barbarenfürsten zu, **dem Frankenkönig Karl**, in der nachmals berühmten Weihnachtsnacht des Jahres 800 in St. Peter zu Rom. Man sehe das, was wir später mit lateinischen Augen sehen werden (P III), mit byzantinischen (P II): Ein Barbarenfürst war jetzt vom römischen Bischof zum römischen Kaiser gekrönt worden, als gäbe es den einen römischen Kaiser nicht mehr. Die Folge: Ein neuer, westlicher, germanischer Kaiser von des Papstes Gnaden steht nun neben und gegen den einzig legitimen römischen Kaiser im Osten! Ein germanischer, vom Papsttum sanktionierter Sakralstaat steht jetzt in Konkurrenz mit dem byzantinischen Heilsstaat. In den Augen der Byzantiner war das alte Rom damit endgültig häretisch geworden, woran viele östliche Christen und auch Theologen bis heute festhalten.

Dem politischen Bruch sollte ein paar Jahrzehnte später, Mitte des neunten Jahrhunderts, auch der kirchliche folgen. Die höchst komplizierten Vorgänge nach dem Bilderstreit um die bereits genannten Patriarchen Ignatios und Photios sind hier nicht zu beschreiben.[238] Jedenfalls war nach der Absetzung jenes ebenfalls noch von der Kaiserin Theodora unkanonisch zum Patriarchen ernannten Mönches Ignatios (Nachfolger des Methodios) schließlich ein Gelehrter und Chef der kaiserlichen Kanzlei, **Photios**, zum Patriarchen gewählt worden, ein Laie, der innerhalb von fünf Tagen mit allen Weihen versehen werden mußte. Dies gab dem (wohl von den pseudoisidorischen Fälschungen in seinem Amtsverständnis beflügelten) Papst **Nikolaus I.** den Vorwand, den päpstlichen Führungsanspruch über das Illyrikum (welches Kaiser Leon III. angesichts der

Schwäche Roms im 8. Jh. Byzanz unterstellt hatte!) und die Ostkirche überhaupt zur Geltung zu bringen. Durch eine römische Synode ließ er den byzantinischen Patriarchen 867 kurzerhand für abgesetzt erklären, was eine Synode in Byzanz mit der Absetzung des Papstes beantwortete: das **Photianische Schisma**!

Die neuere westliche Photiosforschung durch V. Grumel, F. Dvornik, H.-G. Beck und viele andere hat die geistige Statur des im Westen Vielverketzerten ins Licht gehoben: Photios, ein ausgezeichneter Philologe, Kenner der Patristik und Exeget, Verfasser mehrerer Bibelkommentare, theologischer Schriften und eines Lexikons zu antiken Autoren und biblischen Schriften, war kein mutwilliger Spalter, sondern ein auch von seinen Gegnern anerkannter Theologe und Kirchenmann. Darüber hinaus war er ein pastoral denkender Bischof ohne Menschenfurcht, der an der christlichen Glaubensverbreitung unter den Chasaren, Bulgaren, Mähren und Russen entscheidenden Anteil hatte und der denn auch bis heute im Osten als Heiliger verehrt wird. Photios anerkannte durchaus den traditionellen römischen Primat (ohne jurisdiktionelle Rechte in den anderen Patriarchaten), bemühte sich um die Wiedervereinigung mit den Armeniern und stand auch hinter der Mission seines Freundes Kyrill und dessen Bruder Methodios sowie der bulgarischen Mission. Als illegitimer Gegenspieler des Papstes darf er keinesfalls hingestellt werden. Im Grunde tat er nichts anderes, als die traditionelle patriarchale oströmische Autonomie entschieden zu verteidigen – gegen das unterdessen neu entwickelte, völlig zentralisierte jurisdiktionelle Primatsverständnis des weströmischen Patriarchen, wie es sich in Übertreibungen der fränkischen Mission in Bulgarien und in der Mißachtung griechischer Bräuche durch Papst Nikolaus I. manifestierte. Was ging hier vor?

In einer zur Konstantinopolitaner Synode einladenden Enzyklika hatte Photios die Streitpunkte mit Rom zusammengefaßt. Und da war nun neben dem Priesterzölibat auch zum erstenmal von einer dogmatischen Streitfrage die Rede. Photios zeigte sich alarmiert von einem **Zusatz zum Credo** durch römische Missionare in Bulgarien: Im Glaubensartikel über den Heiligen Geist hatte man in der Tat zuerst in Spanien (vor allem die Synode von Toledo 675, die arianisierenden Tendenzen der westgotischen Oberschicht entgegentrat[239]) angefangen – entgegen dem Originaltext des nizäno-konstantinopolitanischen Glaubensbekenntnisses –, die Formulierung »**und** dem Sohn« (»**filioque**«) hinzuzufügen: »der Geist, der aus dem Vater **und dem Sohn** hervorgeht«. Schon Karl der Große hatte Papst Leo III. zur Annahme dieser Ergänzung gedrängt, die sich nach der Synode von Aix im Jahre 809 denn auch im ganzen Westen verbreitete. Doch erst Heinrich II. erreichte es bei seiner Kaiserkrönung in Rom (um 1013), daß das »filioque« auch in Rom gebraucht wurde. Und was verbarg sich hinter dieser lateinischen Zwei-Prinzipien-Lehre? Im Rahmen des lateinischen Paradigmas (P III) werden wir es genauer sehen: nicht mehr und nicht weniger als eine verschiedene Auffassung von der Dreieinigkeit Gottes. Prinzip der Einheit für den **Osten**: der eine Gott und **Vater**; für den **Westen** aber: die eine, den drei Personen gemeinsame göttliche **Natur**.[240]

Doch kurz nach dem Konzil von 867 häufen sich die dramatischen Ereignisse: Papst Nikolaus I. stirbt, ohne von seiner Verurteilung durch Byzanz zu hören. Kaiser Michael III. wird ermordet, und der Usurpator, Basileios I. der Makedonier, stürzt Photios, um die konservativen Kreise in Byzanz und den neuen Papst Hadrian II. zu gewinnen, und setzt wieder Ignatios ein. Ein weiteres Konzil von Konstantinopel 869/70 mit am Anfang nur 12 und am Ende nur 103 Bischöfen – ganz unter der Kontrolle päpstlicher Legaten – exkommuniziert und verbannt Photios. Doch dieser bewahrt sich die Unterstützung der großen Mehrheit der Bischöfe, wird schließlich aus dem Exil zurückgerufen, zum Prinzenerzieher gemacht und versöhnt sich mit Ignatios – angesichts all der Schwierigkeiten mit Rom. Kaum ist Ignatios 877 gestorben, wird Photios erneut Patriarch und auf dem **Konzil von Konstantinopel 879/80** mit Beteiligung von 383 Bischöfen glänzend rehabilitiert. Das antiphotianische Konzil von 869/70 wird aufgehoben, so daß dieses denn auch im Westen bis zum Ende des elften Jahrhunderts nicht unter die ökumenischen Konzilien gerechnet wird. Der Papst, jetzt Johannes VIII., anerkennt ausdrücklich das prophotianische Konzil von 879/80, und so tun es auch die folgenden Päpste über 200 Jahre lang – bis zur Gregorianischen Reform im elften Jahrhundert. Denn da beginnen gregorianische Kanonisten im Investiturstreit Kanon 22 des antiphotianischen Konzils von 869/70 gegen den deutschen Kaiser auszugraben und auszuwerten, so daß man jetzt im Westen ein Interesse daran hat, gerade dieses Konzil als achtes ökumenisches Konzil zu zählen, was im Osten selbstverständlich niemand mitmacht. Auf dem Konzil von 879/80 aber war ein weiser Kompromiß geschlossen worden: Für den Westen wurde der traditionelle römische Primat anerkannt, für den Osten aber jede päpstliche Jurisdiktion abgelehnt. Zugleich wurde der Originaltext des Credo (ohne das »filioque«) bekräftigt.

Allerdings war das Vertrauen der byzantinischen Kirche in Rom, das man bisher immer mit Reverenz behandelt hatte, nachhaltig erschüttert worden. Und Undank ist der Welt Lohn auch in Konstantinopel: Photios selber hatte sich während seines zweiten Patriarchats großzügig um die

Versöhnung mit all seinen Gegnern bemüht, wurde aber vom darauffolgenden Kaiser Leon V. – seinem Schüler, der dann seinen eigenen sechzehnjährigen Bruder zum Patriarchen machte! – 886 zum Rücktritt gezwungen und starb um 891 als Verbannter in Armenien. Ein Zeichen dafür, daß nicht nur in der Kirche des alten, sondern auch in der des neuen Rom immer wieder ungehemmt imperiale Machtpolitik und Intrigenwirtschaft herrschte. Wer freilich im Westen das System der politischen Orthodoxie des Ostens kritisiert, sollte gleichzeitig jenes System der theologisierten Politik Roms kritisieren, die – nach dem völligen Niedergang des Papsttums im zehnten Jahrhundert (dem »Saeculum obscurum«) – im elften Jahrhundert voll durchbrechen sollte.

Exkommunikation, Scholastik und Kreuzzüge: Phase 3 (11./12. Jh.)

Ein von den deutschen Kaisern reformiertes und so wiedererstarktes Papsttum konnte sich um die Mitte des elften Jahrhunderts eine erneute Kraftprobe mit Konstantinopel leisten. Angesichts der Bedrohung Süditaliens durch die Normannen, welche die Araber abgelöst hatten, waren der römische Papst wie der byzantinische Kaiser damals an einer militärischen Allianz und theologischen Verständigung durchaus interessiert. Doch neue Spannungen bauten sich auf. Auf den Normannenfeldzug des deutschen Reformpapstes Leo IX. und die römischen Übergriffe in den byzantinischen Provinzen Süditaliens (Ersetzung der griechischen Liturgie durch die lateinische) erfolgte eine gereizte Reaktion von Seiten des Patriarchen **Kerullarios** von Konstantinopel (1043-1058), die einen neuen Streit auslöste. Ein von diesem bestelltes scharfes Schreiben des Erzbischofs Basileios von Ochrid machte die Runde gegen die liturgischen Bräuche der »Franken« (Lateiner), vor allem den Gebrauch von ungesäuertem Brot (»Azymen«) bei der Eucharistie, das Samstagfasten in der Fastenzeit und ähnliche rituelle Differenzen. Das »filioque« wird nicht erwähnt. Zugleich drohte Kerullarios den Kirchen der Lateiner in Konstantinopel, die nicht den griechischen Ritus übernähmen, die Schließung an.

Das Unglück wollte es, daß dieser theologisch ungebildete und maßlose Patriarch im Leiter der römischen Delegation nach Konstantinopel einen ebenso maßlosen und theologisch voreingenommenen Gegenspieler fand: Kardinal **Humbert** von Silva Candida. Er hatte bereits auf das Schreiben gegen die »Franken« in einem »Dialog zwischen einem Römer und einem Konstantinopolitaner« mit schneidender Schärfe geantwortet. Denn dieser päpstliche Legat war ein leidenschaftlicher Vertreter der cluniazensischen Reformbewegung und der führende Theoretiker einer absolutistischen Papstherrschaft, von deren zweifelhaften Grundlagen wir später noch hören werden.

Humbert bestritt nach seiner Ankunft dem ökumenischen Patriarchen schon seinen Titel, bezweifelte gar die Gültigkeit seiner Weihe, ja, agitierte gegen den Patriarchen in aller Öffentlichkeit. Bei einer Verteidigung der östlichen Bräuche durch einen Studiten-Mönch beschimpft er diesen, er sei wohl nicht aus seinem Kloster, sondern einem Bordell entsprungen, und brachte nun auch noch das Filioque zur Sprache, als ob die Byzantiner und nicht die Lateiner im Credo etwas geändert hätten. Ja, als Humbert mit den Verhandlungen verständlicherweise nicht vorankam, verfaßte er selber, obwohl er unterdessen vom Tod des Papstes erfahren hatte, eine **Bannbulle** gegen den »Bischof« Kerullarios und dessen Helfer. Er legte diese am 16. Juli **1054** auf den Altar der Hagia Sophia und reiste mit seiner Delegation ab. Die Bulle strotzte nur so vor falschen und unkorrekten Behauptungen (etwa bezüglich Priesterehe und Barttragen) und provozierte natürlich den Gegenbann des Patriarchen gegen den Kardinal und seine Begleitung (nicht gegen den Papst).

Statt Bündnis zwischen Rom und Byzanz also der **Bruch**! Man versucht heute, dieses fatale Ereignis nicht zuletzt aus ökumenischen Gründen möglichst herunterzuspielen; es hätten sich ja nicht eigentlich die Kirchen gegenseitig exkommuniziert, sondern nur einzelne Personen. Aber der Name des Papstes wurde von nun an in der byzantinischen Liturgie nicht mehr genannt, und in Konstantinopel blieben die Kirchen für die Lateiner geschlossen. Es läßt sich nicht übersehen: Obwohl man auch später immer wieder miteinander verhandelte und Frieden hätte finden können, war der Bruch zwischen Ost- und Westkirche doch irreparabel! Der alte byzantinische und der neue päpstliche Weltherrschaftsgedanke schlossen sich nun einmal gegenseitig aus. Seither sahen die Päpste die griechische Kirche als von Rom getrennt, als schismatisch und dann auch häretisch an.

Schon seit dem Ende des byzantinischen Exarchats von Ravenna (751) und der »Pippinschen Schenkung« (754) sah sich der Papst nicht mehr als Untertan des Kaisers. Die schon vor Leo IX. mit den deutschen Päpsten in Alt-Rom einsetzende Gregorianische Reform (Hildebrand, später Gregor VII., war zusammen mit Humbert von Leo IX. an die römische Kurie berufen worden) einerseits und die völlig andersartige lateinisch-scholastische Theologie andererseits zementierten die Spaltung. Im Westen war jetzt, wiewohl hier wie dort eine christliche Theokratie herrschte, ein von der alten (nicht nur der byzantinischen) Kirche völlig verschiedenes

Paradigma durchgebrochen, ein spezifisch römisch-katholisches (P III): »Die römische Kirche bekannte sich zu einer neuen politischen Ideologie, die von der im Osten immer noch herrschenden sehr verschieden war. Es gab kaum Chancen, daß ein Kompromiß zwischen den beiden Ideologien geschlossen werden könne« (F. Dvornik[241]). Doch noch hoffte man auf beiden Seiten auf eine Verständigung.

Der Tiefpunkt der gegenseitigen Beziehungen freilich sollte erst noch folgen: die gegen Ende des elften Jahrhunderts einsetzenden **Kreuzzüge.** Sie boten Rom die Chance, nicht nur den mittlerweile bedrohlich aufgestiegenen Islam zurückzudrängen, sondern auch das Illyrikum (den größten Teil des Balkans!) und die unbotmäßige »schismatische« Kirche von Byzanz überhaupt endlich unter päpstliche Oberhoheit zu bringen. Gewalttaten gab es vorher auf beiden Seiten. Doch jetzt war die Gelegenheit günstig, die Einheit zur Not mit militärischen Mitteln zu erzwingen, nachdem alle Appelle und Verhandlungen nichts genützt hatten. Denn der von den Normannen in Süditalien und den türkischen Seldschuken in Kleinasien gleichzeitig bedrohte byzantinische Kaiser war auf die Hilfe des Papstes angewiesen, wollte und sollte jedoch gleichzeitig die Autonomie der orthodoxen Kirche bezüglich Dogma, Ritus und kirchlicher Gliederung wahren. Sein Problem war also »das Junktim zwischen einer durch den Papst vermittelten militärischen Hilfe des Westens und der dafür geforderten Rückkehr der byzantinischen Kirche in die Obödienz des römischen Stuhles« (H.-G. Beck[242]).

Und so kooperierte der Kaiser Alexios I. Komnenos mit Papst Urban II. zur Organisation des Ersten Kreuzzuges (Treffpunkt Konstantinopel!), nicht ahnend, daß dieser bald das System der politischen Orthodoxie von innen her bedrohen sollte. Denn Kaiser und Papst verloren schon bald die Kontrolle über den Gang der Ereignisse, und unter dem Einfluß normannischer Politik wurden aus den Kreuzzügen gegen den Islam bald auch Kreuzzüge gegen Byzanz, das man im Westen aufgrund vielfacher Desinformation fälschlicherweise des »Verrates« anzuklagen pflegte. Man mache sich deshalb nichts vor: Bis heute bedeutet es für die östliche Christenheit ein Trauma, daß der Papst die Führung in einem »heiligen Krieg« mit zahllosen grausamen Verbrechen übernommen hatte, einen Krieg gegen den Islam, welcher dann auch zum Krieg gegen die östliche Schwesterkirche wurde. Es kam zu einem gewaltigen Triumph Roms – um den Preis aber, daß West- und Ostkirche den Tiefpunkt ihrer Beziehung erreichten. Im Jahr 1204 wird auf dem **Vierten Kreuzzug Konstantinopel von den Truppen des lateinischen Westens erobert und geplündert**! Doch man betrachte dies noch einmal mit byzantinischen Augen:

– Der (für Byzanz allein legitime) Kaiser wie der (mit dem Papst, dem Patriarchen des Westens gleichberechtigte) Patriarch von Konstantinopel werden aus der Stadt nach Nikaia auf kleinasiatischem Boden (»Kaiserreich Nikaia«) vertrieben.
– Wider alles Recht wird in Byzanz ein lateinisches Kaisertum (Graf Baldwin von Flandern zum Kaiser von Byzanz gekrönt!), zugleich ein lateinisches Patriarchat mit einer parallel strukturierten lateinischen Hierarchie eingesetzt.
– Alle griechischen Geistlichen werden zu einem Gehorsamseid gegenüber Rom gezwungen und so die eroberten orthodoxen Gebiete weithin latinisiert.
– Durch einen römischen Kardinal läßt der Kreuzzugspapst Innozenz III. Iwan Kalojan zum »Kaiser der Bulgaren und Walachen (Rumänen)« krönen.

Der byzantinische Kaiser, in höchster Not auf der Suche nach Verbündeten, gab damals der **serbischen Kirche** die **Autonomie** und machte Sava, einen Mönch vom Berg Athos und Bruder des ersten Königs von Serbien, zu ihrem Erzbischof. Der heilige Sava wird denn auch bis heute als Vater der serbischen Orthodoxie und des serbischen Staates verehrt. Doch erst 1261 hat der militärisch und wirtschaftlich völlig desorganisierte byzantinische Reststaat von Nikaia Konstantinopel wieder einnehmen können.

Wiedervereinigung möglich?

Erst 1204 war die Spaltung zwischen Rom und Byzanz unheilbar geworden, so daß der Gedanke an eine Wiedervereinigung der christlichen Kirchen auf Dauer ruiniert war. Rom selbst hatte sein eigenes Bollwerk im Osten entscheidend untergraben. Die späteren, von Päpsten und schwachen byzantinischen Kaisern betriebenen Unionsversuche – Zweites Konzil von Lyon 1274, Konzil von Ferrara-Florenz 1438/39[243] – waren nicht religiös, sondern politisch motiviert: Sie wurden angesichts der Türkengefahr und der Finanzkrise vor allem vom Kaiser angestrebt und hatten das byzantinische Kirchenvolk sowie den Großteil der Hierarchie gegen sich. Im Osten empfand man sie als totale Kapitulation vor Rom, und so waren sie von Rom aus durchaus auch gedacht. Sie verschärften das Schisma, statt es zu beseitigen, stürzten Byzanz auch in innere Kämpfe und erschütterten wegen der eingegangenen Kompromisse seine Glaubwürdigkeit in der ganzen slawischen Christenheit. Das Schisma wurde in der Folgezeit so sehr zur Gewohnheit, daß man es kaum noch als

Spaltung der Kirche empfand, sondern als den selbstverständlichen Status quo, der es beiden Seiten gestattete, die je andere Seite nur noch als Zerrbild wahrzunehmen.

Niemand konnte indes nach dem »Unionskonzil« von Florenz ahnen, daß es über mehr als 500 Jahre dauern sollte, bis man sich erneut ernsthaft um die Verständigung zwischen Rom und den östlichen Kirchen bemühen sollte. Tatsächlich verdankt es die Christentheit unseres Jahrhunderts – nach der unermüdlichen und unverdrossenen Vorarbeit ökumenischer Theologen auf katholischer wie auf orthodoxer Seite – zuerst Papst Johannes XXIII. und dem Zweiten Vatikanischen Konzil (1962-65), dann Papst Paul VI. und Patriarch Athenagoras von Konstantinopel, daß die leidvolle Geschichte der jahrhundertelangen Entfremdung und 900-jährigen Trennung aufgearbeitet und wenigstens zum Teil eine Verständigung und ein Modus vivendi erreicht wurden. Und gerade weil der gegenwärtige polnische Papst nach dem Zusammenbruch der Sowjetmacht durch seine kurzsichtig-römische »Missionspolitik« in Rußland, Bulgarien und der Ukraine die Gegensätze in unverantwortlicher Weise neu entfacht hat, sind hier im ökumenischen Geist der Verständigung einige kritisch-hoffnungsvolle Fragen für eine bessere Zukunft zu formulieren:

Fragen für die Zukunft

– Wenn dem Vatikanum II zufolge

die Verschiedenheit der Kirchen die Einheit nicht schwächt, sondern stärkt,
die Kirchen des Ostens denen des Westens gleichberechtigt sind,
die Kirchen des Ostens das Recht und die Pflicht haben, ihre eigenständige Liturgie, Rechtsordnung und Spiritualität zu pflegen:

könnte dies nicht eine prinzipielle Basis sein für eine neue Kirchengemeinschaft zwischen West und Ost?

– Wenn dem Vatikanum II zufolge

die alten Rechte und Privilegien der ostkirchlichen Patriarchen wieder herzustellen sind und ihnen insbesondere die Bischofsernennungen zukommen:

wäre da nicht auch das zwischen West und Ost vieldiskutierte Problem des römischen Primates endlich zu diskutieren und auf der Grundlage der von beiden Seiten akzeptierten sieben ökumenischen Konzilien und des Konsensus der alten Väter einer ökumenischen Lösung entgegenzuführen?

- Wenn der Kompromiß des Konzils von Konstantinopel 879/80 viele Jahrhunderte hindurch auch von Rom anerkannt war, könnte ihm dann nicht auch für die heutige Zeit eine wegweisende Funktion zukommen: Für den Westen wird der römische Rechtsprimat anerkannt, für den Osten aber jede päpstliche Jurisdiktion wie schon immer abgelehnt und der Originaltext des Credo (ohne das später eingefügte »filioque«) bekräftigt?
- Wenn am Ende des Zweiten Vatikanischen Konzils, am 7. Dezember 1965, von Papst Paul VI. und von Patriarch Athenagoras die gegenseitige Exkommunikation »aus dem Gedächtnis der Kirche getilgt« und die Kirchenspaltung bedauert wurde, wäre es dann nicht schon längst konsequent gewesen, der Aufhebung der Exkommunikationssentenzen die Herstellung der Communio folgen zu lassen?

Byzanz aber war damals zum langsamen Sterben verurteilt. Und man kann sich im nachhinein durchaus fragen: Ob das byzantinische Ideal einer von Gott selber gegebenen neu-römischen universalen Weltherrschaft nicht von vornherein überzogen war und an den begrenzten Handlungsmöglichkeiten dieses Reiches scheitern mußte?

Byzanz am Ende, aber nicht die Orthodoxie

Alain Ducellier, einer der besten Kenner der byzantinischen Geschichte und Kultur, sieht die »dumpfe Unzufriedenheit, die die Geschichte des Ostreiches wie ein roter Faden durchzieht«, in dieser **Spannung zwischen maßlosem Ideal und unzureichenden politischen Möglichkeiten** begründet. Doch auch er stellt, vielleicht nicht ganz ohne Bewunderung, fest: »Die Orthodoxie als christliches Gemeinwesen sieht ihr Ideal irdischer Vollkommenheit fast immer durch eine widrige Wirklichkeit kompromittiert, stellt aber ihr Ziel einer Weltherrschaft, das von Gott selbst vorgegeben ist, dennoch niemals in Frage. Nicht einmal in den schwärzesten Augenblicken ihrer Geschichte vermag die Orthodoxie einzugestehen, daß dieser oder jener Anspruch inzwischen völlig haltlos geworden, daß dieses oder jenes Territorium auf immer verloren gegangen ist.«[244]

Jedenfalls hat sich die staatskirchliche Ausformung des altkirchlich-hellenistischen Paradigmas von Christentum durch mehr als ein Jahrtausend halten können, wiewohl Byzanz sich immer neu an veränderte politische Situationen anpassen und so immer wieder neu Zentrum und Grenzen seiner Macht suchen mußte.[245] War Byzanz unter Justinian eine Mittelmeermacht gewesen, so wurde es in seiner Blütezeit eine eurasische Macht, um dann aber eine ägäische Macht zu werden. In ihrer Endphase schrumpfte es zu einem auf Konstantinopel und den Peloponnes beschränktes Reich zusammen.

In dieser Endphase war Byzanz ganz und gar auf die Hilfe des Westens angewiesen. Aber diese Hilfe kam nicht – trotz der in Florenz proklamierten Kirchenunion. Zu sehr war der Westen uneins, zu sehr Rom unengagiert, zu sehr aber auch Byzanz selbst erschöpft, gelähmt und von antilateinischen Ressentiments belastet. Daß angesichts der offenkundigen Kriegsvorbereitungen durch den energischen jungen Sultan Mehmet II. der Papst den Kardinal Isidoros nach Konstantinopel schickte, der fünf Monate vor dem Untergang in der Hagia Sophia die Union mit Rom verkündete und zur Empörung des byzantinischen Klerus und Volkes eine römische Messe zelebrierte, half niemandem. Bestenfalls den Kreisen, die einer Union mit Rom eine Verständigung mit den Türken vorzogen. Sieben Wochen dauerte die Belagerung durch eine fast zehnmal stärkere Armee mit einer (von westlichen Ingenieuren!) in ihrer Reichweite verbesserten Artillerie. Man muß die von einem Kenner wie dem britischen Byzantinisten Steven Runciman im Detail beschriebene Geschichte der **Eroberung von Byzanz** und des bis heute nicht geklärten Todes des letzten byzantinischen Kaisers in der Schlacht lesen, um einen konkreten Eindruck von der Dramatik dieses welthistorischen Vorgangs zu erhalten.[246] Endpunkt: Am 29. Mai 1453 fiel das durch seine einzigartige Lage und Befestigung geschützte Zweite Rom. Nach rund 1100 Jahren fand mit Konstantin XI. das Werk Konstantins des Großen sein trauriges Ende. Ungeheurer Reichtum und unschätzbare Kunstschätze, Kirchengeräte, Ikonen und Manuskripte fielen der drei Tage und drei Nächte dauernden Plünderung zum Opfer, bevor der Sultan selber triumphal Einzug hielt.

Für das Osmanische Reich verband nun ein natürliches Staatszentrum, Istanbul genannt, die europäischen und asiatischen Besitzungen, ein türkisches Reich, das von Mesopotamien bis an die Adria reichte und dem auch bald noch die restlichen Balkanländer unterworfen wurden. Für die Christenheit aber war nach dem frühen Verlust der christlichen Stammlande im Nahen Osten und Nordafrika nun auch noch das große östliche Bollwerk Byzanz an den Islam gefallen. Wesentlich mitschuldig an diesem Fall war die jahrhundertelange antibyzantinische Politik des römischen Stuhls. Man kann es begreifen: Das Mißtrauen und die Abneigung der

Orientalen gegenüber Rom und den Lateinern war seit dem Fall Konstantinopels total. Gegenüber allem lateinischen Proselytismus auch in den folgenden Jahrhunderten wiederholte man immer wieder neu das Wort von damals: Lieber den Tod als Rom! Lieber den Turban als die Mitra!

Doch nun das Erstaunliche: Mit dem Ende von Byzanz ist keineswegs das Ende des hellenistisch-altkirchlichen Paradigmas gekommen. Denn dieses Paradigma (P II) ist ja keineswegs wie zuvor das judenchristliche (P I) untergegangen. Im Gegenteil: Der orthodoxe Glaube und das vom lateinischen so verschiedene östliche Christentum hielt Griechen, Süd- und Ostslawen in den nun folgenden »dunklen Jahrhunderten« der muslimischen Herrschaft zusammen und bewahrte sie vor einer Auflösung im Islam (man erinnere sich an die christlichen Gemeinden des Nahen Ostens und Nordafrikas). Nein, das hellenistisch-altkirchliche Paradigma, zunächst auch vom alten Rom voll mitgetragen, wird mit seinen politischen und religiösen Traditionen nun – natürlich wie immer mit erheblichen Veränderungen und Anpassungen – von einem neuen Reich übernommen: vom russischen Reich, von Moskau, das sich langsam, aber stetig zur großen Schutzmacht der Orthodoxie, auf dem Balkan vor allem, entwickelt. Es sollte dort – in der zweiten, der moskowitischen Periode der russischen Geschichte – erneut seine Vitalität erweisen.

11. Das Dritte Rom: Moskau

Ein ähnlicher Haß gegen Rom hatte sich später von Byzanz her in **Rußland**[247] aufgebaut. Dabei überschätzt man oft die Rolle des **lateinischen Deutschritterordens**, der während der Tatarenzeit der Mission unter den baltischen Stämmen militärischen Flankenschutz bot, wobei es zu territorialen Grenzkämpfen mit den orthodoxen Fürstentümern von Nowgorod und Pskow kam. Schwerer wogen da schon die Invasionen der **katholischen Polen**, die in der Zeit der »großen Wirren« (»smuta«) 1605 sogar Moskau besetzten. Denn die Polen strebten nach der Führung des Moskauer Reiches und nach Unterwerfung der russisch-orthodoxen Kirche unter die Herrschaft Polens und damit Roms. Es ist tragisch zu sehen, daß die »Reevangelisierungskampagne« von Johannes Paul II., die Auseinandersetzungen um die Kirche in der Ukraine und die Einsetzung lateinischer Bischöfe in Rußland solche Erinnerungen wieder wachgerufen haben und sich so gerade der slawische Papst (wie auch gewiß aggressiv missionierende amerikanische Sekten) als schwere Belastung für die Verständigung mit der slawischen Orthodoxie erweist.

Nach Auffassung des Ostens hat Rom im Laufe der Jahrhunderte alles getan, um beide große »Vormauern der Christenheit« gegen die nichtchristlichen Araber, Türken und Mongolen zu untergraben und zu schwächen: zuerst das byzantinische Reich, das Zweite Rom, dann auch das Moskauer Reich, das Dritte Rom. Doch wie war die Entwicklung in Rußland? Man darf keineswegs – wie manche moderne Historiker dies tun – die russische Geschichte nur unter vorwiegend ökonomischen, sozialen und politischen Gesichtspunkten sehen. Was immer von der Bedeutung der Idee eines Dritten Rom für die Anfänge der – sicher auch zunehmend nationalstaatlich inspirierten – russischen Staatsideologie zu halten ist: Man darf nicht vernachlässigen, wie groß der religiös-kulturelle Einfluß von Byzanz gewesen ist. Immerhin war Rußland fast ein halbes Jahrtausend (988-1448) eine Kirchenprovinz des Patriarchats von Konstantinopel. Und in der byzantinisch geprägten Kirche Rußlands änderte sich nun einmal sehr viel weniger als im (zunehmend auch westlich beeinflußten) russischen Staat.

Moskau: die zweite Phase der russischen Geschichte

Gut 200 Jahre lang, von 1240-1448, steht das jetzt schon so lange christianisierte Rußland – wir erinnern uns an das Kiewer Reich – unter der **mongolischen Tatarenherrschaft.**[248] Es begann mit Batu, dem Enkel jenes Dschingis-Khan, der 1206 alle Mongolenstämme, auch die Tataren, unter seiner Herrschaft vereinigt und ein Weltreich vom Gelben bis zum Schwarzen Meer begründet hatte. Batu war ein Neffe des neuen Großkhans Ögädäi und hatte es als Herrscher des Westreiches auf sich genommen, den Beschluß der mongolischen Reichsversammlung von 1236 durchzuführen. Er lautete: Rußland, Polen, Ungarn und ganz Europa sind zu unterwerfen. Es gelang Batu denn auch, mit seinen Reiterheeren zunächst die Wolgabulgaren zu vernichten sowie einige russische Teilfürstentümer (darunter auch Moskau) zu erobern. 1240 fiel dann Rußlands nominelle Hauptstadt Kiew, so daß Durchbrüche nach Polen, Schlesien und Ungarn folgen können. Nur der plötzliche Tod des Großkhans veranlaßte Batu zum Rückzug, so daß das übrige Europa – anders als das stolze islamische Großreich der Kalifen von Bagdad, das 1258 fallen sollte! – vom Mongolensturm verschont blieb.

Rußland selber aber blieb nun runde zwei Jahrhunderte unter der Herrschaft der Tataren. Zwar bestand die Einheit Altrußlands nicht mehr, aber noch bestand die Kirche. Und zweifellos war es im 13./14. Jahrhundert vor allem die orthodoxe **Kirche**, die in dieser Zeit der politischen Auflösung, des wirtschaftlichen Niedergangs und des kulturellen Verfalls das Bewußtsein von der **nationalen Einheit Rußlands wachhielt**. Seither bedeutet »Russisch-Sein« – und dies wirkt sich bis in die Gegenwart aus – »Orthodox-Sein«. Die mongolische Gewaltherrschaft beschränkte sich ohnehin zumeist auf die Forderungen nach Gehorsamserweisen, Tributzahlungen und Truppenkontingenten. So konnte zumindest die Kirche ihre Tätigkeit fortsetzen und ihre geistige und theologische Tradition weiterentwickeln. Ja, später wird sie gar eine Missionstätigkeit entfalten, wie dies nach dem Vorbild von Methodios und Kyrill vor allem **Stefan**, Bischof von Perm (ca. 1340-1396), bedeutendster Missionar der russischen Kirche, nach guter Vorbereitung mit Hilfe einer Runenschrift unter ostfinnischen Syrjanen tat. Dabei betrachtete sich die Kirche Rußlands nach wie vor als Teil der byzantinischen Ökumene, und die Bewunderung der Russen für das bereits sehr geschwächte Byzanz war ungebrochen. Nicht nur wie früher die Kiewer Großfürsten, sondern jetzt auch die russischen Teilfürsten unter der Barbarenherrschaft betrachteten sich faktisch als jüngere Mitglieder (»Neffen«) der kaiserlichen Familie.

Warum aber hielt sich Rußland in dieser Notzeit nicht an den Westen, mit dem man vor allem über Nowgorod und die Hansestädte der Ostsee Verbindung hatte? Die Antwort lautet: Gerade der Nowgoroder Großfürst **Alexander Newskij** (1252-1263), Stammvater der Moskauer Dynastie, zog die heidnische Tatarenherrschaft einer Orientierung am katholischen Westen vor – und zwar aus religiösen Gründen. Denn Alexander fürchtete, daß Rom die Gelegenheit benützen würde, das angeblich »schismatische« Rußland unter seine Autorität zu zwingen. Und man braucht nur das an ihn gerichtete Schreiben des Juristenpapstes Innozenz IV.[249] zu lesen, um zu wissen, daß diese Furcht keine Einbildung war. Alexander, der diplomatisch bei den Khanen der Goldenen Horde Huldigungsbesuche machte, wandte sich von Anfang an gegen die westlichen Eindringlinge und brachte den Schweden, den deutschen Ordensrittern und den Litauern schwere Niederlagen bei. Er wird deshalb bis heute als russischer Nationalheiliger und als Symbol der Verteidigung Rußlands gegen den Westen verehrt. Hat er doch entscheidend für die Abgrenzung der russisch-orthodoxen Welt von der abendländischen gesorgt, wiewohl Rußland natürlich immer zu Europa und nicht zu Asien gehören wollte. Alexander war einer der ersten altrussischen Fürsten, die sich vor dem Tod zum Mönch weihen ließen.

Kiew hat sich vom Tatarensturm lange nicht erholt, und der Schwerpunkt Rußlands verschob sich nach Nordosten, wo – nach einer Zwischenphase in Wladimir-Susdal – die Fürsten von **Moskau** im 14. Jahrhundert nicht ohne Blutvergießen ein neues politisches Machtzentrum bildeten. Die zweite, moskowitische Phase der russischen Geschichte hatte damit begonnen, und auch die kirchliche Führung ging jetzt, nach Auseinandersetzungen unter den Metropoliten, von Kiew an Moskau über. Eine wichtige Rolle spielte hierbei Rußlands größter Heiliger, **Sergius** von Radonesch (1314-1392). Ursprünglich Einsiedler, zog er Gefährten an und gründete schließlich in gebührendem Abstand von Moskau in der russischen »Wüste«, in der Einöde der unwegsamen Wälder, das Dreifaltigkeitskloster (beim nachmaligen Sergijew Possad, 1920 in Sagorsk umbenannt), das bald zu Rußlands größtem Kloster werden sollte. Es wurde mit seiner asketischen Spiritualität Vorbild auch für viele andere Klöster, rund 180, die in den nächsten anderthalb Jahrhunderten auch jene Bauern betreuten, die sehr langsam die russischen Wälder zu roden begannen. Sergius, Freund des Moskauer Großfürsten, setzte sich für eine neue Einigung des Landes unter Moskaus Führung ein und trug 1380 – durch einen Segensbrief an Großfürst Dmitrij – entscheidend zum allerersten Sieg der Russen über die Tataren auf dem Schnepfenfeld bei. Dieser Sieg erschütterte die angeblich so unbesiegbare Tatarenherrschaft und hob das Moskauer Prestige sowie das russische Nationalbewußtsein gewaltig. Die Metropolitenwürde aber lehnte Sergius ab. Er war kein »homo politicus«, sondern blieb ein Mann des Geistes und des Glaubens, der auch als Abt ärmlich lebte und weiterhin körperlich arbeitete. So zeigte er sich als ein echter »Staretz« (= »Ältester«), ein geistiger Führer, der die Ideale der russischen Heiligkeit beispielhaft verkörperte: Einfachheit, Demut, Mitleid, soziales und nationales Engagement.

Und solche Ideale waren auch bitter nötig, denn die russische Geschichte hatte ihre dunkle Seite, die, auch russischen Kennern zufolge, von orthodoxen und nichtorthodoxen Bewunderern der russischen Orthodoxie allzu oft verschwiegen wird. Seit frühester Zeit nämlich hatte sich im russischen Volk unter der byzantinisch-christlichen Kultur und Liturgie eine untergründige **»zweite Kultur« aus altem slawischem Heidentum** durchgehalten, wie es einer der bedeutendsten russischen Theologen unserer Tage, George Florovsky, formulierte: unter der »christlichen ›Tag‹-Kultur« des Geistes und des Intellekts eine »›Nacht‹-Kultur«, die sich »zu lange und zu hartnäckig verbarg, die vor Überprüfung, Verifikation und Reinigung durch das ›Denken‹ floh« und die für das »Ungesunde der Entwicklung des alten Rußland« hauptsächlich verantwortlich war.[250]

Dazu kamen dann die zwei Jahrhunderte **tatarischer Versklavung**, während der die russischen Fürsten den Tataren-Khanen gegenüber sklavische Ergebenheitsbekundungen abgeben und jeder Russe sich vor einem vorbeireitenden Tataren verbeugen mußte. Die Folge für die russische Gesellschaft war, wie A. Schmemann ausführt, ein »›Tatarismus‹ – ein Mangel an Prinzipien und eine abstoßende Verbindung von Unterwürfigkeit gegenüber den Starken und Unterdrückung von allem Schwachen –, der unglücklicherweise das Wachstum Moskaus und der Moskowiter Kultur von allem Anfang an prägte«[251]. Und er fügt hinzu: Angesichts dieser dunklen Welt des Aberglaubens, der Trunksucht, der Ausschweifung, der Barbarei und der Gewalt habe vor allem das Kloster (wo jetzt vielfach auch große Bibliotheken aufgebaut wurden) eine Gegenwirklichkeit verkörpert, eine Gegenwirklichkeit absoluter, heiliger Werte mit der Möglichkeit der Umkehr, der Reinigung und der Erneuerung: »Das Kloster ist nicht die Krone der christlichen Welt, sondern im Gegenteil, ihr innerster Gerichtshof und Ankläger, das Licht, das scheint in der Finsternis.«[252]

Der neue Hort der Orthodoxie

Moskau also wird im 15. Jahrhundert unbestrittener Mittelpunkt des Großrussischen Reiches, Mittelpunkt jetzt auch einer von italienischen Architekten mitgeprägten russischen Kunst in Kirchenbau (Uspenki-Kathedrale des Kreml), Malerei (Theophan der Grieche) und Ikonenkunst (die Dreifaltigkeitsikone von Rublew). Byzantinische Formen und Normen werden der russischen Eigenart angepaßt. Vor allem aber wird Moskau jetzt zum neuen Hort der Orthodoxie, der sich bald von der Vorherrschaft Konstantinopels freimachen sollte.

Der Zeitpunkt dafür kam, als Byzanz auf dem **Konzil von Ferrara-Florenz** 1438-39 doch noch eine Union mit dem alten Rivalen Rom einging: eine kurzlebige (14 Jahre später der Untergang Konstantinopels) und in der byzantinischen Kirche ohnehin nie wirklich rezipierte Maßnahme, wie wir hörten. In Rußland aber, von Byzanz im Haß auf Rom erzogen, hielt man, zutiefst enttäuscht, diesen Vorgang für einen glatten Verrat der Sache der Orthodoxie.[253] Und als der Metropolit Isidor von Kiew und ganz Rußland, Grieche und hervorragender Vertreter der Unionspartei, der gegen den Willen des Großfürsten zum Konzil gegangen war, gar noch als persönlicher Legat des damaligen Papstes (Eugen IV.[254]) vom Konzil zurückkam und 1441 mit einem lateinischen Kreuz feierlich in Moskau einzog, um im Gottesdienst die Unionsurkunden vorzulesen, ließ ihn der Großfürst Vasilij II. kurzerhand verhaften und ins Gefängnis werfen. Von einem »achten Konzil« nach den sieben ökumenischen Konzilien hielt man in Moskau ohnehin nichts.

Isidor konnte später fliehen, wurde in Rom Kardinal und starb als lateinischer Patriarch von Konstantinopel – in Rom. 1448 aber wird, wohl auf großfürstlichen Wunsch, der Bischof Iona von Rjazan ohne jegliche Billigung des Patriarchen von Konstantinopel, der zur Union mit Rom hielt, durch ein Konzil russischer Bischöfe zum Metropoliten von Kiew und ganz Rußland gewählt; ab jetzt wählte Rußland seine Metropoliten selbst.

Doch die Loslösung vom »häretisch« gewordenen Byzanz, das in russischer Sicht durch seinen »Verrat« am wahren Glauben das Recht auf Führung der östlichen Orthodoxie verscherzt hatte, wird nicht zum Schisma. Sobald nach 1453 in Konstantinopel/Istanbul wieder geordnete Verhältnisse eingetreten sind, bemüht sich die russische Kirche um Normalisierung der Beziehungen. Doch keinen Zweifel ließ sie daran, daß sie sich ab jetzt als **»auto-kephale Kirche«** betrachtete, das heißt: ihr »eigenes Haupt« beanspruchte. Das war kirchenpolitisch verständlich. Zugleich aber zahlte die russische Kirche für diesen Schritt einen hohen Preis: die definitive Unterordnung der Kirche unter den russischen Staat, der vom westlichen nationalen Denken nicht unbeeinflußt blieb. Anders als früher unter byzantinischer, übernationaler Autorität war die Kirche jetzt allen möglichen politischen Manipulationen der Herrscher im eigenen Land unterworfen.

Dies alles erklärt nun, warum Moskau (wiewohl noch weitere 140 Jahre Metropolie und nicht Patriarchat) nach dem Untergang von Konstantinopel (1453) nicht nur ein Interesse daran hatte, sondern staats- und kirchenpolitisch darauf vorbereitet war, so weit wie möglich (ohne universalistischen Anspruch) das Erbe von Byzanz anzutreten und mit der Zeit die **Führung der östlichen Orthodoxie zu übernehmen**. Denn in den Augen der Russen konnte es kein Zufall sein, daß Byzanz gerade in dem Moment der Geschichte unterging, als sich Rußland von den letzten Spuren der Tatarenherrschaft freimachte. Und niemand konnte ja auch übersehen: Nach der Unterwerfung noch weiterer »orthodoxer« Länder (Bulgarien, Serbien, Rumänien) durch die islamischen Türken war Rußland jetzt – in der zweiten Hälfte des 15. Jahrhunderts – als die letzte politisch selbständige Macht des christlichen Ostens übriggeblieben. Mußte der Fall von Byzanz nicht als göttliche Strafe für die Union mit Rom angesehen werden? Moskau begann seine historische »Mission« zu begreifen und dann zu ergreifen.[255]

Es war dann Großfürst **Iwan III.** (1462-1505), der hier den entscheidenden Schritt vollzog: durch Heirat mit Zoë (Sofija), der nach Rom geflohenen Nichte des bei der Eroberung von Byzanz gefallenen letzten römischen Kaisers. Der Plan war im Vatikan ausgeheckt worden, um

Rußland für die Union zu gewinnen[256] – mit genau dem entgegengesetzten Erfolg. Gewiß: Wie weit Iwan, der bereits unter dem Einfluß westlich-europäischer Staatlichkeit stand, 1472 in aller Form die **Erbschaft Konstantinopels** antritt, ist unter Historikern umstritten. Jedenfalls führt er den byzantinischen (oder habsburgischen?) Kaiseradler jetzt bewußt im russischen Staatswappen. Und Iwan nennt sich jetzt wie früher die Herren von Byzanz stolz einen »Selbstherrscher« (= »Autokrator«). Auch der Titel »Zar (= Kaiser, Caesar) von ganz Rußland« – wiewohl »Zar« schon sehr viel früher für »König«/»Kaiser« (»basileús«) gebraucht worden war – bekommt mit Iwan besonderes Gewicht und wird vom Patriarchen von Konstantinopel bestätigt.

Keine Frage: Bei all dem denkt Iwan, der Einiger Rußlands, nicht an eine Einheit mit Rom, wiewohl sich Rußland immer als Teil Europas begreift. Zwar halten italienische Renaissance-Künstler Einzug in Moskau (italienische Architekten bauen den Moskauer Kreml neu auf), nicht aber katholische Prälaten. Im Gegenteil: Moskau versteht sich jetzt immer mehr als das neue Byzanz oder – so wird es dann vom Mönch Filofej aus Pskow (um 1510) zum erstenmal genannt – das **Dritte Rom**. Filofej, der die apokalyptische Daniel-Prophezeiung vom letzten der großen Weltreiche auf Moskau bezog, sah die Geschichte mit russischen Augen nun so: »Alle christlichen Zartümer haben sich ihrem Ende zugeneigt und sind gemäß den prophetischen Büchern eingegangen in das eine Zartum unseres Herrschers, das heißt ins russische Zartum. Denn zwei Rome sind gefallen, und das dritte steht. Ein viertes aber wird es nicht geben.«[257] Das Erste Rom? Es ist in die Hände der Barbaren gefallen und häretisch geworden. Das Zweite Rom? Es ist durch das Konzil von Florenz der Häresie verfallen und jetzt im Besitz von Heiden. Letztes Zentrum der orthodoxen und damit einzig rechtgläubigen Christenheit ist jetzt Moskau. Diese Idee ist erst viel später populär geworden. Und es waren dann die Slawophilen des 19. Jahrhunderts und vor allem deren politische »Söhne«, die Panslawisten, welche die Idee vom Dritten Rom politisch aktivierten. Hier gründet zu einem nicht geringen Teil der später immer wieder durchbrechende russische Messianismus, der freilich nur allzuleicht auch säkularisiert werden konnte.

Und Konstantinopel? Die Anerkennung seiner Unabhängigkeit durch Konstantinopel wußte sich Moskau bald zu sichern. 1589 wird der russische Metropolit Job zum »**Patriarchen** von Moskau und ganz Rußland« eingesetzt – und zwar von Patriarch Jeremias II. von Konstantinopel, der dafür eigens nach Moskau angereist ist. Nur eines erreicht Moskau nicht: die Umkehrung der Rangfolge der Patriarchate. Es wird nicht wie gewünscht das dritte (nach Rom und Konstantinopel) Patriarchat, sondern bleibt für immer das letzte der sechs Patriarchate. Was Moskau nicht gehindert hat, die Byzanz-Ideologie nicht nur zu übernehmen, sondern auch noch zuzuspitzen.[258] Denn einerseits verbindet die byzantinische Staats- und Reichsideologie Moskau mit Byzanz, andererseits aber schreibt die moskowitische Ideologie dem **Zaren** als dem Stellvertreter Gottes nicht nur eine Fülle unkontrollierter Macht über den Staat zu, sondern auch (anders als in Byzanz) eine Fülle praktisch unkontrollierbarer **Macht gegenüber der Kirche**.

Man beachte: In Konstantinopel hatte der Patriarch den Kaiser bei Abweichung von kirchlicher Lehre und Sittengesetz noch zurechtweisen dürfen; und in der Kiewer Periode verfügte der Metropolit von Kiew und ganz Rußland aufgrund seiner Ernennung durch den Patriarchen von Konstantinopel gegenüber den lokalen Herrschern durchaus noch über eine große Unabhängigkeit. Der seit jenem Jahr 1448 von der lokalen Moskauer Synode gewählte Metropolit von Moskau und ganz Rußland aber stand von Anfang an unter der direkten Kontrolle des Großfürsten und dann Zaren. Zugleich nahm die Kritik an der Kirche zu. Noch zur Zeit Iwans III. wurde in der großen Kontroverse zwischen dem regelstrengen Abt Josif (Sanin) von Volokolamsk, Befürworter des klösterlichen Grundbesitzes (Anführer der Partei der »Besitzenden«), gegen Nil von der Sora (Vertreter der Partei der »Besitzlosen«) auch die enge Verbundenheit von Staat und Kirche bejaht, einschließlich der Hinrichtung und Folter von »Häretikern«. Allerdings werden auch die Grenzen des Gehorsams der Untertanen dem Zaren gegenüber betont.[259] Bisweilen zeigten sich in der Herrschaft der Zaren, die manche brutalen Sitten der Tataren (zum Beispiel das Prügeln) angenommen hatten, neben byzantinischen allerdings auch asiatisch-mongolische Züge; gleichzeitig wurde das Alltagsleben stark ritualisiert durch ständige Wiederholung religiöser Formeln, Gesten, Prostrationen …

Doch immerhin: Hat angesichts der Massenmorde und Massenumsiedlungen, der Gütereinziehungen und Plünderungen unter Iwan IV., dem Schrecklichen – nur Stalin kommt ihm gleich – nicht der Metropolit von Moskau, Filipp, schließlich doch 1568 öffentlich während der Liturgie zu protestieren gewagt? Durchaus. Aber was waren die Folgen? Der Zar enthob ihn seines Amtes, ja, ließ ihn verhaften und schließlich durch einen Schergen ermorden, so daß der Metropolit Filipp bis heute als Märtyrer verehrt wird. Ja, als seine Reliquien feierlich nach Moskau gebracht wurden, bat der Zar um Verzeihung für das, was sein Vorgänger gesündigt hat. Auch später hat es noch öffentliche Proteste gegen den Herrscher gegeben in diesem jetzt weithin totalitären System, dem alles und alle untergeordnet werden und das kaum Selbstkritik zuläßt. Die **Kirche** war jetzt **Teil des Staates**, und dieser tat alles, um auch die Kirche, sogar ihre liturgischen Texte, Chroniken und ihre Verwaltung in Moskau zu zentralisieren, ja sogar die berühmtesten Ikonen von ganz Rußland in der Kremlkirche zu versammeln.[260]

Die Frage drängt sich auf: Bedeutet nicht der Übergang von der byzantinischen zur russischen Christenheit einen Paradigmenwechsel großen Stils? Mit der Übertragung des Imperiums (translatio imperii) seien, sagen Historiker, immer die Aspekte der Legitimität und der Erneuerung verbunden. Kann man aber im Blick auf das russische Christentum von Erneuerung reden?

Auch durch Rußland – kein Paradigmenwechsel

Es ist es keine Frage, daß die politisch-kulturellen Veränderungen, die mit dem Aufstieg Rußlands und seiner orthodoxen Kirche verbunden waren, beträchtlich sind. Aber bei der religiös-kirchlichen Dimension – und wir handeln ja vom Christentum – zeigen sich doch erstaunliche Kontinuitäten. Wenn wir nochmals die drei von G. Ostrogorsky herausgearbeiteten Komponenten der byzantinischen Gesellschaft zugrunde legen, so ergibt sich folgendes differentiertes Bild:

- Nicht übernommen wurde in Rußland die **römisch-politische Tradition.** Rußland war nie ein Teil des römisch-byzantinischen Reiches. Zwar übernahm schon Iwan III. den Cäsaren-Titel, gebärdete sich zentralistisch und absolutistisch und führte sich als Herr auch der Kirche auf. Aber als »Zar von ganz Rußland« erhob er keinen universalen, ökumenischen Anspruch. Insofern ging es nicht um ein Drittes Rom. Hier manifestiert sich die **Diskontinuität**: Aus einem **römisch-byzantinischen Universalstaat** wurde ein **russischer Nationalstaat.**
- Nicht eingeführt wurden in Rußland die **griechische Sprache und Bildung** (anders als etwa die lateinische im Frankenreich). Zwar wurden zahlreiche Übersetzungen kirchlicher Texte aus dem Griechischen ins Slawische vorgenommen, aber das hellenistisch-»heidnische« Bildungsgut (außer Spruchsammlungen) und besonders die klassische griechische Philosophie wurden nicht rezipiert. Ja, Griechisch und Latein überhaupt waren in Rußland bis zu der aus dem Westen kommenden Frühaufklärung (2. Hälfte des 17. Jhs.) praktisch unbekannt. Auch hier zeigt sich **Diskontinuität**: Ohne die **griechisch-hellenistische Zivilisation** übernahm Rußland nur die **byzantinisch-christliche Religion.**

- Der **orthodoxe christliche Glaube** dagegen war in Rußland von Byzanz übernommen worden. Zwar gab es im einzelnen auch hier gewisse Veränderungen, bedingt durch die slawische Sprache vor allem. Aber aufs Ganze gesehen blieben in Rußland **Dogma, Liturgie, Theologie, Disziplin und Frömmigkeit byzantinisch geprägt**. Im Verständnis des christlichen Glaubens und Lebens also manifestiert sich eine grundlegende **Kontinuität** zwischen Byzanz und Moskau: Es geht
  – um dieselbe orthodoxe Tradition der Kirche,
  – um dieselbe Theologie der sieben ökumenischen Konzilien und der alten Väter,
  – um dieselbe Welt der Mönche und der Ikonen.

Das heißt: Das **Christentum** selbst hat auf dem Weg von Byzanz nach Rußland **keinen Paradigmenwechsel** durchgemacht. Vielmehr hat Rußland im wesentlichen das **hellenistisch-byzantinische Paradigma** (P II) **übernommen** und es in mehr oder weniger organischer Entwicklung seinen eigenen gesellschaftlichen und politischen Bedingungen angepaßt.

Weil nun aber das Christentum in Byzanz bereits im zweiten Jahrtausend weithin einen traditionalistischen Charakter angenommen hatte – alles war ja bereits stark kanonisiert, von den Dogmen und Gebeten angefangen bis zu den Sitten und den Bildern –, trug nun das orthodoxe Paradigma auch in Rußland **von Anfang an einen stark traditionalistischen und monastischen Charakter**:
– liturgische Texte wie in Byzanz;
– Hagiographien als Modelle für eigene Heiligen-Biographien in byzantinischem Geist;
– asketische und spirituelle Literatur im byzantinischen Stil;
– Klöster überall als Hort der Konservativität.

Überall also ging es schlicht darum, sich an der bewährten Vergangenheit zu orientieren und das Bestehende zu bewahren. Ging es darum, bestimmte Regeln einzuhalten und die immer gleichen Rituale zu beobachten – alles noch sehr viel mehr als im westlichen Mittelalter, wie wir sehen werden. Nicht gefragt waren Kreativität und Kritik, innovatives Denken und Wissen, vermittelt über Bücher und Druckereien (die erste Druckerei in Moskau wurde zunächst wieder geschlossen, und die beiden Drucker wurden der Häresie angeklagt). Ungeklärte Umstände führten dazu, daß die Drucker Moskau nach 1565 verließen und im polnisch-litauischen Staat weiterarbeiteten.

Um so dringender aber stellt sich die Frage: Warum hat in Rußland niemand wie im Westen die Frage erhoben, wie es denn in der Kirche ursprünglich einmal gewesen war? Warum erhob in Rußland niemand wie zur gleichen Zeit in Deutschland die Forderung nach einer »Reform an Haupt und Gliedern«? Warum berief sich kein Mensch auf die Bibel als kritische Norm für die kirchliche Tradition, in der Absicht, diese zu reformieren? In einem Wort: Warum kam es in der Orthodoxie generell zu keiner Reformation?

Warum keine Reformation in der Orthodoxie?

Manchen Orthodoxen wird schon die Frage nach einer Reformation als reichlich deplaziert, beinahe blasphemisch vorkommen. Ist denn die orthodoxe Kirche nicht die alte, ursprüngliche Kirche der Apostel? Hat sie sich Neuerungen und Abirrungen gestattet wie die Papstkirche des Mittelalters (P III)? Doch dürfte es zur Sichtung der heutigen Problematik helfen, sich das Verhältnis der Orthodoxie zur protestantischen Reformation (P IV) zunächst in historischer Perspektive vor Augen zu führen und sich zu fragen, warum die protestantische Reformation (und die Gegenreformation) an den Grenzen Rußlands und des türkischen Reiches angehalten hat. Verschiedene Gesichtspunkte sind zu bedenken:

Erstens: Kann eine Kirche sich selber reformieren, die nicht frei ist, sondern in staatlicher Unterdrückung lebt, zumal wenn die staatliche Herrschaft auch noch einer anderen Religion angehört? Man mache sich klar: Abgesehen von Rußland waren die Kirchen der Orthodoxie ja völlig **unter die Herrschaft einer fremden Religion** geraten, und zwar des Islam.[261] Schon der erste Patriarch von Konstantinopel nach der Eroberung der Stadt, der unionsfeindliche Mönch und Theologe Gennadios Scholarios, wurde zwar von den Bischöfen gewählt, aber vom Sultan – jetzt an des Kaisers statt – eingesetzt, ganz nach byzantinischem Zeremoniell. Das freilich hatte keineswegs nur Nachteile. Denn für den Sultan, der als Muslim Religion und Politik nicht trennte, war der Patriarch als Oberhaupt aller Christen im Ottomanischen Reich zugleich ein politischer Führer. So erklärt es sich, daß der Patriarch von Konstantinopel nicht nur der religiöse Chef der orthodoxen Kirche, ja aller orthodoxer Kirchen (mit zum Teil eigenen Patriarchaten) unter muslimischer Oberhoheit war, sondern auch zugleich der zivile Chef der griechischen Nation. Das Griechentum hatte auf diese Weise seine eigene religiös-politische Organisation, die sich in der Türkei denn auch bis zum Jahr 1923 durchhielt. So konnte die griechische Nation unter türkischer Oberhoheit vier Jahrhunderte überleben. Für die Kirche freilich ergaben sich trotz allem erhebliche Probleme.

Zwar waren die Muslime gegenüber den Christen erheblich toleranter als die Christen der Reformationszeit untereinander. Christen, nach dem Koran »Leute des Buches«, die eine eigene Offenbarung durch den großen Propheten Jesus empfangen hatten, durften nicht verfolgt werden. Die muslimischen Herrscher ließen deshalb die Kirche, sofern sie sich politisch als gefügig erwies, weitgehend unbehelligt. Aber zugleich kam es in der Praxis zu vielen Mißbräuchen und Diskriminierungen: Die Sultane verlangten von jedem neuen Patriarchen eine hohe Summe, gaben das Patriarchat an den Meistbietenden und setzten oft aus rein finanziellen Erwägungen Patriarchen ab und ein. Die neu erwählten Patriarchen ihrerseits versuchten, die aufzubringende Geldsumme von ihren Bischöfen und diese wiederum von ihrem Klerus und Volk einzutreiben. Die Christen, denen man zwar keine Konversion, wohl aber eine Kopfsteuer und eine unterschiedliche Kleidung abforderte, waren nach islamischem Recht eindeutig Bürger zweiter Klasse, die weder eine Muslimin heiraten noch Konvertiten machen noch eine Stellung in der Armee einnehmen durften. Nur ihre eigene Konversion zum Islam hätte sie dem beständigen sozialen Druck entkommen und ihren gesellschaftlichen Status entscheidend verbessern lassen. Ist es von daher nicht begreiflich, daß sich eine Kirche in einem solchen Überlebenskampf auf ihre eigene Tradition konzentriert und einer grundlegenden Veränderung abgeneigt ist? Die Kirchen der Orthodoxie hatten jetzt wahrhaftig andere Sorgen als eine innere Reform.

Zweitens: Kann eine Kirche (die protestantische) die Reformation einer anderen Kirche (der orthodoxen) vermitteln, wenn sie selber für deren verschiedenes Paradigma so wenig Verständnis hat? **Auf reformatorischer Seite** jedenfalls gab man sich anfangs **Illusionen** hin bezüglich der Übertragbarkeit des neuen protestantischen Paradigmas auf die östlichen Kirchen. Denn Luther und die Reformatoren hatten viel Sympathie für die orthodoxen Kirchen – nicht nur aufgrund der gemeinsamen Opposition gegen Rom. Wie andere Humanisten waren besonders Melanchthon und Calvin von einem Philhellenismus geprägt und von Solidarität für die unter dem Türkenjoch leidende Kirche bewegt. Schon Melanchthon ließ eine griechische Übersetzung des Augsburgischen Bekenntnisses von 1530 anfertigen. Aber die Beziehungen zwischen den Kirchen der Reformation und denen der Orthodoxie waren schwach ausgebildet.[262] Die meisten der orthodoxen Kirchen, auf einer relativ niedrigen Bildungsstufe verharrend, taten alles, um Einwirkungen der großen kirchlichen Umwälzung in Deutschland und Europa von sich fernzuhalten, so daß sich die vereinzelten Kontakte auf reisende humanistische Gelehrte und Kleriker, auf Studenten im Westen und Diplomaten vor allem in Istanbul beschränkten.

Wundert es unter diesen Umständen, daß Annäherungsversuche an die orthodoxen Kirchen der Türkei (Anatolien) auch von seiten der Jesuiten und der päpstlichen Missionsbehörde »Propaganda Fide« im 16. Jahrhundert erfolglos blieben? Erfolglos auch die Korrespondenz der beiden Professoren Jakob Andreae und Martin Crusius, die 1573 im Auftrag der **Tübinger protestantischen Fakultät** durch den evangelischen Gesandtschaftsprediger Stephan Gerlach mit dem **Patriarchen Jeremias II.** Kontakt aufnahmen, um ihm endlich jene griechische Fassung des Augsburger Bekenntnisses zukommen zu lassen?[263] Es gelang auch ihnen nicht, den Patriarchen von der Heilsnotwendigkeit dieser Lehre zu überzeugen. Dieser beharrte vielmehr beinahe scholastisch argumentierend auf der orthodoxen Tradition – deren unterschiedliche Bewertung ist »die Grunddifferenz zwischen Tübingen und Konstantinopel« (D. Wendebourg[264]) – und beendete nach drei schriftlichen Antworten (1576/ 79/81) die Korrespondenz mit der Bitte, nicht mehr über Lehren zu schreiben, bestenfalls aus Freundschaft. Hatte man sich doch in Konstantinopel schon in den letzten beiden Jahrzehnten der Existenz des byzantinischen Reiches mit der Theologie des Thomas und dem Einfluß scholastischen Denkens herumzuschlagen.

Die Konzentration der evangelischen Gesprächspartner auf die Themenkreise Schrift und Tradition, Willensfreiheit und Gnade, Sakramente und Gebete zu den Heiligen machte klar, daß sie von einem völlig verschiedenen und für die Orthodoxie damals unverständlichen Paradigma (P IV) her argumentierten (wir werden davon ausführlich zu sprechen haben). Später hat als einziger der Patriarchen von Konstantinopel **Kyrillos Lukaris** angesichts der römischen Bedrohung (Union von Brest) versucht, die Orthodoxie nach Calvins Lehre zu reformieren; 1629 sandte er ein als calvinistisch betrachtetes »Anatolisches Bekenntnis des christlichen Glaubens« nach Genf. Doch er wurde schließlich Opfer einer breit angelegten Intrige. Von seinem späteren Nachfolger fälschlicherweise als politischer Hochverräter denunziert, ließ ihn der Sultan 1638 erdrosseln.[265] Eine Verurteilung jenes Glaubensbekenntnisses erfolgte auf der Synode von Jerusalem 1672, der letzten Synode der anatolischen Kirche bis 1923.

Drittens: Kann eine Kirche die eigene Tradition kritisch überprüfen, wenn sie für diese Überprüfung über gar kein Kriterium verfügt? Wir hörten davon: Schon die russische Kirche der Kiewer Periode hatte das orthodoxe Paradigma von ihrer Mutterkirche Byzanz in einem höchst verfestigten Zustand übernommen, und auch die russische Kirche der moskowiter Periode war ganz und gar traditionalistisch ausgerichtet. Alles

Russische (zum Beispiel das ebenfalls von Byzanz übernommene »Dogma« des Barttragens) galt als **orthodox**, alles **Fremde** als **häretisch**. Bartscheren wurde denn auch von einer Synode unter Iwan IV., dem Schrecklichen, verurteilt und mit Verweigerung eines christlichen Begräbnisses bestraft.

Ja, schon eine leichte Veränderung der Liturgie galt in Volk und Klerus als Sakrileg. Im 17. Jahrhundert strebte der tatkräftige **Patriarch Nikon** einen radikalen Rückgang nicht etwa auf das Evangelium, sondern auf das griechische Vorbild und eine Restauration der alten »griechischen Gesetze« an, um Moskau nach dem Willen des Zaren deutlich als das Dritte Rom, die neue Hauptstadt der orthodoxen Welt, herauszustellen.[266] Als deshalb der Patriarch auf dem Konzil von Moskau 1667 eine Reform verderbter liturgischer Texte und die Änderung einiger liturgischer Bräuche beschließen ließ, kam es zu einer leidenschaftlichen Erregung im russischen Volk. Im Gegensatz etwa zur Ukraine, wo man, lesekundig und den Umgang mit gedruckten Büchern gewohnt, Reformen ohne größere Schwierigkeiten mitvollzog. Wiewohl Nikon, der seine patriarchale Autorität dem Zaren überzuordnen versuchte, schließlich abgesetzt wurde, bangte das Volk in geradezu apokalyptischer Weise um die **Unfehlbarkeit der altrussischen Tradition**. Denn, dachte man, wenn es in der heiligen Überlieferung Moskaus, dieses letzten Bollwerks der Orthodoxie, Irrtümer und Verunstaltungen geben sollte, so mußte man ja geradezu an das Kommen des Antichrist glauben!

Nein, daß in der Kirche Jesu Christi ursprünglich einmal alles ganz anders gewesen war, auf diesen Gedanken kam niemand. Die russische Geschichtsbetrachtung diente ja nicht dem kritischen Vergleich von einst und jetzt, sondern der Verklärung und Verewigung der Tradition. Die **Bibel** spielte für eine innovative Theologie oder eine zu reformierende kirchliche Praxis **keine maßgebende Rolle**. Auch die Reformer verfügten also über kein letztlich maßgebendes Kriterium für eine Reform der Tradition. Und die reformfeindlichen »Altgläubigen« (»Starowerzy«) scheuten selbst ein Schisma nicht[267]; sie konnten trotz harter staatlicher Verfolgungen, Hinrichtungen, Zwangsbekehrungen – Tod ihres Vorkämpfers, des Protopopen Avvakum, auf dem Scheiterhaufen – nicht ausgerottet werden. Ihnen, die historisch-heilsgeschichtlich und nicht historisch-kritisch dachten, ging es bei den russischen Worten und Riten nicht nur um etwas Äußerliches, sondern um den orthodoxen Glauben selbst, für den sie unter Umständen gar durch Selbstverbrennung Zeugnis ablegten. Dazu paßt freilich, daß der russische Seelsorgeklerus in dieser Phase generell immer unwissender wurde, das heißt, weniger befähigt zu geistlichen Hirten als zu sakramentalen Funktionären, auch wenn man sich seit dem 17. Jahrhundert um Verbesserung der Ausbildung bemühte.

Zwangsläufig war diese Entwicklung dennoch nicht. Das beweist die Geschichte der Orthodoxen unter der römisch-katholischen Herrschaft Polen-Litauens in der Ukraine und in Weißrußland.

Die Sonderrolle der Ukraine

Nach der Übersiedlung der Metropoliten nach Moskau hatten die Orthodoxen außerhalb des Moskauer Reichs die Bildung einer **selbständigen Hierarchie** durchgesetzt.[268] Aus der Not, ihre Gleichberechtigung beim katholischen Herrscher und im Reichsparlament (Sejm) ständig erkämpfen zu müssen, entwickelten hier die orthodoxen **Laien** ein nicht geringes Selbstbewußtsein. Zur Förderung ihrer Ziele schlossen sie sich mit der Geistlichkeit in Bruderschaften zusammen. Diese unterhielten Schulen und Druckereien, überwachten den Lebenswandel ihrer Mitglieder und kämpften für die Wahrung und Erneuerung der Orthodoxie vor Ort. Sie beteiligten sich an Synoden zur Wahl der Bischöfe und zur Regulierung des kirchlichen Lebens.

Unter ihnen herrschte kein **starrer Traditionalismus** und keine Fremdenangst nach Moskauer Prägung. Wie selbstverständlich besuchten sie katholische und evangelische Universitäten West- und Mitteleuropas, setzten sich mit westlichen Ideen auseinander und übernahmen vieles, was sich mit ihrem orthodoxen Glauben vereinbaren ließ. Mehrfach wurden die liturgischen Bücher bei ihnen revidiert – und dies ohne traditionalistische Reaktionen wie in Rußland.

Theologisch also hatten sie durchaus ein hohes Niveau. Ständig im Gespräch mit römisch-katholischer und reformierter Theologie lernten sie von beiden, vor allem was Form und Argumentationsstil betrifft, blieben aber im Grundsatz der orthodoxen Tradition treu. Über kirchliche Einigung verhandelten sie sowohl mit den Katholiken wie auch mit den Reformierten. Die 1596 in Brest-Litowsk vollzogene **Union** mit Rom auf der Basis des Unionskonzils von Ferrara-Florenz war zunächst eine Sache der Bischöfe und höheren Geistlichkeit; das Volk, vor allem die Bruderschaften, widersetzte sich größtenteils. Erst später wurde aus der Union so etwas wie eine »Dritte Konfession« im Geiste des römisch-katholischen Paradigmas. Im Jahre 1699 kam es dagegen zu einer Konföderation der Orthodoxen mit den Reformierten auf der Basis eines 18-Punkte-Programms, das die vorrangige Autorität der Bibel anerkannte; weitere Zugeständnisse oder Änderungen aber verlangten die Reformierten nicht!

Hervorragendster Vertreter dieser westrussischen Orthodoxie war der im Westen ausgebildete rumänische Fürstensohn Petru Movila, ukrainisch **Petro Mohyla**, russisch Petr Mogila (um 1595-1647). Schon 1631/32 gründete er als Abt des Höhlenklosters von Kiew eine höhere Schule. Als Metropolit von Kiew seit 1633 setzte er sich unermüdlich für die Reform der Kirche ein, hielt jährlich Synoden ab, an denen Klerus und Laien teilnahmen. Die Kiewer Generalsynode (1640) billigte einen von ihm vorgelegten Katechismusentwurf, der zwei Jahre später in Jassy panorthodoxe Anerkennung erlangte.

Bald nach Mohylas Tod jedoch begann die **moskowiter Eroberung** der westlichen Territorien: Weißrußland 1654, Ostukraine 1659, Kiew und Smolensk 1667, Westukraine außer Galizien 1772. Moskau unterdrückte die unierte Kirche und russifizierte die orthodoxe, ja, hob 1685 die Selbständigkeit der Kiewer Metropolie auf. An der Modernisierung der russischen Kirche im 16./18. Jahrhundert waren Ukrainer und Weißrussen maßgeblich beteiligt; sie brachten freilich auch abendländische Ideen von einem absolutistischen Staatskirchentum mit nach Moskau.

Ohnehin war die Politik des russischen Staates lange Zeit zwar nicht gegen den technischen, wohl aber den kulturellen Fortschritt des Westens eingestellt. **Abschottung** natürlich nicht von den westlichen Rüstungstechniken und Waffen, welche schon die Zaren des 16./17. Jahrhunderts sofort einführten, aber **von der westlichen Kultur, Weltanschauung, Religion** war die Parole. Und doch übte die Kultur des Westens auf die Russen, die mit ihr seit der italienischen Renaissance immer mehr in Kontakt kamen, eine ungeheure Faszination aus. Im 16./17. Jahrhundert nahm auch im westlichen russischen Reich selber der Einfluß der vordrängenden Litauer und Polen mächtig zu. Um sich gegen die »Lateiner« und die »Union« mit Rom zu rüsten und zu wehren, war man gezwungen, westliche (und nicht zuletzt deutsche) Bücher zu lesen und zahlreiche »Westler« (sogar gebildete Jesuiten) nach Rußland einzulassen. Mehr als es die damals völlig unbedarfte russische Theologie merkte, nahm sie westlichen Einfluß auf – längst bevor Peter der Große das Tor zum Westen breit aufstieß und Rußland statt einer religiösen Reformation eine säkulare Aufklärung verordnete.

Petersburg: die dritte Phase der russischen Geschichte

Es war eine Revolution, die da Rußland von **Peter dem Großen** verordnet wurde – angesichts himmelschreiender sozialer Mißstände und riesiger kultureller Defizite. Der junge Zar (1672-1725), der mit der Moskauer

Ausländergemeinde schon früh nahe in Berührung gekommen war und später Inkognitoreisen besonders in die Niederlande und England unternommen hatte, war als Vertreter des westlichen Staatsabsolutismus eisern entschlossen, in Rußland eine **innere Europäisierung** durchzuführen, die historisch ja schon längst angelegt war. Mit anderen Worten: Die russische Christenheit wurde zum erstenmal mit einem neu heraufkommenden nachreformatorischen, dem **modernen Paradigma** (P V) konfrontiert.

Damit begann die **dritte, die Petersburger Phase** der russischen Geschichte, die eine bewußte Säkularisierung und Rationalisierung des russischen Staates brachte. Tief in den Alltag der Menschen griffen ein die Abschaffung der Barttracht, die Einführung der westlichen Jahreszählung[269] und die Förderung der Schulen als spezialisierter Bildungseinrichtung. Doch im Zentrum der Reformen Peters stand der Aufbau eines stehenden Heeres, einer modernen Flotte und einer neuen Hauptstadt (St. Petersburg seit 1712). Weiter die Reorganisation der zivilen Verwaltung und die **Reorganisation der Kirche** – angesichts des Traditionalismus der russischen Orthodoxie ein ungeheures Unterfangen.[270] Peter war beraten vom Erzbischof Feofan Prokopovic, der Ukrainer war, sogar an der Gregoriana in Rom studiert hatte und die Position des damals modernen aufklärerischen Gottesgnadentums verfocht. Peter nützte die ihm gegebene absolute Macht über Staat und Kirche und schaffte 1721 das so traditionsreiche Patriarchat von Moskau, ein möglicher Gegenpol zu seiner Macht, mit Zustimmung der östlichen Patriarchen wieder ab. Ersetzt wurde es mit Berufung auf die byzantinische »Synodos endemousa« (im Kaiserpalast) durch ein ständiges kollegiales Organ, den »Heiligen Synod«. Dieser war auf den Zaren als »den höchsten Richter dieses Geistlichen Kollegiums« vereidigt, dem es sich in jeder Hinsicht unterzuordnen hatte.[271] Im übrigen aber wurde die hierarchische und sakramentale Struktur der Kirche beibehalten, nur faktisch die Kirchenordnung der protestantischen deutschen Fürstenkirchen übernommen.

So hatte es nun die orthodoxe Kirche, die sich zu keiner religiösen Reformation aufraffen konnte, ganz unvermittelt mit einer **politisch-säkularen Aufklärung** zu tun, welche die kirchliche Verwaltung zu einem leicht kontrollierbaren »Departement der Orthodoxen Konfession« machte. Immer mehr wird nun vom Staat auch die konfessionelle Einheit Rußlands gefordert, weswegen im Zarenreich auch Nichtrussen russisch werden und sich zur orthodoxen Kirche bekehren sollten; die angepaßteren Lutheraner der Westprovinzen hatten unter dieser Politik etwas weniger zu leiden als die ständig zur Revolte neigenden römisch-katholischen Polen.

Natürlich wurde die orthodoxe Kirche außerhalb der Hauptstadt weit hinten im riesigen Lande von der modernen Entwicklung sehr viel weniger betroffen; hier hat das Mönchtum das geistliche Leben auch der Laien weiterhin mehr geprägt als die vom Zaren gesteuerte Hierarchie.[272] »Der Himmel ist hoch, und der Zar ist weit« ist nicht umsonst ein altes russisches Sprichwort. Gerade im 18. Jahrhundert kommt ja neben dem Neohesychasmus die erwähnte **Starzenbewegung** auf.

Doch hat, so fragen die kirchlichen Kritiker Peters des Großen damals wie heute, das neue russische Konzept einer »Symphonie« von Staat und Kirche die Kirche nicht vollends staatsabhängig gemacht? Gegenfrage: War dies nicht schon vorher der Fall? Gehörte die starke Staatsabhängigkeit der Kirche nicht seit Konstantin dem Großen zum hellenistischen Paradigma und war sie nicht längst auch für Moskau charakteristisch geworden? Bedeutete da der **Staatsabsolutismus der Moderne**, der jetzt mit Peters Herrschaft durchbricht, nicht eine konsequente Fortführung? Unbestritten ist: Der absolutistische Verwaltungs- und Polizeistaat im Geiste Peters des Großen wollte (anders auch als der heutige Rechts- und Verfassungsstaat) das gesamte politische, wirtschaftliche und soziale Leben seiner »Untertanen« aus eigener Autorität regeln – durch administrative Anordnungen und repressive Kontrollmaßnahmen. Auf diese Weise sollte nicht nur die Staats-, sondern auch die Kirchenverwaltung rationalisiert, zentralisiert und diszipliniert werden. Wozu? Um die Kirche zu einem aufgeklärt-moralischen Bildungsinstrument zu machen.

Der **Staat** also nicht mehr der »Beschützer« der Kirche, sondern als die für alles zuständige **absolute Autorität**. Auch Kirche und Klerus werden mit Aufgaben betraut, die zur Förderung des Allgemeinwohls – für die Aufklärung ein zentraler Begriff – als notwendig erscheinen. Mit dieser Begründung wurde die Zahl der Klöster reduziert, ihre Bewirtschaftung der staatlichen Behörde unterstellt und ihre sozial-karitative Zweckbestimmung (nicht zuletzt für Kriegsveteranen!) in den Vordergrund gestellt; Klöster sollten Schulen oder Hospitäler betreiben; nur reife Erwachsene sollen Mönch oder Nonne werden. Alles »vernünftige« Dinge. Ob die kirchlichen Kritiker damals wie heute nicht doch zu wenig gewürdigt haben, daß sich die von Zar Peter geforderten westlich-kulturellen Einflüsse bei aller Ambivalenz nicht nur auf das literarische, sondern auch auf das kirchliche Leben weithin positiv auswirkten? Immerhin wurde ja nicht nur freie Religionsausübung für Ausländer gestattet und eine Revision der kirchenslawischen Bibelübersetzung angeordnet. Es wurden auch bis 1750 nicht weniger als 26 Priesterseminare gegründet und die Ausbildung der Priester, wie gesagt durch »lateinische« Einflüsse, erheblich verbessert. Erziehung und Bildung, Wissen und Theologie wurden in der Petersburger Periode, in engen Grenzen freilich, modernisiert.

Aber es machte nun doch die verhängnisvolle **Zweideutigkeit dieser neuen »Symphonie« von Staat und Kirche** aus, daß sich hier zwei Paradigmen zum Teil unbewußt übereinanderschoben: das traditionelle hellenistisch-byzantinische (P II) und das modern-aufgeklärte (P V). Theokratisches byzantinisches Kirchenrecht wird überlagert vom modernen Natur- und Staatsrecht, dem zufolge der Volkswille im Herrscherwillen aufging. Eine religiöse Begründung der im Naturrecht begründeten Autokratie war im Grunde überflüssig. Die reichlich paradoxe Situation: Ein modern gesinnter Monarch, der sich auf das Naturrecht beruft, der sich aber wie eh und je theokratisch in feierlicher byzantinischer Liturgie zum »Gesalbten Gottes« machen läßt: wenigstens für einen Tag in heiligen Gewändern mit dem Kreuz auf dem Kopf die vom Volk verehrte Ikone Gottes! Und eine Kirche, die den Zaren noch immer als geistliche Person ansieht und die heilige Salbung als eine Beschränkung seiner absoluten Macht betrachtet. Diese Beschränkung aber war eine Illusion, die »Symphonie« eine Fiktion. Denn der Zar selber betrachtete die Salbung als eine sakrale Legitimierung seiner unbeschränkten Macht. So erklärt sich, daß ein Jahrhundert später in der Metternich-Ära der militaristische Zar Nikolaus I. als innenpolitische Maxime ausgeben konnte: »Autokratie, Orthodoxie, Narodnost« (Nationalität und Volksfrömmigkeit[273]); gleichzeitig sollten außenpolitisch alle außerhalb Rußlands wohnenden Orthodoxen sich mit dem Zarenreich verbunden zeigen.

So mußte die **orthodoxe Kirche** für das Volk je länger desto mehr nicht nur als Gefangene, sondern zusammen mit Adel, Armee und Polizei als **Garantin und Stütze des zaristischen Regimes** erscheinen – und dies trotz vereinzelter Reformversuche und einer beginnenden Laientheologie.[274] Und je mehr die Zaren, die sich jetzt nicht mehr nur als höchste Verwalter und Richter der Kirche wie Peter, sondern als ihr Haupt verstanden, trotz einzelner Reformen immer wieder die altrussische »Partei« (hinter der auch die kirchliche Hierarchie stand) zum Zuge kommen ließen und alle Hoffnungen auf Modernisierung und Liberalisierung enttäuschten; je mehr sie nicht nur die »Raskolniki« und die sehr verschiedenartigen religiösen Sekten, oft soziale Protestbewegungen in religiösem Gewand, sondern (nach dem polnischen Aufstand von 1861) auch die idealistische Jugend frustrierten, um so mehr war auch die Staatskirche selber mitkompromittiert. Ja, um so mehr fanden die Freidenker (Voltairianer) und dann **Nihilisten** Zulauf; jene terroristisch-revolutionäre »Partei«, die auf den radikalen Umsturz aller Werte und Verhältnisse hinarbeitete. Sie war für die Ermordung Zar Alexanders II. 1881 verantwortlich, und sie initiierte dann mit anderen gesellschaftskritischen Strömungen (Sozialisten) 1905 während des russisch-japanischen Krieges eine hochgefährliche Revolution.

Als schließlich Zar Nikolaus II. – er sollte der letzte Zar sein – nach dieser Revolution endlich eine Verfassung für den Staat und Gewissensfreiheit für den Einzelnen verhieß und dann doch wieder die Erwartungen enttäuschte, bewirkte er mit, daß aus dem revolutionären Vorspiel von 1905 mit historischer Notwendigkeit die große Revolution von 1917 erfolgte, die für das Christentum in Rußland bis heute die Katastrophe schlechthin bedeutet.

12. Die russische Revolution – und die orthodoxe Kirche?

Es läßt sich kaum bestreiten: Religion war im Lauf der russischen Geschichte weithin Opium für die Masse des einfachen Volkes geworden. Trost in einem oft entbehrungsreichen Leben gewiß, aber oft noch mehr Vertröstung. Und gerade nach dem Jahr 1989 darf man fragen: Was wäre dem russischen Volk, aber auch der ganzen Welt erspart geblieben, hätte die Russische Orthodoxe Kirche im 19. Jahrhundert sich zum leidenschaftlichen Anwalt der bitternötigen Sozialreformen in Rußland gemacht! Es gab doch nicht wenig Sozialkritik und Impulse zur Reform, vor allem von seiten verschiedener »Laientheologen« – ein neues Phänomen in der russischen Orthodoxie.

Christliche Sozialkritik vor der Revolution

Nur drei der berühmtesten Denker Rußlands im 19. Jahrhundert, allesamt **Vertreter einer alternativen Orthodoxie**, seien erwähnt. An erster Stelle Graf **Leo Tolstoj** († 1910)[275], der bekannteste Sozialutopiker Rußlands aus christlichem Geist. Er war der Vertreter eines stark westlich beeinflußten allmenschlichen Christentums mit dem Akzent auf Nächstenliebe und Gewaltlosigkeit. Und er geriet in immer schärfere Opposition zur Staatskirche, die in den Augen ihrer Kritiker mehr Volksverdummung als Volksbildung betrieb und die Tolstoj 1901 wegen blasphemischer Verhöhnung der orthodoxen Liturgie im Roman »Auferstehung« exkommunizierte. Dann **Fjodor Michailowitsch Dostojewski** († 1881), der schon in seinem Erstlingswerk »Arme Leute« (1846) die soziale Lage thematisiert hatte. Als Mitglied eines sozialrevolutionären terroristischen

Kreises war er zum Tode verurteilt, wurde aber unmittelbar vor der Hinrichtung zu einer vierjährigen Verbannung nach Sibirien begnadigt. In seinem großen Roman »Die Brüder Karamasow« konfrontiert er in einzigartiger Weise die zur Großinquisitorin gewordene Kirche mit dem zurückgekehrten Jesus und läßt am Ende die hoffnungsvolle Vision einer alternativen Orthodoxie gegenseitiger Liebe in der Figur des Aljoscha Karamasow aufscheinen.[276] Schließlich **Wladimir Solowjew** († 1900), der nicht nur religiös-soziale Gedanken, sondern ein vollständiges und wohlbegründetes System christlicher Sozialethik entwickelte. Wegen seines Eintretens für die Begnadigung der Zarenmörder 1881 mit Lehrverbot belegt, ist Solowjew in seinen sozialethischen Forderungen nicht weniger radikal, aber zugleich tiefer und umfassender christlich als Tolstoj.[277] Seine auf der Liebe gründende und auf All-Einheit zielende Religionsphilosophie, eine Synthese von Religion, Philosophie und Wissenschaft im Sinne ganzheitlichen Lebens, erinnert im Rahmen unserer Paradigmenanalyse geradezu an Origenes.

Durch diese Laien sprach sozusagen die **orthodoxe Kirche von unten**. Soziales Reformdenken hat sich auch in der orthodoxen **Gemeindegeistlichkeit** besonders seit Zar Alexander II., der 1861 die Leibeigenschaft aufgehoben hat, verbreitet. Vor allem auf dem Gebiet von Erziehung und Fürsorge sind im Raum der orthodoxen Kirche von den Gemeinden und besonders der Gemeindegeistlichkeit lebhafte Aktivitäten entwickelt worden, die allerdings durch die damalige juristische Situation und die kaiserliche Bürokratie sehr behindert waren.[278] Auch der evangelische Theologe Ernst Benz, welcher der sozialethisch-politischen Problematik der russischen Orthodoxie besondere Aufmerksamkeit zugewandt hat[279], stellt heraus, daß in Klerus und Laienschaft – und besonders bei den »Altgläubigen« und den »Slawophilen« – sozialreformerische Vorstellungen virulent waren. Besonders die **Priesterseminarien**, die oft Hochbegabten aus Priesterfamilien und niederen Schichten eine Chance zu Ausbildung und Aufstieg boten, waren Keimstätten sozialreformerischer und auch sozialrevolutionärer Ideen. Aus ihnen kamen freilich auch Anhänger des russischen Nihilismus ebenso wie des russischen Kommunismus. Wird man je vergessen können, daß auch einer der größten Verbrecher des 20. Jahrhunderts (neben Adolf Hitler) Zögling eines Priesterseminars in Tiflis war, jener Georgier Josef Wissarionowitsch Dschugaschwili, der später den Namen **Stalin** annahm?

Hervorgegangen aus einem Priesterseminar ist aber auch ein selbst in Rußland leider weithin vergessener **Sozialkritiker** wie der Priester **Grigorij Petrow**. Er repräsentiert ebenfalls eine weit verbreitete soziale Unruhe selbst im Klerus und hatte längst vor der Revolution eine »Prawda« (= »Wahrheit«), nämlich die christlich-sozialistische »Prawda Gottes«, herausgebracht – mit viel Widerhall im orthodoxen Volk und viel Mißtrauen in marxistischen Kreisen. Petrow, zuerst Hauslehrer in zwei Großfürstenfamilien, sollte Erzieher des Thronfolgers Alexej werden. Doch er trat in Opposition zum herrschenden System und wurde als unabhängiger Abgeordneter in die erste russische Volksvertretung, die Duma, gewählt.

Petrow war es, der die politisch und sozial unengagierte Geistlichkeit der Staatskirche einer scharfen Kritik unterzog. 1908 hatte er an den Metropoliten Antonij geschrieben: »Es gibt keinen christlichen Kaiser, keine christliche Regierung und keine christliche Gesellschaftsordnung. Die oberen Schichten beherrschen die unteren, eine kleine Gruppe beherrscht die ganze übrige Bevölkerung … Sie haben die unteren Klassen von allem ausgeschlossen: von Macht, Wissenschaft, Kunst, sogar von Religion; sie haben die Religion zu ihrem Diener gemacht … Aber die Kirche verklärte nicht den Staat, sondern nahm vom Staat äußeren Glanz an … Das Christentum wurde zur Staatsreligion, doch der Staat hörte deshalb nicht auf, heidnisch zu sein … Die Erklärung dafür ist, daß der Einfluß des Christentums nicht auf die politische und soziale Ordnung gerichtet wurde. Die Evangelien wurden von ihrer breiten Mission der Errichtung des Gottesreiches in Gesellschaft und Staat auf den engen Pfad der persönlichen Tugend und persönlichen Erlösung abgelenkt.« Petrows Konsequenz? Sie besteht in der Forderung, die christliche Kirche aus dem zaristischen System herauszulösen: »Die Kirche ist eine allmenschliche, übernationale und überstaatliche Organisation. Für die Kirche ist keines der bestehenden politischen Systeme vollkommen, endgültig und unantastbar. Ein solches Staatssystem ist ein Ding der Zukunft.« So Petrow 1908.[280]

Die Reaktion der Oberkirche? Ein Kritiker wie Petrow wurde exkommuniziert, wie vor ihm Tolstoj. Und die Volksprozession des Priesters **Georgii Gapon** mit Ikonen und Zarenbildern, die am »Blutsonntag« 1905 das beschädigte religiöse Band des russischen Volkes mit dem orthodoxen Zaren erneuern wollte, wurde durch Salven des Wachregiments unter zahlreichen Todesopfern zersprengt, was von vielen als definitive Auflösung dieses Bandes interpretiert wurde …

Ein knappes Jahrzehnt nach Petrows Ausschluß aus der Kirche brach die **Revolution** aus. Diese **Februarrevolution 1917** (ohne Lenin) brachte den Rücktritt des Zaren und stellt – darüber sind sich heute die Historiker einig – die eigentliche, die demokratische russische Revolution dar. Jetzt nützte es der orthodoxen Kirche wenig, daß sich auch manche Kir-

chenführer auf Gedanken Solowjews, Petrows und anderer Kritiker beriefen:
– Zwar hatte es in der Russischen Orthodoxen Kirche seit der Revolution von 1905 Redefreiheit und so auch eine große **Diskussion** über Reformen gegeben.
– Zwar hatte unter der provisorischen demokratischen Regierung Kerenskij ein orthodoxes **Konzil** im August 1917 in Moskau innerkirchliche Reformen beschlossen: Wiedererrichtung des von Peter dem Großen abgeschafften Patriarchats, Bischofswahl durch die Gläubigen, Vertretung der Laien in Pfarrei-, Diözesan- und Patriarchatsräten.
– Aber auch dieses Konzil äußerte sich **nicht** zu **gesellschaftlichen Reformen.** Vielmehr sprach es sich für die Fortsetzung des Krieges gegen die Deutschen aus und gegen den (leider erst von Lenin am 3. März 1918) geschlossenen Frieden von Brest-Litowsk.[281]

Der Religionshaß Lenins und Stalins

Nicht auszudenken, was die Februarrevolution 1917 mit der hier aufbrechenden Demokratie hätte bedeuten können – für Staat und Kirche. An die Macht aber kam in der **»Oktoberrevolution«** – faktisch ein **antidemokratischer Putsch** gegen die provisorische republikanische Regierung – der Führer der Bolschewiken (= Maximalisten), Wladimir Iljitsch Uljanow, genannt **Lenin**. Er war erst im April nach Rußland zurückgekehrt, hatte am 8. Dezember 1917 mit seinen Bolschewiken nur 23,5 % der Stimmen (62 % für die sozialistischen, 13 % für die bürgerlichen Parteien) erhalten, zur gleichen Zeit aber bereits die Geheimpolizei Tscheka gegründet. Am 18. Januar 1918 ließ er brutal die verfassungsgebende Versammlung auflösen, nachdem diese sich weigerte, die »Sowjetmacht« vorbehaltlos anzuerkennen.

Lenin war von einem unbeschreiblichen Haß auf alles Religiöse besessen. Hatte doch auch er schlimme Erfahrungen mit Staat und Religion im zaristischen Rußland gemacht. Vor allem die Hinrichtung seines Bruders Alexander im Zusammenhang der Ermordung des Zaren Alexander II. am 1. März 1881 hatte ihn zutiefst erschüttert, ja, für sein ganzes Leben geprägt. Wenngleich nach außen politisch klug sich zurückhaltend, initiierte Lenin, einmal an die Macht gekommen, eine heftige Kampagne gegen die Religion, die für ihn nicht nur wie für Karl Marx »Opium **des** Volkes« ist, dem sich das Volk selbst zur Linderung seines Elends ausliefert, sondern »Opium **für** das Volk«, das von den Herrschenden in Staat und Kirche dem Volk bewußt verabreicht wird: »eine Art geistigen Fusels, in dem die Sklaven des Kapitals ihr Menschenantlitz und ihre Ansprüche auf ein halbwegs menschenwürdiges Leben ersäufen; doch ... der moderne klassenbewußte Arbeiter wirft die religiösen Vorurteile mit Verachtung von sich, überläßt den Himmel den Pfaffen und bürgerlichen Frömmlern und erkämpft sich ein besseres Leben hier auf Erden.«[282]

Wir wissen – und viele von uns noch als Zeitzeugen: Von der massiven verbalen Ablehnung der Religion zu deren massiver praktischer Verfolgung war es nur ein kleiner Schritt. Und diese massenhafte Verfolgung setzte schon unter Lenin, dann aber vor allem unter **Stalin** ein. Die schlimmsten Jahre des stalinistischen Terrors waren für die russische Kirche die Jahre 1927 bis 1943, bis Stalin in der Not des Zweiten Weltkriegs eine nationale Wende herbeiführte. Tausende von Geistlichen waren in jener Zeit verhaftet und deportiert worden, Tausende von Gotteshäusern verwüstet oder geschlossen, Millionen von Menschen, gläubige und ungläubige, in den »Archipel Gulag« (Alexander Solschenizyn!) geschickt worden ...

Die Russische Orthodoxe Kirche aber hat auch dies überlebt, nicht ohne zahlreiche Märtyrer einerseits und noch mehr Opportunisten andererseits (Zusammenarbeit mit dem KGB). Ungezählte aus dem Volk haben ihr trotz allem die Treue gehalten. Ja, seit 1988/89 kann sich diese Kirche – von der Perestroika des damaligen KP-Chefs Michael Gorbatschow profitierend – wieder entfalten und ohne ständige staatliche Repressalien und Diskriminierungen ihre Aufgabe erfüllen. Was jedoch die Zukunft der Orthodoxie gerade in Rußland nach dem Ende des Kalten Krieges und des Sowjetimperiums sein wird, wohin sich eine spezifisch russische Theologie, Spiritualität oder gar Sozialethik entwickeln wird, ist noch völlig offen. In einem zweiten Band zum »Christentum« hoffe ich, dazu schon etwas klarere Perspektiven entwickeln zu können.

Was sind Stärken, Gefahren und Möglichkeiten der Orthodoxie?

Eine theologische Wertung dieses zweiten hellenistisch-ökumenischen Paradigmas der alten Kirche drängt sich am Ende dieses langen Abschnittes auf.[283] Und hier gilt grundsätzlich: Diese vom altkirchlich-hellenistischen Paradigma (P II) geprägte Christenheit verdient unseren Respekt und unsere **Bewunderung**. Im Vergleich mit den Christen im judenchristlichen Paradigma (P I) hat diese Christenheit ihr Überleben gesichert – trotz vielfacher lebensbedrohender Krisen, trotz der islamischen Eroberung der meisten christlich-orthodoxen Länder sowie der kommunistischen Unterdrückung. Das Schicksal der Christen in Nordafrika ist denen in Osteuropa erspart geblieben. Und im Vergleich mit der lateinischen Christenheit, das habe ich immer wieder hervorgehoben, ist **die orthodoxe** in vielfacher Hinsicht **die dem Ursprung nähere Form des Christentums**. Bleibende orthodoxe Errungenschaften sind:

– eine bedeutende Theologie,
– eine Geist und Gemüt zugleich ansprechende Liturgie,
– eine durch staatliche Unterdrückung und politische Verfolgung hindurch bewährte Koinonía, Communio, Gemeinschaft gleichberechtigter Kirchen, repräsentiert durch ihr geistliches (und gerade nicht juristisches) Oberhaupt, den Patriarchen von Konstantinopel.

Gefahren dieses zweiten Paradigmas des Christentums sind jedoch ebenfalls deutlich geworden. In erster Linie muß hingewiesen werden auf die Gefahr des **Liturgismus**. Dieser hat, wo er sich durchsetzte, das Leben der Kirche faktisch auf Liturgie reduziert, eine zeitgemäße Verkündigung verkümmern lassen sowie soziale und politische Reformen kaum inspiriert. Keine Kritik an der orthodoxen Liturgie, aber auch keine am orthodoxen Liturgismus?

Bis in die allerneueste Zeit hinein war es gerade die **orthodoxe Liturgie**[284], welche die Herzen zahlloser Menschen selbst im Westen gewonnen hat. Dabei ist nicht zu übersehen, daß auch die Liturgie der Orthodoxie eine gewaltige Entwicklung durchgemacht hat, und dies in zweifacher Hinsicht: Aus der einfachen **Mahlfeier zu Jesu Gedächtnis** war im Lauf der Zeit ein **imposanter »salomonischer« Tempelgottesdienst** (F. von Lilienfeld) geworden, in welchem nicht mehr der irdische oder der auferweckte Jesus im Mittelpunkt steht, sondern – auf dem Hintergrund von Inkarnation und Erhöhung – der Christus-Pantokrator, wie er in den unvergleichlichen Mosaiken dargestellt wird: die Allmacht des göttlichen Logos. Und bis heute machen die barttragenden Bischöfe und Presbyter mit ihren Mitren, goldgewirkten Gewändern, Kreuzen und Ikonen auch auf westliche Betrachter einen starken Eindruck; sie lassen noch heute etwas von der Würde und Pracht, dem Stil und Geschmack des alten Byzanz erahnen.

Zugleich ist aus dem einfachen **Psalmengesang und den Hymnen** der frühen christlichen Gemeinden ein Kunstgesang geworden, ja, in Byzanz ein künstlerisch hochentwickelter, freilich noch einstimmiger Chorgesang (mit ausgedehnten Koloraturen), bei dem jedoch alle (»heidnische«?) Instrumentalmusik aus dogmatischen Gründen verboten war. Nicht totes Holz und Metall, sondern die lebendige Stimme sollte Gott loben! Und doch – durch die Berührung der einstimmigen byzantinischen mit der polyphonen, vor allem venezianischen Kirchenmusik (Gabrieli!) auf den von den Italienern besetzten Inseln des Mittelmeeres oder via Polen/Ukraine – hat sich schließlich in Rußland ein anspruchsvoller **vielstimmiger Chorgesang** entwickelt, der heute Ost und West zutiefst anspricht und im Gottesdienst zu verbinden vermag.

Doch selbst angesichts dieser sehr bedeutungsvollen Veränderungen sollte man heute auch in der westlichen Kirche zugeben, daß die **östliche Liturgie die Nähe zu den Ursprüngen** in vieler Hinsicht **besser bewahrt** hat als die lateinische Liturgie des Mittelalters. Im Osten

– keine exklusive Fixierung auf sieben Sakramente wie im Westen, sondern **Konzentration** auf **Taufe** (zu der auch die »Salbung« oder »Firmung« gehört) und **Eucharistie.** Im übrigen Offenheit für eine unbestimmte Vielheit heiliger Handlungen zu seelsorgerlichen Zwecken;

– keine dogmatische Fixierung der Eucharistiefeier auf die Einsetzungsworte und eine substantiell verstandene »Verwandlung« der Elemente Brot und Wein. Vielmehr eine **geistige Präsenz des erhöhten Herrn** im Gesamtverlauf der Feier von Anfang an und nach dem Abendmahlbericht ein Herabrufen des Heiligen Geistes (Epiklese) auf die Gaben von Brot und Wein:

– keine Eucharistiefeier des Priesters allein ohne gegenwärtige Gemeinde (»stille Messe«) wie (vor dem Vatikanum II) im Westen, sondern immer eine **Feier des Priesters mit der Gemeinde**, die selber den kommenden, erscheinenden Christus empfängt und die ein Anrecht hat auf die Kommunion unter beiden Gestalten, Brot und Wein.

Nun hat man im Westen oft behauptet, die östliche Liturgie sei »**erstarrt**«. Darauf läßt sich antworten, daß wie die westliche so auch die östliche Liturgie unterscheidet zwischen »festen« Teilen (Grundstruktur) und »veränderlichen« Teilen, die den betreffenden Festen oder Heiligen angepaßt sind und wo angesichts der verschiedenen Schriftlesungen, Gebete und Hymnen Raum ist für Variation und Abwechslung. Jedenfalls stellte die orthodoxe Liturgie gerade in jüngst vergangener Zeit in ihrer Schönheit für viele ein beglückendes Gegenbild dar zur grauen Häßlichkeit des sowjetischen Alltags, das von selbst Fragen nach einem »ganz Anderen«, nach Gott weckte. Insofern hatte und hat die orthodoxe Liturgie aus sich selber durchaus eine missionarische Funktion. Der orthodoxen Kirche war es auf diese Weise auch erstaunlich gut möglich, nicht nur unter der eher kirchenfreundlichen mongolischen und der relativ toleranten arabischen und türkischen Fremdherrschaft, sondern auch unter dem totalitären bolschewistischen Gewaltregime zu überleben (viele Gläubige wußten in der Zeit des Druckverbots religiöser Bücher die Liturgie auswendig) und in den verschiedenen staatskirchlichen Systemen das eigentliche Christliche zu bewahren.

Doch damit ist das Problem noch nicht aus der Welt. Geht es doch weniger um eine Erstarrung als um eine Isolierung der Liturgie. Selbst ein so wohlwollender westlicher Beobachter der östlichen Orthodoxie wie Ernst Benz meint als eine der Hauptschwächen der Orthodoxie die Verselbständigung der Liturgie anführen zu müssen: Ein **»liturgischer Isolationismus«**, in welchem »die Liturgie zu einer Schale wird, in die sich die Kirche wie eine Schildkröte zurückzieht und nur selten den Kopf herausstreckt«[285]. So stellen sich hier doch – gerade angesichts der säkularisierten Gesellschaft in Rußland und anderen Ländern der Orthodoxie – für die Zukunft gewichtige Fragen:

Fragen für die Zukunft

Müßte eine Liturgie, die wirklich eine christliche Liturgie zu sein beansprucht,

– nicht **gegründet** sein auf die **Verkündigung der christlichen Botschaft** (Predigt), die evangeliums- und zeitgemäß zu sein hat und die noch nicht abgegolten ist durch eine Lobrede auf einen Heiligen am Ende der Liturgie, die vielmehr auch dann erfolgen sollte, wenn den politischen Machthabern eine Beschränkung der Kirche auf eine möglichst feierliche Liturgie nur allzu willkommen ist?

– nicht **Folgen** haben in der **Verwirklichung einer christlichen Ethik**, die sich nicht auf das private Leben allein beschränken darf, sondern die realitätsnah auch ihre soziale Dimension haben und gerade in der Zeit einer neuen Freiheit auch die Sphären der Wirtschaft, Politik und Kultur durchdringen muß. Sollten so die sozialpolitischen Impulse in Zukunft nicht wieder in erster Linie von Gegnern der Kirche, sondern von der Kirche selber ausgehen?

Eine weitere Gefahr der orthodoxen Kirche liegt im **Staatskirchentum**, in welchem die Kirche unter Kaisern, Zaren und Generalsekretären ein gefügiges Werkzeug des Staates oder der Partei werden konnte. Die ganze von mir geschilderte Entwicklung des Symphonia-Modells zeigt überdeutlich: Die auch gegenwärtig noch nicht aufgegebene Abhängigkeit der Russischen Orthodoxen Kirche vom jeweiligen politischen Regime (auch in vielen geistlichen Dingen) hat eine besonders lange geheiligte Tradition.

Sie liegt nicht nur auf der Linie des moskowitischen Staatskirchentums, das sich im 15./16. Jahrhundert herausbildete, sondern hat tiefe Wurzeln in der byzantinischen Tradition, ja, schon bei Konstantin. Von der byzantinisch-slawischen staatskirchlichen Tradition her erklärt sich auch, warum die meisten orthodoxen Kirchen sich mißtrauisch zeigen gegenüber den Ideen von 1789, den Ideen der Demokratie, der Trennung von Kirche und Staat, der Gewissens- und Religionsfreiheit …

Verschärft zeigt sich diese Gefahr im modernen **Nationalismus**. Gewiß: Für die slawischen Völker unter osmanischer Herrschaft bildete die Kirche jahrhundertelang die letzte Bastion der Erinnerung an die eigene Identität und Selbständigkeit; und so hatte die Kirche eine die Nation konstituierende und legitimierende Funktion. Aber die daraus hervorgegangene nationalistische Ideologie diente in der neueren Geschichte der Orthodoxie oft genug dazu, ethnische Rivalitäten aufzuheizen, statt sie zu dämpfen und zu bändigen. Die Entwicklung im früheren Jugoslawien hat nicht zuletzt deshalb so fanatische Ausmaße angenommen, weil die Kirchen jahrhundertelang den Nationalismus gefördert statt gezähmt haben: die katholische Kirche den Nationalismus der Kroaten, die orthodoxe Kirche den der Serben. Gewiß gibt es Nationalismus auch in Polen, Irland und bestimmten protestantischen Ländern. Doch wenn es eine besondere Versuchung und Gefahr in der Welt der Orthodoxie gibt, dann ist es weniger wie im Westen der Autoritarismus (katholisch) oder der Subjektivismus (protestantisch), sondern der Nationalismus!

Diese Gefahr einer zu engen Verbindung von Nation und Religion ist freilich über die Orthodoxie hinaus in allen christlichen Kirchen gegeben, ja, über das Christentum hinaus in allen, insbesondere prophetisch-monotheistischen Religionen. Deshalb drängen sich hier Fragen an alle drei Religionen auf.

Fragen zum Verhältnis Religion und Nation

Das Judentum ist eine menschheitsgeschichtlich ungemein einflußreiche Religion. Zugleich besteht eine unlösbare Verbindung von Religion zu einem Volk und zu einem Land. Besteht aber nicht gerade dadurch die Gefahr, daß die religiöse Begründung des Landes zu einer Staatsideologie wird, die anderen ihr Lebensrecht im selben Land verbieten will? Besteht nicht die Gefahr, daß Staatsideologie zur Ersatzreligion wird? Statt Militär Militarismus, statt Nation Nationalismus, statt Staat Staatsvergötzung?

✝ Ein Staatskirchentum gibt es auch im Protestantismus, Anglikanismus und zum Teil auch Katholizismus, welche ihrerseits die Orthodoxie kritisieren. Rechtfertigt aber Kritik am östlichen Symphonia-Modell (P II) westlichen Papalismus (P III), protestantische Obrigkeitskirchen und protestantischen Synodalismus (P IV)? Ja, ist ein Staatskirchentum überhaupt vom christlichen Ursprung her als schriftgemäß auszuweisen?

☾ Der Islam versteht sich als eine alle Nationen und Kulturen übergreifende universale Religion. Zugleich hat er eine Trennung von Religion und Gesellschaft nie vollzogen. Ist dadurch nicht stets die Gefahr gegeben, daß der Islam zu Zwecken der jeweiligen politischen Herrscher mißbraucht wird und Kriege religiös legitimiert werden können? Ist die prophetische Protestfunktion der Religion gegenüber den jeweils herrschenden und besitzenden Klassen in einem muslimischen Land vom Islam her noch möglich?

Man wird dieses Kapitel über die Analyse des zweiten großen Paradigmas der Christenheit, des hellenistisch-altkirchlichen, welches in die Geschichte der östlichen byzantinischen und slawischen Orthodoxie mit allen ihren Triumphen und Niederlagen übergeht, nicht beenden können, ohne im Blick auf die in einem weiteren Band zu erfolgende Darstellung der Herausforderungen der Gegenwart und der Möglichkeiten der Zukunft dem Wunsch Ausdruck zu verleihen:

Es möge den Kirchen dieses Paradigmas nach dem Zusammenbruch des Götzen »Kommunistische Partei« gelingen, ohne Angst vor der Moderne und ihren echten Errungenschaften einen entscheidenden Beitrag zu leisten zu dem, was in den Staaten des früheren Ostblocks im Übergang zu einer neuen Weltepoche so sehr nottut:

- einen **erneuerten Glauben** an den einen wahren Gott, der jeden Personen-, Partei- und Nationenkult ausschließt;
- eine **erneuerte Ethik** angesichts von so viel Passivität, Trägheit und Zynismus;
- eine **erneuerte Geistigkeit** angesichts von so viel Ungeistigkeit und beklagtem sittlichen Niedergang;
- eine **erneuerte Liturgie**, welche die alte nicht abschafft, aber aus der Kraft des Evangeliums erneuert;
- eine **erneuerte christliche Humanität** in Einheit mit den anderen christlichen Kirchen, im Frieden mit den Weltreligionen und in Zusammenarbeit mit allen Menschen guten Willens.

III. Das römisch-katholische Paradigma des Mittelalters

Das Mittelalter, jenes »medium aevum« West- und Zentraleuropas, von dem in diesem Kapitel die Rede sein soll, jenes mittlere Zeitalter zwischen dem Altertum und der eigenen neuen Zeit: Es ist eine uns noch heute höchst fremde Epoche, in vieler Hinsicht fremder als die vorausgegangene Antike! Lange gingen denn auch die Wertungen der Historiker völlig auseinander. Erst in unseren Tagen zeichnet sich ein doppelter Konsens ab, der sich kurz wie folgt skizzieren läßt:

– Das Mittelalter ist **nicht einfach jene »finstere Zeit« des Verfalls,**
welche die Humanisten des »Rinascimento« (= Wiedergeburt der vorbildlichen Antike in Sprache und Künsten) so sehr verachteten (»Mönchslatein«, »Gotik«);
welche die Reformatoren dann erst recht als die papistisch-pfäffische Zeit des Abfalls vom wahren christlichen Glauben verurteilten;
und die deshalb noch von der protestantischen Kirchengeschichtsschreibung des 19./20. Jahrhunderts als für Kirche und Theologie unfruchtbar angesehen wurde – von einigen »Vorreformatoren« wie Wyclif und Hus abgesehen.[1]

– Das Mittelalter ist aber auch nicht jene **ideale Zeit vorbildlicher Christlichkeit**, welcher eine geradezu normative Kraft für Kirche, Theologie und Gesellschaft zugeschrieben wurde,
wie es eine antiaufklärerische Romantik (Novalis und manche Konvertiten zum Katholizismus) sich erträumten;
wie es dann auch die deutsch-nationale Geschichtsschreibung des 19. Jahrhunderts zumindest im Blick auf das mittelalterliche Kaisertum (gipfelnd in den Staufern) patriotisch begeistert verklärte;
wie es Neoromanik, Neogotik, deutsche Präraffaeliten und auch Neogregorianik und Neoscholastik im Zeichen des papalistischen Ultramontanismus zu erneuern hofften;
wie es schließlich auch heute der antikonziliaren römischen Reaktion, die vom alten »christlichen Europa« träumt, als Modell für ihre »Re-evangelisierungskampagne« vorschwebt.[2]

1. Der Wandel in der Mittelalter-Forschung

Umstritten aber ist bis heute die Frage, wie lange das Mittelalter gedauert hat. Erst seit dem 17. Jahrhundert ist ja in Europa die Einteilung »Altertum – Mittelalter – Neuzeit« üblich geworden. Die Eckdaten werden von den Historikern bis heute verschieden angesetzt, und solche historischen **Periodisierungen** sind bekanntlich mitbestimmt von nationalen, konfessionellen, manchmal auch persönlichen Gesichtspunkten.

Eckdaten des mittelalterlichen Paradigmas

Wie immer die Datierungsfragen zu lösen sind, kein Zweifel besteht heute darüber, daß jenes hier zu analysierende mittelalterliche römisch-katholische Paradigma (P III) sich von dem im vorausgegangenen Kapitel analysierten hellenistisch-altkirchlichen (P II) klar unterscheidet, sich aber erst langsam herausgebildet hat. Jeder **Paradigmenwechsel** – selbst ein relativ plötzlicher wie die Reformation – bereitet sich ja im vorausliegenden Paradigma vor.

Wesentliche **Voraussetzungen** für das mittelalterliche Paradigma zeichnen sich schon in der Spätantike ab, die noch weithin vom altkirchlich-hellenistischen Paradigma bestimmt blieb. Was sich für unsere Betrachtung sozusagen aus der Ferne, von Byzanz und dem Osten her, bereits abzeichnete, soll jetzt aus der Nähe, von Rom und dem Westen her, genau analysiert werden, nämlich: Kein neues mittelalterliches Paradigma im Westen

– ohne die Teilung des Imperium Romanum Christianum Konstantins in ein Ostreich (Byzanz) und ein Westreich, eine Teilung, die nach Theodosios' des Großen Tod († 395) definitiv wurde;
– ohne die Theologie Augustins († 430), der sich als Vater der abendländischen Theologie erweisen sollte;
– ohne die Politik der römischen Päpste des 4./5. Jahrhunderts, die sich mit Berufung auf den Apostel Petrus immer mehr Macht in der Kirche und schließlich auch im Staat zuschrieben.

Für die **Heraufkunft** der neuen mittelalterlichen Konstellation müssen dann die grundlegenden Entwicklungen in Betracht gezogen werden, durch die der Paradigmenwechsel **initiiert** wird:

– die germanische Völkerwanderung des 5./6. Jahrhunderts: der Untergang des weströmischen Kaisertums 476 und die katholische Taufe des merowingischen Frankenkönigs Chlodwig 498/99;
– das Auftreten des Propheten Muhammad (622 Beginn der islamischen

Zeitrechnung) und die arabische Eroberung der östlichen und südlichen Mittelmeerländer des früheren Imperiums;
– die Erneuerung des Imperium Christianum durch Karl den Großen († 814).

Doch wird sich zeigen: Es war erst die Gregorianische Reform des 11. Jahrhunderts, die den definitiven **Durchbruch** des römisch-katholischen Paradigmas in der Westkirche brachte und die so den Paradigmenwechsel **vollendete** – um den Preis freilich einer Spaltung mit der Ostkirche. Dieses mittelalterliche Paradigma hat dann im 12./13. Jahrhundert seinen Höhepunkt und schließlich Wendepunkt erreicht, so daß es sich schon im 14./15. Jahrhundert in voller Krise befand und zu Beginn des 16. Jahrhunderts – mit der Reformation Martin Luthers und der Kirchenspaltung nun auch der Westkirche – seine Erstarrung offenbarte.

Doch auch dies wird deutlich werden: Dieses Paradigma bildet nicht nur für die katholische Gegenreformation und den Antimodernismus, sondern für viele traditionelle Katholiken bis heute den bewußt-unbewußten Rahmen ihres Denkens und Fühlens. Deshalb gilt es nun, auch hier immer mit dem Blick auf die Probleme der Gegenwart dieses Paradigma genauer zu analysieren – alles also nicht in historischer Distanziertheit, sondern in geschichtlicher Betroffenheit. Erneut sei betont: Ich habe nicht die Absicht, hier im Detail die **Geschichte** des römisch-katholischen Mittelalters nachzuerzählen, sondern – allerdings nicht ohne zu erzählen – das mittelalterliche **Paradigma** des Christentums zu analysieren, das heißt, die **bis heute geltende »Gesamtkonstellation** der Überzeugungen, Werte, Verfahrensweisen usw.« zu beschreiben. Dies wird schon deutlich, wenn wir uns zuerst einer Vorfrage zuwenden.

Ein germanisches Paradigma?

Ist das christliche Europa, wie man seit Leopold Ranke annahm, ein Produkt aus »Christentum, Germanentum und Antike«? Einmal davon abgesehen, daß auch, wie wir sahen, das byzantinische und slawische Element wesentlich zu Europa gehören: Der Gegensatz jedenfalls zwischen dem Germanisch-Deutschen und dem Romanisch-Antiken, den die nationale deutsche Geschichtsschreibung des vergangenen Jahrhunderts auch in Kirchengeschichte und Kirchenrechtsgeschichte hochgespielt hatte, darf heute als eine überwundene Frontstellung angesehen werden.

In seinem kritischen Überblick über den Stand der Mittelalter-Forschung zeigt der deutsche Kirchengeschichtler Arnold Angenendt auf, wie die Geschichtsforschung nach dem Zweiten Weltkrieg »eine gründliche

Befreiung von dem Germanismus-Komplex erfahren« hat und »die Forschung sich internationalisierte«[3]: Heute möchte jedenfalls niemand mehr sprechen von einem angeblich gleichbleibenden »Wesen des Germanischen« – historische Grundlage eines »germanisch-deutschen Menschen«, einer »deutschen Politik« und »deutschen Lebensart« –, und das alles im Gegensatz zum Romanisch-»Welschen«. Doch warum ist ein solcher historischer Germanismus überholt? Auf zwei Tatbestände macht der Historiker aufmerksam:

Einerseits war das Germanentum ebensowenig eine einheitliche Größe wie die germanische Religion. »Die Germanen« seien zwar durch eine Sprachverwandtschaft verbunden, aber noch im Frühmittelalter habe diese Sprachverwandtschaft kein gemeinsames gesellschaftliches Bewußtsein zu begründen vermocht. Und weder die »germanische Eigenkirche« (eine Kirche vermögensrechtlich und kirchlich-geistliches Eigentum des Grundherrn[4]) erwies sich als exklusiv germanisch noch »germanischer Volkscharakter« und »germanische Religiosität«, die angeblich charakterisiert seien durch »germanische Tugenden« wie Ehrlichkeit, Selbständigkeit, Treue, Gefolgschaft, Innerlichkeit, Gemüt, Gemeinschaftsbewußtsein.[5]

Andererseits hat sich zumindest die alltägliche spätantike Kultur trotz des Wegfalls der administrativ-organisatorischen Superstruktur des Imperiums im Frühmittelalter – wenn auch in verschiedenen Zonen und Zeiten verschieden – noch lange fortgesetzt. Sie hat so den Germanen trotz aller Wirren in vielfacher Weise einen Anschluß an die antike Welt ermöglicht. Germanisches und Romanisch-Spätantikes lassen sich also nicht fein säuberlich auseinanderhalten. So viele in der Spätantike ausgeformte Gedanken, Vorstellungen, Handlungsweisen und Institutionen – etwa das Gottesgnadentum der Herrscher, der dynastische Gedanke und die Latifundien- und Grundherrschaft – hielten sich durch. Doch vermischten sie sich im Frühmittelalter oft mit **archaischen Glaubensvorstellungen und Glaubenspraktiken** der Germanen: mehr Ritus als Ethos, mehr Mythos als Logos, magisches Denken, Zauberei, Dämonenglaube, Reliquienfrömmigkeit, Schwurformeln und Eideszauber. Doch dies alles ist nicht spezifisch germanisch, auch nicht spezifisch keltisch (in weiten Teilen Westeuropas), sondern einfachhin archaisch, charakteristisch für die Mentalität bestimmter Völker auf einer bestimmten primitiven Kulturstufe überhaupt.

Ein lateinisches Paradigma?

Daraus läßt sich folgern: Das mittelalterliche Paradigma kann bei aller wesentlichen Mitgestaltung durch »die Germanen« jedenfalls nicht einfach als typisch germanisch charakterisiert werden. Eher denn als germanisch war das westliche Paradigma zunächst **lateinisch** geprägt, insofern **Latein** die **offizielle Sprache** der abendländischen Kirche und Theologie, des Rechtes und des Staates wurde und durch all die Jahrhunderte auch blieb.

In den ersten hundert Jahren war ja die Sprache auch der westlichen Christenheit bekanntlich das Koine-Griechisch gewesen. Dies war eine internationale Sprache der städtischen Bevölkerung im ganzen Imperium Romanum, gebraucht nicht nur von Gebildeten, sondern auch vom Handel und im Verkehr, und so ganz selbstverständlich auch die Sprache der Kirche und des Kultus. Nicht nur waren Bibel, Glaubensbekenntnisse und die ersten theologischen Schriften griechisch abgefaßt; selbst die römische Stadtliturgie wurde in griechischer Sprache gefeiert. Erst nach einem längeren Zeitraum des Übergangs wurde nach mailändischem Vorbild zwischen 360 und 382 die **lateinische Sprache im Gottesdienst** allgemein und endgültig eingeführt.[6] Der Osten, nach Konstantins Gründung der neuen Reichshauptstadt Konstantinopel, wie wir sahen, bevölkerungsmäßig, wirtschaftlich und militärisch stärker, behielt in Staat und Kirche das Griechische selbstverständlich bei und vernachlässigte das Latein mehr und mehr. Im Westen gerade umgekehrt: Hier verschwand das Griechische während des 3./4. Jahrhunderts zugunsten des Latein, das jetzt durch die Christianisierung eine noch größere Bedeutung erhielt.

Dieses christlich-kirchliche Latein hatte sich indes in Nordafrika ausgebildet, in Nordafrika auch die spezifisch **lateinische Theologie**. Diese setzte erst fast ein Jahrhundert nach der griechischen Theologie ein – und zwar mit **Tertullian** (ca. 150/155 - nach 222). Zwar veröffentlicht dieser gewandte Jurist und Laientheologe Schriften noch auf Griechisch und wird bisweilen wegen seines Stoffes und der Problemstellungen der letzte griechische Apologet genannt. Und doch kommt mit Tertullian zum erstenmal eine typisch lateinische Theologie zu Worte, wie dies der Kirchenhistoriker Hans von Campenhausen präzis umschrieben hat: »In der kraftvoll-nüchternen und praktischen Orientierung seiner Theologie, in der realistischen, juristischen und psychologischen Richtung des Verstandes, in der Wendung zum Sozialen, zur Gemeinde und zur Kirche als fester politischer Körperschaft und in der Betonung des Willens, der Norm und der Zucht erscheint Tertullian durchaus als der erste lateinische Kirchenvater.«[7] Zunächst bleibt jedoch die lateinische Theologie noch ganz im Windschatten der griechischen; der Geist weht sozusagen von Ost nach West, wie sich dies schon an der Zahl der lateinischen Übersetzungen aus dem Griechischen spiegelt, denen kaum welche aus dem Lateinischen ins Griechische entsprechen.

Das **theologische Interesse der lateinischen Christenheit** war von Anfang an anders ausgerichtet. Inwiefern?

- Das mehr philosophisch gesinnte **Griechentum** konzentrierte sich vor allem auf theoretische Fragen der Christologie und der Trinitätslehre. Sein Hauptinteresse waren metaphysisch-spekulative Probleme: das Verhältnis von Vater, Sohn und Geist sowie die Möglichkeit der Menschwerdung Gottes und Gottwerdung des Menschen.
- Das praktisch orientierte **Römertum** kreiste um pastorale Fragen der Bußdisziplin, der christlichen Lebensführung und der Kirchenordnung. Sein Hauptinteresse galt psychologisch-ethisch-disziplinären Problemen: Schuld, Sühne und Vergebung, Kirchenverfassung, Ämter und Sakramente.

Und doch: Trotz eines so überragenden Bischofs von Karthago wie **Cyprian**, eine Generation nach Tertullian, trotz dieses großen geistigen Führers der afrikanischen Kirche, Verteidigers der bischöflichen Autonomie gegen Rom und beliebten Erbauungsschriftstellers: Die westliche-lateinische Christenheit erschien noch um die Mitte des vierten Jahrhunderts als ein Anhang zur geistig führenden oströmisch-griechischen Christenheit. Bezeichnend dafür: Die ökumenischen Konzilien fanden allesamt im Osten mit nur geringer Beteiligung des Westens (Legaten des römischen Bischofs) statt. Erst im vierten Jahrhundert finden wir Theologen, die bewußt bei den Griechen in die Schule gegangen sind: für die pneumatische Exegese bei Philon, Origenes und Gregor von Nyssa, für die spekulative Theologie bei den Kappadokiern. So Hilarius, Rufin, Hieronymus und vor allem **Ambrosius**, Bischof von Mailand, der Griechisches und Lateinisches am organischsten zu verbinden wußte. Doch um die Mitte des fünften Jahrhunderts hatte der lateinische Westen mit dem griechischen Osten theologisch gleichgezogen. Warum? Er hatte es dem Lebenswerk eines Theologen zu verdanken, der der Theologe der lateinischen Kirche schlechthin werden sollte: Aurelius Augustinus.

2. Der Vater des neuen Paradigmas von Theologie: Augustin

Es gibt keine Gestalt in der Christenheit zwischen Paulus und Luther, die größeren Einfluß in Theologie und Kirche ausgeübt hätte als Augustin[8]. Über Leben, Werk und Wirkung dieses Mannes habe ich schon im letzten Buch »Große christliche Denker« berichtet. So kann ich mich hier auf die Behandlung der Frage konzentrieren: Inwiefern hat Augustin das Paradigma des lateinischen mittelalterlichen Westens theologisch grundgelegt? Was macht ihn zum Vater des neuen Paradigmas von Theologie?

Ein lateinischer Theologe

Ich gehe von zwei Grundthesen aus:
– Augustin hat wie kein anderer Theologe die **westliche Theologie und Frömmigkeit geprägt**; er wurde so zum theologischen Vater des mittelalterlichen Paradigmas.
– Augustin wird wie vielleicht kein zweiter westlicher Kirchenvater **vom Osten abgelehnt**[9] – ein weiteres Indiz für den faktisch mit Augustin beginnenden Wechsel in der Christenheit vom altkirchlich-hellenistischen zum lateinisch-mittelalterlichen Paradigma.

Beides ist heutzutage gleichzeitig ernst zu nehmen: Augustin darf nicht wie in der östlichen Theologie weithin ignoriert, darf aber auch nicht wie in manchen westlichen Darstellungen von beinahe aller Kritik verschont, er sollte vielmehr als **Initiator eines neuen Paradigmas** differenziert beurteilt werden. Denn ein Paradigmenwechsel bedeutet ja nie nur Fortschritt, er bedeutet Gewinn und auch Verlust. Und zu einem neuen Paradigma von Theologie kam es in der Tat, als dieser ursprünglich äußerst weltliche Mann, dieser wahrhaft geniale Denker und scharfe Dialektiker, begabte Psychologe, brillante Stilist und schließlich leidenschaftliche Christ daran ging, seine höchst verschiedenartigen Erfahrungen theologisch zu einer kraftvollen Synthese zu verarbeiten.

Origenes war – wir erinnern uns – ganz und gar **Grieche** (mit einigen Kenntnissen des Hebräischen). Augustin aber war von Haus aus und mit ganzem Herzen **Lateiner**:
– Augustin, ziemlich genau hundert Jahre nach des Origenes Tod im Jahr 354 geboren, war Civis Romanus und Sohn eines städtischen Beamten in der römischen Provinz Numidien, im heutigen Algerien.
– Seine Sprache, die er souverän beherrschte, war Latein; Griechisch zu lernen, haßte er; er war der einzige bedeutende lateinische Philosoph, der praktisch kein Griechisch konnte.

– Nicht mit Karthago fühlte er sich solidarisch, erst recht nicht mit Athen oder Byzanz, sondern mit Rom, für ihn noch immer die Hauptstadt der Welt und jetzt auch das Zentrum der Kirche.
– Mit den großen griechischen Kirchenvätern des Ostens, den Schulen von Kappadokien, Antiochien und Alexandrien suchte Augustin kaum Kontakt. Kurz: »Augustins Bildung gründet im Wesentlichen, wenn nicht überhaupt ganz, in der lateinischen Sprache« (H.-I. Marrou[10]). Griechisch-kirchliches Schrifttum zog er nur dann zu Rate, wenn ihm lateinische Übersetzungen zur Verfügung standen.[11]

Ein weiteres kommt hinzu: Während Origenes in noch heidnisch-feindlicher Umwelt seinen Weg von Jugend auf als überzeugter und zum Martyrium bereiter Christ ging, hat Augustin in einer bereits weithin verchristlichten Umwelt das Christentum als junger Mann zunächst abgelehnt. Erst nach vielen Irrungen und Wirrungen hat er seinen Weg aus der Weltlichkeit zum Christsein gefunden: 391 wird er Priester, 396 Bischof von Hippo Regius (im heutigen Algerien). Damit aber lag die Zeit der Krisen keineswegs hinter ihm. Denn Augustin wird im Laufe seiner kirchlichen Karriere in epochale Auseinandersetzungen verwickelt werden. Für uns ein weiteres Indiz dafür: Jedes neue, auch das neue lateinische Paradigma kommt aus einer mehrschichtigen **Krise**, die zu einer neuen Konstellation führt.

Krise der Kirche I: Welches ist die wahre Kirche?

35 lange Jahre sollte Augustin Bischof bleiben. Er lebte anders als die übrigen zumeist verheirateten Bischöfe bis zu seinem Tod in einer streng geregelten »vita communis«, zusammen mit seinen Priestern, Diakonen und anderen Klerikern. Schon äußerlich war er durch das Gelübde der Ehelosigkeit und der Armut sowie durch das Tragen schwarzer Roben vom Volk getrennt; doch wurde das mönchische Ideal nicht griechisch primär als Askese, sondern als gemeinsames Leben in Eintracht und Liebe bestimmt; das Mittelalter mit seinen Domherren-Gemeinschaften nach augustinischem Vorbild kündigte sich an. Als Bischof nun sollte Augustin zur Hauptfigur werden in den beiden Krisen, welche nicht nur die Kirche Nordafrikas erschütterten, welche auch ihn selbst zu neuen Veränderungen zwangen und welche sich schließlich in der ganzen lateinischen Kirche des Westens auswirken sollten. Hier in Afrika wurde über die Gestalt der Kirche Europas entschieden.

Da war zuerst die **donatistische Krise**, die für das betont **institutionalistisch-hierarchische Kirchenverständnis Augustins und dann des ganzen**

Westens Folgen haben sollte.[12] Der Hintergrund: Die katholische Kirche war im vierten Jahrhundert zu einer bereits recht verweltlichten Massenkirche geworden. Doch gerade in Nordafrika erinnerten sich manche Kreise noch sehr wohl an die Zeiten des Martyriums und der strengen Kirchenzucht sowie an das mehr pneumatische Kirchen- und Sakramentsverständnis eines Tertullian und Cyprian. Diesen zufolge waren nämlich Taufen und Ordinationen, wenn sie von unwürdigen, vor allem in der Verfolgung »gefallenen« Bischöfen und Presbytern vorgenommen worden waren, ohne den Heiligen Geist gespendet und deshalb ungültig; sie mußten folglich wiederholt werden. Aus diesem Grund war es schon vor der Konstantinischen Wende zu einem rund einhundertjährigen Schisma der Rigoristen gekommen, welche die Großkirche der Laxheit anklagten. Ja, die Mehrheit der nordafrikanischen Bischöfe gehörte nach der Wende zu den Rigoristen, die nun nach ihrem Führer, Bischof Donatus († 355), **Donatisten** genannt wurden.

Als Augustin, 85 Jahre nach Ausbruch des Schismas, Bischof der Katholiken in Hippo wurde, waren die innerkirchlichen Spannungen noch nicht abgeklungen. Und **aus der verfolgten Kirche** sollte jetzt **eine verfolgende** werden. Wie kam es dazu? Nachdem die katholische Kirche unter Kaiser Theodosios faktisch zur Staatsreligion gemacht und die Orthodoxie etabliert worden war, verfügte dessen Nachfolger, Honorius, die zwangsweise Rückführung der Donatisten in die katholische Kirche. Kurzerhand verbot er ihre Gottesdienste und drohte ihnen Konfiskation der Güter und Ausweisung an. Staatlich anerkannt sollte nur die katholische Kirche bleiben. Unterordnung des Individuums unter die Kirche als Institution, als Anstalt der Gnadenmittel und des Heils – dies sollte für das lateinische Christentum charakteristisch werden!

Die Probe aufs Exempel kam bald, denn im mehrheitlich donatistischen Hippo hatte sich Augustin von Anfang an intensiv für die **Einheit der Kirche** eingesetzt. Als Christen quälte ihn die zerbrochene Einheit der afrikanischen Kirche, als Neuplatoniker war ihm die Idee der Einheit mehr als anderen ein Zeichen des Wahren und Guten. Die eine wahre Kirche konnte doch nicht von einer sich abkapselnden Partikularkirche repräsentiert werden, sondern nur von der – in Communio mit Jerusalem, Rom und den großen orientalischen Gemeinden stehenden – universalen Kirche: die große, immer mehr expandierende, die Welt absorbierende, mit Sakramenten ausgestattete und von rechtgläubigen Bischöfen geleitete **Ecclesia catholica**, die Augustin als die »Mutter« aller Gläubigen bezeichnet. Das Katholische, wie es Augustin hier so sehr betont, wird für das Paradigma des Mittelalters von größter Bedeutung sein.

Natürlich wußte auch Augustin: Diese eine, heilige, katholische Kirche würde auf dieser Erde nie vollkommen sein. Manche gehören der Kirche ja nur dem Leibe nach an (»corpore«), nicht aber mit dem Herzen (»corde«). Die reale Kirche ist eine **pilgernde Kirche**, sie wird die Scheidung von Spreu und Weizen dem letzten Richter überlassen müssen. Insofern ist die wahre Kirche die Kirche der Heiligen, Vorherbestimmten, Geretteten, eine **in** der sichtbaren Kirche enthaltene, aber den Menschen verborgene Kirche. Und was die **Sakramente** der Kirche betrifft, so muß zwischen Gültigkeit einerseits und Rechtlichkeit wie Wirksamkeit anderseits unterschieden werden. Nicht was der (vielleicht unwürdige) Bischof oder Priester, sondern was Gott in Christus tut, ist ausschlaggebend. Objektiv gültig (wenn auch nicht immer legitim und wirkkräftig) sind die Sakramente ganz unabhängig von der subjektiven Würdigkeit der Spender, wenn sie nur ordnungsgemäß im Sinn der Kirche vollzogen werden. »Ex opere operato«, wird man im Mittelalter sagen: Gültig ist ein Sakrament einfach durch den Vollzug der Spendung.

Diese große Auseinandersetzung hat zweifellos zu grundsätzlichen Klärungen geführt, und Augustin gab damals der gesamten westlichen Theologie weithin die **Kategorien, Lösungen und eingängigen Formeln für eine differenzierte Ekklesiologie und Sakramentenlehre**: daß die Kirche zugleich eine sichtbare und eine unsichtbare Größe sei, die sich nicht einfach decken; wie Einheit, Katholizität, Heiligkeit und Apostolizität der Kirche von daher zu denken sind; wie Wort und Sakrament zusammenhängen: das Wort als hörbares Sakrament (sacramentum audibile), das Sakrament als sichtbares Wort (verbum visibile); wie in der Sakramententheologie zwischen dem Hauptspender (Christus) und dem instrumentellen Spender (Bischof, Presbyter) unterschieden und von daher die Frage der Gültigkeit entschieden werden kann.

Gewalt in Sachen Religion

Trotz zahlreicher Zwangsmaßnahmen, gar der Todesstrafe, gelang es der Großkirche und dem (seit Konstantin immer an »Einheit« interessierten) Staat nicht, die immer wieder neu entstehenden schismatischen und häretischen Nebenkirchen völlig zu eliminieren. Schließlich meinte Augustin – beeindruckt vom Erfolg rüder Polizeiaktionen –, auch theologisch die Gewalt gegen Häretiker und Schismatiker rechtfertigen zu müssen. Und dies gar mit dem Jesus-Wort aus der Parabel vom Festmahl in der verschärften lateinischen Übersetzung: »Coge intrare«, »zwinge (statt: nötige) sie hereinzukommen«, die da draußen sind auf Gassen und an Zäunen.[13]

Die Folge: Der Bischof und Christ Augustin, der so überzeugend von Gottes und der Menschen Liebe zu reden wußte, er mußte mit seiner fatalen Argumentation in der donatistischen Krise durch alle Jahrhunderte hindurch als Kronzeuge herhalten. Wofür? Für die **theologische Rechtfertigung von Zwangsbekehrungen, Inquisition und heiligem Krieg** gegen Abweichler aller Art. Ja, dies sollte geradezu zu einem Charakteristikum des mittelalterlichen Paradigmas werden, weit entfernt von dem, was die griechischen Kirchenväter vertreten haben.

Peter Brown, der die informierteste und einfühlsamste Augustinus-Biographie verfaßt hat, bemerkt denn auch zu Recht: »Augustin schrieb, indem er auf seine hartnäckigen Kritiker antwortete, die einzige umfassende Rechtfertigung in der Geschichte der frühen Kirche für das Recht des Staates, Nicht-Katholiken zu unterdrücken.«[14] Gewiß, Augustin konnte und wollte die in Hippo allzu zahlreichen Nicht-Katholiken nicht (wie später die Inquisition die kleinen Sekten) ausrotten; er wollte nur korrigieren und bekehren. Deshalb gilt – wiederum nach Peter Brown: »Augustin mag der erste Theoretiker der Inquisition sein, aber er war nicht in der Position, ein Großinquisitor zu sein.«[15]

Krise der Kirche II: Wie wird der Mensch gerettet?

Keine Frage: Augustin, ein unermüdlicher Prediger und Erklärer der Schrift, hat sich als Bischof – wie nach ihm so viele – zutiefst verändert. Mehr als früher neigt er jetzt zu institutionellem Denken, zur Härte, zur Unduldsamkeit, auch zum Pessimismus. Und dies zeigt sich noch deutlicher in der zweiten großen Krise, in der er wiederum einer der Hauptakteure war: der Krise um den aus England stammenden hochangesehenen Laienmönch **Pelagius.** Diese **pelagianische Krise** hat **Augustins Theologie von Sünde und Gnade verschärft und verengt**[16], fand aber nicht nur im Mittelalter, sondern auch in der protestantischen Reformation und im katholischen Jansenismus entschiedene Befürworter.[17] Worum ging es?

Pelagius, persönlich ein Asket und gebildeter Moralist, ganz antiarianisch eingestellt, wirkte in Rom zwischen 400 und 411, vor allem unter Laien. Leidenschaftlich ging er gegen den Manichäismus und das noch immer verbreitete sittenlose Heidentum an, nicht weniger aber gegen das laxe Namenchristentum der römischen Wohlstandsgesellschaft. Um aber das Übel bekämpfen zu können, legte der von Origenes inspirierte Pelagius großes Gewicht auf des Menschen **Willen,** des Menschen **Freiheit.** Auf Selbstverantwortung und praktisches Tun kam es ihm an.

Gewiß: Pelagius bejahte auch die Notwendigkeit der Gnade Gottes für jeden Menschen, aber die Gnade verstand er eher äußerlich, jedenfalls nicht wie Augustin als eine innerlich im Menschen wirkende Kraft, beinahe Kraftstoff. Gnade? Das war für Pelagius Sündenvergebung, die auch für ihn unverdientes Geschenk Gottes ist. Gnade waren auch die moralische Ermahnung und das Beispiel Christi. Kein Zweifel: In der Taufe erfolgte auch für Pelagius des Menschen Rechtfertigung ohne Werke und Verdienste. Doch einmal Christ geworden, muß sich der Mensch mit dem Schwert des freien Willens durch eigene Tat den Weg zum Heil bahnen – nach den Geboten des Alten Testamentes und dem Vorbild Christi. Das war Pelagius' Anliegen. Und war das nicht eine durch und durch vernünftige Theologie?

Augustin aber fühlte sich durch die Lehre des Pelagius am wunden Punkt seiner Lebenserfahrung berührt, ja, in der Herzmitte seines Glaubens getroffen. Hatte er nicht durch all die langwierigen Jahre vor seiner Bekehrung erfahren (beschrieben in seinen »Bekenntnissen«), wie wenig der Mensch aus sich selber könne? Wie schwach sein Wille sei? Wie sehr die in der Geschlechtslust gipfelnde fleischliche Begierde (concupiscentia carnis) den Menschen vom Tun des Willens Gottes abhalte? Wie sehr also der Mensch von Anfang an ständig der Gnade Gottes bedürfe – nicht erst im nachhinein zur Unterstützung seines Wollens, sondern schon für das Wollen selbst, das ja aus sich selber böse und verkehrt sein kann? Von daher versteht sich Augustins massiver Kontrapunkt.

Erbsünde und doppelte Vorherbestimmung

Dieser Kontrapunkt fällt um so grundsätzlicher aus, als Augustin der Überzeugung war: Hinter allem Elend der Welt verbirgt sich eine große Sünde, die sich auf alle Menschen auswirkt. Dies war freilich die Überzeugung auch vieler Heiden in der Spätantike, doch Augustin verschärft sie durch eine Theologie des ersten Sündenfalls: durch Historisierung, Psychologisierung und vor allem Sexualisierung dieses »Ur-Ereignisses«. Denn der Mensch ist Augustin zufolge von Anfang an durch Adams Fall zutiefst verdorben. »**In ihm** haben alle gesündigt« (Röm 5,12). »**In quo**«: so findet es Augustin in seiner damaligen lateinischen Bibelübersetzung. Und er bezog dieses »in ihm« auf Adam. Im griechischen Urtext aber steht schlicht: »eph' hō̃« = »**weil**« (oder »auf den hin«) alle sündigten! Was las Augustin also aus diesem Satz des Römerbriefes heraus? Nicht nur eine Ur-Sünde Adams, sondern eine **Erb-Sünde**! Eine Sünde, die jeder Mensch von Geburt an von vornherein mitbringe, gleichsam geerbt habe. Hier liegt für Augustin der Grund, warum jeder Mensch, schon der Säugling, an Leib und Seele vergiftet sei. Er würde dem ewigen Tode verfallen, wenn er nicht getauft werde.

Aber schlimmer noch: Aufgrund seiner persönlichen Erfahrung von der Macht der Sexualität und seiner manichäischen Vergangenheit verbindet Augustin – im Gegensatz zu Paulus, der darüber kein Wort schreibt – diese Übertragung der **»Erb-Sünde« mit dem Geschlechtsakt** und der damit verbundenen »fleischlichen« = ichsüchtigen Begierde, der Konkupiszenz.[18] Ja, Augustin stellt die Sexualität überhaupt in die Mitte der Menschennatur. Und welcher Theologe verstand davon in der Tat mehr als Augustin und konnte innere Vorgänge im Menschen besser beschreiben als er?[19] Kein zweiter Autor der Antike verfügte über eine solche Fähigkeit der analysierenden Selbstreflexion wie Augustin.

Doch ergab sich bei diesem Lösungsansatz eine weitere Frage: Wenn Gott es ist, der alles Gute in dem (verdorbenen) Menschen bewirkt, dann stellt sich das **Problem von Gnade und Freiheit**. Wo bleibt denn die Freiheit des Menschen, wenn alles durch Gottes Gnade geschieht und schon der gute Wille von Gott geschenkt sein muß? Augustins Überzeugung: Es wird nicht etwa Gottes Gnade durch des Menschen Freiheit motiviert, vielmehr umgekehrt: es wird der menschliche Wille durch Gottes Gnade überhaupt erst zur Freiheit bewegt. Gnade wird nicht erworben, Gnade wird geschenkt. Es ist Gottes Geschenk allein, das im Menschen alles bewirkt und das der einzige Grund seiner Errettung ist. Diese frei geschenkte Gabe ist für den Menschen bis zu seinem Ende ständig notwendig, erfordert allerdings konstant des Menschen Mitwirken.

Warum aber gibt es dann so viele Menschen, die nicht gerettet werden? Je mehr Augustin sich in die Kontroverse um die Pelagianer hineinsteigert, um so mehr verhärtet sich seine Position. Dies zeigt sich am deutlichsten in seiner Lehre von der **doppelten Prädestination**, der Vorherbestimmung zur Seligkeit oder zur Verdammnis.[20] Sie wird in der abendländischen Christenheit eine geradezu unheimliche Wirkung entfalten. Gott hat – so Augustin – zur Wiederauffüllung der durch den Engelfall entstandenen Lücke mit anderen vernünftigen Wesen (eine gnostisch-manichäische Vorstellung!) von vornherein nur eine feststehende, relativ kleine Anzahl von Menschen zur Seligkeit vorausbestimmt, im Gegensatz zur großen »Masse der Verdammnis«. Ist dies aber mit der Annahme von Gottes Güte vereinbar? Durchaus, denn:

– In der Errettung der Menschen offenbare sich Gottes **Barmherzigkeit**, die ohne jeglichen Rechtsanspruch (wenngleich unter Voraussicht der menschlichen Verdienste) die ewige **Seligkeit** schenkt.

– In der Verwerfung der Großzahl der Menschen aber offenbare sich die **Gerechtigkeit** Gottes, der das Böse zwar nicht will, es aber doch (aufgrund des freien Willens des Menschen) zuläßt und der so die Mehrzahl der Menschen ihren Weg in die ewige **Verdammnis** gehen läßt. Welch ein Unterschied zu Origenes und seiner Lehre von der Allversöhnung! Eine erschreckende Lehre, die Calvin zu Ende denken wird. Rückfragen drängen sich auf.

Rückfragen: Unterdrückung der Sexualität – Verdinglichung der Gnade?

Keine Frage: Augustin hat das große Verdienst, energisch die zur Werkgerechtigkeit neigende **abendländische Theologie auf die paulinische Rechtfertigungsbotschaft**, die mit dem Verschwinden des Judenchristentums im hellenistischen Christentum alle Aktualität verloren hatte, hingewiesen und so auf **die Bedeutung der Gnade verwiesen** zu haben. Während die östliche Theologie sehr stark johanneisch geprägt blieb und die paulinische Rechtfertigungsproblematik mit ihren Antithesen zugunsten der Rede von der Vergöttlichung des Menschen weithin vernachlässigte, hat Augustin aufgrund seiner Lebenserfahrungen und seines vertieften Paulusstudiums die Gnade geradezu zum Zentralthema der abendländischen Theologie gemacht und auch in diesem Bereich zahllose eingängige lateinische Formulierungen gefunden. Gegen den in der alten lateinischen Kirche weit verbreiteten Moralismus, der allzu sehr auf die Leistungen der Menschen baut, zeigt er auf, wie alles in Gottes Gnade gegründet ist: »Was hast du, das du nicht empfangen hättest?«[21] Nicht als eine Werke- und Gesetzesreligion also, sondern als eine Gnadenreligion sollte sich das Christentum Augustin zufolge präsentieren.

Diese große Leistung Augustins wurde oft gelobt und bedarf keiner weiteren Hervorhebung. Ja, dieses epochale Werk und alles das, was Augustin geschrieben hat an Geistvollem und Tiefsinnigem, an Brillantem und Anrührendem über das Glückseligkeitsverlangen des Menschen in der Welt, unter der Herrschaft der Sünde und unter der Herrschaft der Gnade, all die tiefen Gedanken über Zeit und Ewigkeit, Spiritualität und Frömmigkeit, Gotteshingabe und Menschenseele, dies alles kann hier auch nicht annähernd gewürdigt werden. Noch einmal: Im Rahmen unserer Paradigmenanalyse muß es primär darum gehen, den Unterschied herauszuarbeiten, der sich allmählich zwischen der hellenistisch geprägten und der lateinisch geprägten Geistigkeit im Christentum herausbildet und der den Umschlag vom altkirchlich-hellenistischen zum lateinisch-mittelalterlichen Paradigma erzeugt. Nicht also die theologischen Inhalte

Augustins in aller Breite und Tiefe können uns hier beschäftigen, wohl aber die paradigmatischen Weichenstellungen dieses großen Theologen, die bis ins Mittelalter und dessen Krise, die Reformation, und weiter bis in die Neuzeit zu spüren sind. Und da kann nun kein Zweifel bestehen, daß Augustin, der gegenüber dem griechischen Primat des Intellekts so beeindruckend den Primat des Willens, der Liebe vertrat, der einen so kühnen Satz wagte wie »Dilige, et quod vis fac«, »Liebe, und tue, was du willst«[22], und der so großartig über die Gnade Gottes schreiben konnte, daß derselbe Augustin auch verantwortlich für höchst problematische Entwicklungen in der lateinischen Kirche ist, und dies an drei entscheidenden Punkten:

1. Die **Unterdrückung der Sexualität** in der abendländischen Theologie und Kirche: Mehr als andere lateinische Theologen (z. B. Hieronymus) hat Augustin zwar die Gleichheit von Mann und Frau zumindest auf geistiger Ebene (in bezug auf die rationale Intelligenz) wegen der Gottesebenbildlichkeit beider betont. Doch zugleich hat er an der damals allgemein üblichen Unterordnung der Frau in körperlicher Hinsicht – nach Genesis 2 sei die Frau aus dem Mann und für den Mann geschaffen – festgehalten.[23] Problematisch bleibt bei all dem Augustins Sexual- und Sündentheorie.[24]

Denn für Augustin war klar: Idealerweise sollte Geschlechtsverkehr nur zur Zeugung von Kindern stattfinden. Geschlechtslust bloß um ihrer selbst willen ist sündhaft und zu unterdrücken; daß sexuelle Lust die Beziehung von Ehemann und Ehefrau gar bereichern und vertiefen könnte, war für ihn undenkbar. Was für eine ungeheure Last bedeutete gerade dieses augustinische Erbe der Verketzerung der geschlechtlichen Libido für die Männer und Frauen des Mittelalters, der Reformation und weit darüber hinaus. Hat doch noch in unseren Tagen ein Papst allen Ernstes die Auffassung verkündet, auch in der Ehe könne ein Mann seine Frau »unkeusch« ansehen, wenn es eben rein um der Lust willen geschieht …

2. Die **Verdinglichung der Gnade** in der abendländischen Theologie und Frömmigkeit: Während der Osten gar keine der lateinisch-abendländischen Gnadenlehre entsprechende Vorstellung einer »geschaffenen Gnade« (»gratia creata«) entwickelt und an der erhofften ganzheitlichen »Vergottung« des Menschen und seiner »Unsterblichkeit« und »Unvergänglichkeit« interessiert bleibt, versteht schon der Lateiner Tertullian die Gnade weniger biblisch als Gottes Gesinnung und Sündenerlaß denn – im Anschluß an stoische Vorstellungen – als »vis« im Menschen. Eine »Kraft«

mächtiger als die Natur (»natura«; bei Tertullian findet sich zum erstenmal die Entgegensetzung von Natur und Gnade).

Und so ist auch für Augustin die »Gnade der Vergebung« nur die Vorbereitung auf die »Gnade der Inspiration«, die dem Menschen als eine heilende und verwandelnde dynamische Gnadensubstanz eingegossen wird: die »gratia infusa«, so etwas wie ein übernatürlicher Kraftstoff, der den aus sich unfähigen Willen antreibt. Augustin meint hier mit der Gnade weniger den lebendigen Gott, der uns gnädig ist, als eine von Gott selber unterschiedene, verselbständigte, zumeist ans Sakrament gebundene »geschaffene Gnade«, von der im Neuen Testament nichts steht. Auf diese jedoch wird sich die lateinische Theologie und Kirche des Mittelalters – eine Gnaden- und Sakramentskirche – ganz im Gegensatz zur griechischen Theologie konzentrieren.

3. Die Angst um die **Vorherbestimmung** in der abendländischen Frömmigkeit: Während die griechischen Kirchenväter am menschlichen Entscheidungsvermögen vor und nach dem Sündenfall festhalten und keine unbedingte göttliche Vorherbestimmung zum Heil oder Unheil kennen, ja, zum Teil sogar wie Origenes und die Origenisten an eine Allversöhnung glauben, hat der alt gewordene Augustin in Überreaktion auf den Pelagianismus eine mythologische manichäische Vorstellung übernommen. Darüber hinaus hat er die universale Bedeutung Christi neutralisiert und völlig unpaulinisch die Aussagen des Römerbriefes über Israel und die Kirche[25] individualistisch verengt. Aber was ist das für ein Gott, der ungezählte Menschen, darunter sogar zahllose ungetaufte Säuglinge, aufgrund seiner »Gerechtigkeit« von vornherein für die ewige Verdammnis (wenn auch in vielleicht milderer Form) bestimmt hat?

Augustins byzantinischer Zeitgenosse Johannes Chrysostomos hatte ausdrücklich betont, daß die kleinen Kinder unschuldig seien, da in seiner Gemeinde manche daran glaubten, sie könnten durch Hexerei getötet werden und ihre Seelen seien von Dämonen besessen. Augustin aber hat nicht wenig auch zur Dämonenfurcht in der abendländischen Kirche beigetragen. Seine Prädestinationslehre, wiewohl schon von Vinzenz von Lerin als Neuerung (gegen das Prinzip des Katholischen »was überall, was immer, was von allen geglaubt wird« verstoßend) abgelehnt und so von der mittelalterlichen Kirche keineswegs voll rezipiert, hat doch vielen Menschen bis hin zu Martin Luther eine Gewissensangst um ihr Seelenheil beschert. Sie ist von der Botschaft Jesu nicht gedeckt und widerspricht dem allgemeinen Heilswillen Gottes. Auch der Augustin so wohlwollend interpretierende französische Patrologe Henri Marrou kommt um die Feststellung nicht herum: »Wenn häufig ernste Irrtümer seinen eigentlichen Gedanken entstellt haben, wie die Geschichte seines Einflusses zeigt, so trägt Augustin zu einem großen Teil hierfür selbst die Verantwortung.«[26] Spätestens seit der Synode von Orange (529) und deren päpstlicher Gutheißung (530) hat der der Häresie verdächtigte Augustin begonnen, zum unbestrittenen Vater der abendländischen Theologie zu werden.

Für das christliche Leben des »Laien« in der Welt dagegen sind von Augustin wenig Impulse ausgegangen, wenige auch für eine kosmische Frömmigkeit, wohl aber für die Spekulationen über Gott. Und in der Tat: Völlig neue Akzente hat Augustin nicht nur in Sachen Sexualmoral oder in Sachen Gnaden- und Sakramententheologie, sondern auch in der Gotteslehre gesetzt, vor allem beim Neudurchdenken der christlichen Tradition über die Trinität, wo er weit über das hinausgeht, was wir bisher von den Griechen, den Kappadokiern besonders, über Einheit und Dreiheit in Gott hörten.[27]

Paradigmenwechsel in der Trinitätslehre

Schon Augustins »Confessiones« und Genesis-Kommentare zeigen, daß er alles getan hatte, um das **neuplatonische und das biblische Gottesverständnis zusammenzudenken**, Glauben und Vernunft zu versöhnen, er, der die Philosophie anders als die meisten lateinischen Theologen von Tertullian bis Hieronymus stets hochschätzte. Gott ist für Augustin, neuplatonisch verstanden, das höchste Gut, die Wahrheit und Schönheit selbst, das ewige Licht, das unendliche Sein, und doch zugleich biblisch das persönliche Du, das anredet und angeredet werden darf: Gott ist mir zugleich innerlicher als mein Innerstes, und höher als mein Höchstes: »interior intimo meo et superior summo meo.«[28]

Augustin – **ein Mystiker**? Nur wenn man dieses Wort vage gebraucht: für jede Religiosität der persönlichen Hingabe, Versenkung und Gemeinschaft mit Gott. Nicht aber, wenn man dieses Wort streng im Sinne einer Einheitsmystik, einer wirklichen Einheitserfahrung und Einheitslehre versteht, wie dies vor allem in den Religionen indischer Herkunft der Fall ist. Nie spricht Augustin von einem ekstatischen, verschmelzenden Einswerden mit dem göttlichen Sein. Insofern bleibt er wie Paulus und Johannes grundsätzlich auf der Linie der prophetischen Religionen, welche die qualitative Differenz zwischen Gott und Mensch, zwischen dem Heiligen schlechthin und dem Sünder, ernst nehmen und nur ein Einssein mit Gottes »Willen« kennen. Auch Augustin kennt das enthusiastische Gefühl der Hingabe an Gott in der Erkenntnis, im Wollen, in der Liebe, im Gebet, eine momentane blitzartige Beglückung, die das Wesen Gottes jedoch nicht direkt erfaßt. Die »fruitio Dei«, der »Genuß Gottes« bleibt dem anderen, ewigen Leben vorbehalten. Und was immer er Düsteres über die Prädestination des Menschen geschrieben hat: Nur wenn man ernst nimmt, daß für ihn **Gott selbst zutiefst Liebe** ist, wird man nun auch sein Verständnis der Dreifaltigkeit verstehen. In 15 Büchern »De Trinitate«, entstanden zwischen 399 und 414 und öfters von anderen Aufgaben aufgehalten, entfaltet Augustin dies seinen Lesern.

Gerade aber bei diesem großen spekulativen Werk, das er als beinahe einziges ohne äußere Veranlassung begonnen hatte, war sich Augustin im klaren, daß er hier eine **Neuerung** vortrug. Und so ist es keineswegs eine rhetorische Geste, wenn er sich gleich zu Beginn des ersten Buches an die Leser mit den Worten wendet: »Der Leser mag dort, wo er ebenso sicher ist, mit mir weitergehen; wo er ebenso zögert, mich befragen; wo er bei sich einen Irrtum erkennt, sich an mich halten; wo er einen bei mir erkennt, mich zurückrufen.«[29] Doch kaum ein Leser tat dies, war man doch viel zu fasziniert von der Tiefe der spekulativen Gottesgedanken, die Augustin wie keiner zuvor in der Christenheit dargelegt hatte.

Der Hintergrund von Augustins Neuerung war: Als Lateiner, der immer in erster Linie klar die **Einheit** Gottes betont sehen wollte[30], war er unbefriedigt von der von Origenes stammenden, Augustin freilich nur oberflächlich bekannten griechischen Theorie der Kappadokier, die von den drei verschiedenen »Hypostasen« ausgingen und die Pluralität der drei göttlichen »Personen« allzu sehr betonten. Worin also bestand das eigentlich Neue der augustinischen Trinitätslehre gegenüber der griechisch-hellenistischen? Vielleicht darin, daß Augustin die logisch-ontologische Gleichordnung von Vater, Sohn und Geist in genialer Weise anthropologisch-psychologisch durchdacht und vertieft hatte? Dies auch, aber dem ging etwas Grundlegenderes voraus:

- Augustin denkt nicht mehr wie die Griechen von dem **einen Gott und Vater** her, welcher »**der** Gott« ist: jenem einen und einzigen Prinzip (der »arché«) der Gottheit, die der Vater auch dem Sohn (»Gott von Gott und Licht vom Licht«) und dem Heiligen Geist schenkt (die Hervorgänge verstanden nicht als Aktionen, sondern Schenkungen).
- Augustin setzt vielmehr bei der einen Gottheit ein: bei der einen, allen drei Personen gemeinsamen göttlichen Substanz, Wesenheit, Herrlichkeit, Majestät. **Ausgangspunkt und Grundlage** seiner Trinitätslehre ist also die **eine göttliche Natur**, die für ihn das Prinzip der Einheit für Vater, Sohn und Geist ist.

- Innerhalb der Einheit des einen göttlichen Wesens unterscheiden sich Vater, Sohn und Geist nur als (das innergöttliche Leben begründende) **ewige Beziehungen**, die mit Gottes Wesen identisch sind und nach außen als solche gar nicht in Erscheinung treten.

Doch wie deutet Augustin nun Gottes Wesen anthropologisch-psychologisch? Augustin will selbstverständlich nicht einfach drauflosspekulieren. Die Basis dieser Spekulation sollen die biblische Offenbarung und – wichtig – die katholische Glaubenslehre (fides catholica) sein. Und so behandelt Augustin in den ersten vier Büchern den Schriftbefund, in den nächsten dreien das Dogma, und in den weiteren acht Büchern bietet er seine eigene gedankliche Durchdringung. Das heißt: Die Trinität steht für Augustin aufgrund der kirchlichen Lehre von vornherein indiskutabel fest; ihm geht es nur darum aufzuzeigen, wie eine Dreiheit unter der philosophisch-theologischen Voraussetzung der Einheit überhaupt möglich ist. Ganz einfach zu verstehen ist das nicht, was sich da bis in die neuesten katholischen und evangelischen Dogmatiken des Westens (!) durchgehalten hat. Ich fasse das Wesentliche knapp zusammen.

Die Psychologie der Trinität

Dem Buche Genesis zufolge (wo freilich nur vom einen Gott und nicht von einer Trinität die Rede ist!) wurde der Mensch geschaffen nach Gottes Bild und Gleichnis. Gott (und das ist für Augustin eben ganz unjüdisch der dreifaltige Gott!) ist also das Urbild des Menschen. Augustin, der hier Gedanken des Philosophen und Konvertiten Marius Victorinus aufnimmt, sieht deshalb eine Analogie, eine Ähnlichkeit (bei der die Unähnlichkeit freilich größer ist als die Ähnlichkeit) zwischen dem dreifaltigen Gott und dem dreidimensionalen Menschengeist (mens): Gedächtnis (memoria als Zentrum der Person), Verstand (intelligentia) und Willen (voluntas).

Von daher konstruiert Augustin mit philosophisch-psychologischen Kategorien die **Dreifaltigkeit als eine Selbstentfaltung Gottes**:
– Der **Sohn** wird dem Intellekt nach (im göttlichen Denkakt) aus der Substanz des Vaters »gezeugt«: Er ist des Vaters personhaftes Wort und Abbild.
– Der **Geist** aber »geht« aus dem Vater (dem Liebenden) **und** dem Sohn (dem Geliebten – hier also das berühmte filioque!) – dem Willen nach »hervor« in einer einzigen Hauchung (spiratio): Der Geist ist so die persongewordene Liebe zwischen Vater und Sohn.

– Vater, Sohn und Geist stellen deshalb drei voneinander real verschiedene, aber zugleich mit der einen göttlichen Natur in eins fallende subsistierende Beziehungen (relationes) dar: die Vaterschaft, Sohnschaft, Gehauchtheit selbst. Nicht nur die Einheit der einen göttlichen Natur kommt in dieser Dreiheit deutlich zum Ausdruck, sondern auch das Ineinander der drei Personen.
– Eine wichtige Konsequenz des Denkens von der einen göttlichen Natur her: Alle Tätigkeit der Gottheit »nach außen« (sei dies Schöpfung oder Erlösung) geht nicht von einer der Personen, sondern von der einen göttlichen Natur aus und ist allen drei Personen gemeinsam (»opera trinitatis ad extra sunt unum«).

Dies sind in aller Knappheit die Grundgedanken, die Augustin in seinem Traktat breit entfaltete. Und schon ein oberflächlicher Vergleich mit Origenes und anderen griechischen Kirchenvätern läßt erkennen, daß Augustin hier im Rahmen seines neuen lateinischen Makroparadigmas einen **Paradigmenwechsel in der Trinitätslehre** vollzogen hat, den Wechsel eines Mikro- oder Mesoparadigmas sozusagen. Von den Griechen konnte diese Theologie denn auch nie mitvollzogen werden.

Im Gegenteil: Die Griechen reagierten heftig, als die Lateiner unter Berufung auf Augustins Lehre seit dem 6./7. Jahrhundert allmählich und dann unter Papst Benedikt VIII. 1014 endgültig das Hervorgehen des Geistes aus dem Vater »und dem Sohn« in das nizäno-konstantinopolitanische Glaubensbekenntnis einführten – gegen die Intentionen Augustins übrigens. Denn Augustin selber wäre es nie in den Sinn gekommen, seine Trinitätslehre, obwohl sie klar das »filioque« begründete, könne je das gemeinsame nizäno-konstantinopolitanische Glaubensbekennts sprengen und so zu einem Hauptgrund der Spaltung zwischen Ost- und Westkirche werden. Dieses eingeschobene »filioque« aber – für den Westen dann zum Dogma erhoben – erscheint dem Osten nun einmal bis heute als Fälschung des ökumenischen Glaubensbekenntnisses und damit als klare Häresie. Streng hielt man sich im Osten an den ursprünglichen Wortlaut: Hervorgehen des Geistes aus dem Vater (durch den Sohn) und fordert bis heute eine Entfernung des »filioque« aus dem ökumenischen Symbolon. Alles nur ein Streit um Worte?

Man wird im Westen das Gewicht der Frage für den Osten nie verstehen, wenn man meint, es ginge hier nur um eine andere Terminologie oder um Subtilitäten einer theologischen Theorie. Nein, es geht hier um nicht weniger als um eine neue **Gesamtkonstellation im Gottesverständnis**. Für die griechischen Väter war und ist das Prinzip der Einheit zwischen Vater, Sohn (Wort) und Geist nun einmal nicht eine allen drei

Personen gemeinsame göttliche Natur. Prinzip der Einheit ist der eine Gott und Vater, der »das Prinzip der Gottheit« (»tès theótetos arché«) ist, die Wurzel und die Quelle des Sohnes und des Geistes, denen er die Gottheit schenkt. Er ist der Ursprung, der sich »durch den Sohn (Wort) im Geist« offenbart. Die Gottheit (die göttliche Natur) wird nicht unabhängig von drei Personen bestimmt, sondern nur mit ihnen und in ihnen.

Schon vor hundert Jahren hat der französische Historiker des Trinitätsdogmas Théodore de Régnon SJ. in seinem vierbändigen Werk mit einem einleuchtenden Bild den Unterschied zwischen dem im Westen üblichen lateinischen Trinitätsparadigma und dem griechischen illustriert[31]: In der westlichen Konstellation sieht man drei Sterne im Dreieck auf derselben Ebene nebeneinander leuchten (auch wenn Augustin aus anderen Gründen gegen die trinitarische Interpretation des Dreiecks durch die Manichäer protestiert hat). Im griechischen Paradigma jedoch finden sich diese drei Sterne auf einer geraden Linie exakt hintereinander, so daß sie vom menschlichen Auge nicht unterschieden werden können. Der erste Stern gibt sein Licht dem zweiten (Nizänum: »Licht vom Licht, Gott von Gott«!) und schließlich dem dritten, wobei dem menschlichen Auge – sozusagen von unten – diese drei Sterne als nur ein Stern und ihr Strahlen als nur ein Strahl erscheinen. Aber wer im Geist den Sohn sieht, sieht auch den Vater.

Trinität als Zentraldogma

Nun sollte man auch von östlicher Seite anerkennen, daß die anthropologisch-psychologische Deutung der Trinität dem großen alten Anliegen der abendländischen Theologie auf seine Weise deutlich Ausdruck verleiht. Denn hier wird in erster Linie die **Einheit Gottes** verteidigt gegen allen Tritheismus, gegen allen in der praktischen Frömmigkeit beider Kirchen immer wieder durchbrechenden Drei-Götter-Glauben. Nun haben wir im Zusammenhang von Paradigma II gesehen, wie schon die Kappadokier für die (aufgrund der Dogmenentwicklung nun einmal entstandene) Problemstellung »1 = 3?« eine klare und konsequente Lösung aufgezeigt hatten, die heute als königlicher Weg der Mitte gerühmt wird zwischen Modalismus und Tritheismus, Einheit und Dreiheit, ja, Monotheismus und Polytheismus. Und doch mußten wir schon oben die Frage stellen: Ist der Widerspruch zwischen Einheit und Dreiheit wirklich dadurch aufgelöst, daß man schlicht eine begriffliche Unterscheidung einführt: »eins« meine die »Natur« Gottes, »drei« die »Personen«? Wird bei solcher Dreiheit die Einheit Gottes nicht einfach nur behauptet, nachdem

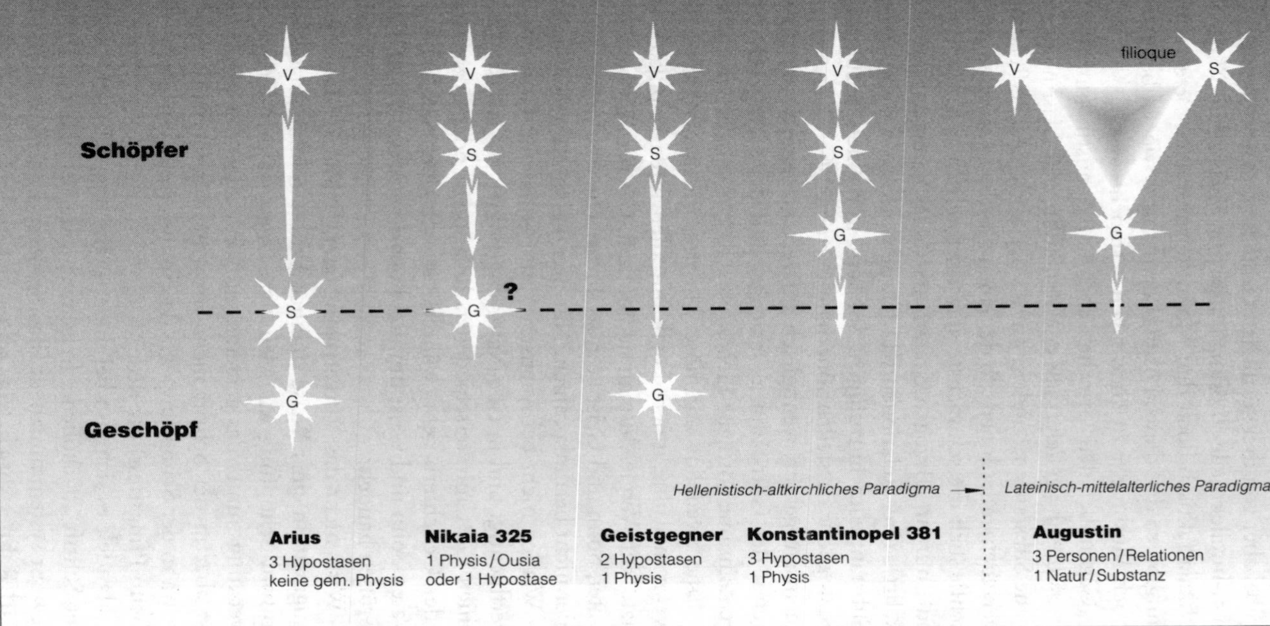
Dreieinigkeit von Vater, Sohn und Geist
Schöpfer
Geschöpf
V
S
G
?
filioque
Hellenistisch-altkirchliches Paradigma
Lateinisch-mittelalterliches Paradigma
Arius
3 Hypostasen
keine gem. Physis
Nikaia 325
1 Physis / Ousia
oder 1 Hypostase
Geistgegner
2 Hypostasen
1 Physis
Konstantinopel 381
3 Hypostasen
1 Physis
Augustin
3 Personen / Relationen
1 Natur / Substanz

es nun einmal schon rein philosophisch nur einen Gott geben darf, die Bibel aber von drei göttlichen Größen zu reden scheint? Eine rein begrifflich-intellektuelle »Lösung« also, die gegen den Willen der Väter von Nikaia faktisch doch den Monotheismus allen Beteuerungen zum Trotz aufgibt, so daß diese »Lösung« denn auch, wie wir betonten, weder Juden noch Muslime je zu überzeugen vermochte?

Gegenüber den Griechen aber hat Augustin nun doch insofern eine neue Lösung geliefert, als er Vater, Sohn und Geist nicht als drei verschiedene Substanzen, sondern nur als drei verschiedene Relationen, Beziehungen zueinander innerhalb der einen Gottheit verstehen wollte. Relation ist schließlich die schwächste aller aristotelischen Kategorien, nur ein »esse ad«, nur ein »Bezogensein auf« (etwa des Vaters auf den Sohn und umgekehrt). Drei Relationen würden demzufolge zur göttlichen Natur nichts Substantielles hinzufügen, sondern nur einen Bezug der drei Größen zueinander darstellen innerhalb der einen Gottheit, die allen dreien gemeinsam gehört, wenngleich auf verschiedene Weise: Gott-Vater als zeugend, der Gott-Sohn als erzeugt, und der Heilige Geist ist die beiden gemeinsame göttliche Liebe.

Eine zweifellos ingeniöse Theorie, die man noch mehr bewundert, wenn man ihre innere Logik mit allen ihren Implikationen durchdacht hat. Nur: Vergleicht man sie mit dem, was man im Neuen Testament von Vater, Sohn und Geist liest, so dürfte man um kritische Rückfragen auch hier nicht herumkommen. Nur drei ineinandergehende Fragen:

– Werden nicht bei Augustin Vater, Sohn und Geist zu drei Relationen verflüchtigt und in eine Natur eingeebnet, so daß es im Grunde nur um einen Gott mit verschiedenen Relationen oder Beziehungen, Aspekten oder Gesichtern geht, während es sich doch im Neuen Testament bei Vater, Sohn und Geist um drei höchst verschiedene und durchaus eigene Größen handelt?

– Wird nicht das Wirken von Vater, Sohn und Geist in der Welt von Augustin in einer Weise zu einer Aktion kombiniert und kanalisiert, daß sowohl Schöpfung wie Menschwerdung, sowohl Kreuzestod wie Auferweckung immer das gemeinsame Werk aller drei Personen sein müssen? Ist aber in der Schrift nicht von einem besonderen Wirken des Vaters (etwa in der Schöpfung) wie des Sohnes (im Kreuzestod) und des Geistes (beim Pfingstfest) die Rede?

– Handelt es sich also bei dieser Lehre letztlich nicht doch um eine von der Schrift abgehobene, freischwebende Begriffskonstruktion? Selbst ein bewußt systemimmanent theologisierender katholischer Dogmatiker wie Karl Rahner spricht von »einer fast gnostisch anmutenden Spekulation darüber, wie es im Inneren Gottes zugehe«[32]. Zwar werden aus den Bezeichnungen »Vater«, »Sohn« und »Geist« mit scheinbar zwingender Logik große psychologische Ableitungen vollzogen, zu den in der Schrift berichteten verschiedenen Erfahrungen vom Wirken des Vaters oder des Sohnes oder des Geistes aber haben sie wenig realen Bezug. Zwar liegt hier eine höchst subtile Theologie vor, die subtile Geister immer wieder neu fasziniert hat, kann sie aber wirklich gepredigt werden? Oder widerspricht eine solche Theologie nicht gerade auch der alten Liturgie, wo selbst in der römischen Messe seit ihren griechischen Anfängen nie »die Trinität« angebetet wird, sondern der Vater durch den Sohn im Heiligen Geist: »Deus pater omnipotens ... per Dominum nostrum Jesum Christum … in unitate Spiritus Sancti«?

Doch unbekümmert um alle Einwände wurde **im lateinischen Westen**, wo das Griechische jetzt völlig zurücktritt, schon recht bald **Augustins Trinitätslehre als die katholische Lehre schlechthin angesehen**: gewissermaßen als christliches Zentraldogma. Die (erst in der zweiten Hälfte des fünften Jahrhunderts in Südgallien oder Spanien entstandene) Katechese-Einleitung mit dem Anfang »**Quicumque**« (»Wer immer gerettet werden will«)[33] wird jetzt als Glaubensbekenntnis des Athanasios ausgegeben und populär gemacht. Und dies, obwohl es zu Athanasios und den Griechen und erst recht zum Neuen Testament nicht die geringsten Beziehungen aufweist. Sein Ursprung bleibt im Dunkeln, aber in der Gottesfrage wird ganz und gar augustinisch die Einheit der göttlichen Natur vor der Dreiheit betont. Seit dem achten Jahrhundert wird dann auf gallischem Boden (zunächst gegen anhaltenden römischen Widerstand) auch eine lateinische **Dreifaltigkeitsliturgie** propagiert, 1334 schließlich vom Avignoneser-Papst Johannes XXII. sogar ein Dreifaltigkeitsfest eingeführt – das erste Fest, das nicht einem »Heilsereignis«, sondern einem kirchlichen Dogma gewidmet ist. Augustins Theologie hatte vollends triumphiert.

So hat sich die Trinitätslehre Augustins im Westen durchgesetzt, total und exklusiv; auch Thomas von Aquin und die Neothomisten, die Reformatoren und Karl Barth mit seinen Schülern haben sie faktisch als Zentraldogma akzeptiert, haben sie geringfügig modifiziert, verfeinert und in eine andere Sprache (die einen in die aristotelische, die anderen in eine neuere) übersetzt. Aber hilft es viel, wenn man statt von drei »Personen« oder »subsistenten Beziehungen« (Thomas) von drei »Seinsweisen« (Barth) oder »distinkten Subsistenzweisen« (Rahner) redet? Die griechische Trinitätslehre sah man im Westen, sofern man sie überhaupt kannte, als überholt an, und das Neue Testament benützte man nur als Steinbruch für die kirchlich schon so lange sanktionierte Lehre.

Rückfrage: An welchen Gott soll der Christ glauben?

Nun hat Augustin freilich, wie Peter Brown dies im einzelnen ausführt[34], die Meisterwerke seiner mittleren Periode als Priester und Bischof – dazu gehört »De Trinitate« – in einer »splendid isolation« geschrieben, als ein »cosmopolitain ›manqué‹«. Seine Beziehungen zur griechischen Theologie und zur hellenistischen Weltkultur waren denn auch in etwa »platonischer« Art. Augustins ursprüngliches Verlangen nach griechischen Büchern verlor sich bald, so daß er seine Bücher jetzt nur noch in Kontakt mit nordafrikanischen Lokalautoren schrieb. Man mag das bedauern, denn Augustin wäre der einzige gewesen, dessen gewaltiger Geist die Vermittlung zwischen den beiden Kulturen lateinisch-westlich und griechisch-östlich hätte leisten können. So lag es leider an Augustins begrenztem kulturellen Horizont, daß auch die ihm nachfolgende lateinische Theologie kaum noch eine innere Beziehung zur Welt der griechischen Kultur fand.

Aus den **ursprünglichen schlichten triadischen Bekenntnisaussagen** des Neuen Testaments über Vater, Sohn und Geist hat sich so eine **intellektuell immer anspruchsvollere Trinitätsspekulation** über 3 = 1 aufgebaut. Beinahe so etwas wie eine höhere trinitarische Mathematik, die freilich trotz aller Bemühung um begriffliche Klarheit kaum zu dauerhaften Lösungen gelangt ist. Man kann sich fragen: Ob diese griechisch-lateinische Spekulation, die sich von ihrem biblischen Boden weit entfernte und kühn in schwindelnden Höhen das Geheimnis Gottes zu erspähen versuchte, nicht vielleicht doch wie Ikaros, der Sohn des Daidalos, Ahnherr des athenischen Kunsthandwerks, mit den aus Federn und Wachs gefertigten Flügeln der Sonne zu nahe kam?

Natürlich soll mit all diesen kritischen Rückfragen nicht etwa der Eindruck erweckt werden, die klassische lateinische Trinitätslehre gehöre heute endgültig auf den Trümmerhaufen der Geschichte. Vielmehr gilt:

- Die klassischen Lehren über Gott und Trinität, Christus und Erlösung, Gnade und Sakramente dürfen nicht gedankenlos abgetan werden. Sie dürfen aber auch nicht gedankenlos repetiert und den Menschen, die sie nicht verstehen können, als »Herzstück« und »Zentraldogma« des christlichen Glaubens aufgedrängt werden. Was hätten Jesus und seine Jünger davon verstanden?
- Die klassischen Lehren sind vielmehr in ihrer paradigmatischen Ausprägung und zugleich Zeitgebundenheit zu würdigen und kritisch vom Ursprung her zu überprüfen und nicht nur mit Hilfe von gängigen soziologischen, gar gynäkologischen Erkenntnissen zu modernisieren.[35]

- Ein Christ soll an Vater, Sohn und Geist glauben, aber er muß weder an eine griechisch-hellenistische noch an eine westlich-lateinische **Trinitätsspekulation** glauben. Eine solche **gehört nicht zum Wesen des Christentums**. Sie ist nicht göttliche Offenbarung, sondern kirchliche Lehre, also Menschenwerk, entstanden – wie wir hörten – unter besonderen paradigmatischen Bedingungen.

Vom Neuen Testament her ist nichts anderes verlangt, als kritisch und differenziert das Verhältnis von Vater, Sohn und Geist für die Gegenwart zu interpretieren. »Herzstück« (»Zentraldogma«) christlichen Glaubens ist keine theologische Theorie, sondern, wie wir sahen, der Glaube daran, daß Gott der Vater durch den Sohn Jesus Christus in seinem Geist offenbarend, erlösend und befreiend unter uns wirkt. Eine theologische Theorie darf diese Grundaussage nicht verkomplizieren, vielmehr sollte sie nichts als Instrument sein, um diese Grundaussage bei jeweils wechselnden geistigen Horizonten neu verstehbar zu machen.

Im übrigen hat Augustin anders als Origenes kein allumfassendes System erarbeitet, wohl aber eine einheitliche Konzeption vertreten. Und er hatte sein Werk über die Trinität noch nicht abgeschlossen, da wurde er als Bischof mit einem Ereignis konfrontiert, das nun klar eine Krise nicht nur der Kirche, sondern des Reiches und so einen weltgeschichtlichen Umbruch signalisierte.

Krise des Reiches: Was ist der Sinn der Geschichte?

Am 28. August 410 war Rom, das sich für »ewig« hielt, vom Heer des Westgotenkönigs Alarich erstürmt und tagelang geplündert worden. In Nordafrika erzählten jetzt Flüchtlinge von den ungeheuren Greueln: zahllose Brände, Frauen geschändet, auch Senatoren ermordet, die Reichen gejagt, ganze Familien ausgerottet, die Häuser geplündert, Kostbarkeiten aller Art von den Barbaren karrenweise abtransportiert, das alte Regierungs- und Verwaltungszentrum der westlichen Welt zerstört ... Unsicherheit, Defätismus machte sich breit: Wenn das **»ewige Rom« fallen** kann, was war dann noch sicher?

Augustin reagiert mit einem letzten Riesenwerk: über den **»Gottesstaat«** (»De civitate Dei«), mit dem er die Katastrophe des Falles Alt-Roms geistig zu bewältigen sucht.[36] Wie? Indem er auf das noch intakte christlich-byzantinische Neu-Rom verweist? Das kommt Augustin nicht in den Sinn. Vielmehr dadurch, daß er über den Anlaß hinaus eine große Geschichtsdeutung vorträgt. Kein Argument gibt es, das Augustin nicht im

Lauf seines Werkes aufgegriffen hätte, um eine **Theodizee** großen Stils zu bieten, eine Rechtfertigung Gottes angesichts all der in diesem Leben unauflösbaren Rätsel. Alles mit dem Ziel, das unbedingte Vertrauen, den Glauben an Gott, stärken zu helfen.

Um die Bestimmung des Menschen, ja um die Bestimmung der Menschheit geht es Augustin. Und so mündet denn seine Apologie in den letzten zwölf Büchern ein in eine großangelegte **Geschichtsdeutung**: ein Kampf zwischen der **»civitas terrena«**, dem Erdenstaat, dem Weltstaat, der Bürgerschaft der Welt, und auf der anderen Seite der **»civitas Dei«**, der Gottesstadt, dem Gottesstaat, der Bürgerschaft Gottes. Diese große Auseinandersetzung zwischen Weltstaat und Gottesstaat ist der geheimnisvolle **Grund und Sinn der Geschichte**, die zugleich eine Heils- und Unheilsgeschichte ist. Augustin beschreibt ihren Ursprung und Anfang, dann ihren Fortgang durch sieben Weltepochen, schließlich ihren Ausgang und ihr Ziel.

Wo liegt der Ursprung der beiden Bürgergemeinden? Er liegt in der Urzeit, als der Abfall stolzer, hybrider Engel zu einem zweiten Reich neben dem **Gottesstaat** führte – zum **Teufelsstaat**. Damit aber ergab sich die Notwendigkeit, die durch den Engelssturz gerissene Lücke wieder aufzufüllen. Und zwar durch die Prädestinierten des Menschengeschlechtes, bis die Vollzahl der Gottesbürger wieder erreicht würde. Durch die Ursünde Adams freilich hat sich die Engelssünde des Stolzes wiederholt, so daß sich nun unter den Menschen ein irdischer **Weltstaat** als Gegenpol zum Gottesstaat herausbildete. Deren erste Repräsentanten sind einerseits Abel, der Gerechte, und andererseits Kain, der Städtebauer und Brudermörder, sind dann Israel und die Heidenvölker, sind dann die Gottesstadt Jerusalem und die Weltstadt Babylon. In der Endzeit spitzt sich alles zu auf den Kampf zwischen Rom, dem neuen Babylon, und der katholischen Kirche.

Grundverschieden sind deshalb von allem Anfang an Gottesstaat und Weltstaat:
– verschieden ihr Herr und Lenker: auf der einen Seite Gott – auf der anderen Seite die Götter und Dämonen;
– verschieden ihre Bürger: die auserwählten Verehrer des einen und wahren Gottes – die verworfenen Verehrer der Götter und Selbstsüchtigen;
– verschieden ihre Grundhaltung: die in der Demut wurzelnde, bis zur Verachtung des Selbst gehende Gottesliebe – die im Stolz gründende, bis zur Verachtung Gottes gesteigerte Selbstliebe.

Selbstverständlich ist Augustin kein Historiker im modernen Sinne, sondern ein theologischer Geschichtsinterpret, der nicht primär an der

Entwicklung der Menschheit, sondern am Plan Gottes interessiert ist.[37] Und doch anders als Homer und Vergil geht es ihm nicht um eine Geschichtsmythologie, sondern um die wirkliche Geschichte und um ihren tiefsten Grund. Mit Hilfe von Bibel und antiken Historikern will Augustin ein Doppeltes erreichen: die Präsentation zahlloser historischer Details mit allen möglichen Parallelen und Analogien, Allegorien und Typologien, und gerade so eine **sinnvolle Zusammenschau der Weltgeschichte** als der großen Auseinandersetzung zwischen Glauben und Unglauben, Demut und Hochmut, Liebe und Machtstreben, Heil und Unheil – und dies von Anbeginn der Zeiten bis heute. Es ist deshalb Augustin, der in der Christenheit die erste monumentale **Geschichtstheologie** geschaffen hat – mit einer Ausstrahlung bis weit in die gesamte westliche Theologie des Mittelalters und auch noch die der Reformation bis an die Schwelle der neuzeitlichen Säkularisierung der Historie. Vor Augustin gab es in der Antike weder eine Geschichtstheologie noch eine Geschichtsphilosophie. Augustin hat damit ernst gemacht, daß Geschichte im jüdisch-christlichen Verständnis – so ganz anders als im zirkulär-hellenistisch-indischen – eine von Gott gelenkte, gerichtete Bewegung ist, auf ein Ende hin: die ewige Gottesstadt, das Friedensreich, das Gottesreich.

Keine Politisierung und Klerikalisierung des Gottesstaates

Die römische Weltherrschaft aber war auch in Nordafrika zusammengebrochen, Augustins Theologie sollte auf einem anderen, dem europäischen Kontinent Weltgeschichte machen. Kein Wunder, daß der grandios-dramatische »Gottesstaat« sehr viel mehr als die intim-dichterischen »Confessiones« zum Lieblingsbuch des Mittelalters wurde, legt es doch den Menschen plastisch vor Augen, um was es da geht in den großen, verwirrenden Kämpfen der Weltgeschichte; Karl der Große soll täglich im »Gottesstaat« gelesen haben. Kein Wunder aber auch, daß verschiedene politische Mächte und Strömungen später versuchten, den Gottesstaat für ihre eigenen Machtinteressen zu instrumentalisieren. Denn was lag insbesondere im großen Streit zwischen Papst und Kaiser um Investitur und Macht in der Christenheit näher, als den deutschen Kaiser und das Reich als »Weltstaat« zu diskreditieren und Papst und römische Kirche als »Gottesstaat« zu glorifizieren.

Augustin freilich darf man dafür nicht haftbar machen. Er hatte an die Einzelnen und nicht an die Institutionen gedacht. Ihm lagen deshalb solche **Politisierung und Klerikalisierung des Gottesstaates** fern. Denn für

Augustin sind alle Bischöfe grundsätzlich gleich und alle Priester Diener der Kirche. Und wichtiger als die sichtbare kirchliche Organisation ist ihm die Kirche als der verborgene Leib Christi, belebt durch den einen Geist, vereint im Mahl der Eucharistie. Auch Hierarchiekritiker sollten im Mittelalter immer wieder auf die »unsichtbare Kirche« und die mehr spiritualistischen Elemente in Augustins Theologie zurückgreifen. Dem Papalismus jedenfalls hat Augustin keinen Vorschub geleistet, für einen solchen sorgten die römischen Bischöfe allein.

Im lateinischen Paradigma des Mittelalters sollte nun in der Tat gerade die **römische Kirche** zunehmend ihr eigenes Profil bekommen, so daß sich dieses katholische Paradigma in seiner Vollendung als ein römisch-katholisches präsentieren wird. Aber wie lang war doch der Weg von Papst Damasus, dem selbstbewußten Zeitgenossen Augustins, zu Papst Gregor VII., der in einem Kampf auf Leben und Tod mit dem deutschen Kaiser die römische Sicht in katholischer Kirche und deutschem Reich durchsetzte, auch wenn er persönlich scheiterte. Der weiteren Ausbildung dieses römisch-katholischen Paradigmas haben wir uns jetzt zuzuwenden.

3. Der Anspruch des Bischofs von Rom auf Herrschaft

Statt Jerusalem jetzt Rom Mittelpunkt und führende Kirche der Christenheit: ein klarer Indikator für den Paradigmenwechsel vom Judenchristentum (P I) zum Heidenchristentum (P II), wie wir bereits sahen.[38] Die zunehmend aktive **Rolle der römischen Kirche** ist schon im 2./3. Jahrhundert nicht zu übersehen, die ständig wachsende Bedeutung des Rechts auch nicht.[39] Worauf gründet sich die römische Machtposition?

Gilt die biblische Petrusverheißung einem Bischof von Rom?

Die ebenso alte wie mächtige Kirche der Reichshauptstadt hatte sich schon immer durch gute Organisation, betont rechtliche Verfahrensweise und umfassende caritative Arbeit ausgezeichnet. Sie hatte aber auch in verschiedenen Verfolgungen ihre Glaubenstreue unter Beweis gestellt und galt nicht zu Unrecht als **Hort der Rechtgläubigkeit**. Hatte sie sich nicht im Kampf gegen Gnostiker, Markioniten und Montanisten bewährt? Der Gedanke der apostolischen Tradition und Sukzession hatte hier schon früh Fuß gefaßt und sich schon um 160 mit der Errichtung von Gedenkmalen für Petrus und Paulus Ausdruck verschafft. Auch bezüglich der Formulierung des Taufsymbols wie bezüglich der Abgrenzung des neutestamentlichen Kanons war der Einfluß Roms gewichtig gewesen. In Sachen der Lehre nahm die römische Kirche stets klug eine mittlere, vermittelnde Stellung ein. Und daß sich auch der Genius des römischen Rechts, römisches Organisationstalent und Sinn für Realpolitik besonders auswirken würden, war ebenfalls zu erwarten. Kurz: Die römische Kirche hat eine **hohe moralische Autorität** und alle Voraussetzungen für eine Führungsrolle.

Aber ein anderes ist ebenso aktenkundig: **Von einem Rechtsprimat** – gar einer biblisch begründeten Vorrangsstellung – der römischen Gemeinde oder gar des römischen Bischofs konnte in den ersten Jahrhunderten **keine Rede** sein. Am Anfang der römischen Gemeinde, so hörten wir im Zusammenhang mit dem sogenannten »Klemensbrief«, gab es offensichtlich kein monarchisches Bischofsamt. Über die römischen Bischöfe der ersten zwei Jahrhunderte wissen wir kaum mehr als die Namen. Als erstes sicheres Datum der Papstgeschichte gilt in der Geschichtswissenschaft das Jahr 222 (Pontifikatsbeginn Urbans I.). Die erste, mancherlei ältere Überlieferungen zusammenarbeitende Sammlung von Papstbiographien (»Liber Pontificalis«) wurde wohl nach 500 redigiert.

Von der ursprünglichen römischen Bescheidenheit zeugt: Die für die heutigen römischen Bischöfe so zentrale **Petrusverheißung** aus dem Mattäusevangelium – »Du bist Petrus, und auf diesem Felsen werde ich meine Kirche bauen« (16,18f) –, die jetzt mit riesigen schwarzen Lettern auf goldenem Grund die Petersbasilika ziert, kommt in der ganzen christlichen Literatur der ersten Jahrhunderte kein einziges Mal in vollem Wortlaut vor – abgesehen von einem Text bei Tertullian, der die Stelle zitiert, aber nicht für Rom, nein, für Petrus.

Erst in der Mitte des dritten Jahrhunderts beruft sich ein römischer Bischof namens Stephan auf die Petrusverheißung, im Streit mit anderen Kirchen um die bessere Tradition. Er scheut sich dabei nicht, Afrikas bedeutendsten Metropoliten Cyprian als Pseudoapostel und Pseudochristen zu beschimpfen. Doch erst lange nach der Konstantinischen Wende, erst von der zweiten Hälfte des vierten Jahrhunderts an, sollte Mt 16,18f (besonders von den römischen Bischöfen Damasus und Leo) zur Stützung eines römischen Leitungs- und Autoritätsanspruches gebraucht werden. Die östliche Christenheit aber hat solche Instrumentalisierung der Petrusstelle nie mitvollzogen. Denn die gesamte orientalische Exegese denkt bei Mt 16,18 bis ins achte Jahrhundert und darüber hinaus nur an das **persönliche Glaubensbekenntnis des Petrus** und an eine Mt 18,18 auch den anderen Aposteln gegebene Vollmacht der Sündenvergebung (»Binden und Lösen«), jedenfalls nicht an eine persönliche Autorität Petri im juristischen Sinn – von einem Primat in Sachen Jurisdiktion, ausgeübt ausgerechnet durch einen Nachfolger Petri in Rom, ganz zu schweigen. Läßt sich also auf Petri Gestalt in Rom eine institutionelle Machtposition aufbauen?

Römische Machtpolitik im Namen des Apostels Petrus

Konflikte zeichnen sich schon früh ab: Die durchaus begründete **moralische Autorität** der römischen Kirche wird überall dort problematisch, wo sie, je länger desto mehr, **rechtlich** verstanden und ohne Respekt vor der Eigenart und Selbständigkeit der anderen Kirchen in Lehre, Liturgie oder Kirchenordnung **autoritär** durchgesetzt werden sollte. Zwei eklatante Konfliktfälle eines sich abzeichnenden römischen **Autoritarismus**, der sich damals noch nicht durchzusetzen vermochte, sind schon aus vorkonstantinischer Zeit bekannt:

– Schon gegen Ende des zweiten Jahrhunderts exkommunizierte der römische Bischof **Viktor** um eines einheitlichen (römischen!) Ostertermins willen ganz Kleinasien; doch Bischöfe des Ostens und des Westens, besonders der hoch angesehene Irenäus von Lyon[40], protestierten, und Bischof Viktor erlitt eine Niederlage.

– Um die Mitte des dritten Jahrhunderts wollte jener römische Bischof **Stephan** wegen anderer Wertung der Ketzertaufe jetzt erstmals mit Berufung auf die biblische Petrusverheißung weite Kirchengebiete aus der Kirchengemeinschaft ausschließen; doch mit Cyprian und den Kirchen Afrikas verteidigten auch die Bischöfe von Alexandrien und Caesarea erfolgreich die alte Praxis.

Weder Viktor noch Stephan konnten sich also mit ihren Forderungen durchsetzen. Auch noch **zur Zeit Konstantins** war es der Kaiser, der nach wie vor den Titel und die Autorität eines »Pontifex maximus« (obersten Priesters) führte und das Gesetzgebungsmonopol auch in kirchlichen Dingen (»ius in sacris«) hatte. Von einem **römischen Rechtsprimat** weiß man selbst in Rom **nichts**. Zwar wird durch Konstantins Eingliederung der katholischen Kirche in die staatliche Ordnung jetzt auch die römische Gemeinde wie alle anderen christlichen Gemeinden eine öffentlich-rechtliche Körperschaft, und aus den Bischöfen der Provinzhauptstädte (Metropolen) werden Metropoliten. Doch der Kaiser, der in Bischof Ossius von Cordoba einen gewichtigen kirchenpolitischen Berater aus dem Westen hat, ist selber um die Einheit der Kirche besorgt. Er verhandelt mit keinem römischen »Papst« (zur Fälschung der »Konstantinischen Schenkung« später!) und beruft ohne Rückfrage in eigener Autorität das Erste

Ökumenische Konzil von Nikaia ein. Dort war die römische Kirche nur durch den genannten Bischof Ossius von Cordoba und zwei Presbyter unter mehreren hundert Bischöfen vertreten und spielte nicht die geringste Rolle. Das Konzil selbst kennt zwar bereits übergeordnete Metropolitansitze, die späteren Patriarchate, aber – wie auch die Kirchengeschichte des Eusebios – keinen Primat Roms über die Gesamtkirche. Auch in Rom selbst findet sich zu dieser Zeit noch kein Hinweis auf eine biblische Begründung einer besonderen Position der römischen Kirche.

Anders in **nachkonstantinischer Zeit**, vor allem nach 350. Jetzt kommt es zu jener nur für das Abendland charakteristischen Entwicklung: das **Aufsteigen** der Gemeinde von Rom und **des römischen Bischofs zu einer monarchischen Vormachtstellung im Westen**, die für das lateinisch-mittelalterliche Paradigma typisch werden sollte. Was trug zu dieser Sonderentwicklung des Westens bei?

– **Verlegung der kaiserlichen Residenz** nach Konstantinopel: Die Position des römischen Bischofs, der sich besonderer kaiserlicher Schenkungen (Lateranpalast und die neue Lateran- wie Peterskirche) erfreute, wurde indirekt gestärkt.
– Herrschaft des einen Kaisers auch über die Kirche: Sie rief mit der Zeit nach einem **kirchlichen Gegenspieler.**
– **Zentralisierungstendenzen in der Kirche**: über den Bischöfen die Metropoliten, über diesen – immer wichtiger – die Obermetropoliten (Patriarchen), in deren Ringen um den Primat schließlich nur noch Rom und Konstantinopel (und eine Zeitlang noch Alexandrien) übrig blieben.
– **Monarchische Neigungen in der römischen Kirche**: Sowohl vom philosophisch-religiösen Monotheismus wie von der politischen Monarchie wurden sie gefördert.
– **Übernahme kaiserlicher Organisationsstrukturen**: Schaffung einer effizienten Kanzlei und eines Archivs mit Registrierung aller ein- und ausgehenden Post.
– **Exemption des römischen Klerus** von Steuern und eine eigene kirchliche Gerichtsbarkeit für Fragen des Glaubens und des Zivilrechtes.

Die Entwicklung der römischen Papstidee

Zielstrebig weiteten die römischen Bischöfe des 4./5. Jahrhunderts ihre Amtsbefugnisse aus: zur Durchsetzung eines Patriarchats über das Abendland, bald aber auch zur Erringung eines Primats über die Gesamtkirche. Ein für alle Zukunft bedeutsamer institutioneller Entwicklungsprozeß des römischen Vorranges hatte damals eingesetzt, wie er besonders vom

Cambridger Historiker Walter Ullmann analysiert worden ist.[41] Die damals erhobenen Postulate, die ohne biblisches Fundament waren, gingen im Lauf der Jahrhunderte ins Kirchenrecht ein. Auch das päpstliche Rom ist nicht an einem Tag erbaut worden:

1. Etappe: **Julius** (337-352): Rom wird **Appellationsinstanz.** Ein Kanon der westlichen Rumpfsynode von Sardica (Sofia) von 343 erlaubt abgesetzten Bischöfen die Appellation nach Rom. Rom gibt ihn schon früh als einen universal gültigen Beschluß des Ökumenischen Konzils von Nikaia aus und interpretiert ihn extensiv.

2. Etappe: **Damasus** (366-384): Rom wendet auf sich die neutestamentliche **Petrusverheißung** an. Es ist Damasus, der zum erstenmal Mt 16,18 für die Begründung römischer Machtansprüche benutzt und sie sogleich juristisch interpretiert. Der Hintergrund: Bei seiner tumultuarischen Wahl gegen Ursinus sind in der Kirche 137 Menschen ums Leben gekommen. Er verdankt seine Inthronisation dem Stadtpräfekten Roms und wird denn auch unter einem neuen Stadtpräfekten der Anstiftung zum Mord angeklagt; nur die Intervention reicher Freunde beim Kaiser bewahrt ihn vor Verurteilung. Dieser machtbewußte römische Bischof, ein fürstlicher Gastgeber und »Ohrenkitzler der Damen« genannt, hat alle Veranlassung, seine schwache moralische und politische Autorität zu stärken – durch eine neuartige Betonung seiner Amtswürde als **Nachfolger Petri**. Er redet jetzt von der römischen Kirche beständig und exklusiv als vom **»apostolischen Stuhl«** (»sedes apostolica«) und erhebt damit für die römische Kirche den Anspruch auf einen höheren Rang als die übrigen Kirchen, begründet in einer angeblich durch Petrus und Paulus gottgegebenen Monopolstellung der Kirche Roms. Kein Zufall deshalb, daß Damasus die Gräber und Kirchen von Petrus und Paulus wie auch die der römischen Bischöfe und Märtyrer reich ausschmücken und mit schönen ehrenden lateinischen Inschriften versehen läßt, alles um deutlich zu machen: Das wahre Rom ist jetzt das christliche Rom! Und in diese Politik paßt dann auch der an den gelehrten Norditaliener Hieronymus gegebene Auftrag zu einer leicht verständlichen und modernen lateinischen Bibelübersetzung (statt der alt-lateinischen »Itala« oder »Vetus Latina«). Sie gibt denn auch viele besonders alttestamentliche Ausdrücke ganz selbstverständlich durch solche des römischen Rechts wieder und wird später zur kirchlich wie theologisch, liturgisch wie juristisch maßgebenden **»Vulgata«**. Die »Leistung des Damasus«, der sich wie alle anderen römischen Bischöfe des vierten Jahrhunderts um die nostalgisch dem großen heidnischen Rom nachtrauernde römische Oberschicht bemüht? Sie mag man mit Henry Chadwick nüchtern darin sehen, »daß er den alt-

römischen bürgerlichen und imperialen Stolz mit dem Christentum verschmolz«[42]. Wer eine Mentalitätsgeschichte der römischen Kurie schreiben wollte, müßte hier einsetzen.

3. Etappe: **Siricius** (384-399): Rom legt sich einen **imperialen Amtsstil** zu. Der Nachfolger des Damasus bleibt auf der gleichen Linie. Sie einzuhalten fällt um so leichter, als Rom im Westen (!) die einzige »apostolische« Gründung war und hier auch die Metropolitanverfassung weniger ausgebaut war als im Osten. Zugleich war die römische Kirche von Anfang an besser organisiert als die übrigen Kirchen im Reich. Bischof Siricius – bedeutender als Theologe, Kirchenmann und Politiker ist sein Zeitgenosse Bischof Ambrosius von Mailand – nennt sich als erster **»Papst«**: **»Papa«**, vom griechischen »pappas«, ein ehrerbietig-liebevoller Name für Vater, der aber im Osten von Christen allenthalben für ihren je eigenen Bischof gebraucht wird. Seit Ende des fünften Jahrhunderts nehmen ihn die römischen Bischöfe ausschließlich für sich in Anspruch. Der Prozeß einer römischen **Monopolisierung von** ursprünglich vielen Kirchen und Bischöfen (Priestern) gehörenden **Titeln** hat begonnen.[43] Aber von noch größerer Bedeutung für die Zukunft: Siricius beginnt seine eigenen **Statuta** kurzerhand **»apostolische«** zu nennen und übernimmt als erster den **Amtsstil der kaiserlichen Kanzlei**. Als ob es sich bei den Bitten um Rat und Hilfe aus den verschiedenen Kirchen um Anfragen römischer Provinzstatthalter handle, die der römische Bischof mit einem kaiserlichen Reskript, mit »Decreta« und »Responsa« (»Antworten«) zu beantworten habe. So blieb es bis heute.

4. Etappe: **Innozenz** (401-417): Rom fördert den **Zentralismus**. Dieser Bischof, der bereits eine ganze Reihe von Dekreten veröffentlicht, will jede **wichtige Angelegenheit** nach ihrer Behandlung auf Synoden **dem römischen Bischof zur Entscheidung vorgelegt** haben. Dabei behauptet er – eine der jetzt immer zahlreicheren historischen Fiktionen zugunsten Roms –, das Evangelium sei in die übrigen westlichen Provinzen einzig und allein von Rom aus gelangt (offenkundige Gegenbeispiele: Nordafrika, Südfrankreich, Spanien). Deshalb sollen alle westlichen Kirchen der römischen Liturgie folgen – und dies ungeachtet der Tatsache, daß ganz in der Nähe etwa Mailand seine eigenständige Liturgie besitzt. Eine andere Politik in Sachen Liturgie verfolgen denn auch Ambrosius, Augustinus, später auch Gregor der Große. Doch die liturgische Uniformierung bleibt ein römisches Ziel.

5. Etappe: **Bonifaz** (418-422): Rom verbietet weitere **Appellation**. Nicht nur daß Rom von anderen Kirchen als Appellationsinstanz betrachtet wird und Rom sich selber als Appellationsinstanz etabliert, ist die

Entwicklung der Stunde. Rom hält sich auch für die »apostolische Spitze« (»apostolicum culmen«) und seine Urteile und Entscheidungen für letztverbindlich. Über Rom hinaus darf es keine Berufung an eine andere Instanz mehr geben. »Prima sedes a nemine iudicatur« – »Der erste Stuhl wird von niemandem gerichtet«, dieses später generell formulierte Prinzip zeichnet sich hier schon ab.

Doch: Alles dies sind zunächst **nur römische Ansprüche und Postulate**. Selbst der große Zeitgenosse der Bischöfe Damasus, Siricius, Innozenz und Bonifaz, der wahrhaftig romfreundliche **Augustin**, weiß nichts von einem Jurisdiktionsprimat Petri. Der katholische Augustin-Forscher Fritz Hofmann hat die neuere Forschung hinter sich, wenn er schreibt: »Die Frage des Jurisdiktionsprimates Petri, dessen Begründung einer späteren theologischen Entwicklung vorbehalten blieb, kam ihm dabei gar nicht zum Bewußtsein.«[44] In der Tat: Christus und der Glaube an ihn, das ist für Augustin das Fundament der Kirche, nicht Petrus als Person (und erst recht nicht seine »Nachfolger«). Dies bestätigt auch der junge Joseph Ratzinger in seiner Dissertation zur Ekklesiologie Augustins: »Wenn also die Kirche auf Petrus gegründet wird, so nicht auf seine Person, sondern auf seinen Glauben … Das Fundament der Kirche ist Christus. ›Non enim dictum est illi: tu es petra, sed: tu es Petrus. Petra autem erat Christus‹ (Nicht ist nämlich jenem gesagt worden: du bist der Fels, sondern: du bist Petrus. Der Fels aber war Christus), dieser Satz zeigt, daß der im Glauben (Petrus) aufgenommene Christus (petra) der wahre Grundstein der Kirche ist.«[45] Für Augustin ist nicht der römische Bischof die höchste Autorität in der Kirche, sondern wie auch für den ganzen christlichen Osten das Ökumenische Konzil, und selbst diesem schreibt er keine unfehlbare Autorität zu.[46]

Die römischen Ansprüche und Postulate nahm erst recht im **Osten** kaum jemand ernst. Wen interessierte (theologisch und juristisch) im neuen Zweiten Rom die heruntergekommene alte Reichshauptstadt? Als oberste Autorität galt neben dem Kaiser nicht der Papst, sondern das universale, ökumenische Konzil, das nur der Kaiser einberufen kann und dem sich selbstverständlich auch der Bischof von Rom unterzuordnen hat.

Einspruch der ökumenischen Konzilien

Wer die Dekrete des Ersten Ökumenischen Konzils von **Nikaia 325**[47] studiert, entdeckt (wir deuteten dies schon an), daß Rom ganz wie die anderen alten großen Bischofssitze Alexandrien, Antiochien und Jerusalem

(Patriarchate) Vorrechte genießt, aber keinen Primat für die Gesamtkirche ausübt. Das gilt auch für die bedeutendsten Bischöfe und Theologen der Westkirche, neben Augustin vor allem Ambrosius, der aus dem Petruswort Mt 16,18 ebenfalls kein Vorrecht für den Bischof von Rom ableitet, sondern im ganzen auf der episkopalen Linie Cyprians bleibt. Ihr Zeitgenosse, der genannte Papst Damasus freilich, behauptet bereits unverfroren und wahrheitswidrig, Nikaia genieße nur deshalb einzigartige Autorität, weil sein Vorgänger Silvester die Beschlüsse des ökumenischen Konzils approbiert habe.

Doch die Polarisierung nimmt zu: Während das grundlegende Dekret des Kaisers Theodosios von 380, welches das Christentum zu einer Religion des Staates macht, den Glauben sowohl des Bischofs von Rom wie des Bischofs von Alexandrien zum (antiarianischen) Maßstab der Orthodoxie erklärt, schreibt ein Beschluß des Zweiten Ökumenischen Konzils von **Konstantinopel 381** dem Bischof von Neu-Rom, Sitz von Kaiser und Reichsregierung, den zweiten Rang nach dem alten Rom zu. Das Konzil verbietet zugleich allen Bischöfen (eine antirömische Spitze!) die Einmischung in andere Diözesen. Das aber hindert eine von Bischof Damasus 382 einberufene römische Synode nicht an der Erklärung, die römische Kirche sei gerade nicht durch synodale Dekrete, sondern durch die Apostel Petrus und Paulus gegründet worden. Die römische Kirche gehe auf eine besondere göttliche Verfügung zurück, woraus folge: Der römischen Kirche kommt ein Primat zu!

Ähnliches wird auf dem Dritten Ökumenischen Konzil von **Ephesos 431** von einer dreiköpfigen römischen Delegation vertreten: Petrus sei das Haupt der Apostel und der gegenwärtige Papst (Coelestin) dessen Nachfolger. Doch bleiben diese großen römischen Worte ohne konziliaren Widerhall, zumal die römischen Beiträge zur christologischen Diskussion eine völlig untergeordnete Rolle spielen. Im päpstlichen Archiv freilich wird auch dieses römische Votum, wenngleich es rein theoretisch ist, getreulich für künftige Zeiten aufbewahrt. Es bleibt dabei: Alle Versuche der römischen Bischöfe des 4./5. Jahrhunderts scheitern, aus dem Wort an Petrus Schlüsse für eine gottgewollte römische Jurisdiktion über die gesamte Kirche zu ziehen und durchzusetzen. Das Papsttum als Quelle (»fons«), Ursprung (»exordium«) und Haupt (»caput«) der Christenheit? Dies alles bleibt lange Zeit römisches Wunschdenken! Selbst der bedeutendste römische Bischof des fünften Jahrhunderts muß dies erleben: Leo I.

Der erste Streit zwischen Papst und Konzil: Leo der Große

Keiner war mehr erfüllt von römischem Sendungsbewußtsein als **Leo**, den die Geschichtsschreibung **»den Großen«** nennt.[48] In seiner 21jährigen Amtszeit (440-461) hat sich dieser Mann als solider Theologe (Brief an das Konzil von Chalkedon) und glänzender Jurist erwiesen, aber auch als Seelsorger und Prediger. Legendär wurde sein Ruf als Staatsmann. Denn im Jahre 451 gelang es einer römischen Delegation (unter ihr als Bischof auch Leo), die Hunnen Attilas in Mantua von der Eroberung Roms abzuhalten – anders freilich als im Jahre 455, als Leo die Eroberung und Plünderung Roms durch die Vandalen nicht verhindern konnte.

Dieser Leo nun ist es, der aus den verschiedenen, im vierten Jahrhundert vorbereiteten Elementen die **klassische Synthese der römischen Primatsidee** schafft.[49] Denn in theologischer Klarheit und juristischer Schärfe kombiniert er die biblischen, historischen und rechtlichen Argumente, um den Primat des Petrus und damit den des römischen Bischofs zu begründen:

– **Biblisch** wird ein **Primat Petri** über alle anderen Apostel dadurch begründet, daß die klassischen petrinischen Stellen des Neuen Testaments[50] jetzt massiv juristisch verstanden werden: Gemeint sei schon im Neuen Testament eine dem Petrus geschenkte **»Fülle der Macht«** (»plenitudo potestatis«) zur Leitung der gesamten Kirche Christi (später »Jurisdiktionsgewalt«, »Hirtengewalt« genannt). Aber: Hatte Petrus überhaupt einen Nachfolger bestimmt, einen Nachfolger gar in Rom?

– **Historisch** wird die Nachfolge Petri durch den **Bischof von Rom** mit Hilfe eines Briefes des Papstes Klemens an den Herrenbruder Jakobus in Jerusalem begründet. Diesem Brief zufolge hat Petrus dem Klemens in einer letzten Verfügung die Gewalt zu binden und zu lösen (»solvere« und »ligare« in der römischen Rechtssprache) übertragen und ihn so zu seinem alleinigen legitimen Nachfolger gemacht – unter Ausschluß der anderen Bischöfe. Aber: Wir wissen zumindest heute, daß dieser Brief eine Fälschung vom Ende des zweiten Jahrhunderts darstellt, die erst um die Wende vom vierten zum fünften Jahrhundert aus dem Griechischen ins Lateinische übersetzt worden war. Ab jetzt aber stellt er die ständige Rechtfertigung des römischen Anspruchs dar.

– **Juristisch** wird die Position des Nachfolgers Petri mit Hilfe des **römischen Erbrechts** genau bestimmt: An die Stelle des Erblassers Petrus tritt als Erbe der römische Bischof, der selbstverständlich nicht die persönlichen Eigenschaften und Verdienste Petri erbt (subjektiv ist der Papst ein »unwürdiger Erbe«). Wohl aber erbt er die von Christus dem Petrus übertragene amtliche Vollmacht und Funktion (objektiv ist der Papst, wenngleich nicht »Apostel«, so doch »apostolicus«). Das heißt: Auch ein völlig unwürdiger Nachfolger Petri – und deren wird es viele geben – bleibt trotzdem sein legitimer Nachfolger, dessen Dekrete gültig sind, unabhängig von allen moralischen Qualitäten der Person. Geht es doch um das Amt, das sofort mit der Annahme der Wahl übernommen wird, selbst wenn der Gewählte (wie dies oft der Fall war und bis heute legitim bleibt) noch Laie und nicht ordinierter Priester sein sollte!

Aufgrund dieser Konstruktionen ist Leo der Überzeugung: Petrus persönlich spricht und handelt durch seine Person. Und in diesem Geist leitet er denn auch, soweit das damals möglich war, die westliche Kirche. Auch die politische Unterstützung holt er sich; bestätigt doch unter Leos Einfluß der weströmische Kaiser Valentinian III. im Jahre 445 aus Opportunitätsgründen den rechtlichen Vorrang Roms in aller Form durch ein Edikt, das aber im Osten keine Geltung hat. Zu Recht legt man deshalb in der Kirchengeschichte diesem römischen Bischof aufgrund seiner Theorie und Praxis als erstem den Titel **»Papst« im eigentlichen Sinne** zu.

Doch man beachte: Alle die schönen Konstruktionen bleiben gesamtkirchlich betrachtet römisches Wunschdenken. Zwar hat Leo auf dem fast ausschließlich vom Osten beschickten Vierten Ökumenischen Konzil von **Chalkedon 451** mit seinem Lösungsvorschlag in den erbittert umstrittenen christologischen Fragen großen Beifall gefunden (Petrus habe durch Leo gesprochen, heißt es im Konzil).[51] Aber der Anspruch der drei päpstlichen Legaten – zusammen mit zwei afrikanischen Bischöfen die einzigen westlichen Teilnehmer – auf den Vorsitz wird vom kaiserlichen Geschäftsausschuß des Konzils glatt abgewiesen. Auch wird entgegen Leos ausdrücklichem Verbot sein Sendschreiben vom Konzil nach den Normen der Orthodoxie überprüft. Das heißt: der Stadt Rom, jetzt ohnehin gefährdet und zerrüttet, und ihrem Bischof irgendwelche Vorrechte oder gar eine Vorrangstellung über die gesamte Kirche einzuräumen, daran denkt auch in Chalkedon niemand, selbstbewußt wie diese Synode mit ihren 600 Mitgliedern war. Und es nützt Leo wenig, daß er sich als erster Bischof mit dem Titel des heidnischen Oberpriesters »Pontifex Maximus« schmückt – nachdem ihn früher einmal Tertullian spöttisch auf den römischen Bischof bezogen und der Kaiser ihn jetzt abgelegt hatte! – und mit Berufung auf das Petruswort Gehorsam auch der östlichen Kirchen und sogar eine Unterordnung des ökumenischen Konzils fordert. Im Gegenteil.

Gerade Leo muß erfahren, daß das Konzil von Chalkedon ohne die geringsten Hemmungen im Kanon 17 den kirchlichen Rang einer Stadt von ihrem zivilen Status abhängig macht. Und im berühmten Kanon 28 wird konsequenterweise dem Sitz von **Neu-Rom (Konstantinopel) derselbe Primat** zuerkannt wie der alten Reichshauptstadt.[52] Vergebens protestieren die römischen Legaten. Ungehört verhallt Leos nachfolgender scharfer Protest gegen diese Aufwertung des Zweiten Rom, die auch noch von einer demonstrativen Akklamation Kaiser Markians als eines »neuen Konstantin«, als »König und Priester« begleitet war. Tief getroffen zögert Leo denn auch die Anerkennung Chalkedons unverzeihlich lange hinaus – bis zum Jahr 453. Gegen seinen Willen hilft er damit den Feinden der Zwei-Naturen-Formel in Palästina und Ägypten, wo die Volkswut gegen die christologische Definition von Chalkedon unbeschreiblich ist, so daß der damalige Patriarch von Alexandrien Proterius später vom fanatisierten Pöbel in Stücke gerissen wird. Leo selber jedoch – auch dies ein Symbol – wird als erster römischer Bischof in der Peterskirche begraben.

Ende des fünften Jahrhunderts wird ein vorläufiger Höhepunkt des römischen Macht-Anspruchs erreicht – und zwar unter **Gelasius I.** (492-96).[53] Bereits sehr einflußreich als Sekretär seines Vorgängers Felix III., der 484 im Vollgefühl seiner Macht gemeint hatte, den byzantinischen Patriarchen Akakios »absetzen« und exkommunizieren zu können (natürlich ohne Wirkung), steht Gelasius ganz unter der Herrschaft des arianischen Ostgotenkönigs Theoderich. Auf diese Weise aber ist er gerade von Byzanz weithin unabhängig. Ungestraft konnte er es wagen, nicht nur den cäsaropapistischen Vorstoß des Kaisers in Lehrfragen abzuwehren, sondern darüber hinaus den **Anspruch einer von der kaiserlichen Gewalt völlig unabhängigen, unumschränkten obersten priesterlichen Gewalt über die ganze Kirche** zu entwickeln. Gelasius zufolge haben Kaiser und Papst verschiedene Funktionen in der ein und selben Gemeinschaft: Der Kaiser hat nur weltliche, der Papst nur priesterliche »Auctoritas«; aber die geistliche Autorität ist der weltlichen überlegen. Sie ist ja für die Verwaltung der Sakramente zuständig und vor Gott auch für die weltlichen Machthaber verantwortlich.

Keine Unfehlbarkeit des römischen Bischofs

Doch Rückfrage: Geht es bei diesem Kampf um die Autorität des Papstes schon um die Unfehlbarkeit seiner Entscheide? Nein! Denn dies behauptet man zu dieser Zeit selbst in Rom nicht. Gewiß: Die ökumenischen Konzilien der alten Kirche haben keine Glaubensentscheidungen ohne oder gegen den römischen Bischof fällen wollen. Wie denn auch? War dieser doch der einzige Patriarch der großen Westkirche und erster Patriarch der Reichskirche! Doch fällten, wie wir sahen, die vier klassischen Konzilien ihre Entscheidungen aus eigener Vollmacht. Keine Rede davon, daß sie vom römischen Bischof einberufen und von ihm geleitet werden müßten. Keine Rede davon, daß ihre Beschlüsse von Rom zu bestätigen seien. Und wie wenig der römische Anspruch auf Rechtgläubigkeit als »Unfehlbarkeit« verstanden wurde, zeigen nach der Phase der päpstlichen Machtexpansion im 4./5. Jahrhundert in drastischer Weise **zwei »klassische« Fälle von irrenden Päpsten im 6./7. Jahrhundert**, die denn auch auf dem Ersten Vatikanischen Konzil gegen eine Definition der päpstlichen Unfehlbarkeit angeführt, aber von der Majorität wie so viele andere Fakten ignoriert wurden[54]:

– Widersprüchliche Stellungnahmen des Papstes **Vigilius** gegenüber dem Monophysitismus auf dem Fünften Ökumenischen Konzil in Konstantinopel 553 unter Justinian: Durch seinen würdelosen Wankelmut verlor er dort alle Glaubwürdigkeit, so daß er später nicht einmal in St. Peter beigesetzt wurde und durch die Jahrhunderte auch im Westen geächtet blieb.

– Verurteilung des Papstes **Honorius I.** auf dem Sechsten Ökumenischen Konzil in Konstantinopel 681: Sie wurde durch die Trullanische Synode 692 sowie das Siebte und Achte Ökumenische Konzil wiederholt und darüber hinaus auch vom Nachfolger des Honorius, Papst Leo II., akzeptiert und von den nachfolgenden Päpsten erneut bestätigt.

Zumindest zwei eindeutig häretische Päpste! Unfehlbar? Eine Anfrage. Bis ins zwölfte Jahrhundert versteht man außerhalb Roms die Bedeutung der römischen Kirche für die Lehre **nicht** als eigentliche **Lehr-Autorität in juridischem Sinne**. Der katholische Theologe Yves Congar, der in seinem reichen Band über die Ekklesiologie des Hochmittelalters die gesamte Forschung zusammengefaßt hat, stellt fest: »Bei der Lehrtätigkeit, die man ausdrücklich dem Papst zuerkannte, handelt es sich mehr um eine religiöse Qualität, die Rom der Tatsache verdankt, daß es der Ort des Martyriums und des Grabes von Petrus und Paulus ist. Petrus, das ist der Glaube. Paulus, das ist der Verkünder des Glaubens. Man bejaht gerne, daß die römische Kirche nie im Glauben geirrt hat. Sie erscheint dabei als ein Vorbild, da sie die Kirche Petri ist, der als erster und beispielhaft Christus bekannt hat … Dies hieß aber nicht zugeben, was wir, in uneigentlicher Weise, die Unfehlbarkeit des Papstes oder, exakter, die Unfehlbarkeit der Urteile nennen, die er in letzter Instanz als allgemeiner und oberster Hirte fällen kann. Man bestreitet gelegentlich die Lehraussagen der Päpste.«[55] Congar beruft sich hier auf das Werk von J. Langen, der alles an Fakten und Texten zusammengesucht hat, die beweisen, daß man zumindest in der Kirche vom siebten bis zum zwölften Jahrhundert die Entscheidungen des Papstes nicht für unfehlbar gehalten hat.[56] Ja, noch lang wird der Weg sein bis zum Vatikanum I (1870). Er wird gebahnt mit einem nicht nachlassenden römischen Machtwillen, der auch den Einsatz von Fälschungen nicht scheut.

Papstfälschungen mit Folgen

Denn es läßt sich heute nicht leugnen: Gerade seit dem fünften Jahrhundert haben sich ausgesprochene **Fälschungen** zugunsten des römischen und päpstlichen Prestiges gehäuft: falsche Märtyrerakten und falsche Synodalakten, besonders die letzteren politisch gut zu gebrauchen. Historisch von größter Bedeutung war jene mit deutlicher politischer Intention höchst geschickt erzählte und bis ins kleinste Detail ausgeschmückte **»Legende« vom heiligen Papst Silvester**.[57] Zwischen 480 und 490 von einem unbekannten Verfasser stammend, ist sie ohne jeglichen historischen Wahrheitsgehalt. Sie geht so: Der wütende Christenverfolger Konstantin, vom Aussatz befallen, ist in Rom durch Papst Silvester nicht nur geheilt, sondern auch bekehrt und getauft worden. Ja, der eigenmächtig eine Verlegung des Regierungssitzes nach Konstantinopel planende Kaiser hat sich zerknirscht ohne kaiserliche Gewänder und Insignien vor dem Papst zu Boden geworfen, hat Buße getan und dann, als ihm die Sünde vergeben war, mit päpstlicher Zustimmung den Umzug vollzogen. Pointe des Ganzen: Roms Erzrivale Konstantinopel, die Stadt des Kaisers und der Konzilien, hat ihren Aufstieg der Gnade des römischen Bischofs zu verdanken! Nur eine rührende Geschichte?

Nein! Dieses im Mittelalter vielgelesene tendenziöse Phantasieprodukt bot im achten Jahrhundert Anregung zu einer der einflußreichsten Fälschungen der Kirchengeschichte: der Geschichte von der **»Konstantinischen Schenkung«**[58] (»Donatio« oder »Constitutum Constantini«). Sie lautet so: Konstantin hat vor seiner Abreise nach Konstantinopel Papst Silvester I. nicht nur das Recht verliehen, kaiserliche Insignien und Gewänder (Purpur) zu tragen, Titel und Rangordnung der päpstlichen Kurie dem kaiserlichen Hof entsprechend zu gestalten und Konsule wie Patrizier zu ernennen. Er hat vielmehr auch die Stadt Rom und alle Provinzen, Orte und Städte Italiens sowie der westlichen Regionen dem Papst vermacht, der so eine kaiserähnliche Stellung erhält. Ja, Konstantin hat dem römischen Stuhl den Primat über alle anderen Kirchen, besonders über Antiochien, Alexandrien, Konstantinopel und Jerusalem verliehen …

Entstanden ist diese Fälschung im Kreis päpstlicher Politiker, die sowohl die Selbständigkeit Roms gegenüber Byzanz wie die Gründung eines Kirchenstaates »historisch« rechtfertigen wollten. Erst im 15. Jahrhundert ist vom Renaissancekurialen Lorenzo Valla die Unechtheit der »Konstantinischen Schenkung« erwiesen worden[59], ebenso wie die Unechtheit der (ebenfalls aus dem 5./6. Jh. stammenden!) Schriften des angeblichen **Areopagiten** und Paulusschülers **Dionysios**. Dieser hatte den in jeder Hinsicht unbiblischen Begriff der irdischen »Hierarchie« (»heiligen Herrschaft«) eingeführt, diese mit verstiegenen Spekulationen über eine vielrangige himmlische Hierarchie begründet und den Bischof als Träger mystischer Kräfte gepriesen.

Doch nicht genug: Aus dem sechsten Jahrhundert stammen auch jene höchst folgenreichen Fälschungen aus dem Umkreis von Papst Symmachus, dem zweiten Nachfolger des Gelasius: die »symmachianischen Fälschungen«. Sie fabrizierten die Akten eines erfundenen Konzils von Sinuessa 303, darunter den Satz: »**Prima sedes a nemine iudicatur**«: »**Der erste Stuhl wird von niemandem gerichtet**«. Im Klartext: Als die oberste Autorität darf der Papst von keiner Instanz, selbst nicht vom Kaiser, gerichtet werden.[60] Was war der Sinn all dieser Fälschungen? Antwort eines Historikers: »Die damals entstandenen Fälschungen suchten das Vorgehen des Konzils (einer römischen Synode) historisch zu rechtfertigen und den Inhaber der Papstwürde für immer von jedem weltlichen und geistlichen Gericht zu befreien. Damit war der Abschluß einer längeren Entwicklung erreicht; ob die Rechtsbehauptung ›Prima sedes a nemine iudicatur‹ freilich die Möglichkeit hatte, sich durchzusetzen und allgemeine Anerkennung zu erlangen, mußte die Zukunft erweisen« (H. Zimmermann[61]).

Jedenfalls verzeichnet die Papstgeschichte trotz dieser Rechtsbestimmungen und der stets wachsenden Ansprüche des Jurisdiktionsprimates »von den ältesten Zeiten bis ins 15. Jahrhundert eine ganze Reihe von ›**Papstprozessen**‹, zu denen Inhaber der prima sedes als Angeklagte geladen waren und oft sogar abgesetzt wurden«[62]. Die Papstprozesse des sechsten und siebten Jahrhunderts sprechen deutlich gegen eine allgemeine Anerkennung des Rechtssatzes »Prima sedes a nemine iudicatur«, obwohl der Satz bekannt gewesen sein dürfte. Und obwohl diese Fälschung des sechsten Jahrhunderts sich im neunten Jahrhundert bereits in päpstlichen Rechtssammlungen findet und man öfters damit argumentiert, waren die Papstprozesse von der Mitte des achten Jahrhunderts bis zum Investiturstreit durchaus wirksame Verfahren. Noch war auch in Rom die alte Kirchenordnung weithin in Geltung: Die bei der Papstwahl Beteiligten, nämlich Klerus und Volk von Rom, sowie der Kaiser, sprachen auch

– besonders im Fall von Häresie oder »Invasio« des Amtes – die Absetzungssentenz aus.

Das historische **Fazit** für den **Westen:** Wenn auch Roms Ansprüche und die historische Wirklichkeit weit auseinanderklafften, so war doch schon mit Gelasius am Ende des fünften Jahrhunderts die von seinen Vorgängern in anderthalb Jahrhunderten vorangetriebene Entwicklung der Kirchengemeinschaft zu einer eigenständigen Körperschaft mit monarchischer Spitze abgeschlossen. Im Prinzip war jetzt nicht nur ein theologisches (Augustin), sondern auch ein **kirchenpolitisches Fundament für ein neues Paradigma von Kirche** grundgelegt: das Paradigma einer **Romzentrierten katholischen Kirche** (P III). In bewußtem Widerspruch zur oströmischen Lehre vom Kaiser als dem Protektor und Gesetzgeber auch der Kirche, doch gestützt durch die Zwei-Reiche-Lehre Augustins, war schon durch Gelasius jene Lehre von den zwei Gewalten formuliert, der weltlichen und der übergeordneten geistlichen. Zu Recht hat man die Leoninisch-Gelasianische Lehre die Magna Charta des mittelalterlichen Papsttums genannt. Diese Lehre löst die Geistlichkeit aus der weltlichen Ordnung und Gerichtsbarkeit heraus (die »Exemption« als Klerikerprivileg) und begründet ideell die höchste Führungsautorität und den absoluten Herrschaftsanspruch des Papstes.

Für den gesamten **Osten** jedoch blieb dieses neue Paradigma höchst **anstößig:** Wie kann der römische Bischof, ein fehlbarer Mensch und eben doch nur ein Nachfolger des Petrus und nicht mehr, sich mit Petrus geradezu mystisch identifizieren? Welche Anmaßung, daß ein einzelner Bischof in der Kirche sich selber die ganz persönliche Verantwortung und Vollmacht des Apostels Petrus zuschreiben möchte! Völlig inakzeptabel vor allem, daß aus der apostolischen Vollmacht des Petrus durch eine raffinierte Kombination von theologischen, angeblich historischen und besonders juristischen Argumenten immer mehr zu römischen Gunsten völlig einseitig alle möglichen rechtlichen Konsequenzen für einen absoluten Herrschaftsanspruch abgeleitet werden.

Bis heute (wie wir im Zusammenhang von P II sahen) bleibt der beanspruchte römische Regierungsprimat bekanntlich eine ungelöste Frage zwischen Ost- und Westkirche, über die – und dafür ist die östliche Orthodoxie, die diese Frage nie ausdrücklich aufgegriffen hat, mitverantwortlich – bis heute auch noch nie auf einem ökumenischen Konzil zwischen Ost und West diskutiert, geschweige denn für Ost und West verbindlich entschieden worden wäre, obwohl die römische Primatstheorie und -praxis, wir erinnern uns, die Hauptschuld an der Spaltung zwischen Ost- und Westkirche trägt.

Dürfen wir hier im Hinblick auf eine bessere Zukunft einige allzu lange aufgeschobene **Fragen** noch weiter umgehen? Ich gehe dabei aus von dem biblischen Befund, daß im Neuen Testament nicht nur das Wort »Hierarchie«, sondern alle weltlichen Worte für »Amt« im Zusammenhang mit kirchlichen Funktionen mit Konsequenz und Absicht vermieden werden, da sie ein Herrschaftsverhältnis ausdrücken. Stattdessen wird ein Oberbegriff gebraucht, der nirgendwo Assoziationen mit irgendeiner Behörde, Obrigkeit, Herrschaft, Würde- und Machtstellung wachrufen kann: »diakonía«, Dienst (eigentlich Tischdienst). Hier hatte offensichtlich Jesus selber das unverrückbare Maß gesetzt. Kaum ein Jesus-Wort gibt es, das in so vielen Ausprägungen (sechs!) überliefert wurde, wie das Wort vom **Dienen** (beim Jüngerstreit, Abendmahl, der Fußwaschung): Der Höchste soll der Diener (Tischdiener) aller sein! Dieser Forderung Jesu wird ein römischer Bischof zweifellos nicht gerecht, wenn er sich einfach nur »der Diener der Diener Gottes« nennt und diese Diener im übrigen mit allen nur möglichen Mitteln und Methoden zu dominieren versucht. Nein, von diesem Jesus-Wort her kann es in der Jüngerschaft Jesu kein Amt geben, das einfach durch Recht und Macht konstituiert wird und dem Amt staatlicher Machthaber entspräche: »Die Könige herrschen über ihre Völker, und die Machthaber lassen sich Wohltäter nennen. Bei euch aber soll es nicht so sein, sondern der Größte unter euch soll werden wie der Kleinste, und der Führende soll werden wie der Dienende.«[63]

Es ist hier nicht der Ort, eine Theologie des für die Kirche nötigen Petrusdienstes zu entfalten. Das ist anderswo geschehen.[64] Daß die Kirche Christi eines vermittelnden, inspirierenden, leitenden, einheitstiftenden Petrusdienstes bedarf, wird heute auch von vielen protestantischen Theologen bejaht.[65] Hier können nur Grundfragen für die Zukunft gestellt werden im Blick auf eine (auch vom Vatikanum II umgangene) Reform des Papsttums und um der davon abhängigen ökumenischen Verständigung willen. Fragen für die Zukunft, die auf einem Dritten Vatikanischen Konzil (oder einem zweiten in Jerusalem) besprochen werden sollten.

Fragen für die Zukunft

Im Hinblick auf eine Reform (nicht Abschaffung) des Papsttums stellen sich folgende Fragen:

- Das Papsttum ist immer mehr zu einer **Herrschaftsinstitution** geworden. Es ist dies – trotz des Vatikanum II – bis heute geblieben.

Hat aber eine solche Herrschaftsinstitution noch eine Daseinsberechtigung in einer Glaubensgemeinschaft, die ganz und gar vom Dienen bestimmt sein soll, und in einer demokratischen Gesellschaft, die allen institutionellen, unkontrollierten Autoritarismus ablehnt? Kann das Papsttum noch länger die letzte absolutistische Monarchie Europas sein – angeblich von Gottes Gnaden nach dem Beispiel der römischen Kaiser? Oder nicht vielmehr eine christliche Institution im Dienst an der katholischen Kirche und an der Ökumene, wie dies in unserem Jahrhundert von Johannes XXIII. vorgelebt wurde?

• Das Papsttum hat immer mehr **Herrschaftsstrukturen** entwickelt, indem es die hochentwickelte römische Rechtswissenschaft und kaiserliche Rechtspraxis übernahm. Hat das Papsttum angesichts der völlig anders gelagerten Strukturen der neutestamentlichen Gemeinde und auch wieder der modernen demokratischen Gesellschaft eine Zukunft, wenn es eine zentralistische Rechts- und Verwaltungsinstitution bleiben will und die Glaubensgemeinschaft der Kirche als eine primär rechtlich zu verstehende und zu regierende Körperschaft ansieht: »populus docendus, non sequendus«, wie man in Rom seit dem fünften Jahrhundert sagt, »das Volk ist zu führen, nicht ihm nachzufolgen«? Die Kirche also nach wie vor eine zentralistisch zu regierende Rechtsgemeinschaft – oder eine von Dienern geleitete Glaubensgemeinschaft? Ein Imperium Romanum – oder ein katholisches »Commonwealth«?

• Das Papsttum hat seine damals entwickelten **Herrschaftsinstrumente** bis auf den heutigen Tag bewahrt: imperialer Amts- und Briefstil, lateinische Amts- und Rechtssprache; ein päpstliches Archiv, das als ideologische Schatzkammer für jegliche römische Amtsanmaßung irgendeine päpstliche oder konziliare Verlautbarung zu zitieren vermag; ein Codex Iuris Canonici, der in entscheidenden Canones letztlich auf mittelalterliche Fälschungen zurückzuführen ist. Soll also die katholische Kirche weiterhin unaufhörlich mit römischen Decreta und Responsa, Instruktionen und Deklarationen, Motu proprios und Enzykliken überflutet werden – oder soll Rom im Geist des Neuen Testaments und der modernen Demokratie ein vermittelndes und inspirierendes Zentrum der Einheit bilden?

Eines sollte freilich nicht bestritten werden: Wenn die Entwicklung der päpstlichen Herrschaftsinstitution zu einer enormen römischen Machtballung und zu einer ungeheuren Verrechtlichung der Kirche führen sollte, so hat das Papsttum doch auf diese Weise den rohen und ungebildeten

Barbaren, die jetzt von allen Seiten das römische Imperium überfluteten, die Idee der antiken Rechtsstaatlichkeit übermittelt. Und nach der Analyse der Theologie Augustins und der Herrschaftsinstitution der römischen Päpste ist deshalb nun als ein drittes Element des lateinischen, römisch-katholischen Paradigmas des Mittelalters zu untersuchen: die neue Frömmigkeit und Kirchlichkeit der Germanen.

4. Konstanten, Variablen und die Wende von Ost nach West

Trotz aller Kontinuitäten zwischen der von Augustin theologisch glänzend vertretenen Spätantike und dem frühen Mittelalter läßt sich doch keinen Augenblick übersehen: Die **Wanderung der germanischen Stämme**[66], die unmittelbar vor Augustins Tod sogar sein nordafrikanisches Hippo erreicht hatte, bedeutete einen **Umbruch epochalen Ausmaßes** für das Christentum des Westens. Schon im vierten Jahrhundert waren sie immer stärker ins Imperium Romanum eingesickert, von den Römern zwangsangesiedelt oder als gute Soldaten militärisch in Dienst genommen worden. Von den aus den südrussischen Steppen nachrückenden Hunnen vorangetrieben, hatten die Vandalen, Alanen und Sueven am 31. Dezember 406, als der Rhein zugefroren war, ihn überschritten und waren in Massen in Gallien und zwei Jahre später auf der Suche nach Weideland und Nahrung über die Pyrenäen nach Spanien marschiert.

Die Völkerwanderung und ihre Folgen

Was ist aus dem seit der Frühzeit unbesiegten »ewigen Rom« geworden, das, wie wir hörten, zum erstenmal 410 erobert wurde von jenen Westgoten, die später in Spanien seßhaft werden sollten? Aus der fast eine Million zählenden Stadt Rom wurde in den nächsten Jahrhunderten eine Stadt von kaum 20 000 Einwohnern (so in der Karolingerzeit). Die Germanen, zunächst als vorübergehende Geißel angesehen, gründeten im fünften Jahrhundert Reiche auf römischem Boden: nicht nur die Westgoten, sondern auch die Alemannen, Burgunder, Franken und die Vandalen, die, von Spanien kommend, noch zu Zeiten Augustins 429 in Nordafrika eingefallen, 439 Karthago erobert und den ersten von den Römern anerkannten Staat auf Reichsterritorium gebildet hatten. Solche Anerkennung hielt aber diese wilden Kriegerscharen nicht von einem neuen Italienfeldzug ab einschließlich einer erneuten Plünderung Roms 455. Schon im Jahr 476 wird der letzte West-Kaiser, noch ein Kind, Romulus

Augustulus, vom germanischen Armeegeneral Odoaker abgesetzt. Damit erlöscht das schon längst von barbarischen Armeekommandanten dominierte weströmische Kaisertum, was damals, anders als der erste Fall Roms, kaum viel Aufsehen machte.

Doch muß klar gesehen werden: Die Entwicklungsstufe der ins Imperium einrückenden germanischen Völker war – gemessen an der antiken Zivilisation – primitiver. Abgekapselt, ohne universale Blickweite oder gar europäisches Zusammengehörigkeitsgefühl, waren diese geistig-kulturell unterentwickelten Stämme nur auf ihr eigenes Volksleben konzentriert. Die Folge war ein Zerfall nicht nur der flächendeckenden römischen Zivil- und Militäradministration, welche die neuen Völker nur zum Teil übernehmen konnten, sondern ein Auflösungsprozeß des römischen Staates und Rechtes überhaupt, ja, ein Zusammenbruch der antiken Zivilisation, natürlich in verschiedenen Regionen und Lebensbereichen verschieden. Aufs Ganze gesehen kommt es zweifellos zu einem ungeheuren **wirtschaftlich-sozial-kulturellen Rückfall**! Jahrhunderte sollte es dauern, bis er wieder wettgemacht werden konnte. Die neueste Geschichtsschreibung, die eine Integration der Forschungen aus dem Bereich der Sozial-, Struktur-, Religions- und Mentalitätsgeschichte anstrebt, hat die Auswirkungen eindrucksvoll beschrieben[67]:

– **Verlust vieler Techniken der Lebenssicherung** und so minimale Erträge der Landwirtschaft, oft erbärmliche Ernährung, Kleidung, Wohnverhältnisse und Hygiene;
– **Zusammenbruch der Infrastruktur**, der Straßensysteme, Brücken, Wasserleitungen und so zunehmend schwierige Verkehrs- und Kommunikationsverhältnisse;
– **Bevölkerungsrückgang** um ein Viertel oder Drittel bis hinein ins achte Jahrhundert: Entvölkerung der Städte, die zu großen Dörfern wurden und so die Entwicklung einer kleinräumigen dörflich-agrarischen Welt;
– **Rückgang der Schreibfähigkeit**: Weder Odoaker noch der Ostgote Theoderich der Große, weder Karl der Große noch Otto der Große konnten schreiben; für den Schwertadel blieb die Schreibkunst auf das ganze Mittelalter hindurch ein verachtetes Geschäft; es kommt zum Rückgang der Literaturfähigkeit und der höheren Bildung überhaupt;
– **Beibehaltung einer Klassengesellschaft**: bleibende Einteilung der Gesellschaft in Freie und Unfreie und der Sklaverei bis hinein in die Karolingerzeit;
– **Rückbildung der Rechtssicherheit**: der Staatlichkeit, des öffentlichen Rechtes und des Gerichtswesens; Blutrache und Selbstjustiz (etwa bei Ehebruch, Mord und Ehrverletzungen) sind wieder an der Tagesordnung;

– **führende Rolle des Adels** (statt einer geschulten Beamtenschaft!): staatliches Gut und Geld werden Besitz des Königs und des Adels; auch in der Kirche übernehmen die neuen Herrscher die Kirchenhoheit (abgesehen vom eigentlichen Opferpriestertum) und üben ihre Rechte als sakrale Personen aus; Bischofsberufungen und Synodalhoheit liegen so bis zum mittelalterlichen Investiturstreit bei den weltlichen Herrschern;
– **allgemeine Provinzialisierung** und so regional verschiedene Entwicklung des Lateins – jetzt oft völlig falsch geschrieben und stilistisch verwildert – zu verschiedenen »**Nationalsprachen**« (Italienisch, Spanisch, Französisch, Rätoromanisch); das Latein wurde jetzt zu einer eigens zu erlernenden, dann allerdings überall im Westen in Staat und Kirche gebrauchten Bildungssprache.

Und die katholische Kirche? Ihr blieb in den Wirren, Kriegen und Zerstörungen der Völkerwanderung zunächst nichts anderes übrig als der **Rückzug**, waren doch die Germanenstämme allesamt noch heidnisch. Städte wie Köln, Mainz, Worms und Straßburg, fränkisch geworden, aber auch andere Städte an Rhein und Donau, in Nordgallien und auf dem Balkan hatten jetzt über ein Jahrhundert keinen Bischof mehr. Erst später kam das Christentum zurück, zuerst bei den Ostgoten im heutigen Bulgarien, wo schon um die Mitte des vierten Jahrhunderts durch das Wirken des Bischofs Wulfila, der eine gotische Schriftsprache, Literatur und Bibelübersetzung schuf, das Christentum seinen Eingang fand – allerdings in Gestalt des damals von Byzanz begünstigten arianischen Glaubens. Von den Ostgoten her aber fand dieses **arianische Christentum** auch bei den Westgoten und über diese bei den meisten anderen Germanenstämmen bis hin zu den Vandalen in Spanien und in Afrika Eingang.

Die Romanen der Westprovinz, deren Latein jetzt in die Nationalssprachen überging, blieben bei ihrem angestammten katholischen Glauben. Doch noch wichtiger für die Zukunft sollte sein: **Traditionell-katholisch** wurde auch jener germanische Stamm, dessen monarchische Einigung am spätesten eingesetzt hatte und der doch das bedeutendste Reich des Abendlandes schaffen sollte: das **Frankenreich**.[68] Anders als das Vandalenreich in Nordafrika, das Westgotenreich in Spanien und das Langobardenreich in Italien, die keinen dauernden Bestand hatten und hier nicht näher zu behandeln sind, sollte das Reich der Franken das Imperium Romanum beerben. Die **Taufe des fränkischen Königs Chlodwig** aus dem Geschlecht der Merowinger wird als ein Grunddatum für die Geschichte des mittelalterlichen Christentums angesehen – im Jahre 498/99 aufgrund eines Gelübdes nach der siegreichen Schlacht gegen die Alemannen und sicher auch motiviert durch das Interesse an der Gewinnung der romanischen katholischen Bevölkerung. Der byzantinische Kaiser Anastasios hat damals die neue Macht anerkannt, die genau 300 Jahre später, wie wir bereits hörten und noch genauer hören werden, zur Empörung der Griechen ein neues, konkurrierendes westliches Kaisertum hervorbringen sollte, mit dem sich das Papsttum rechtzeitig verbündete.

Was war denn der Unterschied zwischen dem altkirchlichen (griechisch-lateinischen) und dem sich nun immer mehr abzeichnenden mittelalterlich-lateinischen Paradigma von Kirche? Dies zuvor: Es war nicht eine verschiedene Glaubenssubstanz.

Was an Glaubenssubstanz bewahrt wurde

Ob man besser von der Christianisierung der Germanen oder von der Germanisierung des Christentums sprechen soll, ist in der Forschung umstritten. Nicht umstritten ist zumindest heutzutage, daß in diesem epochalen Umbruch **die Kirche** einen, ja, den **entscheidenden Faktor der Kontinuität** darstellte. Nicht die Fürsten, sondern die Kleriker konnten lesen und im allgemeinen auch schreiben und konnten so mit der Zeit auch wieder eine neue Schriftkultur entwickeln. Sofern antike Literatur, profane und theologische Literatur, dem Mittelalter vermittelt wurde, geschah dies zumeist durch die Kirche und vor allem durch die jetzt auch im Westen immer zahlreicheren Klöster. Wichtig für die Kontinuität waren aber auch das jetzt immer mehr administrative und politische Funktionen übernehmende Bischofsamt und die hohe Konstanz der Bischofssitze. Aber noch wichtiger: Trotz allen Niedergangs und Schweigens der Theologie zwischen Gregor dem Großen († 604) und Isidor von Sevilla († 636) im 6./7. Jahrhundert und Anselm von Canterbury im elften Jahrhundert und trotz allen grauenhaft primitiven Heidentums in der Volksfrömmigkeit gab es doch auch in dieser Zeit eine fundamentale **Kontinuität des christlichen Glaubens, des Ritus und des Ethos**.

Ja, trotz aller wahrhaft epochalen Differenzen geht es doch im neuen mittelalterlichen Paradigma (P III) noch immer um **dieselben Konstanten** des Christentums wie im judenchristlich-urkirchlichen (P I) und im hellenistisch-altkirchlichen (P II), und dies nicht etwa nur für »klerikale Eliten«, sondern durchaus auch für das »gemeine Volk«:

- Wenn auch die meisten zum Christentum bekehrten Germanenvölker zuerst dem Arianismus anhingen, so glaubten sie doch allesamt an den einen und selben **Gott**, den Gott Israels, seinen Sohn Jesus Christus und den Heiligen Geist: dasselbe **Evangelium**!
- Und wenn auch für die Bekehrung zum Christentum oft das Motiv des

stärkeren Gottes eine bestimmende Rolle spielte und zusammen mit der Taufe des Fürsten eine Kollektivtaufe erfolgte, so war es noch immer dieselbe **Taufe** zur Vergebung der Sünden und zur Eingliederung in die christliche Glaubensgemeinschaft: derselbe **Eingangsritus**!

- Und wenn auch bei der liturgischen Feier der Glaubensmysterien immer mehr ein unbiblischer Opfergedanke und der Klerikalismus in den Vordergrund traten, so wurde doch im Kern noch immer die alte **Eucharistiefeier** zu Jesu Gedächtnis gefeiert (der Sonntag als Auferstehungstag seit 321 durch Konstantin zum Ruhetag erklärt): derselbe **Gemeinschaftsritus**!
- Und wenn auch das Kreuz – ursprünglich ein Zeichen christlicher Selbst- und Gewaltlosigkeit – seit dem Sieg Konstantins immer mehr zu einem Abwehrzeichen gegen die Feinde und einem Siegeszeichen auch im Krieg wurde und »barbarische Grausamkeit« für die Zeit des frühen Mittelalters geradezu sprichwörtlich wurde, so wurde doch der Grundgedanke der **Nachfolge Christi** nicht aufgegeben, ja, er erhielt durch bisher nicht übliche Sozialtätigkeit, breit organisierte Armenfürsorge und Gefangenenbefreiung neue Dimensionen: dasselbe **Ethos**!

Grundsätzlich gesagt: Bei dieser Kontinuität in Evangelium und Ethos, Eingangs- und Gemeinschaftsritus ging es nicht nur um einige heilige Bräuche, fromme Gewohnheiten und unreflektierte Frömmigkeit, sondern um die **christliche Glaubenssubstanz**, die auch in der neuen mittelalterlichen Gesamtkonstellation **bewahrt** wurde. Sie hat denn auch die Bilderwelt, geistigen Vorstellungen, verschiedenartigen Lebensformen und das praktische Verhalten ungezählter mittelalterlicher Frauen und Männer – und nicht nur einiger »Vorreformatoren« – nicht unwesentlich bestimmt. So viel müßten heute auch Protestanten bei aller berechtigten Kritik am Mittelalter anerkennen können: Die christliche Identität wurde trotz eines ungeheuren Mentalitätsumbruchs durchgehalten.

Andererseits sollten Katholiken nicht mehr bestreiten, daß im Mittelalter auch für den innerkirchlichen Bereich ein **fundamentaler Umbruch** stattfand, der – von der Glaubensverkündigung über das Sakramentenverständnis bis zum Papsttum – schlechterdings alles umfaßte. Der bedeutendste Liturgiehistoriker unseres Jahrhunderts, Josef Andreas Jungmann, übertreibt nicht, wenn er schreibt: »Es ist in den zwei Jahrtausenden der Kirchengeschichte an keiner Stelle ein größerer Umbruch sowohl im religiösen Denken wie in den entsprechenden Einrichtungen erfolgt, als es in den fünf Jahrhunderten zwischen dem Ausgang der Patristik und dem Beginn der Scholastik der Fall ist.«[69]

Was sich in Frömmigkeit, Disziplin und Organisation veränderte

Es ist bereits deutlich geworden: Dieser Umbruch im Christentum fand weniger, wie später in der Reformation, in der Form eines abrupten Bruchs statt als vielmehr in der Form langsamer grundlegender Verschiebungen und Umdeutungen. Für die neue **mittelalterlich-lateinische Gesamtkonstellation (P III)** haben sich aus der bisherigen Paradigmenanalyse folgende **drei konstitutive Elemente** ergeben:

- die von der griechischen Patristik verschiedene lateinische **Theologie Augustins**,
- die Herausbildung des **römischen Papsttums** als zentraler kirchlicher Herrschaftsinstitution der westlichen Kirche,
- die neuartige Frömmigkeit und Kirchlichkeit der **germanischen Völker**.

Dieser letzte Punkt ist zu verdeutlichen. Schon in der Zeit nach Konstantin zeichnen sich für die Westkirche jene konsequenzenreichen Neuakzentuierungen und Neugestaltungen ab, die im Frühmittelalter durch die Präsenz der Germanen breit zur Auswirkung kommen sollten:[70]

– Nach der Stammestaufe verschwindet die Erwachsenentaufe völlig aus dem kirchlichen Bewußtsein. Die passiv-unbewußte **Säuglingstaufe** wird zur Regel.

– Zwar wurde schon in nachkonstantinischer Zeit die **Eucharistie** immer mehr nicht nur wöchentlich, sondern täglich gefeiert, aber der Kommunionempfang für alle ging nun immer mehr zurück. Anstelle der altkirchlichen Volksliturgie entwickelte sich auch im Westen (bis hin zum Gesang) eine ausgesprochene **Klerikerliturgie**, ein Sakralschauspiel in einer Sakralsprache, bei dem das Volk nur passiv zuschaute und nicht mehr am Mahl selber teilnahm. Denn: Der Priester brachte jetzt »für« das Volk »das Opfer« dar. Einem magischen Verständnis des Sakraments wird so Vorschub geleistet.

– Die altkirchliche **öffentliche Buße**, nur einmal im Leben möglich und dem Bischof unterstellt, wurde, weil kompromittierend, schon in spätantiker Zeit fast nur noch auf dem Totenbett geübt und verschwand immer mehr. Doch vom fernen Irland her, das – nie zum Imperium gehörend – erst im fünften Jahrhundert den christlichen Glauben angenommen hatte und das weithin von einer Mönchsordnung statt einer bischöflichen Ordnung bestimmt war, brachten später missionierende Wandermönche eine in ihren Klöstern geübte neuartige **Privatbuße** zum Kontinent, die uns schon bei den Mönchen des Ostens begegnet war. Diese konnte auch für alltägliche Sünden geübt und beliebig oft wiederholt werden; sie war dem Priester und nicht mehr dem Bischof unterstellt. Diese ursprüngliche Mönchsbeichte breitete sich jetzt als **Ohrenbeichte für jedermann** rasch zunächst in Westeuropa aus.

– Aus der altkirchlichen **Verehrung der Märtyrer** an deren Grab entwikkelte sich im frühen Mittelalter eine massive **Heiligen- und Reliquienverehrung** in den Kirchen. Der »**eine** Mittler zwischen Gott und den Menschen, der Mensch Christus Jesus«[71], wird in der antiarianischen Polemik und Frömmigkeit in einem praktischen Monophysitismus immer mehr zu Gott entrückt und einfach mit Gott identifiziert (der Gott Christus siegte über Gott Wotan). So wird er in der Frömmigkeitspraxis kaum mehr in Anspruch genommen und zurückgedrängt durch andere, dem Menschen näher stehende Mittler, die bei Gott (Christus) fast alles vermögen: Maria und die Heiligen.

– Aufgrund ihrer archaischen Mentalität brachten die Germanen ein fast unabsehbares Ausmaß von **Aberglauben** ins Christentum ein: Wie in allen primitiven Gesellschaften war die Volksfrömmigkeit von einem Geisterglauben bestimmt. Gute und besonders böse Geister wurden allüberall vermutet, auch hinter natürlichen Phänomenen, und sie versuchte man mit Werken, Gaben und Praktiken verschiedenster Art abzuwehren oder zu gewinnen. Es bildete sich eine weithin bibelferne, veräußerlichte, verdinglichte, **primitive Werkfrömmigkeit** heraus.

– Während die großen **Theologen** der griechischen und lateinischen Patristik sich um eine eigenständige gedankliche Durchdringung der christlichen Wahrheit bemühten und so oft die Volksfrömmigkeit korrigierten, beschränkten sich die Theologen der Übergangszeit auf das Wiederholen, Exzerpieren und Sammeln von Sentenzen. Auch eine geistliche Bildungselite, welche ja nun einmal städtische Verhältnisse und entsprechende Schulen voraussetzte, gab es kaum noch.

– Statt auf **Bildung** legte man nicht nur beim Ordensklerus, sondern immer mehr auch beim Weltklerus zunehmend Gewicht auf die **Pflicht zur Ehelosigkeit** (Zölibat) der Diakone, Priester und Bischöfe, wiewohl die Priesterehe im frühen Mittelalter noch durchaus Gewohnheit war. Zugleich schaffte man die noch im fünften Jahrhundert übliche **Weihe der Frau** zur Diakonin ab, so daß der Frau jetzt jeglicher Dienst am Altar versagt war. Gegen offensichtlich heidnische Zustände aber etwa im Frankenreich im Bereich von Ehe (die Konkubinen der Fürsten), Rechtswesen (grausames Gottesurteil statt Schuldabklärung), Sklaventum (noch bis in die Karolingerzeit) wagte die Kirche kaum einzugreifen.

– Doch neben der hierarchischen Struktur der Bischöfe und ihrer Diözesen bildete sich als Folge der durch den irischen Mönch Columban den

Jüngeren († 615) in Gallien ausgelösten irofränkischen Klosterbewegung ein riesiges **Netz von Klöstern** (am Ende des siebten Jahrhunderts allein in Gallien ca. 550). Diese hatten im Zeichen des Gehorsams gegenüber dem Abt zumeist Columbans Regel mit der Benediktinerregel verbunden, verbreiteten das irische Bußsystem, entwickelten aber auch eine rege Schriftkultur in gutem Latein. Gleichzeitig aber erwarben sie sich eine rechtliche Sonderstellung: Gegen die Bestimmungen des Konzils von Chalkedon (Unterordnung der Klöster unter den Bischof) gab es jetzt Freiheit vom Bischof: Exemption bezüglich Abteinsetzung und Korrektur der Klosterzucht, verbunden oft mit Immunität von staatlichen Eingriffen.

Gestärkt aus diesen Entwicklungen ging vor allem das **Bischofsamt** hervor. Denn in den wirren Zeiten ohne staatliche Organisation war der Bischof oft auch für Sozialfürsorge, Gerichtswesen und Steuereinnahmen zuständig, so daß er im 5./6. Jahrhundert vielfach auch das politische Dominium über die Stadt erhielt. Das Bischofsamt wird so zum Monopol führender Familien und rückt zum ranghöchsten Amt auf. Gerade der vom König kontrollierte gallische Episkopat und sein Primas, selbstbewußt und um Rom wenig bekümmert, widersetzte sich verschiedentlich päpstlichen Weisungen. Wäre mit dem Niedergang des merowingischen Königtums nicht auch Primas und Synodentätigkeit verschwunden, hätte der gallische Episkopat – nach dem Untergang zuerst des christlichen Nordafrika und dann des christlichen Spanien im Sturm des Islam – ein echtes Gegengewicht zu dem sich bereits deutlich abzeichnenden römischen Zentralismus bilden können.

So aber blieb der **römische Bischof im Westen**, kirchlich gesehen, **konkurrenzlos**. Und nach dem endgültigen Untergang des weströmischen Reiches 476 wurde die Entwicklung der christlichen Gemeinschaft zu einer eigenständigen Körperschaft auch von den freilich nicht so bedeutenden römischen Bischöfen nach Leo I. – noch immer unter byzantinischer Oberhoheit – vorangetrieben mit dem Ziel: Leitung nicht nur der römischen, sondern der gesamten Kirche durch ein auf dem Glauben begründetes Recht. Doch wie sah die Wirklichkeit aus?

Demütigende Abhängigkeit der römischen Päpste

Die Diskrepanz zwischen der hochentwickelten päpstlichen Herrschaftstheorie und der schwachen päpstlichen Herrschaftsmacht blieb noch lange Zeit beträchtlich. Denn nach dem Untergang des letzten römischen Schattenkaisers wie seines germanischen Söldnerführers Odoaker (des

»Königs von Italien«) bildeten die 488 eingebrochenen **Ostgoten Theoderichs des Großen** (489/93-526) die politische Vormacht des Abendlandes. Damit begann für das Papsttum eine Periode demütigender Abhängigkeit von den arianischen Ostgotenherrschern. Diese setzen sich in Ravenna fest, errichten dort prachtvolle Bauten und setzen als Alleinherrscher Italiens ganz selbstverständlich ihnen völlig gefügige Päpste ein. So schickte Theoderich, der an sich eine tolerante Religionspolitik selbst gegenüber den Juden verfolgte, kurzerhand Papst Johannes I. zu einer Vermittlungsaktion für die Anhänger des Arianismus nach Konstantinopel und ließ ihn nach seiner Rückkehr wegen Mißerfolg in den Kerker werfen, wo er im selben Jahr wie Theoderich starb (526).

Auch nach dem Untergang des Ostgotenreiches folgte eine bedrückende Abhängigkeit von den **byzantinischen Kaisern**, die im römischen Bischof nicht mehr und nicht weniger als den Patriarchen der alten Reichshauptstadt und damit des Westens sahen.[72] Gerade Kaiser **Justinian** war im Hinblick auf eine Restauration der Einheit des römischen Reiches an einer zwar nicht politischen, aber innerkirchlichen Aufwertung Alt-Roms neben Neu-Rom durchaus interessiert. So war er bereit, der römischen Kirche einen »primatus magisterii« = »Primat des Lehramtes« in Glauben und Lehrfragen zuzugestehen, einen Lehrprimat, der freilich zunächst praktisch folgenlos blieb, sich erst im hohen Mittelalter entwickelte und fast anderthalb Jahrtausende später auf dem Vatikanum I zur Definition der päpstlichen Unfehlbarkeit zugespitzt werden sollte.

Aber an einen Jurisdiktionsprimat des Papstes dachte auch und gerade Kaiser Justinian zuallerletzt. Im Gegenteil: Während seiner vier lange Jahrzehnte (527-565) dauernden, weithin absolutistischen Herrschaft in Staat und Kirche (wie wir im Zusammenhang des hellenistischen Paradigmas = P II ausführlich sahen), baute er in jeder Hinsicht – in Politik, Recht, Ritual, Symbolik – seine Macht aus und verklärte sie sakral. An einen unfehlbaren Papst neben ihm war gar nicht zu denken. Justinian, der sich als ebenso hervorragenden Theologen wie Herrscher ansah, betätigte sich mit Berufung auf Gottes Willen und Eingebung als eigener Gesetzgeber auch in Fragen des Glaubens. Er bestellte die römischen Bischöfe wann immer nötig an seinen Hof, wo ihre Rechtgläubigkeit in aller Form überprüft wurde.

In Italien waren die sich »Römer« nennenden, griechisch sprechenden byzantinischen Rück-Eroberer mit ihrem Exarchen (zuerst in Rom, dann in Ravenna residierend) und ihren hochnäsigen Beamten bald ebenso unbeliebt wie zuvor die Ostgoten. Und als Justinian 565 starb und die heidnischen oder arianischen **Langobarden** 568 in Italien eindrangen und das kaiserliche System auf weite Strecken völlig überrollten, war der Traum von der Wiedergeburt des einen römischen Reiches und einer einzigen Reichskirche im Rahmen des hellenistisch-byzantinischen Paradigmas ein für alle Male ausgeträumt.

Das Papsttum aber versuchte seine Stunde zu nutzen. Unter den langobardischen Herzogtümern hatte es den römischen Dukat (»Ducatus romanus«) zu behalten vermocht (nur Süditalien blieb nominell byzantinisch). So konnte es jetzt zwischen den Langobarden und Byzanz politisch wie sprachlich vermitteln und eine politische De-fakto-Unabhängigkeit erreichen. Gleichzeitig konnte es sich aufgrund seiner gut römisch verwalteten und vermehrten Latifundien (»patrimonia«) mit der Zeit zum größten Privatgrundbesitzer Westeuropas entwickeln, dessen Einkünfte der römischen Kurie und der Stadt Rom, aber auch der einheimischen Bevölkerung zugute kamen. Doch die byzantinische Kontrolle blieb und konnte zur Not auch mit Gewalt und Terror durchgesetzt werden. Zeichen dafür war die Präsenz einer byzantinischen Garnison in Rom. Man mache sich klar: Seit Justinians Dekret im Jahr 555 mußte für jede Wahl eines römischen Bischofs das kaiserliche »Fiat« (später zumindest das des Exarchen von Ravenna) eingeholt werden – ein Verfahren, das bis zum Bruch mit dem kaiserlichen Regime im achten Jahrhundert geltendes Verfassungsrecht blieb. Doch: Langsam begannen sich im Westen die Gewichte zugunsten Roms zu verschieben.

Der erste mittelalterliche Papst: Gregor der Große

Maßgeblichen Anteil an der unaufhaltsamen politischen Kontinentalverschiebung hatte eine bedeutende Gestalt dieser Epoche, Papst **Gregor I.**, der Große genannt (590-604).[73] Der Große? Wenn Gregor, wiewohl offiziell nach Ambrosius, Hieronymus und Augustin als der vierte der abendländischen »Doctores ecclesiae« gezählt, nicht in eine Serie von »Klassikern der Theologie« aufgenommen wurde[74], so ist dies berechtigt; denn ein großer, originaler Theologe war er nicht. Daß er aber auch in der von einem protestantischen Kirchenhistoriker herausgegebenen Reihe bedeutender »Gestalten der Kirchengeschichte« nicht fehlen darf, ergibt sich nicht nur aus dem Umstand, daß man dort kurzerhand alle Päpste aufnahm.[75] Denn aufgrund seines gewaltigen Einflusses auf die mittelalterliche Geistes- und Kirchengeschichte gehört Gregor sogar zu den »Großen der Weltgeschichte«[76].

Gregors **Theologie** – theologische Populärliteratur, Predigten und Bibelinterpretationen – ist schon von Adolf von Harnack scharfer Kritik unterzogen worden: »Unter der Hülle augustinischer Worte« hätte Gregor »den vulgär-katholischen Typus, aber durch superstitiöse Elemente verstärkt, wieder zum Ausdruck gebracht und die alte, abendländische Auffassung der Religion als einer Rechtsordnung ans Licht gestellt«[77]. Harnack meint damit vor allem Gregors »Dialoge über Leben und Wunder der italischen Väter« nach dem Vorbild der kurz vorher aus dem Griechischen übersetzten »Apophtegmata patrum« und seine Propagation eines kruden Wunder-, Visionen-, Prophezeiungen-, Engel- und Dämonenglaubens, aber auch seine theologische Sanktionierung einer massiven Heiligen- und Reliquienverehrung, des Fegefeuers und der Seelenmessen, sein übergroßes Interesse an Opfern, Bußordnungen, Sündenkategorien und Sündenstrafen, schließlich seine Betonung der Furcht vor dem ewigen Richter und der Hoffnung auf Belohnung statt des Vertrauens auf Gottes Gnade in Christus und der Liebe …

Ob aber nun gerade Gregor und vor allem er »den vulgären Typus des romanischen Katholizismus«[78] geschaffen hat oder nicht, sei dahingestellt. Ohne Zweifel aber hat Gregor den Abstand zwischen spätrömischer Elitekultur und barbarischer Volkskultur verringert und als **der letzte der lateinischen Kirchenväter** zugleich **das Mittelalter eingeläutet**. Er wurde, weil einfach und populär, mehr gelesen als sein Meister Augustin, dessen schroffe Prädestinationslehre er zu Recht abmildert. Auch der dem Katholizismus wohlgesinnte evangelische Dogmenhistoriker Ulrich Wickert meint, Gregor überliefere die große Tradition in simplifizierter Form und seine Gedankenwelt, verglichen mit der seiner geistigen Väter (Augustin vor allem) sei »dumpfer, trüber, nivelliert«. »Aber«, fügt er hinzu, Gregor »war berufen, unter Bedrängnissen endzeitlich gestimmt, doch Wegbereiter einer neuen Zeit zu sein«[79]. Ihm sei es, sagt ein englischer Kenner, um »die unermüdliche Suche nach dem, was nicht vergänglich ist«[80], gegangen.

In der Tat: So sehr Gregors schlichte und oft primitive Theologie Kritik findet, so sehr findet sein **Pontifikat** Anerkennung. Selbst Harnack äußert sich höchst freundlich über Gregors Persönlichkeit. Er sei ein »kluger, energischer Mönch, ein gewandter Politiker und ein liebenswürdiger und imponierender Seelsorger«[81] gewesen. Obwohl aus reicher römischer Senatsaristokratie und schon in seinen frühen 30er Jahren römischer Stadtpräfekt, hatte er sich drei Jahre später – ganz wie Augustin – nach einer Conversio für ein Leben in Askese entschieden. Sein Familienpalast wurde ein Kloster, und auf seinen Latifundien in Sizilien gründete er ebenfalls Klöster, sechs an der Zahl.

Die mönchische Ruhe freilich währte nicht lange, denn Gregor, der kein Benediktiner geworden war, wird vom Papst zum Regionaldiakon und schließlich zu seinem Bevollmächtigten (Apokrisiar) am Kaiserhof in Konstantinopel ernannt, wie ihn dort alle Patriarchen hatten. Doch hier zeigte sich die Grenze des Altrömers Gregor: Seine Vermittlungschance nutzt er wenig. Statt im Verlauf seines mehr als sechsjährigen Aufenthalts Griechisch zu lernen, erklärt er in dieser glanzvollen Stadt am Bosporus den Seinen mit allen moralischen Nutzanwendungen das Buch Hiob, auf lateinisch natürlich (später, unter dem Titel »Moralia« das Moralhandbuch des Mittelalters). Traute er doch den Griechen ohnehin nur halb, da er geprägt war von der überkommenen lateinischen Auffassung, die Griechen seien zu intelligent, um ehrlich zu sein.

590 ist das Jahr, in dem Gregor zum Papst gewählt wird – noch immer von der Gemeinde, in Wirklichkeit freilich mehr von Klerus und Aristokratie. Aber der gut Fünfzigjährige wird keineswegs der aristokratische Kirchenfürst und »politische Papst«, den man hätte erwarten können. Zwar steht auf seinem Grabstein der Titel »Consul Dei«. Doch Gregor blieb im Grund seines Herzens **Mönch und Asket**, dessen persönliche pastoral-missionarisch orientierte Frömmigkeit im Gottvertrauen wurzelte und so zugleich eine der Abgeschiedenheit und Kontemplation zugewandte Innenseite besaß.

Andererseits war Gregor ein höchst energischer, sehr **praktisch veranlagter Bischof**, der den bereits beträchtlichen institutionellen Apparat des Papsttums voll beherrschte. Mit Augenmaß und Realitätssinn verwaltete er auch die riesigen, zumeist von Kolonisten bearbeiteten päpstlichen Latifundien nicht nur in Italien, Sizilien und Sardinien, sondern auch in Gallien, Dalmatien und Nordafrika. Ja, er verstand sie so hervorragend zu reorganisieren, daß er die Erträgnisse zur Linderung der Not der Bevölkerung verwenden und gerade den Menschen in Rom, jetzt zum Elendsquartier von kaum 100 000 Einwohnern und zur Ackerbauerstadt herabgesunken, reichlich Nahrungsmittel zur Verfügung stellen konnte.

Zur Abwendung einer erneuten Eroberung Roms zahlte er ein astronomisches Lösegeld von 500 Pfund in Gold an die noch weithin heidnischen oder arianischen Langobarden, deren Königspaar indessen katholisch geworden war. In jeder Hinsicht, besonders in der Kriegs- und Pestzeit, hat er sich so für das Volk und für den Frieden mit den Langobarden eingesetzt. Kein Wunder, daß ihm deshalb eine **Verantwortung für Verwaltung, Finanzwesen und Volkswohlfahrt** zuwuchs, die an sich in die Kompetenz des kaiserlichen Exarchen gehörte. Für Italiens romanische Bevölkerung aber war Gregor und nicht der byzantinische Exarch die oberste Autorität. Ja, mehr noch: Durch sein Verwaltungsgeschick legte

Gregor in diesen für ihn apokalyptischen Zeiten unmerklich die **Basis für die weltliche Macht des Papsttums**, die zu seiner Zeit noch schwach entwickelt war.

Und doch vergaß dieser Papst über der praktischen Politik nicht die Sorgen um **das geistliche Wohl in** der Kirche. Das läßt sich besonders an der Förderung und dem Schutz des Mönchtums ablesen. Wie Athanasios über den Wüstenvater Antonios, so schrieb Gregor jetzt im zweiten Buch seiner »Dialoge« über Leben und Wunder des nur schattenhaft bekannten Begründers und Abtes von Subiaco und Monte Cassino, **Benedikt**, den erst Gregor zum schlechthin vorbildlichen römischen Abt und Mönchsvater machte, wobei er auch hier – typisch für seine Glaubenswelt – phantastisch-skurrile Geschichten über Wunder und Visionen einflocht. Aber praktisch-pastoral orientiert, wie er war, hielt er gleich zu Beginn seiner Amtszeit den kirchlichen Amtsträgern mit einer **Regula pastoralis** den Spiegel vor: einer mönchisch-jenseitsbezogenen »Hirtenregel«, die der Kaiser denn auch ins Griechische übersetzen ließ. Für den Weltklerus des Mittelalters sollte diese Schrift über den idealen Seelenhirten das bedeuten, was die Regel des Benedikt von Nursia (ca. 480-547) für die Orden war.

Mehr noch: Große Sorge verwendet Gregor auch auf die **kulturelle Arbeit**: auf die Bibliothek im Lateran, die ein Bild Augustins schmückte, auf die Pflege des liturgischen Gesangs, zu deren Zweck er wahrscheinlich eine eigene Institution gründete oder reorganisierte, später Schola cantorum, Gesangsschule, genannt. Daß er dabei selber ein »Sakramentar« verfaßt und den »Gregorianischen Gesang« erfunden habe, gehört freilich ins Reich der Legende. Doch wurde diese Legende im neunten Jahrhundert geschickt benutzt, um eine einheitliche Form des Cantus Romanus im Frankenreich durchzusetzen.[82]

All diese gutgemeinten Aktivitäten freilich konnten nicht darüber hinwegtäuschen, daß die **geistig-kulturelle Situation** in Rom und Italien **erbärmlich** war. Die große Kultur der Antike war nun einmal im Untergang begriffen und wurde mehr und mehr vergessen; philosophische Kenntnisse waren minimal, und kaum fand man in Rom noch einen Menschen, der griechische Texte einwandfrei ins Lateinische übersetzen konnte. Auch die literarische Kultur hatte sich reduziert. Vorbei die Zeit, da Augustin in einer Schrift »De doctrina Christiana« den Christen in der Zeit der Spätblüte der klassischen Bildung das Bibelstudium noch sozusagen als »Korrektur« empfehlen mußte. Jetzt war alles auf das Studium der Bibel samt der betreffenden Hilfswissenschaften geschrumpft. Ja, eine auf die Bibel allein konzentrierte und zugleich auf Kleriker und Mönche, die allein lesen und schreiben konnten, reduzierte **klerikale Kultur** war im Entstehen. Und Kleriker und Mönche waren es denn auch, die Gregor, der Mönchspapst, vor allem ansprechen wollte. Und doch: Reicht dies alles für weltgeschichtliche »Größe« aus? Nein, etwas Entscheidendes mußte hinzukommen.

Politische Wende von Ost nach West eingeleitet

Zum einen gilt zu sehen: Gregor, noch immer Untertan des byzantinischen Kaisers, war sich seit seinem Aufenthalt in Konstantinopel darüber im klaren, daß **im Osten** ein **römischer Jurisdiktionsprimat nicht durchsetzbar** war und daß eine Auflehnung gegen den Kaiser jederzeit als Hochverrat bestraft werden konnte. Deshalb hatte er sieben Monate ganz korrekt mit seiner Bischofsweihe gewartet, bis aus Byzanz die Zustimmung eintraf. Denn nicht nur der Kaiser, auch alle griechischen Bischöfe waren ganz selbstverständlich der Auffassung, die Position des römischen Bischofs entspreche der eines östlichen Patriarchen. Und Rom war ja politisch-rechtlich noch immer eine byzantinische Stadt mit einer byzantinischen Garnison, und die römische Kirche war ein Teil der justinianischen Reichskirche. Und wie es unbotmäßigen Päpsten politisch erging, zeigt nur wenige Jahrzehnte später der Fall Martins I., der sich einer antibyzantinischen Revolte in Rom nicht entgegengestellt hatte. Er wurde verhaftet, abgesetzt, nach Konstantinopel transportiert und nach einem großen Schauprozeß auf die Krim verbannt, wo er verstarb (ähnlich auch die Verurteilung und grausame Verstümmelung des bedeutendsten Theologen des 7. Jh., des papstfreundlichen Maximus, später der »Bekenner« genannt).

Andererseits aber gilt: Gregor hatte als erster Papst die Entfaltungsmöglichkeiten und schöpferischen Kräfte der **germanischen Völker** erkannt, die in Westeuropa seit der zweiten Hälfte des fünften Jahrhunderts siedelten. Und so dehnte sich sein **Aktionsradius vor allem nach Norden und Westen** aus: Gregor bemühte sich

– um die Wiederbelebung der schon 498/99 unter Chlodwig katholisch gewordenen Kirche im **Frankenreich** (freilich mit beschränktem Erfolg),
– um das 586 unter Rekkared vom Arianismus zum Katholizismus bekehrte **Westgotenreich** in Spanien und vor allem
– um **Britannien**, das zu einem der treuesten Gefolgsländer des Papstes werden sollte, nachdem Gregor hier im Jahre 597 die Mission initiiert hatte.

Cäsar habe für die Eroberung Britanniens sechs Legionen gebraucht, so wird ein Wort des englischen Historikers Gibbon überliefert, Gregor, der seinem Schüler Augustin (dem späteren Erzbischof von Canterbury) die Leitung der Mission anvertraut hatte, nur vierzig Mönche. In der Tat: Im siebten Jahrhundert konnte sich die neue römisch orientierte angelsächsische Kirche (mit den Metropolen Canterbury und York) gegen die beiden älteren keltischen Kirchen durchsetzen, gegen die altbritische Kirche und die irische Mönchskirche, die beide ohne rechtliche Verbindung mit dem päpstlichen Rom existiert hatten. Und von Britannien aus sollten die iroschottischen und angelsächsischen Mönche vom Ende des sechsten bis zur Mitte des achten Jahrhunderts die Missionierung vor allem Deutschlands und Mitteleuropas in Angriff nehmen, von der schon die Rede war.

So hat Gregor ein für allemal den engen Wirkungsrahmen der römischen Bischöfe gesprengt. Und wo seine Missionare hinkamen, verbreiteten sie ganz selbstverständlich den **römisch geprägten christlichen Glauben**: die römische Kirche als Quelle und Fundament dieser Christenheit. Die »Barbaren«-Herrscher im Westen konnte Gregor deshalb ganz »väterlich« als »Söhne« anreden und ihnen Weisungen geben, wie er dies dem Kaiser gegenüber nie gewagt hätte. Denn: Wie in Gallien und Spanien, so war der petrinisch-römische Primat bei den Angelsachsen von vornherein als göttliche Stiftung anerkannt! Und die hier gegebenen Chancen auf politische Vorherrschaft sollte das römische Papsttum in der Folgezeit mehr und mehr nutzen.

Historisch dürfte deshalb unbestreitbar sein: Durch die Ausbreitung des römisch geprägten christlichen Glaubens hat Papst Gregor die geistig-kulturelle Einheit »Europas« grundgelegt: ein Europa aus Süd, West und Nord. Griechenland aber und die östlichen Länder fehlten, denn hier lehnte man ja bekanntlich den typisch römischen Glauben an einen gottgegebenen römischen Jurisdiktions- und Lehrprimat entschieden ab. Was umgekehrt heißt: Je mehr der Papst im Osten verlor, desto mehr gewann er im Westen und Norden. Die sich anbahnende Trennung der beiden Christenheiten wurde mehr und mehr vertieft.

Gregor also »Vater Europas«? Nein, denn Europa ist mehr als der römisch beherrschte Westen. Gregor war mit seiner doppelgleisigen Kirchenpolitik ein geistiger Vater nicht Europas, wohl aber des neuen spezifisch römisch-katholischen Paradigmas, das von Augustin theologisch und von den Päpsten Leo und Gelasius kirchenrechtlich-programmatisch grundgelegt worden war. Durch seine Missionsbestrebungen hatte er es aus dem rein Programmatischen für das westliche Europa in kirchliche Wirklichkeit überführt. Und bereits jetzt zeichnet sich ab, daß ein **Paradigmenwechsel vom hellenistisch-byzantinischen (P II) zum römisch-**

katholischen Paradigma (P III) unausweichlich wurde. War also auch die Spaltung unausweichlich?

Ein anderes Bild vom Papsttum

Die **Notwendigkeit** eines Paradigmenwechsels implizierte noch keineswegs eine bestimmte **Verfaßtheit** des Paradigmas und folglich auch keineswegs die Notwendigkeit einer Spaltung zwischen West- und Ostkirche. Grundsätzlich gab es zu Beginn des siebten Jahrhunderts noch immer zwei konkrete Möglichkeiten von Kirchenverfassung für das heraufkommende mittelalterliche Paradigma (P III):

- nach dem Vorbild der Urkirche (P I) und der alten Kirche (P II) eine demokratisch-kollegial verfaßte katholische Communio, West wie Ost gleichermaßen umfassend mit einem römischen Dienstprimat, oder
- nach dem Vorbild der römischen Imperatoren und Diktatoren eine autoritär-monarchisch verfaßte Hierarchie-Kirche mit einem römischen Herrschaftsprimat, was unvermeidlich eine Spaltung zwischen West- und Ostkirche zur Folge haben mußte.

Insofern stand das Papsttum jetzt an einem Scheideweg. Und seltsam zu denken, wie die Geschichte verlaufen wäre, hätte das Papsttum sich – im Amtsverständnis – trotz aller seiner Grenzen und Schwächen mehr an Gregor dem Großen als an Leo dem Großen orientiert. Man mache sich klar:

– Während Leo am Ausbau einer Primatstheologie brennend interessiert war, kümmerte sich Gregor, der kein Doktrinär war, mehr um die **pastorale und missionarische Arbeit** der Kirche.

– Während für Leo die »plenitudo potestatis« (»Fülle der Macht«) als Zentralbegriff im Mittelpunkt stand, nannte sich Gregor im Anschluß an das Neue Testament auch offiziell »servus servorum Dei«, »Diener der Diener Gottes«. Diesen Titel hatte Gregor schon als Mönch und Diakon gebraucht, und er sollte jetzt den **Papst als obersten Diener** in der Kirche kennzeichnen, war allerdings auch im Sinn eines Universalanspruchs interpretierbar.

– Während Leo ein stolz-herrscherliches Primatsverhältnis vertrat und immer wieder neu Vorrang, Auszeichnung, Vollmacht des Petrus hervorhob, so Gregor ein **demütig-kollegiales Primatsverständnis**, indem er in Bußgesinnung häufig auch die Fehler und das Versagen des Petrus hervorhob. Charakteristisch ist für ihn das Wort: »Von der höchsten Stelle wird dann gut regiert, wenn der, der vorsteht, eher über seine Laster als über seine Brüder herrscht.«[83] So lag denn Gregor die Tendenz seiner Vorgänger zu einer vollständigen Zentralisierung der kirchlichen Verwaltung fern. Auch zeigt die Weisung an den von ihm ausgesandten Missionar der Angelsachsen, Augustin, daß er jeden liturgischen Uniformismus ablehnte. Er wollte nicht die römische Lokalliturgie und die römischen Lokalbräuche anderen Kirchen aufzwingen: »Denn nicht um des Herkunftsortes willen sind die Dinge (Bräuche) liebenswert, sondern um der Dinge (Bräuche) willen die Herkunftsorte.«[84] Die südgallischen Bischöfe tadelte er, weil sie die Juden zur Taufe zwingen wollten.[85] Stattdessen bestand er auf der Einhaltung des den Juden gesetzlich zugesicherten Schutzes …

Dies heißt nun keineswegs, daß Gregor nicht auch autoritativ den römischen Primat verteidigen konnte. So ging seine langjährige gute Verbindung mit dem Patriarchen von Konstantinopel Johannes IV. schließlich doch noch in die Brüche, weil Gregor meinte, gegen den seit Beginn des sechsten Jahrhunderts gebrauchten Titel eines »ökumenischen Patriarchen« protestieren zu müssen. Ein Titel mit dem Attribut »ökumenisch« erhöbe einen Universalanspruch und nähme den anderen Patriarchen etwas weg. Auch der Apostel Petrus, in West und Ost hochverehrt, habe sich ja nicht als Universalapostel bezeichnet. In der Tat.

Es zeugt deshalb von höchst manipulativer Geschichtsschreibung, wenn das Vatikanum I in seiner Definition des Jurisdiktionsprimats eines »höchsten und **universalen** Hirten« ausgerechnet Gregor zitiert, der zu den Bischöfen gesagt habe: »Meine Ehre ist die Ehre der ganzen Kirche. Meine Ehre ist die feste Kraft meiner Brüder. Dann werde ich wahrhaft geehrt, wenn einem jeden von ihnen die schuldige Ehre nicht verwehrt wird.«[86] Denn der Sinn dieser »Stelle« ist bei Gregor selber gerade umgekehrt: Gregor verwahrt sich in diesem hier zitierten Brief an den Patriarchen Eulogios von Alexandrien gegen die Anrede »universalis papa«, wie er auch nicht will, daß sein Schreiben als jurisdiktionelle »Iussio« angesehen werde. Und so heißen denn die vorausgehenden Sätze, die im Konzilstext geflissentlich übergangen wurden: »Ich habe nicht befohlen, sondern auf das, was mir nützlich erschien, hinzuweisen versucht … Ich halte das nicht für eine Ehre, von dem ich weiß, daß es meinen Brüdern die Ehre raubt.« Und in dieser Perspektive folgen dann die vom Konzil zitierten Sätze: »Denn meine Ehre ist die Ehre der gesamten Kirche …«, wobei bezüglich neuer Titel der wiederum vom Konzil nicht zitierte Nachsatz folgt: »Fort mit den Worten, welche die Eitelkeit aufblähen und die Liebe verletzen.«[87]

Gregor galt dem ganzen Mittelalter als **exemplarischer Papst**. Und noch Martin Luther stellte lapidar fest: »Gregor der Große war der letzte

Bischof der römischen Kirche; die folgenden sind Päpste, das heißt Oberpriester der römischen Kurie.«[88] Ist es von daher völlig müßig zu fragen, ob die weitere Entwicklung des Papsttums im evangelisch-ökumenischen Geiste Gregors des Großen nicht anders verlaufen wäre? Hätte nicht so vieles, nicht zuletzt die östlich-westliche Kirchenspaltung, vermieden werden können? Wie immer: Es lohnt sich hier, in unserer Darlegung wenigstens einen Moment innezuhalten. Der Primat des römischen Bischofs – so sehr er von manchen Orthodoxen, Protestanten, Anglikanern und auch Katholiken am liebsten abgeschafft würde – hat eine zwar ambivalente, aber doch höchst bedeutungsvolle Tradition hinter sich, so daß weder seine Abschaffung wünschenswert noch sein automatisches Verschwinden im Verlauf der Geschichte zu erwarten ist. Nicht so sehr das Faktum, sondern die konkrete Verfaßtheit des römischen Primats scheint mir das Problem.

Fragen für die Zukunft

Im Hinblick auf eine bessere ökumenische Zukunft sind folgende Fragen zu stellen:

• Soll der römische Primat ein **Herrschaftsprimat** bleiben, der auf eine von Gott gegebene unmittelbare Jurisdiktion des römischen Bischofs über die einzelnen Kirchen und einzelnen Christen Anspruch erhebt? Und dies ohne jegliche Aussicht auf eine Realisierung in der christlichen Ökumene – weder in der östlichen Orthodoxie noch im Protestantismus noch im Anglikanismus – in näherer oder fernerer Zukunft?

• Oder soll der römische Primat ein **Dienstprimat** sein, der in der Nachfolge des biblischen Petrus und nach dem Vorbild Gregors des Großen (und Johannes' XXIII.) ein wahrhaft pastoraler Primat ist im Sinne geistlicher Verantwortung, innerer Führung und aktiver Sorge um das Wohlergehen der Gesamtkirche? Ein Papsttum, das als Inspirationszentrum, kirchliche Vermittlungsinstanz und mögliche Schlichtungsinstanz dienen könnte? Ein Primat also des selbstlosen Dienstes in Verantwortung vor dem Herrn der Kirche und in demütiger Brüderlichkeit zu allen? Ein Primat nicht im Geist des römischen Imperialismus, sondern im Geist des Evangeliums?

Freilich: Zunächst sah alles nicht gerade nach einem Herrschaftsprimat der Päpste aus. Denn die Nachfolger Gregors – in den rund 150 Jahren von 604 bis 751 waren es 18 Römer, 5 Griechen, 5 Syrer und 1 Dalmatiner – hatten wenig Gelegenheit, ihre Primatialansprüche anzumelden oder weiter auszudehnen. Sie standen völlig unter byzantinischer Kontrolle. Es war **»das Zeitalter der ›byzantinischen Gefangenschaft‹ des Papsttums«**[89], das erneut den klaren Fall eines häretischen Papstes hervorbrachte: den jenes bereits erwähnten Honorius I. (625-638) ... Dies aber hat der nun wachsenden Petrusdevotion besonders unter den Germanen (Petrus als Himmelspförtner, jetzt immer mit den Schlüsseln dargestellt, seine Reliquien und sein Stellvertreter in Rom) keinen Abbruch getan, und diese wird nun für die Frömmigkeit des einzelnen Christen im Westen bedeutsam. Im achten Jahrhundert sollten sich die Verhältnisse grundlegend zugunsten des Papsttums verändern, so daß es bald wagen konnte, Byzanz herauszufordern. Das aber wäre alles nicht möglich gewesen ohne die große Gegenmacht, die plötzlich auf der Bühne der Weltgeschichte auftrat und eine politische Katastrophe vor allem für das östliche Christentum darstellte: den Islam.

5. Die große Gegenmacht: der Islam

Die eigentlichen Gegenspieler des katholisch-mittelalterlichen Christentums, so zeigte sich bereits im siebten Jahrhundert, waren nicht die heidnischen und dann arianischen Germanen, sondern war eine unerhört mächtig gewordene neue Religion: der **Islam**. Christen nahmen ihn zunächst kaum zur Kenntnis oder versuchten, ihn rasch als christliche Häresie abzutun. Es nützte ihnen nichts, denn der Islam entwickelte sich zu einer kraftvollen und vor allem militärisch siegreichen Weltreligion, welche die Christenheit das Fürchten lehrte und in eine große welthistorische Konfrontation hineintrieb. Dem Islam soll der ganze dritte Band dieser Trilogie »Zur religiösen Situation der Zeit« gewidmet werden, so daß ich mich hier auf einige Anmerkungen beschränken kann.

Der beispiellose Siegeszug des Islam

632 war der Prophet Muhammad gestorben, aber er hatte, obwohl die Hidschra, seine Emigration von Mekka nach Medina, erst ein Jahrzehnt vorher erfolgt war, Arabien geeint im Glauben an den einen Gott Abrahams, als dessen definitiver Prophet Muhammad selber galt. Die Araber

nutzten das Machtvakuum, das durch die gegenseitige Schwächung der Großmächte Byzanz und Persien entstanden war.

Sie stießen zunächst nach Norden vor. In einer 634 einsetzenden **ersten Eroberungswelle** unter den vier »rechtgeleiteten« Kalifen nahmen sie dem byzantinischen Reich Syrien mit Damaskus (635) und Palästina mit Jerusalem (638) ab. Und nachdem sie auch das sassanidische Perserreich erobert hatten, erfolgte der Angriff auf Ägypten und die Eroberung Alexandriens (642). Hier unterstützten die unterdrückten monophysitischen Kopten als einzige Christen die Araber gegen die verhaßten chalkedonischen Griechen. Sie fanden dafür die Anerkennung als einzig legitime Christengruppe, die ihre Existenz in Ägypten bis heute sichern konnte. Im Westen drangen die Araber dann entlang der Küste bis nach Libyen (647) vor und auf dem Seeweg bis nach Zypern (649), Rhodos (654) und – auf den ersten Raubzügen – nach Sizilien (652): das ganze östliche Mittelmeer war jetzt für Byzanz verloren. Im Norden stießen sie schließlich bis nach Armenien (653) vor.

Eine **zweite Eroberungswelle** unter den umaiyadischen Kalifen hatte eine zweite große Konfrontation zwischen Islam und Christentum zur Folge, doch diesesmal im äußersten Westen: 683 hatten die ersten Araber auf ihrem Eroberungszug Nordafrikas den Atlantik erreicht; 711 erfolgte die Eroberung Spaniens, was den Untergang des dortigen christlichen Westgotenreichs bedeutete. Ja, mehr noch: Auch im Osten gelang noch im selben Jahr den Umaiyaden der Durchbruch – und zwar bis ins Industal. Wenig später standen sie bereits in Mittelasien: Sammarkand und Buchara – im heutigen Usbekistan. So erstreckte sich schließlich das muslimische Reich – keine hundert Jahre nach dem Tod des Propheten – buchstäblich von den Pyrenäen im Westen bis zum Himalaja im Osten, ja bis in den Südosten hinein weit über das Imperium Romanum hinaus. Nur die nördlichen Mittelmeerländer bildeten eine Ausnahme; sie konnten nicht erobert werden. Zunächst widerstand Byzanz einer zweimaligen Belagerung (672-678 und 717-718), schließlich aber wurden die muslimischen Scharen auch in Gallien gestoppt durch die Franken: 732.

Und doch: Was bedeutet die islamische Eroberung für die **Christenheit**? Keine Frage, eine **Katastrophe von welthistorischer Tragweite**! In Nordafrika hatte das Christentum – von den ägyptischen Kopten abgesehen – keine Chance mehr, und in einem längeren Prozeß verschwand es fast völlig. Die großen lateinischen Kirchen Tertullians, Cyprians und Augustins gingen unter. Die Patriarchate von Alexandrien, Antiochien und Jerusalem sanken zur Bedeutungslosigkeit hinab. Fazit: Die Ursprungsgebiete des Christentums (Palästina, Syrien, Ägypten und Nord-

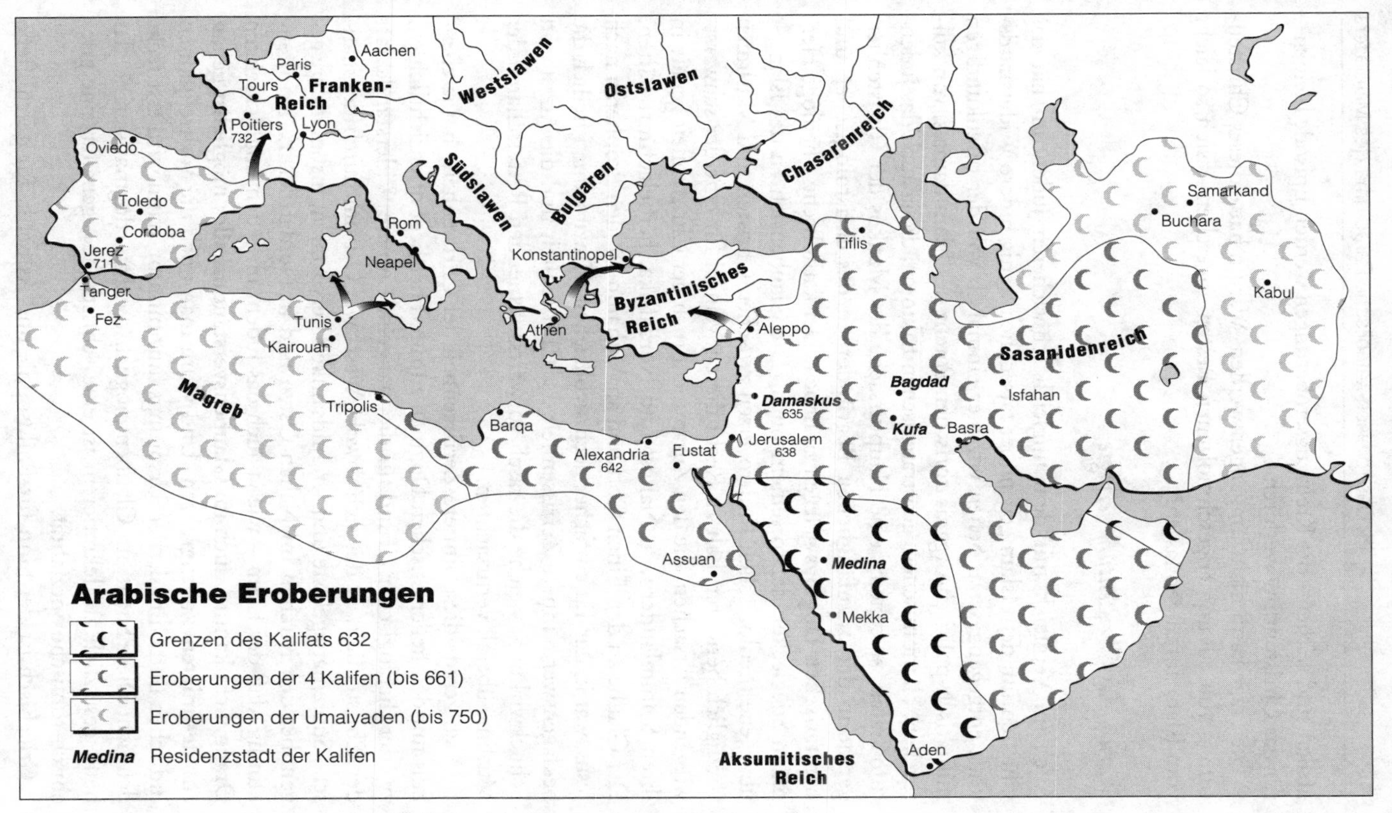
Aachen
Paris
Tours
Franken-
Reich
Poitiers
732
Lyon
Oviedo
Toledo
Cordoba
Jerez
711
Tanger
Fez
Westslawen
Ostslawen
Südslawen
Bulgaren
Chasarenreich
Rom
Neapel
Tunis
Kairouan
Tripolis
Magreb
Konstantinopel
Athen
Byzantinisches
Reich
Aleppo
Tiflis
Samarkand
Buchara
Kabul
Sasanidenreich
Bagdad
Isfahan
Damaskus
635
Kufa
Basra
Barqa
Alexandria
642
Fustat
Jerusalem
638
Assuan
Medina
Mekka
Aden
Aksumitisches
Reich
Arabische Eroberungen
Grenzen des Kalifats 632
Eroberungen der 4 Kalifen (bis 661)
Eroberungen der Umaiyaden (bis 750)
Medina Residenzstadt der Kalifen

afrika) sind seither – die Kreuzzugseroberungen werden Episode bleiben – für das Christentum »verloren«.

Die Frage kann nicht umgangen werden: Warum hatte dieses Christentum – von zusammengeschmolzenen Resten abgesehen – sich so leicht vom Islam aufsaugen lassen?

Warum das Christentum versagte

Auch im Vergleich mit dem ungleich schwächeren Judentum hat das Christentum dem Islam gegenüber tatsächlich wenig innere Widerstandskraft entgegengesetzt. Sehen wir hier einmal ab von der offenkundigen militärisch-politisch-organisatorischen Potenz des Islam damals, von kulturellen, ökonomischen, geostrategischen Faktoren, die ja auch das Judentum trafen, so scheint eine Hauptursache des Mankos der Christenheit gerade in der **unzulänglichen Begründetheit des christologischen und trinitarischen Dogmas** gelegen zu haben. Der katholische Theologe Hermann Stieglecker, der in seinem Buch »Die Glaubenslehren des Islam«[90] über jene theologischen Kontroversen zwischen Christen und Muslimen vorzüglich berichtet, hält zu Recht diesen Mangel für eine der schwerstwiegenden Ursachen, die den Zusammenbruch der Christenheit gerade in ihren Stammländern, in Nahost und Nordafrika, herbeigeführt hätten. Der Glaube an den Einen Gott und an Muhammad, den Propheten nach Jesus, war in der Tat einfacher nachzuvollziehen. Hinzu kämen freilich die beklagenswerte innere Zerrissenheit der Christenheit und die Angst und Schockwirkung, welche die rasch vorwärtsstürmenden Reiterscharen der Muslime überall verursachten.

Doch gerade diese »**innere Zerrissenheit** der Christenheit« hat ja ebenfalls mit den hellenistischen Dogmen zu tun: Hier liegt offensichtlich ein zweiter theologischer Grund für die mangelnde innere Widerstandskraft der Christenheit, in der sich sowohl West- wie Ostrom durch dogmatische Suprematiegelüste und Unduldsamkeit hervortaten, insbesondere gegenüber den Kirchen im Nahen Osten und in Nordafrika. Es ist offenkundig, daß der Islam – wie ja auch das Judentum – den unglückseligen **Drang** nicht kannte, **auch im Glaubensverständnis alles möglichst genau zu »de-finieren«**, abzugrenzen. Und wenn man noch die Weltreligionen indischen und chinesischen Ursprungs hinzunimmt, dann wird erst recht deutlich: Diese Sucht, im Glauben möglichst viel zu »dogmatisieren«, das heißt gesetzlich zu dekretieren, ist eine »christliche«, genauer eine griechisch-römische Spezialität.

Griechisch ist der Sinn für Philosophie und Ästhetik, für geschliffene

Sprache und harmonische Ausgestaltung der Lehre; griechisch aber auch die im Dogmatisieren zum Ausdruck kommende Intellektualisierung des Glaubens in oft verstiegener Spekulation und unfruchtbarer Begriffsmystik. **Römisch** ist der Sinn für Form, Gesetz, Recht und Organisation, für Tradition und Einheit, das Nützliche und das Praktische; römisch sind aber auch effiziente Machtpolitik und autoritäre Führungsmethoden bis ins Religiöse hinein, römisch der gerade im Definieren immer wieder durchbrechende Traditionalismus, Juridismus und Triumphalismus.

Der **Islam** betrachtet die Theologie als eher periphere, kaum notwendige Religionsphilosophie. Er hat das Definieren und Dogmatisieren auf die Rechtssphäre beschränkt. Statt auf Orthodoxie hat er sich auf **Orthopraxie** konzentriert, wobei die Präponderanz des Rechts im Islam freilich kaum weniger problematisch ist als die Präponderanz der Dogmatik im Christentum. Jedenfalls hat der Islam die Einheit – trotz der großen Spaltung in Sunniten und Schiiten, die andere Gründe hatte – sehr viel besser bewahrt. In der Christenheit preist man die großen christologisch-trinitarischen Konzilien, vergißt dabei aber meist, was wir deutlich herausgehoben haben: daß mit den Namen Nikaia, Ephesos, Konstantinopel und Chalkedon nicht nur nachher weitergehende Streitigkeiten, sondern auch große Kirchenspaltungen verbunden waren, die sich trotz tödlicher Bedrohung durch den Islam in Ägypten und im Nahen Osten bis auf den heutigen Tag durchgehalten haben.

Welthistorische Schwerpunktverschiebung

Es gibt in der Weltgeschichte kaum einen Siegeszug, der so schnell und weitreichend und zugleich so nachhaltig und dauerhaft war wie der Siegeszug des Islam. Und noch heute gründen in diesen geschichtlichen Erfahrungen der Frühzeit alle muslimischem Gefühle des Stolzes (»eine Religion der Sieger«) und der Minderwertigkeit (»warum nicht auch heute?«).

Der belgische Wirtschafts- und Sozialhistoriker Henri Pirenne hat 1937 in seinem berühmten Buch »Mohammed und Karl der Große«[91] erstmals die Bedeutung des islamischen Einbruchs in die antike Mittelmeerwelt und die damit gegebene Verschiebung des Schwerpunkts der christlichen europäischen Geschichte nach Norden aufgewiesen. Wirtschaftsgeschichtlich mag dies problematisch sein, politisch-kulturell-religiös sicher nicht. Vielmehr sind die Folgen des islamischen Siegeszuges gerade für die **Herausbildung des mittelalterlichen Paradigmas von Christenheit** wohl zu beachten:

- Das **oströmische Reich** ist durch den Verlust der südlichen und südöstlichen Länder dem Westen gegenüber entscheidend geschwächt; Justinians Traum einer christlichen Restauration des geeinten römischen Reiches ist ein für alle Male ausgeträumt.
- Die **Einheit der mediterranen Welt** ist für immer zerbrochen; das Mittelmeer ist bis heute kein christliches »mare nostrum« mehr.
- Dem **Frankenreich** fällt die geschichtliche Chance zu, das **neue Imperium Christianum** zu bilden. Zugespitzt formuliert nach Pirenne: Muhammad hat Karl den Großen möglich gemacht.
- Dem **Papsttum** schließlich wird die Möglichkeit geboten, sich mit Hilfe der Franken von Ostrom definitiv loszulösen und zur **staatlichen Selbständigkeit** zu gelangen; ohne die Franken kein Kirchenstaat mit dem Papst als geistlichem und weltlichem Oberhaupt. Ohne Kirchenstaat keine selbstbewußte Machtdemonstration Roms gegen Byzanz.

Mit einem Wort: Für die Herausbildung des westlich-mittelalterlichen Paradigmas der Christenheit (P III) ist die politische **Schwerpunktverlagerung nach Norden**, nach dem nördlichen Zentraleuropa, von grundlegender Bedeutung.

Die Religionen und die Kriege

Doch man beachte: Beim Siegeszug der islamischen Araber ging es zumindest bezüglich der nichtarabischen Völker nicht primär um eine Islamisierung, d. h. eine Aufoktroyierung des Islam als Religion, sondern »nur« um die politische Unterwerfung der eroberten Völker. Man drängte bei den Unterworfenen zumeist nicht auf Konversion, sondern verlangte von ihnen eine Kopfsteuer und unbedingte politische Gefolgschaft. Trotzdem läßt sich nicht übersehen, daß religiöse Motivationen bei diesen Eroberungsfeldzügen eine wesentliche Rolle gespielt haben. Man sprach und spricht deshalb von den islamischen »heiligen Kriegen«. Zu Recht?

»Heiliger Krieg« ist eine abendländische Formulierung ungewissen Ursprungs, die es im Arabischen so nicht gibt. Denn das arabische Äquivalent »**Dschihad**«[92] meint weder »Krieg« noch »heilig«. Dieses eine Wort meint grundsätzlich nichts anderes als »Sichabmühen, Anstrengung, Einsatz«. Dies kann freilich unter Umständen nicht nur moralisch (der »kleine Einsatz«), sondern auch kriegerisch verstanden werden (der »große Einsatz«). Und schon im Koran ist das Wort oft kriegerisch verstanden worden und hat in der Folge alle mögliche Gewalt gegen Nichtmuslime (Juden besonders) ebenso gerechtfertigt wie gegen Abtrünnige und Aufständische. Wie immer: Die Idee von »Dschihad« steht zweifellos hinter dem islamischen Siegeszug. Und die grundsätzliche Aufteilung der Welt in das »Gebiet des Islam« (»dar al-Islam«) und das nichtmuslimische »Gebiet des Krieges« (»dar al-harb«) förderte zweifellos die Einstellung: Muslime geben sich nicht mit Verteidigung und passivem Widerstand gegen Angreifer zufrieden, sondern gehen bei günstiger Gelegenheit auch zum Angriff über, um dem Gesetz des Islam zum Sieg zu verhelfen. Zielpunkt bleibt also die siegreiche Ausbreitung der eigenen Religion über die ganze Welt. Auch von der heutigen islamistischen Erweckungsbewegung wird ja die Maxime propagiert: »Der Islam herrscht, er wird nicht beherrscht.« Ist also der Islam nicht, wie oft behauptet, die aggressivste aller Religionen, jedenfalls aggressiver als das Christentum?

Spätestens hier müssen wir in unserer Darstellung einhalten und erneut eine kritisch-selbstkritische Zwischenreflexion einschieben. »Siegeszug«? Ob muslimisch oder christlich – dieses Wort hat heute einen fatalen Geschmack. Möchte man aus heutiger Perspektive und der Anstrengung der heutigen Menschheit um einen globalen Frieden heraus irgendeiner Religion einen neuen »Siegeszug« wünschen oder gönnen? Einen islamischen »heiligen Krieg« oder einen christlichen »Kreuzzug«? Soll, darf eine Religion sich überhaupt für Kriege einsetzen, Kriege führen?

Diese Frage stellt sich für alle drei oft so aggressiven prophetischen Religionen. Am wenigsten freilich stellt sie sich für das **Judentum**, das nur bis zur Zerstörung des Zweiten Tempels (135) und wieder in allerneuester Zeit überhaupt die Möglichkeit hatte, religiös motivierte oder inspirierte Kriege zu führen. Zudem hat das Judentum, als Religion ganz auf sein Volk und sein Land konzentriert[93], nie einen Universalanspruch erhoben.

Anders verhält es sich bei **Islam** und **Christentum**. Von Christen, auch von christlichen Islamkennern, wird oft übersehen und ignoriert, daß nicht nur der Islam, sondern auch das Christentum einen aggressiven Universalanspruch erhoben und weniger eine Ideologie des Friedens als eine des Krieges vertreten hat.[94] Nicht nur die Heere Muhammads, sondern auch die Karls des Großen haben jahrelange »heilige Kriege« von größter Grausamkeit geführt. Historisch ist unbestreitbar: Nicht nur im Islam, sondern auch im Christentum ging man (vor allem im mittelalterlichen Paradigma) davon aus,

– daß die eigene Religion die beste Gemeinschaft unter den Menschen, eine vollkommene Gesellschaft, darstelle;

– daß ein »Gottesstaat« auf Erden wünschenswert wäre und die eigene von Gottes Autorität sanktionierte Lebensordnung universal gültig und deshalb im Prinzip für alle Gemeinschaften und Staaten verbindlich sei;

– daß man deshalb verpflichtet sei, den eigenen religiösen Herrschaftsbereich möglichst auszudehnen und für diese Mission auch politische und zur Not gar militärische Mittel einzusetzen, um eine religiös einheitliche Gesellschaft heraufzuführen, die möglichst alle Menschen umfaßt: der Sieg der eigenen Religion in der ganzen Welt als Endziel.

Doch müßten nun in einer Zeit, wo die Menschheit sich im Unterschied zu Altertum und Mittelalter mit neuartigen technischen Mitteln selbst zerstören kann, nicht alle Religionen, und die oft so aggressiven drei prophetischen Religionen besonders, sich neu darum bemühen, wie man Kriege vermeiden und Frieden fördern kann? Eine Re-lecture, ein differenziertes Wieder-Lesen der eigenen religiösen Traditionen ist dabei unumgänglich. Da drängt sich eine doppelte hermeneutische Weichenstellung auf:

a. Die **kriegerischen** Worte und Geschehnisse in der eigenen Tradition sollten historisch, aus der damals gegebenen Situation heraus, interpretiert werden:
– die grausamen »Kriege Jahwes« und die unerbittlichen Rachepsalmen aus der Situation der Landnahme und der späteren Situation der Verteidigung gegen übermächtige Feinde;
– die christlichen Missionierungskriege und die »Kreuzzüge« aus der Situation der früh- und hochmittelalterlichen Ideologie und Theologie heraus;
– die Kriegsaufrufe des Koran aus der bestimmten Situation des Propheten in der mekkanischen Periode und dem besonderen Charakter der mekkanischen Suren.

b. Die **friedenstiftenden** Worte und Taten in der eigenen Tradition aber sollten als Impulse für die Gegenwart ernst genommen werden. Das sollte den Christen eigentlich am leichtesten fallen, da ihre Ursprungserinnerungen sie nicht auf Kriegshelden oder Könige oder einen Feldherrn, sondern auf einen Prediger der Gewaltlosigkeit und eine Urgemeinde verweisen, die sich im Imperium Romanum nicht durch Gewalt, sondern durch eine Botschaft der Gerechtigkeit, der Liebe und des Friedens ausgebreitet hat. Doch zweifellos stellen sich im Blick auf den bedrohten und gefährdeten Weltfrieden herausfordernde Fragen für alle und besonders für die drei prophetischen Religionen.

Fragen für die Zukunft

✝ Das Christentum hat durch die Missionierung im frühen Mittelalter wie die Kreuzzüge im hohen Mittelalter, sowohl durch die Religionskriege der Reformationszeit wie durch die Kolonisation und Mission der Neuzeit riesige Spuren von Gewalt, Blut und Tränen in der Geschichte zurückgelassen.

Wäre nicht eine Neubesinnung notwendig, auf die Bergpredigt vor allem, wo die Friedensstifter gepriesen und Gewalt und Wiedervergeltung verworfen werden? »Selig sind die Friedensstifter« (Mt 5,9); »vergeltet niemandem Böses mit Bösem« (Röm 7,12).

☾ Der Islam ist in der Welt von Anfang an als eine Religion des militärischen Kampfes und Sieges aufgetreten und weist schon in der Zeit des Propheten und der vier »rechtgeleiteten Kalifen« nicht wenige Fälle grausamer Gewalt auf.

Wäre nicht eine Neubesinnung notwendig auf die friedensstiftenden Worte, die es auch im Koran gibt? »Wenn sie (die Feinde) sich dem Frieden zuneigen, dann neige auch du dich ihm zu und vertrau auf Gott« (Sure 8,61).

Das Judentum, fast zwei Jahrtausende nicht wie am Anfang eine Religion der Sieger, sondern eher der Leidenden, hat sich im Staat Israel zu Recht eine Heimstatt geschaffen, die zur Abwehr neuer Pogrome und eines neuen Holocausts mit allen politischen und militärischen Mitteln verteidigt werden muß und soll.

Wäre aber schließlich nicht auch hier eine Neubesinnung notwendig, die sich um der Befriedung der ganzen nahöstlichen Region und so um der Existenzsicherung des Staates Israel willen statt auf eine Vergeltungsmoral des »Aug um Aug« auf die Friedensbotschaft der Propheten und die friedenfordernden Worte der Hebräischen Bibel überhaupt konzentriert? »Suche Frieden und jage ihm nach!« (Psalm 34,15); »Und sie werden ihre Schwerter zu Pflugscharen schmieden« (Jes 2,4).

Doch wenden wir uns nun wieder dem Christentum zu: der weiteren Geschichte des westlichen Christentums und vor allem der Ausgestaltung des Papsttums, das nach einer längeren Periode der äußeren Abhängigkeit sich schließlich doch als die bestimmende religiös-politische Macht des Abendlandes durchzusetzen vermag. Eine zentrale Rolle spielten dabei die Existenz eines eigenen Staates für die Kirche und ein westliches, von Rom gefördertes Kaisertum, welches das römische Papsttum gegen Byzanz schützt und unter dessen Schutz es langsam aber sicher zur Weltherrschaft aufzusteigen vermag. Die Elemente des mittelalterlichen römisch-katholischen Paradigmas nehmen jetzt konkrete Formen an.

6. Elemente des mittelalterlich-abendländischen Paradigmas

Im achten Jahrhundert hatte sich das Schwergewicht des Christentums definitiv nach Westen verlagert. Die germanischen Völker entwickelten eine ungeheure Dynamik, während der Osten sich im Bilderstreit zerfleischte, sich immer mehr auf sich zurückzog und vom Westen isolierte. Ein epochaler Paradigmenwechsel im Christentum ist ja zumeist auch mit der geographischen **Verschiebung des kirchlichen Machtzentrums** verbunden: jetzt von dem in der frühen hellenistischen Mittelmeer-Ökumene politisch, kirchlich und kulturell vorherrschenden Osten auf das vor allem kirchlich und dann auch politisch und kulturell zusammengeschlossene **Abendland.**[95]

Zwischen den vitalen westgermanisch-katholischen Stämmen und der alten verbrauchten lateinischen Bevölkerung kam es zu einer echten Verschmelzung, aus der die lebenskräftigen **romanischen Nationen** hervorgingen. Zugleich sollte es vor allem unter dem Einfluß iroschottischer und angelsächsischer Mönche zur Missionierung der **germanischen Stämme östlich des Rheins** kommen. Schon vor Bonifatius war das Christentum im südlichen und südwestlichen Deutschland allenthalben verbreitet, wenngleich noch wenig kirchlich oganisiert. Auch im Norden wurde das Heidentum jetzt immer mehr zurückgedrängt.

Der Kirche ein Staat geschenkt

Dabei muß man sehen: Nur die **katholische Kirche**, Erbin der antiken Bildung und Organisation, war im Westen als Kulturmacht übriggeblieben. Unter Führung des **Papsttums** und mit Hilfe des **Mönchtums** war sie faktisch die einzige kulturelle Kraft, welche die in vieler Hinsicht primitiven germanischen und romanischen Völker auf Dauer prägen konnte – kulturell, sittlich, religiös. Die Kirche wurde so ganz selbstverständlich für viele Jahrhunderte die das gesamte Kulturleben dominierende Institution, die freilich nicht darum herum kam, zahlreiche germanische Einflüsse aufzunehmen: polytheistische Elemente in der Heiligenverehrung, Seelen- und Dämonenglauben in den »Seelenmessen« und im »Fegefeuer«.

Eine gewaltige Hilfe bedeutete für die kirchliche Kulturarbeit der Orden des Benedikt von Nursia[96], der **Benediktinerorden**. Er verband altmönchische Traditionen mit römisch-militärischem Geist in einer Regel, die angesichts der zahlreichen vagabundierenden Asketen zur Stabilitas loci, zum Gehorsam gegenüber dem Abt, zum Eigentums- und Eheverzicht und zur Handarbeit (Ackerbau, häusliche Arbeiten, Handwerk, aber immer mehr auch Schultätigkeit und Abschreiben von antiken und christlichen Handschriften) verpflichtete. In einer sonst wenig schöpferischen Zeit fand so wenigstens ein Minimum an kultureller Überlieferung statt.

Freilich: Unter den katholischen Germanen konnte sich zunächst trotz eines wachsenden gemeinsamen Kirchenbewußtseins und trotz allen Ansehens des römischen Papstes **noch keine abendländische Universalkirche** herausbilden. Denn in den germanischen Stammes-, Landes- und fürstlichen »Eigenkirchen« hatte nicht der Papst, sondern der König (und der Adel) das Sagen. Dies gilt auch für das im achten Jahrhundert zur Führung aufsteigende **Frankenreich**, das nach der Eroberung des höher entwickelten spanischen Westgotenreiches durch die Araber (711) zusammen mit dem italienischen Langobardenreich das einzige Reich auf dem westeuropäischen Kontinent zwischen den Pyrenäen und der Elbe wurde. Aber auch in der fränkischen Reichskirche herrschte der König und eben nicht der römische Papst.

Der Aufstieg des Frankenreiches und die Schaffung eines europäischen Großreiches gingen also nicht mehr von der Mittelmeerregion und dessen spätantiker Kultur, sondern vom **Norden** aus, vom nördlichen Zentraleuropa. Und doch fällte nun das römische **Papsttum** seinerseits gerade in dieser Zeit die **epochale Entscheidung**, sich aus dem verfassungsrechtlichen Rahmen des römisch-byzantinischen Reiches zu lösen und sich dem Frankenreich zuzuwenden. Bruch also mit dem byzantinischen Kaiser und Verbindung mit dem fränkischen Herrscherhaus! Warum? Dahinter stand die Hoffnung auf Freiheit sowohl von Byzanz wie von den Langobarden und so die Spekulation auf einen **eigenen päpstlichen Staat**!

Die Gelegenheit erwies sich jetzt als günstig: Byzanz war ganz absorbiert vom Bilderstreit; die kaiserlich-byzantinische Herrschaft in Norditalien und Rom befand sich im Niedergang; der byzantinische Exarch war von den Langobarden aus Ravenna vertrieben worden; der Kaiser ließ wegen des päpstlichen Widerstands im Bilderstreit die byzantinisch beherrschten Gebiete in Süditalien und Sizilien dem Patriarchen von Konstantinopel unterstellen und den päpstlichen Besitz konfiszieren. Das Papsttum jedoch hatte schon zur Zeit des königlichen Hausmeiers **Karl »Martell«** (eines militärischen »Hammers«; 714-741) die Verbindung mit dem Frankenreich gesucht und gepflegt; Karl hatte bekanntlich 732 bei Tours die Araber entscheidend geschlagen, so für den Bestand des Christentums nördlich der Pyrenäen gesorgt und überhaupt die fränkischen Kernlande gesichert.

Unter den Merowingern, die seit Chlodwigs Bekehrung im Frankenreich herrschten, hatte eine furchtbare sittliche Verwilderung geherrscht. Doch schon zu Karl Martells Zeiten hatte wie unter den Friesen der Angelsachse Willibrord (Bistum Utrecht) so unter den rechtsrheinischen Germanen der angelsächsische Mönch **Bonifatius** (eigentlich Winfrid) zu wirken begonnen. Von Rom schließlich zum Erzbischof geweiht, gar zum päpstlichen Vikar für ganz Germanien ernannt, hat er eine ganze Reihe deutscher Bistümer errichtet. Zugleich setzte er sich für die Beobachtung der römischen Kanones im Klerus ein, des Zölibats vor allem, und ist nach Karl Martells Tod 741 effektiv die so dringende Reform der fränkischen Reichskirche angegangen. Dieser »Apostel der Deutschen«, wie er später genannt wurde, hat mehr als andere der Aufrichtung der päpstlichen Herrschaft im Frankenreich vorgearbeitet. Auf der Reichssynode von 744 hatte Bonifatius von den Bischöfen sogar eine schriftliche Unterwerfung unter die römische Kirche erlangt, bevor er mit 80 Jahren auf einer Mission unter den Friesen 754 von heidnischen Friesen erschlagen wurde.

Während Karl Martell noch eine Intervention in Italien gegen die Rom bedrohenden Langobarden abgelehnt hatte, war sein Sohn **Pippin** der Jüngere (741-768) durchaus an einer Annäherung an den Papst interessiert. Warum? Weil dieser seinen Staatsstreich gegen die dekadenten Merowinger-Schattenkönige und die Erhebung des Hausmeiers zum fränkischen König sanktionieren sollte, was 751 auch tatsächlich kraft »apostolischer Autorität« geschah. Man beachte: Damit war der **christliche Königsgedanke im Abendland grundgelegt**; zum erstenmal amtet ein Papst (damals Zacharias) sozusagen als Königsmacher! Der Amtseignung (»Idoneität«) war dabei der Vorzug vor der dynastischen Legitimität gegeben worden. Um das fehlende »königliche Geblüt« zu ersetzen, erhielt der Karolinger Pippin als erster fränkischer König (möglicherweise durch Erzbischof Bonifatius) die Salbung mit dem heiligen Öl. An die Stelle der angeblichen Herkunft von den heidnischen Göttern und der Abstammung des Blutes war auf diese Weise – wie schon in Byzanz – das »Gottesgnadentum« getreten: »Gratia Dei Rex«, König wird man durch die Gnade Gottes, dessen »Stellvertreter« auf Erden nach römischer Auffassung niemand anderer als der Papst ist.

So waren die Folgen der Königserhebung Pippins für beide Seiten von Vorteil: für die Karolinger, denn sie bekamen ihre Herrschaft gewissermaßen göttlich legitimiert; für die Päpste, denn ohne ihren Segen ging künftig nichts. Eine Interessenkoalition von Frankenreich und Papsttum begann sich abzuzeichnen, die Folgen haben sollte, folgte die Probe aufs Exempel doch bald. Es kam zur ersten Reise eines Papstes statt nach Osten jetzt nach Westen: Papst Stephan II., von den Langobarden bedroht und von Byzanz im Stich gelassen, reiste 753/54 hilfesuchend an den fränkischen Hof und stellte dort Rom unter den dauernden Schutz des Königs der Franken. Umgekehrt übernahm Pippin die Verpflichtung zur Rückeroberung der von den Langobarden eroberten Gebiete, des Exarchats von Ravenna und anderer Ländereien, die der Papst bisher noch nie besessen hatte. Man beachte auch hier: das erste Eingreifen einer außeritalienischen Macht zugunsten des Papsttums! Nach zwei Feldzügen 756 machte Pippin diese Gebiete dann tatsächlich dem »heiligen Petrus« zum Geschenk: die **Pippinische Schenkung**!

Das »Geschenk« war nach römischem Verständnis freilich eher eine »Rückgabe«, denn nach der **Konstantinischen Schenkung** gehörten diese Gebiete ohnehin dem Papst. Da aber die Konstantinische Schenkung eine – erst fünfzig Jahre zuvor angefertigte – **römische Fälschung** war, wurde auf diese Weise eine Fälschung die Grundlage für ein Faktum: für die reale Schenkung durch Pippin. Welch ein Schauspiel! Feierlich wurde die Schenkungsurkunde beim Grab des heiligen Petrus in der Peterskirche hinterlegt, womit der Papst seine Besitzrechte ein für alle Male verbrieft hatte. Der Kaiser sollte den Titel »Patricius Romanorum« führen, was so viel war wie: militärischer Schutzherr der Römer. Der Vorteil für dieselben: Die politischen Ansprüche von Byzanz konnten jetzt abgewiesen werden. Mit aller Entschiedenheit verweigerte Pippin denn auch die Rückgabe der eroberten Gebiete an den byzantinischen Kaiser, dessen Sonderbotschafter in letzter Minute eingetroffen war. Handelte es sich doch auch nach seinem Verständnis von der Konstantinischen Schenkung nicht um das Eigentum des Kaisers, sondern um das des Apostels Petrus.

Damit war nach der theologisch-ideologischen nun auch die ökonomisch-politische Grundlage für den **Kirchenstaat** gelegt, einen »Staat«, der immerhin über elf Jahrhunderte, bis zum Jahr 1870, Bestand haben sollte. Eine Zeitlang noch trugen die päpstlichen Münzen das Bild des Kaisers und die päpstlichen Urkunden die Datierung nach des Kaisers Regierungsjahren. Aber diese formalen Zeichen byzantinischer Oberherrschaft sollten bald verschwinden, als unter Pippins Sohn Karl ein zweiter großer Schlag gegen Byzanz folgen sollte: die Etablierung eines zweiten, jetzt westlichen Kaisertums.

Ein christlicher Kaiser des Westens: Karl der Große

Papst Leo III. war 798 wegen der stadtrömischen Adelsopposition gegen ihn ins Frankenreich geflüchtet, um im fernen Paderborn, mitten im früheren Heidenland, die Unterstützung des mächtigen Frankenherrschers zu gewinnen, wobei vermutlich dort schon die Kaiserkrönung abgesprochen wurde. **Karl der Große**[97] (768-814) unternahm daraufhin einen Feldzug nach Rom. Es war – nach der seit Dionysius Exiguus im sechsten Jahrhundert üblich gewordenen Zählung »nach Christi Geburt« – das Jahr 800. In Rom berief Karl ganz im Stil der byzantinischen Kaiser eine römische Synode ein, die auch viele römische und fränkische Laien umfaßte. Er selber präsidierte und dirigierte sie. Der Papst aber hatte einen Reinigungseid zu schwören, in welchem er alle ihm von seinen Gegnern zur Last gelegten Vergehen ableugnete. Doch tat er dies mit der zuvor von der Synode akzeptierten Berufung auf jenen bisher noch nie praktizierten Satz aus den symmachianischen Fälschungen, daß der Papst von niemandem gerichtet werden könne.

Karls Haltung wird begreiflich, wenn man sich klarmacht: Frankenkönig und fränkische Kirche akzeptierten aus Eigeninteresse die in Rom herrschende Auffassung vom Papst als dem gotterwählten Nachfolger und Sachwalter des heiligen Petrus – in eindeutigem Gegensatz zu den byzantinischen Kaisern und der Kirche des Ostens. Aber Karl hatte ursprünglich gewiß nicht an eine Art Gegenkaisertum zu Byzanz gedacht. Denn als dieselbe Synode am 23. Dezember 800 die Erhebung Karls zum Kaiser beschloß, verstand Karl dies ganz selbstverständlich als ein neues **Kaisertum des Westens**: der Frankenkönig als ein König über den westlichen Königen – nicht in Überordnung, sondern in Gleichordnung mit dem byzantinischen Kaiser.

Doch der Papst verfolgte auch hier seine eigenen Interessen: Zwei Tage später, zu Beginn des Gottesdienstes des Weihnachtstages 800 in St. Peter, krönte Leo III. mit einer wertvollen Krone schlicht und formlos den Franken Karl ausdrücklich zum »**Kaiser der Römer**«, was ja nur heißen konnte: aller Römer, des Westens wie des Ostens. Für den Papst ein Prestigegewinn und eine Festigung seiner stadtrömischen Stellung, aber zugleich ein unvorstellbarer Affront gegen den Kaiser in Byzanz. Und auch Karl war verärgert. Deshalb setzte er später seinem Sohn und Nachfolger Ludwig, nachher der Fromme genannt, in der Aachener Pfalzkapelle eigenhändig die Krone auf (813).

Doch Leo handelte damals ganz konsequent auf der Basis eben jener Konstantinischen Schenkung.[98] Denn nach dieser gilt nun einmal: Kaiser

Konstantin hat persönlich dem Papst die Kaiserkrone übergeben; dieser aber hat sie aus lauter Bescheidenheit nicht tragen wollen und die Benutzung dem Kaiser überlassen, worauf dieser mit päpstlichem Einverständnis nach Konstantinopel gegangen ist … So nahm denn hier ein **Papst erstmals das Recht zur Kaiserkrönung in Anspruch**: Die (eigentlich ihm gehörende!) Krone der Cäsaren wird in einer Zeit angeblicher Sedisvakanz (in Konstantinopel herrschte ja gleichzeitig eine Frau, Irene!) einem wildfremden Barbarenfürsten gegeben, und dies alles ohne ein eigenes Zeremoniell, war doch das byzantisch-kaiserliche in diesem Fall ungeeignet. Das aber wurde bald nachgeholt. Nach dem Tod Karls des Großen reiste ein Papst 816 eigens nach Reims, um Karls Sohn Ludwig nun auch noch seinerseits – nach eigenem Zeremoniell und mit einer mitgebrachten Krone! – zu krönen: mit Gebeten und vor allem einer eigenen Salbung für den »besonderen Sohn der Kirche«. Die (alttestamentliche) Salbung wurde denn auch für die Kaiser des Westens grundlegend: Da sie über keinerlei geschichtliche Legitimation verfügten, vermittelte ihnen die durch päpstliche Salbung vermittelte Gnade eine theologische. Ludwigs Sohn Lothar wurde dann 823 zur Krönung nach Rom geladen und ab da war die Peterskirche Ort der Kaiserkrönungen (mit Schwertverleihung), um welche die folgenden fränkischen Könige jeweils demütig zu bitten hatten.

Seit Karl dem Großen also gab es einen zweiten »Kaiser der Römer«, der gar kein Römer war. Für Byzanz, wo es natürlich nie eine »Sedisvakanz« gegeben hatte, eine lächerliche, gar nicht ernst zu nehmende Maßnahme. Aber rascher als man dort dachte, machte sie Geschichte und führte schließlich zur beschriebenen Spaltung der Kirche, nachdem das Reich politisch ja ohnehin längst geteilt war. Zwar hat 812 der oströmische Kaiser dem neu kreierten fränkischen »Bruderschaft« angeboten und dieser seinerseits klug auf den römischen Charakter seines Kaisertums verzichtet, indem er sich nur »imperator et augustus«, der byzantinische »Basileus« (König) sich aber bewußt »Kaiser der Römer« nannte. Trotzdem aber war jetzt der ein halbes Jahrhundert zuvor eingeleitete Loslösungsprozeß Alt-Roms von Neu-Rom abgeschlossen.

Im Westen: christlich = katholisch = römisch

So gab es nun auf einmal **zwei christliche Kaiser**. Waren sie gleichwertig? Keineswegs, da im lateinisch geprägten Westen immer mehr der neue germanische Kaiser, weil vom Papst gesalbt, als der wahre und legitime angesehen wurde, der östlich-»griechische« dagegen mehr und mehr als illegitim und schließlich schismatisch. So setzte sich im Westen allmählich die ökumenisch verhängnisvolle Gleichsetzung durch: **christlich = katholisch = römisch**, ein weiterer entscheidender Schritt auf dem Weg der Herausbildung dessen, was wir das **römisch-katholische Paradigma des Christentums** (P III) nennen. So wurde im 8./9. Jahrhundert nicht die Einheit, sondern die **Spaltung Europas** grundgelegt.

Auch Karl der Große erwies sich den Päpsten gegenüber als großzügig. Jetzt auch »König der Langobarden«, bestätigt und vergrößert er den **Kirchenstaat** und gibt dem Papst weitere italienische Ländereien »zurück«: Venezien, Istrien, Teile der Herzogtümer Spoleto und Benevent und die Insel Korsika. Noch weitergehenden päpstlichen Ansprüchen aber, für die sich in päpstlichen Archiven Urkunden fänden, verweigert sich Karl. Er fühlt sich keinesfalls als römischer Untertan, sondern als halber Papst. Denn obwohl Karl als Herr des Reiches dem Politischen den Primat gibt, sieht er sich als Herr des Reiches ganz theokratisch auch als **Herr der Kirche**. Reichspolitik ist Kirchenpolitik und Kirchenpolitik Reichspolitik. So zwingt er unterworfenen Stämmen (Friesen, Sachsen, Slawen, Avaren) ohne moralisch-religiöse Skrupel seine Form des Christentums auf und scheut auch kostspielige Kriege nicht, die im Fall der Sachsen etwa 30 Jahre dauern und für Tausende von Menschen mit Hinrichtungen und Deportationen verbunden sind. Die »Einheit des Reiches« geht vor. Den Papst achtet dieser Franke dabei als Hüter der apostolischen Überlieferung, zuständig für Fragen des Glaubens, des Dogmas und der Liturgie, aber beschränkt auf rein geistliche Funktionen.

Im Stil byzantinischer Kaiser läßt denn auch Karl keine eigenmächtigen Eingriffe Roms in seinem Reich zu. Vielmehr engagiert er sich persönlich in allen kirchlichen und sogar theologischen Fragen, so etwa mit einer eigenen Reichssynode in Frankfurt 794 gegen die Bilderverehrung und das bilderfreundliche Siebte Ökumenische Konzil von Nikaia (787) unter der Kaiserin Irene; in einer anderen Synode (Aachen 809) verlangt er vom Papst die Aufnahme des »filioque« ins Credo, während Leo III. damals noch auf dem unveränderten ursprünglichen ökumenischen Text bestand, ohne freilich die sich im Westen immer mehr durchsetzende fränkische Version zu verbieten. Im einen »Corpus christianum« versteht Karl sich wie die byzantinischen Kaiser als »rex et sacerdos«, als »König und Priester«, als »defensor«, Verteidiger, und »rector«, Lenker der Kirche, währenddem Bischöfen und Klerus vor allem das Opfern und Beten obliegt. Man hat Karl deshalb einen »fränkischen Justinian« genannt.

Aber der fränkische Herrscher vertritt keineswegs eine statische Gesellschaftsauffassung. Obwohl Analphabet, fördert er Schulen und Bibliotheken und versteht sich als **Erneuerer von Bildung und Kultur**, von lateinischer Sprache und Geschichtsschreibung, von Architektur und Buchmalerei. **Vom Rom-Mythos** (Reich, Sprache, Kultur) **fasziniert**, leitet denn Karl auch eine eigene »**Renaissance**« ein. Unterstützt von einem internationalen Team fähiger Gelehrter kommt es so zur Wiedergeburt wenn nicht der klassischen Antike, so doch der christlichen Spätantike mit der Folge: Die erste eigenständige germanisch-europäische Kultur ist tief religiös und zugleich lateinisch und römisch geprägt. Eine erste, noch rudimentäre mittelalterliche »Renaissance«, die ihr Zentrum im Kaiserpalast zu Aachen hat, während die zweite hochmittelalterliche von Paris und seiner Universität und die dritte spätmittelalterliche Renaissance vom Florenz der Medici ausstrahlen sollte.

Bei all dem versteht sich der König und Kaiser als **Reformer der Kirche,** der die von Bonifatius eingeleitete und unter Pippin fortgeführte durchgreifende Reform von Klerus und Volk zu vollenden trachtet:
– deshalb eine Korrektur der lateinischen Bibelübersetzung durch den angelsächsischen Mönch Alkuin, die wichtigste Figur in Karls Gelehrtenkreis;
– deshalb die Verpflichtung der Bischöfe (allesamt nicht mehr vom Volk gewählt, sondern vom König ernannt!) auf Predigt und Visitation ohne Hofhaltung;
– deshalb die Einrichtung von Pfarreien auch auf dem Land und von Kanoniker-Gemeinschaften an Kathedralen und Kollegiatskirchen;
– deshalb die Sorge um regelmäßige Teilnahme am Gottesdienst, häufiges Predigen und Einprägung des Vaterunser und des Glaubensbekenntnisses in der Muttersprache und schließlich auch um den Kirchenbau. Die Kehrseite freilich: Der streng geforderte (alttestamentliche) »Zehnte« (ein Zehntel des Jahreseinkommens) für den Unterhalt der (jetzt zumeist adligen) Bischöfe und des Klerus ist weithin verhaßt und für die Sachsen ein Hauptgrund für die Ablehnung des Christentums.

Doch bei allen Schattenseiten erschien Karl als der ideale Herrscher und Neubegründer des Imperium Romanum. In seinem **abendländischen Universalreich** (von Schleswig-Holstein bis weit hinter Rom und vom Ebro bis zur Elbe) gab es eine fränkische Staatskirche unter des Kaisers Leitung – aber noch immer **keine päpstliche Universalkirche** unter Roms Führung. Von einem päpstlichen Jurisdiktionsprimat wie im Osten so auch im Westen keine Spur. Nur in einer Hinsicht hat mit Pippin Karl der Große einer päpstlichen Universalkirche entschieden vorgearbeitet: durch die Übernahme der römischen Liturgie ins Frankenreich um der Einheit des Reiches willen. Vom Paradigmenwechsel im Außenraum der Kirche müssen wir uns dem im Innenraum zuwenden.

Paradigmenwechsel auch in der Liturgie

Wir sahen: Die ursprünglich so einfache Eucharistiefeier der Christenheit bestand aus einem Gedenk- und Dankgebet (mit dem Einsetzungsbericht des Abendmahls), mit der Kommunion aller Anwesenden und aus dem damit schon früh verbundenen Wortgottesdienst in synagogalem Stil. Dieser Gottesdienst der Urkirche (P I) hatte sich schon in den neuartigen prächtigen Hallenkirchen (Basilika ursprünglich eine weltliche Halle!) der konstantinischen Zeit verwandelt in die **Basilikalliturgie der alten Kirche** (P II): Noch immer feierte der Bischof oder Presbyter den alten Gedenk- und Dankgottesdienst am Tisch mit dem Gesicht zum Volk, in gewöhnlicher »bürgerlicher« Kleidung.

Aber: Alles war mit der Zeit größer, länger und **feierlicher** geworden. In das alte einfache Dankgebet hatte man **Fürbitten** eingeschoben, für Lebende, Tote, verschiedene Anliegen, und hatte damit die Namen von Märtyrern verbunden. Außerhalb des Dankgebetes hatte man besonders bei drei Gelegenheiten **Psalmengesänge** eingeführt:
– am Anfang beim Einzug des Klerus: Eingangslied/Introitus;
– bei der Darbringung von Brot und Wein und anderer Gaben durch die Gläubigen: Opferungslied/Offertorium;
– bei der Kommunion der Gläubigen: Kommuniongesang/Communio.

Aber schon in jener Zeit hatte man aus dem römischen und besonders dem byzantinischen **Hofzeremoniell** eine ganze Reihe von Zeremonien übernommen, selbst solche, welche die früheren Christen als heidnisch abgelehnt hatten: Kniebeugungen, Verbeugungen, Küsse, auch Gegenstände wie Weihrauch, Kerzen, besondere Auszeichnungen wie Stola, Ring und anderes. Hinzu kam der **Kunstgesang** durch besonders ausgebildete Sänger, der vielfach den Volksgesang der ganzen Gemeinde zurückgedrängt hatte. Schon seit ungefähr 250, hörten wir, war der Gottesdienst nicht mehr nur griechisch, sondern auch schon **lateinisch** gefeiert worden, weil auch das Volk in Rom nicht mehr griechisch, sondern wieder lateinisch sprach. Doch im 6./7. Jahrhundert war die theologische Bildung auf ein so niedriges Niveau abgesunken, daß die Presbyter in den Gemeinden die liturgischen Texte nicht mehr selber formulierten, sondern nach vorformulierten Texten verlangten, so daß man nun liturgische Texte vermehrt sammelte und kodifizierte. Die anfangs freie Liturgie war damit endgültig eine **Buchliturgie** geworden, bei der es immer mehr auf wort- und ritusgetreuen Vollzug ankommen sollte. Die Predigt entfiel weithin. Für die Eucharistiefeier setzte sich die Bezeichnung »Messe« (»missa« = Sendung, Segnungsgebet, Segen) durch.

Doch gerade durch **Karl den Großen** sollte es auch in der Liturgie zum Paradigmenwechsel kommen: von der altkirchlich-ökumenischen (P II) zur typisch **römisch-katholischen Liturgie des Mittelalters** (P III). Denn für die Vereinheitlichung des fränkischen Königreiches war die Einführung einer einheitlichen Liturgie von größter Bedeutung. So führte Karl durch, was wohl schon Pippin im Jahre 754 verfügt hatte. Und diese vor allem aus imperialem Interesse vollzogene **Verpflanzung der römischen Liturgie ins Frankenreich** hatte für die gesamte Liturgie des westlichen Mittelalters bis hin zur Reformation, ja, bis an den Vorabend des Vatikanum II, schwerwiegende Folgen. Durch die historischen Forschungen, zusammengefaßt von Josef Andreas Jungmann, sind wir darüber bis in alle Details orientiert:[99]

– Zum erstenmal in der Kirchengeschichte wurde gegen Ende des ersten Jahrtausends die Liturgie von den Germanen (anders von den Slawen!) statt in der Volkssprache in der allein sanktionierten **lateinischen Fremdsprache** gefeiert, da es angeblich nur »drei heilige Sprachen« gäbe: Hebräisch, Griechisch und Latein. Und da praktisch nur noch der Klerus Latein (zunächst die einzige Schriftsprache) verstand, wurde die Liturgie, was ihr sprachliches Verständnis betrifft, zum Reservat der Kleriker. Eine deutschsprachige Liturgie gab es nicht.

– Da nicht die relativ einfache römische Pfarrliturgie, sondern die (durch das römisch-byzantinische Hofzeremoniell geprägte) feierliche Papstliturgie ins Frankenreich übernommen wurde, kam es bei den übereifrigen Franken zu einer noch stärkeren **Verfeierlichung** der Liturgie: Vermehrung von Kniebeugungen, Kreuzzeichen, Inzensen.

– Da die germanische Emotionalität sich im Gottesdienst auch durch ununterbrochenes Beten des Priesters Ausdruck verschaffen wollte, die Sprache aber nicht mehr verstanden wurde, kommt es zu zahlreichen leisen Gebeten (besonders wieder am Anfang, bei Gabenbereitung und Kommunion) und schließlich sogar zur **»Stillen Messe«** des Priesters ohne Volk, in welcher gerade das Eucharistiegebet (im Osten gesungen) nur noch geheimnisvoll gelispelt (»Hokuspokus«) und der Abendmahlsbericht nicht mehr als eine Verkündigung für die Gemeinde, sondern als »Konsekrationsworte« für die Gaben verstanden wird.

– So kommt es mit der Zeit zu einer völligen **Entfremdung zwischen Altar und Gemeinde.** Der Altartisch wird mit immer höherem Altaraufbau schließlich an die Apsiswand gedrückt (»Hochaltar«), und die Eucharistie des Priesters wird nicht mehr »mit« dem Volk, sondern »für« das Volk (»Meßopfer«) gefeiert, nicht mehr angesichts der Gemeinde, sondern angesichts der Kirchenwand.

– Aus der ursprünglich so einfachen Dankes- und Mahlfeier wird nun immer mehr ein **sakrales Schauspiel** (»Hochamt«), das für das sprachunkundige Volk als Drama des Lebens Jesu allegorisch gedeutet wird. Wie die Meßtexte, so wurde auch die heilige (hebräische, griechische, lateinische) Schrift in fränkischer Zeit nicht in die unheilige (»barbarische«) Volkssprache übersetzt. Nur das »Vater unser« und das Glaubensbekenntnis wurden im achten Jahrhundert vereinzelt ins Althochdeutsche übertragen.
– Die **Aktivität des Volkes** wird so ganz **aufs Sehen beschränkt**: Die aus der späten Römerzeit traditionell beibehaltenen Gewänder werden jetzt in bestimmten wechselnden Farben getragen. Die heiligen Gestalten werden, da hinter dem Rücken des Priesters nicht mehr sichtbar, emporgehoben und durch Kniebeugungen verehrt. Das »Brot des Lebens«, früher getreu dem biblischen Vermächtnis gegessen, wird seit dem Hochmittelalter vor allem angeschaut und angebetet (später Einführung sogar einer »Monstranz«). Aus dem normalen Brot wird eine ungesäuerte, wenig brotähnliche schneeweiße »Hostie«, die von den Priestern mit den »reinen« Händen den »Laien« statt in die (»unreine«) Hand in den Mund gegeben wird. Die Kommunion der Gläubigen wird ohnehin zum Ausnahmefall, ja, sie wird so selten, daß im Hochmittelalter ein mindest einmaliger Empfang in der Osterzeit vorgeschrieben werden muß; die Kelchkommunion kommt für die Laien schließlich ganz außer Brauch.
– Während im Paradigma der alten Kirche alle Presbyter mit dem Bischof zusammen die eine und selbe Eucharistie feierten, feiert im Mittelalter schließlich jeder Priester seine eigene Messe (für ein Entgelt in der Form eines »Meßstipendiums«). Der **vielen Messen** wegen werden dann in den Kirchen **viele Nebenaltäre** neben dem einzigen Altar gebaut, um so zu gleicher Zeit die von den Gläubigen gestifteten Privat-Messen (besonders Totenmessen, Gregorianische Messen, Votivmessen) zu ermöglichen. Meß-Opfer also, so häufig wie möglich – zur Erlangung von »Gnade« für Lebende und Tote, zur Hilfe in aller Not, zur Erfüllung von allen möglichen Wünschen und Bitten, für alle Anliegen und Nöte von der Unfruchtbarkeit der Frau bis zum Segen für die Ernte. Die Frömmigkeitsübung des Mittelalters schlechthin war jetzt die Messe, und wer bezahlen konnte, konnte Hunderte von Messen für sich oder andere, für sein zeitliches oder ewiges Heil, »lesen« lassen, ohne selber je gegenwärtig zu sein – ein quasi unfehlbares Mittel, jedem Gebet überlegen.
– Die **Taufe** wird nun ausschließlich **Säuglingen** gespendet, und statt des »Ich glaube« des Täuflings (jetzt durch den Paten ausgesprochen) steht jetzt das »Ich taufe dich« des Priesters im Vordergrund; der Christ wird zum passiven Sakramentenempfänger, Objekt zahlreicher Reglementie-

rungen. Die ursprünglich nach der Taufe gespendete Salbung spaltet sich in dieser Zeit, weil dem Bischof vorbehalten, ab und wird zu einem eigenen **Firmritus**, schließlich zu einem eigenen »Sakrament«, das nun eine eigene Gnade vermittelt.

Gregorianischer Gesang – römisch?

Ebenfalls in fränkischer Zeit kommt es zur Ausbildung jener **mittelalterlichen Gesangsüberlieferung** des römischen Ritus, die man allerdings erst seit der Choralrestauration im 19. Jahrhundert durch die 1833 wiedergegründete Benediktinerabtei Solesmes allgemein »**Gregorianischer Gesang**« nennt. Dieser aber hatte, wie wir bereits hörten, mit Gregor dem Großen nichts zu tun. Denn in Wirklichkeit handelt es sich hier nicht, wie es damals die römisch-romantisch orientierten Restauratoren propagierten, um den »altrömischen« Gesang (P II) und damit um den »eigentlichen« Gesang der römischen Kirche, das höchste Vorbild für alle Kirchenmusik (Pius X., Motu proprio 1903). Tatsächlich handelt es sich um eine **fränkisch-mittelalterliche Transformation** des altkirchlichen Gesanges – ein Paradigmenwechsel (P III) im Mikrobereich, den in unseren Tagen traditionalistische Vertreter der römischen »Musica sacra« lange zu leugnen versuchten.

Doch deutsche wie französische Forscher haben dies gründlich untersucht. Und so stellt der nach den jüngeren Solesmes-Mönchen M. Huglo und E. Cardine führende Gregorianik-Forscher Professor Helmut Hucke (Frankfurt) fest: »Das Konzept eines Cantus Romanus entstand nicht in Rom, sondern im Frankenreich dadurch, daß Pipin der Jüngere und Karl der Große ›wegen der Einheit des Reiches und der Einigkeit mit dem Apostolischen Stuhl‹ dort die römische Liturgie einzuführen beschlossen. Was sie von Rom erhielten, war die Liturgie des päpstlichen Hofes. Die älteste Überlieferung der Meßgesänge dieser Liturgie findet sich in fränkischen Handschriften des neunten Jahrhunderts, die jedoch nur die Texte und keine musikalische Notation enthalten.«[100]

Gibt es also gar kein ursprünglich geschlossenes Melodienrepertoire in der Kirche? Nein, Melodien und vor allem Vortragsweisen wurden mündlich überliefert. Es gab noch im Mittelalter keinen einheitlichen liturgischen Gesang! Nochmals Hucke: »Der Gregorianische Gesang ist bis in die jüngste Zeit betrachtet worden, als ob er von jeher schriftlich überliefert worden sei. Tatsächlich beginnt die schriftliche Überlieferung der Melodien erst zu Anfang des zehnten Jahrhunderts. Die erhaltenen Gesangbücher des neunten, zehnten und noch des elften Jahrhunderts ohne musikalische Notation bezeugen jedoch, daß auch die Ausbreitung des Gregorianischen Gesangs im Frankenreich noch durch mündliche Überlieferung begann; in Rom hat man die eigene Überlieferung erst im elften Jahrhundert in einer fremden Notenschrift aufgezeichnet.«[101]

Was für die westliche Liturgie als ganze gilt, gilt auch für den liturgischen Gesang: Ihre fränkische Redaktion findet schließlich auch in Rom Eingang. Mit anderen Worten: Was im 19. Jahrhundert als genuin »altrömische« Kreation (oder Inspiration) propagiert wurde, war in Wirklichkeit eine **fränkische Re-Kreation**, und diese wurde am Ende **zur mittelalterlich-römischen Tradition**. Kein Wunder also, daß alle neuere und neueste Suche nach einer »Urfassung« des Gregorianischen Gesanges »nicht auf ein musikalisches Opus« zurückgeführt hat. Der Gregorianische Gesang hat sich »als eine immer wieder anders verstandene Überlieferung« erwiesen, »die um so vielfältiger und weniger faßbar wird, je weiter man sie zurückverfolgt. Eine historisch richtige Aufführungspraxis kann es dabei nicht geben.«[102]

In diesem Zusammenhang bedenke man: Der Paradigmenwechsel in der Liturgie ist zu sehen im Zusammenhang von gewichtigen **Akzentverschiebungen in der Christologie**. Josef Andreas Jungmann beobachtete in der Karolingerzeit nicht nur einen Übergang vom Gemeinschaftsgottesdienst zum Priestergottesdienst, sondern auch eine Verlagerung vom Osterthema auf das Weihnachtsthema und auf Marienfeste, auf Inkarnation und Trinität. Jene Akzentverschiebung, die sich im Kampf gegen den Arianismus schon unter den griechischen Vätern gezeigt hat, wirkt sich nun über die spanische Kirche des Westgotenreichs auch im Frankenreich aus: eine Konzentration auf **»Christus unseren Gott«**, die **»Gottesgebärerin«**, die **»allerheiligste Dreifaltigkeit«**. Auch im Westen nun also »das Zurücktreten der Mittlerschaft Christi, das Hervortreten des Trinitarischen, der Aufstieg des Marienkultes, und schon aus diesem Grunde ist man genötigt, auch im Abendland als einen Hauptfaktor der Entwicklung den Kampf gegen die arianische Häresie in Betracht zu ziehen«[103].

Immer mehr wird so in der Karolingerzeit **Christus** mit Gott schlechthin (»ho theós«) identifiziert und **in die Trinität hinein absorbiert**, so daß er in bestimmten Gebeten (etwa im »Confiteor«) als Mittler neben Maria und den Heiligen überhaupt nicht mehr genannt wird. Zugleich aber wird der auf Erden wandelnde »Heliand« (dies der Titel des um 830 entstandenen Heldenepos vom germanisch eingekleideten Jesus) zur Erscheinung Gottes schlechthin. Die Feste der Menschwerdung und der Passion stehen deshalb jetzt im Vordergrund und versuchen das gläubige Gemüt, das Staunen und das Mitleid, die Dankbarkeit und die Bußfertigkeit angesichts des menschgewordenen Gottes anzusprechen. Und gerade auf die Bußfertigkeit wurde in einer Zeit, die grobe moralische Vergehen und Mißstände kannte, besonderes Gewicht gelegt. Bußfertigkeit nicht zuletzt im Hinblick auf die Sexualmoral.

Privatbeichte und sexualmoralischer Rigorismus

Die neuartige **unbegrenzt wiederholbare Privatbeichte**, im Zeichen der Verschwiegenheit dem einzelnen Priester gegenüber abgelegt, so hörten wir, kam nicht von Rom, sondern aus der keltischen **Mönchskirche** durch iroschottische Missionare zum Kontinent. Doch hier verbreitete sie sich erstaunlich rasch über ganz Europa. Sie drängte die altkirchliche öffentliche Buße an den Rand und wurde zu einem **charakteristischen Element der mittelalterlichen römisch-katholischen Kirche**. Ein weiteres klares Indiz für den Paradigmenwechsel (P III). Kein Empfang der Eucharistie ohne Sündenbekenntnis, hieß es schon bei Alkuin zur Zeit Karls des Großen. Das Vierte Laterankonzil wird 1215 die Beichte vor der Osterkommunion allgemein verpflichtend vorschreiben und Thomas von Aquin die Beichte theologisch endgültig zu einem für jeden Christen faktisch heilsnotwendigen Sakrament erheben und mit aristotelischen Kategorien fest in die Lehre von den sieben Sakramenten einfügen.[104]

Für die Festsetzung der (ursprünglich sehr strengen) Bußleistungen hielt sich der Priester zumeist an die – irischen Heiligen (Patrick, Columban) zugeschriebenen – **Buß- oder Beichtbücher** (»libri paenitentiales«), die das Strafmaß bestimmen (Tarifbuße).[105] Zwischen 650 und 850 hatten diese ihre Hochblüte und gehörten bald, wiewohl in vielem widersprüchlich und nie offiziell approbiert, zu den Amtsbüchern jedes Priesters und Beichtvaters: Ausdruck nicht nur des weitverbreiteten Bußgeistes, sondern auch »Dokumente einer extremen Verrechtlichung und Veräußerlichung des Bußwesens und einer bedrückenden Behandlung der Büßer«.[106] Bußleistungen wurden seit Ende des neunten Jahrhunderts immer mehr erst nach der Beichte absolviert und konnten schließlich auch durch Geldzahlungen ersetzt werden, was zu Ungerechtigkeiten und zahlreichen Mißbräuchen führen mußte.

Besondere Aufmerksamkeit wurde in den Bußbüchern den **Sexualsünden** zugewendet in einer Zeit, die es damit nicht gerade genau nahm. Karls des Großen Sexualmoral etwa war gewiß nicht das, was man damals »vorbildlich christlich« genannt hätte. Nach fränkischem Recht hatte er mehrere Ehen geschlossen, zu denen aber noch zahlreiche Verbindungen ohne kirchliche Legitimation hinzukamen; die Zahl seiner legitimen Kinder ist ungefähr bekannt, die der illegitimen kannte er wohl selber nicht. Und wie bei Königen und Kaisern, so lagen auch bei Adel und Volk kirchliche Moralforderungen und reale Verhältnisse weit auseinander. Doch eines ist unübersehbar: **Auch in der kirchlichen Moral** setzt sich nun der **Paradigmenwechsel** durch.

Wir stellten fest: Im Kontrast zu den noch gemäßigten griechischen Vätern (P II) hatte sich **schon bei Augustin** (Erbsündenlehre!) eine **negative Bewertung der Sexualität** durchgesetzt: Durch die Geschlechtslust des Ehevollzugs wird die Erbsünde übertragen. »Die verheerende Wirkung der augustinischen Verbindung von Erbsünde und Geschlechtslust«, stellt der katholische Moraltheologe Josef Georg Ziegler fest, der die an die Buß-Bücher sich später anschließenden Buß-Summen daraufhin untersucht hat, »bestand darin, daß sie eine unbefangene Betrachtung des Ehevollzuges und damit der Ehe überhaupt durch Jahrhunderte unmöglich machte. Im Anschluß an den afrikanischen Kirchenlehrer vertritt die frühscholastische Theologie die Ansicht, daß durch die Geschlechtslust des Ehevollzuges die Erbsünde übertragen werde.«[107]

Es ist unübersehbar, daß angesichts starker sittlicher Verwilderung schon in der Merowingerzeit gerade in der karolingischen Zeit ein **sexualmoralischer Rigorismus** auf breiter Front durchbricht, wobei zahlreiche primitive Sexualtabus, verbunden mit Sexualangst, fortwirken.[108] Er bestimmt weithin weniger die offizielle als die inoffizielle Lehre und Beichtpraxis der mittelalterlichen Kirche:

– Für den **Klerus**, dem schon seit der bonifatianischen Kirchenreform mit harten Strafandrohungen die sexuelle Enthaltsamkeit abgefordert wurde, bedeutete dies: Wer Sakrales berühren will, muß »reine«, »unbefleckte« Hände haben (deshalb bei der Priesterweihe jetzt die Handsalbung). Sexuelles, selbst wenn unwillentlich (Samenerguß) oder an sich erlaubt (in der Ehe), schließt aus von der Begegnung mit dem Heiligen.

– Für die **Laien** bedeutet dies, daß sie von der Bereitung und Berührung der heiligen Gestalten ausgeschlossen sind (deshalb keine Handkommunion), ja daß Frauen sogar vom Altarraum ferngehalten werden. Männlicher Samen wie Menstrual- und Geburtsblut verunreinigen moralisch und schließen vom Sakramentenempfang aus.

Man muß sich vorstellen, welche sexuelle Repression jene unzähligen Buß- oder Beichtbücher mit ihren oft widersprüchlichen Sünden- und Strafkatalogen kreierten – alles im Namen Gottes und der Kirche. »Enthaltsamkeit«, in der Spätantike Ideal bestimmter Eliten, wird jetzt möglichst der ganzen Bevölkerung als Ideal aufgedrängt. Diese **lustfeindliche Moral** fordert mit unbarmherziger Kasuistik:

– Frauen sollen in den Tagen der Menstruation die Kirche nicht betreten und die Kommunion nicht empfangen, nach der Geburt bedürfen sie einer eigenen Aussegnung;
– bei Männern wirkt der Samenerguß, besonders wenn er bewußt ausgelöst wird, verunreinigend;
– Eheleute sollen den geschlechtlichen Verkehr unterlassen nicht nur bei Menstruation und in der Zeit vor und nach der Geburt, sondern auch an allen Sonn- und hohen Festtagen samt ihren Vigilien und Oktaven, an gewissen Wochentagen (Freitag) sowie in der Advents- und Fastenzeit. Es ist keine Frage, daß hier eine **rigorose Einschränkung des ehelichen Geschlechtsverkehrs** beabsichtigt ist und die Vergönnung der Lust selbst in der Ehe im Hintergrund steht. Denn geschlechtliche Erregung an sich, selbst wenn unfreiwillig, ist schlecht. Erst im Verlauf des 13. Jahrhunderts wird dann zumindest die Auffassung von der Sündhaftigkeit einer jeglichen Lustempfindung überwunden. Aber es bleibt noch genügend übrig an rigorosem Sexual- und Ehepessimismus: Sexuelle Lust wird nur durch andere Motive – hauptsächlich den Zeugungszweck – legitimiert.[109]

Auch hier stellt sich – man erwartet es kaum – ein **interreligiöses Problem**, das nicht nur das Christentum, sondern auch Judentum und Islam betrifft und hier kurz reflektiert werden soll. Man hat nicht zuletzt im Blick auf die christliche Sexualmoral des Mittelalters – oft historisierend, oft auch polemisierend – von einem **»judaisierten Christentum«** gesprochen. Zu Recht?

Gewiß: Es läßt sich nicht bestreiten, daß gerade das Christentum der Karolinger, an deren Hof Karl der Große als der neue David, Mose, Josua gepriesen wurde und die Gelehrten sich oft mit biblischen Namen ansprachen, alttestamentliche Züge aufzeigt. Auch daß sich das Zehntengebot, die Sabbat- (Sonntags-) Ruhe und die Anweisung bezüglich ungesäuerter Brote zwar in der Hebräischen Bibel, aber nicht im Neuen Testament finden, läßt sich nicht bestreiten, auch nicht, daß sich in der Hebräischen Bibel auch ausdrückliche Vorschriften bezüglich **sexueller Befleckung und kultischer Unreinheit** finden.

Trotzdem ist es **falsch**, hier einfach von **Judaisierung** zu sprechen. Denn sowohl in der Hebräischen Bibel wie im Neuen Testament und im Koran findet sich eine Doppellinie von Vorstellungen und Einstellungen:
– An sich bejahen sowohl Hebräische Bibel wie Neues Testament und Koran die Sexualität und die menschliche Liebe als Gabe des Schöpfers; Mann und Frau sind auch in ihrer Leiblichkeit füreinander geschaffen und sollen »ein Fleisch« werden.
– Nicht nur die Hebräische Bibel, sondern auch Neues Testament und

Koran enthalten bestimmte Einschränkungen des Geschlechtsverkehrs. Auch der Koran etwa verbietet ihn während der Menstruation der Frau, tagsüber in der Fastenzeit und auch während der Wallfahrt nach Mekka. Und wenn auch im Neuen Testament keine solchen Beschränkungen festgeschrieben sind (einige wurden ohnehin vom Judentum her selbstverständlich vorausgesetzt), so gibt es doch gerade hier (anders als in der Hebräischen Bibel und im Koran) die zwar nirgendwo gebotene, aber gerade von Paulus gelobte Lebensform der Ehelosigkeit.

Heutige Kulturanthropologie vermag deutlich zu machen, wie sehr sexuelle Bräuche und Ausdrucksweisen kulturell gewordene und geforderte Normen und Orientierungsmuster sind; wie es sich bei Vorstellungen, daß Samenerguß und Menstruationsblut schon an sich verunreinigend wirken, nicht um spezifisch jüdische Vorstellungen, sondern um weitverbreitete archaische, vorethische Vorstellungen und zum Teil auch um antik-naturmedizinische Auffassungen handelt, die weder spezifisch jüdisch noch spezifisch christlich oder islamisch sind. Stellt sich nun heutzutage nicht angesichts aller religiöser Traditionen die **Frage an alle drei Religionen** nahöstlichen Ursprungs: Soll, kann die heutige Sicht von Sexualität auch in den Religionen noch immer von Vorstellungen und Einstellungen eines archaischen Menschen- und Gottesverständnisses ausgehen? Oder aber von einer antiken Naturmedizin, die etwa der irrigen Meinung ist, bei Menstruations- und Geburtsblut handle es sich um giftige Ausscheidungen und ehelicher Verkehr während der Schwangerschaft schade dem Kind? Lang, allzu lang wurde eine kultisch-sexuelle Reinheit für Kleriker und Laien vertreten. Anders als in Judentum und Islam wurde die Minderbewertung der Sexualität und Ehe durch die Hochschätzung der religiös motivierten Ehelosigkeit gefördert.

Wir blicken zurück: Erst seit der Karolingerzeit finden wir all das vor, was man eine **typisch mittelalterliche Frömmigkeit** nennen kann: eine Frömmigkeit, die schließlich sichtbar das ganze Leben des Menschen von der Wiege bis zum Grab, von morgens früh bis abends spät umschließt und die nicht nur an Sonntagen, sondern auch an all den immer zahlreicheren Festtagen immer neu aktiviert wird. Man hat geradezu von einem karolingischen »Zeitalter der Liturgisierung« gesprochen, die basierte auf der Verbindung von altkirchlichen Strukturen, Formen und Formeln mit höchst archaischen oder neueren germanischen Sitten, Ritualien und Gebräuchen.

Aber dies dürfte nun auch genügend deutlich geworden sein: Alle diese frühmittelalterlichen Entwicklungen und besonders die **karolingischen Neuerungen und Veränderungen** – Klerikerliturgie und Meßopfer, Privatmessen und Meßstipendien, Bischofsmacht und Priesterzölibat, Ohrenbeichte und Mönchsgelübde, Klosterwesen und Allerseelenfrömmigkeit, Heiligenanrufung und Reliquienverehrung, Exorzismen und Segnungen, Bittgesänge und Wallfahrten – dies alles sind **keine Konstanten, sondern – eben mittelalterliche – Variablen des Christentums**. Das alles stand zwar jetzt im Zentrum frommer Werkfrömmigkeit und überwucherte immer mehr das ursprünglich Christliche. Doch zum ursprünglichen Wesen des Christentums gehört es nicht, vielmehr ist es Bestandteil des mittelalterlichen Paradigmas. Es geht um Variablen, die man je nach pastoraler Situation fördern, tolerieren, aber eben auch wieder abschaffen konnte. Und genau diese frühmittelalterlichen Entwicklungen des Christentums waren es denn auch, die, immer hypertropher geworden, im Spätmittelalter immer mehr kritisiert und schließlich von den protestantischen Reformatoren zuallermeist wieder abgeschafft werden sollten.

7. Romanisierung auf Kosten der Katholizität

Karls des Großen großes Reich hatte keinen Bestand. Von Karls machtvoller Persönlichkeit politisch, militärisch und kulturell zusammengehalten, fiel es schon eine Generation später auseinander. Im Streit seines Sohnes Ludwig »der Fromme« mit dessen Söhnen bildeten sich drei für die Zukunft des westlichen Europas wichtige Ländergruppen (Vertrag von Verdun 843): **Frankreich, Italien und Deutschland**, die aber alle unter einem wirtschaftlichen und kulturellen Niedergang zu leiden hatten und unter verheerenden Beutezügen: Vom Westen fielen immer wieder die Normannen ein, vom Osten die Ungarn und vom islamisch gewordenen Süden (nach Eroberung auch Siziliens) die Sarazenen.

Für die Analyse des römisch-katholischen Paradigmas ist es nicht nötig, die höchst wechselhafte politische Geschichte dieser Ländergruppen zu verfolgen. Denn während das politisch-militärische Gefüge des Karolingerreiches zerbricht, bleibt seine geistig-kirchliche Grundlage, **bleibt der paradigmatische römisch-katholische Rahmen erhalten**: von der lateinischen Schrift und Sprache angefangen über römische Liturgie, Dogmatik und Moral bis hin zur Kirchenverfassung und zum Papsttum in seiner mittelalterlichen Ausformung. Die Auffassung, der Papst vergebe die Kaiserwürde, setzt sich durch. Ja, es kommt schon in der Zeit des Niedergangs der Karolinger mitten im neunten Jahrhundert zu so etwas wie einem Vorspiel einer totalen Romanisierung der katholischen Kirche: insofern einerseits eine weitere Großfälschung die kirchliche Macht des römischen Papsttums nochmals entscheidend stärkt und andererseits die römischen Machtansprüche aus dem fünften Jahrhundert jetzt von einem Papst mit äußerster Kühnheit und Entschiedenheit vertreten werden – wenn auch damals noch ohne bleibenden Erfolg.

Eine Großfälschung zugunsten Roms

Kaum hundert Jahre nach der Grundlegung des Kirchenstaates war es Papst **Nikolaus I.** (858-867), der es, vom politischen Zusammenbruch der Karolinger begünstigt, in vollem petrinischen Amtsbewußtsein erstmals wagt, die Außerachtlassung einer doktrinären oder päpstlichen Entscheidung unter Anathem (Kirchenausschluß) zu stellen. Denn für diesen Papst bildet das Papsttum die gottgewollte Grundlage für die staatlich-gesellschaftliche Ordnung. Schon er will die petrinische Theorie in die Praxis umsetzen. Schon er versucht, die bisher übliche Selbstverwaltung der Landeskirchen zu verdrängen zugunsten einer römischen Zentralverwaltung. Voll sich seiner angeblich von Christus verliehenen Machtfülle bewußt, behandelt er denn auch Bischöfe, Erzbischöfe und Patriarchen, Könige ebenso wie Kaiser, als seien sie seine Befehlsempfänger. Schon wegen einer diffizilen Eheangelegenheit droht er dem fränkischen König unerwartet den Kirchenbann an und setzt die den König unterstützenden mächtigen Erzbischöfe von Köln und Trier einfach ab.

Dazu paßt: Nikolaus war der erste Papst, der – möglicherweise in gutem Glauben – nicht nur die Konstantinische Schenkung, sondern noch weit ungeheuerlichere **Fälschungen sich zu eigen machte**. Gewiß, im neunten Jahrhundert blieben sie noch ohne große kirchen- und reichspolitische Wirkung, aber im elften Jahrhundert sollten sie voll zur Geltung kommen. Die Rede ist von den **pseudoisidorischen Dekretalen**[110], einer Sammlung von Kanones, die einem sonst unbekannten Isidorus Mercator zugeschrieben wurden. Sie umfassen in der verbreiteten Ausgabe über 700 enggedruckte Seiten und enthalten päpstliche Dekretalen, Synodalbeschlüsse und fränkische Reichsgesetze einschließlich der Konstantinischen Schenkung. Sie beginnen mit dem gefälschten Brief des Clemens von Rom, jetzt noch erweitert, an den Herrenbruder Jakobus.[111]

Die **historische Wirklichkeit**? Sie sieht so aus: 115 Texte werden hier als Dokumente römischer Bischöfe aus den ersten Jahrhunderten ausgegeben, obwohl sie zuallermeist nicht lange zuvor in Frankreich fabriziert worden waren. Dazu kommen 125 authentische Dokumente mit späteren Interpolationen und Veränderungen. Vermutlich wurden diese groben Fälschungen (man vermutet als Ort die Diözese Reims, das Herz des fränkischen Reichsgebietes) von einer ganzen Gruppe höchst kundiger, wohl geistlicher Fälscher angefertigt:

– Ihr **Hauptziel**? Die Stellung der **Bischöfe** zu stärken gegenüber den mächtigen Erzbischöfen und den Provinzialsynoden, auch gegenüber König und weltlichen Großen. Hier manifestiert sich zum erstenmal jener fränkische Episkopalismus, der das ganze Mittelalter hindurch eine große Rolle spielen sollte.

– Ihr **Hauptargument**? Die alte Kirche wurde angeblich bis in die Einzelheiten ihres Lebens hinein durch Dekrete der Päpste regiert.

– Ihr **Hauptnutznießer**? Gerade nicht die Bischöfe, sondern das Papsttum, das zur Zeit der Abfassung der Fälschungen schwach und noch nicht als Gegner des Episkopalismus zu fürchten war. Denn was den Fälschern Mittel zum Zweck war – die **Erhöhung der Gewalt des Papstes**, der als »caput totius orbis« bezeichnet wird –, wird dem Papsttum selber künftig zum Zweck, der viele Mittel heiligt.

– Ihre **Strategien**? Das bisher von den fränkischen Königen ausgeübte Recht, Synoden abzuhalten und zu bestätigen, wird allein dem Papst zugesprochen; angeklagte Bischöfe können an den Papst appellieren; überhaupt sind alle »schwererwiegenden Angelegenheiten« (»causae maiores«) dem Papst zur endgültigen Entscheidung vorbehalten. Ja, Staatsgesetze, die mit den Kanones und Dekreten des Papstes in Widerspruch stehen, gelten als nichtig.

Pseudoisidors handliches Nachschlagewerk verbreitete sich schon bald im ganzen westlichen Europa. Jahrhundertelang hielt man diese Dokumente weithin für »echt«. Doch schon Nikolaus von Kues und Lorenzo Valla bezweifelten die Echtheit, und in der Reformationszeit wiesen die »Magdeburger Zenturien« (herausgegeben von Matthias Flacius und anderen seit 1559 in Magdeburg) und umfassend der reformierte Theologe David Blondel († 1655) die Unechtheit der Dekretalen auf. Und schon diese reformatorischen Kritiker haben begreiflicherweise mit Vorwürfen an die Adresse der Fälscher und der Päpste nicht gespart, zum Teil ungerechtfertigt. Dagegen haben sich moderne Mittelalter-Historiker nicht wenig Mühe gegeben, die zahllosen Fälschungen »aus der Zeit« heraus zu verstehen – so der Pseudoisidoren-Spezialist Professor Horst Fuhrmann[112], Professor (bis 1993) der »Monumenta Germaniae Historica«, in seiner »Einladung ins Mittelalter«[113]. Zusammenfassend antwortet er hier bezüglich der Fälschungen auf zwei grundlegende Fragen:

Die ethische Frage: **»Mangelt es dem Mittelalter an Moral?«** Die Antwort des Historikers: Nein, denn »nicht der formale Akt der Einsetzung, wie bei uns«, habe damals ein Recht gültig gemacht, »sondern allein die ihm innewohnende Gerechtigkeit«. Die Fälschungen hätten nun einmal im Dienst der Gerechtigkeit gestanden, wie sie die Verfasser »subjektiv empfunden«[114] hätten. Ja, im Dienst der Heilsordnung, und manche Fälscher hätten ja auch »wirklich dem Himmel gedient«[115].

Doch Rückfrage: Durfte im Mittelalter, wer sich nun einmal im Recht fühlte oder dem »Himmel« dienen wollte, ohne moralische Hemmungen Fälschungen anfertigen? Waren da statt der »innewohnenden Gerechtigkeit« nicht in den allermeisten Fällen auch rechtmassive klerikale oder kuriale Interessen im Spiel, denen die Fälscher »dienten«? Und wo lag im Fall der universal- kirchlichen Ansprüche des Papsttums die »innewohnende Gerechtigkeit«? Sollten da nicht gerade Papsthistoriker kritisch etwas weiter zurückfragen?

– Die intellektuelle Frage: »**Mangelte es dem Mittelalter an kritischem Vermögen?**« Die Antwort des Historikers: Nein, die Schwäche der Kritik im Mittelalter ist nicht »aus intellektuellem Unvermögen, aus einer minderen geistigen Kapazität« gekommen. Die Fälschungen seien nicht selten »in einem anderen Geiste aufgenommen« worden, »der einem formalen Echtheitsbefund kein sonderliches Gewicht beimaß«[116].

Doch Rückfrage: Was heißt hier angesichts der materialen Bedeutung der Fälschungen »formal«? Hat die kirchliche Autorität nicht auch dann die formale Echtheit mit Vehemenz verteidigt, als sie angezweifelt und zugleich die kirchliche Machtstruktur hinterfragt wurde, wie dies mittelalterliche »Ketzer« vor allem bezüglich der Konstantinischen Schenkung und anderen römischen Machtansprüchen taten?

Nun hat es zweifellos zu allen Zeiten und auf allen Gebieten Fälschungen gegeben, die man aus der Zeit heraus verstehen muß.[117] Und die pseudoisidorischen Dekretalen sind vielleicht keine Fälschungen im modernen Sinn bewußter Irreführung. Und doch war nun einmal gerade dieses angeblich so tief religiöse Mittelalter mehr als jedes andere Zeitalter vor und nach ihm – auch seinen Verteidigern zufolge – eine »**Zeit der Fälschungen**«. Marc Bloch, der uns bekannte Begründer der französischen »neuen Geschichtsforschung«, hat sogar einmal von einer »Massenepidemie der Fälscherei« zwischen dem achten und zwölften Jahrhundert gesprochen. Aber heißt dies feststellen, dies zugleich entschuldigen? Darf es – selbst im nachhinein – keine kritischen Rückfragen an diese Praxis geben, obwohl sie ja nun einmal eine enorme politische Wirkung entfaltete? Kann es zumindest einen engagierten Christen heute gleichgültig lassen, was mit diesen Fälschungen im Namen der Kirche Jesu Christi angerichtet wurde, die ja **nicht eine Kuriosität »von damals«, sondern einen Machtfaktor bis heute** darstellen?

Historisierung der Fälschungen?

Als christlicher Theologe von heute steht man den Versuchen der »Historisierung« jener Großfälschungen mit gemischten Gefühlen gegenüber, besonders wenn dabei ausgerechnet Historiker von Rang apologetisch alle Register ziehen, um diese Fälschungen zu ent-schuldigen und durch eine Hermeneutik des Einverständnisses zu verharmlosen. So geschehen im Schlußvortrag von Horst Fuhrmann auf dem »16. Internationalen Kongreß der Geschichtswissenschaften« in Stuttgart 1985. In für mich unbegreiflicher Weise strotzt er vor Polemik gegen historische Kritiker, gegen Aufklärung und moderne »Entzauberung« und gipfelt in einem Plädoyer für mittelalterliche Denkform und postmoderne »Wiederverzauberung der Welt«. Der Historiker gibt in diesem Zusammenhang zu:

– daß Fälschung auch im Mittelalter keineswegs ein straffreies Vergehen war;
– daß Papst Innozenz III. (unmittelbar nach seiner Erhebung zum Papst war die Werkstatt einer Fälscherbande ausgehoben worden) Regeln zur Prüfung einer Urkunde erließ und verkündete, Fälschungen unter dem Mantel der Heiligkeit dürften keinesfalls geduldet werden;
– daß die päpstliche Kanzlei in eigenem Interesse versuchte, angesichts berufsmäßiger Falsifikatoren, förmlicher Fälschungsbüros und Fälscherringe Fälschungen aufzuspüren, zu verfolgen und zu verhindern.

Nein, bei aller berechtigten historischen Rehabilitierung der »Denkform Mittelalter« muß der engagierte Theologe den Historiker um Verständnis bitten, daß ihn bei solchen historischen Befunden noch einige zusätzliche Fragen bewegen, die vielleicht auch den Historiker interessieren könnten.[118] Gewiß wird man das Mittelalter nicht einfach nach den Kriterien moderner Rationalität und historischer Kritik messen dürfen. Keine falschen moralisierenden Anklagen also, wohl aber **kritische Rückfragen** um der Wahrheit willen:

– Warum hat die päpstliche Kanzlei nur dann versucht, Fälschungen aufzuspüren, wenn dies in ihrem Interesse lag?
– Warum hat sie, die besser als irgendeine andere Institution dazu imstande war, sich nie bemüht um die Untersuchung der zu ihren Gunsten sprechenden Fälschungen, vor allem um die in der Weltgeschichte einzigartig dastehenden Großfälschungen der Konstantinischen Schenkung und der pseudoisidorischen Dekretalen?
– Warum haben Papst und Kurie nicht spätestens dann Konsequenzen gezogen, als um die Wende vom ersten zum zweiten Jahrtausend Kaiser Otto III. zum erstenmal im Mittelalter die Konstantinische Schenkung als

Fälschung erklärte und in einer feierlichen Urkunde alle darauf aufbauenden Schenkungen für null und nichtig erklärte, um dem Papst dann aus eigenem kaiserlichen Machtbesitz die Ländereien zu überantworten, die den Kirchenstaat ausmachten?

Oder grundsätzlicher gefragt: Geht es bei all den römischen Ansprüchen wirklich um »von Gott gesetzte Wahrheit«, der man auch durch Fälschungen »zum Sieg verhelfen«[119] darf? Werden Fiktionen, wenn sie von der Kirche anerkannt werden, so einfach zu Tatsachen? Wird Lüge zur Wahrheit, wenn man im Namen oder zugunsten der Kirche lügt? Und war denn je Fälscherkunst »zu gemeinnützigem und gottgefälligem Tun«[120] sittlich gerechtfertigt im Sinn des Zweckes, der die Mittel heiligt? Ja, darf das wohl erst seit dem 16. Jahrhundert umgehende zynische Wort »Mundus vult decipi, ergo decipiatur« (»Die Welt will betrogen werden, also möge sie betrogen werden«) einfach als Ausdruck »eines Grundzugs menschlicher Existenz« hingestellt werden, gar noch als »die Sehnsucht nach einem sinngebenden vernunftfreien Raum«[121]? Soll man auch die mittelalterlichen Fälschungen (analog dem Gottesglauben!) zu guter Letzt rechtfertigen mit dem Argument, daß »jeder gläubige Mensch ... einen Bereich« hege, »in welchem er die rationale Beweisbarkeit nicht gelten läßt«[122]? Mit einer solchen Apologetik ließen sich selbst die allerschlimmsten Betrügereien und Verbrechen der Geschichte rechtfertigen, wenn sie nur im Namen einer nicht rational beweisbaren Wirklichkeit begangen wurden.[123]

Was aber ist das inhaltlich Verhängnisvolle an diesen Fälschungen? Daß sie sich auf das Selbstverständnis der Kirche bis heute auswirken. Der katholische Papsthistoriker F. X. Seppelt hat zur Wirkung der pseudoisidorischen Dekretalen schon 1955 angemerkt: Von »schlimmem Einfluß« sei »die Verneinung des Entwicklungsgedankens im kirchlichen Verfassungsleben« gewesen, »wie sie in der Zurückdatierung viel späterer Bestimmungen in eine frühere Zeit und in dem Hineintragen von Ideen und Forderungen einer kirchlichen Partei des neunten Jahrhunderts bis in die nachapostolische Zeit« zum Ausdruck komme.[124]

In der Tat sind dies die entscheidenden **Auswirkungen für das Selbstverständnis der Kirche**: Diese Fälschungen aus dem neunten Jahrhundert
– geben den seit der Mitte des fünften Jahrhunderts erhobenen päpstlichen Machtansprüchen die Aura des Uralten und den Glorienschein des Gottgewollten;
– verschaffen diesen Machtansprüchen jene theologisch-juristische Grundlegung in den ersten drei christlichen Jahrhunderten, die ihnen bisher gefehlt hat;

– »verewigen« eine ganz bestimmte geschichtlich gewordene Gestalt der Kirche;
– stehen also im Dienst der Selbstzementierung eines geschichtlich keineswegs unveränderlichen, irreformablen »Verfassungslebens« der Kirche.

Nein, es läßt sich nicht bestreiten: Jener überzogene Machtanspruch des Papsttums, der die Kirchenspaltung mit dem Osten und den Protest der Reformatoren im Westen zur Folge haben sollte, wurde im 11./12. Jahrhundert ganz wesentlich mit Hilfe dieser Fälschungen durchgesetzt. Und wenn man bedenkt, daß bis in unsere Tage hinein die Machtbefugnisse Roms über die gesamte katholische Kirche, über lokale, regionale und nationale Kirchen, über Bischöfe, Klerus und einzelne Gläubige, ja, selbst über die ökumenischen Konzilien mit Hilfe dieser gefälschten Dekretalen rechtlich ohne viel Skrupel begründet wurden[125], so verliert diese Debatte ihre historische Harmlosigkeit. Ihre Wirkungen, heutzutage freilich sorgfältig kaschiert, sind bis in den unter kurialer Regie revidierten und 1983 erneut promulgierten Codex Iuris Canonici hinein zu verfolgen. Denn das kuriale Machtsystem – das hat unsere bisherige Betrachtung gezeigt – kann sich ja gerade nicht auf das Neue Testament und die alte katholische Tradition berufen. Es beruht auf immer neuen Anmaßungen von Macht durch die Jahrhunderte und auf Fälschungen, die sie nachträglich juristisch legalisieren.

In der Tat: Spätere Päpste machten sich solche Fälschungen zu eigen und verschafften ihnen dadurch eine Scheinlegitimität. Noch Pius IX., der Unfehlbarkeitspapst des Vatikanum I, der an geistlichem Herrscherbewußtsein manchen seiner mittelalterlichen Vorgänger nicht nachstand und doch den Kirchenstaat verlor, lobte ein Sammelwerk über den Romanus Pontifex, welches die falschen Dekretalen als echte Zeugnisse des Papsttums abdruckte. Und für den bis heute wichtigen Rechtssatz, daß dem Papst das alleinige Einberufungsrecht eines ökumenischen Konzils vorbehalten sei, gibt der bis zum Vatikanum II gültige Codex Iuris Canonici »sechs Belegstellen aus früheren Rechtsquellen an: drei stammen aus den pseudoisidorischen Fälschungen, drei sind von ihnen abgeleitet«[126].

Was also tun mit einem solchen Codex Iuris Canonici? Ihn historisieren und ihn damit einfach akzeptieren? Nein, das hieße auf alle grundlegende Reform der katholischen Kirche verzichten. Ihn also umstürzen? Nein, aus all diesen historischen Einsichten soll nicht entnommen werden, daß heute statt der radikalen Reform der totale Umsturz anzustreben sei. Wohl aber die Einsicht, daß die genannten Bestimmungen (wie ich schon früher dargelegt habe[127]) nicht göttlichen, sondern menschlichen Rechtes sind und in der Kirche jederzeit geändert werden können und auch sollen, wo immer dies nach dem Kriterium des Evangeliums und den Forderungen einer neuen Zeit gerechtfertigt erscheint.

Für damals aber bleibt als Wirkung der pseudoisidorischen Dekretalen festzuhalten: **Kirchenbild und Kirchenrecht** sind jetzt **ganz auf die römische Autorität konzentriert**. Der Papst erscheint jetzt geradezu als die »norma normans«, die alle übrigen Normen normierende Norm, und zwar für die ganze Kirche. Der katholische französische Ökumeniker Yves Congar hat deshalb recht, wenn er hier gegen allen Anschein Traditionslosigkeit feststellt: »Pseudo-Isidor schreibt dem Lehramt und der disziplinären Autorität des Papstes einen autonomen Charakter zu, der nicht an die Normen der Tradition gebunden ist. Er schreibt einem Zeitgenossen des Cyprian, Papst Lucius, die Aussage zu, daß die römische Kirche, ›Mutter aller Kirchen Christi‹, nie geirrt hat.«[128]

Was die Fälschungen des Mittelalters betrifft, so kommen wir also um das ernüchternde **Fazit** nicht herum: Die symmachianischen Fälschungen haben der Konstantinischen Schenkung vorgearbeitet, und beide sind in die dritte und größte Fälschung, die pseudoisidorische, aufgenommen und zur Vollendung geführt worden. Sie bilden zusammen die **juristische Basis für eine künftige totale Romanisierung der Westkirche und die gleichzeitige Exkommunizierung der Ostkirche**. Sie trugen dazu bei, daß sich im Westen gemeinsame Denkstrukturen herausbildeten, die weniger theologisch als juristisch, weniger ursprünglich-christlich als mittelalterlich-päpstlich, weniger katholisch als römisch geprägt waren.

Europa war ab jetzt **identisch mit dem lateinischen Westen**, mit dem Abendland: »Idee und Begriff Europa« – so der Historiker Walter Ullmann zu Recht – »ließen sich nur mehr auf jenen Teil des Kontinents anwenden, der auf dem Untergrund der maßgeblichen römischen Voraussetzungen und der lateinischen Kultur aufgebaut war. Europa war eine geistige Wesenheit geworden und nicht mehr nur ein geographischer Begriff. Sein einigendes Band war der christliche Glaube, so wie ihn das Papsttum fixiert hatte. Da das Oströmische Reich diesen vom Nachfolger des Apostelfürsten verkündeten Glauben nicht annahm, war es nicht mehr ein Teil Europas und aus diesem Grunde ketzerisch.«[129] In der Tat: Durch seine mutwillige Absetzung des Patriarchen von Konstantinopel, dem seine eigene Absetzung durch Byzanz auf dem Fuß folgte, hat Nikolaus I. das »Photianische« (»Nikolaitische«) Schisma in der Hauptsache verursacht – das Vorspiel zum definitiven Schisma zwei Jahrhunderte später.

Doch des Nikolaus Nachfolger, so sehr sie an dessen hohen Ansprüchen festhielten, waren noch schwach und moralisch oft geradezu korrupt, wie auch die letzten karolingischen Kaiser schwach und dekadent waren. Das Abendland befand sich in einem Verfallsprozeß. Die Leitideen der Karolingerzeit jedoch – das eine Universalreich, die eine Reichskirche, die lateinisch-kirchliche Einheitskultur – blieben in Kraft, und daraus sollte Neues hervorgehen.

Aus der Dekadenz zur Reform

Das zweite christliche Jahrtausend beginnt mit einer geradezu erschrekkenden kirchlichen Unordnung. Über das (bis ins 11. Jahrhundert hineinreichende) berüchtigte 10. Jahrhundert der Kirchengeschichte, das selbst der römische Kardinal und Geschichtsschreiber Cesare Baronio (1607) das »**finstere Jahrhundert**« (»Saeculum obscurum«) genannt hat, brauche ich mich hier nicht des längeren auszulassen. In jeder ernsthaften Papstgeschichte kann man Dutzende von Seiten lesen über all die Intrigen und Kämpfe, Morde und Gewalttaten, in welche damals die stadtrömischen Adelsparteien, Päpste und Gegenpäpste verwickelt waren. Sozusagen symbolisch steht für das ganze Jahrhundert die schaurige Exhumierung des Papstes Formosus durch seinen Nachfolger unmittelbar vor der Jahrhundertwende.[130] Für das neue Paradigma aber erbringt dieses Jahrhundert kaum Konstruktives. Zu denken gibt nur, daß diese ganzen Verbrechen, Schandtaten und Mißstände die Autorität des Romanus Pontifex nicht wesentlich erschüttert haben. Warum? Man hatte sich seit Augustins Zeiten daran gewöhnt, zwischen Amt und Träger, zwischen persönlicher Würdigkeit und amtlicher Vollmacht, zwischen Persönlichkeit und Institution zu unterscheiden. Für Kaiser und Fürsten, für Bischöfe und Klerus, wie für die stets zahlreichen Rompilger galt das »Objektive«, nicht das »Subjektive«. Noch so große moralische Verkommenheit einzelner Päpste konnte deshalb das Papsttum als Institution nicht erschüttern. Und machten die eindrücklichen Krönungszeremonien für die germanischen Kaiser nicht aller Welt klar, daß es ohne das Papsttum kein (westliches, lateinisches) Kaisertum gab?

Offensichtlich war es zu dieser Zeit für das Papsttum noch immer schwierig, sich ohne einen kaiserlichen Schutzherrn zu behaupten. Erst als um die Mitte des 10. Jahrhunderts das ostfränkische Reich sich als erstes von den drei Nachfolgereichen Karls des Großen unter den sächsischen Königen (Heinrich I.) aus dem Verfall wieder erhob und unter Heinrichs Sohn **Otto dem Großen** (936-973) zur führenden europäischen Macht emporstieg, sollte auch das Papsttum zumindest vorübergehend dem Zerfall entrissen werden. Otto stützte sich in seinem Reich statt auf die rebellischen Stammesherzöge auf die Kirche und machte die Bischöfe und Reichsäbte (da ehelos ohne dynastische Interessen!) zu Reichsfürsten. Allesamt von ihm ernannt, waren sie ihm durch Treueeid mit militärischen, wirtschaftlichen und politischen Gegenleistungen verpflichtet. Das mittelalterliche Deutschland wurde so zu einem Land von geistlichen Fürstentümern, die bis zur Säkularisierung unter Napoleon 1803 Bestand haben sollten!

Fasziniert vom Vorbild Karls des Großen, war Otto auch an einer **Erneuerung des Kaisertums** interessiert, ohne zu ahnen, was er damit dem deutschen Königtum auflasten sollte. Seine geschichtliche Stunde schlug, als Otto – jetzt mächtigster Herrscher Europas – von Papst Johannes XII. gegen einen selbsternannten »König von Italien« (Berengar) sowie von Süditalien vormarschierende byzantinische Streitkräfte zu Hilfe gerufen wurde. So kam es zum ersten der fünf Jahrhunderte umfassenden Italienzüge deutscher Könige. Otto kümmerte sich dabei wenig um die moralische Statur eines Johannes XII., zu sehr war der mächtige Sachsenfürst an der Kaiserkrönung interessiert, für die er den Papst brauchte und die denn auch 962 erfolgte. Johannes XII. aber, der als lasterhafter Sechzehnjähriger zum Papst gewählt worden war und als erster Papst seinen Namen (Oktavian) bei Amtsantritt gewechselt hatte, übte eine zynische Herrschaft aus und verwandelte den Lateran in eine Stätte der Sittenlosigkeit. Und gerade ein solcher Papst scheute sich nicht, dem Kaiser nach der Krönung eine Prunkschrift der Konstantinischen Schenkung zu überreichen.

Otto freilich hatte sich bei der Krönung von Papst und Volk von Rom den Treueeid schwören lassen und bestätigte erst nachher Pippins und Karls des Großen Schenkungen. Und als Johannes XII. bald nach der Abreise des Kaisers sein Treuegelöbnis brach, kehrte Otto nach Rom zurück, hielt in der Peterskirche eine Synode ab und setzte den geflohenen Papst, dem man in einem Brief alle Laster bis hin zur Blutschande vorgehalten hatte, einfach ab und wählte Leo VIII. zu seinem Nachfolger, einen Laien, der an einem Tag alle Weihen erhielt. Eine weitere der zahlreichen **Papstabsetzungen**, von denen wir hörten, allerdings die erste jetzt durch einen deutschen König! Sie alle zeigen, daß der gefälschte symmachianische Rechtssatz »Der erste Stuhl wird von niemandem gerichtet« selbst in Rom keine allgemeine Anerkennung gefunden hatte.[131] Im Gegenteil: Bei der häufigen Abwesenheit der Kaiser von Rom waren Papstabsetzungen und Papsteinsetzungen, Päpste und Gegenpäpste, mordende und ermordete Päpste keine Seltenheit …

Zur **Neuorganisation des Papsttums** – die Voraussetzung für eine endgültige Ausformung des römisch-katholischen Paradigmas (P III) – kam es in drei geschichtlichen Schüben von drei verschiedenen Seiten: von Seiten des französischen Mönchtums, des deutschen Königtums und des römischen Papsttums selbst. Sehen wir genauer zu:

Auf dem Weg zu einer neuen Weltordnung

Erste Phase: **Initiiert** wurde die Neuordnung der Kirche und des Papsttums **vom Mönchtum.** Noch im zehnten Jahrhundert lebten die asketischen Ideale der alten Kirche wieder auf, vor allem in Frankreich (Cluny), in Lothringen (Gorze, Brogne) und in Italien (Camaldoli, Vallombrosa). Besonders das burgundische Kloster **Cluny**[132] (gegründet schon 910) wurde zur Wiege einer romanisch orientierten (und im Gegensatz etwa zu Gorze streng zentralistischen) **Klosterreform** nach den ursprünglichen Idealen: strenge Einhaltung der Benediktinerregel, Reform der Klosterwirtschaft und, in Reaktion gegen das germanische Eigenkirchenwesen, Befreiung von der Oberaufsicht des Episkopats und unmittelbare Unterstellung unter den Schutz des Papstes (»Petri«). Das Papsttum hatte schon seit langem angefangen, unbekümmert um das Dekret des Konzils von Nikaia »Exemption« von der Jurisdiktion der Bischöfe als päpstliches »Privileg« zu gewähren. Und da sich nun in der ersten Hälfte des elften Jahrhunderts eine Vielzahl von Klöstern in Westeuropa und Italien dem Reformverband von Cluny anschloß, erhielten sie alle das Privileg der Exemption, für das sie freilich einen »Census« nach Rom zu entrichten hatten. Für Rom ein lukratives Unternehmen; denn solche päpstlichen Privilegien mußten ja immer wieder neu bezahlt werden. So verfügte das Papsttum mit der Zeit über ein feinmaschiges Netz von zumeist sehr begüterten Stützpunkten, später auch in deutschen Landen, ja in ganz Europa. Mönchtum und Papsttum stützten sich gegenseitig, ja, längst bevor das Papsttum seinen Zentralismus durchgesetzt hatte, wurde er von Cluny realisiert: strenge Unterordnung der Klöster unter sein zentrales Regiment und zugleich eine Überordnung der geistigen Gewalt.[133] Ein Heer von Betern auf dem spirituellen Schlachtfeld, so sah man dies damals nicht nur in Rom!

Je mehr nun der Reformgedanke im elften Jahrhundert in den Klerus eindrang, um so mehr wurde aus der Bewegung der Klosterreform eine Bewegung zur **Kirchenreform**, die sich vor allem auf zwei Punkte konzentrierte:

– straffe Zucht des Klerus: Kampf gegen die immer noch weitverbreitete traditionelle Priesterehe und den Konkubinat (»Nikolaitismus«[134]);

– Befreiung der Kirche von der unkanonischen Einwirkung der Laien: Kampf gegen Ämterkauf (»Simonie«[135]). Doch – noch immer war das Papsttum selber in einem lamentablen Zustand.

Zweite Phase: **Durchgesetzt** wurde die Reform des Papsttums **vom deutschen Königtum**. Schon der tief religiöse König Heinrich II., von Cluny beeinflußt, hatte sich für Reformen eingesetzt. Bei der Rivalität zweier Päpste entschied er sich für Benedikt VIII., der ihn zum Kaiser krönte und mit dem er 1022 ein großes Reformkonzil in Pavia zur Erneuerung von Klerus und Volk abhielt. Doch war es gegen die Mitte des elften Jahrhunderts vor allem **Heinrich III.** (1039-1056), der angesichts dreier gleichzeitig regierender Päpste endgültig die Reform des Papsttums erreichte, indem er auf den Synoden von Sutri und Rom 1046 alle drei rivalisierenden Päpste absetzen ließ.[136] Vom König nominiert, wurde Bischof Suitger von Bamberg von Klerus und Volk von Rom zum Papst gewählt (Clemens II.). Auch die nächsten drei Päpste – Deutsche und ebenfalls ausgezeichnete Männer – wurden vom Kaiser ernannt, so daß auf die römischen Adelspäpste jetzt eine Reihe kaiserlicher Päpste folgte. Kein deutscher König hatte wohl größeren Einfluß auf die westliche Kirche als Heinrich III. Aber – indem er sich für die Reformbewegung des Papsttums engagierte, baute er, ohne es zu wollen, den größten Feind des Kaisertums auf.

Dritte Phase: **Vollendet** wurde die Reform des **Papsttums durch das Papsttum selbst**, ging doch unter Heinrichs Verwandten **Leo IX.** (Bischof von Toul in Lothringen, 1049-1054) die Führung der Reformbewegung an den Papst über. Damit wurde die Grundlage geschaffen für einen unvergleichlichen Aufschwung von Papsttum und abendländischer Kirche. Zwar hatte der päpstliche Verwaltungsapparat mit seinen verschiedenen Ämtern und Abteilungen auch in der Zeit der moralisch verkommenen Päpste wie selbstverständlich funktioniert und zahllose Decreta und Responsa im immer gleichen erhabenen Latein in alle Gegenden Europas ausgehen lassen. Auch konnte nirgendwo ein neumissioniertes Gebiet (und es ging damals nicht nur, wie wir hörten, um Böhmen und Mähren, sondern auch um Skandinavien bis hinauf nach Island und Grönland) in die kirchliche Organisation der westlichen Kirche eingefügt werden ohne römische Zustimmung. Doch dies war sozusagen Routine.

Der Lothringer Leo IX. nun reformierte in den kurzen reichlich hektischen fünf Jahren seines Pontifikats nicht nur den römischen Stadtklerus, sondern half auch durch Einführung regelmäßiger Synoden der Reform entschieden voran. Mehr noch: Durch seine Reisen in Italien sowie nach Frankreich und Deutschland machte er den lebendigen Nachfolger Petri bei Klerusversammlungen und Synoden wirkungsvoll präsent. Überall kämpfte er gegen Simonie und Priesterehe. Die päpstliche Zentralregierung straffte und stärkte er, indem er die Kardinäle – ursprünglich die wichtigsten Repräsentanten (von Cardo = Türangel, Drehpunkt) der römischen Stadtkirchen – zu einer Art päpstlichen Senat machte und in dieses Gremium auch von jenseits der Alpen hervorragende Vertreter der Reform berief: unter ihnen jener Lothringer Humbert (jetzt Kardinalbischof von Silva Candida), gelehrter und gewiefter Theoretiker der päpstlichen Kirchenreform, dann Friedrich von Lothringen, Kanzler der römischen Kirche, schließlich den Kamaldulenser Petrus Damiani und, zuerst in untergeordneter Stellung, Hildebrand. Nur auf diese Weise konnte das Papsttum eine für Europa repräsentative Institution werden, die in delikateren Angelegenheiten auch bald durch »Legaten« (persönliche Vertreter des Papstes) für unmittelbare Intervention in ganz Europa sorgte.

Diesen hochintelligenten und hochengagierten neuen Männern in Rom ging es um nicht mehr und nicht weniger als um **eine neue Weltordnung**. Und diese sollte durch eine Revolution (die sie als Restauration der altkirchlichen Ordnung verstanden) von oben erreicht werden. Denn nur durch die unerschütterliche, unermüdliche und konsequente Betonung des päpstlichen Primats, davon waren sie felsenfest überzeugt, kann der Klerus, kann die Kirche, kann die Welt überhaupt erneuert und die gottgewollte Weltordnung hergestellt werden. Dafür sollten alle Mittel eingesetzt werden: der unerschöpfliche Fundus der pseudoisidorischen Dekretalen, der ausgebaute römische Herrschafts- und Verwaltungsapparat (ab jetzt kann man von wirklicher Kurie reden), das Kardinalskollegium, das neuartige Gesandtschaftswesen, kurz, das jetzt im Entstehen begriffene römische System.

Grundlegend ist in diesem Zusammenhang jene neuartige, auf die öffentliche Meinung zielende, gelehrte polemische Publizistik, wie sie meisterhaft der uns bereits als ungestümer Papstlegat in Konstantinopel bekannte **Humbert von Silva Candida** (ca. 1006-1061)[137] praktizierte. Dieser engste Vertraute des Papstes ist ein gewandter und oft ironisch-sarkastischer Stilist, Jurist und Theologe, der im Fragment »De sancta Romana ecclesia« und in seinen leidenschaftlichen drei Büchern gegen die Simonisten faktisch ein ganzes kirchenpolitisches Programm vorlegt. Humbert ist praktisch der zweite Mann in Rom, Verfasser ungezählter päpstlicher Schreiben und Bullen, der bahnbrechende Theoretiker der päpstlichen Politik, dessen treuer Schüler der Papst selber ist. Ja, Humbert ist der scharfsinnige und bilderträchtige Theoretiker des **römischen Prinzips**, das Grundlage ist für das bald sich ausgestaltende römische System:

– Das Papsttum, der erste und apostolische Stuhl, ist Quelle und Norm alles kirchlichen Rechtes, ist oberste Instanz, die alle richten, aber selber von niemandem gerichtet werden kann.
– Das Verhältnis von Papst und Kirche ist wie das von Angel und Tür, Fundament und Haus, Quelle und Strom, Mutter und Familie.
– Das Verhältnis von Kirche und Staat ist wie das von Sonne und Mond, Seele und Leib, Haupt und Gliedern.

Im Namen der petrinischen Autorität fordert dieser zugleich klügste und schroffste Vertreter der neuen Weltordnung die **Freiheit der Kirche**. Was meint er damit? Freie Bischofswahl und Abschaffung nicht nur des germanischen Eigenkirchenwesens, sondern auch der Simonie und Priesterehe, wobei er in höchst wirkungsvoller Verbalstrategie die Begriffe der Simonie und des Zölibats fatal auszudehnen versteht:
– Als »**Simonie**« (ursprünglich: Übertragung einer kirchlichen Stelle gegen eine Geldzahlung oder materiellen Gewinn) gilt ihm jegliche Ämterübertragung (»Investitur«) durch einen **Laien**, ob gegen Bezahlung oder nicht, was das Signal für den »Investiturstreit« gibt.
– Als »**Konkubinat**« gilt ihm **jede Priesterehe**; jede Priesterfrau wird so zur Konkubine und jedes Priesterkind zum illegitimen, faktisch rechtlosen Kind, was auf entschiedenen Widerstand des Klerus besonders in Deutschland stößt.

Dieser papstgläubige Programmatiker und hemmungslose Propagandist des römischen Prinzips, der 1054 den Bruch mit Konstantinopel provoziert und der 1059 gegen Berengar von Tours ein kraß-realistisches Abendmahlsverständnis erzwingt, diese leidenschaftliche Kämpfernatur stirbt 1061 und wird ehrenvoll im Lateran begraben. Doch an seiner Seite stand schon immer ein jüngerer Administrator, kundiger Finanzmann und kühner, zielstrebiger Politiker. Er war ebenfalls von der Idee durchdrungen, daß der Papst niemand anderer als der Apostel Petrus heute ist. Die Rede ist von jenem Legaten, Archidiakon und schließlich Papst, der zwölf Jahre später Humberts neues Programm mit ungeheurer Energie kühn und zielstrebig in die Praxis umsetzen sollte: Hildebrand.

Die Durchsetzung des römischen Systems

Wie lange war doch, wenn man an die Dramatik der vielen Pontifikate denkt, der Weg zwischen Leo I. und Leo IX. gewesen, und wie kurz war dieser selbe Weg, wenn man auf die Programmatik schaut. Endlich, nach so vielen Rückschlägen und Niederungen, war das Papsttum imstande, das bereits um die Mitte des fünften Jahrhunderts entwickelte Programm zu verwirklichen und die angeblich vom Apostel Petrus her begründete Herrschaft des Papstes in der Kirche aufzurichten. Ausgestattet mit einer Überfülle von Dokumenten und Dekretalen konnte man jetzt den historisch-dogmatisch untermauerten, rechtlich durchgeformten und organisatorisch ausgebildeten Herrschaftsprimat (Jurisdiktionsprimat) des Papstes effektiv zur Geltung bringen – gegenüber Erzbischöfen und Bischöfen, gegenüber nationalen und diözesanen Kirchen und schließlich gegenüber jedem einzelnen Christen: dem niedrigsten Gläubigen genauso wie gegenüber Königen und Kaisern. Erst jetzt – nach 600 Jahren – ließ sich das **römische Programm als juristisch-politisches System**, als eine durch Abhängigkeiten von Institutionen und Personen bestimmte Form kirchlicher Organisation, in der Christenheit durchsetzen. Erst jetzt, im elften Jahrhundert, erscheint das von Augustin und den römischen Bischöfen im fünften Jahrhundert grundgelegte lateinisch-katholische Paradigma als das im strengen Sinn **römisch-katholische Paradigma ausgeformt**.

Allerdings ergibt sich dabei sofort eine gewichtige Einschränkung: Nicht etwa in der ganzen Christenheit, nicht in der ganzen Kirche konnte sich dieses römische System durchsetzen, sondern **nur in der westlichen Kirche**. Sie allerdings trat jetzt in der Gestalt des Papsttums immer selbstbewußter und machtbewußter auf. Nicht nur daß aus der östlichen Christenheit nie päpstliche Decreta und Responsa erbeten worden waren, nicht nur daß kein östliches Kloster um die Verleihung der päpstlichen Exemption nachgefragt hatte, nicht nur daß der Osten – von Krisen wie unter Nikolaus I. und Patriarch Photios abgesehen – weithin unbekümmert um das lange Zeit dekadente Rom im überlieferten altkirchlichen Paradigma dahingelebt hatte. Nein, die Unterschiede gehen tiefer.

Wir hörten es bereits im Zusammenhang jenes hellenistisch-altkirchlichen Paradigmas (P II): Als unter demselben so gestaltungsfreudigen Papst Leo IX. und seinem leidenschaftlich ungestümen Legaten Humbert von Silva Candida die östliche Christenheit jetzt ganz direkt mit dem historisch-dogmatisch wie rechtlich-politisch vollentwickelten römischen Herrschaftsprimat konfrontiert wurde (Humbert in Konstantinopel!), hat sie diesen selbstverständlich abgelehnt. Und als Humbert dann im Namen des Papstes 1054 gegen den Patriarchen Kerullarios und die Seinen die schon vorher vorbereitete Exkommunikation aussprach, handelte er sich unverzüglich die byzantinische Gegenexkommunikation ein, der sich dann auch die anderen östlichen Fürstentümer (Bulgarien, Serbien, Rußland) anschlossen. Ergebnis: Mit dem jetzt offenen und nie mehr wirklich geheilten Bruch zwischen Ost- und Westkirche wurde nur offenkundig, was sich in einem langen, hochkomplexen Entfremdungsprozeß schon längst herausgebildet hatte: Das **neue römisch-katholische Paradigma (P III)** erwies sich eindeutig als **unvereinbar mit dem hellenistisch-altkirchlichen (P II)**! Die Steigerung des römischen Primats ging auf Kosten der altkirchlichen **episkopalen-synodalen Strukturen**, die im Wesen weithin **zerstört** werden.

In der Tat: Wie hätte die östliche Christenheit aufgrund ihrer tausendjährigen Traditionen jenen in Alt-Rom zwar schon längst verkündeten, aber in Neu-Rom nie wirklich ernst genommenen römischen Herrschaftsprimat annehmen können, der jetzt im elften Jahrhundert durch den Papst persönlich und seine Legaten überall in den Zentren der westlichen Christenheit offensiv propagiert wird? Wie hätte sie annehmen können, was zum Beispiel fünf Jahre vor dem Bruch auf einem Konzil zu Reims (1049) unter dem persönlichen Vorsitz Leos IX. definiert worden ist: daß der Papst allein der apostolische, universale Primas sei? Zwar hätte die schwere militärische Niederlage für Leo eine Warnung sein müssen, als er seinen Primatsanspruch auch in Süditalien gegen die dort seit 1016 siedelnden Normannen persönlich an der Spitze eines Kriegsheeres durchzusetzen versucht. Doch im Hinblick auf Normannen und Deutsche lag ein »renversement des alliances« näher, als es damals die Welt ahnte. Denn die Verwirklichung der jetzt programmatisch geforderten Suprematie der Kirche unter der Parole **»Libertas Ecclesiae«** – »Freiheit für die Kirche« (als päpstliche Institution), nicht zu verwechseln mit »Freiheit des Christenmenschen« oder mit »Freiheit in der Kirche«! – schritt jetzt rasch voran. Die Befreiung des Papsttums vom Einfluß des deutschen Königtums, von dem es emporgetragen worden war, und sein **Aufstieg zur zentralen europäischen Herrschaftsinstitution** vollzog sich in einem imponierenden Tempo. Ein kurzes Protokoll jener dramatischen Jahre:

1054 stirbt Leo IX., und sein Nachfolger Viktor II. sollte der letzte von einem deutschen Kaiser nominierte Papst sein;

1056 stirbt Kaiser Heinrich III. überraschend, erst neununddreißigjährig, und läßt einen erst sechsjährigen Sohn, Heinrich IV., und damit ein Machtvakuum zurück;

1057 wird Stephan IX. (jener wenig deutschfreundliche römische Kanzler Friedrich von Lothringen, der Humbert nach Konstantinopel begleitet hatte) auf dessen Vorschlag schon vier Tage nach Viktors Tod unter Ignorierung sämtlicher historischer Rechte des deutschen Königs zum Papst gewählt, ein Fait accompli, das Hildebrand als päpstlicher Legat dem königlichen Hof nachträglich zur Kenntnis bringt;

1058 wird als Stephans Nachfolger Nikolaus II., auch er ein Lothringer, gewählt, der erste Papst wohl, der sich wie die Könige und Kaiser – ein weltweit erkennbares Symbol für den jetzt monarchischen Charakter des Papsttums – krönen ließ.

1059 beschließt unter Nikolaus II. und Humbert eine Lateransynode:
– exklusives Wahlorgan für die **Papstwahl** sei, unabhängig von Interventionen des römischen Adels und des deutschen Königs, das **Kardinalskollegium** (Klerus und Volk von Rom dürfen nachher zustimmen), das jetzt auch als Beratungsorgan des Papstes (»Konsistorium«) fungiert und die wichtigsten Stellen der päpstlichen Verwaltung einnimmt.
– Verbot für Laien, an Gottesdiensten **verheirateter Priester** teilzunehmen, und Bannandrohung für Priester, die ihre Frauen nicht entlassen.
– Verbot für alle Priester, ein **Kirchenamt aus den Händen eines Laien** – ob gegen Bezahlung oder nicht – entgegenzunehmen.

Ein Mann hatte dabei in all den Jahren im Hintergrund bereits eine Schlüsselrolle gespielt, dessen größte Stunde erst noch kommen sollte: Hildebrand, der Archidiakon. 1073 wird er noch während der Beerdigungsfeierlichkeiten seines Vorgängers in tumultuarischer Weise unter glatter Mißachtung des Papstwahldekrets zum Papst gewählt und nannte sich – nach Gregor I., dem Musterpapst des Mittelalters – Gregor VII. Der lange schwelende strukturelle Konflikt zwischen Königtum und Papsttum trieb seinem Höhepunkt zu.

Der Papst über alles in der Welt: Gregor VII.

Geburtsort, Geburtsjahr und Familienhintergrund dieses jetzt etwa 50-jährigen **Hildebrand**[138] sind ungewiß. Sicher ist nur, daß er im Bereich der römischen Kirche aufgewachsen ist. Vielleicht war er dem römischen Aventinkloster anvertraut worden, wo er wohl das Mönchsgelübde abgelegt hat. Jedenfalls verbürgt ist, daß er den abgesetzten Papst Gregor VI. nach Köln begleitete, vermutlich eine Zeitlang auch in Cluny lebte, bis er 1049 mit dem neuen Papst Leo IX. nach Rom zurückkehrte. Hier wird er immer mehr der entscheidende Mann, der als päpstlicher Legat die europäischen Zentren gut kennenlernt und seit 1059 als einflußreicher Archidiakon und effektiver Verwalter des Vermögens der römischen Kirche (und seines eigenen!) beste Einblicke in das Innenleben der Kirche erhält. Ja, zur Zeit Nikolaus' II. und der Lateransynode vom selben Jahr spielte Hildebrand eine solche Rolle, daß es damals bereits hieß, er füttere »seinen Nikolaus im Lateran wie einen Esel im Stall«[139]. Er stand wohl auch hinter dem jetzt vorgenommenen außenpolitischen »renversement«, dem entscheidenden Kurswechsel: im selben Jahr Friedensschluß mit den Normannen, denen – eine unerhörte Tat – das bisher kaiserliche Süditalien und Sizilien als päpstliches »Lehen« verliehen wird, um so die Herrschaft der deutschen Könige abzuschütteln.

Bis heute ist er eine umstrittene Figur, dieser körperlich kleine und eher häßliche Mann, der aber von leidenschaftlicher Glaubensüberzeugung und diamantener Härte war. Ob Gregor VII. nicht so sehr in Institutionen dachte, sondern, wie neuere Historiker (A. Nitschke, C. Schneider) annehmen, die Menschen danach einteilte, ob sie Gott oder dem Teufel gehören? Von seltener Aufrichtigkeit, Unerschrockenheit, Unduldsamkeit und Maßlosigkeit konnte er rauh sein auch gegen seine Freunde und erst recht grausam gegen seine Feinde. Von seinem kaum sanfteren Mitkardinal Petrus Damiani, der ihm schließlich sein Bistum Ostia vor die Füße warf, ist er »heiliger Satan« genannt worden, aber selbst protestantische Papsthistoriker bewundern ihn im Gefolge von Thomas Carlyle unter der Kategorie »Held als Priester«. Wie immer: Eine Jahrhundertfigur war er in jedem Fall. Denn mit seinem Namen ist sowohl die »Gregorianische Reform« verbunden (wiewohl diese, wie wir sahen, schon vor seinem Pontifikat begonnen hatte), wie auch der »Investiturstreit«, in dem es bekanntlich um sehr viel mehr ging als nur um die Investitur (Amtseinsetzung) von Klerikern durch Laien.

Für unsere Paradigmenanalyse muß Gregor VII. gewürdigt werden als der Papst, der das **römisch-katholische Paradigma des Mittelalters radikal und unwiderruflich in die politische Praxis umgesetzt hat**. Der französische Theologe Yves Congar dürfte unter den Historikern allgemein Zustimmung finden, wenn er feststellt: »Das Kirchenverständnis der Reformer des elften Jahrhunderts, Gregors VII. und der Kanonisten um 1080 und später, kann mit einem Wort umrissen werden: es ist von seinem Wesen her römisch.« Und er fügt hinzu: »Nicht nur in dem Sinn, als es den Standpunkt wiederaufgreift, den Rom selbst seit der Zeit Leos I. einnahm; auch insofern, als es den Vorrang des Stuhles Petri, der römischen Kirche, zur Achse der gesamten Ekklesiologie macht: die von Humbert von Moyenmoûtier so geliebten Worte ›Caput et cardo‹ fassen dieses Verständnis gut zusammen.«[140]

In der Tat: Der mit Augustin und den römischen Bischöfen des fünften Jahrhunderts eingeleitete **Paradigmenwechsel ist jetzt definitiv vollzogen**, insofern auch **das Römische** in dieser Konstellation **voll ausgeprägt** erscheint. Was bisher vielfach nur in Rom vertretene theoretisch-abstrakte Programmatik war, wird jetzt überall in der westlichen Kirche praktisch-konkrete Wirklichkeit. Walter Ullmann, der die ganze Entwicklung bis zu Gregor VII. institutionsgeschichtlich scharfsinniger als andere analysiert hat, stellt fest: »Was bisher bloße programmatische Überlegungen waren,

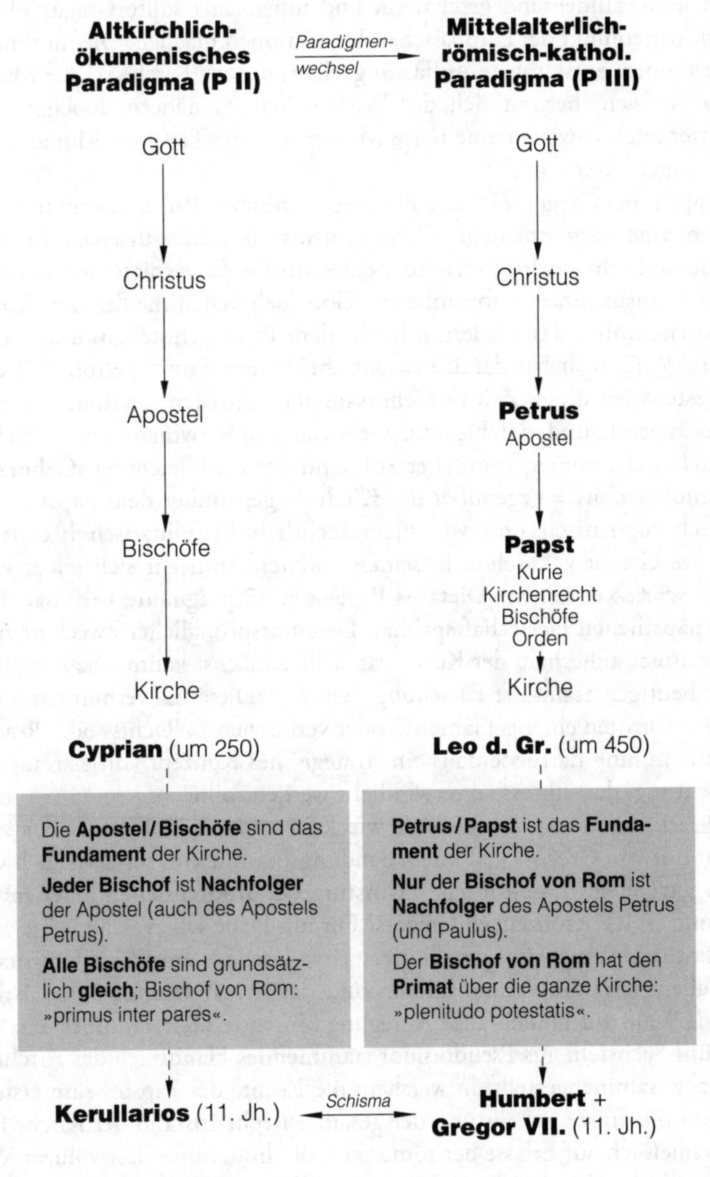

Zwei Verfassungssysteme
Altkirchlich-ökumenisches Paradigma (P II)
Paradigmen-wechsel
Mittelalterlich-römisch-kathol. Paradigma (P III)
Gott
Christus
Apostel
Bischöfe
Kirche
Cyprian (um 250)
Gott
Christus
Petrus
Apostel
Papst
Kurie
Kirchenrecht
Bischöfe
Orden
Kirche
Leo d. Gr. (um 450)
Die Apostel/Bischöfe sind das Fundament der Kirche.
Jeder Bischof ist Nachfolger der Apostel (auch des Apostels Petrus).
Alle Bischöfe sind grundsätzlich gleich; Bischof von Rom: »primus inter pares«.
Petrus/Papst ist das Fundament der Kirche.
Nur der Bischof von Rom ist Nachfolger des Apostels Petrus (und Paulus).
Der Bischof von Rom hat den Primat über die ganze Kirche: »plenitudo potestatis«.
Kerullarios (11. Jh.)
Schisma
Humbert + Gregor VII. (11. Jh.)

erhielt nun feste Gestalt in Zeit und Raum. Unter seiner unerschrockenen Führung wurde das Papsttum durch seine eigene innere Stärke und sein Programm zu einer Institution von europäischen Ausmaßen. Das Papsttum hatte Hildebrand geschaffen, und umgekehrt sollte Gregor VII. es zum Mittelpunkt der europäischen Institutionen machen. Die im fünften Jahrhundert entstandene Auffassung, die römische Kirche sei die Mutter aller Kirchen, begann sich der Wirklichkeit zu nähern, mochte diese Mutter auch zuweilen eine harte Mutter und der Papst als Monarch ein gestrenger Vater sein.«[141]

Es geht bei Gregor VII. und der gregorianischen Partei überall in Europa um eine ausgesprochene »**Gehorsamsmystik**«, die »zugleich sehr spirituelle und sehr institutionell-kirchenrechtliche Züge trägt«, wie es nochmals Congar präzise formuliert: »Gott gehorchen heißt, der Kirche gehorchen, und das wiederum heißt, dem Papst gehorchen, und umgekehrt.«[142] Congar hat damit den entscheidenden Punkt getroffen. Denn spätestens seit dieser Zeit ist Gehorsam aller Christen für Rom eine zentrale Tugend, und Befehle und Gehorsam zu erzwingen (mit welchen Mitteln auch immer) römischer Stil. Und was die Gleichung »**Gehorsam gegenüber Gott = gegenüber der Kirche = gegenüber dem Papst**« theologisch-dogmatisch und vor allem rechtlich-disziplinarisch bedeutete, machte Gregor VII. schon in seinem zweiten Amtsjahr sich selber klar: 1075 schrieb er seinen »**Dictatus Papae**«[143], **27 prägnante Leitsätze über den päpstlichen Herrschaftsprimat**. Deren ursprünglicher Zweck ist zwar umstritten, außerhalb der Kurie waren sie zunächst kaum bekannt; nach dem heutigen Stand der Forschung stellt der »Dictatus« vermutlich Kapitelüberschriften einer geplanten[144] oder verlorenen[145] Rechts- oder Privilegiensammlung dar: jedenfalls ein strategisches Konzept von erstrangiger Bedeutung, das sukzessive verwirklicht werden sollte!

Dieser »Dictatus« zeugt somit wie kein anderes Dokument der Zeit nicht nur von Gregors maßlosem Sendungsbewußtsein, sondern auch von dem jetzt möglich gewordenen **Umsturz der altkirchlichen Kirchenverfassung** (P II). Kronzeugen Gregors? Für uns keine Überraschung: gewisse Auffassungen Augustins im »Gottesstaat«, dann der Pontifikat Gregors I., vor allem aber die Pseudoisidoren und das Amtsverständnis von Nikolaus I. Wohl auf Hildebrands Anregung hin hatte noch Humbert ein fast zu fünf Sechsteln aus Pseudoisidor stammendes Handbuch des Kirchenrechts zusammengestellt, in welchem die Rechte des Papstes zum erstenmal an die Spitze gestellt und der gesamte Rechtszustand der Kirche fast ausschließlich auf Erlasse der römischen Bischöfe (unter fast völliger Verdrängung der Konzilien) gegründet wird. Gregors »Dictatus«, der traditionelle Sätze verschärfend umbiegt und völlig neue Sätze formuliert, spitzt dies alles noch einmal zu.[146] Damit war der Konflikt mit der weltlichen Macht vorprogrammiert. Und diese hat Gregor, hier mit Gedanken Augustins im Kopf, ohnehin des Teufels verdächtigt.

Im Grunde kommen im »Dictatus Papae« drei Grundideen zum Ausdruck, die allesamt darin gründen, daß der Papst als Nachfolger Petri nun einmal die von Gott gegebene »plenitudo potestatis« (Leo I.) besitzt, jene Machtfülle, aus der sich alle rechtlichen Prärogativen logisch ergeben: Der Papst

– ist **unumschränkter Herr der Kirche**: Er steht nicht nur über allen Gläubigen, Klerikern und Bischöfen, sowie über allen Lokal-, Regional- und Nationalkirchen; er steht auch über allen Konzilien;
– ist **oberster Herr der Welt**: Ihm unterstehen nicht nur alle Fürsten, sondern auch der Kaiser (als »sündiger Mensch«);
– wird durch die Amtsübernahme (aufgrund der Verdienste Petri) unzweifelhaft **heilig**: Die römische Kirche, von Gott allein gegründet, hat nie geirrt und wird nie irren.[147]

Dieser »Dictatus Papae« stellt die klarste Rechtsumschreibung des päpstlichen Herrschaftsprimates vor der Primatsdefinition des Vatikanum I (1870) dar und behauptet – nicht zuletzt mit dem Blick auf Byzanz im Zusammenhang mit Gregors Kreuzzugs- und Unionsplänen – eine **unbeschränkte Weihe-, Gesetzgebungs-, Verwaltungs- und Gerichtsbefugnis des Papstes**. Da der »Dictatus« die Binde- und Lösegewalt jedoch auch auf die weltlichen Herrscher bezieht (was in Rom bis ins 19. Jh. theoretisch aufrechterhalten wurde) und in seinen unverhüllten Machtansprüchen selbst Papalisten heutzutage vielfach peinlich ist, wird er im »Denzinger«, der sonst so papstfixierten Sammlung kirchlicher Lehrdefinitionen, einschließlich beliebiger Papstbriefe, von der ersten bis zur letzten Auflage überhaupt nicht erwähnt.[148] Er sei deshalb hier in vollem Wortlaut abgedruckt.[149]

Selbstverständlich sollte man nicht bestreiten, daß Gregor Zeit seines Lebens sich selbst ein radikales Christsein abverlangt. Es ist zweifellos getragen von der tief empfundenen Erfahrung der Armseligkeit und Abhängigkeit auch seiner Person von Gottes Kraft, Liebe und gnädigem Erbarmen.[150] Aber gerade so kann er ein gerissener Politiker für die Kirche sein, der keinen Tag mit der Umsetzung seines Programms zögert. Wie es ihm nach dem Wahldekret zusteht, dem zufolge selbst ein Laie mit Annahme der Wahl sofort Papst ist, regiert Gregor die Kirche denn auch vom ersten Tag seiner Wahl an quasi als Reinkarnation des heiligen Petrus, jedenfalls in mystischer Identifikation mit ihm. Voll der Überzeugung,

Ein päpstliches Programm

1. Die römische Kirche ist allein vom Herrn gegründet worden.
2. Allein der römische Pontifex wird rechtmäßig universaler Bischof genannt.
3. Er allein kann Bischöfe absetzen oder wieder aufnehmen.
4. Sein Legat hat allen Bischöfen gegenüber auf dem Konzil den Vorsitz, auch wenn er geringeren Ranges ist, und kann über sie das Urteil der Absetzung fällen.
5. Auch Abwesende kann der Papst absetzen.
6. Mit den von ihm Exkommunizierten dürfen wir unter anderem nicht einmal im selben Haus bleiben.
7. Ihm allein ist es gestattet, wenn die Zeit es erfordert, neue Gesetze zu erlassen, neue Bistümer zu errichten, Kanonikerkapitel in Mönchsklöster zu verwandeln und umgekehrt, reiche Bistümer aufzuteilen und arme zusammenzulegen.
8. Er allein darf kaiserliche Insignien gebrauchen.
9. Allein des Papstes Füße haben alle Fürsten zu küssen.
10. Sein Name allein darf in den Kirchen feierlich genannt werden.
11. Einzigartig ist dieser Name in der Welt.
12. Ihm ist erlaubt, Kaiser abzusetzen.
13. Ihm ist erlaubt, Bischöfe von einem Sitz zum anderen zu versetzen, falls dringend geboten.
14. Aus jeder Kirche kann er nach Belieben Kleriker weihen.
15. Ein von ihm Ordinierter kann auch einer anderen Kirche vorstehen, nicht aber niedere Dienste tun; von keinem anderen Bischof darf er einen höheren Weihegrad empfangen.
16. Keine Synode darf ohne seine Weisung als eine allgemeine bezeichnet werden.
17. Kein Rechtssatz und kein Buch darf ohne seine Autorisierung als kanonisch gelten.
18. Seine Entscheidung darf von niemandem neu verhandelt werden, er selber darf als einziger die Entscheidungen aller anderen neu zur Verhandlung stellen.
19. Er selber darf von niemandem gerichtet werden.
20. Niemand wage den zu verurteilen, der an den apostolischen Stuhl appelliert.

21. Die wichtigeren Angelegenheiten jeder Kirche sollen vor den apostolischen Stuhl gebracht werden.

22. Die römische Kirche hat niemals geirrt und wird nach dem Zeugnis der Schrift auch nie und nimmer irren.

23. Der römische Pontifex, wenn er kanonisch geweiht wurde, wird durch die Verdienste des heiligen Petrus unzweifelhaft heilig gemacht …

24. Auf seine Weisung und Erlaubnis hin ist es Untergebenen gestattet, Anklage zu erheben.

25. Ohne das Zusammenkommen einer Synode kann er Bischöfe absetzen und wieder aufnehmen.

26. Als katholisch darf nicht gelten, der nicht übereinstimmt mit der römischen Kirche.

27. Er kann Untergebene vom Treueid gegenüber Missetätern lösen.

Der »Dictatus Papae« Gregors VII.

daß alle Welt »Petrus« wie im Himmel so auf Erden Gehorsam schuldet, geht er als neuer Petrus sowohl gegenüber den politischen Mächten (»außenpolitisch«) wie in der Kirche (»innenpolitisch«) in die Offensive.

»Außenpolitisch« versucht Gregor von allem Anfang an, nach den Normannen mit Berufung auf alle möglichen Geschichtsklitterungen nun auch noch weitere Reiche unter seine Oberlehensgewalt zu bringen, wofür diese Fürsten selbstverständlich jährliche Lehensabgaben nach Rom zu bezahlen haben. Denn Anerkennung päpstlicher Oberhoheit, Vasallenhuldigung, Lehensnahme und jährlicher Lehenszins gehören zusammen. Bezüglich Sardinien, Korsika und Spanien hat die päpstliche Politik Erfolg, bezüglich Frankreich, England und anderer Staaten nicht. Wie kein Papst vor ihm, macht Gregor VII. »Weltpolitik«.

»Innenpolitisch« konzentriert sich Gregor VII. schon mit seiner ersten Fastensynode 1074 auf den **Kampf gegen die Priesterehe**. Er will das schon früher geforderte Verbot der Priesterehe (Zölibat) – besonders in Deutschland kaum befolgt – mit schärfsten Mitteln erzwingen. Gegen alles altkirchliche Recht erklärt er die Amtshandlungen verheirateter Priester für ungültig und ruft die Laien zur Revolution gegen die verheirateten Priester auf. Schon vor seinem eigenen Pontifikat hatte er zur Durchsetzung päpstlicher Ziele je nach Bedarf das Bündnis auch mit unteren und untersten Schichten betrieben, vor allem mit der sozialrevolutionären Massenbewegung norditalienischer Städte, der Pataria (= »Trödlermarkt«,

Gesindel), mit deren Hilfe und bewaffnetem Aufstand er in Mailand den von ihm gewünschten Kandidaten gegen den vom deutschen König ernannten Bischof durchzusetzen versuchte.

Zur welthistorischen Kraftprobe kommt es, als Gregor, eine Kampfnatur ohnegleichen, die Grenzlinie zwischen römischer Innen- und Außenpolitik im Sinne seines Programms verschieben wollte. Denn im sogenannten »**Investiturstreit**«[151] ging es um nicht mehr und nicht weniger als um eine neue Verhältnisbestimmung von geistlicher und weltlicher Macht, von Klerus und Laienschaft, im Grunde um die Frage, wem die Herrschaft über den Klerus zukomme. Repräsentant der Laienschaft war der deutsche König und (zumindest künftige) Kaiser. Und Gehorsam verlangte dieser Papst auch vom König und Kaiser. Deutscher König war damals **Heinrich IV.** (1056-1106). Bei Gregors Amtsantritt zwar erst 23 Jahre alt, war er doch bei aller Unerfahrenheit, Unbesonnenheit und Unbekümmertheit ein Herrscher mit ausgeprägtem Sinn für königliche Würde. Und nach seinem Sieg über die aufständischen Sachsen fühlte sich Heinrich seinerseits bereit zum Kampf: »Die deutsche Krone sollte den Geboten des Papstes unterworfen sein. Das aber traf den Punkt, in dem auch Heinrich ... freiwillig niemals nachgeben konnte. Darum war der Kampf zwischen König und Papst unvermeidlich, und darum war es von Anfang an ein Kampf auf Tod und Leben« (J. Haller[152]).

Auf der Fastensynode 1075 eröffnet Gregor VII. die Auseinandersetzung durch eine scharfe Erneuerung des **Verbots der Laieninvestitur**, der Amtseinsetzung eines Klerikers durch einen Laien, verbunden mit einer deutlichen Warnung an den König. Und als Heinrich IV. mit der Einsetzung von Bischöfen in Reichsitalien, dem Anrainer des Kirchenstaates, fortfährt (neben Mailand auch Spoleto und Fermo), richtet Gregor noch im Dezember 1075 ein Ultimatum an den König: Er droht ihm den Kirchenbann und das Schicksal Sauls an, wenn er mit den Bischofsernennungen fortfahre. König Heinrich reagiert auf einem Reichstag und einer gleichzeitigen Reichssynode zu Worms im Jahre 1076: Schlecht beraten antwortet er mit der **Absetzung des Papstes**: »Hildebrand«, wie er ihn anschreibt, sei »nicht mehr Papst, sondern falscher Mönch«! Eine verhängnisvolle Überreaktion, begleitet auch noch von persönlichen Verunglimpfungen, die kontraproduktiv wirken. Ein Fehler war es ohnehin, einen Papst gewissermaßen aus der Ferne absetzen zu wollen; ein Fehler überdies, den päpstlichen Angreifer in den Augen der Welt zum Opfer, zum Opfer eines arroganten Deutschen, zu machen. Zwar hatte schon Heinrichs Vater, Heinrich III., eine ganze Reihe von Päpsten abgesetzt und eingesetzt, wie wir hörten. Doch Heinrich IV. übersieht, wie sehr sich unterdessen die Lage zugunsten des neu formierten Papsttums verändert hat. Denn der Papst verfügt jetzt über ideologische und vor allem kirchenrechtliche Instrumente der Selbstbehauptung und nicht zuletzt über eine wirkkräftige Publizistik, um den Kampf um die öffentliche Meinung bestehen zu können, wie es ihn seit dem Untergang der Antike nicht mehr gegeben hat.

Wenige Wochen später reagiert Gregor VII. auf der Fastensynode von 1076 in hochdramatischer Weise: **Exkommunikation und Absetzung des Königs**, Suspendierung aller am Beschluß beteiligten Bischöfe (falls sie nicht widerrufen), ja, **Lösung der Untertanen vom Treueid**! Ein für die damalige Welt ungeheures, noch nie gehörtes Ereignis mit dem Ergebnis, daß die Bischöfe und Fürsten, ihre eigene Macht im Auge, nach langem Schwanken ihren König im Stich lassen und im Oktober beschließen, ihn abzusetzen, falls er nicht in Jahresfrist vom Bann absolviert sei. Heinrich bleibt nichts anderes übrig, als sich zu fügen.

Um einem Reichs- und Gerichtstag in Augsburg zuvorzukommen, reist Heinrich IV. mit seiner jungen Frau, seinem zweijährigen Söhnchen und seinem Hofstaat über die Alpen – mitten im schlimmsten Winter des Jahrhunderts, da selbst der Rhein zugefroren war. Gregor VII., bereits auf der Reise zum Reichstag von Augsburg, wo er auf Vorschlag der Fürsten den Vorsitz führen soll, sucht aus Furcht vor einem Handstreich Zuflucht in **Canossa**, der uneinnehmbaren Stammburg der mit ihm befreundeten Gräfin Mathilde von Tuszien, am Fuß des Appenin. Doch ganz erbarmungswürdig, barfuß in traditionellem Bußgewand erscheint hier der König am 25. Januar 1077 vor dem Burgtor, Gnade heischend. Erst nach unerhörter dreitägiger Bußleistung – und nur auf Zureden der Schloßherrin und des Erzabtes Hugo von Cluny, Heinrichs Taufpaten, die Heinrich ein schriftliches Versprechen abfordern – wird er, der sich in Kreuzesform auf den Boden zu werfen hat, vom Papst gnädig aufgehoben und vom Bann gelöst. Damit war seine Königswürde zwar wiederhergestellt, aber zugleich ihres sakralen Charakters entkleidet und in ihrer ideologischen Grundlage erschüttert: Canossa als Wende! Ist es ein Wunder, daß der »Canossagang« nicht nur in deutschen Landen sprichwörtlich geworden ist für die Hybris eines unbeirrbaren Hierokraten und die tiefste Erniedrigung eines deutschen Herrschers, der den Papst als obersten Richter anzuerkennen hatte (Bismarck 1872 im Kulturkampf: »Nach Canossa gehen wir nicht!«)?

Aber auch für Gregors Pontifikat bedeutet Canossa einen Einschnitt. Denn Gregor, als Politiker ohne Augenmaß, hat sich offenbar machtmäßig übernommen, und auf die erste aktive und erfolgreiche folgt bald eine zweite eher reaktive und weithin **erfolglose Periode**. Zwar erläßt die Fastensynode von 1078 erneut ein allgemeines Verbot der Laieninvestitur und dehnt es auch auf den König aus. Doch Deutschland war durch Heinrichs Exkommunikation in den Bürgerkrieg gestürzt worden; zum erstenmal gibt es jetzt einen deutschen Gegenkönig, Rudolf von Schwaben, von Gregor gestützt. Aber dieser hilft ihm kaum. Heinrichs zweite Exkommunikation und Absetzung durch Gregor (1080) verpuffen, und Gregors kühne Prophezeiung von Heinrichs Untergang bis zum Fest Petri Kettenfeier bleibt unerfüllt. Dafür stirbt, nachdem ihm in der Schlacht die »verfluchte« (meineidige) Hand abgeschlagen worden war, der Gegenkönig. Heinrich läßt nun den Erzbischof von Ravenna zum Papst wählen (Clemens III.), kommt 1081 mit einem Heer nach Rom. Gregors Regierungstätigkeit stockt, die Gelder fließen nicht mehr, und die Römer stellen sich schließlich auf Heinrichs Seite. Aber erst 1084 werden die Tore der Stadt geöffnet: Jetzt wird Clemens III. feierlich in der Peterskirche inthronisiert und König Heinrich zum Kaiser gekrönt. Gregor VII. war schon vorher in die uneinnehmbare Engelsburg geflohen, bis ihn schließlich die Normannen, in höchster Not von ihm als seine Lehensleute zu Hilfe gerufen, befreien. Der Kaiser hatte sich nach Deutschland abgesetzt. So plündern und brandschatzen die Normannen (und Sarazenen aus Sizilien) drei Tage lang die Stadt so schrecklich, daß Gregor angesichts der Empörung der Römer mit den Normannen nach Süditalien abziehen muß, wo ihm Salerno als Wohnsitz angewiesen wird. Dort stirbt er im folgenden Jahr, von fast aller Welt verlassen, mit den Worten auf den Lippen: »Ich habe die Gerechtigkeit geliebt und das Unrecht gehaßt, deshalb sterbe ich in der Verbannung.«

Doch trotz dieser Niederlage hat Gregor VII., dieser ungeliebte Papst, der im Mittelalter weder einen angemessenen Biographen noch die Ehre der Altäre gefunden hat, epochemachend gewirkt. Er personifizierte nun einmal die Ideale der Kirchengestalter des elften Jahrhunderts, und insofern spricht man zu Recht von der »Gregorianischen Reform«, die ja Hildebrand schon vor seinem eigenen Pontifikat betrieben hatte. Erst 1606 ist ein lokaler Kult in Salerno gestattet worden, der, 1728 auf die ganze Kirche ausgedehnt, in manchen Ländern verboten blieb. Doch es gibt auch heute Historiker, die der Meinung sind, man könne bei der Gregorianischen Reform »mit gutem Grund« sogar von einer »zweiten Christianisierung« sprechen, weil man »die bislang lässig gehandhabten kirchlichen Vorschriften ernst zu nehmen begann«[153]. Doch solche grundsätzliche Wertung fordert zu einer historisch-theologischen Reflexion heraus.

Statt Christianisierung Romanisierung

»Christliches Mittelalter«? Schon zu Beginn unserer Überlegungen über das mittelalterliche Paradigma habe ich mich dagegen gewandt, dem Mittelalter als einem »finsteren« Zeitalter die Christlichkeit grundsätzlich zu bestreiten. Und im Detail habe ich aufgezeigt, inwiefern auch im epochalen Umbruch von der Spätantike zum Frühmittelalter die Substanz des Christlichen durchaus bewahrt blieb; und was dort vom Frühmittelalter gesagt wurde, braucht für das Hochmittelalter nicht wiederholt zu werden. Um so erstaunter vernimmt man im Zusammenhang der Gregorianischen Reform den Begriff einer »neuen Christianisierung«. Historiker schreiben mit leichter Hand, daß man jetzt bislang lässig gehandhabte kirchliche Vorschriften ernst zu nehmen begonnen habe. Doch als Theologe wird man sich vor der kritischen Rückfrage nicht drücken dürfen, ob es sich denn bei den bisher lässig gehandhabten **kirchlichen Vorschriften** um wirklich **christliche Vorschriften** gehandelt habe. Denn auch der Historiker, selbst wenn es ihm seriöser Kriterien des Christlichen ermangeln sollte, wird ja nicht voraussetzen, daß es sich bei allen kirchlichen Vorschriften von vornherein um wahrhaft christliche Vorschriften handle.

Gregor VII. selber würde hier zweifellos geltend machen, daß es sich bei den von ihm mit so viel Leidenschaft urgierten kirchlichen Geboten um göttliches Recht und um von frühen Päpsten und Synoden formulierte, alte christliche Dekrete, Gesetze und Auffassungen handle. Nur deshalb hätte er ja seine Forderungen so unerschrocken und unnachgiebig vertreten. Ihm sei es darum gegangen, das zeitgenössische Leben neu in christlichem Geist zu gestalten, es zu christianisieren: also in Rückbesinnung auf das Alte eine neue christliche Weltordnung! Christus habe ja nicht gesagt, er sei die Gewohnheit, so das viel zitierte Tertullian-Wort, sondern er sei die Wahrheit. Und deshalb habe er als Papst alle Mittel einsetzen müssen, um besonders die Geistlichkeit von den Gewohnheiten und Traditionen zu befreien – »libertas Ecclesiae«, »Freiheit für die Kirche« –, die eine gänzlich unrömische, eben germanische Gesellschaftsordnung ihr auferlegt habe. Ja, Gregor VII. hätte zweifellos zugestimmt, wenn man gesagt hätte, es ginge ihm ganz wesentlich um die konsequente **Romanisierung** der Kirche und damit der Christenheit. Denn Christianitas und Romanitas hat er so sehr zu einer Einheit verschmolzen, das Christliche und das Römische so sehr identifiziert, daß er der Überzeugung war, gerade die römische Kirche habe nie im Glauben geirrt und könne niemals irren …

Nun hat die Historie mit aller Deutlichkeit herausgearbeitet, daß es beim welthistorischen Konflikt zwischen Papst Gregor VII. und König Heinrich IV. um den **Konflikt zweier völlig verschiedener Rechtsauffassungen** gegangen ist:

– **Heinrich IV.** vertrat **das auf Treue und Gefolgschaft aufgebaute germanische Gewohnheitsrecht**, wie es sich seit der Bekehrung der Germanen zum Christentum auch – aus Gregors Sicht das anstößigste germanische Systemelement – im germanischen **Eigenkirchenwesen** Ausdruck verschafft hat und noch allenthalben im westlichen Europa wirksam war. Wie aber sollte eine Herrschaft ordnungsgemäß sein können, wenn nicht ein König oder ein anderer Laienherr den Pfründeninhaber durch Investitur auch ins geistliche Amt eingesetzt hat? Ohne diese Investitur entfielen Huldigung und Eidleistung der geistlichen Vasallen, würden die Erzbischöfe, Bischöfe und Äbte ja vom König unabhängige Fürsten: frei von den für König und Reich wesentlichen wirtschaftlichen, militärischen und politischen Gegenleistungen. Den römischen Forderungen nach Abschaffung der Investitur durch den König nachgeben hieße, die Basis der bestehenden Gesellschaft zerstören.

– **Gregor VII.** dagegen vertrat die spezifisch römisch-lateinische Auffassung von der Kirche als **einer von Gott eingesetzten monarchischen Hierarchie**, wie sie die römischen Bischöfe seit dem fünften Jahrhundert grundgelegt hatten und wie sie Gregor VII. in seinem »Dictatus Papae« noch einmal zusammengefaßt hat: eine neue römisch orientierte Weltordnung in Gerechtigkeit, der entgegenstehende germanische Gewohnheiten und Traditionen selbstverständlich zu weichen hatten. Und insofern Gregor furchtlos und unerschütterlich den Versuch unternommen hat, das römische Prinzip und schon längst ausgereifte römische Ideen bezüglich Kirche und Gesellschaft radikal und konsequent zu verwirklichen, stellt er selber **in Person die konsequent-radikale Verkörperung des römischen Systems** dar, das aber als Produkt einer bestimmten geschichtlichen Entwicklung (im Kontext von P III) keineswegs mit der katholischen Kirche oder gar dem Wesen des Christentums identisch ist.

Denn in theologischer Perspektive stellt sich auch für Historiker die Frage, ob sich dieses römische System, das sich in seinen Machtansprüchen in Kirche und Gesellschaft ständig auf den Apostel Petrus und die alte Kirche, ja, auf Jesus Christus selber beruft, dies zu Recht tut oder nicht, ob also der römische Machtgebrauch unter Umständen nicht mehr von römischen Cäsaren, byzantinischen Kaisern und fränkischen Fälschern inspiriert sei als vom Evangelium Jesu Christi. Dies soll anhand einiger bis heute geltender Charakteristika des römischen Systems illustriert und getestet werden.

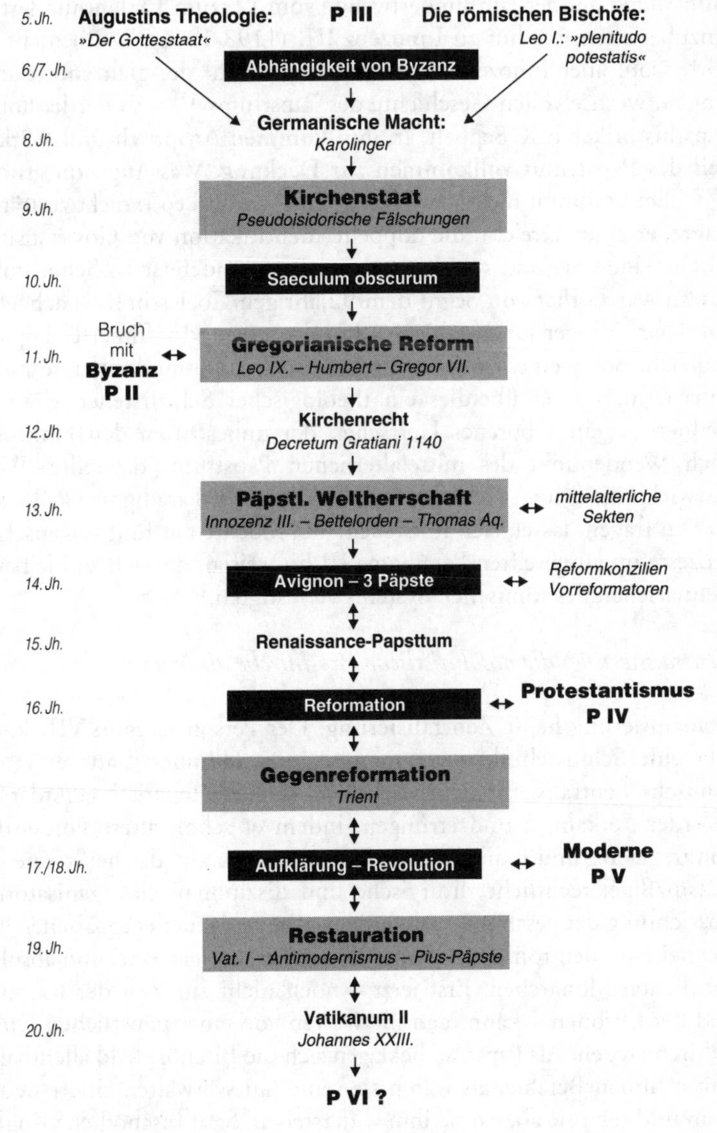

Die Entwicklung des römischen Systems
5. Jh.
Augustins Theologie:
»Der Gottesstaat«
P III
Die römischen Bischöfe:
Leo I.: »plenitudo potestatis«
6./7. Jh.
Abhängigkeit von Byzanz
Germanische Macht:
8. Jh.
Karolinger
9. Jh.
Kirchenstaat
Pseudoisidorische Fälschungen
10. Jh.
Saeculum obscurum
Bruch mit Byzanz
P II
11. Jh.
Gregorianische Reform
Leo IX. – Humbert – Gregor VII.
Kirchenrecht
12. Jh.
Decretum Gratiani 1140
13. Jh.
Päpstl. Weltherrschaft
Innozenz III. – Bettelorden – Thomas Aq.
mittelalterliche Sekten
14. Jh.
Avignon – 3 Päpste
Reformkonzilien
Vorreformatoren
15. Jh.
Renaissance-Papsttum
16. Jh.
Reformation
Protestantismus
P IV
Gegenreformation
Trient
17./18. Jh.
Aufklärung – Revolution
Moderne
P V
19. Jh.
Restauration
Vat. I – Antimodernismus – Pius-Päpste
Vatikanum II
20. Jh.
Johannes XXIII.
P VI ?

8. Kennzeichen des römischen Systems

Zur Abschätzung der historischen Folgen dürfte es ratsam sein, die auf Gregor VII. folgende Periode der Kirchengeschichte bis hin zu ihrem Höhepunkt auf der Jahrhundertwende vom 12. zum 13. Jahrhundert miteinzubeziehen: bis hin zu **Innozenz III.** (1198-1216). Denn nicht Gregors, wohl aber Innozenz' Pontifikat war »wohl der glänzendste in der langen, wechselvollen Geschichte des Papsttums«[154] – so der katholische Papsthistoriker F. X. Seppelt. In ihm **kommen Anspruch und Wirklichkeit des Papsttums vollkommen zur Deckung.** Was Augustin grundgelegt, aber bestimmt nicht gewollt hat, und wovon Leo I. nicht zu träumen wagte, erschien erreicht: die doppelte Identifikation von Gottesstaat und Kirche einerseits und von Kirche und Papst andererseits. Schon mit 37 Jahren war Lothar von Segni dem 92jährigen Coelestin III. nachgefolgt, ein scharfsinniger Jurist, fähiger Administrator und raffinierter Diplomat zugleich. Sohn eines langobardischen Edelmanns und einer römischen Patrizierin, war er überdies ein theologischer Schriftsteller, gewandter Redner, ja, ein geborener Herrscher, der unbestritten den Höhe- aber auch Wendepunkt des mittelalterlichen Papsttums darstellte. Welche Entwicklungen im Vergleich zum altkirchlichen Paradigma (P II), so ist hier zu fragen, lassen sich feststellen? Ich möchte auf fünf folgenschwere Prozesse im ausgereiften Paradigma III hinweisen, die sich zu bleibenden Kennzeichen des römischen Systems verfestigten.[155]

Zentralisierung: die absolutistische Papstkirche als Mutter

Romanisierung heißt **Zentralisierung**. Der Person **Gregors VII.** kommt hier eine Schlüsselrolle zu. Zusammen mit Humbert hatte er ja diese römische Zentralisierung von Anfang an geradezu fanatisch gefordert und gefördert, erkämpft und errungen, indem er schon ältere Forderungen konkretisierte und radikalisierte. Ziel ist eine totale, das heißt eine glaubensmäßige, rechtliche, liturgische und disziplinarisch-organisatorische Ausrichtung der gesamten katholischen Kirche, ja, der europäischen Christenheit: auf den römischen Papst als den Nachfolger Petri und absoluten geistlichen Monarchen. Erst jetzt – noch nicht zur Zeit der Karolinger und der Ottonen – kann man im Westen von einer **päpstlichen Universalkirche** reden. Als Papst, so beklagen sich die Bischöfe bald allenthalben, gibt er ihnen Befehle, als wären sie seine Gutsverwalter, zitiert sie nach Rom und setzt sie ab, wo sie ihm widerstehen. Statt bischöfliche Kollegialität päpstliche Autorität. Statt katholischer Vielfalt römische Uniformität.

Gregor VII. sieht den Apostel **Petrus** (= den Papst) als den **Vater** und die römische **Kirche** als die **Mutter und Lehrmeisterin** aller Kirchen. Der römische Papsthistoriker Michele Maccarrone hat dies mit Gregors Formel aus dem Appell von Salerno 1084 als das »Herz« Gregors VII. und seiner Auffassung vom römischen Primat auf den Punkt gebracht: »Der selige Petrus, Fürst der Apostel, ist aller Christen Vater und nach Christus der erste Hirte, und die heilige römische Kirche ist aller Kirchen Mutter und Lehrmeisterin.«[156] Davon muß später noch mehr die Rede sein: Je autoritärer und rigoristischer eine mönchisch orientierte Kirche sich zölibatär nach außen isoliert, desto stärker blühen Verklärungsphantasien und seelische Projektionen im Blick auf »die Kirche«. Autoritärer Papalismus und Kirchenidealisierung gehen schon früh Hand in Hand.

Und wie weit es die Päpste in ihrem überirdischen Sendungsbewußtsein schon bald gebracht hatten, zeigt wie kein anderer zuvor **Innozenz III.**[157] Gegenüber dem Titel »Stellvertreter Petri« bevorzugt er den bis ins 12. Jahrhundert für jeden Bischof oder Priester gebrauchten Titel **»Stellvertreter Christi«** (»vicarius Christi«), »weil er ihm ermöglicht, eine radikalere und ausgedehntere Autorität darauf zu gründen«; sein Nachfolger Innozenz IV. wird sich gar **»Stellvertreter Gottes«** (»vicarius Dei«) nennen, »was ihm ermöglicht, seine Autorität noch über den Kreis der Gläubigen hinaus auszudehnen«.[158] Ja, Innozenz III., ein Meister der päpstlichen Ideologie, besitzt ein derartig großes religiös-herrscherliches Selbstbewußtsein, daß er an seinem Weihetag kurzerhand über sich selber predigt und sich als »Stellvertreter Christi« in »die Mitte gestellt« sieht »zwischen Gott und dem Menschen, unter Gott und über dem Menschen, kleiner als Gott und größer als der Mensch, Richter über alle und von niemand (außer vom Herrn) zu richten«[159]! Ein Papst über und außerhalb der Kirche, wogegen erst das Vatikanum II angehen wird mit seiner Aussage über die Kollegialität der Bischöfe.[160]

Daß auch der höchst patriarchal denkende Innozenz den seit Gregor in Rom favorisierten Kirchentitel **»Mater«** = **»Mutter«** liebte, wundert ebenfalls nicht. Aber Innozenz spitzt diese Symbolik noch einmal zu. Aus durchsichtigen Motiven benutzt er »Mutter« nicht so sehr für die allgemeine wie speziell **für die römische Kirche**. Warum? Um »die primatiale Stellung der römischen Kirche zum Ausdruck (zu) bringen«[161]. Der Mutter-Titel hat dabei den Vorteil, unbestimmt »auf die ›ecclesia romana‹ wie auch auf die ›sedes apostolica‹ angewandt werden« zu können: »Innozenz scheint eine doppelte Mutterschaft der römischen Kirche zu unterscheiden: Einmal ist die römische Kirche Mutter aller anderen Kirchen und deswegen auch ihr Haupt. Als ›mater omnium Christi fidelium‹ steht sie aber in einem direkten Verhältnis zu jedem einzelnen Gläubigen und ist von daher im letzten mit der ›ecclesia universalis‹ identisch.«[162]

Innozenz, gewiß ein Mann von aufrichtiger Frömmigkeit und sittlichem Ernst, ist es dann auch, der wie kein Papst vor ihm die Machtfülle Roms zur Schau stellen kann. Die Gelegenheit bietet sich auf dem **Vierten Ökumenischen Laterankonzil** (1215). Faktisch eine reine Papstsynode, welche die ganze Macht und zentrale Kirchengewalt des Papstes ebenso ad oculos demonstriert wie die praktische Bedeutungslosigkeit des Episkopats. Vom Papst einberufen und unter seinem Vorsitz versammeln sich rund 2 000 Bischöfe, Äbte und Bevollmächtigte weltlicher Herrscher, um genau im Sinn des Papstes Beschlüsse – 70 Dekrete zeugen vom Ausmaß der Verrechtlichung der Kirche – zu fassen, vor allem zur Reform der Kirche[163], die aber (abgesehen von einer päpstlichen Steuer für den gesamten Klerus und vom Beicht- und Kommunionzwang zur Osterzeit für alle Gläubigen) weithin Papier bleiben.

Nicht Papier allerdings bleiben die Beschlüsse **gegen die Juden**, die trotz der päpstlichen Garantie ihres Kultes in vielem spätere antisemitischen Maßnahmen vorausnehmen: isolierende Kleidung, Verbot öffentlicher Ämter und des Ausgangs an Kartagen, Zwangssteuer an die christlichen Ortsgeistlichen.[164] Ich habe darüber im Buch »Das Judentum« schon ausführlich berichtet.[165] Wie schon bei Gregor VII., der bereits erste Dekrete gegen Juden in Staatsämtern erlassen hatte, gehen auch bei Innozenz III. autoritärer Papalismus und Antijudaismus Hand in Hand. Dabei profilieren sich leider auch bald die damals approbierten Bettelorden, die Dominikaner vor allem, als Exekutoren der neuen antijüdischen römischen Politik, welche die Lage der Juden juristisch und theologisch (Juden als Ungläubige = »Knechte der Sünde« = jetzt Knechte der christlichen Fürsten) grundlegend verändert.

Das Vierte Laterankonzil jedenfalls war eine vom Papst so beherrschte Synode, wie sie im Rahmen des altkirchlich-byzantinischen Paradigmas gänzlich undenkbar gewesen wäre! In bezug auf Zentralisierung zeigt sich in der Tat ein wesentlicher Unterschied zwischen dem altkirchlich-byzantinischen Paradigma (P II) und dem mittelalterlich römisch-katholischen (P III):

- Die Kirche im altkirchlich-byzantinischen Paradigma bildet bis heute eine Gemeinschaft (»koinonía«, »communio«) von Kirchen ohne eine zentralistische Autorität für alle Kirchen.
- Die katholische Kirche des Westens stellt seit dem Mittelalter eine glaubensmäßig, rechtlich und disziplinarisch-organisatorisch ganz auf den Papst ausgerichtete Kirche dar: eine Zentralisierung der Kirche und

Fixierung auf einen absoluten Monarchen, der allein die Suprematie in der Kirche hat, wie sie freilich von den neutestamentlichen Ursprüngen, wie wir sie kennenlernten, nicht gedeckt ist.

Juridisierung: die Rechtskirche und ihre Kirchenrechtswissenschaft

Romanisierung bedeutet **Juridisierung**. Erst in der Gregorianischen Reform werden die juristischen Postulate früherer Päpste und der pseudoisidorischen Fälschungen in die kirchliche Wirklichkeit übersetzt. **Gregor VII.**, der Humberts papalistisch-kanonistisches Handbuch überall verbreiten läßt, hat für sich ein Gesetzgebungsrecht wie kein Papst zuvor in Anspruch genommen. Manche seiner Entscheidungen erhalten faktisch Gesetzeskraft, auch wenn seine Dekrete und Briefe auffälligerweise im Corpus Iuris Canonici (und im »Denzinger«) kaum zitiert werden. Jedenfalls entstehen in der Zeit der Gregorianischen Reform besonders in Rom (anders als früher gründliche und durchaus professionelle) **Rechtssammlungen** in römischem Geist – notwendig in dieser neuen Ära päpstlicher Gesetzgebung. Denn die Päpste des zwölften Jahrhunderts, so hat man ausgerechnet, haben mehr gesamtkirchliche Rechtsentscheidungen erlassen als alle ihre Vorgänger zusammen.

Angesichts der verschiedenen älteren Rechtssammlungen und der daraus entstandenen Unübersichtlichkeit und Unsicherheit begrüßt man es allgemein, daß der gelehrte Kamaldulensermönch **Gratian** an der Universität Bologna, der Hochburg des Rechtsstudiums im Mittelalter, um 1140 sein Lehrbuch »Concordantia discordantium canonum« veröffentlicht, welches man bis heute irreführenderweise das »**Decretum Gratiani**«[166] nennt. Zweifellos eine hervorragende Zusammenfassung des geltenden Kirchenrechts, das mit dialektischer Methode die zahlreichen Widersprüche beseitigt und das denn auch sofort in den beiden berühmtesten Rechtsschulen, in Bologna und Paris, für den Unterricht verwandt wird! Unbeachtet freilich bleibt – und das belastet die Kirchenrechtswissenschaft bis auf den heutigen Tag –, daß dieses für die ganze Folgezeit grundlegende Gesetzbuch Gratians bis zu einem Fünftel Fälschungen enthält; 324 Passagen von Päpsten aus den ersten vier Jahrhunderten sind zitiert aus den Pseudoisidoren, von denen 313 erwiesenermaßen gefälscht sind.

Schon lange war der unausgebildete juristische Laie, darunter viele Kleriker, selbst Bischöfe, nicht mehr fähig, das kirchliche Recht zu handhaben. Und wie es im staatlichen Bereich die professionellen »Legisten« braucht, die sich vorwiegend an das römische Recht, das Kaiserrecht, halten, so im kirchlichen Bereich seit dem elften Jahrhundert die professionellen »**Kanonisten**«, die sich ganz an die päpstlichen Kanones halten und die nun zu einer unschätzbaren ideologischen Stütze des römischen Systems in Rom wie in zahllosen Kanzleien und Gerichten werden.[167] Noch Gratian selber hat in Bologna durch seine Vorlesungen die Schule der Kanonisten (Dekretisten) gegründet, die das kanonische Recht glossieren: neben der Schule des römischen Rechts, die zumeist kaiserlich orientiert war, die der »Kirchenrechtler«, die faktisch »Papstrechtler« sind. Die **Kanonistik** oder die **Wissenschaft des Kirchenrechts** ist geboren als eigener Zweig innerhalb der Scholastik.[168]

Zu kommentieren gibt es denn in der Tat mehr als genug. Denn die Kirchenrechtslehrer sehen die vielen päpstlichen Einzelentscheidungen alle als Ergänzungen oder Abänderungen des Decretum Gratiani an. So entstehen mit der Zeit drei amtliche (und eine nichtamtliche) Dekretensammlungen, die zusammen mit dem Decretum Gratiani das **Corpus Iuris Canonici** bilden. Auf ihm gründet der bis heute geltende **Codex Iuris Canonici**, wie er unter kurialer Regie ausgearbeitet und 1917/18 veröffentlicht, dann nach dem Zweiten Vatikanischen Konzil nur unwesentlich revidiert und 1983 neu veröffentlicht wurde. Seit dem zwölften Jahrhundert bildet für die meisten Päpste (und die kuriale Karriere) weniger die theologische als die juristische Ausbildung die Hauptqualifikation für das Amt, was den Päpsten einen unschätzbaren Vorteil vor den zeitgenössischen Herrschern brachte. Erst mit der Rechtsgelehrsamkeit verfügt die Papstmonarchie über das juristische Instrumentarium und Personal, um die römischen Ansprüche in die Wirklichkeit umzusetzen. Und aus aller Welt wird Rom denn auch mit Ansuchen zur Entscheidung selbst drittrangiger Rechtsstreitigkeiten überflutet, was schon Bernhard von Clairvaux in seinem berühmten Mahnschreiben »De consideratione« (um 1150) an Papst Eugen III., seinen Schüler, mit vielen anderen schwer getadelt hat: »Darin bist du nicht Petrus nachgefolgt, sondern Konstantin.«[169] Andererseits aber ist es derselbe Bernhard, der im selben Schreiben als erster die verhängnisvolle Theorie von den der Kirche von Gott verliehenen zwei Schwertern vertreten hat: das geistliche für den eigenen Gebrauch, das weltliche für den Kaiser, nach dem Willen des Papstes zu gebrauchen.[170]

Schon mit **Innozenz III.**, der in Paris Theologie und in Bologna Kirchenrecht studiert hatte und der sich als Meister auch des päpstlichen Rechtes und Reformer des Kurienapparates erweist, ist faktisch erreicht, was Gregor VII. im »Dictatus Papae« nur fordern konnte: Der Papst ist jetzt tatsächlich der unumschränkte Herr der Kirche; jeglicher Einfluß weltlicher Mächte auf die innerkirchlichen Verhältnisse ist ausgeschaltet. Gewaltentrennung hat man in Rom nie gekannt und auch dann verweigert, als sie neuzeitlich im modernen Staatswesen realisiert wurde. Der Papst ist und bleibt **oberster Lenker**, **absoluter Gesetzgeber** und **höchster Richter** der Kirche. Und gerade Innozenz III. tut alles, um Rom in allen möglichen Fällen auch als oberste Appellationsinstanz selbst in weltlichen Dingen ins Spiel zu bringen, er, der erste Papst, der eine amtliche Zusammenstellung des Kirchenrechts veröffentlichen läßt. Aber: Appellationen nach Rom sind schon zu dieser Zeit Ursache schlimmster Mißstände. So macht sich schon damals der bis heute in Rom beobachtbare Zug zur juristischen Privilegienwirtschaft, Willkür und Parteilichkeit bemerkbar, wie er allen absolutistischen Regimen eigen und bis heute in der vatikanischen Praxis feststellbar ist.[171]

Auch in Byzanz, so sahen wir, gab es eine starke Verrechtlichung, die vor allem von den Kaisern (Justinian!) vorangetrieben wurde. Trotzdem liegt bezüglich der Juridisierung der Kirche ein weiterer wichtiger Unterschied zwischen dem altkirchlich-byzaninischen Paradigma (P II) und dem mittelalterlichen römisch-katholischen (P III) vor:

- Die Kirche im altkirchlich-byzantinischen Paradigma war und blieb rechtlich von Anfang an in das staatliche Kaiserrecht eingeordnet.
- Die katholische Kirche des Westens aber entwickelte seit dem Mittelalter ein eigenes Kirchenrecht (samt eigener Kirchenrechtswissenschaft), das an Komplexität und Differenziertheit dem staatlichen Recht gleichkommt, doch nun total auf den Papst als den absoluten Herrscher, Gesetzgeber und Richter der Christenheit ausgerichtet ist, dem auch der Kaiser untergeordnet ist.

Politisierung: die Machtkirche und ihre Weltherrschaft

Romanisierung bedeutet **Politisierung.** Und es war auch diesbezüglich **Gregor VII.**, der den direkten Machtkampf mit dem bedeutendsten Herrscher Europas, dem deutschen König und Kaiser, aufnimmt. Immer mehr hatte sich dieser Mönchspapst in den Gedanken hineingesteigert: Wenn der Nachfolger Petri schon Himmlisches und Geistliches lösen und richten darf, so erst recht Irdisches und Weltliches. Petrus hat das Recht auf Beherrschung der Welt! Und alle Welt, selbst Wilhelm, Englands Eroberer, versucht dieser Papst, unter Berufung auf die bekannten dubiosen »Rechtstitel«, zu Lehensnahme, Zins und Huldigung zu bewegen, was aber gerade Wilhelm (weil völlig neu) kühl ablehnt. Als »sündige Menschen« waren nach päpstlicher Auffassung auch Kaiser und Könige dem

Papst untergeordnet; »sub ratione peccati« (»unter dem Gesichtspunkt der Sünde« = der Moral) sollten die Päpste auch in kommenden Jahrhunderten in weltliche Angelegenheiten eingreifen, indirekt oder direkt. Und weil dieser Machtkampf zunächst unentschieden bleibt, geht nach Gregors Tod der leidenschaftliche politisch-publizistische Streit in der Christenheit noch ein ganzes Menschenalter weiter, mit wechselndem Erfolg.

Erst 1122 kommt es in der Investiturfrage zu einem Kompromiß (Wormser Konkordat): Der König verzichtet auf Investitur mit Ring und Stab, behält nur die Investitur mit dem Zepter. Die **Wahl der Bischöfe** erfolgt in Zukunft durch Klerus und Adel der Diözese, seit dem 13. Jahrhundert durch das **Domkapitel**, das freilich kaum einen Bischof wählt, der Rom nicht genehm wäre. So war denn die Machtstellung des Papsttums in den Jahrzehnten nach dem Wormser Konkordat kaum mehr bestritten. Die Vorherrschaft der deutschen Kirche war ohnehin abgelöst worden durch die Frankreichs. Die geistesmächtigste Persönlichkeit in der ersten Hälfte des zwölften Jahrhunderts war jetzt **Bernhard von Clairvaux** (1090-1153), Ratgeber und Mahner der Päpste und der Fürsten, geheimer Kaiser Europas genannt, ein großer Mystiker des Hohelieds, der sich aber leider auch als selbsternannter Wächter der Orthodoxie, als übler Agitator gegen andere Theologen (besonders Abälard, den genialen Frühscholastiker) und als fanatischer Prediger des »heiligen Krieges« betätigt.[172] In Deutschland bildet in der zweiten Hälfte des zwölften Jahrhunderts die fast vierzigjährige glanzvolle Herrschaft des selbstbewußten Stauferkaisers **Friedrich I. »Barbarossa«** (1152-1190) einen Höhepunkt.[173]

Doch erst als Barbarossas Sohn, Heinrich VI., mit 32 Jahren unerwartet stirbt und einen erst dreijährigen Erben Friedrich (II.) hinterläßt, kommt es zum großen Thronstreit in Deutschland selbst zwischen Staufern und Welfen und damit zu einem Machtvakuum. Eine weltpolitische Chance ersten Ranges für den uns bereits wohlbekannten **Innozenz III.** – unerreichtes Vorbild für die meisten Päpste bis in unser Jahrhundert hinein, so daß noch Leo XIII., dessen Leitbild Innozenz war, im Lateran seinem Grab gegenüber begraben sein wollte. Anders als Gregor VII. verbindet er Kühnheit und Entschlossenheit mit kühler Überlegenheit, staatsmännischer Klugheit und taktischer Flexibilität. Durch seine geschickte, antideutsche Politik der »Rekuperationen« (»Wieder-in-Besitz-nahme«) wird er der **zweite Begründer des** (jetzt fast verdoppelten) **Kirchenstaates.**

Zu Innozenz' Zeit ist Rom unbestritten das dominierende und geschäftigste Zentrum der europäischen Politik. Ja, Innozenz besitzt, wenn man das nicht im Sinn absoluter Dominanz, sondern oberster Schiedsrichterschaft und größter Lehensherrschaft versteht, wirklich die **Weltherrschaft.**

»Daß er beanspruchte, über den Völkern und Nationen zu stehen, hat er in seinen Briefen und Ansprachen oft zum Ausdruck gebracht« (F. Kempf[174]). Der natürlich noch immer gegebene »Dualismus« von Papst und Kaiser, Kirche und Staat war aber ganz und gar der »päpstlichen Hierokratie« untergeordnet: »Das Papsttum und das kanonische Recht finden die Einheit in einer Überordnung der Kirche über den Staat, in der Einordnung weltlicher Herrschaft in die Hierokratie der Papstkirche ...« (H. E. Feine[175]).

Doch trotz aller Erfolge erweist sich dieser triumphale Pontifikat nicht nur als Höhepunkt, sondern auch als **Wendepunkt**. Mehr als Innozenz ahnen kann, untergräbt er für alle Zukunft – durch seine mit geistlichen Zwangsmitteln, mit Bann und Interdikt, auch mit List, Täuschung und Erpressung arbeitende Machtpolitik – die Liebe der Völker zum Stuhl des heiligen Petrus. Er, dem so viel an geordneter Gesetzgebung und der Sammlung rechtserheblicher Dekretalen gelegen ist, versucht, das epochale Staatsgesetz der »Magna charta libertatum«, das englischer Adel und Klerus dem König abgerungen haben, durch seinen Bannfluch zu zerstören – vergeblich. Und er, der die römische Kurie nach geradezu betriebswirtschaftlichen Prinzipien reorganisiert, verstärkt durch seine Geschäfts- und Gebührenordnung den Eindruck, es gehe Rom weniger um das »Evangelium secundum Marcum« als um das »Evangelium secundum Marcam«, das Evangelium der Mark, der Silbermark. Selbst am Schluß des Vierten Laterankonzils hat jeder teilnehmende Prälat dem Papst, der ständig auf neue Geldmittel sinnt, ein ansehnliches »Geschenk« zu hinterlegen! In der Tat, schon unter Innozenz stellen sich jene erschreckenden **Zerfallserscheinungen** ein, die dann zu den Hauptanklagepunkten der Reformer und Reformatoren gehören sollten, die aber zum Teil bis in unsere Tage hinein Kennzeichen des kurialen Systems geblieben sind:

– Nepotenwirtschaft und Begünstigung der Verwandten und Beamten des Papstes und der Kardinäle,
– Raffgier, Korruption, Entschuldigung und Verschleierung von Verbrechen,
– finanzielle Ausbeutung der Kirchen und Völker durch ein ausgeklügeltes Abgaben- und Gebührensystem.[176]

Auch bezüglich der Politisierung der Kirche zeigt sich ein signifikanter Unterschied zwischen dem altkirchlich-byzantinischen Paradigma (P II) und dem mittelalterlichen römisch-katholischen (P III):

- Die Macht der Kirche im altkirchlich-byzantinischen Paradigma war eingebunden in ein System der Symphonie und Harmonie, bei der faktisch die weltliche Macht über die geistliche dominiert.

- Die Kirche des Westens aber stellt sich seit dem Mittelalter durch das Papsttum als eine völlig eigenständige Herrschaftsinstitution allerersten Ranges dar, der es zeitweise gelingt, sich auch die weltliche Macht beinahe völlig gefügig zu machen.

Militarisierung: eine Kirche der Militanz und ihre »heiligen Kriege«

Romanisierung bedeutet **Militarisierung**. Und es war auch hier zweifellos **Gregor VII.**, der sich als erster intensiv mit dem Plan eines großen Feldzuges nach Osten – zur Erzwingung des Gehorsams von Byzanz und Eroberung Jerusalems – beschäftigt, zwanzig Jahre vor dem Ersten Kreuzzug! Unter seiner persönlichen Führung als Papst und General soll der römische Primat auch in Byzanz durchgesetzt und das Schisma beendet werden. Ja, Gregor ist ein Verfechter des »heiligen Krieges«, der nicht nur die »Fahne Petri« (= den Segen Petri) an die von ihm favorisierten Kriegsparteien schickt und so Kriege segnet, sondern der auch als erster Papst den Kriegsteilnehmern – zur Rückeroberung Spaniens etwa – einen »Ablaß« von den Sündenstrafen gewährt, wie immer ganz selbstverständlich aus petrinischer »Vollgewalt«. So hat man Gregor VII. nicht zu Unrecht den kriegerischsten Papst genannt, der je auf dem Stuhle Petri saß. Ständig wirbt er Truppen an, betreibt kriegerische Unternehmungen und reitet auch selber in glänzendem Schmuck in die Schlacht. Der frühere Grundsatz, daß die Kirche kein Blut vergieße, scheint bei ihm vergessen zu sein. Gerne zitiert er das Jeremia-Wort: »Verflucht, wer sein Schwert vom Blute zurückhält!«[177]

So war es denn kein Zufall, daß es schon zehn Jahre nach Gregors Tod zum Ersten **Kreuzzug**[178] kommt – in das und für das »Heilige Land«, zur Befreiung der heiligen Stätten von den »Ungläubigen«! Ein Kreuzzug ist bekanntlich etwas wesentlich anderes als eine Pilgerreise, eine Abenteuerfahrt oder eine Auswanderung, wiewohl das Moment Pilgerschaft eine wesentliche und Abenteuerlust (märchenhafte Vorstellungen vom Orient) und Eskapismus (vor Schulden und anderen miserablen heimatlichen Verhältnissen) eine nicht geringe Rolle spielen. Ein Kreuzzug ist in seinem Wesen ein **heiliger Krieg** im Zeichen des – wir erinnern uns an Konstantin – siegreichen Kreuzes! Bernhard von Clairvaux war der erste christliche Theoretiker des heiligen Krieges, der das Töten von Ungläubigen theologisch rechtfertigte.[179] Aber ohne die Initiative und Absegnung des Papsttums, das mit Kreuzfahrerprivilegien (Ablässen, Immunität von Steuern und Zöllen, Stundung privater Schulden) nachhilft, hätte es dazu nicht kommen können. Die Kreuzzüge sind von Anfang an päpstliche

Unternehmungen, auch wenn dem Papsttum die konkrete Durchführung dann oft entgleitet.

Kreuzzüge sind deshalb keine geschichtlichen Betriebsunfälle oder zufällige Nebenprodukte der Kirchengeschichte. Sie sind ein **typisches Phänomen des römisch-katholischen Paradigmas.**[180] War man doch im Westen allgemein davon überzeugt, daß es sich hier um ein zutiefst christliches Unternehmen handelt:

– Der Kreuzzug gilt als Angelegenheit der **ganzen** (westlichen) **Christenheit**, ob der Erste Kreuzzug nun unter französischer, der Zweite unter französischer und deutscher oder der Dritte unter deutscher Führung stattfindet.

– Die Kreuzzüge gelten als **von Christus selbst gebilligt**, nachdem der Papst als Sprachrohr Christi persönlich dazu aufgerufen hat. Das Papsttum selber kann dabei an Bedeutung nur gewinnen, unterstreichen die Kreuzzüge doch seinen Primat an der Spitze des Abendlandes.[181] Und je stärker ein äußerer Feind der Christenheit, desto enger der Zusammenschluß der Christen unter dem einen Oberhirten.

– Die Kreuzzüge, die ohne Versorgungsbasis über Tausende von Meilen und unter unbeschreiblichen Strapazen meist durch Feindesland führen, wären ohne echte **religiöse Begeisterung**, Leidenschaft, oft beinahe Massenpsychose, nicht möglich; den Kreuzfahrern werden die Kreuzzüge als eine Art Wallfahrt vor Augen gestellt, und manche nehmen sogar teil aufgrund eines ausdrücklichen Wallfahrtsgelübdes. Und »Jerusalem«, die heilige Stadt des Anfangs und des Endes der Geschichte des Christentums, hat gerade für diese Zeit einen magischen Klang. Ja, die unsäglichen Leiden, Ängste, Verluste und der trotz allem erstaunliche Erfolg gerade des Ersten Kreuzzuges scheinen ihnen zu bestätigen: »Gott will es!«[182]

Gerade bei der Kreuzzugspolitik spielt **Innozenz III.**, der um Integration bestimmter häretischer Gruppen bemüht sein kann, eine schwer verständliche Rolle: Er wird der **Papst der Kreuzzüge auch gegen Mitchristen**. Dabei macht er ernst mit Gregors VII. Satz, daß »wer mit der römischen Kirche nicht übereinstimmt, nicht als Katholik gelten soll«, also rechtlich sozusagen Freiwild ist. Innozenz, der den Kreuzzug als ein »Heilsmittel« anpreist, initiiert (wie wir im Rahmen von P II hörten) jenen Vierten Kreuzzug (1202-1204), der zur verhängnisvollen Eroberung und dreitägigen Plünderung Konstantinopels, zur Errichtung eines lateinischen Kaisertums mit lateinischer Kirchenorganisation und zur Knechtung der byzantinischen Kirche führt. Gewiß, ursprünglich war dies nicht Innozenz' Absicht, post factum aber preist er diese Entwicklung als Werk der göttlichen Vorsehung; das seit dem fünften Jahrhundert angestrebte päpstliche Ziel – Aufrichtung des Primats auch in Konstantinopel – scheint erreicht. Doch das Gegenteil war der Fall: Das Schisma war damit faktisch besiegelt.

Schon ein Jahrzehnt später erläßt derselbe Papst auf dem Vierten Laterankonzil 1215 das Dekret für einen weiteren Kreuzzug nach Palästina, den er selber angeführt hätte, wenn ihm nicht schon im nächsten Jahr (1216) der Tod zuvorgekommen wäre. Zur Ausführung aber kommt, als dort ein päpstlicher Legat ermordet wird, ein erster großer Kreuzzug gegen andere Christen, Christen jetzt auch im Westen: gegen die Albigenser (»neomanichäische« Katharer) in Südfrankreich. Dieser grauenhafte zwanzigjährige Albigenserkrieg, von bestialischen Grausamkeiten auf beiden Seiten begleitet, führt zur Ausrottung ganzer Bevölkerungsteile und stellt eine Schmähung des Kreuzes und eine Pervertierung des Christlichen sondergleichen dar. Trotzdem macht er Schule.[183] Kein Wunder, daß sich schon zu Innozenz' Zeiten bei evangelisch gesinnte Protestgruppen der Gedanke festsetzt, der Papst sei der Antichrist …

Selbstverständlich muß man auch die Kreuzzüge »aus der Zeit heraus« verstehen, ohne sie damit zu entschuldigen. Es steht dahinter Augustins Theologie von legitimer Gewaltanwendung durch die rechtmäßige Obrigkeit aus gerechtem Anlaß. Verteidigt oder durchgesetzt werden sollte die »Sache Christi«, wobei man diesen Christus, wiewohl jetzt mit sehr menschlichen Zügen gesehen, als »politischen Christus« verstand. Deshalb kritisierte man damals bestenfalls die Kreuzfahrer, deren Sünden als Ursache der Mißerfolge galten, aber kaum die Kreuzzüge, jedenfalls nicht solange man an ihren Erfolg glaubte.[184] Gewiß haben die Kreuzzüge indirekt beigetragen zur geistigen Horizonterweiterung des Abendlandes, zum wirtschaftlichen Aufschwung des Mittelmeerhandels und der italienischen Städte, zur Herausbildung eines auf gemeinsamen Idealen aufgebauten Adels (Rittertum) und zur Steigerung der Lebenshaltung des städtischen Lebens (Bürgertum). Doch zu denken gibt gleichzeitig, daß damals angesichts dieser offensichtlichen politisch-militärischen Uminterpretation der christlichen Botschaft zwar zunehmend Zweifel bezüglich des Nutzens der Kreuzzüge, der damit verbundenen hohen Steuern und der Alleinrichtigkeit der christlichen Lehre aufkamen, daß aber kaum jemand von Anfang an laut hörbar die naheliegenden **kritischen Fragen** stellte:

– ob der Jesus der Bergpredigt, Verkündiger der Gewaltlosigkeit und der Feindesliebe, je ein solches Kriegsunternehmen approbiert hätte;

– ob das Kreuz des Nazareners nicht in sein Gegenteil verkehrt wird, wenn es, statt das alltägliche reale Kreuztragen des Christen zu inspirieren,

blutige Kriege der das Kreuz auf ihrem Kleid tragenden Kreuzritter legitimiert;
– ob der Papst wirklich Sprachrohr Christi ist, wenn er einen solchen Kriegszug als Akt der christlichen »Liebe« und »Buße« und als »verdienstliches Werk« gerade für Laien und besonders Ritter darstellt, nachdem Mönchen und Priestern Blutvergießen nicht gestattet ist;
– ob die blutige Verfolgung jüdischer Gemeinden in Frankreich, im Rheinland, in Bayern und Böhmen, die schon mit der ersten Kreuzfahrerwelle verbunden ist, nicht ein Warnzeichen hätte sein müssen, daß es hier vielen mehr um Haß, Rache und Habgier denn um Buße und Liebe geht;
– ob die Strategie der Niedermetzelung und Vertreibung der Nichtchristen in wichtigen eroberten Orten (in Erwartung westlicher Siedler) und das schreckliche Blutbad an Juden und Muslimen nach dem Einzug in Jerusalem nicht in eklatantem Widerspruch steht zu jenem Jesus, der auf einem Esel gewaltlos in Jerusalem eingeritten ist;
– ob die neu gegründeten Kreuzfahrerstaaten und die Waffendienst leistenden Ritterorden (Johanniter, Tempelritter) nicht von vornherein desavouiert sind durch den Prediger aus Nazaret, demzufolge nur die Gewaltlosen »das Land« besitzen werden;
– ob man deshalb die gefallenen Krieger gegen die alte Tradition hätte als Märtyrer ansehen dürfen, die direkt ins Paradies eingehen ...

Nein, auch bezüglich der Militarisierung der Kirche war die urchristliche Botschaft (P I) völlig vom jetzt herrschenden Paradigma (P III) umfunktioniert worden. Aber auch zum altkirchlich-byzantinischen Paradigma (P II) springt ein Unterschied in die Augen:

- Auch die orthodoxen Kirchen des Ostens waren in die allermeisten politisch-militärischen Konflikte der weltlichen Macht mitverwickelt und haben Kriege vielfach theologisch legitimiert, gar inspiriert.
- Doch nur im westlichen Christentum findet sich jene (augustinische) Theorie rechtmäßiger Gewaltanwendung zur Erreichung geistlicher Zwecke, die schließlich den Einsatz von Gewalt auch zur Ausbreitung des Christentums erlaubt: gegen alle altkirchliche Tradition Bekehrungskriege, Heidenkriege, Ketzerkriege, ja, in völliger Verkehrung des Kreuzes Kreuzzüge gegen Mitchristen.

Klerikalisierung: eine Kirche zölibatärer Männer und das Eheverbot

Romanisierung meint **Klerikalisierung**: Unter dem Einfluß der Mönche Humbert und Hildebrand hat Rom in einer Art von »Panmonachismus« vom gesamten Klerus unbedingten Gehorsam, Ablehnung der Ehe und gemeinsames Leben gefordert. Die Beschlüsse der Lateransynode von 1059 zum **Verbot der Priesterehe** wurden in Frankreich, der Wiege der Klosterreform, eher befolgt als in **Italien**. Von den lombardischen Bischöfen jedenfalls wurde das Verbot der Priesterehe nicht verkündet – außer vom Bischof von Brescia, der von seinen Priestern fast totgeprügelt wurde. Doch führte dieses Festhalten des Klerus an der legitimen Priesterehe zu einem erneuten vom Papst geförderten Aufstand der »Pataria« (Gesindel) gegen die Geistlichen. Es kam zu widerlichen Treibjagden auf Priesterfrauen in den Klerikerhäusern.

Noch größer als in Italien war die Empörung über das Eheverbot in **Deutschland**, wo nur drei Bischöfe (die von Salzburg, Würzburg und Passau) die römischen Dekrete zu verkünden wagten, von denen einer (der letztere) am Weihnachtsfest, vom Klerus beinahe gelyncht, vertrieben wurde. Gerade Geistliche des niederen Klerus waren ja von der Verurteilung besonders betroffen, und zu Tausenden (allein in der Diözese Konstanz 3 600 Geistliche auf einer Synode) protestierten sie gegen die neuen Gesetze und die Aufhetzung des Kirchenvolkes gegen ihre geistlichen Führer. In einer Eingabe brachte der deutsche Klerus vor:

1. Ob der Papst das Wort des Herrn nicht kenne: »der es fassen kann, der fasse es« (Mt 19,12).
2. Der Papst zwinge die Menschen mit Gewalt, wie Engel zu leben, er wolle den Gang der Natur verbieten; das fördere nur die Unzucht.
3. Vor die Wahl gestellt, lieber das Priesteramt als die Ehe aufzugeben, wolle man sich für die Ehe entscheiden, der Papst möge sich Engel für den Kirchendienst holen.[185]

Auch hier war es wieder **Gregor VII.**, der die definitive Entscheidung herbeiführte, indem er auf seiner ersten Fastensynode 1074 die Intentionen der Pataria billigte und die Beschlüsse von 1059 bestätigte. Ja, er suspendierte die verheirateten Priester (»Konkubinarier« gescholten) allesamt und mobilisierte zugleich die Laien, keine priesterlichen Funktionen von diesen anzunehmen. Das war neu: ein vom Papst selber inszenierter **Boykott des Klerus** durch die Laien! Kirchenrechtlich zog den Schlußstrich freilich erst das Zweite Laterankonzil von 1139, das den Empfang der höheren Weihen (vom Subdiakonat an) als trennendes Ehehindernis erklärte, was heißt: Die bisher zwar verbotene, aber rechtlich gültige Priesterehe ist jetzt von vornherein ungültig; alle Priesterfrauen gelten als Konkubinen, ja, Priesterkinder werden als unfreie Sklaven zum Kirchenvermögen geschlagen. Ab jetzt also gibt es ein **allgemein verpflichtendes Zölibatsgesetz**, das jedoch in praxi bis zur Reformationszeit selbst in Rom nur bedingt eingehalten wird.

Mehr als alles andere hat das mittelalterliche typisch römisch-katholische Zölibatsgesetz – heute wieder hoch umstritten – dazu beigetragen, daß der »Klerus«, die »Hierarchie«, die »Geistlichkeit«, der »Priesterstand« vom »Volk« als den »Laien« abgehoben und ihm völlig übergeordnet wird; gilt doch jetzt der Stand der Ehelosigkeit unbestritten als sittlich »vollkommener« denn der Stand der Ehe. Ja, die **Klerikalisierung** nimmt jetzt ein solches Ausmaß an, daß »Kirche« und »Klerus« geradezu identifiziert werden – ein Sprachgebrauch, der sich zum Teil bis heute erhalten hat. Das bedeutet für die Machtverhältnisse:

- Die Laien werden aus der Kirche ausgeschaltet, zu der bisher Klerus und Laien gehörten.
- Der Klerus bildet als Verwalter der Gnadenmittel allein »die Kirche«.
- Die Kleruskirche ist hierarchisch-monarchisch organisiert und gipfelt im Papst, so daß Ecclesia catholica und Ecclesia romana synonym werden.
- Klerus (»Kirche«) und Laien (»Volk«) bilden die »Christenheit« (»christianitas«), in der aber nach römischer Auffassung unbedingt Papst und Klerus zu dominieren haben.

Nun besteht der Klerus aber im Hochmittelalter mehr denn je aus zwei mächtigen Zweigen: aus Weltklerus und Ordensklerus. Und es ist nun gerade die Zeit **Innozenz' III.**, in der die Bedeutung des Ordensklerus entscheidend zunehmen sollte. Nicht nur daß im Westen die Mönche jetzt zunehmend Priester (»patres«) sind und es nur noch für niedere Dienste Laienbrüder (»fratres«) gibt. Es ist gerade Innozenz III., der klug die Armutsbewegung kirchlich domestiziert und jene neuartigen Orden approbiert, in denen besonders die Nachfolge des armen Jesus die Leitidee bildet: die **Bettelorden** (»mendicantes«) der Franziskaner und Dominikaner, wie wir noch genauer sehen werden.

Auch in bezug auf die **Klerikalisierung** zeigt sich ein eklatanter Unterschied von altkirchlich-byzantinischem Paradigma (P II) und mittelalterlichem römisch-katholischem (P III):

- In den östlichen Kirchen bleibt der Klerus, von den Bischöfen abgesehen, verheiratet und erscheint deshalb sehr viel volksnaher in das gesellschaftliche Gefüge eingepaßt.
- Der zölibatäre Klerus des Westens aber erscheint vor allem durch seine Ehelosigkeit vom christlichen Volk total abgehoben: ein eigener, dominierender sozialer Stand, der dem Laienstand grundsätzlich übergeordnet und dem römischen Papst total untergeordnet ist, der jetzt zum erstenmal unterstützt wird durch eine allgegenwärtige zentral organisierte, schlagfertige und bewegliche zölibatäre Hilfstruppe: die Bettelorden.

Gewinne und Verluste

Die Militanz des Papsttums sollte sich in den folgenden Jahren immer wieder zeigen, von der letzten Phase des tödlichen Kampfes mit den Stauferkaisern über die italienische Renaissance und die Gegenreformation bis zum Untergang des Kirchenstaates mit seinem »Papa-Ré« (»Papst-König«) an der Spitze. Ja, bis zum Zweiten Vatikanischen Konzil sprach man in Rom gerne von der Kirche als einer »acies ordinata«, einer »geordneten Schlachtreihe« gegen alle möglichen wirklichen oder eingebildeten Feinde, alles natürlich unter dem Oberkommando des unbedingt Gehorsam fordernden Summus Pontifex.

Überblickt man die hochmittelalterliche Entwicklung, um **Bilanz** zu ziehen, so fragt man sich: Konnte dieses durch Recht, Politik und Militär in jeder Hinsicht abgesicherte klerikal-zentralistische System noch ernsthaft bedroht werden? Doch schaut man genau hin, so ist diese ganze Entwicklung mit Gewinnen, aber auch mit erheblichen Verlusten verbunden. Eine Geschichtsdialektik wird sichtbar, die sich gerade am papalistischen System anschaulich demonstrieren läßt. Denn was ist für das Papsttum die **positive Bilanz** der sowohl kriegerischen wie publizistischen Auseinandersetzung der Päpste – zuletzt noch Gregors IX. (Neffe von Innozenz III.) und Innozenz' IV. – mit dem hochbegabten Stauferkaiser Friedrich II.?

– Das **Papsttum** siegt eindeutig **über die Stauferkaiser**: Konradin, kaum 16 Jahre alt, Enkel Friedrichs II. und letzter Staufer, wird von dem Verbündeten des Papstes, Karl von Anjou (Bruder Ludwigs IX. von Frankreich, vom Papst mit Neapel und Sizilien belehnt), besiegt und trotz seiner Bitte um eine Intervention des Papstes in Neapel mit seinen Begleitern als Verräter enthauptet. Die Laieninvestitur ist jetzt endgültig abgeschafft, und das Papsttum mit seinem Rechtssystem wird zur zentralen Institution Europas.

– Das **deutsche Kaisertum wird als geschichtsbestimmende Macht ausgeschaltet**: Das Reich in Italien und in Deutschland löst sich faktisch in eine ganze Reihe selbständiger Territorien auf.

– Innerhalb der lateinischen Kirche setzt sich das **Papsttum** als die **absolute Herrschaftsinstitution** (gleichzeitig Legislative, Exekutive und Judikative) mit ihrem zentralistischen Herrschaftssystem total gegen Episkopat und die altkirchlichen synodalen Strukturen durch.

– Im Rahmen des römisch-katholischen Paradigmas ist eine **Selbständigkeit der Kirche gegenüber dem Staat** und eine Autonomie des geistlichen Bereichs gegenüber den anderen Lebensbereichen ermöglicht worden, wie sie im oströmisch-orthodoxen Symphonie-Paradigma von Byzanz bis Moskau gar nicht denkbar war – eine Voraussetzung für den späteren Säkularisierungsprozeß von Politik, Recht, Wirtschaft und Kultur, der nicht ohne Grund seinen Ursprung im nördlichen Westeuropa hatte.

Diesen Gewinnen aber stehen erhebliche **Verluste** – äußere wie innere Bedrängnisse – gegenüber:

– Die **Kreuzzüge** erweisen sich je länger desto mehr als **Fiasko**: König Ludwig IX. von Frankreich wird im Sechsten Kreuzzug in Ägypten geschlagen und gefangengesetzt, ja, im Siebten und letzten Kreuzzug 1270 geht er mit der Masse eines anderen Heeres vor Tunis an der Seuche zugrunde. Der **Islam** bleibt die große Gegenmacht des Christentums.

– Das juristisch, monarchisch und absolutistisch agierende Papsttum hat die sakramental, kollegial und konziliar verfaßten **Kirchen des Ostens** mit der Exkommunikation des Patriarchen, dem Vierten Kreuzzug und der Errichtung eines lateinischen Kaisertums **auf Dauer verloren.**

– Durch die Zerstörung des deutschen Universalkaisertums hat das Papsttum gleichzeitig die eigene Position eines römischen Universalpapsttums untergraben: Es leistet auf diese Weise der **Bildung moderner Nationalstaaten** Vorschub. Ganz auf Deutschland fixiert, ließ es das Königtum in England und Frankreich in ihrem Machtaufbau weithin unbehelligt. Aber so gerät es nun immer mehr in offenkundige Abhängigkeit von **Frankreich**, dem Land der theokratischen »allerchristlichsten« Könige (weil nach der jetzt propagandistisch ausgenützten Chlodwig-Legende mit Öl direkt vom Himmel gesalbt), Frankreich, das immer öfters zum Gastland der Päpste in politischen Schwierigkeiten, aber zunächst unbemerkt auch zur Bedrohung des Papsttums wird.

Aber nicht weniger gefährlich als die Bedrohung von außen durch die neuen Nationalstaaten sollte für das Papsttum die Bedrohung von innen werden: durch eine organisierte innerkirchliche Opposition, wie sie sich seit der Überwindung des germanischen Arianismus ein halbes Jahrtausend im Westen nicht mehr gezeigt hatte.

Opposition und Inquisition

Vorher gab es bestenfalls einige zumeist rasch gemaßregelte und isolierte Abweichler (etwa der arme Mönch Gottschalk von Orbais im 9. Jh., der wegen seiner augustinischen Prädestinationslehre verurteilt und bis zu seinem Tod gefangengehalten wurde). Seit den 70er und 80er Jahren des zwölften Jahrhunderts aber entwickelten sich zwei das römische System bedrohende große **nonkonformistische Buß- und Armutsbewegungen.**[186]

Angesichts eines kirchenrechtlich erstarrten Christentums, reicher Klöster und eines in Luxus lebenden höheren Klerus, der die Predigtpflichten vernachlässigt, machen sie die Parolen »Wanderpredigt und apostolische Armut« zu ihrem Programm.

Zuerst die **Katharer** (von griech: »katharoí« = »die Reinen«; ital. »gazzari«, davon das deutsche Wort »Ketzer«): Sie verbreiteten sich vom Balkan her (die uns bekannten Bogomilen) um die Mitte des zwölften Jahrhunderts durch apostelgleiche Wanderpredigt und strenge Askese: Ablehnung des Fleischgenusses, der Ehe, des Kriegsdienstes, des Eides, der Altäre, Heiligen, Bilder und Reliquien. Besonders in Südfrankreich und Oberitalien fanden sie große Gefolgschaft auch unter Adligen, Klerikern und Mönchen. Seit dem Konzil von St. Félix-de-Caraman bei Toulouse 1167, bei dem ein hoher katharischer Würdenträger aus dem Osten Papa Niquinta (Niketas) neue Bischöfe ordinierte, traten Fragen der Lehre und der Organisation in den Vordergrund. Die Katharer, die von einem ihrer Zentren, der südfranzösischen Stadt Albi, her auch Albigenser genannt wurden, vertraten jetzt zunehmend eine manichäisch strukturierte Lehre: die Lehre von einem guten und einem bösen Prinzip, von Gott, dem Schöpfer der unsichtbaren, guten, und dem Satan als dem Schöpfer der sichtbaren, bösen Welt. Dabei unterschieden sie jetzt scharf zwei Grade der Mitgliedschaft: »Gläubige«, für welche die asketischen Forderungen ermäßigt waren, und die »Vollkommenen«, die allein das Vaterunser beten dürfen. Mit der Zeit entstand hier also eine eigentliche Gegenkirche mit eigener Hierarchie und Dogmatik, die besonders in entwickelten städtereichen Gebieten viele Anhänger aus allen Schichten hatte.

Dann die **Waldenser**: Sie sind ein Produkt des Westens und gingen aus einer asketischen Laienbruderschaft um den reichen Lyoner Kaufmann Waldes hervor. Dieser hatte sich aufgrund einer provenzalischen Bibelübersetzung zur Bergpredigt bekehrt und seinen Reichtum unter die Armen verteilt. Die frühen Waldenser predigten und schrieben betont antikatharisch-rechtgläubig. Doch zum Streit mit der Hierarchie kam es um die Laienpredigt. Trotz bischöflicher und päpstlicher Verbote zogen die Waldenser (oft auch Frauen!) als apostelgleiche Prediger zu zweit durch die Lande. In der Volkssprache verkündeten sie das »Gesetz Christi«, die Heilige Schrift, die sie zu großen Teilen auswendig wußten. Viele Adelige Südfrankreichs unterstützten diese Bewegung im Geist des Evangeliums. Erst aufgrund des Kirchenausschlusses radikalisierten sich viele: Ein Zweig von ihnen ordnete sich noch zur Zeit von Innozenz III. der Kirche ein und nannte sich fortan »katholische Arme«. Ein anderer aber ging nach dem Tode ihres Gründers einen radikalen Weg, jetzt ähnlich den

Katharern. Eine eigentliche Laienkirche entstand mit eigenen Gottesdiensten, Sakramentsverwaltung, Laieneucharistie, Laienpredigt (auch von Frauen), wobei diese Waldenser wie die Katharer Eid, Kriegsdienst, aber auch Altäre, Kirchengebäude und Kreuzverehrung, Fegefeuer und Todesstrafe verwarfen.

Und was war die **Antwort der offiziellen Kirche**, der Bischöfe zuerst und dann des Papstes, darin vom Kaiser ganz und gar unterstützt? In der Regel antwortete sie mit dem **Verbot der Laienpredigt**, ja mit der **Verurteilung der »Ketzer«**. Doch Exkommunikation und Anwendung der Ketzergesetzgebung trieben diese religiösen Bewegungen nur in den Untergrund und machten sie nun erst recht bekannt. Sie verbreiteten sich denn auch bis hinein nach Böhmen, wo sie die vorreformatorischen Bewegungen der Hussiten, Taboriten und Böhmischen Brüder beeinflussen sollten. Das erste allgemeine Gesetz zur Bekämpfung der Häresie (von Papst und Kaiser auf der Synode zu Verona 1184) bestimmte als Kennzeichen der Häresie die Nichtübereinstimmung mit den Satzungen des Papsttums. Zugleich verpflichtete es die weltliche Macht auf kirchliches Geheiß zu deren gewaltsamer Ausmerzung.

Mit anderen Worten: Obwohl gerade ein Mann wie Innozenz III. sich bei einigen »ketzerischen« Gruppen um Differenzierung bemühte (schon verurteilte »Humiliaten«- und Waldensergruppen wurden wieder kirchlich reintegriert[187]), begegneten Päpste und Bischöfe aufs Ganze gesehen der innerkirchlichen Opposition mit gnadenloser Verfolgung. Zunehmend regierte in der Kirche die Gewalt, abgesichert durch die Zwei-Schwerter-Theorie, derzufolge der »weltliche Arm« sein Schwert der geistlichen Autorität gegen Häresie und Schisma zu leihen hatte. Bischöfe und Päpste, Könige und Kaiser hatten vorbereitet, was dann unter dem Schreckensnamen der **Inquisition**[188] viele der dunkelsten Seiten der Kirchengeschichte füllen wird: die systematische gerichtliche Verfolgung der Häretiker durch ein kirchliches Glaubensgericht (inquisitio haereticae pravitatis), das die Unterstützung nicht nur der weltlichen Macht besaß, sondern auch weiter Volkskreise, die öfters Ketzerhinrichtungen höchst begierig genossen.

Grundsätzlich gesagt: Inquisition wird nun ebenfalls zu einem **Charakteristikum gerade des mittelalterlichen römisch-katholischen Paradigmas.** Denn was in der alten Kirche (P II) Einzelfall war, wurde in der hochmittelalterlichen Kirche (P III) zur regulären Institution: die universale und effektivere päpstliche Inquisition als Entlastung, Ergänzung und Intensivierung der (schon im Frühmittelalter geübten) bischöflichen Inquisition. Was in der Kirche des vierten Jahrhunderts verabscheut wurde,

wurde so in der Kirche des 12./13. Jahrhunderts Gebot. Wie aber kam es zur päpstlichen Inquisition?

Mit dem Wachstum der Machtkirche waren verständlicherweise auch die oppositionellen Bewegungen »von unten« gewachsen, denen sich Kirche wie Staat nur durch Repressalien glaubten erwehren zu können. Grauenhaftes Beispiel: der von Innozenz ausgerufene Kreuzzug gegen die katharischen Albigenser, der zu einem 20 Jahre dauernden (1209-29) Verfolgungskrieg führte. Ausrottung großer Gruppen sowie die Ausschaltung der führenden Familien Südfrankreichs waren die Folge, andererseits die Stärkung der Pariser Zentralgewalt über diese Region. Mitten im Krieg, im November 1215, erließ das Vierte Laterankonzil (wie wir hörten) scharfe generelle Bestimmungen nicht nur gegen Juden, sondern auch gegen Häretiker, zu deren Beurteilung gleich zu Beginn der Konzilskonstitutionen ein ausführliches Glaubensbekenntnis verkündet und zu deren Zähmung in einem langen Abschnitt über die Häretiker auch die unbefugte Predigt als Ketzerei verboten wurde.[189]

Entscheidenden Einfluß auf die Ausbildung der Inquisition im Mittelalter hatte dann zweifellos Kaiser Friedrich II., der in seinen Krönungsedikten (1220) als Strafmaß für Ketzerei den Tod auf dem **Scheiterhaufen** festlegte. Ebenso Papst Gregor IX., der durch die Konstitution »Excommunicamus« (1231) die bisher vor allem von Ortsbischöfen organisierte Ketzerbekämpfung an sich zog und für die Aufspürung der Ketzer **päpstliche Inquisitoren** vor allem aus den mobilen Bettelorden ernannte. Die von der Kirche verurteilten Häretiker sollten dem weltlichen Gericht übergeben werden – zur Bestrafung durch Feuertod oder wenigstens Abschneiden der Zunge; die Laien sollten weder privat noch öffentlich über den Glauben diskutieren, sondern alle der Häresie (betrachtet wie eine ansteckende Krankheit!) Verdächtigen denunzieren. Für die Entscheidung der Glaubensfragen war allein die kirchliche Obrigkeit zuständig, die keine Gedanken- und Redefreiheit zuließ. Ausgerechnet Innozenz IV., ein großer Juristenpapst, ging dann noch einen Schritt weiter. Er ermächtigte die Inquisition, zur Erzwingung des Geständnisses auch die Folter durch die weltliche Obrigkeit anwenden zu lassen. Welche konkreten Qualen dies für die Opfer bedeutete, spottet jeder Beschreibung ...

Alles »tempi passati«? Heute, wird man sagen, gibt es auch im römisch-katholischen Paradigma keine Folter und keinen Feuertod mehr; nach Reformation und Aufklärung habe man doch mit diesen Barbarismen aufgeräumt. Aber: Die römische Inquisition, im Mittelalter begründet, besteht unter mehrmals verändertem Namen (»Sanctum Officium«, jetzt »Sacra Congregatio pro doctrina fidei«) fort und verfährt im wesentlichen noch immer nach jenen mittelalterlichen Grundsätzen, die mit allgemein anerkannten (und damals auch vom Papsttum anderen gegenüber vertretenen) Rechtssätzen und den primitivsten Forderungen der Gerechtigkeit wenig zu schaffen haben:[190]

– das Verfahren gegen einen Verdächtigten oder Angeklagten ist geheim;
– niemand weiß, wer die Informanten sind;
– ein Kreuzverhör für die Zeugen oder Gutachter findet nicht statt;
– Akteneinsicht wird nicht gewährt, so daß eine Kenntnis der Vorverhandlungen verhindert wird;
– Ankläger und Richter sind identisch;
– Appellation an ein unabhängiges Gericht ist ausgeschlossen beziehungsweise nutzlos;
– nicht Ermittlung der zu findenden Wahrheit ist Ziel des Verfahrens, sondern die Unterwerfung unter die mit der Wahrheit stets identische römische Lehre (»Gehorsam« gegenüber der »Kirche«).

Rückfrage: Was soll denn solche Inquisition, die sehr oft zur geistigen Folterung und psychischen Verbrennung der in solche Verfahren Verwikkelten führt, mit Botschaft und Verhalten Jesu von Nazaret zu tun haben? Rein nichts. Solche Inquisition spricht nicht allein dem Evangelium Hohn, sondern auch einem heute allgemein verbreiteten Rechtsempfinden, das sich etwa in den Menschenrechtserklärungen Ausdruck verschafft hat.[191] Aber muß man nicht auch die Inquisition (ich meine die mittelalterliche!) aus der Zeit heraus verstehen? War nicht damals jede Häresie eine Bedrohung des gemeinsamen Glaubensfundaments der mittelalterlichen Gesellschaft, ein hochverräterischer Widerstand gegen die »Vollgewalt« des Papstes? Verwirkte der Einzelne, der einen Glaubensartikel anzweifelte, nicht alle Rechte und mußte zur Not dem Wohl der ganzen Gemeinschaft, um derentwillen der Mensch da sei, geopfert werden?

Doch gemessen an Jesus Christus selbst hätte man schon damals die Inquisition als zutiefst unchristliches Unternehmen durchschauen können. Denn auch im Mittelalter konnte man durchaus anders verfahren. In einem hochwichtigen Fall nämlich haben wir es einer Wende in der Ketzerpolitik Innozenz' III. zu verdanken, daß Person und Sache nicht häretisch ausgegrenzt, sondern kirchlich eingegliedert blieben: bei der evangelisch-apostolischen Armutsbewegung der sogenannten Bettelorden. Während Innozenz hartnäckige, unbelehrbare Ketzer wie die Katharer mit Feuer und Schwert ausrotten ließ, gab er (wie schon früher Waldensern und Humiliaten) den neubegründeten Bewegungen des Dominikus[192] und des Franz von Assisi eine innerkirchliche Überlebenschance, obwohl das Vierte Laterankonzil neue Ordensformen verbot.

Die Alternative? Franz von Assisi

Erstaunlich genug: Es war der große Innozenz, der sich mit einem unbedeutenden Mann wie Franz von Assisi ganz direkt konfrontieren ließ, so daß es im Jahr 1209 zu einer wahrhaft **historischen Begegnung** kam: Franz von Assisi vor Innozenz III., der Weltherrscher vor dem »Poverello«, dem kleinen Armen! Hatte hier, in der Person des Giovanni di Bernardone, dem ehedem lebenslustig-weltlichen Sohn eines reichen Textilkaufmanns aus Assisi, nicht die große Alternative zum römischen System Gestalt gewonnen?

Vielleicht war das Zugeständnis des Innozenz doch so erstaunlich nicht. Denn Franz, der auf »die Welt«, das heißt auf Familie, Reichtum und Karriere verzichtet und selbst alle seine Kleider dem Vater zurückgegeben hatte, war in seiner Nacktheit in den Schoß der Kirche geflohen. H. Grundmann hat hier das Richtige gesehen: Stets hatte Franziskus »gläubiges Vertrauen zur Kirche und ihren Sakramenten«, stets eine »unbeirrbare Verehrung für das Priesteramt, das er als Laie nie selbst erstrebte«[193]. Hinzu kommt: Auch Innozenz III. wußte um die dringend notwendigen Reformen der Kirche, für die er ja das Vierte Laterankonzil einberufen sollte. Denn er war sensibel genug, um zu merken, daß die äußerlich mächtige Kirche innerlich schwach war, daß die »häretischen« Strömungen in der Kirche gewaltig zugenommen hatten und daß ihnen mit Gewalt allein kaum beizukommen war. Ob es nicht besser wäre, sie an die Kirche zu binden und ihrem Wunsch nach apostolischer Predigttätigkeit in Armut entgegenzukommen? Franz von Assisi konnte ihm also keineswegs von vornherein unwillkommen sein und war ihm auch nicht unwillkommen.

Was aber war genau das **Anliegen des »Poverello«**? Was meinte der »Wiederaufbau der verfallenen Kirche«, den der Vierundzwanzigjährige in einer Vision des Gekreuzigten (1206) als Anruf an sich verstand? Auf eine Formel gebracht: Schluß mit der selbstzufriedenen bürgerlichen Existenz und Beginn wirklicher Nachfolge Christi in Armut und evangeliumsgemäßer Wanderpredigt, ja, um einen eigentlichen Nachvollzug (»conformitas«) von Leben und Leiden Christi und um die Identifikation mit Christus (»alter Christus«).

Dieser konfliktträchtige, wenig kirchenkonforme Ansatz des jungen Aussteigers ist von den aus den franziskanischen Orden herkommenden Forschern wie Hilarin Felder[194] und Kajetan Esser[195] nicht immer mit der nötigen selbstkritischen Schärfe herausgearbeitet worden, als hätte es zwischen Franz und der Kurie keinen grundlegenden Gegensatz und von

Franz zu den Franziskanern bestenfalls eine »organische Entwicklung« und kaum Widersprüche gegeben. Anders dagegen im Anschluß an die Untersuchungen des Straßburger Historikers Paul Sabatier[196] und des Marburger Religionswissenschaftlers Ernst Benz[197] der Tübinger Theologiehistoriker Helmut Feld[198], der aufgrund einer kritischen Relecture der Quellen nicht nur **drei unbestreitbare Kernpunkte des franziskanischen Ideals** herausgearbeitet, sondern auch die folgende Entwicklung kritisch betrachtet hat:[199]

– **Paupertas, Armut**: Franz von Assisi geht es um ein Leben in kompromißloser Armut. Anstoß dazu ein Jesus-Wort, das er 1208 bei einem Gottesdienst gehört hatte: »Umsonst habt ihr empfangen, umsonst sollt ihr geben. Steckt nicht Gold, Silber und Kupfermünzen in euren Gürtel. Nehmt keine Vorratstasche mit auf den Weg, kein zweites Hemd, keine Schuhe, keinen Wanderstab; denn wer arbeitet, hat ein Recht auf seinen Unterhalt.«[200] Das heißt als Konsequenz, wie im Testament des Franz nachzulesen: unbedingte Besitzlosigkeit nicht nur des einzelnen Mitglieds der Bruderschaft (wie bei den älteren Orden), sondern der Gemeinschaft als ganzer; Verbot von Geld ebenso wie das Verbot, große Kirchen und Gebäude zu errichten, einschließlich des Verbotes, bei der römischen Kurie um irgendein Privileg nachzusuchen. Aber arbeiten, schwer arbeiten auf dem Feld, sollten die Brüder: also kein Bettelorden (Betteln nur im Notfall)!

– **Humilitas, Demut**: Franz von Assisi geht es um ein Leben in Verzicht auf Macht und Einfluß bis hin zu extremen Formen der Selbstverleugnung und Selbstabtötung. Er predigt die Tugend der Geduld in allen Lagen und eine Grundstimmung der Freude, die selbst Beschimpfungen, Schmähungen und Schläge ertragen kann. Die Leiden und die Armut Jesu sind ihm dabei vorbildlich, ja, Franz identifiziert sich mit dem leidenden Jesus.[201]

– **Simplicitas, Einfalt**: Franz von Assisi geht es um die Nachfolge Christi in großer Schlichtheit bei allem Tun. Wissen und Wissenschaft dagegen erscheinen ihm eher als Hindernisse. Stattdessen kommt es ihm auf ein neues Verhältnis zur Schöpfung an, wie in manchen Berichten, Legenden und vor allem im »Sonnengesang« zum Ausdruck gebracht: ein neues Verhältnis zu Tieren, Pflanzen und unbelebten Naturerscheinungen, selbst zu »unserer Schwester, dem leiblichen Tod«[202]. Er nannte alle Kreaturen Brüder und Schwestern, weil er in ihnen, wie in den Menschen, beseelte und mit göttlichem Leben erfüllte Wesen sah.[203]

So kommt Franz, der seine Lebensweise »nach der Form des heiligen Evangeliums«[204] als eine Offenbarung Gottes ansieht und der eine kleine

Regel ausschließlich aus Bibelzitaten verfaßt, 1209 mit elf »Minderbrüdern« (»fratres minores«) nach Rom, um sich von Innozenz III. die **kirchliche Approbation** für die gelebte Armut und die Laienpredigt zu holen. In Konformität mit Jesus, aber nicht in Konfrontation mit der Hierarchie, nicht durch Abdriften in die Häresie, sondern im Gehorsam gegenüber Papst und Kurie wollen er und seine Anhänger ihre Absicht verwirklichen und wie die Jünger Jesu das Ideal des evangelischen Lebens durch Wanderpredigt überall verkünden. Obwohl von »Ketzern« äußerlich kaum unterscheidbar, wollen sie ihr Armutsideal nicht im Gegensatz zur rechtgläubigen Lehre leben – freilich auch nicht in abgelegenen Klöstern, sondern durch Verkündigung des Evangeliums inmitten der (in dieser Kreuzzugszeit immer mächtiger aufblühenden) Städte Italiens.

Und die Hierarchie? Eine Schlüsselrolle in Rom spielt für Franz der mit dem Bischof von Assisi bekannte Benediktinerkardinal Johannes von St. Paul, ein Colonna. Von der Notwendigkeit kirchlicher Reformen überzeugt, nimmt dieser die Brüder in sein Haus auf und führt mit Franz längere Gespräche. Zwar vermag auch er Franz nicht zur klösterlichen oder eremitischen Lebensweise zu überreden, doch beeinflußt Johannes den Papst positiv: Gott könne durch diesen evangelisch wirkenden Mann auf der ganzen Welt den Glauben der Kirche reformieren. So wird die Verbindung von Franz zu Innozenz III. hergestellt. Dieser scheint Franz nach längerer Ermahnung die Erlaubnis zur Bußpredigt gegeben zu haben. Bedenken meldet er nur bezüglich der Erfüllbarkeit des in der Regel geforderten Ideals eines Lebens in absoluter Armut an. Franz solle darüber im Gebet den Willen Gottes erforschen, wie auch er es täte. Aufgrund eines Traumgesichts – Visionen spielen bei Innozenz wie bei Franz eine große Rolle –, nach welchem ein kleiner, unscheinbarer Ordensmann die päpstliche Lateranbasilika vor dem Einsturz bewahren könne, so wird überliefert, billigt der Papst schließlich die Regel des Franziskus und gibt sie im Konsistorium bekannt. Schriftlich fixiert aber wird nichts.

Das alles heißt: Franz, so gefährlich er schien, hat sich der Kirche ganz verpflichtet. Er hat dem Papst Gehorsam und Ehrfurcht versprochen und auch die Brüder durch das gleiche Versprechen gebunden. Auf Wunsch von Kardinal Johannes läßt er sich und seine elf Gefährten durch die Tonsur in den Klerikerstand erheben, was die Predigttätigkeit erleichtert, die Klerikalisierung der jungen Gemeinschaft aber fördert. Denn auch Priester schließen sich jetzt der Gemeinschaft an. Der Prozeß der »Verkirchlichung« der franziskanischen Bewegung hat begonnen, und Franz, der sich in Armut von allem hatte lösen wollen, hängt sich jetzt um so mehr an die »heilige Mutter Kirche«. Und auch diese Paradoxie bleibt ihm nicht erspart: Je mehr er sich erniedrigt, umso mehr wird er vom Volk verehrt.

Spätestens jetzt haben wir noch einmal die Sachproblematik anzusprechen, die mit dem Auftritt des Franz von Assisi sich stellt: War er die **Alternative zum römischen System**? Was wäre geschehen, wenn Innozenz III. seinerseits das Evangelium neu ernst genommen, sich Kernpunkte des Franz von Assisi zu eigen gemacht hätte? Was wäre geschehen, wenn das Vierte Laterankonzil (1215) die Reform der Kirche auf diese Basis gestellt hätte?

Dabei hätte man ruhig bedenken können: Die Rede Jesu zur Jüngeraussendung war eine Rede für Wanderprediger, die man nicht einfach verallgemeinern kann. Und wir haben bei unseren Überlegungen zur Urgemeinde gesehen, wie diejenigen, die mit Jesus, der ein freies Wanderleben führte, ziehen wollten, notwendigerweise alles hinter sich zurücklassen mußten. Gewiß: Jesus verlangte nicht (wie das Essener-Kloster Qumran am Toten Meer) die Abgabe des Besitzes an die Gemeinschaft. Er billigte es, daß Zachäus nur die Hälfte seines Besitzes verteilte; er stellte keine Gesetze und keine Paragraphen auf; verschiedene seiner Anhänger, auch Petrus, nannten Häuser ihr eigen. Aber: Von allen verlangte Jesus genügsame Anspruchslosigkeit, vertrauende Sorglosigkeit, innere Freiheit vom Besitz. In der Urgemeinde, wo man später die Verhältnisse idealisiert hat, wurde zwar nicht eine ideale Sozialutopie realisiert, wohl aber eine »soziale Solidargemeinschaft«.

Deshalb noch einmal die Frage: Was wäre geschehen, wenn man die Botschaft Jesu – nicht in imitatione Christi, sondern in correlatione cum Christo – damals wieder neu ernst genommen hätte? Die Antwort kann nur sein: Wenn zwar nicht wörtlich, wohl aber geistig verstanden, so bedeuteten und bedeuten die evangelischen Forderungen des Franz von Assisi eine gewaltige **Infragestellung des** zentralisierten, juridisierten, politisierten, militarisierten und klerikalisierten **römischen Systems**, das sich der Sache Christi bemächtigt hatte. Und immer lauter sollten in der Folgezeit solche Forderungen werden. Franz von Assisi stellt eine Rückbesinnung dar auf das, was die Sache Jesu Christi ursprünglich bedeutete, und diese Rückbesinnung mußte um so radikaler ausfallen, je weiter sich das römische System von der ursprünglichen Botschaft entfernt hatte.

Freilich: Es dauerte keine zwei Jahrzehnte, dann war die überall in Italien sich stark entfaltende **franziskanische Bewegung nahezu völlig in der Kirche domestiziert**, so daß sie bald der päpstlichen Politik als normaler Orden zu Diensten war. Dies war ganz wesentlich das Werk des uns bekannten Neffen von Innozenz III., dem Kardinal Hugolino von Ostia[205], der sich noch zu Lebzeiten des Franz zu dessen vertrautem Freund und Protektor gemacht hatte und der als Papst Gregor IX. ein Jahr nach des Franz Tod den Papstthron bestieg. Auf welchem Weg erreichte er dies? Gerade er kanonisierte schon 1228 den »von unten« schon längst heiliggesprochenen Franz und machte ihn so zu einem Heiliggesprochenen »von oben«. Er ließ auch den noch von Franz selber eingesetzten Vikar, Bruder Elias von Cortona[206], den Bau einer auf gewaltigen Substrukturen ruhenden prachtvollen Basilika über seinem Grab mit Ober- und Unterkirche und ein Konventsgebäude vor den Mauern Assisis erstellen – alles entgegen dem ausdrücklichen Verbot des Heiligen, große Kirchen und Gebäude zu errichten. Und er erließ 1230 eine Bulle, in welcher er auf Wunsch der bereits ordensmäßig organisierten und immer mehr seßhaften franziskanischen Gemeinschaft die Regel »interpretierte«: Den Brüdern wurde zwar nicht der Besitz (»proprietas«, »dominium«) von Eigentum, wohl aber der Gebrauch, die Nutznießung (»usus«) von Eigentum gestattet – eine fiktive Unterscheidung, die Franz selber sicher ebenso entschieden abgelehnt hätte wie den jetzt ebenfalls erlaubten indirekten Geldverkehr mit Hilfe von Zahlungsanweisungen.

Über ein Jahrhundert sollte deshalb im Franziskanerorden – auf seine Geschichte kann ich hier nicht eingehen – zwischen den Rigorosen und den Laxeren über das Verständnis der Armut gestritten werden (Armutsstreit). Doch je mehr Priester, Gebildete und Studenten, die der Ausbildung bedurften, sich den Franziskanern anschlossen, um so mehr wandten sich die »Minderbrüder« auch den Wissenschaften zu, so daß schon Franz selber in seinem Testament die Theologen hoch zu achten hieß und sich bald in Bologna der Portugiese Antonius von Padua und in Paris ein so berühmter Professor wie der Brite Alexander von Hales und sein nicht weniger berühmter Schüler, der Italiener Bonaventura, späterer Generalminister und Kardinal, der Franziskanergemeinschaft anschlossen.

Innozenz III. wäre wohl der einzige Papst gewesen, der aufgrund ungewöhnlicher Qualitäten der Kirche einen grundsätzlich anderen Weg hätte weisen, der dem Papsttum Aufspaltung und Exil und der Kirche die protestantische Reformation hätte ersparen können. Freilich hätte dies dann schon im 13. und nicht erst im 16. Jahrhundert für die katholische Kirche einen weiteren Paradigmenwechsel zur Folge gehabt, der die Kirche aber nicht gespalten, sondern wirklich erneuert und auch erneut West- und Ostkirche zusammengebracht hätte. So bleiben denn die drei urchristlichen Kernanliegen des Franz von Assisi – paupertas, humilitas, simplicitas –, gerade wenn man seine Person, die ihre Einseitigkeiten und Schwächen hat, nicht idealisiert, noch immer Fragen für die Zukunft der Kirche.

Fragen für die Zukunft

Welches Antlitz soll die Kirche tragen? Soll die Kirche der Zukunft eine **Kirche im Geiste Innozenz' III. oder im Geist des Franz von Assisi** sein? Auch wenn man um die komplizierten Fragen von Ökonomie, Amtsausübung und Recht weiß, die eine Kirche nicht in schwärmerischem Idealismus ignorieren kann; auch wenn man also eine legitime Form von Ämterübertragung, Rechtsausübung und Geldverkehr in der Kirche akzeptiert, so bleibt diese Grundfrage stets lebendig, die vom Evangelium als der Grundlage der Kirche herkommt: Welches Antlitz soll die Kirche tragen?

- Eine Kirche des Reichtums, des Protzes und Prunkes, der Raffgier und der Finanzskandale? Oder aber eine Kirche der transparenten Finanzpolitik, der genügsamen Anspruchslosigkeit, Beispiel einer inneren Freiheit von Besitz und einer christlichen Generosität, die evangelisches Leben und apostolische Freiheit nicht unterdrückt, sondern fördert?

- Eine Kirche der Macht und der Herrschaft, der Bürokratie und der Diskriminierung, der Repression und der Inquisition? Oder aber eine Kirche der Menschenfreundlichkeit, des Dialogs, der Geschwisterlichkeit und Gastlichkeit auch für Nonkonformisten, des unprätenziösen Dienstes ihrer Leiter und der sozialen Solidargemeinschaft, die neue religiöse Kräfte und Ideen nicht aus der Kirche ausschließt, sondern fruchtbar macht?

- Eine Kirche dogmatischer Unbeweglichkeit, moralistischer Zensur und juristischer Absicherung, der alles regelnden Kanonistik, der alles wissenden Scholastik und der Angst? Oder eine Kirche der Frohbotschaft und der Freude, einer am schlichten Evangelium orientierten Theologie, die auf die Menschen hört, statt nur von oben herab indoktriniert, eine nicht nur lehrende, sondern immer wieder neu lernende Kirche?

Franz von Assisi ist, ohne seine Ideale verraten, aber auch ohne seinen durch exzessive Askese geschwächten Körper geschont zu haben, am 3. Oktober 1226 so arm gestorben, wie er gelebt hat, erst 44 Jahre alt. Schon zehn Jahre zuvor war Innozenz III., der Macht, Besitz und Reichtum des Heiligen Stuhles wie keiner vor ihm zu mehren wußte, ganz unerwartet gestorben, sieben Monate nach Abschluß des triumphalen Laterankonzils, im Alter von 56 Jahren, auch er nun in menschlicher Armut und Erbärmlichkeit. Am Abend des 16. Juni 1216 fand man ihn in der Kathedrale zu Perugia, von allen verlassen und völlig nackt, von den eigenen Dienern ausgeraubt: den Leichnam dessen, der am Anfang seiner meteorhaften Karriere schon als junger Theologe »Über die Verachtung der Welt oder das Elend des menschlichen Daseins« geschrieben hatte.

Als Theologe war Innozenz III. mittelmäßig. Und seine Schrift hatte kaum viel beigetragen zu jenem »Credo, ut intelligam«, »ich glaube, damit ich verstehe«, welches schon ein Jahrhundert zuvor jener in Aosta (Piemont) geborene Benediktinerabt entworfen hatte, der über das Burgund und die Normandie schließlich auf den ersten erzbischöflichen Stuhl Englands kam: **Anselm von Canterbury** (1033-1109)[207]. Zunächst durchaus augustinischer Tradition verpflichtet, wollte Anselm den christlichen Glauben ohne Zuhilfenahme von Bibel und Autoritäten einsichtig machen – eine Forderung, die nun für die Zeit typisch wird. **Glauben auf der Suche nach Einsicht**: So heißt jetzt das Programm, und zu ihm hat Anselm – neben einer überaus problematischen juristischen Theorie von der Erlösung als Satisfaktion Gottes – einen Gottesbeweis beigesteuert, das berühmte »ontologische« Argument: »Gott« sei das, über welches hinaus nichts Größeres gedacht werden könne. Ein solches könne nicht nur in Gedanken, sondern müsse auch in der Wirklichkeit existieren, sonst wäre das wirklich Existierende größer als das, was größer nicht gedacht werden könne – ein Gedanke, der von Anfang an in seiner Beweiskraft nicht unumstritten war, der aber bis ins 20. Jahrhundert hinein theologische Denker faszinierte.[208]

Anselm wird aufgrund dieses Programms der »Vater der Scholastik« genannt. Zum »Fürsten der Scholastik« freilich ist ein Jahrhundert nach Anselm ein anderer geworden: Er, der eine Schlußfolgerung aus dem Begriff Gottes auf die Existenz Gottes ablehnte, der den Systemzwang der Satisfaktionslehre kritisierte und der zu einem der großen christlichen Denker aufstieg: Thomas von Aquin. Ihm müssen wir uns jetzt zuwenden.

9. Die große theologische Synthese: Thomas von Aquin

Thomas von Aquin (1225-1274) repräsentierte jene **dritte Macht** neben Kaiser und Papst, welche die Klöster im 13. Jahrhundert als Zentren der Bildung ablösten: die **Universitäten** und damit die **Wissenschaft**, der die Universitäten in Forschung und Lehre dienen sollen. Und aus deren Umkreis sollte letztendlich ein wirklich neues Paradigma des Christentums hervorgehen, das weder vom Kaiser noch vom Papst dominiert sein wird. Ob vielleicht schon der geniale Mann aus Aquin diese neue Gesamtkonstellation zumindest für die Theologie wissenschaftlich erarbeiten wird? Auf diese Frage wollen wir uns auch in diesem Fall konzentrieren. Für alles Biographische sei auf »Große christliche Denker« verwiesen.[209]

Thomas von Aquin – er ist der »Doctor communis«, der »allgemeine Lehrer« der Christenheit. Bis heute wird er zumindest in der katholischen Kirche so genannt. Das aber war keineswegs von Anfang an so. Denn erst seit der Zeit nach dem Ersten Vatikanischen Konzil um die Wende vom 19. zum 20. Jahrhundert hat Thomas diese beinahe unangefochtene Stellung inne. Päpste fördern jetzt weniger Thomas als den Neuthomismus mit allen ihnen zur Verfügung stehenden Machtmitteln: Thomas-Enzyklika, Ernennung des Thomas zum authentischen Lehrer der Kirche und Patron aller katholischen Schulen, neue kritische Thomas-Edition, Verpflichtung der katholischen Theologie auf 24 normative philosophische Grundthesen. Ja, selbst in den Codex Iuris Canonici von 1917/18 nimmt man als rechtsverbindlich auf, daß Philosophie und Theologie in den katholischen Unterrichtsanstalten »nach der Methode, Lehre und den Prinzipien des Engelgleichen Lehrers (= Thomas von Aquin) zu behandeln« seien[210]. Bis 1924 kann man denn auch 218 Kommentare zum ersten Teil der Summa theologiae und 90 zur ganzen Summa zählen. Zwar hat Thomas von Aquin auf dem Zweiten Vatikanum, wo es um das Aggiornamento und die neuaufgetretenen Probleme und Hoffnungen der Christenheit ging, praktisch keine Rolle gespielt; eine thomistische Schule gibt es seither nicht mehr. Aber noch im neuen Codex Iuris Canonici von 1983 wird er wieder »besonders« empfohlen[211], und im 1993 veröffentlichten traditionalistischen römischen »Weltkatechismus« wird er schließlich wieder – neben Augustin (88mal) und Johannes Paul II. (137mal!) – mit Abstand vor allen Kirchenschriftstellern am häufigsten (63mal) zitiert.[212]

Doch diese aus der Abwehr der Moderne geborene forcierte römische Festlegung der gesamten katholischen Theologie auf den für unmittelbar aktuell gehaltenen Thomas von Aquin (damit verbunden, wie seit dem Hochmittelalter üblich, grausame Sanktionen gegen Abweichler) beweist zweierlei:
– daß sich das mittelalterliche Paradigma von Theologie (P III) trotz Reformation (P IV) und Aufklärung (P V) in der katholischen Kirche praktisch bis zum Zweiten Vatikanischen Konzil (1962-65) halten konnte, sich aber jetzt offensichtlich in der Defensive befindet;
– daß aus verurteilten Ketzern doch maßgebliche Kirchenlehrer werden

können. Denn bei aller neuscholastischen Verabsolutierung »des heiligen Thomas als Lehrer« bleibt unvergessen: Weder war der ursprüngliche historische Kontext der Theologie des Thomas von Aquin orthodox noch des Thomas Theologie in ihrem Grundansatz. Warum nicht? Das hat zu tun mit der Rezeption einer damals als gefährlich geltenden »heidnischen« Philosophie: der des Aristoteles.

Die neue Herausforderung: Aristoteles

Als Zwanzigjähriger nach Paris an das Studienzentrum seines Ordens geschickt, hat Thomas das unschätzbare Glück, hier auf einen um 25 Jahre älteren einzigartig gebildeten Lehrer zu treffen, der den Titel eines »Doctor universalis« zu Recht trug: auf den Schwaben **Albert, der Große** genannt (1200-1280). Zeit seines Lebens sehr viel berühmter als Thomas, war Albert in doppelter Hinsicht bahnbrechend: Als Naturforscher erbrachte er durch seine naturwissenschaftlichen und naturphilosophischen Schriften neue Ergebnisse besonders in der Biologie, in der Pflanzenphysiologie und -klassifikation; wegen seiner chemischen (und alchemistischen) Versuche wurde er gar der Magie verdächtigt. Als Philosoph aber wirkte Albert bahnbrechend durch eine in zwanzigjähriger Arbeit erstellte Enzyklopädie des aristotelischen Denkens, durch die mutige Verbreitung und Auswertung der seit dem zwölften Jahrhundert neu erschlossenen aristotelischen, arabischen und jüdischen Schriften, die damals zum Teil noch verboten waren und die er zwar nicht weiterentwickelte, aber paraphrasierte. Albert war der Meinung, daß in der Theologie Augustin die Autorität sei, in der Astronomie aber Ptolemäus, in der Medizin Galenus und in der Naturphilosophie Aristoteles. Die Aufgabe einer Synthese zwischen Aristoteles und dem christlichen Glauben überließ Albert dagegen seinem philosophisch weit begabteren Schüler: Thomas.

Was heute selbstverständlich ist, war es damals ganz und gar nicht. Denn viele waren der Meinung, daß ein heidnischer Philosoph wie **Aristoteles** außerordentlich **gefährlich** und unruhestiftend sei. Nicht ohne Grund: Vertrat Aristoteles nicht statt einer Schöpfung und damit Zeitlichkeit der Welt deren Ewigkeit? Statt einer göttlichen Vorsehung die blinde Zwangsläufigkeit der Geschichte? Statt der Unsterblichkeit die Sterblichkeit der an den Körper gebundenen Seele? Überhaupt: Verkörperte dieser Philosoph aufs Ganze gesehen nicht eine derartige Konzentration auf die empirische Wirklichkeit, daß der Himmel, daß Gott und seine Offenbarung vernachlässigbar schienen? Wissenschaft als Selbstzweck? Noch 1263 hatte Papst Urban IV. es erneut verboten, die Schriften des Aristoteles zu übersetzen und zu studieren – freilich umsonst. Denn schon 1255 hatte die Pariser Artistenfakultät den ganzen Aristoteles zum Lehrstoff erklärt – die Geburtsstunde der philosophischen Fakultät, die nicht mehr nur Vorhalle zur Theologie, sondern eigenständig sein wollte, die Geburtsstunde auch des Gelehrten, des Professors, des Intellektuellen.[213]

Verschärft wurde diese Problematik noch dadurch, daß Aristoteles keineswegs nur »pur« überliefert worden war, sondern vielfach vermittelt, kommentiert und ergänzt durch die sehr viel weiter fortgeschrittene arabisch-jüdische Philosophie vor allem spanischer Provenienz. Eine Schlüsselrolle spielte dabei der muslimische Philosoph, Theologe, Jurist und Mediziner aus Cordoba, Ibn Ruschd, im Abendland **Averroes** (1126-1198) genannt, »der Kommentator« des Aristoteles schlechthin, einer der mächtigsten Verteidiger der Eigenständigkeit von Vernunft und Philosophie gegenüber der Religion. Und dieser Averroes sollte später in der Pariser Artistenfakultät einen gescheiten Bundesgenossen erhalten, Siger von Brabant, der wie Averroes einen einzigen Intellekt in allen Menschen annahm und die Eigenständigkeit der Philosophie gegenüber der Theologie betonte.

Muß man von daher lange begründen, daß sowohl Aristotelismus wie Arabismus eine ungeheure intellektuelle **Herausforderung für den jungen Thomas** darstellen? Hinzu kommt, auch wenn Thomas es nicht ausspricht: Der bisher alles bestimmende traditionelle **Augustinismus** befand sich **in der Krise**. Man konnte sich in dieser neuen Zeit in Fragen des Glaubens nicht mehr allein auf die bisherigen Autoritäten berufen: Bibel, Kirchenväter, Konzilien und Päpste – oft unter sich in Widerspruch. Man mußte sich viel stärker als bisher der Ratio und der begrifflichen Analyse bedienen, um zur Klarheit zu kommen. Thomas jedenfalls tat dies entschlossen und mutig zugleich, mit nicht geringer Objektivität und logischer Schärfe, freilich nicht selten unkritisch und die Aussagen der Autoritäten unhistorisch umdeutend – in der damals üblichen »expositio reverentialis«, der »achtungsvollen Auslegung«.

Rationale Universitätstheologie

Doch man mache sich klar: Des Thomas Theologie ist – anders als die mehr kontemplativ-monastische Theologie der Kirchenväter und auch noch die Augustins – wesentlich eine **rationale Universitätstheologie**, verfaßt also von Professoren in der »Schola«, der »Schule«, bestimmt in erster Linie nicht für Volk und Seelsorge, sondern für Studenten und Kollegen der Theologie. Alle Werke des Thomas von Aquin – ob die Summen oder die Fragen zur Disputation, ob die Kommentare zu Aristoteles, zu Pseudodionysios, zu Petrus Lombardus, zu Boethius oder die Kommentare zu verschiedenen alt- und neutestamentlichen Schriften oder schließlich die verschiedenen Opuscula –, sie sind allesamt ganz und gar geprägt vom »scholastischen« Lehrbetrieb. Alle sind exklusiv **in lateinischer Sprache** verfaßt (Thomas lernte weder in Köln deutsch noch in Paris französisch!), alle sehr klar, knapp und kompakt. Der Preis? Sie sind unpersönlich gehalten und im Vergleich zu Augustin eintönig, weil ständig analytisch verfahrend mit zahllosen Einteilungen und Untereinteilungen, mit scharfen Begriffsbestimmungen und formalen Unterscheidungen, mit Einwänden und Antworten, mit allen Mitteln der Grammatik, Dialektik und Disputation.

Dabei ist es keine Frage, daß Thomas von Aquin bei dem ungeheuren Aufwand an hochentwickelter, oft überentwickelter scholastischer Technik seine große Lebensaufgabe nie aus den Augen verlor. Und diese lautet – so der Anfang der »Summa contra gentiles«: »Ich bin mir bewußt, daß ich es als die allererste Aufgabe meines Lebens Gott schulde, Ihn in all meinem Reden und Sinnen sprechen zu lassen.«[214]

»Theo-logie« also auch für Thomas, den Universitätsprofessor, nicht anders als für Augustin, den Bischof: die verantwortete Rede von Gott. Ein **»theologisches Lebensprojekt«**, wie dies Edward Schillebeeckx[215], der flämische Dominikaner, formulierte: das ganze Leben von Thomas verstanden »als **priesterlicher Dienst am Wort** in einer reflexiv-durchdachten, zeitgemäß verantworteten Form«. Gottes Wort sollte weder verkürzt noch ausgehöhlt, verstümmelt und auf das Maß des eigenen Verstandes zurechtgestutzt werden. Nein, Gottes Wort sollte nicht mit irgendeiner menschlich-zeitgebundenen Einkleidung oder Erfindung verwechselbar sein, welche die »Artikel des Glaubens« dem »derisus infidelium«, dem »Gelächter der Ungläubigen«, aussetzte. Thomas ging es also um einen Dienst an der Wahrheit, »der immer an **zwei Fronten zugleich** kämpft«: »gegen verschiedene Arten eines konservativen Integralismus« (repräsentiert durch den augustinischen Traditionalisten Bonaventura) wie »gegen verschiedene Formen überzogener Progressivität« (repräsentiert durch den aristotelisch-averroistischen Progressisten Siger).

Die Kraft der Vernunft und die Wende der Theologie

Der Einfluß des Aristoteles zeigte sich vor allem darin, daß Thomas dem Wissen **der menschlichen Vernunft eine ganz andere Wertigkeit** gab, geben mußte, als dies in der theologischen Tradition der Fall war. Denn es ließ sich für ihn nicht bestreiten: Gegenüber dem Glauben hat die Vernunft ihre Eigenständigkeit, ihr eigenes Recht, ihren eigenen Bereich. Die neue Begierde nach Wissen, nach Wissenschaft mußte ernst genommen werden. Frühere Theologen hatten es da leichter; sie bewiesen sozusagen die Berechtigung der Vernunft neben dem Glauben. Thomas aber sah sich gezwungen, wie er in den Einleitungen zu beiden Summen darlegt, die Berechtigung des Glaubens neben der Vernunft (»rationem fidei«) zu beweisen. Eine neue Herausforderung, die zu einem neuen, gründlichen Durchdenken des Verhältnisses von Glauben und Vernunft zwang. Wie?

Thomas geht davon aus: Die Philosophie hat ihre eigene Berechtigung nicht aus der Erlaubnis der Kirche, sondern aus der Natur der Schöpfungsordnung. Es ist ja doch der Schöpfergott selber, der den Menschen mit Verstand und Vernunft ausgestattet hat. Die Wissenschaft ist eine »Tochter Gottes«, weil Gott der »Herr der Wissenschaften« ist (»Deus scientiarum dominus«). Nimmt man dies ernst, hat dies eine befreiende **Wende der ganzen Theologie** zur Folge:
– eine Wende zum Kreatürlichen und Empirischen,
– eine Wende zur rationalen Analyse,
– eine Wende zur wissenschaftlichen Forschung.

Thomas versteht man also nur, wenn man seine hermeneutisch-methodologische Grundentscheidung verstanden hat. Während Bonaventura, sein Altersgenosse und berühmter Kollege an der Pariser Universität, Begründer der älteren Franziskanerschule, alle Wissenschaften letztlich auf die Theologie zurückführt[216], vertritt Thomas grundsätzlich eine **Unterscheidung** der Erkenntnisweisen, Erkenntnisebenen und damit Wissenschaften:

– Es gibt zwei verschiedene **Erkenntnisweisen** (Erkenntnisrichtungen) des Menschen: Genau ist zu analysieren, was die natürliche Vernunft vermag und was der gnadenhafte Glaube.

– Es gibt zwei verschiedene **Erkenntnisebenen** (Erkenntnisperspektiven) des Menschen: Genau ist auseinanderzuhalten, was der Mensch sozusagen »von unten« in den Grenzen seines Erfahrungshorizontes erkennt und was »von oben« aus Gottes eigener Perspektive durch die inspirierte Heilige Schrift, was also auf die untere Ebene der natürlichen Wahrheiten gehört und was auf die obere Ebene, die der geoffenbarten, übernatürlichen Wahrheiten.

– Es gibt von daher zwei voneinander unterschiedene **Wissenschaften**: Genau muß unterschieden werden: Was kann grundsätzlich die Philosophie erkennen und was die Theologie? Was soll man bei Aristoteles, »dem

Philosophen«, lernen (dafür die Aristoteleskommentare) und was aus der Bibel (dafür die Bibelkommentare)?

Der **Vernunft** des Menschen kommt also, Thomas zufolge, ein großer Bereich zu, in welchem sie aus sich selber heraus erkennend tätig sein kann. Denn selbst Existenz und Eigenschaften Gottes, Gottes Schöpfertum und seine Vorsehung, auch die Existenz einer unsterblichen Seele und viele ethische Einsichten sind natürliche Wahrheiten, die der Mensch auch ohne Offenbarung aus der Vernunft allein erkennen, ja, aufzeigen (»demonstrare«) kann. Und der **Glaube**? Er ist im strengen Sinn erfordert für die Annahme bestimmter höherer Offenbarungswahrheiten. Dazu gehören die Geheimnisse der Dreieinigkeit oder der Menschwerdung Gottes in Jesus von Nazaret, aber auch der Urstand und Endstand, Fall und Erlösung von Mensch und Welt. Diese Wahrheiten übersteigen die menschliche Vernunft. Sie sind rational nicht zu beweisende, überrationale Wahrheiten, was nicht zu verwechseln ist mit irrationalen »Wahrheiten«, die rational widerlegt werden könnten.

Zwei Summen – ein Gestaltungsprinzip

Wegen dieser doppelten Möglichkeit, Gott zu erkennen, und der doppelten Erkenntnisweise der Wahrheit über Gott sind **Philosophie** (die philosophische Gotteslehre eingeschlossen) und **Theologie** zwar nicht zu trennen, da sie vom gleichen Gott sprechen, aber doch zu unterscheiden, da sie eben anders von Gott sprechen. Die Philosophie geht dabei rational »von unten«, von der Schöpfung und den Geschöpfen aus, die Theologie gläubig »von oben«, von Gott. Trotzdem können und sollen Vernunft und Glaube, Philosophie und Theologie sich gegenseitig stützen. Gegenüber dem augustinischen »credo, ut intelligam« (»ich glaube, um zu erkennen«) steht in dieser Theologie das »intelligo, ut credam« im Vordergrund: »ich erkenne, um zu glauben«.

Schon der erste Teil der »Summa theologiae« – zuerst 12 große Kapitel über den einen Gott[217] und dann 16 Kapitel über den dreifaltigen Gott[218]! – macht es deutlich. Auszugehen ist von klar unterschiedenen, nicht geschiedenen zwei Sphären, zwei Erkenntnisebenen, im Bild gesprochen **zwei Stockwerken**: das eine, von höherer Gewißheit, dem anderen, fundamentalen, rationalen eindeutig übergeordnet, doch beide letztlich nicht im Widerspruch, sondern in einer fundamentalen Übereinstimmung miteinander. Ganz so wird auch noch sechshundert Jahre später das Vatikanum I (1870) neuscholastisch-neuthomistisch das Verhältnis von Glauben und Vernunft bestimmen.

Damit hat Thomas von Aquin ohne Zweifel **für die Theologie die ausgereifte, klassische Ausformung des mittelalterlichen römisch-katholischen Paradigmas geschaffen.** Seine Neustrukturierung der gesamten Theologie schließt ein eine **Aufwertung**

- der Vernunft gegenüber dem Glauben,
- des buchstäblichen Schriftsinnes gegenüber dem allegorisch-geistigen,
- der Natur gegenüber der Gnade,
- des Naturrechts gegenüber der spezifisch christlichen Moral,
- der Philosophie gegenüber der Theologie, kurz:
- des Humanum gegenüber dem eigentlich Christlichen.

Und so ist es denn durchaus konsequent, daß Thomas für zwei verschiedene Zwecke **zwei verschiedene Summen**, zwei Gesamtdarstellungen der Theologie, erarbeitete, was ihn nicht hinderte, in beiden auch **dasselbe primär räumlich verstandene zyklische Gestaltungsprinzip** neuplatonischer Provenienz zur Anwendung zu bringen. Denn beide Gesamtentwürfe des Thomas behandeln in der ersten »Hälfte« den **»exitus«**, den Hervorgang aller Dinge aus Gott (Gott als Ursprung), und in der zweiten den **»reditus«**, die Rückkehr aller Dinge zu Gott (Gott als Ziel) – dies freilich ohne den kosmischen Determinismus der Neuplatoniker. Alle Dinge sollen aus Gott, ihrem höchsten Seinsgrund und ihrer letzten Zielbestimmung, verstanden werden: Dies ist für Thomas die wahre »sophía«, »sapientia«, »Weisheit« – und hier hat er sowohl Aristoteles wie Augustin hinter sich. Warum also trotz des gleichen Grundmusters zwei Summen? Antwort: Weil die beiden Summen verschiedenen Zwecken dienen und auf verschiedenen Ebenen operieren konnten:

(1) Die »**Summe gegen die Heiden**«. Sie war für Christen geschrieben, die sich in Auseinandersetzung mit muslimischen (aber auch jüdischen und häretischen) Gegnern befanden: sei es mit Muslimen in Spanien, Sizilien und Nordafrika, sei es mit Juden und Häretikern im christlichen Europa. Im 13. Jahrhundert war ja der kulturell avancierte Islam nicht nur eine politisch-militärische, sondern auch eine intellektuell-geistige Herausforderung. Deshalb mußte der griechisch-arabischen Weltanschauung ein Gegenentwurf entgegengesetzt werden. Dazu dient die »Summa contra gentiles«: eine Gesamtschau christlicher Überzeugungen mit apologetischer, missionarischer und wissenschaftlicher Zielsetzung. Aber gerade weil es um die Überzeugung von Nichtchristen geht, operiert sie weitgehend (abgesehen vom vierten apologetischen Teil[219]) auf der Ebene der **natürlichen Vernunft**. Schriftworte werden bestenfalls vereinzelt zur Bestätigung gebraucht. Mit Muslimen und Heiden könne man über Gott, die Schöpfung und das sittliche Leben (dies sind die drei Themen der ersten drei Teile) nicht auf der Basis des Alten oder Neuen Testamentes diskutieren, sagt Thomas in der Einleitung: »Deshalb ist es notwendig, auf die natürliche Vernunft zurückzugreifen, der alle zuzustimmen gezwungen sind.«[220]

(2) Die »**Summa theologiae**«. Sie ist für Theologen bestimmt, ja, für »Anfänger« der Theologie (eine typisch professorale Überschätzung studentischer Fähigkeiten). Eine theologische Summe liegt hier vor, ein Handbuch mit klarer innerkirchlicher pädagogisch-wissenschaftlicher Zielsetzung, die einen systematischen Überblick über das Ganze der »heiligen Lehre« vermitteln soll. Dabei wird bei allen rationalen Argumenten im Prinzip die biblische Botschaft und so der **christliche Glaube** ständig vorausgesetzt. Doch gelingt es Thomas in beeindruckender Weise, die biblisch-christliche Sprechweise von Gott, dem anredenden und ansprechbaren Vater, zeitgemäß zu deuten mit Begriffen aus der griechischen Philosophie: Gott als »höchstes Sein« (»summum esse«), »das Sein selbst« (»ipsum esse«), »das größte Wahre« (»maximum verum«), »die Wahrheit selbst« (ipsa veritas«), »das höchste Gut« (»summum bonum«). Thomas denkt in seinen beiden Summen gewiß nicht, wie man oft behauptet hat, ungeschichtlich. Allerdings sollte man ihn auch nicht, jetzt umgekehrt übertreibend, zum Geschichtstheologen emporstilisieren.

Geschichtstheologie?

Geschichtstheologe war, wie wir sahen, Augustin. Geschichtstheologe war auch im Jahrhundert vor Thomas – in prophetisch-apokalyptischer und trinitarischer Form – der Abt und Ordensgründer **Joachim von Fiore** (1202)[221], Vorläufer des politischen Messianismus der Neuzeit. Er hatte eine große Vision von Gottes fortschreitender Offenbarung in der Weltgeschichte entwickelt: Nach dem Zeitalter des Vaters (Altes Gesetz: Israel) folgt das des Sohnes (Neues Gesetz: Kirche des Petrus), abgelöst durch ein in Bälde zu erwartendes drittes Zeitalter, das des Heiligen Geistes (»Drittes Reich«). Heraufkommen wird – vorausberechnet für 1260 – eine Kirche des Johannes, eine Mönchskirche wohlgemerkt, in der das Papsttum abstirbt und das Evangelium wirklich gelebt wird! Kein Wunder, daß man in der franziskanischen Bewegung diese Prophezeiung auf sich bezog, obwohl das Vierte Laterankonzil 1215 diese hierarchiebedrohende Prophezeiung selbstverständlich abgelehnt hatte.

Auch der nüchterne Thomas von Aquin, der im Jahr der angekündigten Wende 1260 aus Paris auf dem Weg zur römischen Kurie war, verwirft diese Ansicht mit ungewöhnlicher Schärfe als »völligen Unsinn« und »nichtige Hoffnung« mit dem Hinweis auf Christus als die Fülle der Zeit: »diesem Status des neuen Gesetzes folge kein anderer Status« (des Heiligen Geistes).[222] Denn das Ordnungssystem des Thomas orientiert sich nun einmal nicht an Geschichtsepochen, sondern an philosophischen Seins- und Ursachenstufen.

Und so verzichtet Thomas von vornherein darauf, aus den verschiedenen heilsgeschichtlichen Elementen eine geschichtstheologische Synthese zu schaffen.[223] Daß dies keine Vernachlässigung der Bibel besagt, zeigen seine vielen Schriftkommentare, und immerhin finden sich in seiner »Summa theologiae« lange Abschnitte über das Sechs-Tage-Werk[224], das Alte Gesetz[225] und die Mysterien des Lebens Jesu[226], alles Themen, welche Neothomisten in ihren Schulbüchern fast völlig unter den Tisch fallen zu lassen pflegen; zu beachten auch die weniger philosophisch als biblisch orientierten Abschnitte über die Seligpreisungen, die Früchte des Geistes, den Dekalog und die Charismen.

Keine Frage: Mit seinen beiden Summen hat Thomas die Meßlatte für Theologie hoch angelegt. Und heute wird auch von seinen Gegnern nicht mehr bestritten, daß Thomas von Aquin für seine Zeit eine grandios-neuartige theologische Synthese geschaffen hat. Eine Synthese ja – aber auch ein neues Paradigma? Die Antwort lautet: Nein. Warum nicht?

An die herrschende augustinische Theologie gebunden

Warum hat Thomas – im Vergleich zu Augustin – kein wirklich neues Paradigma schaffen können, keine wahrhaft neue Gesamtkonstellation von

Theologie und Kirche ermöglicht? Warum ist er nicht – wie später Luther – der Initiator eines Paradigmenwechsels (P IV) geworden, obwohl es ihm weder an neuem Milieu (Universität) noch an Wissen, weder an Geistesschärfe noch an Mut gefehlt hat? Die Antwort: Thomas von Aquin hat mit seinem philosophisch-theologischen System das lateinische **Paradigma Augustins** (P III) zwar ganz erheblich **modifiziert, aber nicht abgelöst.**[227] Denn auch dies muß man sehen: Die Theologie des Thomas hat trotz ihrer enzyklopädischen (aber letztlich fragmentarischen) Größe ihre **Grenzen** und **Defizite**. Sie hängen vor allem mit der durchgängigen Verhaftung am griechisch-antiken Weltbild zusammen, insbesondere aber mit der problematischen Abhängigkeit von Augustin.

Denn so sehr Thomas Augustin in Details korrigierte, modifizierte und manchmal auch ignorierte, auf der Ebene der Glaubenswahrheiten blieb er im wesentlichen an die herrschende augustinische Theologie gebunden. Gewiß: Thomas war kein Neoaugustinist (und Neuplatoniker) wie Bonaventura. Thomas hat nie akzeptieren können, daß der menschliche Intellekt in gewisser Weise mit den ewigen göttlichen Wahrheiten in Berührung stehe. Die Erkenntnis geht ja bei ihm – gut aristotelisch – vom Sinnlichen aus. Nein, in seiner Erkenntnistheorie und Metaphysik war Thomas bei allem Beibehalten bestimmter neuplatonischer Gedanken doch ein überzeugter Aristoteliker. So hat er denn nicht in der Art des Bonaventura über den mystischen »Aufstieg des Geistes zu Gott«[228] geschrieben und es auch nicht (wie Bonaventura) gleichzeitig zum Kardinal gebracht. Thomas, kirchlichen Ehren stets abhold, blieb ein Mann der Akademia. Er hätte Abt von Monte Cassino ebenso werden können wie Erzbischof von Neapel. Beides lehnte er ab. Er blieb ein Gelehrter, ein Forscher bis – fast – zum letzten Atemzug.

Trotzdem: So wenig Thomas als Philosoph Augustinist war, so sehr war er es als Theologe – getreu der Unterscheidung seines Systems. Das zweite »Stockwerk«, den theologischen Überbau, die Sphäre des »Übernatürlichen« und der »Heilsgeheimnisse«, beließ Thomas weitgehend in der neuplatonisch-augustinischen Tradition. Zwar macht er immer wieder darauf aufmerksam, daß die Theologie Augustins und der Kirchenväter platonische Begrifflichkeit benutzt. Aber: Weder in der Trinitätslehre noch in der Christologie, weder in der Soteriologie noch in der Kirchen- und Sakramentenlehre hinterfragt er grundsätzlich die patristischen Positionen. Gewiß reflektiert er sie mit seiner aristotelischen Begrifflichkeit, um sie zu aktualisieren, zu verfeinern und zu bestätigen. Aber nur selten und eher stillschweigend, wie in der Prädestinationslehre[229], korrigiert er sie grundsätzlich.

Der französische Dominikaner Marie-Dominique Chenu, der eine der besten historischen Einführungen in das Werk des Thomas von Aquin geschrieben hat, sagt zu Recht: »Thomas hütet sich sehr, selbst da, wo er sagen muß, daß Augustinus der Meinung der Platoniker folgt, dessen Texte abzulehnen; vielmehr wendet er bei ihnen respektvoll das Verfahren der **expositio reverentialis** (achtungsvolle Auslegung) an ... Thomas kann sich in der mittelalterlichen Renaissance gegen gewisse neuplatonische Quellen Augustins entscheiden, – in seiner theologischen Aussage und in seiner spirituellen Wesensart ist er sein getreuer Jünger.«[230] Und so kann denn Chenu bei Thomas einen »augustinischen Grundbestand« in vielen Details feststellen, »ohne den Thomas nicht verstanden werden kann und der übrigens als gemeinsamer und unangefochtener Besitz aller Meister des 13. Jahrhunderts die gleichbleibende Welt der ganzen mittelalterlichen Scholastik ist«[231].

Doch zur kritischen Wertung dieses Befundes stößt Chenu, dieser große (und von Pius XII. zu Unrecht verurteilte) Thomist, der so große Verdienste um die Erneuerung der französischen Theologie und Kirche hat[232], nicht vor. Im Gegenteil: Augustin stellt bei ihm »die Verkörperung höchster und reinster christlicher Wesensart und zugleich den religiösesten Geist im ursprünglichen Sinne des Wortes« dar[233]. Dem ist zwar nicht völlig zu widersprechen, denn auch unsere Darstellung hat gezeigt, daß Augustin der Initiator des lateinischen römisch-katholischen Paradigmas ist und der Vater der abendländischen Theologie.

Doch mit solcher »Kanonisierung« Augustins entgehen Chenu die grundlegenden **Schwächen** der Theologie des Thomas von Aquin, die dieser unbewußt mit Augustin teilt:
– Thomas, wiewohl er einige gerade damals übersetzte Werke griechischer Theologen gelesen hat, durchschaut weder die Einseitigkeiten und Defizite der »psychologischen« **Trinitätslehre** Augustins (Ausgang von der einen göttlichen Natur[234]) noch die durch Anselms von Canterbury juristische Satisfaktionslehre[235] noch verschärfte Verengung der **Erlösungslehre**.
– Er übt keine Kritik an Augustins Vorstellung von einer seit Adam durch den Geschlechtsakt auf alle Menschen übergegangene **Erbsünde** und verteidigt gegen die Griechen die ebenfalls von Augustin für die lateinische Theologie entwickelte Lehre von einem **Fegefeuer**.
– Die schon bei Augustin bemerkbare Verdinglichung des **Gnadenverständnisses** (Konzentration auf die »geschaffene Gnade«) treibt er erheblich weiter voran, wenngleich er im Rahmen seiner Gnadenlehre[236] erfreulicherweise eine eigene Quaestio über die »Rechtfertigung des Sünders« entwickelt[237]. »Gnade« als Gesinnung, Wohlwollen, Gnädigkeit Gottes[238]

dagegen vernachlässigt er – ganz wie schon sein Lehrer Albert der Große. Dafür analysiert er mit Hilfe aristotelischer Physiologie und Psychologie die verschiedenen Arten jener (im Neuen Testament gar nicht zu findenden) »gratia creata«, jener »geschaffenen Gnade« oder »Gnadengabe« (zu verstehen als so etwas wie ein »übernatürliches Fluidum oder Kraftstoff«) und ihrer Wirkungen auf Seelensubstanz, Intellekt, Willen – vor, während und nach dem Akt des Erkennens und Wollens: wirkende und mitwirkende, zuvorkommende und nachfolgende, habituelle und aktuelle Gnade usw. Alles wenig personale, überkomplexe Distinktionen, die schon zur Zeit Luthers obsolet sein werden.[239]

Problematische Trennung von Vernunft und Glauben

Eine weitere Rückfrage betrifft die von Thomas vollzogene **Zweigleisigkeit von Vernunft und Glauben, Philosophie und Theologie** und zielt auf die **Wirkungsgeschichte** des Thomas. Schon damals bestand nicht nur die Berechtigung einer Unterscheidung, sondern die Gefahr einer grundsätzlichen Trennung von Forschung und Frömmigkeit, von Innerlichkeit und Äußerlichkeit, von Spiritualität und Leiblichkeit, von Seelsorge und Weltsorge. Die Moderne wird daraus die Konsequenzen ziehen: ein weltloser Gottesglaube und eine glaubenslose Weltlichkeit, ein unwirklicher Gott und eine gottlose Wirklichkeit. Das war natürlich das letzte, was Thomas selber beabsichtigt hatte. Aber war seine grandios-ausgewogene Synthese zwischen Vernunft und Glauben, Natur und Gnade, Philosophie und Theologie, weltlicher und geistlicher Macht genügend gegen diese Aufspaltung geschützt? Genauer:[240]

– Ist die untere Ebene der »natürlichen« Vernunftwahrheiten (Sinn des Lebens, erste Seinsprinzipien, Existenz Gottes, Naturrechtsethos) tatsächlich so durch unbestreitbare »Evidenz« ausgezeichnet, wie Thomas von Aquin annimmt?

– Ist die obere Ebene der »übernatürlichen« Glaubenswahrheiten (Trinität, Inkarnation) tatsächlich an einem bestimmten Punkt als »Mysterien« gegen Rückfragen der Vernunft oder vom Neuen Testament her abzuschotten, wie Thomas dies tut? Und wird die Bibel, die Thomas so eifrig kommentiert hat, nicht doch allzusehr in die strenge Systematik von anscheinend zeitlosen Lehrsätzen integriert und auf diese Weise domestiziert?

Gewiß: Thomas von Aquin war nun einmal nicht nur vom Weltbild, sondern auch vom Glauben her ein mittelalterlicher Mensch, und es war für ihn eine Selbstverständlichkeit, daß die Vernunft dem Glauben, die

Natur der Gnade, die Philosophie der Theologie, der Staat der Kirche untergeordnet ist. Nichts im unteren Bereich, in Philosophie oder anderen Wissenschaften, durfte oder konnte je einer Wahrheit des oberen Bereichs widersprechen. Thomas wollte keine von der Theologie völlig unabhängige Philosophie oder Ethik. Und doch läßt sich im Blick auf die Wirkungsgeschichte nicht übersehen: Die von Thomas vorgelegte christlich-mittelalterliche Synthese ist bis zum äußersten gespannt und zeitigt in der Dynamik der geschichtlichen Entwicklung Wirkungen, die selbstzerstörerisch werden: Es sollte zu einer bisher noch nie dagewesenen, allumfassenden **Säkularisierungs- und Emanzipationsbewegung** »auf der unteren Ebene« kommen. Wir werden darüber zu berichten haben (P V).

Trotz allem eine Hoftheologie: Absicherung des Papalismus

Und noch eine andere Schwäche ist der Theologie des Thomas immanent, die man leicht übersieht, wenn man zunächst (zu Recht) die innovative Kraft der Theologie des Thomas herausstellt und sogar auf dessen Konfliktsgeschichte mit dem Lehramt der Kirche verweist. Aber verschwiegen werden kann diese Schwäche nicht, so ernüchternd das für die Bewunderer des Thomas sein mag. Denn was sein Kirchen- und vor allem Papstverständnis angeht, so unterscheidet sich Thomas von Aquin sowohl von Origenes, der ein hierarchiekritischer Theologe blieb, wie von Augustin, der auch noch als Bischof alles andere als papstfixiert (Papalist) war, sondern eher ein Episkopalist à la Cyprian. Thomas wurde schließlich doch – es muß klar ausgesprochen werden – zum großen und bis heute wirksamen **Apologeten des zentralistischen Papsttums** im Geiste von Gregor VII. und Innozenz III.: Hoftheologie zwar nicht im Sinne unterwürfigen Lobs und Preis' des Machtträgers, wohl aber im Sinn einer dem römischen Machtsystem höchst effektiv zuarbeitenden theologischen Wissenschaft.

Zwar hat gerade der Mann aus Aquin für die Theologen durchaus ein **magistrales** Lehramt in Anspruch genommen, das im Unterschied zum **pastoralen** Lehramt der Bischöfe nicht autoritativ, sondern argumentativ vorgehe und auf der wissenschaftlichen Kompetenz des Magisters beruhe. Doch zugleich hat Thomas die neue politisch-juristische Entwicklung eines absolutistischen Papalismus in der zweiten Hälfte des 13. Jahrhunderts in das dogmatische System der Theologie einzubauen verstanden. Inwiefern? Man vergleiche mit Augustin:

– Während Augustin noch gar nicht an einen Jurisdiktionsprimat des Petrus denkt, steht dieser für Thomas im Mittelpunkt seines Kirchenbildes.

– Wenn für Augustin Christus selber und der Glaube an ihn das Fundament der Kirche ist, so für Thomas die Person und das Amt Petri.
– Während für Augustin das ökumenische Konzil die höchste Autorität ist, so für Thomas der Papst, der allein ein solches Konzil einberufen darf.
– Kurz: im Widerspruch zum altkirchlichen Paradigma (P II) und auch noch zu Augustin ein gregorianisch **ganz vom Papsttum abgeleitetes Kirchenbild.**

Die Belege? Sie finden sich vor allem in seinem Opusculum »**Contra errores Graecorum**«, das Thomas 1263 in Orvieto im Auftrag Papst Urbans IV. für dessen Unionsverhandlungen mit Kaiser Michael VIII. Palaiologos geschrieben hatte. Hier führt Thomas, der so gut wie kein Griechisch konnte, aber jetzt mehr punktuell neue lateinische Übersetzungen (besonders die von W. von Moerbeke O.P.) griechischer Väter studiert, den damals politisch schwachen Griechen ihre »Irrtümer« in Sachen »Filioque« und **Jurisdiktionsprimat** des römischen Papstes vor. Denn gegen Ende seiner Schrift wird den Griechen in mehreren Kapiteln, die von Zitaten aus pseudoisidorischen und anderen Fälschungen geradezu strotzen, mit zwingender Logik »gezeigt«, »daß der römische Papst der erste und größte unter allen Bischöfen ist«, »daß derselbe Papst über die ganze Kirche Christi den Vorsitz hat«, »daß derselbe in der Kirche die Fülle der Gewalt hat«, »daß in derselben von Christus dem Petrus verliehenen Gewalt der römische Papst der Nachfolger Petri ist«[241].

Auch in bezug auf die päpstliche **Lehrvollmacht** demonstriert Thomas, »daß es Sache des Papstes ist zu bestimmen, was Glaube ist«; und alle seine Kapitel gipfeln in dem offensichtlich von ihm zum erstenmal dogmatisch formulierten und dann von Bonifaz VIII. in die Bulle »Unam sanctam« aufgenommenen fatalen Satz, »daß dem römischen Papst untergeordnet zu sein, zum Heile notwendig« sei.[242] Diese seine Thesen übernimmt dann Thomas auch in die **Summa theologiae**, die er 1265 beginnt und in der sie nun erst recht Kirchengeschichte machen sollen.[243] Kann man nicht verstehen, daß dieser Thomas für die Griechen kein getreuer Vertreter der altkirchlichen Tradition, kein Kirchenlehrer sein kann und für unsere heutige theologische Situation nur bedingt ein Modell?

Eine Ironie der Geschichte ist es trotzdem, daß nur wenige Theologen indirekt soviel zur Destabilisierung des Papsttums beigetragen haben wie Thomas von Aquin. Ungewollt natürlich durch seine politische Philosophie.[244] Wie ist das zu verstehen? Thomas, ein Kommentator auch der aristotelischen »Politik«, hat nicht nur die Vernunft gegenüber dem Glauben, die Natur gegenüber der Gnade, die natürliche Ethik gegenüber der christlichen Moral, die politische Philosophie gegenüber der Theologie, sondern faktisch auch den **Staat gegenüber der Kirche aufgewertet**. Ein besonders wichtiges Moment für jenen damals grundgelegten Säkularisations- und Emanzipationsprozeß! Zwar hielt Thomas in seiner Schrift »De regno« nicht die Demokratie, sondern die (durch aristokratische und demokratische Momente gemäßigte) Monarchie für die beste Staatsform. Aber er vertrat eben auch keine Theokratie (»ein Gott – ein Christus – ein Papst – ein Kaiser«). Eigenständig ist da die Rede vom »menschlichen Gesetz«[245], vom natürlichen Wesen des Menschen, von der menschlichen Natur. Indem Thomas so zumindest indirekt dem Individuum angeborene Qualitäten, Rechte und Pflichten zuschrieb, legte er die Grundlage für einen Humanismus, der sich in der Folge entwickeln sollte.

Das menschliche Individuum: nicht einfach ein der Obrigkeit – Staat oder Kirche – unterworfenes Wesen, nicht einfach ein gehorsamer Untertan, der seine Rechte in der Kirche letztlich vom Papst erhält. Vielmehr ein freier Bürger mit natürlichen Rechten und Pflichten. Vor allem in den Städten und ihren aufstrebenden Schichten setzte sich eine solche Auffassung durch: Die Stadt oder auch der Staat ist zu verstehen als eine natürliche Körperschaft autonomer Bürger, die neben der übernatürlichen Kirche ihre eigenen menschlichen Gesetze machen konnte. Keine Frage, daß diese Staats- und Gesellschaftsauffassung langfristig zum Niedergang des mittelalterlichen Papsttums ebenso beitrug wie die damit verbundene Entwicklung eines nationalen Bewußtseins, wobei auch die damals sich durchsetzende (von Thomas aber zugunsten des Lateins völlig vernachlässigte) Volkssprache (samt Volksliedern, Volksliteratur und schließlich Kirchenliedern) und die bald erwachenden Naturwissenschaften eine Rolle spielten.

Wer wollte also bestreiten, daß Thomas von Aquin sich mit nicht geringem Mut und großer Offenheit auch auf die Herausforderung des Denkens von Nichtchristen eingelassen hat, mit »heidnischen« Philosophen der Antike wie Aristoteles vor allem. Aber wie steht es mit den muslimischen und jüdischen Philosophen der Gegenwart, etwa Averroes oder Moses Maimonides?

Dialog mit Judentum und Islam?

Thomas von Aquin stand in **lebendiger Auseinandersetzung mit der Herausforderung auch von Judentum und Islam**. Und er begnügte sich nicht mit der im Frühmittelalter üblichen Ignoranz und häßlichen Polemik gegen den Islam und den Koran.[246] Gerade seine »Summa contra gentiles« ist ja nicht zu verstehen ohne den Druck, der damals auf manchen christlichen Intellektuellen gelastet haben muß: Ist der Islam dem Christentum geistig-kulturell nicht weit voraus? Hat er nicht die bessere Philosophie? Wie rechtfertigt sich die Option für das Christentum gegenüber dem Islam, gegenüber dem Judentum?

»Thomas ist nicht nach Marokko und nicht ins Land der Mongolen gereist, und er hat kein einziges Wort über die Kreuzzüge« von sich gegeben – so M.-D. Chenu, der fortfährt: »Aber er hat beständig die Werke der großen mohammedanischen Philosophen auf seinem Schreibtisch liegen, und er ermißt die Dimensionen einer Christenheit, die, bis damals eingefaßt in die geographischen und kulturellen Grenzen des römischen Reiches, nun plötzlich sich bewußt wird, daß sie nur ein Teil der Menschheit erfaßt hat, und die unermeßlichen profanen Bestände des Kosmos entdeckt.«[247] Das ist treffend formuliert und wird doch nur richtig, wenn man gerade auch an diesem Punkt erneut die Grenzen des Thomas von Aquin mitthematisiert.

Diese Grenzen liegen nicht so sehr in der Tatsache, daß Thomas »nicht nach Marokko und nicht in das Land der Mongolen« gereist ist (Spanien und Sizilien hätten auch gereicht!). Die Grenzen liegen in der Sache, und die lautet: Thomas hat keinen Muslim persönlich gekannt und mit keinem von ihnen einen persönlichen Dialog geführt. Bedenklicher noch: Thomas hat kein einziges Wort über die Kreuzzüge schriftlich niedergelegt, obwohl Predigerbrüder auch in Palästina tätig waren und obwohl sich bereits gezeigt hatte, daß die Kreuzzüge die erhoffte Wirkung auf die Muslime verfehlten. Am bedenklichsten freilich: Thomas kannte den Islam bestenfalls aus den Werken der großen muslimischen Philosophen, die ohnehin mehr Philosophen als Muslime waren, nicht aber aus dem Koran selber, obwohl dieser auf Initiative des Petrus Venerabilis (=1156), des letzten bedeutenden Abtes von Cluny, in (jetzt mehr als einer) lateinischen Übersetzung vorlag. So verfügte Thomas leider nur über **rudimentäre Kenntnisse vom Islam**, hatte keinen Zugang zum Selbstverständnis der Muslime, die den Koran als Gottes definitive Offenbarung ansehen. Seine Hauptinformanten dürften christliche Missionare gewesen sein, die gegenüber dem Islam offensichtlich in Argumentationsnot geraten waren. Während die Franziskaner nur durch einfache Predigt und praktisches Beispiel unter den Muslimen zu wirken versuchten, so engagierten sich die Dominikaner schon früh auch in der intellektuellen Auseinandersetzung mit dem Islam.

So versteht sich denn auch jene Anfrage eines Cantors aus Antiochien an Thomas bezüglich der muslimischen Lehre von der Einheit und Einzigkeit Gottes, der muslimischen Leugnung von Jesu Gottessohnschaft und Kreuzestod und des Problems der Handlungsfreiheit. Eine Anfrage, die Thomas wohl kurz nach Abschluß der »Summa contra gentiles« mit der üblichen Schärfe, Knappheit und Klarheit in seinem Opusculum **»Über die Gründe des Glaubens«** (»De rationibus fidei«) beantwortete. Doch er geht in seiner Argumentation bezeichnenderweise nicht auf die Bibel selber zurück. Vielmehr setzt er die im hellenistischen Paradigma (P II) formulierten Dogmen von Trinität und Inkarnation, augustinisch verstanden (P III), voraus als von Gott selber geoffenbart. Dann versucht er diese Dogmen zwar nicht positiv als rational zu beweisen, wohl aber sie kritisch-negativ gegen alle islamischen Einwände abzuwehren. Gibt es doch keine Irrationalität (Vernunftwidrigkeit), aber auch keine Rationalität (Beweisbarkeit), wohl aber eine Rationabilität (Vernunftgemäßheit) des christlichen Glaubens …

Schon von daher verbietet es sich, dieses Opusculum wie auch die »Summa contra gentiles« noch heute zum Modellfall einer christlichen Apologetik gegenüber dem Islam zu nehmen, wenngleich Thomas sich dem Verstehenshorizont des Gesprächspartners zweifellos anzupassen versucht. Zwar ging Thomas im Gegensatz zu den allermeisten früheren Apologeten lateinischer und byzantinischer Provenienz erfreulich unpolemisch und streng argumentativ vor. Aber dies alles war keine »Apologia ad extra«, sondern bestenfalls eine »Apologia ad intra«, also Argumente für die schon Bekehrten.[248] An einen echten interreligiösen Dialog dachten damals ohnehin nur Vereinzelte[249], ja, mit den Juden war das im Paris des zwölften Jahrhunderts noch durchaus gängige Gespräch jetzt mit den Kreuzzügen, Judenvertreibungen, Pogromen und all ihren Greueln abgebrochen worden.[250]

Fragen grundsätzlicher Natur, die sich aufgrund unserer Analyse der religiösen Situation der Zeit stellen, sind deshalb unvermeidlich im Hinblick auf den Dialog zwischen Juden, Christen und Muslimen:

Fragen für die Zukunft

✝ Reicht es aus, in der Art des Thomas von Aquin rational nur die Nichtwidersprüchlichkeit des Trinitäts- und Inkarnationsdogmas (P II) aufzuweisen, statt auf den Koran, die Hebräische Bibel und das Neue Testament zurückzugehen? Wäre nicht gerade dieses von dem Juden, Christen und Muslimen gemeinsamen semitischen Kontext her (P I) zu verstehen, der nun einmal einen konsequenten Monotheismus aufweist? Müßte es unter Berücksichtigung der vielfältigen Gemeinsamkeiten und Beziehungen zwischen Bibel und Koran nicht zu einer kritischen Relecture dogmatischer Selbstfestlegungen der Kirche von den Ursprüngen her kommen, ohne daß man die dogmatischen und lehramtlichen Sprachregelungen von vornherein als Abfall vom Evangelium disqualifiziert?

☾ Kann es aber auch umgekehrt überzeugen, wenn islamische Theologie rein dogmatisch von der absoluten Autorität des Koran ausgeht (der Unerschaffenheit, Vollkommenheit und deshalb Unveränderlichkeit des geoffenbarten Buches) und die Hebräische Bibel und das Neue Testament der Verfälschung und Verderbtheit der Texte anklagt? Könnte nicht durch Vergleich leicht festgestellt werden, daß Hebräische Bibel und Neues Testament über die Geschichte Israels sowie Person und Sache Jesu historisch ursprünglicher und sachlich authentischer berichten als der Koran? Müßte es von daher nicht auch zu einer kritischen Relecture koranischer Aussagen im Lichte der Hebräischen Bibel und des Neuen Testamentes kommen, ohne daß dies in Widerspruch stehen müßte zur koranischen Grundbotschaft von dem einen und einzigen Gott?

Ein letzter Punkt ist zu bedenken, der auf fatale Weise Wirkungsgeschichte gemacht hat: die Stellung der Frau.

Problematische Bewertung des Geschlechtlichen

Man hat entschuldigend gesagt, Thomas von Aquin hätte bei all seiner Universalität von drei Dingen nichts verstanden: von der Kunst, von den Kindern und von den Frauen. Das wird zumindest im Fall der Frauen von seinem mönchisch-zölibatären Lebenskontext her verstehbar. Aber hat Thomas nicht doch höchst grundsätzliche und geschichtlich folgenreiche Aussagen über die Frau und ihr Wesen gemacht? Verteidiger des Thomas führen an, er hätte ja nur verstreut über das ganze Werk, sozusagen nebenbei, über die Frau gehandelt. Es finden sich aber über die Frau doch an zwei neuralgischen Punkten der »Summa theologiae« durchaus grundlegende Aussagen: im Rahmen der Schöpfungslehre eine ganze Quaestio mit vier Artikeln über die »Hervorbringung (productio) der Frau (aus Adam)«[251] und im Rahmen der Gnadenlehre ein gewichtiger Artikel über das Rederecht der Frau in der Kirche.[252]

Nun muß freilich sofort gesagt werden, daß für Thomas von Aquin kein Zweifel darüber besteht,

– daß die **Frau** wie der Mann **nach Gottes Ebenbild geschaffen** ist,
– daß die Frau deshalb grundsätzlich dieselbe Würde und ewige Zielbestimmung hat wie der Mann,
– daß die Frau nicht nur um der Fortpflanzung, sondern um des gemeinsamen Lebens willen von Gott geschaffen wurde.

Thomas von Aquin darf deshalb nicht einfach als mittelalterlich-finsterer Frauenfeind abgetan werden. Aber ist das ein Grund, seine anderen Aussagen zu verharmlosen? Hat Thomas nicht in Sachen »Theologie des Weiblichen« viele **Aussagen Augustins noch gesteigert** und verfeinert und damit die Geringschätzung der Frau nicht gemildert, sondern verschärft? Behauptet er nicht mit Berufung auf den biblischen Schöpfungsbericht, der Mann sei »Prinzip und Ziel der Frau«, die Frau aber **»etwas Mangelhaftes und Mißlungenes«** (»aliquid deficiens et occasionatum«)[253]? Die Frau – ein durch Zufall mangelhafter, mißlungener Mann, ein »mas occasionatus«[254]! Dieses Thomas-Wort ist viel zitiert worden.

Muß man von diesem Befund der Schöpfungslehre her noch lange nach Erklärungen suchen, warum **die Frau in der Kirche** des Mittelalters nichts, aber auch gar nichts zu sagen hat? Zwar konnte ihr die Gabe der Prophetie (schon im Alten Testament!) nicht grundsätzlich abgesprochen werden, aber eine **Priesterweihe** von Frauen? Darüber konnte sich Thomas in der abgebrochenen »Summa« zwar nicht mehr verbreiten, doch schon der junge Thomas hatte diese Frage im Sentenzen-Kommentar negativ entschieden![255] Nicht nur die Unerlaubtheit, sondern sogar die Ungültigkeit einer solchen Weihe behauptet er dort, was denn auch prompt in die posthumen Ergänzungen zur »Summa« (Supplementum) als die gültige Position des Thomas aufgenommen wird.[256] Ähnliches gilt von der Predigt von Frauen.[257]

Doch wer nun aufgrund all dieser negativen Aussagen sogleich ein definitives – negatives – Urteil über Thomas fällen möchte, bedenke dreierlei: (1) Thomas drückt vielfach nur das aus, was man (Mann) damals gemeinhin dachte. (2) Thomas gründet sich in manchen Aussagen schlicht auf das Alte Testament (Beispiele: weibliche Erbfolge nur, wenn keine männlichen Nachkommen; keine Männer in Frauenkleidern) oder auch auf das Neue (Beispiele: die Frau um des Mannen willen geschaffen; die Frau schweige in der Kirche). (3) Thomas hält sich als »fortschrittlicher Theologe« für seine Kenntnis der Frau an die größte naturwissenschaftliche und philosophische Autorität seiner Zeit, zu der es kaum eine Alternative gab: **Aristoteles**. Und Aristoteles war es, der in seiner Abhandlung »Über die Zeugung der Lebewesen« die biologische Basis für jene fatale »Geschlechtermetaphysik« und »Geschlechtertheologie« geliefert hatte.

Denn schon Aristoteles zufolge ist die Frau ein »mißlungener Mann«. Warum? In Anwendung seiner Lehre von Akt/Forma und Potenz/Materia auf die Physiologie behauptet Aristoteles: bei der Zeugung eines neuen Menschen sei der **Mann** aufgrund seines Spermas (der »Virtus activa«) der **allein aktive, »zeugende« Teil.** Die **Frau** dagegen sei der ausschließlich **empfangende, passive Teil**, die aufnehmende »Materia«, welche nur die Anlage (»Virtus passiva«) für den neuen Menschen zur Verfügung stelle. Genau dies behauptet auch Thomas , der auch auf die Schwierigkeit, warum dann vom Mann im einen Fall ein Junge und im anderen Fall ein Mädchen gezeugt würde, mit Aristoteles die Antwort gibt: Das könne an einer Schwäche der männlichen Zeugungskraft oder der weiblichen Disposition oder aber an einem Einfluß von außen, des Nordwindes für Knaben oder des (feuchten!) Südwindes für Mädchen liegen, so daß im einen Fall ein vollwertiger und im anderen nur ein »mißlungener« Mann geboren würde. Man kann sich vorstellen, wie verheerend solche Auffassungen jahrhundertelang sich auswirkten. Denn erst 1827 wurde die Existenz einer weiblichen Eizelle nachgewiesen und noch später erst das genaue Zusammenwirken von Eizellen und Spermatozoen bei der Zeugung. Das alles entschuldigt nichts (schon Galenus, der berühmteste Arzt der römischen Antike, hatte einen aktiven biologischen Anteil der Frau bei der Entstehung des Fötus angenommen), erklärt aber einiges.

Trotzdem muß um der historischen Gerechtigkeit willen hinzugefügt werden: Thomas von Aquin hat angesichts des herrschenden Augustinismus mehr als andere seiner Zeit zur allgemeinen philosophisch-theologischen **Aufwertung der materiellen Schöpfungswirklichkeit** (Leiblichkeit) beigetragen und stand der Sexualität positiver gegenüber als sein Lehrer Augustin. Das freilich ändert nichts grundsätzlich an der Anthropologie von Augustin und Thomas, welche die norwegische katholische Theologiehistorikerin Kari Børresen in verschiedenen grundlegenden Arbeiten eingehend untersucht hat.[258] Ihr Resultat: Sowohl Augustin wie Thomas vertreten ohne jeden Zweifel eine **androzentrische, auf den Mann zentrierte Anthropologie**. Beide betrachten die Lehre der Beziehung von Mann und Frau nicht aus dem Blickwinkel eines wechselseitigen Verhältnisses, sondern allein aus dem Blickwinkel des Mannes. Der Mann wird als das exemplarische Geschlecht angesehen, und von ihm her werden Wesen und Rolle der Frau verstanden. Statt wechselseitige Komplementarität hierarchische Über- und Unterordnung! Thomas hat Augustin allerdings verschiedentlich korrigiert, ohne explizit gegen ihn Stellung zu nehmen.[259]

Blickt man nun zurück auf das Gesamt der Theologie des Thomas, vor allem seine Ekklesiologie und Anthropologie, so kommt man um die Feststellung nicht herum: Sieht man vom philosophischen Unterbau ab, so stellt das System des Thomas von Aquin nur bedingt eine neue Theologie dar. Es handelt sich eher um die mit aristotelischen Kategorien und Gedankengängen vollzogene systematisch-spekulative Durchgestaltung, aber leider auch **Verfestigung, Verschärfung und Vollendung des römisch-katholischen Paradigmas** (P III), wie es schon von Augustin und Leo initiiert worden war.

Thomas freilich wäre selber der Letzte gewesen, der irgendeine Form der »Kanonisierung« oder gar »Verabsolutierung« seiner Theologie angestrebt hätte. In bestimmten Grenzen war er sich durchaus der Kontextualität von Glaubenssätzen und damit ihrer Relativität bewußt.[260] Aber es mußte erst zur Krise der systematisch-spekulativen Scholastik kommen – im spätmittelalterlichen Nominalismus (Ockhamismus) war sie immer bibelferner und weltfremder geworden und hatte vor lauter rationalen Konklusionen die Grundwahrheiten des Glaubens ebenso wie seinen existentiellen Charakter vernachlässigt –, bis eine neue Ausgangslage für einen Paradigmenwechsel geschaffen war: der Paradigmenwechsel zur Reformation (P IV).

Das Problem der Stellung der Frau, welches wir soeben bei Thomas kritisch angesprochen haben, muß uns um seiner grundsätzlichen Bedeutung willen noch weiter beschäftigen: die Rolle der Frau im Mittelalter überhaupt, das man gemeinhin »das christliche« nennt.

10. Christliches Mittelalter?

Papst und Kaiser, Machtkämpfe und Ketzerbekämpfung, Kreuzzüge und Bettelorden, Exkommunikation und Inquisition, Universität und Theologie: ist das das ganze christliche Mittelalter? Natürlich nicht. Was wäre da nicht alles gleichzeitig zu berichten? Zu berichten, wie gerade im Hochmittelalter, in der Stauferzeit, der Blüte des Rittertums, des Minnesangs und des Volksepos die hochromanischen Dome von Worms, Mainz und Speyer gebaut und bereits auch der Durchbruch zur Gotik mit Notre-Dame von Paris, mit Chartres, Laon, Canterbury und Marburg erreicht wurde. Eine »Scholastik des Steins«[261] hat man diese Dome genannt mit ihrer einzigartigen Verbindung von Vernunft und Glaube, mit ihrer raffinierten Spitzbogentechnik und ihrer Mystik des Lichts, mit ihrer überreichen Vielfalt der Skulpturen, Glasmalereien und der strengen Einheit der nach oben weisenden Architektur … Und das Mittelalter ist keineswegs nur das lichte Zeitalter der Kathedralen, Universitäten und Schlösser, sondern auch das dunkle Zeitalter der großen Hungersnöte und Epidemien, der Massen von Armen und hilflosen Kranken. Und vor allem: Es ist nicht nur ein Zeitalter der Männer, sondern auch der Frauen, der Fürstinnen, Nonnen und Madonnen.

Vom christlichen Alltag

Christliches Leben im Mittelalter? Ist Mittelalter gleich Christentum? Das Mittelalter war zweifellos geprägt von einem einheitlichen christlichen Weltbild, wie gerade der russische Historiker Aaron Gurjewitsch herausgearbeitet hat.[262] Trotzdem ist es kein einförmiger Block, nicht als »finster« anzuschwärzen oder als »christlich« zu vergolden. Es ist **vielfältig und bunt gelebtes Leben**. Das gilt schon für die Geschichte des **privaten Lebens**, für zentrale Tendenzen, Strukturen und Milieus, wie sie Georges Duby und sein Team nicht chronologisch, sondern typologisch anhand verschiedener Verwandtschaftsverhältnisse, Lebensgewohnheiten, Wohnformen, Frömmigkeitsriten und Intimitätserfahrungen bei Adligen, Bauern und Bürgern vom Feudalzeitalter bis zur Renaissance (11.-15. Jh.) analysieren und mit Bildern illustrieren.[263] Das gilt für die verschiedenen **Typen des mittelalterlichen Menschen** vom Mönch und Ritter über den Bauern und Städter bis hin zum Künstler und Außenseiter, wie sie zehn hervorragende zeitgenössische Mediävisten unter Jacques LeGoff gezeichnet haben.[264] Das gilt auch für die unter französischem Einfluß stehende deutsche **Adelskultur**, wie sie der Kölner Mediävist Joachim Bumke von der Literatur her analysiert hat: von den Essensgewohnheiten bis zur höfischen Liebe oder »Minne«.[265] Und das gilt schließlich auch für die **Intellektuellen**, unter denen auch die nichtuniversitären Denker und Strömungen ernst genommen werden müssen, wie dies Ruedi Imbach[266] und Alain de Libera[267] herausgearbeitet haben. Ja, wie komplex (keineswegs eine christliche Einheitskultur!), wie neugierig (auf das arabische, jüdische, griechische Gedankengut!), wie innovativ (welche mutigen neuen Entwürfe neben Thomas auch von Ramón Lull, Dante und Eckhart!) ist doch dieses Mittelalter. Ein Zeitalter des Glaubens, gewiß, aber wie schon am Anfang von Wolfram von Eschenbachs Parzival-Epos, der berühmtesten deutschen Dichtung des Mittelalters, zu erkennen, auch ein Zeitalter des Zweifels, wie es der große Abaelard, Autor des zweifelnd-fragenden »Ja und Nein«, deutlich gemacht hat, der wegen seiner Liebe zu seiner Studentin Héloïse, Nichte eines Pariser Domherrn, gewaltsam kastriert wurde.

Ja, was wäre da nicht alles zu erzählen von »Barbaren, Ketzern und Artisten«, von den »Welten des Mittelalters«, wie dies höchst kundig und kunterbunt etwa der Mediävist Arno Borst, Spezialist für die Katharer[268] ebenso wie für die Lebensformen im Mittelalter, in seinem Buch tut[269] und dabei nicht nur die mittelalterlichen Deutungen von Sprache, Herrschaft und Geschichte behandelt, nicht nur die religiösen, sozialen und geistigen Bewegungen, sondern auch die mittelalterlichen Erfahrungen mit Kunst, Wissenschaft und Spiel, mit der Natur und schließlich mit der Sterblichkeit ... Dies alles gehört selbstverständlich zu dem, was wir heute das »christliche Mittelalter« nennen. Ja, wir müssen noch grundsätzlicher und selbstkritischer sagen: Das was uns in der Analyse des mittelalterlichen Paradigmas bisher hauptsächlich beschäftigen mußte, ist keineswegs das, worum sich mittelalterliches Alltagsleben hauptsächlich drehte. Was hat der damalige Normalchrist, der kaum lesen und schreiben konnte und auch kaum über authentische Nachrichten verfügte, überhaupt mitbekommen von den großen Kämpfen zwischen Kaiser und Papst, all den Dekreten und Streitschriften? Und wie weit interessierte ihn in seinem Alltag, ob der Kaiser oder der Papst die Welt regiere? Da war ihm die Macht oder Übermacht des jeweiligen Bischofs vor Ort schon sehr viel näher, und gegen ihn vor allem rebellierten die selbstbewußt gewordenen Bürger der mittelalterlichen Städte nicht selten.

Was gehört nicht alles zum **christlichen Leben** dazu, das ganz praktisch und konkret **von der Kirche dominiert** wurde! Schon **akustisch** war diese Kirche präsent, und zwar mit jedem Glockenschlag, der ständig die Zeit und wichtige Ereignisse ansagte. **Optisch** nicht weniger: Die Kirchen und ihre Türme (und in Städten wie Paris oder Köln waren es ganze Türmelandschaften) überragten die damals noch bescheidenen Bürgerhäuser und auch das Rathaus; noch gab es keine Bauten für Vergnügungen. Ja, die Kirche dominierte lange Zeit auch **geistig** das mittelalterliche Leben, durch ihre Schulen und ihre zweifellos imponierenden Kulturleistungen: Die reich ausgestatteten Kirchenportale ebenso wie die Glasfenster und Fresken hielten als »Bibel der Armen« (»Biblia pauperum«) die wichtigsten Heilsereignisse aus der Geschichte Israels und Jesu Christi ständig vor Augen – vor allem Verkündigung, Geburt, Wunder, Passion und Auferstehung Christi. Und der damals noch konkurrenzlose Gottesdienst mit seiner Farbenpracht, seinen goldenen Gefäßen und seiner unüberbietbaren Feierlichkeit, den Prozessionen, den Gesängen und bald auch dem Orgelspiel: ein wahres Fest der Sinne und des Herzens für Alt und Jung, Reich und Arm.

Keine Frage, daß gerade die großen Festtage des Kirchenjahres ein

Gemeinschaftserlebnis darstellten, das die soziale und ökonomische Erbärmlichkeit der Massen in den mittelalterlichen Städten in willkommener Weise unterbrach. Keine Frage aber auch, daß der regelmäßige Sonntags- und Feiertagsgottesdienst zugleich eine **Sozialkontrolle** darstellte, die jeden Menschen sanft in das Kollektiv zwang, dem er sich in dieser Zeit beschränkter Mobilität kaum entziehen konnte. Zu sehr waren Gesellschaft und Kirche ineinander verwoben, zu sehr war gesellschaftliches Leben auch kirchliches Leben und umgekehrt. Erst die Moderne kennt ja eine Entflechtung von Religion und Gesellschaft, eine Ausdifferenzierung der gesellschaftlichen Sektoren, von denen die Kirche schließlich nur noch einer wird. Im Mittelalter dagegen waren Gesellschaft und Kirche noch ungetrennt – ganz wie heute mancherorts noch im Islam.

Die großen Massen hatten ohnedies nicht das Bedürfnis, sich der Kirche zu entziehen. Warum auch? War es doch nicht nur die **kollektive Freude**, welche die Menschen zusammenhielt, sondern auch die **kollektive Angst**. War es nicht verständlich, daß den Menschen in einer Zeit der Armut, des Schmutzes, der mangelnden Hygiene und medizinischen Versorgung, der Überfälle, der Kriege, Hungersnöte, Seuchen und überhaupt der frühen Sterblichkeit und hohen Sterbensquote jedes Mittel willkommen war, um mit ihrer Not, ihrer Schuld und ihrer Angst fertig zu werden? Wir hörten schon von all dem frommen Aberglauben, zum Teil übernommen aus germanischer Vorzeit, und den frommen Werken der Meßopfer, der Heiligen- und Reliquienverehrung, der Exorzismen und Ohrenbeichten, der Segnungen, Bittgänge und Wallfahrten. Besonders entwickelten sich damals – oft abstruse – Vorstellungen von Himmel, Hölle und **Fegefeuer**. Jacques LeGoff erzählt – auf dem Hintergrund früherer Jenseitsvorstellungen – höchst detailliert von der »Geburt des Fegefeuers« im zwölften Jahrhundert, wo mitten in der Blütezeit des Feudalismus und der Entstehung einer neuen Mittelschicht das Substantiv »purgatorium« für einen mittleren Ort zwischen Himmel und Hölle auftaucht und als Zwischenzustand samt zu bestehender Prüfung klar lokalisiert wird – jene ursprünglich augustinische Lehre, die dann von der Kirche gegen die griechische Theologie auf den Konzilien von Lyon (1274) und Florenz (1439) zum Dogma gemacht und von Dante Alighieri († 1321) im »Purgatorio« seiner »Divina commedia« unübertroffen dichterisch ausgestaltet wird.[270]

Doch wäre auch – positiv – die mittelalterliche »**Ars moriendi**«, eine Kunst und Kultur des Sterbens, zu nennen. Sie ließ die Menschen nicht für sich allein sterben, sondern mitten in der Gemeinschaft, begleitet von Angehörigen und gestärkt von Gebet und kirchlichen Sterberiten.[271] Der

Tod war dem mittelalterlichen Menschen nahe, vertraut, ständiger Begleiter, zumal im zwölften Jahrhundert der eigene, individuelle Tod neu erfahren wurde und im 14./15. Jahrhundert der Tod durch die Pestwellen zum Massenphänomen sondergleichen geworden war. Damals wußte man um den Sinn des Lebens, weil man um den Sinn des Sterbens wußte. Ob hier der Grund liegt, warum im Mittelalter nicht nur der Atheismus, sondern auch der Freitod höchst selten war? Gewiß, die mittelalterliche Religiosität war sehr stark auf das Jenseits ausgerichtet, aber ob dem Jenseits als dem ständig präsenten Horizont vergaß man das Diesseits mit all seinen Nöten keineswegs.

Von christlicher Caritas und Gottesfrieden

Natürlich kann man sich angesichts dieser manchmal fröhlichen, manchmal gedrückten mittelalterlichen Werkfrömmigkeit fragen: Was ist da wirklich christlich und was nicht? Was ist da einfach Gewohnheit und was innere Überzeugung, was pure Tradition und was christlicher Glaube? Was ist zeitangemessene Fassade und was wahrhaft christliche Substanz? Doch schon bei unseren Reflexionen über den Umbruch von der Spätantike zum germanischen Mittelalter konnten wir feststellen[272]: Bei jenen in der Karolingerzeit neu auftretenden typischen mittelalterlichen Frömmigkeitsformen handelt es sich um **Variablen**, die als solche gerade nicht verabsolutiert und verewigt werden können. Zugleich aber ist unbestreitbar: Bewahrt wurde die **christliche Substanz**, dasselbe Evangelium, derselbe Eingangsritus (Taufe), derselbe Gemeinschaftsritus (Eucharistie) und dasselbe Ethos (Nachfolge Christi) – trotz aller Überlagerungen, Verschiebungen und Verschüttungen. Etwas anderes zu behaupten, hieße, dem römisch-katholischen Paradigma nur Abfall vom Christlichen zu unterstellen.

Auch dasselbe Ethos, die Nachfolge Christi? Vielleicht werden nicht nur Protestanten gerade dies bezweifeln und sich mit dem Hinweis auf Ordensmänner und Ordensfrauen nicht zufrieden geben. Gewiß ist unleugbar: Auch und gerade im Mittelalter gab es mißverstandene Christusnachfolge. Da wurde oft genug Kreuzesnachfolge mit einem Kult des Kruzifixes verwechselt, mit mystischer Versenkung im privaten, anbiedernden Miterleben des Leidens Jesu oder aber mit Kopierung des Passionsweges des Gekreuzigten (Geißler-Bewegungen). Und doch gab es ebenfalls ungezählte mittelalterliche Menschen, die unprätenziös im Alltag eine **authentische Nachfolge Jesu** leben wollten: nicht in Imitation Christi, sondern in Korrelation, in Entsprechung zu Christus. Dieser hatte ja nicht das Leid gesucht, noch es auch nur ertragen, sondern aktiv bekämpft: im Einsatz für die Schwachen und Marginalisierten, von denen unsere Historie stets so viel weniger weiß als von den Oberschichten. Aktiv war er gegen die Mächte des Bösen, der Krankheit und des Todes in der gar nicht so heilen Welt angegangen. Und seine Botschaft? Hatte sie nicht in dem Gebot der Nächstenliebe ihren Höhepunkt gefunden, unvergänglich eingeprägt in der Parabel von der Pflege des unter die Räuber Gefallenen? Gab es nicht die Erzählung vom Endgericht (Mt 25), wo der wiederkehrende Christus die Menschen nach ihrem Einsatz für die Hungernden, Dürstenden, Nackten, die Fremden, Kranken und Gefangenen beurteilt? Ungezählte haben im Mittelalter diese Form der Christlichkeit ganz selbstverständlich gelebt, und all dies gehört hinein in eine Christentumsgeschichte, die mehr ist als eine Kirchengeschichte! Wahrhaftig, die **Geschichte des authentisch gelebten Christseins** und die Geschichte der Durchsetzung der Kirche als Institution im politischen Machtspiel sind zweierlei!

Es läßt sich von daher nicht bestreiten, daß gerade die mittelalterliche Christenheit die tatkräftige **Caritas** als ihre besondere Aufgabe erkannt hat, die Sorge um die Leidenden und die Armen.[273] Und es fragt sich, ob nicht die planmäßige Sorge für die Kranken von Jesus her eine das Christentum vor anderen Weltreligionen auszeichnende, spezifisch christliche Angelegenheit geworden ist. Schon früh haben ja Bischöfe und Diakone die **Krankenpflege** der Gemeinden organisiert. Schon im vierten Jahrhundert entstehen Krankenhäuser (Nosokomien). Und im Mittelalter entwickelt sich die Krankenpflege allenthalben durch die Klöster, insbesondere seit der Cluniazensischen Reform, aber auch durch die ritterlichen und bürgerlichen Spitalorden. Daraus hat sich später die moderne Krankenpflege der katholischen und evangelischen Orden und Kongregationen entwickelt. Und es ist gar keine Frage, daß gerade in der Sorge um die Kranken die Frauen in der Christenheit von Anfang an bis heute ein besonderes Engagement gezeigt haben.[274]

Nicht vergessen sei auch die Sorge um den **Frieden** in friedloser Zeit: Im Frühmittelalter weitverbreitete archaische Bräuche wie Blutrache und (oft langjährige) Fehde, Folge eines germanischen Selbsthilferechtes, wurden im Hochmittelalter von einer christlichen Friedensbewegung zuerst in Südfrankreich bekämpft und schließlich überall in Europa erheblich eingeschränkt von Bischöfen, welche die »treuga Dei«, den **»Gottesfrieden«** proklamierten: für alle »heiligen Zeiten«, für Advents- und Weihnachtszeit, Fasten- und Osterzeit, und für die Wochentage von Freitag bis Sonntag. Ein »Gottesfrieden« des Bischofs, der dann durch den König zum »**Landfrieden**« wurde. Die Brutalität schwand, die Sitten verfeinerten sich, die Raubritter von einst waren zwischen 1100 und 1300 vielfach zu den galanten Rittern des Minnesangs und der Turniere geworden. Immer mehr verschwindet jetzt die Haltung der Weltverachtung, und die Kunst nimmt eine Wende zum Realismus.

Doch dies alles können wir hier im nüchternen Rahmen unserer Paradigmenanalyse nicht weiter im Detail behandeln. Wir haben uns – es sei wiederholt – erstens auf das Christentum zu konzentrieren (und nicht allgemein auf die Kultur) und können zweitens auch im Christentum nicht das ganze bunte, vielfältige Leben schildern, so wichtig es für das einzelne gelebte Christsein ist. Ziel unseres Unternehmens ist die Herausarbeitung der dominanten, paradigmatischen Grundstrukturen, wie sie sich auch heute noch durchhalten. Einige grundsätzliche Anmerkungen zum christlichen Alltag müssen genügen, worin der Paradigmenwechsel konkret wird. Und besonders konkret wird er in einer entscheidenden Frage, die uns im Zusammenhang von P I und P II bereits beschäftigt hat und die nun auch bezüglich P III ein Testfall des Paradigmenwechsels ist: die sich im Mittelalter verschärfende Problematik der Frau. Hat man nicht gerade im Mittelalter – auch abgesehen von der Theologie – die Frau deutlich zurückgesetzt?

Frauen im Mittelalter

Die Frauen im Mittelalter: Noch mehr als in anderen Epochen ist hier die Forschung im Fluß – angestoßen von feministischen Wissenschaftlerinnen, die davon überzeugt sind; vor allem in den Kirchen stehen Selbstverständnis und Verhaltensmuster heutiger Frauen noch immer unter den Nachwirkungen des Mittelalters, das grundpatriarchalisch die Frauen selbst im Lob noch an männlichen Maßstäben (»das schwache Geschlecht«!) zu messen pflegt. Freilich erweist es sich für die Frauenforschung als leichter, mittelalterliche Theorien, Diskurse und Modelle zu rekonstruieren, als die Lebenswirklichkeiten der Frauen wiederzuentdecken.[275]

Nun haben wir ja die Gründe kennengelernt[276], warum trotz aller Ansätze in Antike und Frühchristentum eine wahre Gleichstellung der Frauen schon in der frühen Kirche verhindert wurde. Dazu gehören die Durchsetzung hierarchischer Strukturen und einer Männerherrschaft gerade im Bereich des Sakramentalen; dann eine zeittypische Sexualfeindlichkeit auch außerhalb der Klöster in Kirche und Gesellschaft; schließlich die Abwertung der Bildung, die gerade für Frauen teilweise offen verachtet wurde. Und wir haben ebenfalls gehört[277], wie dann in der karolingischen Zeit auf breiter Front ein sexualmoralischer Rigorismus durchbrach, sowohl für den Klerus (Eheverbot) wie für die Laien (Berührungsverbot der heiligen Gestalten und Ausschluß der Frauen sogar vom Altarraum). Nicht zu vergessen der unheilvolle Einfluß der durch iroschottische und angelsächsische Mönche auf dem Kontinent verbreiteten Buß- und Beichtbücher, die den geschlechtlichen Verkehr zurückzudrängen versuchten. »Mittelalterliche Welt«? Sie meint – in der kirchlichen Idealvorstellung – **eine von Priestern, Mönchen, Nonnen und ihrem Enthaltsamkeitsideal bestimmte Welt.** Diese sind nicht nur die einzigen Träger einer schriftlichen Bildung, sondern nehmen auch auf der Rangskala des Christlichen den höchsten Rang ein, weil sie ohne Ehe und (privaten) Besitz bereits jetzt das Himmelreich verkörpern.

Für die **Verheirateten** aber bedeutet dies: Gerade weil der Körper jetzt als sakrosankter Tempel angesehen wird, so darf er, wenn überhaupt, nur dann mit einem Körper des anderen Geschlechtes verbunden werden, wenn dies zum Zweck der Kinderzeugung geschieht. Empfängnisverhütung wurde deshalb auf die gleiche Stufe gestellt wie Abtreibung und Aussetzung von Kindern. Von daher kann man es verstehen, wenn Jacques LeGoff in bezug auf die Leiblichkeit eine der großen »Kulturrevolutionen« (ich würde von Paradigmenwechsel sprechen) feststellt: Nach der Antike und ihren leibfreundlichen Theatern, Thermen, Stadien und Arenen jetzt die Wende zu einem Mittelalter, das den Leib (und den Frauenleib besonders) als Kerker der Seele verachtete, weil er der Sitz der Sexualität und der erbsündlichen »Infektion des Fleisches« sei. Hier manifestiere sich eine »déroute doctrinale du corporel«, eine »lehrmäßige Entgleisung des Körperlichen«[278]. Alles in allem eine Niederlage des Körperlichen und des Frauenleibes ganz besonders, der in besonderer Affinität zur satanischen Versuchung gesehen wird; der Hexenwahn kündigt sich an.

In der ausgehenden Antike, wo zumindest die Frauen der Oberschicht große Entfaltungsmöglichkeiten besaßen, sorgten römisches Recht und Kultur noch für Freiräume. Aber, fragt man sich, hat nicht auch die freie Germanin ursprünglich doch ein größeres Maß an persönlicher Selbstbestimmung, sexueller Freiheit, ökonomischer Selbständigkeit und Zustimmungsrecht bei der Heirat gehabt, als man lange Zeit annahm? Darüber wird in der heutigen Frauenforschung mit dem Blick auf das **Frühmittelalter** diskutiert. Diese Forschung ist lohnend, um ein Bild von den wahren Lebensverhältnissen von Frauen zu gewinnen.[279]

Denn man gibt sich in der heutigen Frauenforschung nicht mehr zufrieden mit der wohlbekannten Tatsache, daß Frauen als **Herrscherinnen** durchaus eine nicht unbedeutende Rolle spielen konnten: Frauen wie Adelheid, Theophanu, Agnes oder Konstanze, auch Äbtissinnen (z. B. Mathilde von Quedlinburg, Schwester Ottos II.) und andere Frauen der adligen Oberschicht schon bei den Merowingern, den Karolingern und noch den Ottonen. Dies gilt insbesondere für die »First Lady« des Imperiums (»consors imperii«), deren Stellung von der Krönungsliturgie angefangen bis zur faktischen Mitregentschaft oder (bei fehlenden Nachkommen) auch Alleinregentschaft beträchtlich war. Nach den Plastiken aus dem Frühmittelalter werden König und Königin gleichberechtigt nebeneinander dargestellt. Die Frauen in der adligen Laiengesellschaft waren zumeist gebildeter als ihre Männer, die noch in der zweiten Hälfte des zwölften Jahrhunderts zuallermeist Analphabeten waren (so selbst noch Kaiser Friedrich Barbarossa). Diese hochadligen Frauen auch in Frankreich und Italien konnten faktisch (nicht verfassungsmäßig) ständig, besonders aber im **Witwenstand** beachtlichen politischen Einfluß ausüben; wir erinnern uns an die verwitwete Markgräfin Mathilde von Tuszien, jene Herrin von Canossa, welche für Gregor VII. in seinem welthistorischen Kampf eine unverzichtbare Bundesgenossin war. Denn der Witwenstand stand unter dem besonderen Schutz des Königs und war muntfrei; Witwen konnten über Mitgift und das vom Ehemann ererbte Vermögen verfügen und sich frei zur Wiederverheiratung entscheiden.

Was aber besagt dies alles über die soziale Stellung und das Selbstverständnis der Masse der Frauen zu dieser Zeit? Wenig. Daß hochadelige Frauen in gewissen Fällen die Bedeutung von Männern erlangen konnten, sind gerade die Ausnahmen, welche die Regel bestätigen. Denn es kann nun einmal nicht übersehen werden, daß auch im **Hochmittelalter** die **Gesellschaftsstruktur** ganz und gar **patriarchalisch** geprägt blieb. Gewiß: Die Tatsache, daß seit der Karolingerzeit wenigstens die Sklaverei abgeschafft und in »Hörigkeit« umgewandelt wurde, wirkte sich positiv aus. Aber noch gab es im christlichen Mittelmeerraum und besonders in Hafenstädten wie Genua zahlreiche Sklaven und Sklavinnen (nicht zuletzt aus muslimischen Ländern). Sofern also die Frauen im Mittelalter überhaupt Freie und nicht Sklavinnen oder Hörige waren, so waren sie zuallermeist weder lehensfähig noch vor Gericht eidfähig, konsequenterweise allerdings auch nicht wehrpflichtig.

In Familie und Haus galt der Wille des Haus-Herrn. Gewiß hatte die Frau an den stadtbürgerlichen Freiheiten Anteil. Aber diese meinten ja nicht die persönlichen Freiheitsrechte im modernen Sinn, sondern die korporative Freiheit der Bürgerschaft, der Stadtgemeinde, Zünfte, anderer

Körperschaften. Und gewiß bot die vollentwickelte Stadt den Frauen mehr berufliche Entfaltungsmöglichkeiten als früher in Handwerk, Klein- und vereinzelt auch Großhandel. Aber festzuhalten bleibt: Sie bot ihnen nicht die gleichen Rechte und die gleiche Entlohnung und auch – von einer kleinen Schicht von Regentinnen und adligen Frauen abgesehen – **keine politische Mitbestimmung.** Folgt man der Studie der Bonner Mediävistin Edith Ennen über Frauen im Mittelalter für den Raum zwischen Seine und Rhein, jenem neben den oberitalienischen Städten zweiten Schwerpunkt mittelalterlicher Städteentwicklung, so gilt, »daß an der großartigen Entfaltung des Städtewesens im 12. und 13. Jahrhundert die Frau nur passiven Anteil« hatte, eben »als Gefährtin und Gehilfin des Mannes«[280]. Konkret hieß das: »Sie gehört nicht zu den Geschworenenausschüssen in den nordfranzösischen Städten, sie sitzt nicht in den Stadträten, die sich im 13. Jahrhundert in den deutschen Städten als städtische Organe bilden. Sie teilt das Wagnis des Unfreien, des kleinen Mannes, der in die Stadt zieht und sich dort mit dem Geld, das ihm der Verkauf seines Grundbesitzes einbrachte, oder nur mit seiner Arbeitskraft eine neue Existenz gründet. Sie trägt seinen sozialen Aufstieg mit, so wie der Handelsgewinn eines städtischen Kaufmanns ihr erlaubt, sich kostbar zu kleiden, Mägde zu haben, in einem großen, gut ausgestatteten Haus zu wohnen und zu walten. Sie hat wohl schon beruflich im städtischen Gewerbe mitgearbeitet. Aber davon wissen wir vor 1250 wenig.«[281]

Die Verhältnisse waren nach Ort und Zeit natürlich sehr verschieden. Und wer nicht monokausal urteilt, wird zugeben: Die **geschlechtsspezifische Arbeitsteilung**, die eine Stereotypisierung der Rolle der Geschlechter zu Ungunsten der Frau zur Folge haben wird, hat mehrere Ursachen:
– die **Zunahme der Bevölkerung** seit dem siebten Jahrhundert, möglicherweise begünstigt durch einen warmen Klimaschub zwischen dem zehnten und zwölften Jahrhundert (ein Frauenüberschuß wird bestritten);
– die Entwicklung **neuer Techniken**, der schwere, tiefgehende Pflug und der Einsatz des Pferdes mit Hufbeschlag und Pferdegeschirr;
– die Neuformierung der seit dem 5./6. Jahrhundert geschrumpften römischen **Städte** des Westens und die starke Zuwanderung vom Land;
– die Entstehung eines **Bürgertums** in rechtlicher (nicht sozialer) Gleichheit und in Freiheit von stadtherrlicher (zumeist bischöflicher) Bevormundung;
– die Entwicklung einer städtischen kaufmännisch-gewerblichen **Marktwirtschaft**, welche der Landwirtschaft ihre bisher überlebenssichernde Bedeutung nimmt; Handwerk und Handel aber sind aufs Ganze gesehen Männersache, der Haushalt ein Frauenhaushalt;

– die **Universität** und damit alle akademischen Berufe bleiben den Frauen noch auf Jahrhunderte verschlossen; die an den Universitäten ausgebildeten (männlichen) Gelehrten dringen in die landesherrlichen und städtischen Behörden ein und sind jetzt als Ärzte, Notare und Prokuratoren unverzichtbar, was umgekehrt die Frauen aufgrund fehlender akademischer Ausbildung in die nur assistierenden Positionen abdrängt. Professionelle Ärzte zum Beispiel können Frauen nicht werden, aber Helferinnen, Pflegerinnen, Hebammen.

Viele Forschungen über Frauen im Mittelalter, so berichtet die Historikerin Annette Kuhn, kreisen um die »zentrale Frage der Bedingungen und der Gründe für den Ausschluß der Frauen aus der kapitalistischen Wirtschaftsentwicklung«[282]. Im Anschluß an die amerikanische Historikerin Martha Howell[283] unterscheidet Kuhn zwei zusammenhängende, aber unterschiedliche Systeme, die sich in der Frauenarbeit kreuzen: Das erste System beschreibt einen »Arbeitsbereich, in dem die Frau in ihren Eigenschaften als Mutter, als Sexualpartnerin, als Gläubige, als Bürgerin für die Subsistenz (Nahrung, Kleidung etc.) und für den Markt arbeitet«. Doch mit diesem System kreuzt sich ein zweites: »die Ökonomie im Sinne der vom kapitalistischen Markt ausgehenden ökonomischen Bewegung, die unter anderem zu einer Hierarchisierung der Arbeit und einer ungleichen Bewertung der Arbeit, etwa als produktive und weniger produktive Arbeit, führt.«[284] Von dieser Doppeltheit von traditioneller Hausökonomie und neuem Handelskapitalismus lassen sich bestimmte Widersprüche im Frauenleben erklären. Doch so viel zur Wirtschaft. Und die Kirche?

Zurückdrängung der Frauen in der Kirche

Auch die Kirche bietet ein zutiefst zwiespältiges Bild. Gewiß muß man anerkennen, daß die Kirche durch ihre Theologie und Praxis der **Ehe** zur **Aufwertung** der Frau in der Gesellschaft beigetragen hat. So hat die Kirche im zwölften Jahrhundert durchgesetzt, daß zu einer Ehe wesentlich auch die beiderseitige Willenskundgebung gehört, der **Konsens** der Partner also, was ja eine grundlegende Gleichheit der Ehepartner voraussetzt.[285] Die Kirche hat auch dafür gewirkt, daß – gegen den noch lange anhaltenden Mißstand der klandestinen (heimlichen) Ehen – die Ehe in aller Form öffentlich geschlossen wird. Ja, sie hat in dieser Zeit, da vor allem von Petrus Lombardus und Thomas von Aquin die Lehre von den sieben Sakramenten entwickelt wurde, der Ehe den Status eines der sieben Sakramente gegeben und darauf die Unauflöslichkeit der Ehe begründet und das Selbstbewußtsein der Frauen gestärkt.

Andererseits aber hat dieselbe Kirche, da der Papst als der »Vater« und die »Kirche« (Hierarchie) als die »Mutter« der Christenheit auftrat, da die Ehelosigkeit auch dem Weltklerus aufoktroyiert wurde und die Kodifizierung des Kirchenrechts dramatische Ausmaße annahm, einer verstärkten **Patriarchalisierung** der Machtstrukturen und Normen Vorschub geleistet. Es kommt jetzt zu einer (zum Teil auch rechtlichen) **Zurückdrängung der Frau**, wie sie für das römisch-katholische Paradigma bis heute charakteristisch geblieben ist. Symptomatisch dafür damals: Die **Herrscherin** hat sich jetzt in gebührendem Abstand hinter dem Gemahl, begleitet von Hoffräulein, zu placieren. Die **Äbtissinnen**, die auch geistliche Vollmachten besaßen, werden auf ihre jurisdiktionellen Vollmachten beschränkt. Das **Erbrecht** wird mit alttestamentlicher Begründung auf die männliche (patrilineare) Erbfolge beschränkt (außer im Fall fehlender männlicher Nachkommen). Doch wichtiger:

- Das **Kirchenrecht** (schon das Decretum Gratiani) schreibt den Status der Unterwerfung der Frau unter den Mann mit naturrechtlicher Begründung fest.
- Das **kirchliche Ideal** für das Dasein der Frau ist zunächst **die Nonne**, die frei von irdischen Bindungen ein enthaltsames, gottgefälliges Leben führt. Doch zeigen die im zwölften Jahrhundert entstehende Laienkultur und höfische Dichtung bereits ein neues weltliches Frauenideal, wie es auch die Minnesänger und – ihre Existenz wird oft übersehen – Minnesängerinnen zum Ausdruck bringen und wie es in der italienischen Renaissance seine Weiterentwicklung finden wird.
- Von allen **kirchlichen Ämtern** bleibt die Frau ausgeschlossen, und selbst das Predigen wird ihr angesichts der Attraktivität der frauenfreundlichen Katharer und Waldenser wiederholt verboten.

Bei den Orden steht es leider auch nicht besser. Manche Mönchsorden wehren sich sogar gegen weibliche Parallelgründungen. Die neu im Geist des Dominikus und des Franziskus entstehenden religiösen **Frauengemeinschaften** werden (bisweilen auf Wunsch der Frauen selbst und zumeist durch päpstliche Verfügung) schließlich doch den entsprechenden Männerorden unterstellt, um sie in die etablierten Formen kirchlichen Ordenslebens zu integrieren. Andere in der Welt lebende Gemeinschaften »gottgeweihter Jungfrauen und Witwen« aus unteren oder mittleren Schichten, die sich zuerst in den Niederlanden aus religiösen und wirtschaftlichen Gründen zusammengeschlossen haben und ihren Lebensunterhalt mit kunsthandwerklicher und karitativer Tätigkeit bestreiten, werden sogar verketzert. Ihr Name »**Beginen**« dürfte eine Verstümmelung von »Albigensis«, also Häretiker sein (Unterdrückung durch das Konzil von Vienne 1311). Auch hier wieder einmal eine Geschichte kirchlicher Verfolgungen, die auch die männlichen Parallelgemeinschaften, die Begarden, trifft.[286]

Gewiß darf man auch hier nicht übersehen, daß Frauen im Raum der Kirche damals **Freiräume und Wirkungsmöglichkeiten** hatten, welche die Gesellschaft ihnen nicht bot, Freiräume für ehelose Frauen und Witwen, die in religiös-kirchlicher Gebundenheit eine gesicherte, erfüllte Existenz mit reichen Bildungs- und Wirkungsmöglicheiten und ein neues frauliches Selbstbewußtsein fanden. Edith Ennen dürfte auch hier recht haben: »Aus freiem Entschluß drängten in der Aufbruchperiode des 12. und 13. Jahrhunderts Frauen ins Kloster um der reinen Nachfolge Christi willen.«[287] Daß der Adel die Klöster vielfach als Versorgungsanstalt für Töchter und Witwen benutzt hat, fällt dabei weniger ins Gewicht als die Tatsache, daß Frauen begüterter Eltern auch außerhalb der Klöster in den Städten eine Grundausbildung in Lesen, Schreiben und Glaubenslehre erhielten, daß sie jedoch nur in Ausnahmefällen eine besondere Bildung erlangen konnten.

Aber dieser **Drang ins Kloster** ist nicht zu verwechseln mit einer politischen Freiheitsbewegung für Frauen. Er entsprang einer immer mehr auch die Basis ergreifenden Frömmigkeitsbewegung, wie sie von der mittelalterlichen Männerwelt der Benediktiner, Zisterzienser und Prämonstratenser, schließlich Franziskaner und Dominikaner auch auf die Frauenwelt übergriff. Doch man beachte: Im Frühmittelalter gab es fast nur Klöster für Damen aus dem Hochadel. Und wie tief dieses Klassendenken verwurzelt war, zeigt gerade die damals bedeutendste Ordensfrau, **Hildegard von Bingen** (1098-1179)[288], die noch im zwölften Jahrhundert am Adelsprivileg festhalten wollte, wiewohl die führenden Männerklöster wie Cluny, Hirsau und später Cîteaux die Vorrechte der Geburt längst aufgegeben hatten. Solche standesspezifische Separation freilich ließ sich nicht länger halten. Denn jetzt drängten auch immer mehr städtische Patrizierinnen, Töchter oder Frauen von Ministerialen und Bürgern ins Kloster – um der evangelischen Vollkommenheit, sicher aber auch um der wirtschaftlich-sozialen Geborgenheit und Selbständigkeit außerhalb der Ehe willen. Doch für Frauen aus den mittleren und niederen Schichten war es – aus Gründen der Kapazität oder der fehlenden Mitgift – in diesen Zeiten manchmal schwierig, überhaupt einen Platz im Kloster zu bekommen.

Kirchenpolitisch aktiv wurden Klosterfrauen nur selten; hervorragende Beispiele wie Hildegard von Bingen, Birgitta von Schweden, Katharina von Siena und später Teresa von Avila bestätigen als Ausnahmen wiederum nur die Regel. Ein Gebiet aber gibt es – von Dichtung (Hroswith von Gandersheim) und Kunsthandwerk (Weben, Stickerei) abgesehen –, auf welchem Frauen den Männern im hohen und späten Mittelalter nicht nur ebenbürtig waren, sondern oft stärkere Imagination und Kreativität zeigten: die Mystik. Schon Hildegard von Bingen war ja eine vielseitige Schriftstellerin und visionäre Mystikerin. Doch hatte sie nicht nur mystisch-weltdeutende Bücher mit dunklen Prophezeiungen und poetischen Lobgesängen veröffentlicht – jenes berühmte Buch »Scivias« oder »Wisse die Wege« – sondern hatte auch naturkundliche und medizinische Schriften verfaßt, die heute die wichtigsten Quellen für die naturkundlichen Kenntnisse des frühen Mittelalters in Zentraleuropa darstellen. Siebzig geistliche Lieder stammen von ihr, drei große Predigtreisen hat sie unternommen: eine einzigartige Frau, in der sich Spiritualität und empirische Sensibilität, weitgespannte praktische Interessen mit mystischer Tiefe verbanden. Die Mystik – sehen wir genauer zu.

Mystik unter Verdacht

Es ist keine Frage, daß **Frauen in der deutschen Mystik**[289] eine ganz besondere Rolle gespielt haben, deren Bedeutung durch Männer wie Meister Eckhart, Johann Tauler, Heinrich Seuse und Jan van Ruysbroeck oft verdrängt wurde. Aber wie das Kloster der Benediktinerinnen zu Bingen am Rhein im zwölften Jahrhundert unter der Äbtissin Hildegard ein Zentrum der Mystik darstellte, so im dreizehnten Jahrhundert das Zisterzienserinnenkloster Helfta (nahe bei Eisleben, später der Geburts- und Sterbeort Luthers), das als »Krone der deutschen Frauenklöster« galt. Hier wirkten Gertrud von Hackeborn, die mit 19 Jahren schon zur Äbtissin gewählt worden war und 41 Jahre lang das Kloster leiten sollte. Hier lebte ihre ebenfalls mystisch begabte jüngere Schwester Mechthild von Hackeborn, dann die ebenfalls sehr jung ins Kloster aufgenommene Gertrud von Helfta (später »die Große« genannt). Und hier wirkte schließlich Mechthild von Magdeburg, die schon vorher als Mystikerin durch ihre sechs Bücher vom »Fließenden Licht der Gottheit« berühmt war. Als Begine nach der Regel des Dominikus lebend, hatte Mechthild sich wegen ihrer Mitteilungen über mystische Erfahrungen (erstmals in Deutsch!) und ihrer Kritik am Ordens- und Weltklerus gerade im Dominikanerorden Feinde geschaffen. Sie hatte allen Grund, bitter über Ungerechtigkeiten und Verleumdungen zu klagen und schließlich in das Kloster von Helfta einzutreten.

Wie also steht es mit der **Mystik in der Kirche**? Daß sie vielfach eine Reaktion darstellt auf die im Spätmittelalter zunehmende Verweltlichung der Kirche, Verwissenschaftlichung der Theologie und Veräußerlichung der Frömmigkeit, ist keine Frage. Aber bot die Mystik, die sich gerade im Spätmittelalter so reich entwickelte, darüber hinaus nicht vielleicht ein neues Paradigma von Theologie und Kirche an? Was macht überhaupt ihre Faszination aus? Für viele attraktiv waren sicher:
– die Tendenz zur Verinnerlichung, Vergeistigung, Verwesentlichung,
– die innere Freiheit gegenüber Institutionen, Werken der Frömmigkeit, Zwängen der Dogmatik,
– die Überwindung von Dualismus, Formalismus, Autoritarismus.
Es dürfte schon klar geworden sein, daß **»mystisch«** nicht länger – wie noch heute im vulgären Sprachgebrauch – gleichgesetzt werden kann mit rätselhaft, seltsam, mysteriös oder schlicht religiös (»Mystik« und »Politik«). Es geht auch nicht einfach um Phänomene wie Schweben, Visionen, Ekstasen und Stigmata, welche seit der zweiten Hälfte des 19. Jahrhunderts Mediziner, Psychologen, Neurologen und Philosophen vom Pariser Psychiater J.-M. Charcot über William James bis zu Sigmund Freud gereizt haben, Mystiker als hochinteressante Abnormale der psychiatrischen Klinikbetreuung zuzuweisen, wogegen sie bedeutende Philosophen wie Henri Bergson und Theologen wie Joseph Maréchal effektiv in Schutz genommen haben.

Zumindest darüber besteht unter Fachgelehrten Übereinstimmung: »Mystik« kommt – vom ursprünglichen Wortsinn her verstanden – vom griechischen »myein«, und das meint: den Mund verschließen. Die »Mysterien« sind deshalb »Geheimnisse«, »Geheimlehren«, »Geheimkulte«, über die man bei Nichteingeweihten tunlichst schweigt. »Mystisch« ist von daher nicht jede Form von Spiritualität, sondern ist präzise jene Religiosität, die bezüglich ihrer verborgenen Geheimnisse vor profanen Ohren den Mund verschließt, um **das Heil im eigenen Inneren** zu suchen. Das setzt die Bereitschaft zur Weltabkehr voraus, was nicht notwendigerweise Weltflucht meint, wohl aber eine innere Loslösung und Freiheit im Geist. Inneneinkehr also und schließlich in ekstatischen Momenten das wallende Gefühl der unmittelbaren Einheit mit dem Ganzen, mit dem Absoluten – dies sind die Charakteristika der Mystik. Und dies alles nicht wild und willkürlich, sondern in geordnetem und methodischem Fortschreiten:
– zuerst die oft angespannte und mit verschiedenen physischen und psychischen Mitteln herbeigeführte willentliche **Konzentration**;
– dann die gelöste, ergriffen-passive, selbstvergessene **Kontemplation**;

– schließlich die verzückte oder versunkene **Ekstase**, bei der der Mensch sein Ich in der unermeßlichen Fülle des Absoluten verliert.

Mystische Erfahrung kann somit – sieht man ab von abnormen, simulierten, projizierten, pathologischen Phänomenen und allen Formen der Pseudomystik, in der das Absolute durch ein Surrogat ersetzt wird – ganz allgemein definiert werden als eine **unmittelbar-intuitive Einheitserfahrung**: als Intuition einer großen Einheit mit der Natur oder dem absoluten Seinsgrund, welche die Subjekt-Objekt-Spaltung aufhebt. Doch geht es bei allen mittelalterlichen Mystikerinnen und Mystikern nicht nur um irgendeine romantische Naturmystik, um die Einheit mit der Natur, dem Kosmos, dem »Leben«, nicht um ein pantheistisches Identitätserlebnis. Nicht um eine Immanenz-, sondern um ein Transzendenzerfahrung geht es, die beglückend, aber vorübergehend und unvollkommen ist. Es geht in den Augenblicken der Ekstase um die Einheit des ganzen Menschen mit dem Urgrund der Wirklichkeit, mit jener umgreifenden, umfassenden, allesbestimmenden allerersten-allerletzten Wirklichkeit, vor der unsere Sprache zu stottern beginnt, unsere Begriffe versagen und unsere Vorstellungen dahinschmelzen. Das »Geheimnis« schlechthin also, das »Mysterium« der Wirklichkeit, das fließende »Licht« der Gottheit.

Die christlichen Mystiker wollen also keinesfalls die Dinge der Natur zu Gott machen (Allesvergötterung), auch nicht notwendigerweise Gott »von innen« sehen (seine trinitarischen »Hervorgänge«). Wohl aber erfahren sie oft über die Betrachtung der biblischen Szenen hinaus oder auch durch die Natur hindurch unmittelbar das Absolute, das von ihnen aber nicht etwa als selbstproduziert, sondern als »gewährt«, »geschenkt« verstanden wird: die **Gegenwart** Gottes, die **Gemeinschaft**, die **Einheit mit Gott** als überwältigende Gnade und Liebe.

Auch schon für Thomas von Aquin ist das Absolute, das Sein selbst, in jedem Sandkorn und jeder Blume präsent, ohne daß aber Thomas je Welt und Gott, Seele und Gott hätte ineinander fließen lassen. Solches geschieht erst unter dem Einfluß des verchristlichten Neuplatonismus nach der Zeit des Thomas: neben der Frauenmystik bei Dietrich von Freiberg und seinem großen Schüler **Meister Eckhart** und seiner Schule. Ob Dietrich von Freiberg, Albertus Magnus oder Thomas von Aquin die Ausgangsbasis Eckharts war, ist bis heute ebenso umstritten wie die Bewertung des Inquisitionsprozesses, der diesen hochverdienten Prediger, Pariser Universitätsprofessor, Provinzial und Generalvikar des Ordens im Alter von 67 zu einer Reise nach Avignon zwang, wo er verhört wurde, aber starb, bevor seine Verurteilung ausgesprochen wurde.[290]

Doch die »Deutsche Mystik«, die durch die lateinischen Werke (oder

Übersetzungen) internationalen Einfluß erhielt, ist keineswegs ein singuläres Phänomen. Im Gegenteil. Es hat im Mittelalter – wenn wir von der frühen mehr intellektuellen areopagitischen Mystik in der Klosterschule St. Viktor bei Paris unter dem flämischen (oder sächsischen) Leiter Hugo und seinem Schüler Richard, einem Schotten, im zwölften Jahrhundert absehen – zahlreiche **mystische Wellen** in ganz Europa gegeben, die, wie Otto Karrer[291], verständiger Kenner der Mystik, feststellte, mit einer merkwürdigen Zeitverschiebung einsetzen:
– die **italienische** Mystik im 13. Jahrhundert (Franz, Klara, Angela von Foligno, Margarete von Cortona),
– die **deutsche** Mystik im 13./14. Jahrhundert (ihr Dreigestirn Meister Eckhart, Tauler und Seuse) sowie die **flämisch-niederländische** Mystik Jan van Ruysbroecks und dessen Schüler G. Groote, der mit Thomas von Kempen Autor der vielgelesenen »Imitatio Christi« war;
– die **englische** im 14./15. Jahrhundert (Richard Roll, der anonyme Verfasser der »Wolke des Nichtwissens«, Juliana von Norwich),
– die **spanische** im 16. Jahrhundert (Ignatius von Loyola, Franz Xaver, Teresa von Avila, Johannes vom Kreuz, Luis de León),
– die **französische** im 17. Jahrhundert (neben den Oratorianern Bérulle und Condren Männer und Frauen aus der karmelitischen, ignatianischen und dominikanischen Schule).

Und doch muß man sehen: Die Mystik ist **kein spezifisch christliches Phänomen**. Die Mystik ist nicht nur älter als das Christentum; sie kommt auch von weit her. Mystische Religion hatte sich schon sehr früh – in der spätvedischen Periode – in **Indien** realisiert. So sind in den Upanishaden eine »Einheitslehre« formuliert und meditative Praktiken unmittelbarer Einheitserfahrung überliefert, die dem Menschen die Erlösung vom Unwissen durch Wissen versprechen: durch die Erkenntnis von Atman, dem Wesenskern des Individuums, und dessen Identität mit Brahman, dem allesdurchdringenden Weltprinzip. Möglicherweise (darüber gibt es nur Vermutungen) gründet in Indien auch der breite kleinasiatisch-griechisch-hellenistische Mystikstrom, der schließlich ins Christentum führt: von den vorsokratischen ionischen Metaphysikern, der Orphik und den Pythagoräern angefangen über Platon und die späthellenistischen Mysterienkulte bis hin zu den übrigen Neuplatonikern. Mehr von Plotin und Proklus als von Paulus und Johannes jedenfalls lernte jener mystische Philosoph, der im 5./6. Jahrhundert, wie uns bereits bekannt, unter der Maske des Paulusschülers **Dionysios Areopagites**, sein Buch »Mystiké theologia« schrieb, von dem unser Wort »Mystik« herkommt. Von Skotus Eriugena (im 9. Jh.) ins Lateinische übersetzt, hat es die mystische

Frömmigkeit im christlichen Abendland weithin bestimmt. Bis ins 19. Jahrhundert galt Dionysios als echter Paulusschüler und seine Schriften als solche des ersten Jahrhunderts und somit als urchristlich. Aber die für unsere Paradigmenanalyse entscheidende Frage ist gerade diese:

Ist Mystik urchristlich?

Waren Jesus und seine Apostel und Schüler Mystiker? Gewiß: Auch im frühen Christentum, bei Paulus und Johannes, gab es mystische Elemente, insofern etwa vom Geistbesitz die Rede ist. Und daß Alexandriner wie Klemens und Origenes, Zeitgenossen Plotins, und dann auch der Nordafrikaner Augustin die ursprünglich biblisch-prophetische Religion mit hellenistisch-mystischen Elementen und Tendenzen verbanden, haben wir gesehen. Aber: Von Mystik im strengen Sinn kann hier noch nicht die Rede sein. **Mystik im eigentlichen Sinn der Einheitsmystik** gibt es eben nur, wo die Erfahrung einer Einheit zwischen Gott und der menschlichen Seele angestrebt wird. Und wer könnte übersehen, daß es diese Einheit weder bei **Paulus** noch bei **Johannes** gibt. Für sie sind maßgebend der vertrauende Glaube auf Gott und die tätige Nächstenliebe, nicht die mystische Schau und nicht der Gottesbesitz, ja, die zukunftsorientierte Hoffnung und nicht die gegenwärtige Seligkeit. Auch Augustin wandte sich später trotz Verwertung mystischen Gedankengutes ausdrücklich gegen das neuplatonisch-pantheistische Ineinanderfließen von Seele und Gott, so sehr gerade er die Sehnsucht des menschlichen Herzens kannte, das unruhig sei, bis es ruhe in Gott. Kein Aufgehen in Gott, sondern Ruhe in Gott durch Freisein, Schauen, Loben und Lieben ohne Ende.

Das Wichtigste aber: **Jesus** selber war **kein Mystiker**. Von ihm werden nur zwei (historisch nicht gesicherte) visionäre Zustände überliefert, was an dem Entscheidenden nichts ändert: Die Welt war für Jesus nichts Nichtiges, aus der es sich zurückzuziehen gälte und die im Akt der Versenkung in ihrer Nichtigkeit zu beschauen wäre; sie ist erst recht nicht mit dem Absoluten einfach zu identifizieren. Die Welt ist vielmehr die gute, wenngleich von Menschen immer wieder verdorbene Schöpfung. Was hat Jesus von den Menschen verlangt? Außerordentliche ekstatische Erfahrungen, grübelnde Spekulationen über Gottes Wesen, psychologische Selbstzergliederung und geschichtslose Versenkungstechnik? Nein, Gottes- und Nächstenliebe. Jesus steht zweifellos in der Linie der alttestamentlichen Propheten[292] und nicht in der der indischen Mystiker, und das immer wieder zitierte Wort »Ich und der Vater sind eins« stammt nicht von Jesus selbst, sondern vom vierten Evangelisten und besagt keine mystische

Einheit zwischen Gott und seinem Christus, sondern eine Willens-, Handlungs- und Offenbarungseinheit des Menschen Jesus mit Gott, des Sohnes mit dem Vater: »Wer mich sieht, sieht den Vater.«[293]

Adäquat wird Jesus also nur verstanden, wenn man ihn als leidenschaftlich ergriffenen **Gesandten und Wegweiser aus prophetischem Geist** begreift, als Gottes Gesalbten (»Messias«, »Christus«). Für die Erlösung aus Schuld und allem Übel lehrte er keine Seelentechnik, sondern ruft er die Menschen zur Umkehr auf. Statt an ein Aufgeben des Willens appelliert er gerade an des Menschen Willen, den er nach dem Willen Gottes auszurichten fordert, welcher ganz auf das umfassende Wohl, das Heil, des Menschen zielt. So verkündete er eine persönlich anteilnehmende Liebe, die alle Leidenden, Unterdrückten, Kranken, Schuldiggewordenen und auch des Menschen Gegner, Feinde einschließt: eine universale **Liebe** und aktive **Wohltätigkeit**.

Hier dürfte wohl der tiefste theologische Sachgrund liegen, warum die Mystik im Christentum nie paradigmatisch geworden ist, ganz anders als in Indien. Ja, es ist geradezu auffällig, wie die **Mystik in Indien** einen anerkannten Platz hat, und zwar im Zentrum vieler der großen klassischen Traditionen. Ja, die Mystik gilt dort nicht wie im Christentum bestenfalls als Bereicherung, sondern macht das innerste Wesen der Religion aus. Den Höhepunkt des mystischen Frömmigkeitslebens bilden dabei außerordentliche Erlebnisse jenseits des normalen Bewußtseins: neue Dimensionen der Wahrnehmung und des Erkennens, Ekstasen und ekstaseähnliche Visionen und Auditionen, wo sich mit rein geistigen Erfahrungen Sinneserregungen verbinden. Solches mystisches Erleben ist im Hinduismus nie bloß naiv, sondern meist mit einem hohen Grad an Reflexion verbunden, einerlei, ob es sich dabei um philosophisch-spekulative Gedankenarbeit wie in den Upanishaden handelt oder um genaue psychologische Selbstanalyse wie im Yoga.

Ganz anders dagegen – wenn man hier der idealtypischen Profilierung von Friedrich Heiler[294] folgt – ist die Grunderfahrung der **prophetischen Frömmigkeit**, die auch für Jesus charakteristisch ist. Wir finden sie in der Bibel auf Schritt und Tritt. Sie ist durch einen starken Willen zum Leben gekennzeichnet: einen Drang nach Behauptung, ein Ergriffensein von Werten und Aufgaben, ein leidenschaftliches Streben nach Verwirklichung bestimmter Ideale und Ziele. Prophetische Frömmigkeit ist also primär nach außen gerichtet, sie steht in Konfrontation mit der Welt und will sich in ihr durchsetzen. Insofern ist der prophetisch ausgerichtete Mensch ein kämpfender, der sich aus dem Zweifel zur Gewißheit des Glaubens durchringt, aus der Unsicherheit zum Vertrauen, aus dem

Sünderbewußtsein zum Erlangen des Heils aus Gnade. Selbst die gottinnigsten Psalmen kennen keine ekstatische Einheit, sondern nur vertrauensvolle Geborgenheit im Gott der Gnade und Barmherzigkeit.

Ist es also ganz überraschend, daß überall dort, wo die Mystik im Christentum nicht mehr Bereicherung, sondern Hauptsache zu werden drohte, sie auf Widerstand stieß? **Konflikte mit der römisch-katholischen Amtskirche**, die den Verlust ihres Monopols auf Vermittlung von Wort und Sakrament befürchtete, begleiten denn auch das Aufkommen der Mystik wie ihr Schatten. Aber warum hier (P III) anders als im Osten (P II) immer Exkommunikation, Repression, Inquisition? Schon der Übersetzer der pseudodionysischen Schriften, Johannes Skotus Eriugena, hörten wir, wurde wegen seiner Auffassungen bezüglich der Prädestination von einem Konzil in Valence 855 verurteilt. Die Schriften der Mystikerinnen und Mystiker werden immer wieder beargwöhnt, ja, viele große Mystiker wie Meister Eckhart, Teresa von Avila, Johannes vom Kreuz und Madame Guyon (und ihr Protektor Fénelon) wurden von der Inquisition verfolgt. Und jene Begine, die Mystikerin Marguerite Porete, die um 1300 den »Miroir des simples âmes« (»Spiegel der einfältigen Seelen«) geschrieben hatte, wurde vom Bischof von Cambrai 1306 nicht nur als Ketzerin verurteilt. Marguerite, deren Schrift nach ihrer Verurteilung in vier Sprachen und sechs Fassungen, aber anonymisiert, weiterlebte und anscheinend einen gewichtigen Einfluß auf Meister Eckhart ausübte[295], wurde 1308 erneut angeklagt, nach Paris transportiert, einem Inquisitionsprozeß unterzogen (bei dem sie jegliche Stellungnahme zu ihrer Lehre verweigerte) und schließlich 1310 auf dem Scheiterhaufen verbrannt.[296]

Nicht überraschend auch, daß die Mystik – bei allem Einfluß Taulers und der »Theologia Teutsch« (eines Frankfurter Weltpriesters um 1400) auf Martin Luther – auch beim Paradigmenwechsel der Reformation (P IV) nicht zum Zug kam und daß in der Folge fast alle **evangelischen Mystiker außerhalb des etablierten Protestantismus** standen, entweder weil sie dazu gezwungen waren oder weil sie selber es so wollten. Bis heute stößt die Mystik denn auch im Raum des Protestantismus auf Mißtrauen bis Ablehnung. Noch die frühe »Dialektische Theologie« eines Karl Barth, Emil Brunner und Friedrich Gogarten verwarf sie zu Beginn unseres Jahrhunderts radikal. Die Gründe auch hier: hybride Identifizierung mit Gott (»Selbstvergottung«, »Pantheismus«, »Werkgerechtigkeit«), unkirchliche Innerlichkeit (»Subjektivismus«), Geringschätzung der Schöpfung (»Manichäismus«, »Quietismus«).

So sehr diese Vorwürfe oft der sachlichen Grundlage entbehren, so sehr erklären sie doch, warum die Mystik bis heute ein Randdasein im Raum von Theologie und Kirche fristet. Ein Paradigma, eine Gesamtkonstellation für Theologie und Kirche, konnte sie auf diese Weise niemals ausbilden. Mißtrauisch beargwöhnt, verketzert, manchmal sogar unterdrückt, konnte sie im Raum von Klöstern und kleinen Zirkeln »Eingeweihter« bestenfalls überleben, ohne das Leben der Kirche wirklich von Grund auf zu erneuern. Das **römisch-katholische Paradigma** jedenfalls, wie es sich im Mittelalter bereits verfestigt hatte, war durch die Mystik **bestenfalls beunruhigt, erschüttert nie**.

Und so blieb denn im Spätmittelalter wie in der Reformation für die christliche Spiritualität nicht die mystische Versenkung maßgebend, sondern das **Gebet** – Ausdruck des glaubenden Vertrauens auf Gott. In der Bibel geschieht ja das Beten erstaunlich selbstverständlich, unkompliziert – mitten im Leben und aus dem Leben heraus: oft ein naives »Ausschütten des Herzens« in Schlichtheit und ungebrochenem Realismus. Alles ganz und gar ausgerichtet auf Gott: Bitte um Erhörung, Hilfe, Barmherzigkeit, Gnade, Heil für sich selbst, für die anderen, für das Volk. Ein frei sich entfaltendes Bitten, auch Aufbegehren und Protestieren, doch vor allem Danken, Loben und Preisen.

Und so sehr im Verlauf der Geschichte biblisches Beten doch auch in Formeln fixiert, liturgisch stilisiert, verfeinert und manchmal gar mit asketischen Leistungen gekoppelt werden kann: Die Bibel kennt eigentümlicherweise
– kein Reden von Methode, Systematik, Psychotechnik des Gebetes;
– keine Gebetsstufen, die zu beschreiten wären, keine Uniformierung des religiösen Erlebens;
– kein psychologisches Reflektieren über das Gebet, bei aller prophetischen Gebets- und Opferkritik, keine Selbstanalysen und asketischen Anstrengungen zur Erreichung bestimmter Seelenzustände.

Statt dessen ein naiv unreflektiertes »Gespräch mit Gott«: Äußerungen des Glaubens, der Hoffnung, der Liebe, des Dankens, Lobens und Bittens – in großer individueller Mannigfaltigkeit und Vielgestaltigkeit.

Das alles heißt: Mystische Gebetshaltung kann für den Christen wichtig sein, aber **Normativität kann sie nicht beanspruchen**, als ob die mystische Versenkung das höchste Gebet wäre! Bei aller Bewunderung also für die große **Teresa von Avila**, diese geniale Frau, die zu den bedeutendsten Mystikern der Religionsgeschichte gehört: Im Alten wie im Neuen Testament gibt es kein Ideal eines inneren Gebetes oder eines Gebetes des Herzens, findet sich keine Aufforderung zur Beobachtung, Beschreibung und Analyse mystischer Erlebnisse und Zustände, läßt sich keine Stufenleiter des mystischen Gebets bis zur Ekstase erkennen, keine Betonung jenes

Gebetes, das eine besondere religiöse Begabung voraussetzt. Mystisches Beten ist Charisma, nur ein Charisma unter anderen, und nicht das höchste. Es kann der Nachfolge Christi, die in der Liebe gipfelt, dienen, kann aber auch – zum Selbstzweck geworden – von ihr wegführen.

Und so lassen sich nicht, wie von Religionsphilosophen und Religionspsychologen immer wieder versucht, alle großen Religionen auf Mystik als der »eigentlichen« Religion, dem »Wesen« der Religion, zurückführen. Künstliche Harmonisierungen zwischen den Religionen helfen nicht weiter, so wenig wie dogmatische Exklusivitäten. Möglich, erwünscht, ja notwendig in unserer Zeit ist ein **gegenseitiges Durchdringen dieser beiden Grundtypen von Religion**, der mystischen und prophetischen, und dies nicht etwa nur an der Peripherie, sondern im Zentrum des Gottesverständnisses. Beispiel: Das Gottesverständnis des Thomas von Aquin bedarf zweifellos der Ergänzung durch das des christlichen Mystikers, seines Ordensbruders **Meister Eckhart**. Nach dessen intellektueller Schau schafft Gott Welt und Mensch **in sich selbst**, und Gottes eigenes Sein breitet sich in den Dingen aus, so daß sich im »Seelengrund« die tiefe Einheit alles Seienden mit Gott erfahren läßt: keine substantielle, aber eine »energetische« Einheit. Und nach **Nikolaus von Kues** schließt Gottes Überfülle alle Gegensätze in sich, so daß Gott zugleich das Größte und das Kleinste, Zentrum und Peripherie, Vergangenheit und Zukunft, Licht und Finsternis, ja selbst Sein und Nichtsein ist. Gegensätze, die in Gott eins sind, in der Welt aber auseinandertreten: in jener Welt, die als »Explicatio Dei«, als Entfaltung jenes Gottes, zu verstehen ist, der selber das Viele ohne Vielheit und der Gegensatz in der Identität ist.[297]

Wir sahen: Mittelalterliche Frömmigkeit ist ohne Mystik, die Frauenmystik insbesondere, nicht zu denken, wiewohl diese Mystik für Theologie und Kirche nie paradigmatisch zu werden vermochte. Mittelalterliche Frömmigkeit ist aber auch ohne das Anwachsen der Marienfrömmigkeit nicht zu denken, an der sich – im Mikrobereich gewissermaßen – der Paradigmenwechsel noch einmal anschaulich demonstrieren läßt.

Marienverehrung im Aufschwung

Doch hier muß man von vornherein sehen: So sehr die Marienverehrung im lateinischen Hochmittelalter einen gewaltigen Aufschwung genommen hat, nicht nur im kirchlichen Brauchtum, bei kirchlichen Festen und Feiern, sondern auch in Dichtung und Kunst, es muß trotzdem festgehalten werden: Die **Verehrung Marias** hat sich **zuerst im hellenistisch-byzantinischen Paradigma** (P II) entwickelt.[298]

Denn im **Osten** gab es eine uralte Tradition des Kultes vorderasiatischer Muttergottheiten, der für die Marienverehrung fruchtbar gemacht werden konnte: in der Form eines Kultes für die »immerwährende Jungfrau«, die »Gottesmutter« und erhabene »Himmelskönigin«. Im Osten war es, wo Maria zuerst im Gebet angerufen (»Unter Deinem Schutz« 3./4. Jh.) und das Gedächtnis Marias in die Liturgie eingeführt wurde. Im Osten wurden zuerst Marienlegenden erzählt und Marienhymnen gedichtet, wurden zuerst Kirchen nach Maria benannt, Marienfeste eingeführt und Marienbilder geschaffen …

Nur vor diesem Hintergrund erklärt sich auch die dogmatische Festlegung der Kirche in Sachen Maria. Denn nur ein Konzil im Osten konnte auf die Idee kommen, die Kirche auf den Glauben an Maria als »**Gottesgebärerin**« zu verpflichten. Gemeint ist das **Konzil von Ephesos** im Jahre 431. Wir wissen heute, daß diese folgenschwere christologische Aussage den politischen Interessen insbesondere eines Mannes entsprach, der in einem großangelegten Manöver dieses Konzil zu manipulieren verstand: Kyrill von Alexandrien. Noch vor der Ankunft der anderen Konzilspartei aus Antiochien, die von Maria als »**Christusgebärerin**« (»christotókos«) gesprochen hatte, war es ihm gelungen, seine Definition durchzusetzen: »Gottesgebärerin« (»theotókos«).[299] Das war ein neuer Titel, fern der Bibel, der noch mißverständlichere Formeln wie »Mutter Gottes« provozieren sollte.

Nur im Osten also, in Ephesos, war es möglich gewesen, eine solche Mariologie durchzusetzen, in einer Stadt, in der das Volk ohnehin die »Große Mutter« (ursprünglich die jungfräuliche Göttin Artemis, Diana) verehrte und dementsprechend die Ersatz-»Göttin« Maria mit Begeisterung aufnahm. Der theologische Preis, den man dafür zahlte, störte in dieser Begeisterung wenig: daß diese Formel von der Gottesmutterschaft Mariens im Verdacht des (dann von Chalkedon korrigierten) Monophysitismus stand und zu einer Verdinglichung des Verständnisses von Gottessohnschaft und Menschwerdung führte. Als ob »Gott« geboren werden könnte und nicht vielmehr ein Mensch, der als Gottes »Sohn« die Offenbarung Gottes für den Glaubenden ist. Diese Rede von einer »Mutter Gottes« ist dafür mitverantwortlich, daß Juden dem Christentum nach wie vor mißtrauisch gegenüberstehen und viele Muslime die christliche Trinität bis heute mißverstehen als eine Trias aus Gott (Vater), Maria (Mutter) und Jesus (Kind).

Im **Westen** dagegen setzten sich östliche Frömmigkeitsformen in Sachen Marias nicht ohne Widerstand durch. Bei Augustin etwa, immerhin theologischer Vater des lateinisch-mittelalterlichen Paradigmas (P III), finden sich weder Hymnen noch Gebete an Maria; auch Marienfeste sind nicht erwähnt. Das muß auffallen. Erst im fünften Jahrhundert findet sich das erste Beispiel einer hymnischen Anrede an Maria in lateinischer Sprache (»Salve sancta parens«, Caelius Sedulius), woraus sich im späten sechsten Jahrhundert eine immer reichere lateinische und später auch deutsche Mariendichtung entfaltet.[300] Auch Rom zieht jetzt nach: Im sechsten Jahrhundert wird Marias Name (und dem Titel »Mater Dei«) in den Text der Messe aufgenommen; im siebten Jahrhundert werden die östlichen Marienfeste (Verkündigung, Heimgang, Geburt, Reinigung) eingeführt; gegen Ende des zehnten Jahrhunderts kennt man Legenden über die wunderwirkende Kraft des Gebetes zu Maria …

Höhepunkt des mittelalterlichen Marienkultes ist zweifellos das 11./12. Jahrhundert, der ohne den Einfluß des Zisterziensermönchs **Bernhard von Clairvaux** gar nicht zu denken ist. Immer mehr hatten sich inzwischen die theologischen Akzente verschoben. Nicht mehr die konkrete Tätigkeit Marias als der irdischen Mutter Jesu stand jetzt im Vordergrund, wie sie im Neuen Testament geschildert wird. Entscheidend war jetzt die **kosmische Rolle Marias** als der jungfräulichen Gottesmutter und Himmelskönigin. Damit verbunden ein Prozeß der Idealisierung und Überhöhung. Hatten ältere Kirchenväter noch ungescheut von moralischen Fehlern Marias gesprochen, so wird jetzt immer mehr eine vollkommene Sündenlosigkeit Marias behauptet, ja, eine Heiligkeit schon vor ihrer Geburt.

Da war es nur logisch, daß es seit dem zwölften Jahrhundert sogar einzelne Stimmen gab, die ausdrücklich eine **Bewahrung Marias vor der Erbsünde** behaupteten – seit Augustin ja nun so etwas wie ein Grunddogma der katholischen Kirche. Eine solche Ausnahme vom Schicksal der gesamten Menschheit ließ sich zwar zunächst aufgrund der Opposition der Theologen und insbesondere des Thomas von Aquin nicht durchsetzen. Doch hinderte dies später den bedeutenden Franziskanertheologen Duns Skotus (1308) nicht daran, eine »spekulative Lösung« zu suchen und vorzulegen: Wie kann man am Dogma von der Allgemeinheit der Erbsünde festhalten und zugleich Maria zur Ausnahme erklären? Skotus fand dafür den Begriff der »Voraus-Erlösung« (»redemptio praeservativa«) Marias – eine reine theologische Konstruktion. Der Prozeß der Überhöhung Marias aber war jetzt erst recht nicht aufzuhalten. Formal hielt man noch an Unterscheidungen fest und trennte zwischen allgemeiner Heiligenverehrung (doulía), gesteigerter Verehrung für Maria (hyper-doulía) und Anbetung Gottes (latría). Aber in der Praxis spielten Geschöpflichkeit und Menschlichkeit Marias oft eine geringe Rolle.

Doch die Maria der Glaubenslehre war eines, die Maria der Frömmigkeit ein anderes. Wie Jesus selber erhielt auch Maria – nicht zuletzt wieder unter dem Einfluß Bernhards und besonders des Franz von Assisi – in der **Volksfrömmigkeit** stärker menschliche Züge. Maria erscheint in vielen Gebeten, Hymnen, Liedern und auf vielen Bildern und Plastiken als Verkörperung der Barmherzigkeit, als allesvermögende Fürsprecherin bei ihrem himmlischen Sohn, als die liebenswürdige Gestalt, die den Sorgen der Menschen näher steht als der entrückt-erhabene göttliche Christus. Die Gotik hat für diese Frömmigkeit die eindrückliche »Schutzmantelmadonna« geschaffen. Sie drückt in einzigartiger Weise aus, was Millionen von Menschen bei Maria offensichtlich empfanden: Sie ist die Helferin gerade der kleinen Leute, der Bedrängten, Verängstigten und Marginalisierten. Ein Stück Mariologie »von unten« wird hier sichtbar, die im Kontrast steht zu den dogmatischen Super-Theorien über »Maria« durch Theologen, Mönche und Hierarchen. Von daher erklärt sich auch die Popularität des biblischen **»Ave Maria«** seit dem zwölften Jahrhundert, das zusammen mit dem Vaterunser zur verbreitetsten Gebetsform wird, allerdings erst seit 1500 in der heutigen Form mit der Bitte um Beistand in der Todesstunde gebetet wird. Von daher erklärt sich auch die Popularität des täglich dreimal geläuteten »Angelus« seit dem 13. Jahrhundert, aber auch des Rosenkranzgebetes, das seit dem 13.-15. Jahrhundert gepflegt wird.

Ein ökumenisches Marienbild?

Nur vor einem hütete man sich im Mittelalter: irgendwelche neuen **Mariendogmen** zu verkünden. Dies war den Päpsten des 19. und 20. Jahrhunderts vorbehalten: Pius IX. und Pius XII. Insbesondere Pius IX. hat durch seine Politik die Kirche gleich mit zwei Dogmen belastet. Nachdem er bereits in gegenrevolutionärem Konservativismus gegen Aufklärung, Wissenschaft, Demokratie und Religionsfreiheit ohne jedes biblische Fundament Mariens Unbefleckte Empfängnis (Bewahrung vor der Erbsünde) in aller Form zum Dogma erhoben hatte (1854), drängte er 16 Jahre später mit Hilfe des Vatikanum I (1870) der ganzen Kirche auch noch den Primat und die Unfehlbarkeit des Papstes auf. Nach dem Zweiten Weltkrieg setzte Pius XII. diese Linie fort. Er hatte den Ehrgeiz – in seinem römischen Triumphalismus unbekümmert um protestantische, orthodoxe und innerkatholische Bedenken –, auch Mariens leibliche Aufnahme in die himmlische Herrlichkeit als Dogma zu verkünden, und zwar im Jahre 1950 als Höhepunkt eines von ihm damals ausgerufenen

»Marianischen Zeitalters«.[301] In dieses »marianische Klima« passen auch zahlreiche Marienerscheinungen, die sich nicht zufällig im 19. und frühen 20. Jahrhundert »einstellen«: Lourdes (1858) und Fatima (1917).

Was im Mittelalter also noch nicht so deutlich war, ist durch die Pius-Päpste ad oculos demonstriert worden: Typisch für das römisch-katholische Paradigma gehen hier und nur hier **Papalismus und Marianismus** Hand in Hand. Hintergrund bildet zweifellos der **Zölibatismus**, der – wie wir hörten – tief in der mittelalterlichen Welt verwurzelt ist. »Maria«, so fragt angesichts dieser Entwicklung die erste katholische Professorin für feministische Theologie in Europa, die Niederländerin Catharina Halkes zweifelnd, »ein mögliches Modell, das gegen Frauen ausgespielt wurde, das Männern gegenüber nicht kritisch ist und das die Kluft legitimieren soll, welche die Kirche zwischen (weiblicher) Sexualität und der Vermittlung des Heiligen offengelassen hat«[302]? Keine Frage: Eine mittelalterliche und bis ins 20. Jahrhundert mittelalterlich gebliebene römisch-katholische Hierarchie (mit einem Papst wie Johannes Paul II., der in seinem Wappen das Kreuz zugunsten des M aus der Mitte weggerückt hat), welche die Ehelosigkeit für den Klerus auch angesichts Tausender pfarrerloser Pfarreien propagiert und die sexuelle Lust im Bereich der Ehe an die Kinderzeugung binden will, schuf mit der Gestalt Marias eine Kompensationsfigur für unverheiratete Kleriker, bei der man auf »geistige Weise« Intimität, Liebenswürdigkeit, Weiblichkeit und Mütterlichkeit erfahren kann. Welche fatalen psychischen Folgen diese Politik haben kann und hat, ist von Eugen Drewermann mit vielen Beispielen beschrieben und analysiert worden.[303]

Auch die Auswirkungen dieses römisch-katholischen Marianismus auf die christliche **Ökumene** sind zu bedenken. So stellt der evangelische Theologe Jürgen Moltmann zu Recht fest: »Mariologie – das wird man ehrlich und nüchtern feststellen müssen – hat bisher eher antiökumenisch als proökumenisch gewirkt. Die immer weiter entwickelte Mariologie hat Christen von Juden, die Kirche vom Neuen Testament, die evangelischen Christen von den katholischen Christen und die Christen insgesamt von den modernen Menschen entfernt. Ist aber die Madonna der kirchlichen Mariologie mit Mirjam, der jüdischen Mutter Jesu, identisch? Kann man diese in jener wiederfinden? Sollten wir nicht aufgrund der Spaltungen und Trennungen, die im Namen der Madonna von Kirchen verübt wurden, nach der jüdischen Mutter Mirjam selbst zurückfragen?«[304]

In der Tat, im Hinblick auf die **Zukunft der Kirche** ist angesichts dieser Entwicklung im Rahmen des mittelalterlichen Paradigmas eine Rückbesinnung angebracht. Die Mariengestalt bedarf der Befreiung von gewissen

Bildern – von den Wunschbildern einer männlich-zölibatären Priesterhierarchie ebenso wie von den Wunschbildern einer kompensatorischen Identitätssuche von Frauen. Dabei kann es nicht darum gehen, die Bedeutung Marias für Theologie, Kirche und Frömmigkeitsgeschichte zu eskamotieren, gar zu destruieren. Vielmehr muß es darum gehen, die Mariengestalt für unsere Zeit von den Ursprüngen her zu interpretieren und sie so von frauenfeindlichen Klischees und lähmenden Stereotypen zu befreien. Ziel muß es sein, den Weg für ein wahrhaft **ökumenisches Bild Mariens** freizumachen, damit dann wieder neu in allen christlichen Kirchen das lukanische Wort gelten kann: »Siehe, von nun an werden mich selig preisen alle Geschlechter.«[305] Ob Maria eine inspirierende Identifikationsfigur für Feministinnen sein kann, bleibt unter ihnen umstritten. Aber folgende Letlinien für ein ökumenisches Marienbild schienen mir in jedem Fall wichtig zu sein:

- Nach dem Neuen Testament ist Maria ganz und gar ein **Menschenwesen** und kein Himmelswesen. Das Marienbild des Neuen Testamentes ist höchst nüchtern und zum Teil auch widersprüchlich. Vom ältesten Evangelisten wird uns nur über einen Mutter-Sohn-Konflikt berichtet; wie seine Familie, so hält auch seine Mutter Jesus für verrückt.[306] Das älteste Evangelium kennt darüber hinaus keine legendäre Geburtsgeschichte, kein Wort von einer Jungfrauengeburt, einem Dabeisein unter dem Kreuz oder bei der Auferweckung. Von all dem, was sich durch die christliche Kunstgeschichte so tief in der Christenheit eingeprägt hat, berichten erst die späteren Evangelien, die uns eine gläubige, gehorsame Maria schildern.[307] Zwischen Maria als historischer Figur und symbolischer Gestalt – als Jungfrau, Mutter, Braut, Königin, Fürsprecherin[308] – muß deshalb schon im Neuen Testament unterschieden werden.[309]
- Maria ist nach dem Zeugnis des Neuen Testamentes in der Hauptsache die **Mutter Jesu**. Als Mensch und Mutter ist sie Zeugin seines wahren Menschseins. Und dieses Zeugnis für das Menschsein Jesu ist kein Widerspruch zu dem auch im Neuen Testament vertretenen Glauben, daß sich Jesu Existenz letztlich nur von Gott her erklärt, seinen tiefsten Ursprung in Gott hat, daß er für die Glaubenden der von Gott gesandte und erwählte Sohn ist.[310]
- Maria ist Beispiel und **Vorbild christlichen Glaubens**. Ihr Glaube, dem das Schwert des Anstoßes, Zwiespalts und Widerspruchs nicht erspart blieb und der seine größte Anfechtung angesichts des Kreuzes erlebt, ist in der Tat beispielhaft für den christlichen Glauben, schon nach dem Evangelisten Lukas[311]. Maria zeigt also keinen speziellen Glauben, keinen besonderen Einblick in die Geheimnisse Gottes. Vielmehr macht

auch ihr Glaube eine Geschichte durch und zeichnet so den Weg des christlichen Glaubens überhaupt vor.

- Maria verweist auf die Sache ihres Sohnes, auf die **Sache Jesu von Nazaret**. Die Sache Marias ist nichts anderes als die Sache Jesu, die die Sache Gottes ist. Auch hier hat Lukas richtige Akzente gesetzt. Die marianischen Schlüsselworte »Fiat« und »Magnifikat« haben noch heute einen Sinn. Gepriesen wird von Maria ein Gott, der »die Mächtigen vom Thron stürzt und die Niedrigen erhöht«[312]. Und der Sohn Marias, Jesus, hat so gar nicht »typisch männliche« oder »patriarchale« Züge. Der Sohn Marias ist eher der Freund der Frauen, die er als Jüngerinnen und Helferinnen in seine Nachfolge rief, unter denen Maria Magdalena in den frühen Gemeinden als Vertraute Jesu verehrt wurde.[313]

Auf Mirjam/Maria und ihren Sohn also können sich die Verfechter einer seit dem Mittelalter andauernden Diskriminierung der Frauen in der Kirche nicht berufen. Im Munde Marias und Jesu findet sich kein Schweige- und Unterordnungsgebot für Frauen. Beide kennen keinen »Eva-Mythos«, der die Frau für alles Böse in der Welt verantwortlich macht. Beide kennen keine Verteufelung der Sexualität, keine Degradierung der Frau als Lustobjekt, aber auch keine Diffamierung als universale Verführerin. Beide kennen auch kein Zölibatsgesetz, obwohl Jesus auffälligerweise unverheiratet war, aber auch keine Festlegung auf die Ehe. Insofern hat der Apostel Paulus die Sache Marias und Jesu kongenial interpretiert, wenn er über Christus, den erhöhten Herrn, schreibt: Er hat uns »zur Freiheit befreit«[314]. Und: »Wo der Geist dieses Herrn weht, da ist Freiheit.«[315] Im Raum dieser Freiheit ist kein Platz für Geschlechterdiskriminierung, Abwertung der Frau, Tabuisierung von Sexualität, Emotionalität, weiblicher Leiblichkeit, Unterordnung durch eine männliche Hierarchie. Im Raum dieser Freiheit, die der Christus verkörpert, gilt: »Hier ist nicht mehr Mann und Frau; denn ihr allesamt seid ›einer‹ in Christus Jesus.«[316]

Doch die Krise des Papalismus, Marianismus und Zölibatismus, wie sie heute auch für traditionelle Katholiken offenkundig ist, zeichnete sich schon im Spätmittelalter ab. Ihr müssen wir uns nun zuwenden.

11. Die Krise des römisch-katholischen Paradigmas

Niemand hatte geahnt, daß der Umschlag von der päpstlichen Weltherrschaft in päpstliche Ohnmacht so jäh erfolgen könnte! Anfang des 13. Jahrhunderts noch der glorreich regierende Innozenz III., jetzt am

Ende der schließlich erbärmlich gefangengesetzte **Bonifaz VIII.**! Dieser Papst, der sich gern mit großem Prunk (es heißt: mit Krone oder Tiara) als Herr der Welt zu zeigen pflegte, merkte gar nicht, wie das Papsttum Ansprüche erhob, die es selber ausgehöhlt hatte, und mit Waffen kämpfte, die stumpf geworden waren. Der Titel der ersten wichtigen Bulle Bonifaz' VIII., »Clericis laicos infestos«, sollte sich als ominöse Prophezeiung erweisen: »Daß die Laien den Klerikern feindlich gesinnt sind, überliefert der Stadt schon das Altertum.«[317] Aber wer trug daran die Schuld?

Der Umschlag päpstlicher Weltmacht in päpstliche Ohnmacht

Monokausale Erklärungen gibt es nicht; es gibt nur einen ganzen Komplex von Faktoren. Das **hierokratische Papsttum** erscheint, wie dies Walter Ullmann überzeugend herausgearbeitet hat[318], als **das »absteigende System«**; die unabhängigen, autonomen Mächte, bald **Nationalstaaten**, aber erscheinen als **das »aufsteigende System«** von Herrschaft und Recht. Konkret:

– Das Papsttum führte gegen die deutschen Kaiser und ihren Universalanspruch einen Todeskampf, und das mittelalterliche Reich ging als eine universal verstandene europäische Institution seinem Ende entgegen. Doch die vom Papsttum seit langem begünstigte französische Monarchie, die den französischen Nationalstaat, getragen von einem neuen französischen Nationalbewußtsein, heraufführte, war zur europäischen Vormacht herangewachsen. Sie wird jetzt ihrerseits das Papsttum als universale Herrschaftsinstanz Europas radikal in Frage stellen. Die Aushöhlung der Idee des universalen Imperiums hat eine Aushöhlung der Idee des universalen Papsttums zur Folge.

– Das Papsttum versuchte seine Oberhoheit mit überkommenen theologischen und juristischen Argumenten zu verteidigen, hatte aber immer weniger kreative Intellektuelle auf seiner Seite. Dagegen entwickelten und verbreiteten die französischen (und englischen) Könige mit Hilfe effektiver Ratgeber, Universitätsprofessoren und Publizisten staatskirchenrechtliche Kriterien, die später zum Gallikanismus und Anglikanismus führen.

– Das Papsttum versuchte die abendländische Universalkirche zu einem theokratischen Universalstaat umzugestalten. Doch seine moralische Glaubwürdigkeit wurde auch in der Laienschaft zutiefst erschüttert und seine Verankerung in den religiösen Überzeugungen der Völker auf Dauer beschädigt.

– Das Papsttum versuchte seinen Universalprimat (Jurisdiktions- und Lehrprimat) mit Diplomatie und Bannsprüchen, Interdikt, Inquisition und heiligem Krieg aufrecht zu erhalten. Aber kritische Geister distanzierten sich zunehmend von der Papstkirche; der Klerus, der im 13. Jahrhundert die Wissenschaft beherrschte, wurde durch das Rittertum aus seiner führenden literarischen Stellung verdrängt und zog sich auf das Latein zurück; eine weltliche Laienkultur und auch eine immer stärkere antiklerikale und antikuriale Opposition begannen sich zu formieren.

– Im Hochmittelalter stellte die Versöhnung von Glauben und Vernunft das vorrangige theologische Problem dar. Im Spätmittelalter jedoch war dies jetzt immer mehr die schon von Thomas eingeleitete neue Betrachtung des Menschen als Naturwesen, des Naturrechts und des Staates als natürliche Körperschaft der Bürger, aber auch die Entwicklung der Naturwissenschaft, der natürlichen Sprache und des Liedes des Volkes (statt des Lateins), schließlich überhaupt die Herausentwicklung der Idee des »Individuums«. Gegenüber der ein für alle Male gesetzten objektiven kirchlichen Ordnung mußte dies einen neuen Subjektivismus zur Folge haben.

Und wie entwickelte sich vor diesem Hintergrund das Papsttum? In jeder Hinsicht dramatisch. Schlag auf Schlag folgten jetzt die Ereignisse:

1294: Im Juli wird nach einer Sedisvakanz von mehr als zwei Jahren ein 80jähriger frommer, wohlmeinender, doch völlig weltfremder Benediktinermönch aus den Abruzzen zum Papst gewählt: **Coelestin V.** In einer völlig verweltlichten Kirche sollte er, von manchen als »Engelspapst« geradezu messianisch begrüßt, der einzige Papst der Papstgeschichte werden, der von sich aus (nach fünf Monaten schon) abdankte!

1294: Im Dezember wird Kardinal Benedetto Gaetani zum Nachfolger gewählt: **Bonifaz VIII.** Scharfsinniger Jurist und rücksichtsloser Machtmensch, der er war, scheint er bei der Abdankung seines Vorgängers kräftig mitgemischt zu haben. Nach seiner Wahl läßt er denn auch Coelestin zur Sicherheit in der Festung Fumone einkerkern und in einem kleinen Mauerdreieck von wenigen Metern sterben. Historiker beschreiben ihn denn auch als hochmütigen Interessenwahrer, als erfahrenen, doch glücklosen Politiker und schamlosen Mehrer seines Familienvermögens mit deutlich pathologischen Zügen.[319]

1296: Bonifaz erklärt in der genannten **Bulle »Clericis laicos«** die Besteuerung des Klerus für das alleinige Recht des Papstes, bestreitet die königliche Gerichtsbarkeit über die Geistlichen und droht mit Bann und Interdikt, was aber weder Frankreich noch England einschüchtert.

1300: Bonifaz inszeniert pompös das erste **»Heilige Jahr«** mit Jubiläumsablaß (reiche Finanzeinnahmen der Kurie durch ungezählte Pilger!), das seither alle Jahrhunderte, ja, alle 50 und schließlich alle 25 Jahre gefeiert wird.

1301: Durch das »Heilige Jahr« in seinem Selbstbewußtsein gestärkt, riskiert Bonifaz einen Konflikt mit dem französischen König **Philipp IV. dem Schönen** (auch dieser ein skrupelloser Machtmensch, aber glänzend beraten). Er richtet gegen ihn die Bulle »Ausculta fili« (»Höre, mein teuerster Sohn, die Gebote Deines Vaters«), ja zitiert die französischen Prälaten und Gelehrten zur Beratung nach Rom.

1302: Philipp geht publizistisch in die Offensive. Auf einen »bloßen« König (Gregor VII.: »regulus« = »Königlein«) lassen sich die aus der Papst-Kaiser-Ideologie (Sonne-Mond-Gleichnis) abgeleiteten Argumente ohnehin nicht anwenden; der »allerchristlichste König«, »rex christianissimus« Frankreichs sieht sich wegen des direkt vom Himmel gesandten Öls (»Chlodwigsöl«) ohnehin als unmittelbar von Gott Gesalbter an. Bonifaz reagiert mit der **Bulle »Unam sanctam«**. Sie wiederholt im Grunde nur die römische Lehre von der übergeordneten geistlichen Gewalt mit Berufung auf alle möglichen theologischen Autoritäten in schroffster Form und definiert den Gehorsam gegenüber dem Papst mit Thomas von Aquin »für jegliche menschliche Kreatur als ganz und gar heilsnotwendig«[320]. In einem geschickten propagandistischen Schachzug beruft der König nun die französischen Reichsstände, Adel, Klerus und Vertreter des »dritten Standes« (aus dem städtischen Bürgertum) ein, die sich, von bestens orchestrierter Publizistik begleitet, in nationaler Einmütigkeit auf die Seite des Königs stellen. Zum erstenmal sieht sich das Papsttum nicht nur einem König, sondern einem ganzen Volk gegenüber. Philipp appelliert an ein allgemeines Konzil.

1303: Für den 8. September bereitet Bonifaz die Exkommunikation des Königs und die Entbindung der Untertanen vom Treueid vor. Doch Unerhörtes geschieht in der Nacht davor: Der Papst – Herr der Welt – wird durch eine Schar Bewaffneter unter dem königlichen Rat Guillaume de Nogaret und dem ortskundigen Sciarra Colonna in seinem Schloß zu Anagni gefangen genommen: das **Attentat von Anagni**. Zum Rücktritt aufgefordert, bietet er stattdessen sein Leben an. Zwar wird er vom Volk von Anagni befreit, doch stirbt Bonifaz, nach dieser Erniedrigung ein gebrochener Mann, schon einen Monat später, am 12. Oktober, in Rom.

1309: Bonifaz' übernächster Nachfolger, Klemens V., vorher Erzbischof von Bordeaux, wird in Lyon inthronisiert, bleibt aus vorwiegend gesundheitlichen Gründen in Frankreich und nimmt nach längerem Schwanken seinen Sitz in **Avignon**. Der »Herbst des Mittelalters« (J. Huizinga[321]) hatte begonnen, das Ende der päpstlichen Weltherrschaft war gekommen, nicht aber das der päpstlichen Ansprüche …

Päpstliches Exil – papstkritische Publizistik

Rund 70 Jahre dauert nun die, wie man in Rom meint, **»babylonische Gefangenschaft« der Päpste in Avignon.**[322] Tatsache jedenfalls ist: Die Päpste waren jetzt allesamt Franzosen und politisch weithin in Abhängigkeit von der französischen Krone, ohne daß dies das reibungslose Funktionieren der zentralen Verwaltung gestört hätte. Im Gegenteil: Päpstlicher Beamtenapparat, Finanzverwaltung, Zeremoniell werden mächtig ausgebaut (und der Nepotismus auch). Und trotz aller politischen Abhängigkeit von Frankreich: An den römischen Ansprüchen hielten auch die Avignoneser Päpste fest. Ja, in Avignon kulminierte – angesichts des darniederliegenden Kirchenstaates, der Errichtung des neuen Papstpalastes und der »Capella« für den Palastgottesdienst und schließlich des Erwerbs der Grafschaft Avignon – die päpstliche Zentralisierung und Juridisierung in einem heute kaum noch vorstellbaren kurialen Fiskalismus, der keine Grenzen kannte: eine **Ausbeutung der Gesamtkirche** sondergleichen und damit auch eine gefährliche **Entfremdung zwischen Papsttum und vielen Ländern.** Das römische Papsttum – bisher die religiös-moralische Führungsmacht – wird zur **ersten großen Finanzmacht Europas**, die ihre geistlich begründeten weltlichen Forderungen mit allen Mitteln päpstlicher Exekutoren, der Exkommunikation und des Interdikts gnadenlos eintreibt.

Und doch: Die Päpste mußten im 14. Jahrhundert immer mehr mit einer **Opposition** rechnen, die ihren Sitz in den vielen (jetzt auch neugegründeten) Universitäten, Kollegien und Schulen und im Bürgertum der aufblühenden deutschen und italienischen Städte hat, unter den italienischen Ghibellinen und unter den einflußreichen **papstkritischen Publizisten**[323]:

– Schon **Dante Alighieri**, der in seiner »Divina Commedia« Papst Bonifaz VIII. in die Hölle verdammt[324], hatte in seinem politischen Bekenntnis »De monarchia« (um 1310)[325] der Institution des Papsttums jeglichen weltlichen Herrschaftscharakter abgesprochen; nicht dem Papst, sondern Gott allein sei der Monarch Rechenschaft schuldig, weshalb denn auch dieses Buch des Schöpfers der italienischen Nationalsprache bis zum Jahr 1908 auf dem päpstlichen Index der verbotenen Bücher blieb.

– Noch wichtiger vor allem für Staats- und Kirchenrechtler war die vom angesehenen Pariser Doktor und früheren Universitätsrektor **Marsilius von Padua** verfaßte Streitschrift »Defensor pacis« (1324)[326]. Sie trug zum erstenmal mit philosophischen und biblisch-patristischen Argumenten eine unklerikale Staatstheorie vor, die den neuzeitlichen Staatstheorien mit ihrer Trennung von weltlichem und göttlichem Recht, Gesetz und Gewissen vorarbeitete: Volkssouveränität; Unabhängigkeit der staatlichen Gewalt von der kirchlichen; Unabhängigkeit der Bischöfe vom Papst, aber auch der Gemeinde von der Hierarchie. Die Hauptursache von Unruhe und Unfrieden im politischen Leben sieht dieser scharfsinnig argumentierende »Verteidiger des Friedens« in der päpstlichen »Vollgewalt« (»pleni–tudo potestatis«), die jeglicher biblisch-theologischen Basis entbehre; über strittige Fragen soll in allgemeinen Konzilien, vom weltlichen Herrscher einzuberufen, verhandelt werden.

– Zu Marsilius gesellte sich in dieser Zeit, da Deutschland beinahe zwei Jahrzehnte mit dem Interdikt belegt war und Religion wie Moral in Europa gewaltigen Schaden litten, als einflußreichster Anwalt kaiserlicher Rechte gegenüber dem Papsttum das Haupt der »Via moderna« (Nominalismus), der englische Philosoph und Theologe **Wilhelm von Ockham**. Er, der jede Begründung des Glaubens durch die Vernunft leugnete und der über Gabriel Biel auch starken Einfluß auf Luther ausüben sollte, geißelte die Persönlichkeiten der zeitgenössischen Päpste und kritisierte die päpstliche »Vollgewalt« über weltliche Dinge.[327]

Doch gerade Ockham, der 1328 zusammen mit dem Ordensgeneral der Franziskaner, mit Marsilius und anderen aus der päpstlichen Haft an den königlichen Hof Ludwigs des Bayern in Pisa geflohen war und der 1347 in München sterben sollte, gehörte nun merkwürdigerweise zu den Verteidigern einer päpstlichen Unfehlbarkeit. Man fragt sich: Wie kam es gerade in dieser Zeit zu einer solchen Lehre, die in 1200 Jahren nirgendwo gelehrt wurde?

Die Unfehlbarkeit des Papstes – ursprünglich eine Häresie

Das war die Situation: Selbst Gregor VII., der einen Irrtum bei Päpsten keineswegs ausschloß, hatte nur behauptet, die **römische Kirche als solche** könne niemals im Glauben irren. Und auch die kurial gesinnte Kanonistik hielt jene ins Decretum Gratiani aufgenommene traditionelle katholische Lehre streng aufrecht, daß auch ein **Papst im Glauben irren** könne. Selbst Thomas von Aquin hatte ja so wenig wie die anderen großen Scholastiker eine Unfehlbarkeit des Papstes ausdrücklich behauptet. Jetzt aber kommt eine solche Lehre auf. Woher? Was sind die Ursprünge?

Dieses Rätsel ist in unseren Tagen beantwortet worden durch das Buch des amerikanischen Historikers Brian Tierney[328]. Es stellt über die Ursprünge der **päpstlichen Unfehlbarkeit** ein Doppeltes fest:

– Der **Ursprung** dieser Lehre ist gerade **nicht orthodox**: Die Kanonisten und Kanonisten-Päpste des 12./13. Jahrhunderts, öfters extreme Papalisten, bieten nicht, wie bisher vermutet, eine Grundlage für eine solche Lehre, vielmehr mußten sie sie nach strenger juristischer Logik ablehnen. Warum? Weil gerade durch infallible und so irreformable Dekrete (der vorausgegangenen Päpste) die absolute Gewalt oder Souveränität des (jeweils gegenwärtig regierenden) Papstes beschränkt würde![329] Aus wohlverstandenem Eigeninteresse kann deshalb kein Papst an einem solchen Unfehlbarkeitsanspruch interessiert sein.

– Der **Ursprung** dieser Lehre ist sogar **heterodox**: Es ist ein der Häresie angeklagter exzentrischer Franziskaner namens Petrus Olivi (1298), der um 1280 vor dem Hintergrund der Apokalyptik Joachims von Fiore die päpstliche Unfehlbarkeit propagierte. Warum? Um sämtliche Päpste der Folgezeit ein für allemal festlegen zu können: auf ein Dekret von Nikolaus III. nämlich zugunsten des Franziskanerordens aus dem Jahr 1279. Deshalb müsse dem Papst von allen Katholiken in allen Glaubens- und Sittendingen gehorcht werden »tamquam regulae inerrabili«, als einer »unfehlbaren Regel«. Und ein Papst, der sich dagegen verginge? Dieser wäre der von Petrus Olivi und manchen anderen für die apokalyptischen Zeiten erwartete Pseudopapst.

Doch diese frühe Lehre von der Infallibilität und Irreformabilität päpstlicher Entscheide – beide gehören von Anfang an zusammen – wurde in der Kirche nicht sonderlich ernst genommen, auch und gerade von den Päpsten nicht. Ja, nachdem sie rund vierzig Jahre später von den Franziskanern gegenüber einem anderen Papst ins Feld geführt worden war, erfolgt eine entsprechende Gegenreaktion: Der Avignoneser Papst Johannes XXII. verurteilt 1324 in der Bulle »Quia quorundam« die Lehre von der päpstlichen Unfehlbarkeit konsequent als ein Werk des Teufels, des »Vaters aller Lüge«.[330]

Was heißt das? Das heißt: Es gibt keine langsame »Entwicklung« und »Entfaltung« der Lehre von der päpstlichen Unfehlbarkeit, sondern eher ihre plötzliche (aber politisch erklärbare) Kreation am Ende des 13. Jahrhunderts – durch einen der Häresie angeklagten Franziskaner. Und nur unter franziskanischen Dissidenten wurde sie in der Folgezeit verteidigt, um zu beweisen, daß Johannes XXII. ein Häretiker war. Denn in der nun folgenden Zeit des abendländischen Papstschismas mit den zwei und dann drei Päpsten bestand wie dann auch zur Zeit der Reformation ohnehin nicht die geringste Aussicht, eine solche Lehre in der Kirche durchzusetzen. Selbst das Konzil der Gegenreformation (Trient) wagte es aus Angst vor konziliaren Reformforderungen nicht, dieses Thema aufzugreifen. Es sollte – wie wir hörten – dem restaurativen Papsttum im späten

19. Jahrhundert vorbehalten bleiben, daß diese ursprünglich häretische Lehre die Aura der katholischen Superorthodoxie bekam. Darauf wird zurückzukommen sein …

Jetzt sei zunächst noch einmal zurückgeblendet nach Avignon, der Residenz der Päpste seit dem Fall von Bonifaz VIII. Was war in der Zwischenzeit dort geschehen? Es war zu einer Spaltung des Papsttums selbst gekommen!

Was tun gegen zwei, ja drei Päpste gleichzeitig?

In Italien war die Lage immer schwieriger geworden. In Rom herrschte bisweilen der demagogische Volkstribun Cola di Rienzo mit altrömischen Utopien im Kopf. Und wie in Rom, so gab es überall in Italien die wildesten Parteikämpfe. Es drohte sogar der Verlust des Kirchenstaates. Deshalb kehrte Urban V. 1367 für drei Jahre nach Rom zurück, um danach erneut seinen Sitz in Avignon zu nehmen. Erst 1377 verlegte Gregor XI. – auf Drängen der Katharina von Siena und der Birgitta von Schweden, aber doch wohl vor allem aufgrund politischer Überlegungen – die päpstliche Residenz wieder nach Rom. Aber: Gregor XI. starb schon im folgenden Jahr: 1378.

Sein legal gewählter Nachfolger, Urban VI., zeigte schon bald ein solches Ausmaß an Unfähigkeit, Größenwahn, ja, Geistesgestörtheit[331], daß auch nach traditioneller kanonistischer Auffassung der Grund für einen automatischen Amtsverlust[332] gegeben war. Manche Kardinäle jedenfalls sahen Anlaß genug, im selben Jahr 1378 einen anderen Papst zu wählen, den Genfer Klemens VII., der nach der Niederlage seiner Truppen vor Rom seinen Sitz wieder in Avignon nahm. Damit gab es auf einmal zwei Päpste, denn Urban VI. dachte nicht daran, sein Amt aufzugeben. Und schlimmer noch: Beide Päpste exkommunizierten sich jetzt gegenseitig.

Das **große Schisma des Abendlandes** – es war jetzt Faktum. Das zweite Schisma in der Christenheit nach dem Bruch mit dem Osten, das fast vier Jahrzehnte dauern sollte – bis 1415. Konkret hieß das die Spaltung der Westkirche: Zur **Obedienz von Avignon** gehörten jetzt neben Frankreich auch Aragon, Sardinien, Sizilien, Neapel und Schottland und auch einige west- und süddeutsche Territorien. Zur **Obedienz von Rom** gehörten das Deutsche Reich, Mittel- und Norditalien, Flandern und England, die östlichen und nördlichen Länder. Welche Gewissenskonflikte dies auch für einzelne Christen erzeugte, ist kaum auszudenken. Selbst »Heilige« waren verschiedener Auffassung: Katharina von Siena zum Beispiel war für Urban VI., der ekstatische Asket Vincentius Ferrer, Anführer der berühmten Geißlerzüge, war für Klemens VII. Dabei verdoppelten jetzt zwei Kardinalskollegien, Kurien, Finanzsysteme die päpstliche Mißwirtschaft.

Kein Wunder, daß alle Welt nach einer »**Reform der Kirche an Haupt und Gliedern**« rief. Und es war die Universität Paris, die während des Mittelalters als so etwas wie ein Magisterium ordinarium in der Kirche amtete, welche die bedeutendsten Wortführer der Reform stellte: die Professoren Pierre d'Ailly, Kanzler der Pariser Universität, und Johannes Gerson. Die »Via concilii« setzte sich schließlich durch. Nur ein **allgemeines Konzil** konnte helfen. Ein Konzil, das aber nicht länger Ausfluß der päpstlichen »plenitudo potestatis« sein sollte (wie das Vierte Laterankonzil »unter« Innozenz III.), das vielmehr als eine **Repräsentation der ganzen Christenheit** gedacht war!

In neuerer Zeit hat man aus einer dogmatischen Verengung heraus versucht, alle konziliaren Ideen und die jetzt im Abendländischen Schisma entfaltete konziliare Theorie billig als häretisierenden »Konziliarismus« abzustempeln. Doch nach Vorarbeiten von F. Bliemetzrieder[333], A. Hauck[334] und M. Seidlmayer[335] hat wiederum Brian Tierney herausgearbeitet, daß die These vom Ursprung der konziliaren Theorie erst bei Dissidenten wie Marsilius und Ockham nicht zu halten ist. Von einem Bruch mit der Tradition könne keine Rede sein. Vielmehr gründen die konziliaren Ideen schon in der ganz und gar orthodoxen offiziellen Kanonistik des 12. und 13. Jahrhunderts.[336] Ich selber habe am Vorabend des Zweiten Vatikanischen Konzils aufgewiesen, daß bereits in der frühen patristischen Überlieferung das ökumenische Konzil eine wirkliche Repräsentation der Kirche ist. Schon der erste Bericht, der uns in der christlichen Literatur von kirchlichen Konzilien Kunde gibt, zeugt erstaunlich deutlich von diesem Konzilsverständnis. Tertullian berichtet: »... es werden in den griechischen Ländern an bestimmten Orten jene Konzilien aus allen Kirchen gehalten, von denen sowohl wichtigere Dinge gemeinschaftlich verhandelt werden als auch die **Repräsentation der ganzen Christenheit** in ehrfurchgebietender Weise dargestellt wird.«[337]

Aber die Päpste weder der einen noch der anderen Linie dachten daran zurückzutreten. Und als die Kardinäle beider Seiten 1409 ein allgemeines Konzil in **Pisa** abhielten, die beiden bisherigen Päpste absetzten und einen neuen wählten (Alexander V.), hatte die Kirche plötzlich **drei Päpste**. Aus der »verruchten päpstlichen Zweiheit« war unversehens eine »verfluchte päpstliche Dreiheit« geworden, zumal in der Pisaner Linie nach Alexander V. noch ein Johannes XXIII.[338] folgen sollte. Jetzt war die Frage erst recht von dramatischer Dringlichkeit: Wie konnte diese Drei-Päpste-

Herrschaft überwunden und die Einheit der Kirche wieder hergestellt werden? Sie wurde beantwortet durch das **Konzil von Konstanz**[339], das einzige ökumenische Konzil, welches bisher in Deutschland abgehalten wurde, doch vielleicht das eindrücklichste des Mittelalters.

Oft merken es die Menschen erst hundert Jahre später, welche historische Chancen man verpaßt, welches Kapital man verspielt und in welche verderbliche Richtung man sich verlaufen hat. Ich spreche hier nicht über die Zeit nach dem Zweiten Vatikanischen Konzil, dessen Reformbeschlüsse man von Rom aus immer mehr zu neutralisieren, dessen ökumenische Öffnung man zu blockieren, dessen neue Glaubensverkündigung man wieder in einen traditionalistischen Weltkatechismus zu kanalisieren versucht. Ich spreche – im Sinn des »Historia docet« – über die Zeit nach jenem großen **ökumenischen Reformkonzil**, das von 1414 bis 1418 in Konstanz getagt hat – rund vier Jahre lang wie das Vatikanum II. Schon jenes Konzil hatte sich eine dreifache Aufgabe gestellt:

- Die causa unionis: die Frage der Kircheneinheit.
- Die causa reformationis: die Frage der Kirchenreform an Haupt und Gliedern.
- Die causa fidei: die Frage der kirchlichen Verkündigung und Sakramentenspendung.

Ohne Konzil keine Reform! Das war außerhalb Roms die allgemeine Überzeugung. Und zugleich: Das Konzil, nicht der Papst, ist in der Kirche grundsätzlich das höchste Organ! Das war altkirchliche Tradition. Und in der Tat: Das Konzil von Konstanz hat – trotz schwerwiegender Kompromisse und verhängnisvoller, dann von Luther angemahnter historischer Fehlentscheide (Verbot des Laienkelchs und die schändliche Verbrennung des böhmischen Patrioten und Reformers Jan Hus gegen alle Versprechungen freien Geleits) – aufs Ganze gesehen **Erfolg** gehabt. Denn im berühmten Dekret »Haec sancta« der fünften Session (6. 4. 1415) wird vom Konzil in feierlicher Form definiert: **Das Konzil steht über dem Papst**. Diese Kirchenversammlung versteht sich als im Heiligen Geiste legitim versammeltes Generalkonzil, das die Gesamtkirche repräsentiert. Seine Gewalt ist unmittelbar von Christus verliehen, und ihr haben alle, auch der Papst, zu gehorchen: und dies in Sachen Glauben, Beseitigung des Schismas und Kirchenreform. Jeder – und sei es der Papst –, der den Befehlen und Beschlüssen dieses Konzils und jedes rechtmäßigen ökumenischen Konzils in den genannten Punkten beharrlich den Gehorsam verweigere, solle gebührend bestraft werden.

Dies war eine eindeutige Niederlage des römisch-kurialen Systems, das die katholische Kirche des Westens an den Rand des Abgrunds geführt hatte. Nicht bei einem Monarchen liegt die Gewalt in der Kirche, sondern bei der Kirche selbst, deren Diener, nicht Herr, der Papst ist. Da diese grundlegende (aber für die römische Kurie unbequeme) feierliche Definition dieses ökumenischen Konzils bis in die allerneueste Ausgabe von Denzingers offiziösem Enchiridion verschwiegen wird[340], sei sie hier in den entscheidenden Passagen abgedruckt.[341]

Das Konzil steht über dem Papst

»Diese heilige Synode von Konstanz, die ein ökumenisches Konzil bildet, das zur Ausrottung des gegenwärtigen Schismas und zur Einheit und Reform der Kirche Gottes an Haupt und Gliedern zum Lobe des allmächtigen Gottes im Heiligen Geiste legitim versammelt ist: um die Einheit und Reform der Kirche Gottes leichter, sicherer, reicher und freier zu erreichen, ordnet sie an, definiert, statuiert, entscheidet und erklärt das Folgende:

Sie erklärt erstens: Diese im Heiligen Geiste rechtmäßig versammelte Synode, die ein allgemeines Konzil darstellt und die streitende katholische Kirche repräsentiert, hat ihre Vollmacht unmittelbar von Christus; ihr ist jedermann, welchen Standes oder welcher Würde auch immer, auch wenn es die päpstliche sein sollte, gehalten zu gehorchen in dem, was den Glauben, die Ausrottung des besagten Schismas und die allgemeine Reformation dieser Kirche Gottes an Haupt und Gliedern betrifft.

Ebenfalls erklärt sie: Jedermann, welcher Bedingung, welchen Standes und welcher Würde auch immer, auch wenn es die päpstliche sein sollte, der den Geboten, Beschlüssen, Anordnungen oder Vorschriften dieser heiligen Synode und irgendeines anderen rechtmäßig versammelten allgemeinen Konzils bezüglich des oben Gesagten und all dessen, was diesbezüglich damit geschehen ist und zu geschehen hat, hartnäckig den Gehorsam verweigert, soll, falls er nicht zur Einsicht kommt, der angemessenen Strafe unterworfen und gebührend bestraft werden, unter Anwendung auch anderer Rechtsmittel, falls dies notwendig ist.«

Dekret »Haec sancta« des ökumenischen Konzils von Konstanz vom 6. 4. 1415

So ausgestattet, treibt das Konzil Vergangenheitsbewältigung (Absetzung oder Rücktritt der bisherigen drei Päpste) und blickt zugleich nach vorn, um für alle Zeit den Reformprozeß zu institutionalisieren. Das geschieht durch das Dekret »Frequens« vom 9. Oktober 1417. Es bezeichnet die »frequens generalium Conciliorum celebratio«, das heißt, **»die häufige Feier allgemeiner Konzilien«**, als das beste Mittel für eine Reform der Kirche. Aus diesem Grunde wird angeordnet, daß das nächste Konzil bereits fünf Jahre nach dem Abschluß des Konstanzer Konzils, das übernächste sieben Jahre später und die folgenden Konzilien in einem zeitlichen Abstand von zehn Jahren stattfinden sollen.[342] Dabei stimmte man – wie in manchen Universitäten – nach Nationen ab, was zweifellos den Gedanken von Nationalkirchen nahelegen mußte. Als neuer Papst wird schließlich – auf der Grundlage dieser Dekrete! – Martin V. gewählt.

Das Konstanzer Konzil: maßgebend bis heute

Das Konzil von Konstanz ist das einzige ökumenische Konzil der Konziliengeschichte, dem es nach unsäglichen Mühen gelang, eine große **Kirchenspaltung auf Dauer zu beseitigen**. Und man beachte: Die Legitimität Martins V. und aller folgenden Päpste bis auf den heutigen Tag hängt an der Legitimität des Konstanzer Konzils und seines Verfahrens in der Papstfrage. Und doch – seltsam genug: Abgesehen von den Verurteilungen des Oxforder Gelehrten John Wyclif und des Prager Professors Jan Hus genießt dieses Konzil in den dogmatischen Traktaten römischer Schultheologie keine große Beliebtheit. Schuld daran hat zweifellos weniger Konstanz selber als die einseitige Ausrichtung der neueren römischen Ekklesiologie. Sie weiß mit den Konstanzer Dekreten wenig Positives anzufangen und führt sie vielfach nur als »Schwierigkeiten« gegen bestimmte ekklesiologische Thesen an. Wer das römische System von innen kennt, weiß: **Konstanz** war **einer papalistisch-romzentrierten Theologie immer unbequem**, bis heute.

So wundert es nicht, daß Vertreter einer kurialen Ekklesiologie sich nicht scheuten, die Nichtverbindlichkeit der Konstanzer Dekrete zu behaupten – mit oft recht seltsamen, scheinbar historischen Argumenten. Konstanz sei ja nicht vom Papst »approbiert« worden; dessen Dekrete seien deshalb formell gar nicht in Kraft. Doch wie fadenscheinig eine solche Argumentation ist, habe ich schon in »Strukturen der Kirche« (1962 vor dem Zweiten Vatikanischen Konzil) gezeigt. Denn in den wirklich ökumenischen Konzilien des ersten Jahrtausends hatte sich die Frage nach einer formellen päpstlichen Approbation von Konzilien ohnehin nie gestellt; da war die Approbation des Kaisers entscheidend und begnügte man sich mit einem allgemeinen Einverständnis auch des Bischofs von Rom als des Patriarchen des Westens. Erst auf den mittelalterlichen Generalsynoden, die ganz von den Päpsten dominiert waren, ist sie aufgekommen. Auf dem Konstanzer Konzil aber, das sich wieder als eine Repräsentation der Gesamtkirche verstand, wurde eine ausdrückliche päpstliche Approbation gerade nicht mehr für notwendig gehalten. Denn: Gerade weil das Konzil seine Gewalt unmittelbar von Christus herleitet, gerade weil das Konzil so über dem Papst (bzw. über den drei Päpsten) steht, **kommt eine päpstliche Approbation von vorneherein nicht in Frage**: »Am 22.4.1418 schloß Martin V. die Synode. Eine gesonderte päpstliche Bestätigung kam nicht in Frage, und es geht, geschichtlich gesehen, nicht an, nur die letzten Sitzungen unter dem neuen Papst als ökumenisch zu betrachten.« (K. A. Fink)[343]

Und wie stand der neue Papst selbst zum Konzil? Wäre **Martin V.** nicht wenigstens bis zu einem gewissen Maße Vertreter der konziliaren Theorie gewesen, wäre er unter diesen Umständen durch dieses Konzil nie zum Papst gewählt worden. Auch er war »Konziliarist«, **Vertreter einer Konzilssuperiorität.** Doch war er kein Fachtheologe oder Schriftsteller, sondern Kurienkardinal und gehörte eher zum konservativen Flügel. Zwar bejahte auch dieser konservative Flügel eine »Superiorität« des Konzils, aber er interpretierte sie restriktiv. Während die **radikalen** Vertreter der konziliaren Idee die gewöhnliche Kirchenleitung im Grund dem Konzil übertragen wollten, so die **gemäßigten** Vertreter wiederum dem Papst und den Kardinälen; das Konzil sollte nach der Meinung dieser Gemäßigten nur im Fall einer Krisis intervenieren. Zwar waren auch sie für eine Beschränkung und Kontrolle der Macht des Papstes; aber diese sollte nicht in erster Linie den Bischöfen, sondern den Kardinälen zukommen.

Die Opposition freilich zwischen einem gemäßigten und einem radikalen »Konziliarismus« (wenn man dieses oft zur Diskriminierung der ganz und gar orthodoxen konziliaren Theorie überhaupt gebrauchen will!) war nach der Beseitigung der drei Päpste schärfer geworden. Die Radikalen wollten zuerst eine allgemeine konziliare Kirchenleitung einführen und noch vor aller Papstwahl die Kirche reformieren. Den Gemäßigten kam es vor allem auf eine Wahrung der päpstlichen Autorität und Legitimität an. So war es schon 1417 zu einem **Kompromiß** gekommen. Die Radikalen setzten die Publikation der **Reformdekrete** (darunter das Dekret »Frequens«) durch, die Gemäßigten die **Wahl eines neuen Papstes** für die Gesamt-Kirche, von dem sie eine Kanalisierung des radikalen Konziliarismus erwarteten. Und sie wurden nicht enttäuscht. Denn der sehr gewandte neue Papst tat schon bald alles, um seine Stellung wieder zu festigen und den Einfluß des radikalen Konziliarismus zurückzudrängen.

Ja, erstaunlich rasch kommt es bald **nach dem Konzil** wieder zu einer **Restauration des päpstlichen Absolutismus**. Und die so dringend notwendige Reform der Kirchenverfassung wurde abgewehrt! Zwar wurde auf den folgenden Konzilien zu Pavia und Siena die Verbindlichkeit der Konstanzer Dekrete nicht in Frage gestellt. Zwar erneuerte das ökumenische Konzil von Basel gleich nach seinem Zusammentreten 1431 die Generaldekrete der vierten und fünften Session von Konstanz. Zwar erklärte der noch von Martin V. mit dem Vorsitz in Basel betraute Kardinallegat Julian Cesarini in einem Schreiben (5. 6. 1432) an den neugewählten Papst Eugen IV. sehr deutlich, daß an der Gültigkeit der Konstanzer Dekrete die Legitimität Martins V. und jedes folgenden Papstes hänge. Doch die Kurie als ordentliche Instanz und ständige Gewalt erwies sich als stärker denn die außerordentliche Institution des Konzils. Man verfuhr nach der Devise: Konzilien kommen und gehen, die römische Kurie aber bleibt!

Rom verstand es in erstaunlichem Ausmaß, die mittelalterliche Theorie und Praxis der kirchlichen Verfassung zu reetablieren. Doch das Wiedererstarken des päpstlichen Absolutismus war nicht nur eine Folge der römischen Politik. Andere **Faktoren zugunsten der Zentrale** wirkten mit (und erinnern erneut an die Vorgänge nach dem Vatikum II!):

– Manche der treuesten und lautstärksten Vertreter der Konzilsidee (so Enea Silvio Piccolomini, später Pius II.) liefen aus Opportunitätsgründen zum Papsttum über.

– Besonders die (vom Papst kreierten) Kardinäle (von ihm nicht wie die Bischöfe als »Brüder«, sondern als »Söhne« angeredet) zogen vielfach die Kurie dem Konzil vor.

– Aber auch die Bischöfe und Äbte, die auf dem Konzil beanspruchten, »die Kirche« (= »congregatio fidelium«, »Gemeinschaft der Glaubenden«) zu repräsentieren, dachten nachher nicht daran, den »niederen Klerus« und die Laienschaft (die gelehrte zumal) an den kirchlichen Entscheidungsprozessen teilnehmen zu lassen.

– Schließlich fanden auch manche theokratischen Herrscher samt ihren Beratern und Publizisten, die konziliaren (»demokratischen«) Ideen und die daraus folgende Bewegung »von unten« könnten für alle »da oben« gefährlich und unruhestiftend werden. Auch die Monarchen waren eher für die Erhaltung des Status quo und so an der Reform des Papsttums, das ihnen erhebliche Zugeständnisse machte, nur bedingt interessiert. »Papst und weltliche Monarchen sahen sich einem gemeinsamen Gegner gegenüber, dem aufsteigenden, gebildeten städtischen Bürgertum. Daher die Bereitschaft des Papsttums und der Monarchien, miteinander Konkordate abzuschließen.«[344]

Mit dem erneuten Erstarken der kurialen Macht gingen auch die **Päpste in der Erneuerung ihrer früheren Ansprüche** jetzt wieder entschiedener vor. Ja, es blieb einem überzeugten Vertreter der konziliaren Idee vorbehalten, Enea Silvia Piccolomini, als er Papst wurde (Pius II.), in der Bulle »Execrabilis« (1460) die **Appellation vom Papst an ein Konzil offiziell zu verbieten** und mit Exkommunikation zu belegen, um der konziliaren Theorie das Wasser abzugraben. Mit Erfolg? Nein, die päpstlichen Verbote konnten sich in der Kirche **nicht durchsetzen.**[345] Man hielt sie für das, was sie waren: kuriale Drohgebärden, und stützte sich im übrigen weiterhin auf die Konstanzer Dekrete. Diese wurden außerhalb Roms nachdrücklich verteidigt: von Bischöfen und Theologen in ganz Europa. So war die Kirche des 15. und auch noch des 16. Jahrhunderts außerhalb Roms noch immer weitgehend von den konziliaren Ideen beherrscht, auch wenn die konziliare Bewegung seit der Mitte des 15. Jahrhunderts ihre Kraft verloren hatte.

Doch die **Ignorierung und Verdrängung der Konstanzer Dekrete** wurde fortgesetzt: Unermüdlich wurde vom Papsttum, wiewohl entschieden geschwächt und jetzt politisch nur noch eine Macht unter anderen Mächten, daran gearbeitet, seine alten absolutistischen Ansprüche wieder aufzurichten. Auf dem Fünften Laterankonzil 1516, am Vorabend der Reformation, ließ Leo X. unverblümt erklären: »Der zur Zeit existierende römische Pontifex, der die Autorität über alle Konzilien besitzt ...«[346]. Doch schon damals wurde die Ökumenizität dieses Papstkonzils bestritten, da es fast ausschließlich von Italienern und Kurialen beschickt war und wie die mittelalterlichen Generalsynoden ganz unter der Herrschaft des Papstes stand und deshalb keine Kirchenreform brachte.[347]

Auch in späteren Jahrhunderten sollte man sich immer wieder an Konstanz reiben. Römische Hoftheologen des 17. Jahrhunderts, Kardinal Robert Bellarmin SJ allen voran, ließen nichts unversucht, dieses Konzil in seiner Ökumenizität zu disqualifizieren.[348] Es war nun einmal ärgerlich, daß Konstanz der römischen Kurie unbequeme Reformdekrete und vor allem die Lehre von der Oberhoheit des Konzils über den Papst und die periodische Abhaltung von Konzilien beschert hatte. Das Erste Vatikanische Konzil 1870 war schließlich der Höhepunkt einer Politik weg von Konstanz, ja, gegen Konstanz. Denn im Gegensatz zu Konstanz versuchte dieses Konzil, die Oberhoheit des Papstes über das Konzil für alle Ewigkeit zu dogmatisieren – bis das Zweite Vatikanische Konzil (1962-65) die konziliare Idee wieder gewaltig aufwertete und in seiner Konstitution über die Kirche die Kollegialität von Bischöfen und Papst lehramtlich festschrieb. Der grundsätzlichen **Verbindlichkeit der Dekrete von Konstanz** darf denn auch heute nicht ausgewichen werden. Kein Papst hat es je gewagt, das Dekret »Haec sancta« aufzuheben oder als nicht allgemein verbindlich zu erklären.

Was also bleibt festzuhalten, wenn wir das entscheidende Ergebnis des Konzils von Konstanz als auch für unsere Zeit relevant ansehen? Für eine Kirche, die oft schlechte Erfahrungen mit ihren Päpsten gemacht hat, stellen sich Fragen für die Zukunft, Fragen an einen kurialen Autoritarismus ebenso wie an einen konziliaren Radikalismus.

Fragen für die Zukunft

- **Definiert** wurde auf dem Konzil von Konstanz eine **Superiorität des Konzils** im Sinne einer, wenigstens gemäßigten, konziliaren Theorie: Hat damit das ökumenische Konzil nicht über den damaligen Notfall hinaus auch in Zukunft die Funktion einer Art von »Kontrollinstanz« über den Papst?
- **Nicht definiert** wurde ein **konziliarer Parlamentarismus** (im Sinne des radikalen Konziliarismus): Wäre es wirklich gut für die katholische Kirche, wenn die gewöhnliche ordentliche Leitung der Kirche einfach vom Papst auf das Konzil übertragen und der Papst zu einem untergeordneten Exekutivorgan des konziliaren Parlaments degradiert würde?

Eine Einsicht ist seit dem Konzil von Konstanz jedenfalls nicht mehr auszulöschen: Die **mittelalterliche Form der Kirchenleitung ist nicht die einzige**, ist nicht die einzig richtige. Seither ist der alte Satz »Quod omnes tangit, ab omnibus approbari debet« (»Was alle angeht, muß von allen approbiert werden«) wieder aktuell. Und viel Unglück hätte in der Kirche nach dem Konstanzer Konzil vermieden werden können, wenn man an der Grundposition des Konstanzer Konzils – päpstlicher Primat **und** eine bestimmte »konziliare Kontrolle«! – festgehalten hätte. Aber wie sich Martin V. und seine Nachfolger nach Kräften bemühten, wieder eine Primatialgewalt ohne Rücksicht auf irgendeine Kontrolle zu erobern, so strebten auf der anderen Seite die extremen Konziliaristen in Basel (1431-

37) immer mehr nach einer faktischen Entleerung des Primats zugunsten der alltäglichen Kirchenleitung durch das Konzil. Der extreme Konziliarismus ohne echte primatiale Kirchenleitung führte (mit vielen anderen Faktoren) zum Basler Schisma, der extreme Papalismus ohne konziliare Kontrolle (mit vielen anderen Faktoren) aber zum Amtsmißbrauch des Renaissance-Papsttums und (indirekt) zur lutherischen Reformation. Der Fortgang der Geschichte ist aufschlußreich.

Renaissance – ein neues Paradigma?

Rinascimento, Renaissance, Wiedergeburt: **Italien** übernimmt jetzt in Kunst und Kultur die Führung in Europa. Und wer wäre nicht ein Bewunderer des italienischen Quattrocento, der florentinischen Frührenaissance (ca. 1420-1500): mit dem Dom eines Brunelleschi, der David-Figur eines Donatello, den Fresken eines Fra Angelico, den Gemälden eines Botticelli ...? Und wer würde das italienische Cinquecento, die römische Hochrenaissance von 1500 bis zum Sacco di Roma 1527 nicht als einen jener seltenen Höhepunkte menschlicher Kultur ansehen, bei dem ihm sofort die Namen und Werke Bramantes, Raffaels, Michelangelos und Leonardos da Vinci, des bildenden Künstlers, Naturforschers und Dichters einfallen? Und wer würde beim Namen Renaissance nicht ebenfalls denken an die dem Aufschwung der Bildenden Künste vorausgehende Wiederbelebung des Latein- und Griechischstudiums und die historisch-kritische Pflege und Auseinandersetzung mit dem antiken Schrifttum der Römer und dann auch der Griechen, in Florenz befördert durch das Unionskonzil mit den Griechen (1439), die Flucht griechischer Gelehrter nach dem Fall Konstantinopels (1453) und die Platonische Akademie (1459)? Anknüpfung also an griechisch-römische Bildungs- und Kunsttraditionen, an deren Vorstellungs- und Darstellungsformen, in Abkehr von der mittelalterlichen Scholastik und Gotik? Eine ganz neue Verbindung von Kunst und Philosophie mit dem Humanismus?

Keine Frage, daß für die **Kunstgeschichte** Italiens das Rinascimento, beginnend mit Giotto und endend mit Michelangelo, eine neue Epoche bedeutet, einen Paradigmenwechsel von der historisch immer noch stark byzantinisch beeinflußten mittelalterlichen Malerei zu einem neuen Stil, der schließlich auch nach Deutschland, den Niederlanden, Frankreich und England ausstrahlen sollte, dort freilich zumeist nur zu einer Durchdringung, Klärung und Reifung der Spätgotik mit neuen Formelementen führte. Verständlich auch, daß zuerst der italienische Kunsthistoriker Vasari (1574) in seinen Künstlerbiographien den Begriff »rinascità« =

»Wiedergeburt« verwendet, um die neue Kunst Italiens, die sich an der Antike orientiert und auf naturgegebene Gestaltung aus ist, abzugrenzen von der barbarischen, »gotischen«, mittelalterlichen. Verständlich schließlich auch, daß später die Aufklärung den kunsthistorischen Begriff der Renaissance zu einem historischen Begriff für das 15./16. Jahrhundert überhaupt verallgemeinerte und die Renaissance als ein Präludium zum eigenen »modernen« Zeitalter ansah: Schon da erkennt das Individuum im Spiegel der Antike seinen Eigenwert als irdische und historische Persönlichkeit; schon da scheint ein freies, selbstverantwortliches, fortschrittliches Menschentum auf; schon da geschieht die Entdeckung des natürlichen Menschen und des freien Bürgers. Renaissance und **Humanismus** werden jetzt zu weithin parallelen, analogen Begriffen.

Dies war ein Geschichtsbild, das im 19. Jahrhundert vertieft und konkretisiert wurde durch Jules Michelets siebten Band der »Histoire de France« (1837)[349] und vor allem Jakob Burckhardts »Die Kultur der Renaissance in Italien« (1860)[350]. »Renaissance« wird jetzt nicht nur als kunstgeschichtlicher Stilbegriff verstanden, sondern als **kulturgeschichtlicher Epochenbegriff**. Deren Charakteristika sind eine neue Wende zum Menschen, zur Natur, zur Welt. Renaissance – ein neues Zeitalter, abgegrenzt gegenüber dem »finsteren« Mittel-Alter und dessen enger Glaubenswelt einerseits und der »aufgeklärten« Neuzeit und ihrem neuen Menschen- und Weltbild andererseits. Und so erscheint es denn zunächst naheliegend, nicht nur für die italienische, sondern für die europäische Kunst und Kultur und so auch für unsere Darstellung des Christentums einen neuen Zeit-Raum, eine neue Gesamtkonstellation der Überzeugungen, Werte und Verfahrensweisen, kurz ein neues Paradigma anzunehmen – eben das der europäischen Renaissance.

Und doch: Was da »prima vista« völlig klar scheint, verkompliziert sich bei einer Überprüfung erheblich. Erweist sich doch gerade der Begriff der Renaissance als einer der **umstrittensten** der Geschichtswissenschaft. Warum?

– Umstritten ist die **Grundbestimmung** des Begriffs: Für die einen ist es der Begriff für eine weltgeschichtliche Epoche, der auf alle Lebensbereiche der Zeit anwendbar ist; für andere ist er nur der Name für eine Bewegung vor allem in Literatur und Kunst (wie schon die »karolingische« oder »ottonische«, so jetzt die italienische Renaissance).

– Unklar ist die regionale **Ausdehnung** der Renaissance: Für die einen ist sie ein spezifisch italienisches Phänomen (besonders das Quattrocento), welches zwar andere Kulturen befruchtet hat, ohne aber dort einen reinen Renaissance-Stil auszubilden. Für andere ist sie eine gesamteuropäische

Erscheinung; da müssen von vornherein auch schon die großen flandrischen Maler des 14. Jahrhunderts (Brüder van Eyck) wie auch die Alt-Kölner (Lochner) einbezogen werden und parallel zu den großen Italienern der Hochrenaissance (und doch so verschieden von ihnen) die deutschen Meister Dürer und Grünewald.

– Unbestimmt ist die zeitliche **Abgrenzung**: Für die einen setzt die Renaissance mit Cimabue und vor allem Giotto ein, für die anderen schon mit Joachims von Fiore »drittem Zeitalter«, mit Franz von Assisi und seiner Naturfrömmigkeit, mit Dantes verstärktem Interesse an der Antike und mit einer in der höfischen Kultur des 13. Jahrhunderts sich bereits abzeichnenden Abkehr von der mönchisch-asketischen Verneinung der Welt und der Wende zu einer individuellen Frömmigkeit. Und wenn man umgekehrt die Renaissance einfach als die »Wiege der Moderne« bezeichnen will, übersieht man, was schon Nietzsche, Bewunderer von Cesare Borgia, festgestellt (und bedauert) hat: daß die Renaissance schon sehr bald konterkariert, ja, abgebrochen wurde durch Reformation und Gegenreformation. Sie scheint in keine gesamteuropäische Synchronie zu passen.

Für unsere Paradigmenanalyse ergeben sich aus der Diskussion drei wichtige Einsichten:

1. Die Renaissance läßt sich nicht aus dem mittelalterlichen Zusammenhang herauslösen: Zwischen Mittelalter und Renaissance gibt es **keine Zäsur wie zwischen Mittelalter und Reformation**. Bei aller Diskontinuität ist die Kontinuität zu mittelalterlichem Gedankengut größer. Deshalb kann man von der Renaissance als einer spätmittelalterlichen Übergangs- und Umbruchszeit zu einer noch unbestimmten neuen Zeit sprechen, die eine Reihe von ästhetischen, gesellschaftlichen, wirtschaftlichen und politischen Veränderungen umfaßt.

2. Eine entscheidende, wenn auch nicht exklusive Rolle spielt dabei die begeisterte Rückwende zur **Antike**, zur griechisch-römischen Literatur und Philosophie (Platon!), Kunst und Wissenschaft. Sie werden jetzt nicht nur studiert, sondern imitiert, schließlich aber auch entschieden weiterentwickelt. Die klassische Bildung wird Gemeingut der italienischen Eliten und verdrängt die mittelalterliche Scholastik. Die Antike ist freilich weniger Ziel als Mittel und vor allem: Sie liefert einen **Maßstab**. Es kommt zur Loslösung des Menschen aus vielen mittelalterlichen Lebensnormen, die dem Menschen, besonders dem Künstler, aber auch dem frommen Individuum (dem Mystiker!) ein neues Selbstbewußtsein verschafft.

3. Bei aller weitverbreiteten kirchlichen Gleichgültigkeit und inneren

Entfremdung läßt sich die Renaissance, von Ausnahmen abgesehen, nicht einfach als »neues Heidentum« dem Christentum entgegensetzen. Offene Opposition zur Kirche ist selten. Die Renaissance, von vielen Päpsten unterstützt und von vielen Klerikern (darunter der exemplarische Dichter der Renaissance Francesco Petrarca) und Kurialen (Lorenzo Valla) mitgetragen, entwickelt sich äußerlich im **gesellschaftlichen Rahmen des Christentums**, auch wenn die neue künstlerische wie naturwissenschaftliche Naturerfahrung innerlich eine Loslösung aus der Bindung an das hierarchisch-christliche Denken des Mittelalters zur Folge hatte. Nicht nur die großen Bußprediger Bernardino (Siena) und Savonarola (Florenz), die im Volk gewaltige Resonanz finden, sondern auch die größten Humanisten von Nicolaus Cusanus angefangen über Marsilio Ficino und dessen Platonischer Akademie in Florenz bis zu Erasmus von Rotterdam und dem Staatsmann Thomas Morus in London bemühen sich um die **»Renovatio Christianismi«** und eine Laienfrömmigkeit aus dem Geist des reformerischen Humanismus und der Bibel. Diese – seit dem 14. Jahrhundert nun auch immer mehr in der Volkssprache zu lesen – war für manche die eigentliche Quelle der Inspiration geworden; es wird darauf im Kontext der Reformation zurückzukommen sein.

Wie also ist die Renaissance in unsere paradigmatische Betrachtung des Christentums einzuordnen? Besser nicht als eine nach rückwärts und vorwärts abgrenzbare, alle Lebensbereiche umfassende Epoche, sondern als eine gewichtige **geistig-kulturelle Strömung innerhalb des späten Mittelalters**. Ihr Aufkommen beweist, wie sehr sich das Mittelalter in einer tiefen Krise befindet, die zu Neuem drängt. Insofern kann man Jacques LeGoffs Plädoyer »Pour un long Moyen-Âge« unterschreiben: »Ich schlage vor, daß man diesen Einschnitt auf die richtigen Proportionen reduziert; ein glänzendes, aber oberflächliches Ereignis … Weit davon entfernt das Ende des Mittelalters zu markieren, ist die Renaissance – die Renaissancen – ein charakteristisches Phänomen einer langen mittelalterlichen Periode, eines Mittelalters immer auf der Suche nach einer Autorität in der Vergangenheit, eines Goldenen Zeitalters nach rückwärts. Nicht allein hat die ›große‹ Renaissance keinen relativ präzisen chronologischen Ursprung – er schwankt in Europa zwischen drei wenn nicht vier Jahrhunderten –, sondern sie ist übergriffen von zahlreichen bedeutsamen historischen Phänomenen.«[351]

Renaissance-Papsttum und die Unfähigkeit zur Kirchenreform

Für Kirche und Christentum jedenfalls gingen von der Renaissance (abgesehen von der Kunst) keine allgemeinen epochewandelnden Wirkungen aus, wenn man nicht die zunehmende **Italienisierung von Papst und Kurie** als solche bezeichnen will, was sich später auswirken sollte. Die Päpste von Nikolaus V., unter dem 1452 die letzte Kaiserkrönung durch einen Papst, dann die Abdankung des letzten Gegenpapstes und die Schrecken verbreitende Eroberung Konstantinopels (1453) stattfand, bis zu Leo X., unter dem das für Reformen ergebnislose Fünfte Laterankonzil tagte und gleich darauf die Reformation ausbrach: Gerade diese italienischen Päpste waren eifrige Förderer des Geistes der Renaissance. Bramantes und Michelangelos Peterskirche sowie Raffaels Stanzen und Michelangelos Sixtinische Kapelle im Vatikan sagen genug!

Freilich: Von den früheren Weltherrschaftsambitionen der Päpste war jetzt nur noch ein mittelgroßer italienischer Territorialstaat mit wieder völlig italianisierter Regierung übriggeblieben. Seit dem Frieden von Lodi 1454 ist der Kirchenstaat nur noch einer von fünf größeren italienischen Mächten (»Cinque Principati«), zusammen mit dem Herzogtum Mailand, den Republiken von Florenz und Venedig und dem Königreich Neapel. Unter diesen Umständen wollten die Päpste durch ihre riesige **Bautätigkeit und Kunstförderung** sichtbar zum Ausdruck bringen, daß die Hauptstadt der Christenheit zumindest das Zentrum auch von Kunst und Kultur ist.

Dies alles aber wurde erkauft durch eine **Verweigerung der Kirchenreform**, die eine grundlegende Gesinnungsänderung der Päpste samt ihrer Kurialen vorausgesetzt hätte. Daran aber dachte niemand in einer Zeit, da auch die Päpste – Machiavelli hatte genügend zeitgenössisches Anschauungsmaterial – ganz gewöhnliche **italienische Renaissancefürsten** waren. Skrupellos trieben sie ihre Interessenpolitik, vor keiner Intrige und Gemeinheit schreckten sie zurück, und den Kirchenstaat regierten sie wie ein ihnen gehörendes italienisches Fürstentum: die eigenen Nepoten oder legitimierten Kinder (Bastarde) werden bevorzugt; man versucht, Dynastien in der Form erblicher Kleinfürstentümer zu bilden für die Papstfamilien der Riario, della Rovere, Borgia.

Natürlich war man sich selbst unter den Borgias der Notwendigkeiten eines Reformprogramms bewußt. Doch je länger desto unverfrorener führten diese »Renaissance-Päpste« (ihr Name wurde sprichwörtlich) ein Leben in ungeheuerlichem Luxus, hemmungsloser Genußsucht und ungenierter Lasterhaftigkeit. Wie viele Kinder diese Päpste hatten, die selbstverständlich für »ihre« Kirche nach wie vor eisern am Zölibat festhielten, wird nie ein Historiker herausfinden. Sicher ist nur, daß etwa der korrupte Sixtus IV. (Franziskaner und Förderer der »Unbefleckten Empfängnis« Marias) ganze Scharen von Neffen (»nipoti«) und Günstlingen auf Kosten der Kirche versorgte und sechs Nepoten zu Kardinälen erhob, darunter seinen Vetter Pietro Riario, einen der skandalösesten Wüstlinge der römische Kurie, der schon mit 28 Jahren seinen Lastern erlag.

All das ist hier nicht auszubreiten. Auch nicht die Schamlosigkeit eines Innozenz VIII., der mit seiner Bulle »Summis desiderantes affectibus« (1484) den Hexenwahn gewaltig förderte und Hexenprozesse abhalten ließ, andererseits sich nicht scheute, seine illegitimen Kinder öffentlich anzuerkennen und deren Hochzeiten mit Glanz und Glorie im Vatikan feiern zu lassen. Auch nicht die Politik des gerissenen Alexander VI. Borgia (1492-1503), der sein Amt durch Simonie allergrößten Stiles erhalten und mit seiner Geliebten vier (und auch noch als Kardinal mit anderen Frauen weitere) Kinder gezeugt hatte, sich aber nicht scheute, den großen Bußprediger Girolamo Savonarola schließlich zu exkommunizieren und für seine Verbrennung mitzusorgen. Über all das bräuchte man kein Wort zu verlieren, wenn nicht bis in unsere Tage hinein versucht würde, gerade diese erbärmliche, unmoralische und verbrecherische Gestalt nach höchst oberflächlichen politischen Kriterien verharmlosend zu »historisieren«, gar zu »rehabilitieren«.[352]

Unter Alexander VI. – so damals ein Sprichwort in Rom – herrsche die Venus. Unter seinem ständig Krieg führenden Nachfolger Julius II. della Rovere: der Mars. Und unter Leo X. Medici? Die Minerva! 1513 hatte dieser völlig ungeistliche Sohn Lorenzos des Prächtigen den Papstthron bestiegen. Er, der schon mit 13 Jahren (zusammen mit vier anderen Medici-Neffen) durch seinen lasterhaften Onkel Innozenz VIII. Kardinal geworden war, liebte vor allem die Kunst, genoß das Leben und konzentrierte sich politisch ganz auf den Erwerb des Herzogtums Spoleto für seinen Neffen Lorenzo. So konnte er gar nicht mitbekommen, daß 1517 ein epochemachendes Ereignis stattgefunden hat, und zwar in Verbindung mit einem damals unbekannten Mönch namens **Martin Luther**: Ein **Paradigmenwechsel par excellence** war eingeleitet worden, der dem universalen Anspruch des Papstes, der im Osten ohnehin nie anerkannt worden war, auch im Westen ein Ende bereitete! Wie aber reagierte Rom? Rom reagierte auf die lutherische Reformation nicht durch eigene Reformation, sondern durch Gegen-Reformation. Doch heutige katholische Historiker schätzen diesen Begriff wegen der damit verbundenen Vorstellung von Gewaltanwendung in religiösen Dingen nur bedingt.

12. Gegen-Reformation? Zurück zum mittelalterlichen Paradigma

Dem reformatorisch-protestantischen Paradigma (P IV) wird ein eigenes großes Kapitel zu widmen sein (Kap. C IV). Im Rahmen unserer Paradigmenanalyse (und dem Stand der internationalen historischen Diskussion folgend) interessieren ja mehr Entstehung und Entfaltung eines Paradigmas als dessen Spätphasen und mögliche Versteifung und Erstarrung; eine gleichmäßige Behandlung, so sagte ich schon in der Einleitung, würde diesen Band sprengen. Hier im Kontext des römisch-katholischen Paradigmas (P III) müssen wir uns deshalb auf die Frage konzentrieren, wie **Rom** auf den Vorstoß Luthers und den religiösen und kirchlichen Wandlungsprozeß des frühen 16. Jahrhunderts reagierte, der nicht nur Kirche und Theologie, sondern auch das gesamte gesellschaftliche Leben und das politische Machtgefüge verändern sollte. Soll man, wie seit Ranke üblich, von »Gegenreformation« reden? Schon 1946 hat Hubert Jedin, der mit seiner vierbändigen Geschichte des Konzils von Trient die katholische Interpretation dieser Epoche auf ein neues wissenschaftliches Niveau heben sollte, zur unverkürzten Kennzeichnung dieser Periode den Doppelbegriff »katholische Reform und Gegenreformation« vorgeschlagen.[353] Diese Unterscheidung ist hilfreich, so lange man nicht übersieht, daß nach der Reformation faktisch jede katholische Reform auch gegenreformatorisch geprägt war.

Statt der Reformen die Reformation

Lange hatte Rom wirkliche Reformen blockiert, dafür aber jetzt die Reformation bekommen. Neben der Papstkirche gab es im Westen auf einmal neue christliche **Kirchen**, die in ihrer ersten Phase eine **gewaltige religiöse, politische und gesellschaftliche Dynamik** entfalten sollten. In den Augen Roms eine Katastrophe. Denn die protestantische Reformation hat die römisch-katholische Kirche grosso modo die nördliche Hälfte ihres Imperium Romanum gekostet – vom protestantischen Zürich, Bern, Basel und Genf angefangen und weiten Teilen Deutschlands bis nach Holland, England, Schottland und Skandinavien –, von Nordamerika, das später hinzukommt, ganz zu schweigen. Am Ende der Reformationszeit hatten sich innerhalb dieses reformatorischen Paradigmas vier große, recht verschiedene Typen protestantischen Christentums herausgebildet, der lutherische, der anglikanische, der reformierte und der freikirchliche, denen wir uns später gesondert zuwenden müssen.

Gewiß: Das Christentum blieb in dieser Zeit noch immer die entscheidende religiöse, kulturelle, politische und gesellschaftliche Klammer Europas. Das Papsttum aber war welthistorisch in die **Defensive** gedrängt und zur **Reaktion** verdammt. Das zunächst so innovative römisch-katholische Paradigma erstarrte im mittelalterlichen Korsett, über dessen »Reinhaltung« gegen die starken Kräfte zuerst der protestantischen Reformation und dann der aufgeklärten Moderne hier nur in gröbsten Zügen berichtet werden kann. Denn bei allen späteren innerkirchlichen Reformen: Die wirklich epochalen, paradigmatischen Neuerungen und »Modernisierungseffekte« in Kirche, Theologie und Gesellschaft sind zuallermeist nicht im römischen Herrschaftsbereich (P III) zu finden, sondern innerhalb des reformatorischen (P IV) und dann des modernen Paradigmas (P V). Sie werden dort behandelt werden.

Gewiß: Seit den 30er Jahren des 16. Jahrhunderts war auch Protestanten immer klarer geworden, daß das mittelalterliche römisch-katholische Paradigma mehr Resistenz bewies, als Luther und seine Gesinnungsgenossen ursprünglich angenommen hatten. Zwar gab es die eine katholische Kirche des Westens nicht mehr, aber das von den Reformatoren in apokalyptischer Endzeitstimmung **erwartete Zusammenbrechen des römischen Systems blieb aus.** Vielmehr bildete sich mit der Zeit, in charakteristischer Entgegensetzung zum protestantischen Christentum Nord- und Westeuropas (und später auch Nordamerikas), ein **mediterraner Katholizismus italienisch-spanischer Prägung** aus. Dieser nahm schon früh nicht nur auf die deutschen katholischen Lande Einfluß, sondern wurde auch auf Lateinamerika übertragen – mit allen in einer eigenen Untersuchung zu betrachtenden Folgen. Angesichts einer zunächst kraftvollen reformatorischen Bewegung, die jetzt aber vielfach ihren Schwung verlor, ein jetzt zwar halbiertes, aber wieder neu geschichtsmächtiges römisches System und Herrschaftsinstrument! Denn im Gegensatz zum zunehmend pluralen Protestantismus war es von einer jetzt noch straffer organisierten Hierarchie im Rahmen einer absoluten Monarchie zusammengehalten, die, so werden wir sehen, in Glaubens- und Sittenfragen mit autoritärer Gewalt, Zensur und Inquisition ausgestattet blieb.

Auf welche Weise aber kam es in der römisch-katholischen Kirche zu einer Wende von Spätmittelalter und Renaissance zu »katholischer Reform und Gegenreformation«?[354] Wie die Reformation, so hatte auch die Gegenreformation ihre politische Dimension, wobei es falsch wäre, diese als primär zu betrachten. Denn der **Grund** nicht nur der Reformation, sondern **auch der Gegenreformation** war in erster Linie **ein religiöser**: die Erneuerung der katholischen Kirche aus ihrer eigenen Substanz heraus.

Wie es zur katholischen Reform kam

Es waren nicht in erster Linie reformatorische, sondern **vorreformatorische Reformimpulse**, zumeist auf der mittleren, humanistischen Linie eines Erasmus von Rotterdam, des »Fürsten der Humanisten«, und seines Programms eines »Zurück zu den Quellen« (Schrift und Väter), die sich zunächst in der römisch-katholischen Kirche auswirkten. Ein »Evangelismus«, der in erster Linie im Raum außerhalb der Reformation zu beobachten war, in Spanien und Italien.[355]

Der Ursprungsort der katholischen Reform war nicht Rom, sondern **Spanien**! Spanien, durch die Heirat Isabellas I. von Kastilien-León mit Ferdinand II. von Aragon geeinigt, hatte 1492 durch die Eroberung des muslimischen Granada die christliche Reconquista abgeschlossen. Zugleich hatte es Muslime wie Juden, die sich nicht bekehrten, unbarmherzig vertrieben und hatte im selben Jahr durch die Entdeckung Amerikas (später die Eroberung Mexikos 1521) ein an Edelmetallen reiches Kolonialreich grundgelegt. Dieses Spanien stand nun mit der führenden Kontinentalmacht Frankreich im Wettbewerb um Italien und gar um die deutsche Kaiserkrone. Diese hatte unmittelbar nach Ausbruch der lutherischen Reformation Ferdinands und Isabellas Enkel, der junge spanische König Karl I., in der Welt als **Kaiser Karl V.** bekannt, gewonnen. Ein Habsburger von katholischer Überzeugung und hohem europäischem Sendungsbewußtsein, in dessen Reich – vom Balkan über Wien bis nach Madrid, Mexiko und Peru – buchstäblich die Sonne nicht unterging. In dieser entscheidenden Zeit von 1519 bis 1556 versuchte Karl nun, gegen alle religiösen und nationalen Partikularismen wieder die mittelalterliche Universalmonarchie aufzurichten, und handelte sich damit einen Dauerkonflikt mit Frankreich ein, das ebenfalls nach europäischer Hegemonie strebte.

Doch Spanien und Reform? Muß man bei dem von der Reconquista geprägten strengen spanischen Katholizismus nicht in erster Linie an die unheilvolle Erneuerung der **Inquisition** unter dem Großinquisitor Thomas de Torquemada denken, unter dem gegen 9 000 Autodafés (= »actus fidei«, »Glaubensakt«, Urteilsvollstreckung meist durch Feuertod) durchgeführt wurden? An diese geheime staatliche Polizei- und Gerichtsbehörde, die besonders gegen die (oft nur oberflächlich) zum Christentum bekehrten Juden und die muslimischen Mauren gewütet hatte und die sich später auch gegen erasmianische Humanisten wenden sollte? Dies ist die eine Seite.

Aber man darf auch die kirchliche **Reform** nicht vergessen, die gerade von Erasmus mächtige Impulse empfangen hatte und die unter der Führung des Humanisten Francisco Ximénez de Cisneros, eines asketischen Franziskaners, von Isabella zum Erzbischof von Toledo und Primas von Spanien gemacht, mit der Unterstützung der weltlichen Macht zu einer Erneuerung der Klöster und des Klerus führte, zur Gründung von Universitäten in Alcalá und an anderen Orten und zu einer vielbewunderten polyglotten Ausgabe der Bibel. Das 16. Jahrhundert sollte überhaupt Spaniens stolzes »siglo de oro«, sein »goldenes Jahrhundert« werden! Spanien (von Rom aufgrund von Konkordaten relativ unabhängig) wird in der zweiten Jahrhunderthälfte unter Karls Sohn Philipp II. (1555-98) die bedeutendste Macht Europas, wiewohl die Kaiserwürde bei Karls Bruder Ferdinand und den deutschen Habsburgern blieb.

Zum Teil unter spanischem und noch mehr unter erasmianischem Einfluß wurde auch in **Italien** noch in der Zeit der Renaissance-Päpste die katholische Reform grundgelegt: zunächst in kleinen, unscheinbaren evangelisch denkenden Kreisen, wo eine tiefe humanistische und evangelische Frömmigkeit gepflegt wurde. Aus ihnen ging – zur Reform des Klerus – der Theatinerorden Gaetanos von Thiene hervor, ebenso der spätere »Reform«-Papst Gian Pietro Caraffa, ein napolitanischer Adliger. In Venedig gab es den Reformkreis um Gasparo Contarini, der als Gesandter Venedigs 1521 in Worms Luthers Auftreten miterlebt hatte und anders als Caraffa vom Ideal der Urkirche geprägt war.

Aber selbst die Katastrophe der mehrtägigen Plünderung Roms durch die unbezahlten kaiserlichen Truppen im **Sacco di Roma** (1527) brachte zwar das Ende der römischen Renaissancekultur, aber nicht die Reform der römischen Kirche. Die einzigartige Chance der Gefangenschaft des Papstes zu nützen zur Einberufung eines Reformkonzils, wie ihm auch von seinem Bruder Ferdinand dringend empfohlen, verpaßte Karl V. Das Papsttum blieb unreformiert. Erst unter dem folgenden Papst des Übergangs, **Paul III.** Farnese (1534-49)[356], wurde die Reform endlich Sache auch des Papsttums. Erst jetzt wurde aus Teilreformen eine gesamtkirchliche Reformanstrengung. Paul III., mit seinen vier Kindern und drei Enkeln zwischen 14 und 16 Jahren als Kardinälen noch durchaus ein Renaissancemensch, leitet die Reform in Rom mit drei Aktionen ein:

– Er beruft die Führer der Reformpartei, eine Reihe sehr fähiger und tiefreligiöser Männer, in das **Kardinalskollegium** (den Laien Contarini, dann Pole, Fisher von Rochester, Morone, Caraffa), die für den Papst das berühmte Reformgutachten »De emendanda Ecclesia« von 1537 ausarbeiten.[357] Langsam zieht auf diese Weise wieder sittlicher und religiöser Ernst in Rom und im Vatikan ein.

– 1540 bestätigt Paul III. die neuartige »Compañía de Jesús« des nach einer Kriegsverletzung durch ein Erweckungserlebnis gegangenen baskischen Ritters und Offiziers Iñigo/Ignatius de Loyola: die dem Papst in besonderem Gehorsam verpflichtete **Gesellschaft Jesu.**[358] Die Jesuiten, durch die ignatianischen »Exerzitien« stark religiös motiviert, zugleich sorgfältig ausgewählt, wissenschaftlich gründlich geschult und unter einem General straff organisiert, werden der schlagkräftige Eliteorden der Gegenreformation, dessen Mitglieder wie die protestantischen Pfarrer zumeist aus städtischem Milieu, aus mittleren bis höheren Schichten stammten. Ohne Ordenstracht, ohne festen Ort, ohne Chorgebet sollen sie sich in strenger Ordensdisziplin und bedingungslosem Gehorsam gegenüber Gott, Papst und Oberen konzentrieren auf die Bekehrung der Ketzer und Heiden und die Herrschaft der katholischen Kirche (in pastoralem und pädagogischem Wirken, in höheren Schulen und Universitäten, im Beichtstuhl, an Fürstenhöfen, in den Missionen). Volkspredigt und Volksseelsorge werden noch mehr die Aufgaben der **Kapuziner** und **Oratorianer**, die mit anderen neuen Ordensgemeinschaften von neuem Geist in der alten Kirche zeugen.
– Schließlich und endlich eröffnet dieser Papst 1545 – es war fast drei Jahrzehnte nach Ausbruch der Reformation und zwei Jahre vor Luthers Tod – das **Konzil von Trient**, das keine autonome kirchliche Aktion, sondern ein zentrales Moment im politischen Kalkül der europäischen Mächte darstellt. Doch – welche Richtung wird die Reform nehmen?

Erneuerung oder Restauration?

Noch immer ist auch unter Katholiken viel zu wenig bekannt: Zu Beginn der katholischen Reform unter Paul III. war die Frage durchaus noch unentschieden: eine wirkliche Erneuerung oder nur eine Restauration? Und es gab eine starke Strömung selbst in der obersten Kirchenleitung, die für eine positive Erneuerung eintrat. Zu manchen reformatorischen Anliegen hatte sie ein positives Verhältnis, war offengeblieben für das Gespräch und tendierte so letztlich auf irgendeinen Ausgleich mit dem Protestantismus hin.

Es ist keine Frage, daß die junge **innerkatholische Reformbewegung** von der Auseinandersetzung um den Protestantismus entscheidend beeinflußt wurde. Aber in der Hauptsache bezog sie ihre Ideen gerade in Italien, wie wir hörten, aus der Auseinandersetzung mit der Bibel (besonders mit Paulus). Das Evangelium stand im Zentrum. Und Erasmus war ursprünglich wichtiger als Luther. Probleme wie Rechtfertigung, theologia crucis, die unsichtbare Kirche usw. waren Fragen, die sie genauso umtrieb wie die Reformation. Doch wollte diese innerkatholische Reform betont an der sakramentalen und hierarchischen Kirche festhalten. Zu dieser Gruppe gehörten neben dem Kreis von Viterbo (mit Michelangelo und Vittoria Colonna) und den beiden Kamaldulensern Quirini und Giustiniani (ein mutiges Reformgutachten zu Händen schon von Leo X.!), Bischöfen wie Giberti (Verona) und Lippomano (Bergamo) vor allem die Kardinäle Contarini, Sadoleto, Cervini, Pole, Morone und der Augustinergeneral Seripando, die ihrerseits in Verbindung standen mit Humanisten jenseits der Alpen, besonders mit Erasmus und deutschen katholischen Theologen (Pighius, Gropper, Pflug) und Politikern (vor allem in der Umgebung des Kaisers). Aus dieser Gruppe war jenes Reformgutachten »De emendanda Ecclesia« hervorgegangen. Ihr Führer war jener Contarini, der als Papstlegat mit der Lehre von der »doppelten Gerechtigkeit« auf dem Religionsgespräch zu Regensburg 1541 eine – für beide Seiten freilich problematische – Verständigung mit Melanchthon erreichte.

Doch die Entwicklung verlief fatal, die Reformgruppe drang nicht durch. Erasmus war 1536 gestorben; seiner oft nicht genügend gewürdigten reformerischen Potenz wird im Rahmen des reformatorischen Paradigmas (P IV) noch eingehender zu gedenken sein. Und verhängnisvoll für die katholische Erneuerung sollte das Jahr 1542 werden. Denn im selben Jahr wird (anscheinend auf Anregung des Ignatius von Loyola) die Inquisition reorganisiert und in Rom durch Paul III. ein Mittelpunkt der Inquisition für alle Länder errichtet: das berühmt-berüchtigte **Sacrum Officium Sanctissimae Inquisitionis.**[359] Contarini wird jetzt der Häresie verdächtigt und stirbt. Schlüsselfigur in diesem grausamen Spiel ist der konservative Eiferer Kardinal Gian Pietro Caraffa aus dem damals spanischen Neapel, der auch den ersten »Index verbotener Bücher« herausgibt. Im selben Jahr flieht der berühmte Kapuzinerprediger und Generalvikar seines Ordens, Bernardino Occhino, verzweifelt zu Calvin. Mit ihm fallen einige der glühendsten Vertreter der katholischen Reform ab und verfallen zum Teil radikalen Häresien (Antitrinitarismus usw.). Andere müssen, gefährdet, schweigen. Und als dann Caraffa 1555 als Paul IV. zum Papst gewählt wird und wieder eine mittelalterliche Theokratie à la Bonifaz VIII. aufzurichten versucht[360], hatte sich die Restauration definitiv durchgesetzt. Dafür nur ein Symptom: Der Caraffa-Papst ließ sogar gegen Kardinal Pole einen Inquisitionsprozeß anstrengen, und Kardinal Morone, ebenfalls der Häresie verdächtigt, wird fast zwei Jahre bis zum Tod des Papstes 1559 in der Engelsburg gefangengehalten.

Auch das Konzil von Trient, an dem Pole zunächst als einer der drei

Präsidenten und Legaten teilgenommen hatte, war unterdessen ganz auf die konservative Linie eingeschwenkt. Seine Rolle muß nun im Hinblick auf den großen Streit um das Paradigma von Kirche und Theologie genauer betrachtet werden: ein Konzil der katholischen Reform oder der Gegenreformation?

Die Doppelgesichtigkeit des Konzils von Trient

Versammlungsort des Konzils war die kaiserliche Stadt Trient in Oberitalien. 1545 eröffnet, sollte es mit Unterbrechungen und Verlegungen in drei Perioden bis 1563 tagen.[361] Von der Christenheit so lange ersehnt, vom Kaiser immer wieder gefordert, war es von der Kurie aus Angst vor Reformen und politischen Verwicklungen immer wieder verschoben worden. Und leider hatten die italienischen Reformfreunde hier von Anfang an kaum etwas zu sagen. Anders als auf den Reformkonzilien vorher waren Äbte, Theologen und alle Laien, auch Fürsten, ausgeschlossen. Alleiniges Vorschlagsrecht hatten die päpstlichen Legaten, die auf diese Weise alle Beschlüsse, die Rom nicht genehm waren, von vornherein verhindern konnten. Wiewohl dieses Konzil in der katholischen Kirche als das 19. Ökumenische gezählt wird, war es keineswegs ein ökumenisches Konzil nach dem Vorbild der alten ökumenischen Konzilien oder des Konzils von Konstanz. Vielmehr war es wieder ein **päpstliches Konzil** nach dem Beispiel der mittelalterlichen römischen Generalsynoden, an dem denn zunächst auch fast ausschließlich nur italienische und spanische Prälaten teilnahmen und dem sich die Protestanten deshalb von vornherein verweigerten.

Worum ging es in den Debatten? Es ging – parallel – um die Feststellung der wahren Lehre (von Rom gewünscht) sowie um praktische Reformen (vom Kaiser gefordert). Die **lehrhaften Dekrete** (»de fide«) behandeln die Glaubensquellen, die Erbsünde, die Rechtfertigung, die Sakramente, das Meßopfer, das Fegefeuer, die Ablässe … Die **disziplinären Dekrete** (»de reformatione«) betreffen: Ehe, Erziehung des Klerus und Errichtung bischöflicher Priesterseminarien; Residenz- und Visitationspflicht der Bischöfe; Verbot der Vereinigung mehrerer Bistümer, Benefizien, Pfründen in einer Hand; Ernennung und Amtspflichten der Bischöfe und Kardinäle; Abhaltung von jährlichen Diözesansynoden und dreijährlichen Provinzialsynoden; Reform der Domkapitel und Orden; die Missionsaufgaben in den überseeischen Gebieten …[362] Über die Reform des Papsttums aber? Kein Wort!

Diese im engeren Sinne **reformerischen Bemühungen** des Konzils sind zweifellos nicht nur Ausdruck einer Gegen-Reformation, sondern einer katholischen Reform. Man denke an die Schaffung neuer Formen der Priestererziehung, des Ordenslebens und der Predigt. Man denke weiter an die Organisierung der Seelsorge, der Missionen, der Katechese, der Armen- und Krankenpflege, später die Erneuerung des religiösen Brauchtums, der kirchlichen Kultur, Kunst und Mystik. Doch dies alles ist sozusagen nur die Innenseite der tridentinischen Reform. Denn den äußeren Rahmen und damit auch die sachliche Grenze dieser positiven inneren Erneuerung bildet die Abgrenzung vom, ja, der Kampf gegen den Protestantismus. Nur auf Druck der Reformation war es ja zum Durchbruch der katholischen Reform überhaupt gekommen. Die Reformation aber ist nicht nur Anlaß des Trienter Konzils, wie manche katholische Historiker meinen, sondern dessen Herausforderer, Beschleuniger und bleibender Gegner. Anders gesagt: Die Gegenreformation beginnt nicht, wie der katholische Konzilsgeschichtler Jedin darlegt, erst **nach** dem Konzil von Trient (mit Gregor XV. 1621-23, also über 75 Jahre nach der Konzilseinberufung[363]), sie beginnt **mit** dem Konzil! Wie anders wäre die Tatsache zu verstehen, daß jede tridentinische Lehraussage mit einem Anathem gegen die Reformatoren versehen ist? Was von diesen nicht bestritten wurde (Trinitätslehre, Christologie), wird denn auch gar nicht behandelt.

Das alles heißt: Dieses Konzil ist **nicht** das lange erwartete universelle **Unionskonzil** der gesamten Christenheit. Mit seinen Dutzenden von Exkommunikationsandrohungen ist es auch nicht ein friedliches katholisches Reformkonzil, **sondern** aufs Ganze gesehen ist es das **partikularkonfessionelle Konzil der Gegenreformation**. Es steht im Dienst der (nie aus dem Auge verlorenen) Rekatholisierung Europas – vor dem Horizont bereits begonnener gewaltsamer Auseinandersetzungen ums »katholische« oder »protestantische« Territorium.

Jedins historischer Doppelbegriff wird deshalb leicht zum apologetischen Doppelspiel von zwei Phasen. Es gab keineswegs erst eine katholische Selbstreform und dann eine militante Gegenreformation. Beide gingen schon in Trient von Anfang bis Ende Hand in Hand, sind wie zwei Seiten ein und derselben Medaille! Statt des vielfach unbefriedigenden Doppelbegriffs[364] wurde denn auch neuerdings als Oberbegriff für diese Zeit »katholische Konfessionalisierung« (H. R. Schmidt[365]) vorgeschlagen.

Unbestreitbar scheint mir in der Tat: Es ist diese konziliar fundierte und definierte Gegen-Reformation einer Konfessionskirche, die beinahe unvermeidlich auch politisch-militärische Auseinandersetzungen, eigentliche »Konfessionskriege«, fördern wird. Gewiß, die marxistische Interpretation der Gegenreformation als einer feudalistisch-bürgerlichen Reaktion oder

Konterrevolution greift entschieden zu kurz. Doch läßt sich nicht übersehen, daß die katholische Reform bei allem neuartigen barocken Triumphalismus im innerkirchlichen Bereich den Stempel der **Restauration** trägt. Mittelalterlicher Geist in gegenreformatorischem Gewand! Die Reform »in capite«, also des Papstes und der Kurie – zentraler Punkt für alle katholischen Reformer – wurde von diesem Konzil ohnehin nicht in Angriff genommen. Die prominentesten katholischen Papsthistoriker Ludwig von Pastor und Josef Schmidlin bevorzugen deshalb mit Recht die Bezeichnung »Katholische Restauration«. Auch Jedin hebt ja die Kontinuität der tridentinischen Reform mit der mittelalterlichen Papstkirche (und die Distanz zur Reformation) hervor. Er müßte von daher eigentlich auch der Wertung zustimmen: Das Konzil von Trient und die ganze Gegenreformation **bleiben im Rahmen des mittelalterlichen römisch-katholischen Paradigmas (P III)**!

Es läßt sich nicht bestreiten: Während der Kaiser und viele in Deutschland noch immer einen Ausgleich mit den Protestanten wünschen und die versöhnende »Via media« noch nicht aufgegeben haben, ist das Trienter Konzil wie die römische Kurie unzweideutig anti-protestantisch eingestellt und nimmt die positiven Impulse der Reformatoren nur ausnahmsweise auf. Gewiß: Man erkennt endlich die Gefahr, in der eine völlig reformunfähige Kirche sich befindet; man erkennt, daß man dem Protestantismus nur entgegentreten kann, wenn man sich selbst reformiert, das heißt: die schlimmsten Mißstände beseitigt. Doch an eine Verständigung mit den Protestanten denkt man jetzt nicht mehr. Vielmehr will man mit allen Mitteln die weitere Ausbreitung des Protestantismus verhindern, das »verlorene« Gebiet zurückerobern, ja, neues Missionsland in den entdeckten Kontinenten hinzugewinnen! Kurz, man versucht in einer **Doppelstrategie** von Reform und Eindämmung die Macht des Protestantismus zu stoppen. Trient ist genau aus diesem Grund das Konzil der Gegen-Reformation: Die **innerkatholische Reform** ist hier **nicht ein Mittel der Versöhnung und Wiedervereinigung, sondern des antireformatorischen Kampfprogramms.**

Und so versteht man, warum sich die damalige katholische Kirche – bei aller Selbstreinigung in Teilbereichen – primär auf die Erhaltung des Bestehenden und die Repristination des Vergangenen konzentriert und so Gefahr läuft, die früher gegebene wahrhaft katholische Weite und Fülle zu verkürzen oder zu verhärten. Ein Beispiel? Man denke nur an die **Eucharistiefeier**, die nicht aus einem inneren Verständnis der reformatorischen Anliegen heraus schöpferisch neu gestaltet, sondern einfach »in ihrer Reinheit wiederhergestellt« wurde. Dafür aber war das primäre Leitbild nicht etwa die in der Heiligen Schrift beschriebene und in der apostolischen Kirche geübte Eucharistiefeier, sondern die mittelalterliche Liturgie.

Diese Kontinuität jedoch war angesichts der – von Schrift und alter Tradition her höchst berechtigten! – Forderungen Luthers nach Volkssprache und Volksliturgie (mit Kelch auch für die Laien!) geradezu fatal. Denn so sollte bis zum Zweiten Vatikanischen Konzil die **mittelalterliche lateinische Messe** die Grundform des katholischen Gottesdienstes bleiben, die denn auch 1570 aufgrund der Beschlüsse von Trient durch das römische Meßbuch (Missale) voll **restauriert** wird. Zwar hat das Konzil von Trient die ungeheuerlichsten Wucherungen an der Messe, wie sie sich besonders im Spätmittelalter eingeschlichen hatten, zurückgeschnitten. Andererseits aber hat dasselbe Konzil den Meßablauf bis in die letzten Einzelheiten festlegen lassen, was früher nie der Fall war. Deshalb nennt man diese Messe nun die »Messe der Rubriken«, jener zahllosen kleinen rot gedruckten Anweisungen, die überall zwischen den eigentlichen Texten der Messe eingeschoben wurden. Alles war jetzt offiziell geregelt bis ins kleinste Detail (bis zum letzten Wort und bis zur Fingerhaltung des Priesters). Von Spontaneität, Emotionalität und Kreativität blieb nichts übrig, von einer aktiven Mitfeier des Volkes konnte keine Rede sein. Es blieb beim Bestaunen des sakral-klerikalen Weihespiels, jetzt immer mehr auch musikalisch mit barocker Pracht ausgestaltet: eine immer mehr auch **normierte und verfeierlichte Klerikerliturgie.**

Deshalb begab sich denn auch die private persönliche Frömmigkeit mit all ihrem Gefühl und ihrer Lebenskraft in die verschiedenen, schließlich immer zahlreicheren **Andachten** zu allen möglichen Heiligen und Anlässen hinein. Nur zu oft wird in den folgenden Jahrhunderten die Messe als eine (vielleicht noch die wichtigste) Andacht unter anderen Andachten angesehen; bei den Andachten brennen mehr Kerzen als bei der Messe. Doch sollte sich schließlich in Europa in aller Stille das vollziehen, was man den Exodus, den Auszug aus der Sonntagsmesse genannt hat. In verschiedensten Ländern Europas wird man mit Schrecken konstatieren, welch kleiner Teil der Gläubigen noch die langweilige Sonntagsmesse regelmäßig besucht und wie umgekehrt die ganz anders emotional ansprechenden Feiern der kleinen Kirchen und Sekten zunehmend attraktiv werden. Doch stellen sich nicht nur bezüglich der Eucharistiefeier, sondern bezüglich der Sakramente überhaupt, denen der Großteil der Lehrdekrete gewidmet ist, noch weit grundsätzlichere Fragen.

Das System der sieben Sakramente – kritische Rückfragen

Das Konzil von Trient hat die Siebenzahl der Sakramente unter Exkommunikationsandrohung definiert. Diese Frage mag heute manchem peripher erscheinen. Sie ist aber, da das ganze römische **Kirchenrecht** darauf aufbaut und so grundlegend **Sakramentenrecht** ist, von zentraler Bedeutung für das römisch-katholische System. Schon mit der Taufe wird der Katholik ja unter Ablehnung der Freiheit eines Christenmenschen auf alle kirchlichen Gebote (auch die nicht in der Schrift enthaltenen) ausdrücklich verpflichtet.[366] Lehrmäßig war es das klare Ziel des Tridentinums, die katholische Lehre gegen die reformatorische abzugrenzen und die Reformatoren auszugrenzen. Doch auch im Bereich der Lehre darf man bei allem Antiprotestantischen (besonders Antilutherischen) das Positive der inneren Reform nicht übersehen. Die eigentlich grundlegenden dogmatischen Bestimmungen wurden in der ersten Sitzungsperiode des Konzils (1545-47) geschaffen. Man muß zugeben, daß sie formal zu einem entscheidenden Teil geprägt sind durch die Absage an die scholastischen Schulstreitigkeiten und das nicht ganz erfolglose Bemühen um eine Formulierung der katholischen Lehre in mehr biblischer als scholastischer Sprache. Als Ruhm des Konzils gilt auch protestantischen Dogmengeschichtlern (Harnack) das Dekret über die **Rechtfertigung**, das reformatorische Anliegen in einem überraschenden Ausmaß aufnimmt.[367]

Bei den Dekreten über die sieben Sakramente dagegen hat man sich erheblich weniger Mühe gemacht; die Konzilsakten zeugen davon. Schon im vorausgegangenen Dekret über **Schrift und Tradition** hatte man die Chance verpaßt, die kirchliche Tradition zwar als Norm, aber als eine von der Schrift (als der norma normans) normierte Norm (norma normata) herauszustellen und hat stattdessen Schrift und Tradition auf die gleiche Stufe gestellt (zu behandeln »mit gleichem Gefühl der Pietät und der gleichen Ehrfurcht«[368]). Und so hat man auch die traditionelle **Siebenzahl** der von Christus angeblich selber eingesetzten Sakramente ohne Überprüfung in geradezu leichtfertiger Weise in Kanon 1 des Sakramentendekrets einfach behauptet und ihre Leugner mit dem Anathema, dem Kirchenausschluß, belegt.[369] Hätte man nicht etwas sorgfältiger arbeiten können und sollen? Denn Luther hatte das Problem aufgeworfen: Die Siebenzahl der Sakramente stammt nicht von Jesus Christus persönlich, sondern ist ein **Produkt der Geschichte**. Unbekannt im ganzen ersten Jahrtausend und zum erstenmal im zwölften Jahrhundert zunächst ohne jeden Exklusivitätsanspruch vertreten, setzte sie sich faktisch durch, wurde erst rund dreihundert Jahre vor der Reformation in ein kirchenamtliches Schreiben aufgenommen und in der Folgezeit dann allerdings auch von Konzilien (besonders dem Unionskonzil von Florenz) als Glaubenssache behandelt. Insofern hat sich der Sakramentsbegriff nicht nur als ein analoger, sondern auch als ein sehr variabler Begriff erwiesen, verschieden bestimmt zu verschiedenen Zeiten. Darüber wäre zu reden gewesen.

Außerdem ist biblisch und theologisch unbestreitbar: Die traditionellen sieben Sakramente liegen nicht alle auf derselben Ebene. Sie haben **nicht dieselbe Dignität**. Taufe und Eucharistie werden im Neuen Testament durchgehend direkt auf Jesus Christus zurückgeführt und spielen in allen Gemeinden von Anfang an eine bedeutende Rolle. Ganz anders dagegen die **Ordination**, wie wir sahen.[370] Von ihr berichten gerade die unumstrittenen paulinischen Briefe nichts, und diese sind für die frühe Kirchenverfassung nun einmal die wichtigsten Zeugnisse. Nur die dreißig Jahre spätere Apostelgeschichte und die fünfzig Jahre späteren Pastoralbriefe erwähnen die Ordination von Gemeindeleitern. Und es vergehen Jahrhunderte, bis die Ordination in Angleichung an Taufe und Abendmahl zu den Sakramenten gezählt wird. Allerdings will auch Trient – jener Kanon 1 gibt da leicht einen falschen Eindruck – nicht alle Sakramente auf die gleiche Stufe stellen. Im Gegenteil: der Vorrang der **Eucharistie** vor allen anderen Sakramenten wird im Eucharistiedekret betont. Zugleich wird im Rechtfertigungsdekret die grundlegende Bedeutung der **Taufe** für die Rechtfertigung als Sakrament des Glaubens herausgestellt. Die Unterscheidung von Haupt- und Nebensakramenten darf als traditionell bezeichnet werden.

Die Zahl der Sakramente hängt tatsächlich ab von der **Begriffsbestimmung** dessen, was als Sakrament bezeichnet wird[371]:

– Nahm man (wie das Konzil von Trient) die Einsetzung durch Christus als Wesensmoment des Sakramentes an, so mußte der allergrößte Teil der 30 Sakramente, die etwa Hugo von St. Viktor annahm, von vornherein als Sakrament ausscheiden; man nannte diese dann nicht mehr Sakramente, sondern Sakramentalien. Es blieben bestenfalls sieben Sakramente.

– Nahm man (wie Luther und die Reformatoren) die Einsetzung durch Christus im geschichtlich striktesten Sinn (als im Neuen Testament explizit bezeugt) an, so mußten auch noch von den sieben hochmittelalterlichen Sakramenten verschiedene ausscheiden; man nannte sie dann nicht mehr Sakramente, sondern kirchliche Bräuche oder ähnlich. Es blieben nur noch Taufe und Eucharistie (in etwa auch die Buße).

Trient aber brachte für die neue reformatorische Problemstellung überhaupt kein Verständnis auf. Unbesehen übernahm man die mittelalterliche Begriffsbestimmung und somit die **mittelalterliche Zählung**. Die heilige Zahl Sieben war maßgeblich. Doch weder für die Firmung noch für die Letzte Ölung noch für ein Ehesakrament noch schließlich für die Ordination vermochte Trient eine Einsetzung durch Christus im strikten geschichtlichen Sinne nachzuweisen. Aber unbekümmert fuhr man fort, sie mit Hilfe einiger Distinktionen und zweifelhafter Exegesen als von Christus eingesetzt zu behaupten und daraus gewichtige Forderungen abzuleiten. Das aber kann heute ebensowenig länger unkritisch hingenommen werden wie die **reformatorische Lösung**, die damals die in vielfacher Weise einleuchtende war. Denn unterdessen hat gerade die evangelische **historisch-kritische Exegese** gezeigt, daß bei aller Herausstellung der grundlegenden Bedeutung von Taufe und Eucharistie für das Leben eines Christen deren formelle »Einsetzung« als Sakrament durch Jesus höchst fraglich ist. Das Neue Testament denkt nicht in solchen institutionellen Kategorien. Nur eine allgemeine »Ermächtigung« durch Jesu Wort und Tun läßt sich für Taufe und Eucharistie vom Neuen Testament her begründen.

Dies alles bedeutet: Die Frage einer »Einsetzung« durch Jesus und damit auch die Frage der Begriffsbestimmung des Sakramentes und damit schließlich auch die der Zahl der Sakramente ist heute neu gestellt und muß neu beantwortet werden – unter Brücksichtigung aller Ergebnisse der neueren Exegese und Dogmengeschichte. Eine spekulative Rückführung aller sieben Sakramente auf die Kirche als »Ursakrament«, wie von einzelnen katholischen Theologen versucht, die in ihrer Fixierung gerade auf die Zahl Sieben willkürlich ist, kann diese Fragen verschleiern, aber nicht lösen. Nur eine konstruktive Kritik der dogmatischen Festlegungen im Lichte der durch die Exegese erhellten christlichen Botschaft selbst, bei der es mehr um die Sache als um bestimmte Begrifflichkeiten gehen wird, kann hier helfen. Aber dies übersteigt den Rahmen unserer Untersuchung.[372] Wir beschränken uns hier auf einige grundsätzliche **kritische Rückfragen** an das Konzil von Trient:

Im Rückblick wäre **erstens** zu fragen: Kann das Konzil von Trient aufgrund seiner minimalen faktischen Repräsentanz (meist nur römisch-katholische italienische und spanische Prälaten und Theologen in geringer Zahl) in seinen Dekreten überhaupt dieselbe **theologische Qualität und Autorität** (es geht hier nicht um die juristische »Gültigkeit« im Sinne des römischen Kirchenrechts) beanspruchen, wie dies ein alle Kirchen, Nationen und theologische Richtungen voll repräsentierendes Konzil tun könnte? Man vergleiche nur mit dem Vatikanum II. Von einer entsprechenden Repräsentanz der Theologie der betroffenen Länder, Deutschlands vor allem, gar der reformatorischen Theologie, kann ja in Trient keine Rede sein. In römischer Perspektive ging es ja auch von vornherein nicht um die Integration, sondern um die Verurteilung der reformatorischen Neuansätze.

Von daher ergibt sich **zweitens** die Frage: Hat Trient die **Reformatoren**, die es verurteilte, auch wirklich **richtig verstanden**? Hat es die Reformatoren nicht nur zitiert, sondern im Grundansatz ihrer Kritik und in ihren positiven Grundintentionen begriffen? Aufgrund der in den tridentinischen Sakramentendekreten angewandten, meist negativ abgrenzenden, defensiv-polemischen Methode (Anatheme) ist dies nicht zu erwarten. Und nach der ganzen Debatte und ihren Ergebnissen zu schließen, kann dies keinesfalls bejaht werden. Das Konzil hat das neue reformatorische Paradigma als solches keiner Prüfung unterzogen. Es wäre ja aufgrund seiner Zusammensetzung auch in der Tat überfordert gewesen.

Und **drittens** muß gefragt werden: Hat Trient die von Luther und den Reformatoren so stark akzentuierte **historische Entwicklung in der Kirchen- und Sakramentenlehre** zur Kenntnis genommen? Hat das Konzil wirklich auf die Schrift zurückgefragt? Im Dekret über die Rechtfertigung hatte es sich redlich darum bemüht. In dem Dekret über die Sakramente aber – zentrales Thema von Luthers Kampfschrift »Von der babylonischen Gefangenschaft der Kirche« (1520) – hat es sich ohne selbstkritische Rückfrage auf Schrift und Geschichte von vornherein auf die Frage der Einsetzung sämtlicher sieben Sakramente durch Jesus Christus selber festgelegt, die selbst für Taufe und Abendmahl (von Firmung, Bußsakrament, Ehesakrament und Priesterweihe zu schweigen) nur sehr differenziert bejaht werden kann. Jegliche ernsthafte Diskussion der Gegenargumente unterblieb, weil die Siebenzahl ja schon im Jahrhundert zuvor vom Konzil von Florenz im Dekret (!) für die Armenier (!) – natürlich schon da ohne jegliche historische Reflexion – definiert worden war.[373] So wurden mit Dutzenden von Verurteilungen, die von der Bibel und der großen katholischen Tradition her sehr oft höchst problematisch waren, die einzelnen Sakramente gegen die reformatorischen Angriffe verteidigt, um mit diesen Ausgrenzungen das gefährdete sakramentale System als theologische Grundlage des Kirchenrechts für die eigenen Parteigänger wieder zu konsolidieren. So stellt sich denn bezüglich des historischen und theologischen Stellenwertes von Trient die grundsätzliche Frage: War Trient ein Katalysator des neuen Paradigmas?

Das römisch-katholische Bollwerk

Gewiß ließe sich durch zahllose Details belegen: Das Konzil von Trient hat, von den protestantischen Angriffen genötigt, viele krasse Mißbräuche (z. B. Amt des Ablaßpredigers, päpstliche Provisionen) und zahlreiche abergläubische Praktiken (z. B. Votivmesse für krankes Vieh) abgeschafft. Aber brachte das Konzil damit ein ernsthaftes Eingehen auf das neue evangelisch-reformatorische Paradigma? Nein – und dies nicht nur nach dem Urteil der protestantischen Theologie. Was dann? Das Konzil brachte aufs Ganze gesehen eine **Restauration des mittelalterlichen Status quo ante**! Einzelne reformatorische Anliegen etwa im Rechtfertigungsverständnis (»durch den Glauben allein«, »umsonst gerechtfertigt werden«) wurden in das mittelalterliche Paradigma eingebaut – ohne daraus aber irgendwelche Konsequenzen zu ziehen, etwa für das Gewissen des Einzelnen und die Freiheit des Christenmenschen oder für das Verständnis von Kirche, allgemeinem Priestertum der Gläubigen, kirchlichem Amt und dessen Autorität. Das mittelalterliche **Ablaßwesen**, Anlaß zu Luthers Protest, wurde samt der dazugehörigen Exkommunikation feierlich bestätigt.[374] Nicht einmal für drei rein disziplinäre, aber ungeheuer dringende Forderungen auch zahlloser Katholiken wie des Kaisers – nämlich **Volkssprache** in der Liturgie, **Priesterehe** und **Laienkelch** – zeigte man Verständnis, von den tieferen theologischen Anliegen gar nicht zu reden. Unbedingt wollte man an den Eigentümlichkeiten des mittelalterlichen Paradigmas festhalten, ja, dieses noch verschärfen: Die **Ehe** untersteht rechtlich allein der Kirche und muß jetzt, wenn sie gültig sein soll, vor dem Pfarrer und zwei bis drei Zeugen erfolgen. Und insofern bestätigt sich hier, daß das Konzil von Trient auch theologisch-pastoral ein, ja, das Konzil der Gegenreformation ist.

Nur zu einem kam es **nicht**: zu einer Anerkennung des **päpstlichen Primats** durch das Konzil! Nach wie vor hielten ihn auch viele Katholiken für nur »menschlichen (und nicht göttlichen) Rechtes«. Auch an der Anerkennung einer päpstlichen **Unfehlbarkeit** war man nicht interessiert. Zu sehr hatte man noch die Drei-Päpste-Herrschaft und die Dekrete des Konzils von Konstanz bezüglich der Oberhoheit des Konzils über den Papst in den Ohren; zu zahlreich waren selbst auf diesem gegenreformatorischen Konzil die eher antikurialen »konziliaristischen« Bischöfe und Theologen, die sich der kurialistischen Partei entgegengestellt hätten. Und in der Tat: Als bei der Wiedereröffnung des Konzils 1551 führende deutsche Bischöfe und Gesandte evangelischer Territorien erschienen, forderten sie allesamt die Erneuerung der Konstanzer Beschlüsse über die

Oberhoheit des Konzils über den Papst und die Lösung der anwesenden Bischöfe von dem dem Papst geleisteten Treueid – vergebens freilich. Weil der Papst durch seine Legaten das Konzil dominierte, sah die römische Kurie klugerweise davon ab, die Frage des Papsttums überhaupt zur Diskussion zu stellen. Sie hätte bestenfalls zu weiteren Reform-Forderungen geführt. Das aber verstand die römische Kurie wie schon auf dem Fünften Laterankonzil am Vorabend der Reformation, so auch wieder auf dem Vatikanum I und II abzublocken. Dann doch lieber Lehrdekrete gegen die »Feinde der Kirche«. Und ein letzter Triumph für Rom war es, daß das Konzil am Ende den Papst um die Bestätigung seiner Beschlüsse bat.

Doch auch so waren die **Auswirkungen** der kleinen Trienter Kirchenversammlung riesengroß, wiewohl deren Ergebnisse in manchen katholischen Ländern erst mit der Zeit rezipiert wurden. Wie noch nie werden jetzt Glaube und Theologie, Liturgie und Kirchenrecht vereinheitlicht: ein **Konfessionalisierungsprozeß** in jeder Hinsicht! Was wurde da nicht alles unter Berufung auf dieses Konzil dekretiert, was wurde nicht alles Zug um Zug durch die römische Kurie durchgesetzt in einer Kirche, die sich jetzt freilich gerade so als **römisch-katholische Konfessionskirche** (gegen alle theoretischen Ansprüche eine Konfession neben anderen Konfessionen) oder als **römischer Katholizismus** manifestiert:

– das tridentinische **Glaubensbekenntnis** (»Professio fidei Tridentinae«[375]) mit dem Gehorsamseid gegenüber dem Papst und der **römische Katechismus** (»Catechismus Romanus«, Handbuch für die Pfarrer);

– die für die Heranbildung eines strenggläubigen zölibatären Priesterstandes verantwortlichen **Priesterseminare** und die reformierten alten wie die neu gegründeten katholischen **Orden** (Kapuziner, Jesuiten); systematischer Ausbau der kirchlichen Studienanstalten in Rom nach dem Vorbild des Collegium Germanicum zur Ausbildung ausländischer Priester und künftiger Bischöfe;

– das uniforme **lateinische Meßbuch** (»Missale Romanum«), das allen Weltklerikern genau vorgeschriebene **Stundengebetbuch** oder Brevier (»Breviarium Romanum«), schließlich eine revidierte, als »authentisch« bezeichnete (aber zweimal mißglückte) amtliche lateinische **Bibelübersetzung** (»Vulgata«);

– die Aufwertung des **Beichtstuhls**, des Beichtvaters und der Beichtmoral, auf die nun die ganze immer voluminösere Moraltheologie ausgerichtet wird;

– eine erneuerte **Volksfrömmigkeit** mit neuen Heiligen, neuen Wundern und auch neuem Aberglauben.

Doch die Verwirklichung der tridentinischen Reform dauerte gerade in

Deutschland – angesichts der Resistenz auch vieler Bischöfe – noch fast ein Jahrhundert: »Insgesamt kann man sagen, daß die katholische Konfessionalisierung, faßt man unter diesem Begriff katholische Reform und Gegenreformation zusammen, deutlich sichtbar erst gegen Ende des 16. Jahrhunderts begann und erst im 17. Jahrhundert zum Erfolg führte.«[376] Dabei war es zu allermeist der Staat, der in den weltlichen oder geistlichen Fürstenstaaten die Reform vorantrieb. In praxi fand hier geradezu eine Umkehr der von Jedin behaupteten Phasen statt: ohne Gegenreformation keine Reform. Aufgrund der neuesten Untersuchungen in deutschen Städten und Territorien vollzog sich »die katholische Gegenoffensive in folgenden Etappen: 1. Säuberung der Beamtenschaft, der städtischen Räte und Zünfte von Evangelischen, 2. Eid von Beamten, Lehrern und Graduierten auf das Tridentinum, 3. Vertreibung evangelischer Prediger und Lehrer, 4. Zulassung nur von ›geprüften‹ katholischen Priestern, 5. Sequestration evangelischer Bücher und Verbot der Teilnahme an auswärtigen protestantischen Gottesdiensten, 6. Visitationen zur Rekatholisierung der Bevölkerung, 7. Ausweisungen notorischer Protestanten.«[377]

Dabei muß man sehen: Die tridentinische Restauration konnte sich in den romanischen Ländern wohl rascher durchsetzen als anderswo. Allerdings sind verläßliche Aussagen darüber schwierig, weil hier Lebenswandel und Amtsführung des Klerus, Predigten und Katechesen, Priesterzölibat und Volksfrömmigkeit noch wenig historisch-soziologisch erforscht wurden. Aber soviel steht fest: Bischöfe aus diesen Ländern waren auf dem Konzil selber vertreten und bekamen so etwas vom Reformwillen mit. Hinzu kommt, daß die religiöse Erneuerung in Italien, Spanien und Frankreich im 16./17. Jahrhundert – mitgetragen von reformierten alten und neuen Orden – besonders viele bedeutende Gestalten hervorbrachte. Um nur drei von größter Reformstrahlkraft zu nennen: **Ignatius von Loyola**, dessen »Geistliche Übungen« (Exerzitienbüchlein) mit ihrer aktiven, der Welt zugewandten Spiritualtät weit über den Jesuitenorden hinaus formend gewirkt haben und bis heute wirken; dann **Teresa von Avila**, die Reformerin des Karmeliterinnenordens, die wie Ignatius Mystik und Organisationsfähigkeit zu verbinden wußte; und schließlich **Philipp Neri**, den Begründer des Oratoriums und neuer Seelsorgemethoden. Alle drei waren übrigens als »Alumbrados« (Schwarmgeister) der Inquisition höchst verdächtig. Dabei waren aber die Inhalte ihrer Verkündigung, Pastoral und Pädagogik kaum neuartig (von Luther hatte auch der theologisch auf Thomas fixierte und ganz praktisch orientierte Ignatius kaum etwas gelesen), neuartig waren die Wirkungsformen und Methoden.[378]

Wo der römischen Kurie allerdings die Konzilsbeschlüsse nicht paßten, verfuhr man mit der Verwirklichung selektiv; so wurden die Konzilsbeschlüsse bezüglich Regionalsynoden einfach nicht durchgeführt. Dafür stärkte man mit allen Mitteln die römische Zentrale: Die schon vor dem Konzil in Rom durch Paul III. errichtete **zentrale Inquisitionsbehörde** operierte zunächst zurückhaltend, wurde aber unter Paul IV. Caraffa sogar gegen Kardinäle und Philipp Neri aktiv. 1564 wurde der tridentinische **Index** der für alle Katholiken verbotenen Bücher veröffentlicht und 1571 sogar eine eigene Indexkongregation eingesetzt. Im Jahre 1600 wird die Inquisition in Rom auf dem Campo de' Fiori Giordano Bruno verbrennen, 1633 Galilei in die Knie zwingen und Descartes so einschüchtern, daß dieser zunächst nichts mehr zu veröffentlichen wagt. Die verhängnisvolle Ablehnung der empirischen Naturwissenschaften durch die katholische Kirche war damit grundgelegt, und bis 1835 sollten die Werke des Kopernikus und Galilei auf dem Index stehen bleiben. Doch schien dies damals weniger wichtig zu sein als die katholischen Wiedereroberungspläne, wie sie vor allem in Madrid und Rom, aber auch in Köln, München und Wien geschmiedet wurden.

Religionskriege und Barockkultur

Die Kurie war gestrafft, in 15 Ministerien (»Kongregationen«) durchorganisiert und damit das mächtige Kardinalskonsistorium weithin entmachtet worden. Kollegiale Strukturen in der Kirche wurden, zum Teil gegen die Festlegungen Trients, weiter abgebaut, und die **mittelalterliche Zentralisierung** wurde mit neuen Mitteln unerhört **vorangetrieben**: Wo immer möglich, richtete man – zur Einflußnahme beim Staat und zur Überwachung der Kirchen, ihrer Bischöfe und Theologen – ständige **Nuntiaturen** ein (etwa 100 Niederlassungen der Jesuiten gab es darüber hinaus beim Tod des Ignatius 1556 mit rund 1000 Mitgliedern in allen wichtigen katholischen Zentren). Nicht von Trient vorgesehen waren die vom Papst ausgesandten »apostolischen **Visitatoren**«, die Verpflichtung der Bischöfe zu regelmäßigen **Rombesuchen** (»ad limina apostolorum«!) und die Forderung nach ständigen **Rückfragen** bei den römischen Kongregationen – alles gültig bis heute. Für die Missionen wurde 1622 von Gregor XV. die Congregatio de Propaganda Fide begründet, der auch alle protestantisch gewordenen Gebiete unterstellt wurden.

Die innerkatholische Restauration wurde, wo immer möglich, politisch durchgesetzt, und, wo immer nötig, auch militärisch. Diplomatischer Druck und militärische Intervention: Diese konfessionelle Strategie hatte in der zweiten Hälfte des 16. Jahrhunderts in Europa zu einer wahren Flut

von Gewalttaten, »Glaubenskämpfen«, »**Religionskriegen**« (welch ein Mißbrauch von »Religion«!) mit verschiedenem Ausgang geführt:[379]
– in **Italien** und **Spanien** wurden die kleinen protestantischen Gruppen relativ schnell durch die Inquisition erstickt (abgesehen von den Waldensern in Piemont);
– in **Frankreich**: acht Bürgerkriege, der Massenmord an 3 000 Protestanten in der Pariser »Bartholomäusnacht« (anschließend rund 10 000 in der Provinz), die Gregor XIII., der Papst des verbesserten »Gregorianischen Kalenders«, durch »Tedeum« und Gedenkmünze feiern ließ – grausame Vorspiele für die Große Revolution;
– in den **Niederlanden**: Freiheitskampf der calvinistischen Niederländer gegen die spanische Schreckensherrschaft unter Herzog Alba (etwa 18 000 Hinrichtungen) und ein sich über achzig Jahre erstreckender spanisch-niederländischer Krieg, der erst mit dem Westfälischen Frieden 1648 beendet wird;
– in **Deutschland**: Rekatholisierung weiter protestantischer Gebiete mit Hilfe vor allem der Jesuiten (Collegium Germanicum in Rom zur elitären Priesterausbildung; Unterrichtswesen in Deutschland; Petrus Canisius, der geistige Führer der Jesuiten, und sein weitverbreiteter Katechismus); das halbprotestantische Österreich wird wieder ganz katholisiert;
– in **Polen**: eine schließlich doch erfolgreiche Gegenreformation, wie sie jedoch im benachbarten Schweden scheitert;
– in **Schottland und England**: Die Enthauptung der katholischen Schottenkönigin Maria Stuart auf Veranlassung ihrer Verwandten Elisabeth I. von England führt zum großen Kriegszug Philipps II., des Führers der katholischen Welt, gegen England, das die holländischen Aufständischen unterstützt, und zum Untergang seiner »unbesiegbaren« Armada im Ärmelkanal 1588.

Über all dies muß und kann hier nicht weiter berichtet werden. Wichtig ist nur, daß die politisch-religiösen Antagonismen mit dem Ausbruch des böhmischen Aufstandes schließlich zum furchtbaren **Dreißigjährigen Krieg** (1618-48) führen. Er macht Deutschland zum Schlacht- und Trümmerfeld nicht nur von Katholiken und Protestanten, sondern auch von Dänen, Schweden und Franzosen. Eine ungeheure Verarmung ist die Folge, ein beängstigendes Absinken der Bevölkerungszahl, eine Zerstörung kultureller Werte, eine Verrohung der Sitten, eine Zunahme des Aberglaubens und des Hexenwahns. Der schließlich 1648 ausgehandelte **Westfälische Friede** regelt die Verhältnisse in Deutschland nach dem Prinzip der Parität der beiden Konfessionen (wogegen der päpstliche Nuntius und Papst Innozenz X. vergebens protestierten) und unter Anerkennung auch der Reformierten (wogegen vergebens die Lutheraner protestierten). Die Schweiz und die Niederlande werden als vom Reich unabhängige Staaten anerkannt. Die Besitzstände der Konfessionen in Deutschland waren jetzt abgegrenzt und blieben so im wesentlichen bis ins 20. Jahrhundert staatsrechtlich festgeschrieben – mit Auswirkungen für ein starrkonfessionalistisches staatskirchliches System bis heute!

Doch nicht allein die Politik, auch die **Kunst** wurde in den Dienst der Gegenreformation gestellt. Und am originellsten und kreativsten – weil am freiesten – war die Gegenreformation zweifellos in der Kunst. Die triumphale Architektur, Plastik und Malerei des **Barock**[380] in Italien (Bernini, Borromini, Pietro da Cortona!) – großer Rahmen für das »theatrum ceremoniale« der Barockliturgie – spiegelt sehr gut in ihrer Monumentalität, in ihrem Bewegungsreichtum und Überschwang das wiedergewonnene Selbstbewußtsein und den Herrschaftsanspruch einer Ecclesia militans et triumphans wider. Und wie ein Papst Urban VIII. Barberini (Berninis »Cathedra«, »Confessio« und Platz von St. Peter) oder ein König Ludwig XIV. (Schloß und Hof von Versailles) eine zum theatralischen Zeremoniell gesteigerte Selbstdarstellung ihres absolutistischen Herrschertums betrieben und zugleich die Staatsfinanzen ruinierten, so auch viele Fürsten, Bischöfe und Äbte.

Doch noch weniger als die italienische Renaissance und der Manierismus, aus dem er hervorgegangen ist, stellt dieser zwischen 1600 und 1770 verbreitete **Kunststil** des »barroco« (portugiesisch »barucca« für schiefrunde, unregelmäßige Perlen gebraucht) ein neues eigenes Paradigma des Christentums dar. Wiewohl »barroco« ursprünglich Bezeichnung für alles Bizarre und Absonderliche war, darf dieser Kunststil – schon von Vertretern des Klassizismus verabscheut – nicht einfach als Verfall der Renaissance und Geschmacksverirrung gesehen werden (so zunächst auch noch Jakob Burckhardt). Er muß als ihre produktive Fortsetzung und eine der großen Manifestationen der Kunstgeschichte gewertet werden, wie dies später auch Burckhardt einsah und wie es entscheidend sein großer Schüler Heinrich Wölfflin in seinem Buch »Renaissance und Barock« (1888)[381] herausgearbeitet hat. Erst seit der zweiten Hälfte des 19. Jahrhunderts also wird »Barock« als Stil- oder Epochenbegriff entwickelt.

Doch blieb diese von der Gegenreformation ausgehende Kunstrichtung (Il Gesù, die Mutterkirche der Jesuiten in Rom, 1584 eingeweiht) bekanntlich nicht auf das katholische Italien, Spanien, Portugal und die südamerikanischen Kolonien beschränkt. Sie griff auch auf Süddeutschland, Österreich und die Niederlande, ja auch auf Frankreich und England über, wo sie sich noch mehr mit klassizistischen Stilelementen verband und zur Kunst des fürstlichen Absolutismus im katholischen wie im protestantischen Raum wurde, die bis nach Nord- und Osteuropa ausstrahlte. Insofern läßt sich nur bedingt unterscheiden zwischen einer romanischen (katholischen) Formkultur und einer deutschen (protestantischen) Schriftkultur.

Es ist nicht zu übersehen: Der Barock mit Einbeziehung von Literatur und Musik ist bei allen Anpassungen an die verschiedenen Regionen der **letzte einheitliche Gesamtstil Alteuropas**, noch immer beherrscht von Hof und Kirche, bevor er 1720 in den verfeinerten, verspielten und asymmetrischen Rokoko übergeht und ein paar Jahrzehnte später im Klassizismus verschwindet. Insofern kann man von »Barockzeitalter« oder »Barockkultur« reden. Was sie ausmacht, ist nach wie vor schwer zu bestimmen, ist Barock doch ähnlich wie Renaissance wegen zeitlicher Überlagerungen von Stilelementen und starker geographischer Unterschiede ein schwer zu bestimmender Begriff; in der französischen Kunstgeschichte wird denn auch die Regierungszeit der einzelnen Herrscher (Louis XIV., XV., XVI.) vorgezogen.

Aber so viel wird man sagen können: Da wird auf der Linie der Renaissance Christentum und Antike verbunden, wird die Wirklichkeit idealisiert und ästhetisch überhöht, wird die Einheit einer göttlichen Weltordnung im Ausgleich von Vernunft und Glauben, im Nebeneinander von sakraler und profaner Welt, christlicher Legende und heidnischem Mythos künstlerisch dargestellt. In vieler Hinsicht **eine Synthese künstlerischer Illusion**: Noch fünfzig Jahre nach Galileis Verurteilung (man denke an das riesige Freskendekor Andrea Pozzos in St. Ignazio in Rom), ja hundert Jahre danach wird den Menschen noch immer eine barocke Vision von den Verhältnissen im Himmel mit Vater, Sohn und Geist, mit Madonna, Engeln und Heiligen präsentiert, als sei die Kopernikanische Wende nicht erfolgt, als sei das Fernrohr nicht erfunden worden, als habe sich in Astronomie, Physik und Philosophie nicht bereits ein weiterer höchst folgenreicher epochaler Paradigmenwechsel angebahnt[382], der noch eigens zu untersuchen sein wird (P V).

Kein Wunder, dieser letzte europäische Gesamtstil vermochte nicht, das in Konfessionen und Nationen aufgespaltene Europa politisch und religiös zu einen und die Impulse der einsetzenden Moderne aufzunehmen. Auch für die römisch-katholische Kirche bedeutete der Barock mehr eine prunkvolle Erneuerung der religiösen Fassade und zeremoniellen Selbstdarstellung mit vielen illusionären Elementen als eine Erneuerung der religiösen Substanz, die, wie wir sahen, durch und durch mittelalterlich geprägt blieb. Überall viel Künstlichkeit, Verherrlichung, Apotheose,

Schau und illusionistisch gesteigertes Pathos und – selbst bei so bedeutenden Malern wie dem Spanier Murillo, dem Italiener Guido Reni und dem Niederländer Peter Paul Rubens – verhältnismäßig wenig echte religiöse Verinnerlichung. Der »Barock« stellt zwar – ähnlich wie die Renaissance – einen neuen künstlerischen Stil dar in Architektur, Plastik und Malerei, auch in Literatur und Musik, ja, ein neues sakrales oder profanes »Gesamtkunstwerk« in einem unauflöslichen Mit- und Ineinander architektonischer, plastischer und malerischer Elemente. Aber eine umfassende **neue Gesamtkonstellation von Theologie, Kirche und Religion**? Nein, er bot kein neues Paradigma von Christentum.

Apologetik, Schulschlachten, Volkskatholizismus

Trotz der grandiosen Entwicklung der Künste läßt sich zumindest heute auch in der katholischen Kirche und Theologie nicht mehr übersehen: Jenes »neue« gegenreformatorische Paradigma von Christentum blieb im Grunde das »alte«! Das Paradigma der Gegenreformation ist das mit verschiedenen neuen Elementen angereicherte und bisweilen glanzvoll **restaurierte mittelalterliche römisch-katholische Paradigma** (P III), das jetzt – da der Norden weithin ausfiel – noch sehr viel mehr einen romanischen Anstrich trägt. So autoritär, so monolithisch, so triumphalistisch wie der gegenreformatorische Katholizismus war die noch ungeteilte mittelalterliche katholische Kirche nie gewesen. Im Vergleich mit dem Protestantismus (P IV) war dieser römische Katholizismus:

- die konservative Konfession;
- nicht mehr international geprägt, sondern weithin romanisiert;
- zunehmend auf den Gehorsam gegenüber dem Papst festgelegt, demgegenüber Schrift und Tradition, Kirchenväter und ökumenische Konzilien zurücktreten und vor allem zur Verteidigung des bedrohten Kirchensystems benutzt werden.

War die Gegenreformation am originellsten (weil am freiesten) in der Kunst, so am unoriginellsten (weil am meisten gebunden) in der **Theologie**: Es ging im wesentlichen um ein **»Wiederaufblühen der Scholastik«** (H. Jedin)[383]: in Salamanca vor allem mit dem Dominikaner Francisco de Vitoria († 1546; statt der grundlegenden Sentenzen des Petrus Lombardus führte er die Summa theologiae des Thomas als Lehrbuch ein), dann im Collegium Romanum (der späteren Päpstlichen Universität Gregoriana) der Jesuiten mit Suárez, Maldonado, Vázquez (Rom zum erstenmal ein Zentrum theologischer Studien; ein Großteil der klerikalen Elite in Rom ausgebildet), schließlich auch in Deutschland (Ingolstadt, Dillingen). Zwar hat der Jesuit und Kardinal Robert Bellarmin – dessen Staatstheorie einer nur »indirekten Gewalt« des Papstes in weltlichen Dingen vom Papst verurteilt worden war! – mit seinen auf Trient aufbauenden mehrbändigen »Disputationes de controversiis christianae fidei« die neue theologische Gattung der **»Kontroverstheologie«** in die klassische Form gebracht. Aber gerade diese hat in ihrer einseitigen Polemik und weithin unkritischen Selbstaffirmation wesentlich zur Verfestigung der konfessionellen Fronten beigetragen.

Die Kontroverstheologie stand auch Pate für den etwas später einsetzenden **»Aufschwung der positiven Theologie«** (H. Jedin)[384], der sich freilich in Grenzen hielt – in den engen Grenzen der tridentinischen Orthodoxie nämlich. Getrieben wird jetzt auch katholischerseits ein ungeheurer Aufwand an historischer Gelehrsamkeit, gewiß. Aber genauer besehen stehen alle diese wissenschaftlichen Unternehmungen im Dienst der Verteidigung des herrschenden kirchlichen Systems gegenüber einer sowohl in der Exegese wie in der Historie weiter fortgeschrittenen protestantischen Forschung. So lief letztlich alles auf **historische Apologetik** hinaus:
– in den neuen Ausgaben der Konzilien und Kirchenväter ebenso wie
– in den (im katholischen Lager als Beginn quellenmäßig fundierter Kirchengeschichte gepriesenen) 12bändigen »Annales ecclesiastici« des Oratorianers Caesar Baronius († 1607): in Frontstellung gegen die Kirchengeschichte der protestantischen »Magdeburger Centurien«;
– in der Geschichte des Konzils von Trient des Jesuiten Pietro Pallavicino Sforza († 1667): in Frontstellung gegen die Hintergründe aufdeckende Konziliengeschichte des Venezianers Paolo Sarpi[385];
– in den patristischen Studien des französischen Jesuiten Dionysius Petavius († 1652): in Frontstellung gegen die theologischen Positionen der Protestanten. Immerhin entwickelten seit der Mitte des 17. Jahrhunderts die Bollandisten (Jesuiten) und die Mauriner (Benediktiner), ausgehend von der kritischen Überprüfung der Heiligenlegenden, die ersten hilfswissenschaftlichen Instrumentarien und Methoden, um die ersten kritischen Quellensammlungen zu edieren.

Die Lehre des Thomas von Aquin, so lange wenig geschätzt, wird durch Ignatius für die Jesuiten maßgebend und setzt sich in dieser Zeit auf breiter Front durch. Ja, Pius V. erklärt Thomas im Jahre 1567 zum Lehrer der Kirche. Spanische Barockdogmatiker, jetzt im katholischen Raum führend, produzierten eine Riesenbibliothek, die jedoch heutzutage selbst von traditionelleren katholischen Theologen kaum mehr in Anspruch genommen wird. Der größte unter ihnen – die letzte Gesamtausgabe seiner

Werke zählt 28 große Bände[386] – war der scharfsinnige Jesuit **Francisco Suárez** († 1617), Professor in Rom, Alcalá und Coimbra, der auch augustinisch-skotistische Elemente aufgenommen hatte. Den bedeutsamsten Einfluß übten Vitoria und Suárez in der Kolonialethik, in **Staatsphilosophie und Völkerrecht** aus: Vitoria definierte zum erstenmal das Völkerrecht nicht nur als »Recht der Völker« (»ius gentium«), sondern als »Recht zwischen den Völkern« (»ius inter gentes«) und wurde so der Begründer des Völkerrechts. Auf den Spuren des Thomas bejahten Vitoria und Suárez das Selbstbestimmungsrecht der Völker (im Zusammenhang Lateinamerikas wird darauf zurückzukommen sein). Mit seiner Lehre vom **Naturrecht** und von der Volkssouveränität (einschließlich einem Widerstand gegen ungerechte Herrscher) beeinflußte Suárez nachhaltig die europäische Rechtsauffassung und gar die protestantische Orthodoxie.

Und die spanische **Mystik**? Auch hier gilt bei aller Bewunderung: Die Mystik der großen Ordensreformerin Teresa von Avila († 1582) und des (von der Inquisition in den Kerker geworfenen) Juan de la Cruz († 1591) blieb bei all den feinsinnigen psychologischen Beobachtungen und sprachgewaltigen Beschreibungen des siebenstufigen mystisches Weges am Rande von Kirche und Theologie. Jahrzehntelang tobten dagegen die **Schlachten** zweier theologischer Schulen, und zwar um das Problem von **Willensfreiheit und Gnade**. Auf der einen Seite die **Jesuiten**, die (»modern« und für ihre Gegner pelagianisch) stärker die Willensfreiheit des Menschen betonten, auf der anderen Seite die **Dominikaner**, die traditionell augustinisch die Wirksamkeit der Gnade unterstrichen. Doch alle Schlachten endeten mit einem Patt: Der Papst wollte sich zwischen den beiden Orden und ihren Theologien nicht entscheiden und verbot schließlich beiden Parteien die weitere Polemik (1611).

Nur für die strenge religiös-sittliche Reformbewegung der **Jansenisten**, die in der Folge durch ihre forcierte augustinische Gnadenlehre von ihren nicht zimperlichen jesuitischen Gegnern leicht in die Nähe des Calvinismus gerückt werden konnte, gab es kein Pardon (auf die außerordentliche Gestalt des Mathematikers, Naturwissenschaftlers und Philosophen Blaise Pascal wird im Zusammenhang der Moderne zurückzukommen sein). Nach langen Auseinandersetzungen und mehreren päpstlichen Verurteilungen machten die Dragoner Ludwigs XIV. das jansenistische Zentrum Port Royal schließlich dem Erdboden gleich (1705). Doch all diese Streitigkeiten – sie wurden bis in die Zeit vor dem Zweiten Vatikanum hinein in den theologischen Vorlesungen sorgsam repetiert – blieben ganz und gar im Rahmen der mittelalterlichen Scholastik. Und wehe jedem Studenten der römischen Theologie (noch zu meiner Zeit), der es wagte, für seine Theologie ein anderes Fundament zu suchen als die ihm in strenger Methode beigebrachten mittelalterlich-gegenreformatorischen Thesen und die dazugehörige kasuistische Beichtstuhl-Moraltheologie.

Allerdings: Die spröde Theologie war damals das eine und die lebendige **Volksfrömmigkeit** ein anderes. Denn diesen restaurativen Katholizismus so aus heutiger Sicht beschreiben und werten, heißt selbstverständlich nicht behaupten, ein Katholik der Gegenreformationszeit habe sich in seiner »unreformierten« Kirche nicht ganz und gar zu Hause fühlen können. Im Gegenteil: Von den theologischen Schulstreitigkeiten bekam ein Durchschnittskatholik ohnehin nur wenig mit. Weitgehend herrschte noch in vielen Gegenden mittelalterliche Farbigkeit, Beweglichkeit und Sinnlichkeit. Da gab es nicht nur wie im protestantischen Gottesdienst Gebet, Predigt und Kirchenlied (bestenfalls Kirchenmusik). Da gab es das Schauspiel pontifikaler Messen, die Pracht großartiger Prozessionen, erlebensreicher Wallfahrten, die großen Spektakel der Missions- und Kontroverspredigten von Jesuiten und Kapuzinern und womöglich das jesuitische Barocktheater. Alles dies hatte jetzt katholischen Bekenntnischarakter und war antiprotestantisch akzentuiert. Kein prachtvolleres Fest gab es das ganze Jahr hindurch als das Fronleichnamsfest, wo Kirche und Staat vereint alles zeigten, was sie aufbieten konnten, um ihren katholischen Glauben in aller Öffentlichkeit zu bekennen.

Aber auch stillere Gelegenheiten zum Praktizieren der Frömmigkeit gab es in Fülle. Der Klerus und Volk trennende Lettner in der Kirche war mit der Zeit schließlich doch wieder (außer in Spanien) abgetragen worden. Zwar beteiligte sich der Durchschnittskatholik bei der **Meßliturgie** nicht aktiv. Nur einmal im Jahr zur österlichen Zeit – getreu wie es Papst Innozenz und das Vierte Lateranense 1215 befohlen hatten – ging er zur »Kommunion«. Vorher reinigte er sich durch die (im Protestantismus jetzt verpönte) Beichte; der frühere offene und bewegliche Beichtstuhl ist jetzt ein künstlerisch gestalteter, fester Teil des Kirchenmobiliars. Und tagtäglich hatte der Katholik Gelegenheit zu der (vom Protetantismus ebenfalls verpönten) besonderen Verehrung der eucharistischen Hostie. Statt des kleinen Sakramentshäuschens, an der Seite angebracht, stand jetzt der Tabernakel, herausgehoben in der Mitte des Chores, zumeist von einem riesigen Barockgemälde überragt; davor immer ein »ewiges Licht«, das zur stillen Anbetung des »Allerheiligsten« mahnte, das aber bei jeder Gelegenheit, selbst während der Messe, feierlich »ausgesetzt« wurde. Das »Vierzigstündige Gebet« vor dem Allerheiligsten bürgerte sich ein.

Dazu kam die gesteigerte **Marienverehrung**, durch die Marianischen Kongregationen der Jesuiten ebenso gefördert wie durch Wallfahrtsorte wie Loretto, von wo aus sich die Lauretanische Litanei verbreitete. Der Rosenkranz wurde mächtig gefördert durch Rosenkranzbruderschaften und ein neu eingeführtes Rosenkranzfest nach der siegreichen Seeschlacht bei Lepanto gegen die Türken. Und an neuen, vor allem romanischen Heiligen (die Jesuiten Ignatius und Franz Xaver, der Franziskaner Antonius von Padua) war auch kein Mangel. Kleine Andachtsbilder gab es bald überall zusammen mit Gebetbuch und Hauspostille ... Wahrhaftig, der Katholik konnte stolz sein auf das, was ihm seine Kirche für Frömmigkeit und tägliches Leben so alles anbot. Das Mittelalter – es war zu einer barocken Blüte gelangt! Bot diese Kirche nicht eine spirituelle Heimat, feste Orientierung im Leben, Geborgenheit trotz vielfachen persönlichen Versagens? Noch herrschte ja auch weitgehend eine Einheit von Kirche und Kultur, Religion und Gesellschaft.

Der Preis? Gegen die Protestanten hatte man sich in und nach Trient ein für allemal abgegrenzt, im Dogma wie in der Moral, in der Liturgie wie im Kirchenrecht, auch wenn die Beschlüsse in den verschiedenen Ländern nur teilweise ausgeführt worden sind. Und immer mehr verschanzte man sich seit Trient geistig im römisch-katholischen **»Bollwerk«** (»Il baluardo«, so ein Buchtitel von Kardinal Alfredo Ottaviani, noch während des Vatikanum II Chef der Inquisitionsbehörde) und verteidigte von da aus, wie eh und je in alle Richtungen schießend – allerdings jetzt **mit altertümlichen Waffen** (Verurteilungen, Buchverboten, Exkommunikationen und Suspensionen) –, das römisch-katholische Paradigma gegen alle anstürmenden »Feinde der Kirche«, die nun in den folgenden Jahrhunderten immer zahlreicher werden sollten.

Doch immer mehr versagten diese Waffen: Als etwa Papst Paul V. Borghese (sein Name ziert protzig die unter ihm vollendete neue Prachtfassade von St. Peter) im Streit mit der Republik Venedig über den Dogen und die Behörden den Kirchenbann und über die ganze Stadt das Interdikt verhängte, setzte man dort die Spendung der Sakramente einfach fort. Seither hat kein Papst mehr gewagt, über ein ganzes Land ein Interdikt auszusprechen. Das **Papsttum** lag – nach einigen bedeutenden Päpsten der Katholischen Restauration von Pius V. (1566-72) über Gregor XIII. (1572-85) bis zu Urban VIII. (1623-44) im Dreißigjährigen Krieg – jetzt zunehmend **im Schatten der Geschichte**. Und der Ansturm der Reformation des 16. Jahrhunderts schien bald harmlos zu sein im Vergleich mit dem der Moderne, die um die Mitte des 17. Jahrhunderts einsetzte und mit der Aufklärung und der großen Revolution des 18. und den modernen Errungenschaften des 19. Jahrhunderts ihren Höhepunkt erreichen sollte.

13. Vom Antiprotestantismus zum Antimodernismus

Nach dem Zeitalter der Glaubens-, Konfessions- oder Religionskriege hatten sich die in Reformation und Gegenreformation maximal in Anspruch genommenen religiösen Kräfte weithin erschöpft. Doch entwickelte sich jetzt auf den von der Renaissance vorgezeichneten Bahnen eine neue weltliche Kultur. Sie wußte sich von der kirchlichen Bevormundung zu befreien, ja, sie nahm auch ihrerseits mannigfach auf kirchliches Leben und kirchliche Lehren Einfluß. Wir werden später zu analysieren haben, wie sich seit der Mitte des 17. Jahrhunderts vor allem in Frankreich, Holland und England ein neuer epochaler Paradigmenwechsel vollzog: vom reformatorischen (P IV) und gegenreformatorischen (P III) zum **modern-aufgeklärten Paradigma** (P V). Ein Vorgang, der Politik und Staatslehre ebenso radikal veränderte wie Philosophie, Natur- und Geschichtswissenschaft, Kunst, Literatur und die Kultur überhaupt – mit gewaltigen Auswirkungen auf Religion und Moral, Kirche und Theologie. Im Rahmen der Analyse des jetzt so sehr mediterran geprägten mittelalterlich-gegenreformatorischen Paradigmas (P III) interessiert uns zunächst nur die eine Frage: **Wie hat die offizielle katholische Kirche**, wie hat insbesondere Rom **reagiert auf** das, was man heutzutage die **Moderne** (P V) nennt?

Die römische Reaktion

Das mittelalterliche Paradigma war einmal – gemessen am altkirchlich-byzantinischen (P II) – in vieler Hinsicht fortschrittlich gewesen: eine neue »response« auf eine neue welthistorische »challenge«. Aber der Höhepunkt mit Innozenz III. war auch der Wendepunkt. Und schon im Spätmittelalter und entscheidend in der Reformationszeit war dieses römisch-katholische Paradigma hinter der Zeit zurückgeblieben. In der europäischen Neuzeit wurde es zunehmend als ein Relikt des »finsteren« Mittelalters angesehen.

Aus dem innovativen Geist des Mittelalters war jetzt ein **Ungeist der Apologetik und der Reaktion** geworden[387]:

– Reaktion gegen die **konziliaren Theorien**, die auf der Linie von Konstanz die Oberhoheit des Konzils über den Papst vertraten. Dagegen verstärkt Herausstreichung des päpstlichen Primats auch gegenüber Konzil und Episkopat.

– Reaktion zugleich gegen den **Spiritualismus** der Wyclifiten in England und den der Hussiten in Böhmen, die gegenüber schonungsloser Machtausübung die Unsichtbarkeit der Kirche betonten. Dagegen Betonung des

kirchlichen und äußerlich-sichtbaren Charakters der christlichen Gemeinschaft.
– Reaktion dann vor allem und immer wieder neu gegen die **Reformatoren** und ihr erfolgreiches neues Paradigma. Dagegen die Betonung der objektiven Bedeutung der Sakramente, der Wichtigkeit der hierarchischen Gewalten, des Amtspriestertums, des Latein, des Zölibats und des Bischofsamtes.
– Reaktion gegen den **Gallikanismus**, der die traditionelle Eigenständigkeit der französischen Kirche unter Ludwig XIV. durch Bischof Bossuet (letzter Vertreter einer augustinischen Geschichtstheologie) erneut herausstrich, die Oberhoheit des Konzils betonte und die päpstliche Unfehlbarkeit (ohne Bestätigung durch die Kirche) bestritt. Dagegen eine Theologie der hierarchischen und besonders der päpstlichen Gewalt sowie das Verständnis der Kirche als eines von Rom aus organisierten und dominierten Reiches neben (und in moralischen Angelegenheiten sogar über) dem Staat.
– Reaktion gegen den mit dem Gallikanismus verbündeten **Jansenismus** und seine rigorose Interpretation der augustinischen Gnadenlehre. Dagegen besondere Betonung des päpstlichen »Lehramtes« (»Magisterium«).
– Reaktion schließlich gegen den **Staatsabsolutismus** des 18. und dann den **»Laizismus«** des 19. Jahrhunderts, die zuerst indirekt dann ganz direkt die Säkularisierung vorantrieben. Dagegen die Propagierung der Kirche als einer mit allen Rechten und Mitteln ausgestatteten »vollkommenen Gesellschaft« (»societas perfecta«).

Selbstverständlich machte die **Aufklärung** – von der noch ausführlich die Rede sein wird (P V) – auch vor den Toren der so wohlbewahrten und wohlbewachten katholischen Kirche nicht einfach halt. Zwar konnte sie sich hier in Deutschland – ohnehin mit deutlicher Phasenverschiebung – ungleich weniger intensiv auswirken als in den freieren protestantischen Gebieten. Sie wirkte sich vor allem unter Klerikern, Ordensleuten, Beamten und Literaten aus und betraf – neben den Standardthemen Aberglaube und Jesuiten – besonders Fragen der Seelsorge, der Liturgie und des Verhältnisses Bischöfe – Rom. Auch das traditionelle gegenreformatorische römisch-katholische Paradigma – jetzt nicht nur von außen unter scharfer Kritik, sondern auch von innen her unterminiert –zeigte doch erhebliche Spannungen und Risse. Einbrüche des verhaßten modernen »Zeitgeistes« blieben nicht aus. Schaut man genauer hin, so ist offenkundig: Das römisch-katholische Paradigma im 17. und 18. Jahrhundert war in voller **Krise**.

Die Erschütterungen des römisch-katholischen Paradigmas

Zur Erschütterung trugen bei:
– Die **Päpste** waren in der Zeit des aufgeklärten fürstlichen Absolutismus politisch zur Bedeutungslosigkeit herabgesunken (eine rühmliche Ausnahme bildete 1740-58 der auch bei Protestanten hochangesehene menschenfreundliche und soziale, gelehrte und aufgeklärte Benedikt XIV. Lambertini, tatkräftiger Förderer von Archäologie, Geschichts- und Liturgiewissenschaft, aber auch von Chemie, Physik und Anatomie).
– **Konversionen** protestantischer Fürsten (August des Starken von Sachsen um der polnischen Krone willen) zum Katholizismus blieben Einzelfälle ohne Auswirkungen auf die betroffenen Territorien.
– **Protestantenverfolgungen** (in Frankreich, der Pfalz, Salzburg, Ungarn, Polen) schadeten den betreffenden Ländern oft am meisten: zunächst Ausschluß aller Nichtkatholiken von sämtlichen Staatsämtern in Polen, später Aufteilung des lange Zeit so weit nach Osten ausgreifenden Polen unter eine russisch-orthodoxe und protestantisch-preußische Herrschaft.
– Die **Inquisition**, besonders der Kampf der Jesuiten gegen den jansenistischen »Protestantismus« und gegen die Mystik, schwächte die Kirche Frankreichs und auch anderer Länder schwer.

Gravierend kam hinzu, daß ideologische Stützpfeiler des gegenreformatorischen Systems unter dem Druck der Aufklärung selber ins Wanken geraten waren:
– Der **Papalismus** der römischen Kurie geriet auch im katholischen Deutschland in das Feuer der Kritik durch den wiederaufgelebten **Episkopalismus** im Geiste des altkirchlichen Paradigmas (P II, Hauptvertreter: Febronius). Forderungen: Das Konzil sollte in alter Tradition wieder über den Papst gestellt werden; der kirchliche Primat brauche nicht unbedingt mit dem römischen Bischofsstuhl verbunden zu sein, der Kurialismus sei das große Hindernis für die Kircheneinheit (Widerstand der deutschen Erzbischöfe gegen Übergriffe des Münchner Nuntius).
– Der **Jesuitismus**, der sich weit von den Idealen seines Gründers entfernt und in die Politik und Handelsgeschäfte dieser Welt verstrickt hatte, kam nun als ideologischer Vorkämpfer des mittelalterlich-gegenreformatorischen Paradigmas selber unter den Druck der Aufklärung. Gerade in den romanischen Ländern als Agent des Papsttums und Exponent der Anti-Moderne verhaßt, wurde der Jesuitenorden von den (natürlich eigennützige Zwecke verfolgenden) absolutistischen Regimen Portugals (Vertreibung aus den bewundernswerten Indianerreduktionen Paraguays),

Frankreichs, Spaniens, Neapels und schließlich von Papst Clemens XIV. persönlich »für immer« aufgehoben (nur das Preußen Friedrichs II. und das Rußland Katharinas II. boten Asyl).
– Die **Scholastik** wurde von deutschen Theologen stillschweigend abgebaut durch mehr »vernünftige« Interpretation der Dogmen, Aufgeschlossenheit für historische Kritik, Vernachlässigung der konfessionellen Gegensätze und die Verbreitung deutscher Bibelübersetzungen.
– Das **Kirchenrecht** in seiner mittelalterlich-gegenreformatorischen Form geriet ebenfalls in die Kritik, vor allem bezüglich des Pflichtzölibats, des Klosterwesens und seiner allgemeinen Intoleranz. Besonders in Österreich griff der aufgeklärte (und dem Preußenkönig Friedrich II. nacheifernde) Kaiser Joseph II. – aus dem Geist absolutistischer Staatsoberhoheit heraus freilich wenig geschickt – massiv in die kirchlichen Angelegenheiten ein (»Josephinismus«): Edikt für die Juden, Toleranz für die protestantischen und orthodoxen Kirchen, Aufhebung zahlreicher Klöster, Reform der Priesterausbildung, Säuberung des Kultus und so Streben nach einer von Rom weithin unabhängigen Nationalkirche.

Die **katholischen Fürsten** – an der Aufrechterhaltung des politisch-religiösen Status quo höchst interessiert – waren bisweilen fast die einzige Stütze des Papsttums, setzten aber gerade so ein Ausschließungsrecht bei den Papstwahlen durch (so Spanien, Deutsches Reich, Österreich, Frankreich bis 1904). Je nachdem unterstützten sie das herrschende römische System durch die gewaltsame Unterdrückung der innerkirchlichen katholischen Opposition (etwa der Jansenisten und Port Royals) wie durch Verfolgung und Vertreibung der Protestanten (in der Rheinpfalz, im Erzbistum Salzburg, im habsburgischen Ungarn und Schlesien, in Polen und schließlich auch in Frankreich). Gerade dies hat den scharfzüngig-geistreich für Toleranz der Konfessionen und Religionen plädierenden Voltaire auf den Plan gerufen, Vorbote eines revolutionären Sturmes sondergleichen.

Und **Rom**? Dem Urteil des niederländischen Kirchenhistorikers L. J. Rogier dürften die meisten katholischen Kirchenhistoriker heute zustimmen: »Im allgemeinen war der tatsächliche Einfluß Roms auf das Weltgeschehen äußerst gering; auch erschöpften sich seine Beziehungen zur Entwicklung des Denkens in stereotypen und sterilen Protesten. Wer die Kulturgeschichte des achtzehnten Jahrhunderts überblickt, vermißt immer wieder die Beteiligung der Kirche und ihrer obersten Leitung an den Diskussionen über brennende Zeitfragen. Wenn Rom sich überhaupt einmischte, so durchaus negativ: mit einem Monitum, einem Anathem oder durch Auferlegung der Schweigepflicht. Bedauerlicherweise hat Rom das Gespräch mit einer vom Strom der Zeit so stark erfaßten Generation wie der des achtzehnten Jahrhunderts unterlassen, um nicht zu sagen systematisch vermieden. Hätte nicht mitten in der Periode der ›Gewissenskrise‹ und später, um die Mitte des achtzehnten Jahrhunderts, ein Konzil Sinn gehabt?«[388]

Doch was Aufklärung, Französische Revolution, die Gefangennahme von Papst Pius VI. und Napoleons Konkordat mit Pius VII. und schließlich die Abdankung Napoleons für das Christentum bedeutete, wird bei der Analyse des modernen Paradigmas (P V) zu klären sein. Wie aber ging es weiter?

Nach der Revolution erneut Restauration

Es gab in der katholischen Kirche des 19. Jahrhunderts zweifellos ein neues Erwachen der religiösen Kräfte im Klerus wie in der Laienschaft, in den Ordensgemeinschaften wie in der Missionsbewegung, in Caritas und Erziehung wie in der Volksfrömmigkeit, worauf zurückzukommen sein wird. Aber im Rahmen der Analyse des mittelalterlich-gegenreformatorischen Paradigmas (P III) muß uns in erster Linie die Einstellung des im katholischen Bereich nach wie vor dominanten Papsttums interessieren. Das gegenreformatorische Rom war von Anfang an gegen die moderne Philosophie, gegen die moderne Naturwissenschaft, gegen die moderne Staatstheorie und natürlich auch gegen die Parole »Freiheit, Gleichheit, Brüderlichkeit«. Was der Löwener Historiker Roger Aubert von Pius VI., dem Papst der Revolutionszeit, sagt, läßt sich auch auf die Päpste der Restaurationszeit anwenden: »In der Tat hätte man gerade in dem Augenblick, in dem in Frankreich plötzlich das Gewitter ausbrach, das dann immer weiter um sich griff und den größten Teil des katholischen Europa in Mitleidenschaft zog, an der Spitze der Kirche einen genialen Mann mit außergewöhnlicher Energie dringend gebraucht. In diesem Augenblick saß auf dem Stuhle Petri jedoch ein Papst, der zweifellos gewissenhaft war, dem jedoch gerade die Eigenschaften fehlten, die unter so schwierigen Umständen unbedingt nötig gewesen wären.«[389]

In Rom und im **Kirchenstaat** – dem im 19. Jahrhundert politisch wie sozial rückständigsten Staat Europas – war man grundsätzlich gegen alle modernen Entwicklungen eingestellt. Rom war

- gegen Volkssouveränität und konstitutionelle Demokratie,
- gegen Toleranz und Menschenrechte, Religions-, Gewissens-, Versammlungs- und Pressefreiheit,

- gegen neue wissenschaftliche Erkenntnisse, historische Kritik und später auch gegen die biologische Evolutionslehre,
- sogar gegen die nun aufkommenden Eisenbahnen, die Gasbeleuchtung, die Hängebrücken …

Aus der Geschichte hatte man in diesem Monsignori-Staat nur das eine gelernt: daß man seine eigenen – zum Teil unter höchst dubiosen Umständen (Konstantinische Schenkung, Pseudoisidorische Fälschungen) erworbenen oder auch einfach angemaßten – Rechts- und Machtpositionen zu verteidigen habe, mit Diplomatie und, wo man noch konnte, auch mit (weltlicher und vor allem geistlicher) Gewalt. Der römische Katholizismus, der unter der Französischen Revolution besonders gelitten hatte, erstarkt wieder. Die teilweise zerstörten hierarchischen Strukturen werden wiederhergestellt. »Il trionfo della Santa Sede«, hatte Mauro Cappellari schon 1799 verkündet, mehr als drei Jahrzehnte vor seiner Wahl zum Papst als Gregor XVI. »**Restauration**«, jetzt in einem eminent politischen Sinn, wird nach den beispiellosen revolutionären Umwälzungen die große europäische Parole, getragen von der »Heiligen Allianz« der Siegermächte über Napoleon. Und welche Institution hätte ein größeres Interesse gehabt an der Rückkehr zu vorrevolutionären und autoritären Verhältnissen als das Papsttum, das eben die Abschaffung Gottes zu Notre-Dame in Paris und die Ersetzung des Kirchenstaates durch die Römische Republik hinter sich hatte?

Ob aber nicht trotzdem eine selbstkritisch-konstruktive statt einer rein restaurativen Antwort auf die revolutionären Umwälzungen von vornherein denkbar gewesen wäre? Man erinnere sich hier an drei signifikante Daten in der ersten Hälfte des 19. Jahrhunderts: 1806, 1830 und 1848.[390]

1806 hat – nach dem Ende der geistlichen Fürstentümer in Deutschland durch die Säkularisierung der Diözesen, Stifte und Klöster drei Jahre zuvor – das »Heilige römische Reich deutscher Nation« zu bestehen aufgehört. Seit Karl dem Großen hatte es das politische Substrat des mittelalterlichen römisch-katholischen Paradigmas gebildet. Der letzte Repräsentant des Imperium Romanum nationis Germanicae, der Habsburger Franz II., legt die deutsche Kaiserkrone nieder und nennt sich jetzt nur noch »Kaiser von Österreich«.

Und Rom? Auf dem Wiener Kongreß versucht der Kardinalstaatssekretär Ercole Consalvi alles, um das alte Heilige Römische Reich und die kirchlichen Verhältnisse in Deutschland vor 1806 wieder herzustellen, ohne Erfolg. Erfolg hat er nur damit, daß der Kirchenstaat in seinen alten Grenzen wieder errichtet wird. Ein wirklicher Erfolg? Die notorische

Rückwärtsgewandtheit und Uneinsichtigkeit von Papst und Kurie werden erneut aller Welt ad oculos demonstriert: Sofort werden der moderne Code Napoléon aufgehoben und die frühere päpstliche Gesetzgebung wieder in Kraft gesetzt; 700 Fälle von »Häresie« werden im Sanctum Offizium untersucht, alle maßgebenden Staatsämter in die Hände von Kirchenmännern gegeben. Die **Monsignori-Mißwirtschaft** wird **restauriert** – ein Hauptgrund, warum der Papst in sozialen Fragen bis zum Ende des Jahrhunderts nicht Stellung nehmen kann. Er hätte ja mehr als alle anderen sich selber kritisieren und ermahnen müssen. Doch man unterdrückt in der Ära des österreichischen Staatskanzlers Metternich in Europa ohnehin die freiheitlichen Regungen. Und eine am Mittelalter orientierte Romantik, eine wiederaufblühende traditionelle Religiosität und der wiederhergestellte Jesuitenorden scheinen Aufklärung und demokratische Ideen wieder für immer zu verdrängen. Doch:

1830 bringt die Pariser Juli-Revolution den Sieg des liberalen Bürgertums über die reaktionären Bourbonen, die nach dem Sturz Napoleons wieder an die Macht zurückgekehrt waren – mit revolutionären Nachspielen von Belgien und Italien bis nach Russisch-Polen.

Und Rom? Die römische Kirche (Gregor XVI.) lehnt alle Veränderungen, erfolgt im Geist des politischen Liberalismus, obstinat ab, und so wird der Liberalismus radikal antiklerikal. Eine antimoderne römische Maßnahme nach der anderen erfolgt jetzt: Erneuerung der Indexkongregation, Verdammung aller (auch der katholischen) Bibelgesellschaften, Neubetonung der konfessionellen Unterschiede, Bestreben der Verlegung der Klerikerausbildung von den aufgeklärten Universitäten an tridentinische Priesterseminare ... Kein Wunder, daß es statt zu der in der Aufklärung angestrebten Einheit im Glauben zwischen Katholiken und Protestanten zu der vor allem für die romanischen Länder verhängnisvollen **Spaltung zwischen Klerikalen und Antiklerikalen** (Konservativen und Liberalen/Radikalen) kommt, die sich auch auf die neue Welt Lateinamerikas überträgt und die sich dort zum Teil bis auf den heutigen Tag (unter jeweils veränderter Parteietikette) erhalten hat. Doch:

1848 erfaßt die von der Pariser Februarrevolution ausgehende revolutionäre Welle auch den Kirchenstaat. Papst Pius IX., zwei Jahre zuvor gewählt, schwenkt zunächst auf die Linie liberaler Reformen ein und wird vom Volk begeistert gefeiert. Dann aber, weil er vor radikaleren Reformen zurückschreckt, wird er zur Flucht nach Gaeta gezwungen.

Und Rom? Pius IX. kehrt, nach dem Niederschlagen der italienischen Revolution mit Hilfe französischer und österreichischer Truppen, nach Rom zurück und wird jetzt zum völlig unbelehrbaren Gegner aller freien

(»liberalen«) politischen, geistigen und theologischen Strömungen. Erst unter ihm findet in Nord- und Westeuropa der »**Ultramontanismus**« Verbreitung, jene emotional-sentimentale Verehrung des Papstes »jenseits der Berge«, wie sie es weder im Mittelalter noch in der Gegenreformation gegeben hat, wie sie aber zu Beginn des 19. Jahrhunderts in Reaktion auf gallikanisch und josephinisch aufgeklärte Ideen hochgekommen war. Zahllos sind die neuen »romtreuen« Männer- und Frauenkongregationen, die katholischen Vereine (»Pius-Verein«) und Organisationen aller Art, die in der zweiten Jahrhunderthälfte immer mehr im Geist der römischen Restauration und des unbedingten Gehorsams gegenüber dem Papst tätig sind, dabei aber die politische Polarisierung in der Gesellschaft statt überwinden verstärken bis hin zu einem »Kulturkampf«.

Die kurzsichtige Strategie: Festigung nach innen und Isolierung nach außen! Unter der emotionalen Inspiration Pius' IX., der von keinem intellektuellen Zweifel getrübt, wohl aber von psychopathischen Zügen gezeichnet ist, wird die mittelalterlich-gegenreformatorische katholische Festung jetzt mit allen Kräften **antimodern ausgebaut**. Wie? Angesichts zunehmender religiöser Gleichgültigkeit, Kirchenfeindlichkeit und Glaubenslosigkeit Verstärkung von Papalismus, Dogmatismus und Marianismus, die sich erneut gegenseitig stützen und fördern. Innerhalb der Festung bietet man emotionale Geborgenheit und Entlastung durch Volksfrömmigkeit aller Art: von Wallfahrten über Devotionalien für die Massen bis zu den Maiandachten.

Der **Katholizismus** wird in dieser Zeit **zu einer spezifischen Sozialform**, die katholische Soziologen in den letzten beiden Jahrzehnten gründlich analysiert haben, vor allem Franz-Xaver Kaufmann[391] und Karl Gabriel[392]. Diese Sozialform des Katholischen hat Karl Gabriel in einer neuesten Publikation zusammenfassend beschrieben: »Drei Merkmalskomplexe sind charakteristisch:

(1) die Einbindung unterschiedlicher katholischer Sozialmilieus in ein geschlossenes, konessionelles Gruppenmilieu mit eigener ›Welt-Anschauung‹, eigenen Institutionen und einer spezifischen Ritualisierung des Alltags;

(2) die Zentralisierung und Bürokratisierung der kirchlichen Amtsstrukturen mit einer Sakralisierung der modernisierten Organisationsformen und einer Disziplinierung des von der ›Welt‹ getrennten Klerus;

(3) die Herausbildung eines weltanschaulich geschlossenen Systems, das sowohl die Distanz zur modernen Welt als auch den Anspruch auf ein Monopol letztgültiger Weltdeutungen legitimierte.«[393] Dies bedeutete für Katholiken in den modernen Demokratien den Marsch ins Getto.[394]

Für dieses geschlossene weltanschauliche System waren die alten und auch neue Dogmen von besonderer Bedeutung. Damals das große Ereignis: 1854, mitten in der ungeheuren industriellen Revolution, manifestiert Rom ein neues »kreatives« Verständnis seines Lehramtes durch die feierliche päpstliche Definition der **»Unbefleckten Empfängnis Mariens«** (Maria selbst von ihrer Mutter ohne Erbsünde empfangen), ein »luxury dogma«, wie der spätere Kardinal John Henry Newman ironisch kommentieren wird. In der Tat: Erstmals wird ein Dogma nicht auf einem Konzil in einer Konfliktsituation zur Abwehr einer Häresie beschlossen. Vielmehr wird es feierlich vom Papst allein aus seiner Machtvollkommenheit heraus zur Förderung traditioneller Frömmigkeit und Abstützung des römischen Systems proklamiert. Für wen, wofür? Im geschlossenen römisch-katholischen Gruppenmilieu behalten auch außerhalb schon längst verworfene Dogmen ihre Plausibilität, da sie ständig völlig selbstverständlich als die einzig gültigen wiederholt werden. Und die katholische Theologie?

Die Repression moderner katholischer Theologie

Immer schlimmer gestaltete sich für die katholische Theologie im zweiten Drittel des vergangenen Jahrhunderts die Lage. Am Anfang des 19. Jahrhunderts war man zumindest in der deutschen katholischen Theologie und im Klerus überhaupt unter dem Eindruck der Aufklärung noch relativ aufgeschlossen gewesen für die Auseinandersetzung mit der Moderne. In Süddeutschland hatten sich Klerikervereine zur Abschaffung des Zölibats gebildet. Große Hoffnungen weckte die nach den napoleonischen Kriegen gegründete Katholisch-Theologische Fakultät an der **Universität Tübingen**, die erste katholische Fakultät neben einer evangelischen am selben Ort.[395] Intensiv und konstruktiv setzt man sich hier unter Führung von Johann Sebastian von Drey und Johann Baptist Hirscher mit der idealistischen Philosophie ebenso wie mit den praktischen Reformanliegen der Aufklärung auseinander. Gefordert wird vor allem – Forderungen schon Martin Luthers – eine Reform des Amtes (Abschaffung des Zwangszölibats) und der Liturgie (Einführung der Volkssprache). Auch beginnt man in Exegese und Dogmengeschichte die historische Methode anzuwenden.

Doch gleichzeitig hatte – zuerst in Italien und dann auch in Deutschland – eine neuscholastische Gegenbewegung eingesetzt, die angesichts der Moderne noch einmal in Philosophie und Theologie das mittelalterlich-gegenreformatorische Paradigma wiederzubeleben versucht. Parallel zur **Neuromanik** und **Neugotik** in der Architektur und zur **Neugregorianik** in der Kirchenmusik kommt es zu einer **Neuscholastik**, die – von historischen Untersuchungen abgesehen – erheblich flacher ausfällt als die spanische Barockscholastik. Doch die römische Kurie hat nach einigem Zögern ihre Chance erkannt und dem Aufschwung der Neuscholastik kräftig nachgeholfen. Ein neuer Erfolg des kurialen Zentralismus: Der Neuthomismus wird zur schließlich auch für alle katholischen Schulen gesetzlich vorgeschriebenen römisch-katholischen **Normaltheologie**. Eine solche Festlegung auf eine einzige Schule hatte es selbst im Mittelalter nicht gegeben. Hauptvertreter ist in Rom der Jesuitentheologe Giovanni Perrone, der jene Definition des Dogmas der »Unbefleckten Empfängnis Mariens« von 1854 durch Pius IX. theologisch vorbereitet hatte. Diese römisch-katholische Theologie hatte sich aus dem allgemeinen Interessen- und Fragehorizont abgemeldet und bleibt nun wissenschaftlich rasch zurück.

Seit der Juli-Revolution 1830 ging man in Rom immer entschiedener und planmäßiger gegen die theologischen Erneuerungsbewegungen vor, besonders die in Deutschland, weniger hingegen gegen den konservativen »Fideismus« in Frankreich. Es ist nicht zu übersehen: Angesichts eines drohenden Paradigmenwechsels in katholischer Theologie und Kirche begann man, entschlossen eine **Phase der Repression** einzuleiten. Und wehe denen, welche die Säuberung traf:

– Die Katholisch-Theologische Fakultät von **Marburg**, kaum gegründet, wurde von der Kirche selber liquidiert, ebenso später die von **Gießen**.

– Die Fakultät in **Tübingen** schwenkte, als sich der Wind gewendet hatte (es gibt Parallelen zu den allerjüngsten Ereignissen), unter dem verhängnisvollen Einfluß **Johann Adam Möhlers** und der »Möhlerianer« in der Fakultät deutlich auf die römische Linie ein (Möhlers konfessionalistische »Symbolik« schon 1832), was zur Spaltung der Fakultät und schließlich zur tiefgreifenden Resignation führte.[396]

– In den 30er Jahren traf der römische Bannstrahl auch die Fakultät in **Bonn**, wo der durchaus katholische Professor **Georg Hermes** und seine Schüler sich konstruktiv mit Kant und anderen Philosophen auseinandergesetzt hatten; Georg Hermes' Schriften kamen auf den Index und der »Hermesianismus« an der Bonner Fakultät wurde von einem neuen Kölner Erzbischof, der auch wesentlich für den Kölner Mischehenstreit mit der preußischen Regierung verantwortlich war, brutal unterdrückt; ein halbes Dutzend Professoren wurden aus dem Lehramt entfernt.[397]

– Ähnlich wie dem »Hermesianismus« in den 30er und 40er Jahren ging es dann in den 50er Jahren in **Wien** den »Güntherianern«, dem durchaus

katholischen Wiener Weltkleriker **Anton Günther** und seinen Schülern, die man zur Unterwerfung zwang.
– Deutschlands überragender Kirchenhistoriker **Ignaz von Döllinger**, der sich schon früh der römischen Repression widersetzte, wurde mit Verdächtigungen und den jetzt üblichen Denunziationen eingedeckt, längst bevor es wegen der Unfehlbarkeitsdefinition zum Bruch kam.

Die deutsche katholische Theologie war jetzt auf der ganzen Linie in der Defensive. 1863 fand in **München** unter der Leitung Döllingers, für viele der bedeutendste Theologe seiner Zeit, ein **katholischer Gelehrtenkongreß** statt, der eine völlig andere Tendenz zeigte als die neuscholastische Normaltheologie. Aber dieser deutsche katholische Gelehrtenkongreß fand nur dieses eine Mal statt, und nicht wieder. Warum?

Die Generalverurteilung der Moderne

Schon im folgenden Jahr 1864 wird von Pius IX. ein **»Syllabus errorum modernorum«**, eine **»Sammlung der modernen Irrtümer«** – 80 an der Zahl – veröffentlicht.[398] Er stellt die absolut kompromißlose Verteidigung des mittelalterlich-gegenreformatorischen Lehr- und Machtgefüges dar und wurde denn auch allenthalben als eine generelle **Kampfansage an das Paradigma der Moderne** (P V) angesehen. Zwar will man heute unter katholischen Apologeten herunterspielen, was da damals alles in der Pose faktischer päpstlicher Unfehlbarkeit verurteilt wurde, aber die Fakten sprechen für sich. Verurteilt wurden nicht nur – mit Blick auf München (Döllinger) – liberale Klerikergesellschaften zusammen mit Bibelgesellschaften und Geheimbünden (Freimaurer; das Opus Dei existierte damals noch nicht). Verurteilt wurden die Menschenrechte überhaupt, die Gewissens-, Religions- und Pressefreiheit sowie die Zivilehe. Verurteilt wurden auch – immer mit Etiketten ohne jegliche Differenzierung abgestempelt – »Pantheismus«, »Naturalismus« und »Rationalismus«, »Indifferentismus« und »Latitudinarismus«, »Sozialismus« und »Kommunismus«. Die ganze Irrtümerliste, die auch jeglichen Verzicht auf den Kirchenstaat einschloß, gipfelte in der Generalverurteilung des Satzes, der römische Pontifex könne und müsse »mit dem Fortschritt, mit dem Liberalismus und mit der neuen Zivilisation sich versöhnen und einigen«[399]!

Im deutschen katholischen Milieu war man über diese Generalabrechnung eher befriedigt, anders dagegen in einem erheblichen Teil des französischen Katholizismus. Nach der Emigration der Reformatoren und dann der modernen Naturwissenschaftler und Philosophen war nun eine **Emigration der Intellektuellen** aus der katholischen Kirche weithin unvermeidlich geworden. Hat sich Rom doch mit allen Mitteln der Ideologie, der Politik und der Inquisition der Moderne – letztlich erfolglos – entgegengestellt. Auf der Ebene von Wissenschaft und Bildung, für den modernen Menschen grundlegend, hatte dieser Katholizismus nichts mehr zu bieten. Ein gewichtiges Symptom für die verhängnisvolle Entwicklung: Auf dem **Index der für Katholiken verbotenen Bücher** steht jetzt ein Großteil der repräsentativen Geister der europäischen Moderne: neben zahllosen Theologen und Kirchenkritikern und den Begründern der modernen Naturwissenschaft Kopernikus und Galilei die Väter der modernen Philosophie: Descartes und Pascal, Bayle, Malebranche und Spinoza ebenso wie die britischen Empiristen Hobbes, Locke und Hume, aber auch Kants »Kritik der reinen Vernunft«, selbstverständlich Rousseau und Voltaire, später Cousin, John Stuart Mill, Comte, aber auch die großen Historiker Gibbon, Condorcet, Ranke, Taine und Gregorovius. Dazu kommen Diderot und d'Alembert mit ihrer Enzyklopädie und der Larousse Dictionnaire, die Staats- und Völkerrechtler Grotius, von Pufendorf und Montesquieu, schließlich eine Elite moderner Literatur: Heine und Lenau, Hugo, Lamartine, Dumas Père et Fils, Balzac, Flaubert, Zola, Leopardi und d'Annunzio – in unseren Tagen Sartre und Simone de Beauvoir, Malaparte, Gide und Kazantzakis …

Dies alles bestätigt eindrücklich, wie sehr man in Rom mit dem römisch-katholischen Paradigma des Mittelalters auf der ganzen Linie **in die Defensive** geraten war. Denn: Die **moderne Welt** war weitgehend **ohne und gegen Rom** entstanden und ging denn auch ihren Weg weiter, wenig beeindruckt von der reformationsfeindlichen und überhaupt reformfeindlichen Rückwärtsutopie einer dem Mittelalter nachtrauernden kirchenstaatlichen Bürokratie. Auf eine kritisch-konstruktive Auseinandersetzung mit dem neuzeitlichen Atheismus, der in Gestalten wie Feuerbach, Schopenhauer, Marx und Nietzsche seinem Höhepunkt zutrieb, ließ man sich kaum ein. Rückwärts gewandt, nahmen Kirche und Theologie im römischen Getto kaum wahr, wie sehr sich die Welt um sie herum verändert hatte. Das gilt für den Bereich des »Geistes« ebenso wie für den Bereich von Naturwissenschaft, Technik, Industrie, die Gesellschaft überhaupt. Den aufbegehrenden Intellektuellen entsprach seit 1848 das aufbegehrende Proletariat. Und im letzten Drittel des 19. Jahrhunderts sollten schließlich der Pfarrerssohn Friedrich Nietzsche den »Tod Gottes« und der monistische Naturwissenschaftler Ernst Heckel die materialistische Lösung der »Welträtsel« verkünden, konsequenter Höhepunkt einer Moderne, welche menschliche Freiheit, Autonomie, Vernunft, Fortschritt absolut zu setzen begann.

Doch Rom, hilflos, erkannte nicht die Zeichen der Zeit, sondern blockierte sich selbst. Als zentrale katholische Tugenden galten jetzt Geschlossenheit, Unterordnung, Demut und Gehorsam gegenüber einer zunehmend borniert-arroganten Hierarchie. Die Kirche als eine »acies ordinata«, eine »geschlossene Schlachtreihe«, bewundert und gelobt von manchen Nichtkatholiken, die natürlich nicht einmal im Traum daran dachten, sich hier einzuordnen. Aber je mehr Fehlurteile dem offensichtlich geistig festgefahrenen römischen »Lehramt« in Sachen Naturwissenschaft und Bibelexegese, Demokratie und öffentlicher Moral unterliefen, je mehr die Opposition anwuchs, um so mehr fixierte man sich zum Trost auf die eigene Unfehlbarkeit. Darüber habe ich bereits anderswo gehandelt[400], muß aber auf einige entscheidende Punkte zurückkommen.

Das Konzil der Gegenaufklärung

In seiner Bedrängnis durch all die »Irrtümer« der Moderne und all die Angriffe der »Feinde der Kirche« konnte Pius IX. der Versuchung nicht widerstehen, 300 Jahre nach dem Konzil von Trient ein neues »ökumenisches Konzil« einzuberufen, das sich freilich noch erheblich römischer als Trient gerieren sollte. Stand Trient im Zeichen der Gegenreformation, sollte dieses Konzil nun nach dem Willen des Papstes ganz im Zeichen der **Gegenaufklärung** stehen. 1869 ist es soweit. Und es ist für den wiedererstarkten römischen Zentralismus mehr als symbolisch, wenn dieses Konzil jetzt nicht nur in Rom tagt, sondern sogar im Vatikan. Konnte das Konzil in diesem kurialen »Rahmen« überhaupt frei sein? Das wurde denn auch vor, während und nach dem Konzil nicht ohne Grund angezweifelt.[401]

Weder in Trient noch auf dem gut 400 Jahre später abgehaltenen Vatikanum II wäre eine **Definition der päpstlichen Unfehlbarkeit** denkbar gewesen. Umso mehr interessiert die Frage, warum es auf dem Ersten Vatikanischen Konzil ein Jahrhundert zuvor zu einer solchen Definition kommen konnte. Mehrere Faktoren haben der historischen Forschung zufolge[402] eine Rolle gespielt:

Faktor 1: Die Mehrheit der Konzilsväter war in der Zeit der **politischen Restauration** und der antiaufklärerischen und antirationalistischen Romantik der **ersten Jahrhunderthälfte** groß geworden. Das bedeutete: Nach den Wirren und Exzessen der Französischen Revolution und der Napoleonischen Zeit hatte ein Großteil der Europäer das unwiderstehliche Verlangen nach Ruhe und Ordnung, nach der guten alten Zeit, ja nach dem »christlichen Mittelalter«. Und wer konnte besser die religiöse

Grundlage für die Aufrechterhaltung des politisch-religiösen Status quo beziehungsweise die Wiederherstellung des Status quo ante garantieren als der Papst? Die Mehrzahl der führenden katholischen Kirchenmänner in den verschiedenen Ländern galt denn auch als treue Stützen der politisch-gesellschaftlichen Reaktion, manche standen der philosophischen Modeströmung des »Traditionalismus« (damals ein Ehrenname) nahe.

Faktor 2: In der **zweiten Jahrhunderthälfte** war dieses Werk der Restauration erneut in den Grundlagen bedroht worden von dem mit einer rasenden Industrialisierung sich rasch durchsetzenden **Liberalismus** und seinem in vielem ähnlichen, nicht weniger modernen Gegenspieler, dem **Sozialismus.** Mit ihrem Glauben an Vernunft und Fortschritt in Wirtschaft, Politik, Wissenschaft und Kultur schienen sie alle religiösen Autoritäten und Traditionen aufzuheben. Klerikalismus und Antiklerikalismus schaukelten sich gegenseitig hoch. Der aufklärerische Rationalismus war in Gestalt des antiidealistischen und antiromantischen Positivismus wie der emporstrebenden empirischen Wissenschaften der Natur und der Geschichte zurückgekehrt. Das Festhalten der kirchlichen Autoritäten nicht nur am etablierten politischen System, sondern auch am überlieferten »biblischen« Weltbild trieb Politiker wie Wissenschaftler vielfach in eine heftige Aggressivität gegen alles Religiöse hinein.

Faktor 3: Im Rom der **sechziger Jahre** überschattete alles die **»römische Frage«**: ob nämlich der 1849 restaurierte, aber 1860 durch Intervention der piemontesischen Regierung bereits auf Rom und Umgebung zusammengeschrumpfte **Kirchenstaat** aufzugeben sei. Kann er gegenüber der italienischen Einigungsbewegung allein mit französischer Unterstützung auf Dauer gehalten werden? Braucht Italien als endlich geeinter Staat nicht Rom als seine Hauptstadt? Man betrachtete dies alles im Vatikan mit äußerster Besorgnis. Und das Gegenkalkül war: Würde man es noch wagen, einem Papst Rom zu nehmen, dessen Universalprimat und päpstliche Unfehlbarkeit ein ökumenisches Konzil in feierlicher und definitiver Form urbi et orbi verkündet hatte? Beinahe der einzige Hoffnungsstrahl für alle diejenigen, die auf dem Höhepunkt der Moderne – mit Berufung auf Mt 16,18 – für die Erhaltung des mittelalterlichen Kirchenstaates kämpften.

Faktor 4: Papst **Pius IX.** trieb je länger desto offenkundiger eine Definition der päpstlichen Unfehlbarkeit als sein **ureigenstes Anliegen** voran. Er, der als Liberaler und Reformer bei seiner Wahl 1846 begrüßt worden war, sich aber nach seinen politischen Mißerfolgen und seiner Vertreibung 1848 zum politischen und theologischen Reaktionär gewandelt hatte, schleuderte jetzt auch der italienischen nationalen Einheitsbewegung sein intransigentes Nein entgegen: Rom muß auf ewig die Stadt des Papstes bleiben. Zugleich fachte man die ultramontane Presse und zahlreiche Bischöfe und Gläubige besonders in Frankreich zu einer heftigen Kampagne gegen Italien und für den in seinem Kirchenstaat bedrohten Papst an.

Die Folge: Zwar brachte Pius IX. die italienischen Katholiken in unnötige, schwere Loyalitätskonflikte zwischen Staat und Kirche, aber die Rolle des von »unchristlichen Mächten Verfolgten« spielte er glänzend und gewann damit den beabsichtigten Applaus für seine Person und sein Amt. Die ohnehin schon bestehende dogmatische Bindung der Katholiken an den Papst wurde jetzt auch noch sentimental aufgeladen. Es kam zu einem völlig neuen Phänomen: einer gefühlsbetonten **»Papstverehrung«**, die von den nun üblich werdenden Papstaudienzen und Massenpilgerschaften nach Rom wesentlich verstärkt wurde. Pius IX. selber sah die Krise um den Kirchenstaat als einen weiteren Akt im weltgeschichtlichen Kampf zwischen Gott und Satan, den er mit einem völlig irrationalen Vertrauen auf den Sieg der göttlichen Vorsehung zu gewinnen hoffte. Ohnehin war dieser zwar menschenfreundliche und sehr beredte Mann von gefährlicher Emotionalität, dabei oberflächlich theologisch ausgebildet, mit modernen wissenschaftlichen Methoden unvertraut und von engstirnigen Beratern umgeben ...

Nur von diesen Rahmenbedingungen her läßt sich der Drang des Papstes nach einer Dogmatisierung seiner eigenen Primatialgewalt und Unfehlbarkeit verstehen. Und nur von der Pius IX. entgegengebrachten Papstverehrung her läßt sich zugleich verstehen, warum eine **Unfehlbarkeitsdefinition** in weiten Kreisen von katholischem Klerus und Volk nicht auf Ablehnung, sondern **auf eine günstige Stimmung stieß**. Man nahm den nach der Jahrhundertmitte rasch und systematisch vorangetriebenen Prozeß der ultramontanen Indoktrinierung und administrativen Zentralisierung der Kirche weitgehend ohne Widerstand hin. Ohne Protest ließ man den Syllabus passieren, die Verurteilung deutscher Theologen, die Indizierung sämtlicher Schriften gallikanischer und febronianischer Tendenz. Ohne Protest akzeptierte man die jetzt wachsende Einflußnahme Roms auf die Bischofswahlen und die ständigen Einmischungen der Nuntiaturen in innere Angelegenheiten der Diözesen, die Aufforderung an die Bischöfe, die Kontakte mit Rom zu verstärken, die bewußte Förderung der römische Ideen propagierenden Priester oft gegen die eigenen Bischöfe und die ständig neue Unterweisung der Gläubigen in der Lehre vom Primat des Papstes, dem Fundament der Kirche. So war denn alles gut vorbereitet, und das Erste Vatikanische Konzil konnte stattfinden.

Zwei Dogmen für den Papst

Das von Pius IX. einberufene Konzil hat zunächst nicht gezögert, das so lange und mit so vielen Opfern verteidigte antiprotestantische und antimoderne Paradigma von Kirche und Theologie noch weiter lehramtlich zu ergänzen. So erklärt sich die gegen Rationalismus wie Fideismus streitende »dogmatische Konstitution über den katholischen Glauben«, die sich auf das ganz thomistisch bestimmte Verhältnis von Glaube (Offenbarung) und Vernunft konzentrierte.[403] All das war nur wenig kontrovers. Zu einer wochenlangen heftigen Kontroverse aber kam es, als das Konzil auf persönliches Betreiben Pius' IX. die **Definition der päpstlichen Vorrechte** erlassen sollte. Denn vielen Konzilsvätern war klar, was das bedeutete: Statt dem ökumenischen Konzil (wie in der alten Kirche, in Konstanz und in der konziliaren Tradition) sollte jetzt dem Bischof von Rom (wie im Mittelalter) die höchste, ja, jetzt gar **unfehlbare Autorität** in der Kirche zugesprochen werden. Die hervorragendsten Vertreter der Opposition reisten denn auch vor der entscheidenden Abstimmung ab: neben den Erzbischöfen von Mailand und St. Louis (Missouri) die Vertreter der wichtigsten Metropolitansitze in Frankreich, Deutschland, Österreich-Ungarn, deren Nachfolger im Zweiten Vatikanischen Konzil ein Jahrhundert später den Kern der nun progressiven Mehrheit ausmachen sollten.

Pius IX. ließ sich davon nicht beeindrucken. Trotz aller Opposition wurden am 18. Juli 1870 von der zahlenmäßig weit überwiegenden (vor allem italienisch-spanischen) Konzilsmehrheit **zwei Papstdogmen** in aller Form proklamiert, die bis heute Gegenstand zwischenkirchlicher und innerkirchlicher Kontroverse sind:

- Der Papst hat einen rechtlich verbindlichen, jurisdiktionellen **Primat** über jede einzelne Nationalkirche und jeden einzelnen Christen.
- Der Papst besitzt die Gabe der **Unfehlbarkeit** bei seinen eigenen feierlichen lehramtlichen Entscheidungen. Diese feierlichen (»ex cathedra«) Entscheide sind aufgrund eines besonderen Beistands des Heiligen Geistes unfehlbar (»infallibel«) und aus sich selber, nicht aber Kraft der Zustimmung der Kirche, unabänderlich (»irreformabel«).

Dies also gelang, und der Preis war hoch. Aber ein anderes gelang Pius IX. trotz allem nicht: die Rettung seines **Kirchenstaates**. Genau zwei Monate nach Ende des Konzils brach dieser zusammen, als am 20. September 1870 italienische Truppen in Rom einmarschierten. Und der Papst? Seine weltliche Macht war verloren. Eine überwältigende römische Volksabstimmung sprach sich gegen ihn aus, und das Konzil vertagte er »sine

Die Gewalt des Papstes

Wir lehren demnach und erklären, daß die Römische Kirche auf Anordnung des Herrn den Vorrang der ordentlichen Vollmacht über alle anderen innehat, und daß diese **Jurisdiktionsvollmacht** des Römischen Bischofs, die wahrhaft bischöflich ist, unmittelbar ist: ihr gegenüber sind die Hirten und Gläubigen jeglichen Ritus' und Ranges – sowohl einzeln für sich als auch alle zugleich – zu hierarchischer Unterordnung und wahrem Gehorsam verpflichtet, nicht nur in Angelegenheiten, die den Glauben und die Sitten, sondern auch in solchen, die die Disziplin und Leitung der auf dem ganzen Erdkreis verbreiteten Kirche betreffen, so daß durch Wahrung der Einheit sowohl der Gemeinschaft als auch desselben Glaubensbekenntnisses mit dem Römischen Bischof die Kirche Christi eine Herde unter einem obersten Hirten sei (vgl. Joh 10,16). Dies ist die Lehre der katholischen Wahrheit, von der niemand ohne Schaden für Glauben und Heil abweichen kann …

Wenn der Römische Bischof »ex cathedra« spricht, das heißt, wenn er in Ausübung seines Amtes als Hirte und Lehrer aller Christen kraft seiner höchsten Apostolischen Autorität entscheidet, daß eine Glaubens- oder Sittenlehre von der gesamten Kirche festzuhalten ist, dann besitzt er mittels des ihm im seligen Petrus verheißenen göttlichen Beistands jene **Unfehlbarkeit**, mit der der göttliche Erlöser seine Kirche bei der Definition der Glaubens- oder Sittenlehre ausgestattet sehen wollte; und daher sind solche Definitionen des Römischen Bischofs aus sich, nicht aber aufgrund der Zustimmung der Kirche unabänderlich.

Wer sich aber – was Gott verhüte – unterstehen sollte, dieser Unserer Definition zu widersprechen: der sei ausgeschlossen.

Konstitution »Pastor aeternus« des 1. Vatikanischen Konzils vom 18. 7. 1870

die«, auf unbestimmte Zeit. Damit war ein weiteres wichtiges Element im mittelalterlichen römisch-katholischen Paradigma weggefallen, das der Papst bis zuletzt mit Zähnen und Klauen verteidigt hatte.

Politisch wurde die Macht des Papstes damit reduziert auf die Macht über einen Zwergstaat mit gut 1 000 Einwohnern, flächenmäßig kaum ein Viertel des Fürstentums von Monaco. Doch statt die neue Situation zu begreifen, ergriff Pius IX. eine neue Rolle, die des vielbemitleideten

»Gefangenen des Vatikans«. Die bereits aufgekommene emotionale Papstverehrung und die Pilgerreisen – jetzt nicht mehr wie anderthalb tausend Jahre lang zu den Apostelgräbern, sondern vor allem zum »Heiligen Vater« – konnten so noch einmal gewaltig gesteigert werden. Die großen Volksaudienzen in Rom beginnen erst jetzt. »Non possumus«, »Wir können nicht«, lautete die halsstarrige Formel, mit der man sich mit der Primats- und Unfehlbarkeitsdefinition im Rücken hinter den Mauern des Vatikans gegenüber dem neuen Staat Italien verschanzt hatte. Jahrzehntelang weigerten sich die Päpste denn auch, die neue Lage zwischen Staat und Kirche zu akzeptieren.

Machte dieses dogmatische »non possumus« für immer jegliche Aussöhnung unmöglich? Nein, ausgerechnet nach dem Machtantritt des Faschistenführers Mussolini entschloß man sich im Vatikan zu einem »possumus« (»Wir können es«). Schon vorher hatte der klügere und liberalere Nachfolger Pius' IX., **Leo XIII.**, zunächst jenen vom deutschen Reichskanzler Otto von Bismarck angezettelten »Kulturkampf« beigelegt, der dem politischen Katholizismus in Deutschland erst recht auf die Beine geholfen hatte. Leo XIII. hatte auch – bei allem Festhalten an den Papstdogmen und der Notwendigkeit eines Kirchenstaates – in einem erheblichen Ausmaß Roms negative Haltung zur Moderne korrigiert: gegenüber der Demokratie, den liberalen Freiheiten, ja, zum Teil sogar gegenüber der modernen Exegese und Kirchengeschichte, vor allem aber gegenüber der sozialen Frage. Durch den Verlust des Kirchenstaates war der Weg endlich frei für eine längst überfällige kirchliche Sozialenzyklika (»Rerum novarum« 1891). Und schon machten sich in der katholischen Kirche viele Hoffnung, daß es zu einem grundsätzlichen Wandel kommen könne. »Reformkatholiken« nannte man sie. Aber ein solcher Wandel sollte noch länger auf sich warten lassen.

Das 20. Jahrhundert sah am Anfang und um die Mitte des Jahrhunderts noch zwei von Rom gestartete **antimoderne Säuberungsaktionen** im katholischen Klerus, bevor dann das Zweite Vatikanische Konzil wesentliche Anliegen der Reformation wie der Moderne aufnehmen sollte:

– Von **Pius X.** wurden zu Beginn des Jahrhunderts unter der von der Kurie kreierten diffamierenden Etikette des »**Modernismus**«[404] alle Reformtheologen (besonders Historiker und Exegeten) in Frankreich, Deutschland, England, Nordamerika und Italien verurteilt. Sie wurden mit Sanktionen verschiedener Art (Index, Exkommunikation, Absetzung) bestraft. Ein neuer Syllabus, eine antimoderne Enzyklika (1907), und ein dem gesamten Klerus aufoktroyierter »Antimodernisteneid« (1910) sollte die »Modernisten« in der katholischen Kirchen definitiv ausrotten.

– Von **Pius XII.**, der zum Holocaust geschwiegen hatte[405], wurden nach dem Zweiten Weltkrieg, diesmal unter dem Etikett der »**Nouvelle Théologie**«, die Reformtheologen vor allem in Frankreich (die Jesuiten P. Teilhard de Chardin, H. de Lubac, H. Bouillard und die Dominikaner M. D. Chenu, Y. Congar, H. Féret) abgesetzt und zum Teil auch verbannt. Andere, wie in Deutschland K. Rahner, wurden unter Spezialzensur gestellt. Eine weitere Enzyklika (»Humani generis« 1950) verurteilte alle »Zeitirrtümer«. Höhepunkt dieser Politik war ein neues, jetzt erklärt »unfehlbares« Mariendogma (leibliche Aufnahme Marias in den Himmel 1950). Es manifestierte vor aller Welt den autoritären Kurs dieses Papstes, des letzten unangefochtenen Vertreters des vorkonziliaren mittelalterlich-gegenreformatorisch-antimodernen Paradigmas, der alle oppositionellen oder auch nur alternativen Stimmen in der Kirche – an erster Stelle die Arbeiterpriester in Frankreich – zu unterdrücken versuchte.

Erst gut 10 Jahre später kommt es mit **Johannes XXIII.** (1958-1963) und dem **Zweiten Vatikanischen Konzil** (1962-1965) zu einem epochalen Wandel. Was dieses Konzil im Licht der Paradigmentheorie bedeutet, wird erst dann deutlich werden, wenn wir auch noch die weiteren beiden Paradigmenwechsel analysiert haben, den der Reformation und den der Moderne: Denn dies ist es, was nun die Geschichte der katholischen Kirche noch einmal in einem ganz anderen Licht erscheinen läßt. Mit dem Vatikanum II hat sie – trotz aller Schwierigkeiten und Hemmnisse von seiten des römischen Systems – zwei Paradigmenwechsel nachzuvollziehen versucht und hat sowohl das reformatorische (P IV) wie das aufgeklärt-moderne Paradigma (P V) in grundlegenden Zügen integriert. Es wird also auch bei der Behandlung dieser beiden weiteren Paradigmen indirekt von der katholischen Kirche die Rede sein. Aber halten wir hier zunächst ein zu einer kurzen Zwischenbilanz.

Was sind Stärken und Gefahren der römisch-katholischen Kirche?

Eine theologische Wertung dieses dritten römisch-katholischen Paradigmas ist nicht ganz einfach, weil mit der Zeit das römische System das lateinische Paradigma der katholischen Kirche immer mehr überlagert und sich mit ihm verklammert und das Römische so das Katholische überspielt hat. Bei aller Verflechtung ist indes grundsätzlich zu unterscheiden

- zwischen der **katholischen Kirche**, die seit den Zeiten Augustins und Leos I. die Substanz des Christlichen im mittelalterlich-gegenreformatorisch-antimodernistischen Paradigma bewahrt hat und die mit dem Vatikanum II wieder deutlicher ins Licht trat;

- und dem **römischen System**, das, im elften Jahrhundert durchgebrochen, dem Papst und seiner Kurie eine absolutistische Suprematie in der Kirche zuschreibt, die von den orthodoxen Kirchen des Ostens wie von den Kirchen der Reformation strikt abgelehnt wird, die durch alle Jahrhunderte auch von innerkatholischen Reformströmungen kritisiert, durch den Verlust des Kirchenstaates geschwächt und durch das Zweite Vatikanum für alle Zukunft erschüttert worden ist.

Es ist dabei keine Frage, daß das **Papsttum**, das ein wesentliches Element dieses Paradigmas darstellt, gewaltige **Verdienste um die Einheit und Freiheit** besonders der spätantiken, frühmittelalterlichen und hochmittelalterlichen Kirche des Westens hat. In den Zeiten der Völkerwanderung, der allgemeinen Auflösung der staatlichen Ordnung und des Zerfalls der alten Reichshauptstadt hat die römische Kirche den jungen germanischen Völkern nicht nur einen kulturellen Dienst bei der Erhaltung des unschätzbaren antiken Erbes geleistet, sondern auch einen echten Hirtendienst für den Aufbau und die Erhaltung dieser Kirchen. Und bis in die Neuzeit hinein hat es die katholische Kirche dem Papsttum mit zu verdanken, daß sie nicht einfach dem Staat verfiel, sondern ihre Freiheit zu bewahren vermochte: nicht nur gegenüber den byzantinischen Kaisern und dem Eigenkirchentum der germanischen Fürsten, sondern auch gegenüber den absolutistischen Ambitionen der modernen Nationalstaaten. Aufgrund alter römischer Tradition, die schon immer viel Sinn für Lebenspraxis, Recht und Ordnung hatte, hat Rom effektiv immer wieder auch echte pastorale Autorität auf universaler Ebene zur Geltung gebracht. Auch sollte nicht bestritten werden, daß ein pastorales Verkündigungsamt des Papstes zusammen mit dem der Bischöfe oft eine sinnvolle Funktion in der Kirche erfüllt hat: wo immer es ausgeübt wurde nach der Norm des Evangeliums und unter Beachtung der eigenen funktionalen Grenzen gegenüber wissenschaftlicher Theologie und Wissenschaft überhaupt.

So wird man bei aller Nüchternheit doch etwas von der Bewunderung für die katholische Kirche nachvollziehen können, die sich bei vielen Nicht-Katholiken findet. Bewunderung über so viel geschichtliche Kontinuität, transnationale Ubiquität und glaubensmäßige Identität. Bewunderung für die effiziente Organisation, die wohlgeordnete Ämterstruktur, den traditionsreichen Gottesdienst und die säkulare Kulturleistung, ohne die Europa arm wäre. Bewunderung vor allem für die ungezählten Menschen, die in (und oft trotz) dieser Kirche ihr Christsein überall in der Welt konkret und aktiv leben: im Einsatz als Priester oder Laien, Männer und Frauen, für Bedürftige, Marginalisierte und Unterprivilegierte, ja, die in dieser Kirche trotz allem Gott und Christus erfahren: in Sakramenten, Gebetsleben, Dienst am Nächsten …

Auf der anderen Seite aber hat nun gerade die Entwicklung des **römischen Systems** gezeigt, welche **Gefahren** es auch in diesem dritten Paradigma des Christentums gibt: Statt echter christlicher Autorität findet man allzu oft einen **kirchlichen Autoritarismus**, der sich – wie wir sahen – in einem Dogmatismus auswirkt. Aber ist dies nicht auch das Problem anderer Konfessionen und Religionen? Vom biblizistischen Fundamentalismus wird im Zusammenhang des reformatorischen Paradigmas (P IV) die Rede sein. Aber was die anderen beiden prophetischen Religionen betrifft: Sie haben beide das Problem des Dogmatismus so nicht. Denn das Dogma spielt weder im Judentum noch im Islam eine zentrale Rolle. Beide Religionen haben nicht im entferntesten die entwickelte Dogmatik, wie sie im Katholizismus mit dem Ersten Vatikanischen Konzil ihren Schlußstein gefunden hat. Juden können sich mit dem einfachen Glaubensbekenntnis begnügen, dem »Schma Israel«, dem Morgen-, Abend- und auch Sterbegebet der Juden: »Höre (›schma‹), Israel, Jahwe ist unser Gott, Jahwe allein«[406]. Und das einfache muslimische Glaubensbekenntnis (»Shahada«) ist auch über den Islam hinaus bekannt: »Es gibt keinen Gott außer **dem** Gott, und Muhammad ist sein Prophet.« Man vergleiche diese lapidaren Glaubensbekenntnisse mit dem tridentinischen Glaubensbekenntnis (und all seinen vatikanischen Zusätzen) – vom »Denzinger« (mit 4858 §§) und dem »römischen Weltkatechismus» (mit 2865 §§) ganz zu schweigen.

Gibt es also gar keinen Autoritarismus in den anderen Religionen? Leider gibt es eine Gestalt des Autoritarismus, die sich auch im Judentum und Islam herausgebildet hat: den **Juridismus**. Denn keine Frage: Alle drei prophetisch-monotheistischen Religionen haben die Realisierung der Beziehung Gott-Mensch zunehmend am Recht (»ius«), an Gesetzen orientiert. Und alle drei stürzen damit ihre Gläubigen in ähnliche Probleme. Was im Katholizismus das Kirchenrecht (»ius canonicum«) ist, ist in noch verschärfter Weise das religionsgesetzliche System im Judentum (die »Halacha«) und im Islam (die »Scharia«). Gottes Wahrheit und Wegweisung finden sich deshalb schließlich in allen drei Religionen in juristisch abgesicherter Form – Vergesetzlichung als Verunstaltung von Gottes Offenbarung. Fragen an alle drei Religionen drängen sich deshalb auf.

Fragen zum Verhältnis Gesetzlichkeit und Religion

Kein gläubiger Jude wird die Bedeutung der Tora als Gottes Weisung grundsätzlich in Frage stellen. Denn dem Menschen als dem einzigartigen, nach Gottes Bild geschaffenen Bundespartner Gottes sind keine anarchische Autonomie und kein individualistischer Libertinismus gestattet: Gottes ethische Gebote verpflichten den Menschen bis heute. Aber: Sind dem Menschen als Bundespartner Gottes gerade heute eine fromme Servilität und ein blinder Gesetzesgehorsam zuzumuten? Sind Gottes ethische Gebote einfach identisch mit dem halachischen System, wie es sich im Verlauf einer langen Geschichte herausgebildet und dann in vielem überlebt hat? Gilt nicht auch im Judentum: Ethos und Recht ja – Juridismus, Vergesetzlichung, nein?

Kein gläubiger Christ wird ernsthaft die im Neuen Testament bestätigten jüdischen ethischen Gebote (»Dekalog«) sowie die aus Jesu Botschaft folgenden Weisungen in Frage stellen; Christen in der Nachfolge Christi wissen konkret, woran sie sich im Ethos zu halten haben. Aber: Wurde nicht gerade im Katholizismus über Schrift und Tradition hinweg die kirchliche Autorität vergötzt und jede Kritik an der Autorität um einer unvermeidlich katholischen Rechtgläubigkeit willen als unkatholisch abgelehnt und unterdrückt? Wird nicht gerade hier statt konkret von Papst und Bischöfen, abstrakt und anonym von »Lehramt« (»Magisterium«) geredet: ein Terminus, der weder in der Schrift noch in der alten Tradition begründet ist, der die völlige unbiblische Unterscheidung zwischen der lehrenden Kirche (»Ecclesia docens«) und der lernenden Kirche (»Ecclesia discens«) voraussetzt und der erst im Zusammenhang mit der Infallibilitätsdoktrin des Vatikanum I im vergangenen Jahrhundert neu eingeführt wurde? Und sind Gottes ethische Gebote identisch mit einem kirchenrechtlichen System? Gilt nicht auch für Christen: Ethos und Recht ja – Juridismus nein?

Kein gläubiger Muslim wird die im Koran grundgelegte, mit jüdischer und christlicher Tradition übereinstimmende ethische Grundweisung des Propheten grundsätzlich in Frage stellen. Gottes Wille ist auch durch den Koran in Geboten und Verboten konkretisiert worden. Aber: Wurde aus der ethisch-prophetischen Botschaft des Koran nicht im Verlauf der islamischen Geschichte allzu sehr ein oft bedrückendes religionsgesetzliches System, ein juridischer Autoritarismus, der die Menschen nicht befreit, sondern im Alltag knebelt? Hat die Scharia nicht weitgehend die ursprünglichen prophetischen Weisungen überspielt? Gilt deshalb nicht auch für jeden Muslimen: Ethos und Recht ja – Juridismus nein?

Die Zukunft des römischen Primats

Wenn dies aber so ist, wenn die große katholische Tradition oft genug vom römischen System absorbiert wurde; wenn das mittelalterliche Paradigma in der ersten Phase fortschrittlich und vielfältig war, mit der Zeit aber reaktionär wurde; wenn also das römische System das mittelalterliche Paradigma des Westens durch Juridisierung, Zentralisierung, Politisierung, Militarisierung und Klerikalisierung uniformer und ärmer machte und Verantwortung trägt für die Spaltung der Christenheit in Ost und West, Nord und Süd, so stellt sich auch hier die berühmte Frage: Wie lange noch? Wie lange wird es mit diesem System so weitergehen? Für ewige Zeiten? Niemand kann doch übersehen: Mit der Zeit ist das **absolutistische Papsttum** zum **ökumenischen Problem Nummer eins** geworden, was als erster Papst Paul VI. mit ökumenischer Offenheit selber zugab: das Papsttum statt ein Fels der Einheit ein »Felsblock« auf dem Weg zur ökumenischen Verständigung.

Hat angesichts dieser Lage des römischen Katholizismus nicht gerade der katholische Theologe das Recht und die Pflicht zur öffentlichen **Kirchenkritik**? Hat er nicht die Pflicht, angesichts der im Grunde erschütternden geschichtlichen Entwicklung Bedenken anzumelden, wo immer in offizieller Verkündigung, Liturgie, Disziplin und Seelsorge die biblischen Akzente bewußt oder unbewußt verschoben, die ursprünglichen Proportionen verzeichnet werden und so Nebensächliches zum Hauptsächlichen und Hauptsächliches zum Nebensächlichen gemacht wird? Muß der katholische Theologe nicht auch protestieren, wenn die christliche Wahrheit von der kirchlichen Autorität selbst verdeckt oder vergessen und die eigenen Irrtümer und Halbwahrheiten ignoriert, abgestritten oder gar weiterverbreitet werden? Immer wieder wird gerade er in aller Radikalität auf die Hauptsache, die »Mitte der Schrift«, die »Hierarchie der Wahrheiten«, **»das Wesen des Christentums«** hinweisen. Das ist seine Aufgabe. Die Autorität der Kirche wird auf diese Weise nicht untergraben, sondern gegen allen Autoritarismus neu glaubwürdig zur Geltung gebracht. Das gilt gerade bei der Frage nach der Zukunft des römischen Primates. Was kann man hier theologisch verantwortlich sagen?

Aufgrund unserer Paradigmaanalyse ist zu bedenken: Jeglicher Argumentation bezüglich der Existenz eines petrinischen **Jurisdiktionsprimates**, noch mehr einer **Fortdauer** eines solchen Primates und am meisten seiner Fortdauer im **römischen Bischof** stehen vom Standpunkt heutiger auch katholischer Exegese und Historie kaum überwindbare **Schwierigkeiten** entgegen. Nach allem, was ich dargelegt habe, erscheint die Möglichkeit eines überzeugenden Aufweises einer direkten **historischen** Sukzession der römischen Bischöfe in einem Primat des Petrus als äußerst fragwürdig.

Die Fragwürdigkeit eines exegetisch-historischen Aufweises einer Sukzessionsreihe schließt jedoch nicht aus, daß der **Primat eines Einzelnen in der Gesamtkirche** auch nach Ansicht vieler orthodoxer und evangelischer Theologen nicht nur nicht schriftwidrig ist, sondern sogar schriftgemäß und **sinnvoll** sein kann: sofern es nämlich dabei um eine (grundsätzlich auch auf charismatische Weise mögliche) **Nachfolge im Geist**, in der petrinischen Sendung und Aufgabe, im petrinischen Zeugnis und Geist geht, also um die Nachfolge in einem wirklich gelebten **Dienstprimat um der Einheit und Auferbauung der Kirche willen**. »Das moderne Papsttum stellt nur **ein** mögliches Modell der petrinischen Autorität in der Kirche dar. Es gibt auch andere«, stellt der amerikanische Papsthistoriker Brian Tierney in einem Sonderheft der Internationalen Zeitschrift für Theologie »Concilium« fest, in dem unter der Leitung des italienischen Kirchenhistorikers Giuseppe Alberigo programmatische Gedanken zu »Kirchlicher Erneuerung und Petrusamt am Ende des 20. Jahrhunderts« entwickelt werden.[407] Und der katholische Dogmatiker und jetzige Bischof von Rottenburg-Stuttgart, Walter Kasper, schreibt: »Auch bei behutsamer Interpretation der kirchlichen Lehre bleibt der Unterschied zwischen den biblischen Anfängen und der geschichtlichen Entfaltung offenkundig. Man kann diese Entwicklung unmöglich als **bloße** deduktive oder evolutive Entfaltung der neutestamentlichen Ansätze verstehen. Man darf die epochalen Brüche und Umbrüche nicht übersehen; es gibt nicht nur Entfaltungen, sondern auch Verengungen, nicht nur häretische Bestreitungen und Untertreibungen, sondern nicht minder schädliche Übertreibungen bis hin zu geradezu blasphemischen Formen der Papolatrie.«[408]

Wäre aber ein solcher Dienstprimat im Dienst der Einheit nicht lediglich ein Ehrenprimat? Nein. Es wäre ein Pastoralprimat im Geist des Evangeliums (im Sinne der klassischen Petrusstellen Mt 16,18; Lk 22,23; Joh 21,15-17), nach den Leitbildern nicht Leos I., Gregors VII., Innozenz' III., der Pius-Päpste oder Johannes Pauls II., sondern Gregors des

Großen und Johannes XXIII.[409] Ein solcher Petrusdienst hätte sich in vorrangiger Weise um die Einheit der Einzelkirchen zu bemühen und hätte zugleich als Sprecher nicht nur der römisch-katholischen Kirche, sondern der gesamten Ökumene als eine repräsentative Stimme der Gesamtchristenheit in der einen Welt von heute zu dienen. Gegen einen solchen pastoralen Dienstprimat hätten auch viele orthodoxe und evangelische Theologen nichts einzuwenden.[410] Wem es um die Ökumene ernst ist, wem es um wahre Katholizität geht, der wird die dogmatischen und juristischen Selbstfestlegungen des römischen Systems im Lichte des Evangeliums kritisch und verantwortlich zugleich überdenken. Einen Petrusdienst braucht die katholische Kirche und, meiner Meinung nach, auch die Ökumene. Aber das römische System kam und wird eines Tages (wie der Kirchenstaat auch) wieder gehen. Zum Wesen des Christlichen, ja, Katholischen gehört es nicht.

Es erübrigt sich deshalb, hier all die historisch-kritischen Rückfragen zu wiederholen, die ich im Jahre 1970 zum Jahrhundertjubiläum der römischen Papst-Definitionen im Buch »Unfehlbar? Eine Anfrage« in aller Ausführlichkeit begründet hatte. Die Ergebnisse der breiten internationalen und interkonfessionellen Diskussion habe ich mit anderen Theologen zusammen gesichtet in dem Band »Fehlbar? Eine Bilanz« 1973. In Rom meinte man, die aufgeworfenen sachlichen Fragen nicht beantworten zu müssen, sondern wieder einmal mehr mit repressiven (theologisch unbegründeten und juristisch anfechtbaren) Maßnahmen die Fragen selber unterdrücken zu können[411], was sich als kontraproduktiv erwies.[412] Denn ihr Erfolg war nur, daß die päpstliche Unfehlbarkeit heute zumindest in den entwickelten Industrieländern nicht nur von Protestanten, Orthodoxen und Nichtchristen, sondern auch von der übergroßen Mehrheit der Katholiken abgelehnt wird.[413] Es seien hier deshalb – nach erfolgter historisch-systematischer Klärung der Problemlage meinerseits – nur in der Form von »Fragen für die Zukunft« jene Bitten wiederholt, die ich in aller Bescheidenheit 1979 am Ende meiner zusammenfassenden Schrift »Kirche – gehalten in der Wahrheit?« ausgesprochen habe, auf die dann im selben Jahr von Rom aus statt einer argumentativen eine autoritäre Antwort erfolgte. Zahllose Katholiken in aller Welt – Laien, Seelsorger, Theologen und Bischöfe – sind davon überzeugt, daß es in diesem für die ganze Ökumene eminent wichtigen Punkt zu einer konstruktiven Lösung kommen kann und muß.

Fragen für die Zukunft

- Darf und soll unter einem neuen Pontifikat nicht die **Unfehlbarkeitsfrage neu untersucht** werden, in objektiver Sachlichkeit, wissenschaftlicher Redlichkeit, Fairness und Gerechtigkeit?
- Kann für diese Frage nicht eine **ökumenische Kommission** eingesetzt werden, die aus international anerkannten Fachleuten der verschiedenen Disziplinen (Exegese, Dogmengeschichte, systematische Theologie, praktische Theologie und betroffene nichttheologische Disziplinen) besteht?
- Sollte bei der Untersuchung das Gewicht nicht weniger als bisher auf die negativ-kritischen denn auf die positiv-konstruktiven Akzente gelegt und so gefragt werden, ob das **Bleiben der Kirche in der Wahrheit trotz aller Irrtümer** in christlicher Botschaft und großer katholischer Tradition nicht besser begründet sei und ob damit nicht auch heute in der Kirche besser zu leben wäre?

Damit sei mein Wunsch verbunden: Es möge der katholischen Kirche im römisch-katholischen Paradigma gelingen, wieder mehr echte **evangelische Katholizität**[414] zu manifestieren:
– Katholizität in der **Zeit**: daß sie gegen jeden zerstörerischen Radikalismus die in allen Brüchen sich durchhaltende **Kontinuität** von Glauben und Glaubensgemeinschaft vom Evangelium her neu aufleuchten lasse. Mehr echte evangelische Radikalität, im Vertrauen auf die Indefektibilität, die Unzerstörbarkeit der Wahrheit.
– Katholizität im **Raum**: daß sie gegen allen auflösenden Partikularismus die alle Nationen und Regionen, Rassen und Klassen umgreifende **Universalität** von Glauben und Glaubensgemeinschaft von der wahren Mitte, vom Evangelium her realisiere. Mehr legitime Vielfalt, Kollegialität, Pluralität, Geschwisterlichkeit.

Die Dringlichkeit dieser Fragen ist offenkundig. Doch wird sie noch sehr viel deutlicher werden, wenn wir uns nun nach der Analyse des mittelalterlich-gegenreformatorisch-antimodernen Paradigmas (P III) der des reformatorischen Paradigmas (P IV) zuwenden.

IV. Das protestantisch-evangelische Paradigma der Reformation

Kein Einschnitt war seit der Gregorianischen Reform des elften Jahrhunderts und dem Durchbruch des römisch-katholischen Paradigmas in der westlichen Christenheit tiefer und folgenreicher gewesen als die lutherische Reformation. **Martin Luther** initiierte im 16. Jahrhundert eine neue Epoche: einen weiteren Paradigmenwechsel für Kirche, Theologie, das Christentum überhaupt, weg vom römisch-katholischen Paradigma des Mittelalters (P III) hin zum evangelischen Paradigma der Reformation (P IV). Auch diesbezüglich ist die historische Forschung im Fluß, und ich möchte deshalb auch dieses Kapitel mit wenigen geschichtshermeneutischen Überlegungen einleiten.

1. Der Wandel im Lutherbild

In der heutigen Geschichtswissenschaft wird die Frage viel diskutiert, ob Personen Geschichte machen – oder umgekehrt. Wer hat recht?

Dialektik von Strukturen und Personen

Im Trend liegt die lange vernachlässigte **Sozialgeschichte**, welche auf die strukturellen Bedingungen und den geschichtlichen Wandel konzentriert ist und die »welthistorischen Individuen« (Hegel), die so lange im Zentrum der Historie standen, jetzt eher im Schatten der Geschichte läßt. Und in der Tat: Einer Kirchen- und Theologiegeschichte ohne Sozialgeschichte fehlt der Blick auf die kirchliche Basis, auf die Geschichte der einfachen Gläubigen. Gerade die auf einzelne Städte oder Territorien bezogenen sozialgeschichtlichen Untersuchungen – Erforschung der Kirchenordnungen, Visitationsberichte, Sittengerichtsakten und des Niederschulwesens – haben deutlich gemacht, daß mit »Reformation« ein hochkomplexes gesellschaftliches Phänomen gemeint ist und die Durchsetzung dieser Reformation sehr viel mehr Zeit brauchte, als man lange Zeit annahm.[1]

Im Rahmen einer Sozialgeschichte kommt nun aber gerade der **Religion** in einer Epoche, die man die Zeit einer »verdichteten Christlichkeit« genannt hat, eine zentrale Bedeutung zu: Ist sie hier doch noch nicht wie später in der Moderne nur ein »Sektor« neben anderen (Wissenschaft,

Wirtschaft, Politik, Kultur), sondern eine alles durchdringende »Dimension« des gesellschaftlichen Lebens, die auch eine Sozialgeschichtsschreibung nicht ungestraft vernachlässigt. Läßt sich doch gerade im Rahmen des reformatorischen Paradigmas aufzeigen, welch mobilisierender, motivierender und inspirierender Faktor – mit positiven oder negativen Folgen – Religion sein kann.

So ist denn die Beschreibung langfristig funktionierender gesellschaftlicher Wirkkräfte von grundlegender Bedeutung. Doch darf sie, scheint mir, die in ihrem Rahmen handelnden konkreten Menschen nicht vernachlässigen. Gerade das Wirken Martin Luthers zeigt ja eindrücklich, wie die **Faktengeschichte** kontingenter Einzelereignisse und handelnder Personen keineswegs nur an der Oberfläche, sondern mitten im historischen Prozeß der Gesellschaftsgeschichte angesiedelt ist. Gewiß, **Luther** ist nicht einfach die Reformation, er muß zusammengesehen werden mit einer ganzen Reihe von Reformatoren: Erasmus, Karlstadt, Melanchthon, Zwingli, Bucer ... Doch ist und bleibt Luther die Gestalt, die wie keine zweite von Anfang an das **reformatorische Programm verkörpert**. Er ist – für das Judentum habe ich dies am Fall König Davids gezeigt[2] – ein Paradebeispiel für die in der Geschichte überall wirksame Dialektik von Strukturen und Personen.

Erst seit Leopold Rankes »Deutsche Geschichte im Zeitalter der Reformation« (1839/47[3]) ist der Begriff **»Reformation«**, der bis ins 18. Jahrhundert keineswegs auf den kirchlichen Bereich und gar die lutherische Bewegung festgelegt war, zum eindeutigen Epochenbegriff geworden, verbunden mit dem Namen Martin Luthers. Dabei ist selbstkritisch zu bedenken, daß auch das **Bild** geschichtsmächtiger Personen dem geschichtlichen Wandel und oft auch der modischen Anpassung ausgesetzt ist, wie dies gerade bei dem Mann aus Wittenberg in erstaunlichem Maß der Fall ist. Geschichtliche Fakten und Geschichtsschreibung, die geschichtliche Person und ihr Bild sind nicht dasselbe. Das Bild von Personen kann sich ändern. Und sowohl evangelisches wie katholisches Lutherbild haben sich denn auch im Lauf der vergangenen bald fünf Jahrhunderte außerordentlich stark gewandelt.[4]

Wie sah das evangelische Lutherbild aus?

Das evangelische Lutherbild änderte sich – wie könnte es anders sein – nach den Idealen der Zeit. Luther, der von Gott gesandte Prophet des ursprünglichen Evangeliums: So sahen ihn ganz existentiell und zugleich idealisierend seine evangelischen Zeitgenossen. Luther, der Restaurator der »reinen Lehre«: So sah ihn mehr intellektualistisch die lutherische Orthodoxie. Luther, Opponent der erstarrenden Orthodoxie, der Beter und Glaubensheld, das zur Bekehrung rufende Vorbild der Herzensfrömmigkeit und des Vertrauens auf Gottes schenkende Barmherzigkeit: So wurde er für den Pietismus wichtig.

Ganz anders wieder für die Aufklärung: Luther als Befreier von Gewissenszwang, Vorkämpfer der Vernunft und Gegner des Aberglaubens. Ganz anders wieder für den Sturm und Drang: Luther als Sprachgenie. Ganz anders für deutsche Klassik, Idealismus und Romantik: Luther als Bahnbrecher der Neuzeit, später im Umschlag der Restauration der Konservative ... Gerade im 19. Jahrhundert gab es so die verschiedensten Spielarten einer konservativ-lutherischen wie liberal-neuprotestantischen Interpretation. Und immer mehr tritt Luther als der große kulturelle Anreger der Deutschen in Erscheinung, so daß er dann in der Zeit des Nationalismus und des Nationalsozialismus als der »ewige Deutsche« gepriesen werden kann.

Zu Beginn unseres Jahrhunderts hatten indessen die Anstöße Karl Holls und besonders Karl Barths über den Gegensatz liberal-konservativ hinausgeführt und ein Lutherbild fern vom nationalen Mythos geprägt. Luther wird seither wieder mehr theologisch als der Mann Gottes verstanden: als Zeuge des Wortes, der Gnade und Freiheit Gottes, als der Vertreter einer »theologia crucis«, ja theologisch als »Sprachereignis« (G. Ebeling). Und es war die historische Forschung unseres Jahrhunderts, welche die evangelische Theologie fähig macht, ihr Lutherverständnis statt auf idealisierender Verklärung auf einer exakten Untersuchung der Quellen aufzubauen. Umfangreiches Material wurde in unserem Jahrhundert erschlossen: aus der Zeit des reifen Luther (Nachschriften von Vorlesungen, Predigten) und zumal des jungen Luther (seine frühen Vorlesungsmanuskripte).

Dies alles hat ein **differenziertes Urteil über die Entwicklung der komplexen Persönlichkeit und Theologie des Reformators** in ihren verschiedenen Phasen und Polaritäten möglich gemacht. Und die historische Forschung bildet nun auch den ökumenischen Kreuzungspunkt, an dem evangelisches und katholisches Lutherbild heute immer mehr zur Deckung gebracht werden.

Wie sah das katholische Lutherbild aus?

Das katholische Lutherbild war lange Zeit von Haß oder zumindest Gehässigkeit geprägt. Man verzieh es Luther lange nicht, daß er die Kirche gespalten hatte, als sei vor allem er daran schuld. Lange Zeit hielt man sich deshalb an die Darstellung des entschieden antilutherischen Theologen Johannes Cochläus. Von ihr waren alle katholischen Darstellungen bis ins 20. Jahrhundert direkt und noch mehr indirekt abhängig. Diese Zeiten sind glücklicherweise vorbei. Aber lang war der Weg von Cochläus, Eck und Bellarmin im 16. Jahrhundert, über Möhler, Döllinger, Janssen, Denifle und Grisar im 19. Jahrhundert bis zu Merkle und Kiefl und schließlich Herte, Jedin, Lortz und Iserloh im 20. Jahrhundert.

Das heißt konkret: War für Cochläus und seine zahlreiche Gefolgschaft in vier Jahrhunderten Luther vor allem der verkommene Mönch und demagogische Libertinist, der Revolutionär und Erzhäresiarch, der Spalter der Kirche und des Reiches, war er noch für Döllinger ein verbrecherischer Mensch und in unserem Jahrhundert für Denifle ein Mensch, an dem nichts Göttliches zu finden ist, war er für Grisar ein Psychopath, so ist er schließlich für Joseph Lortz, den Bahnbrecher eines neuen katholischen Luther-Bildes, ein genialer, tragischer, in beinahe unlösbare innere und äußere Schwierigkeiten verwickelter Homo religiosus, ein aus tiefem Glauben lebender und betender, persönlich lauterer Christ und Reformer.

Während Janssen (in Antwort auf Ranke) die Reformation als eine politisch-religiöse Revolution im Rahmen eines Verfalls aller Lebensbereiche mit zerstörerischen Folgen für Kirche, Kultur und Freiheit darzustellen versuchte, hat Lortz Luther durch eine schonungslose Aufdeckung der Mißstände der spätmittelalterlichen Kirche von einem Großteil der Schuld an der Kirchenspaltung entlastet. Vorgestoßen ist er damit zu einem **positiven Verständnis des Reformators als religiöser Gestalt** und der Reformation als eines religiösen Ereignisses. Ja, mehr noch: Schon Johannes Hessen hat Luther nicht nur als einen religiösen Menschen, sondern als einen Repräsentanten jenes immer wieder notwendigen »prophetischen Typus« beschrieben, der einen berechtigten Kampf gegen Intellektualismus, Moralismus, Institutionalismus und Sakramentalismus in der Kirche geführt hat. Deshalb ist es für ein neues katholisches Lutherverständnis wichtig, daß man Luther nicht vorschnell einen einheitssprengenden Subjektivismus sowie theologische Einseitigkeit vorwirft, was auch Lortz noch tut.

Auch der interessante Versuch des amerikanischen Psychoanalytikers Erik H. Erikson, die theologische Entwicklung des »young man Luther« tiefenpsychologisch aus einem Vaterkomplex abzuleiten, führt bei allem Erkenntniszuwachs im Entscheidenden nicht weiter. Denn wichtiger als Kindheit und Jugend sind für Luthers Wende nun einmal das Studium der Theologie und das Leben im Kloster. Und wichtiger als das Vaterproblem ist für ihn die Gottesfrage vor apokalyptischem Horizont, wie dies in seinem Lutherbuch der holländische Reformationshistoriker Heiko A. Oberman gut zum Ausdruck gebracht hat. Das heißt: Luther darf keinesfalls nur biographisch-psychologisch interpretiert werden, er muß vielmehr historisch-theologisch verstanden werden, von der Mitte seines Werkes her. Und was ist diese Mitte? Die Mitte der Theologie Luthers ist, darüber besteht Übereinstimmung, die Theologie der Rechtfertigung des Sünders.

Diese Mitte von Luthers Werk kann freilich nur verstanden werden, wenn man sich die allgemeinen Ursachen der Reformation vergegenwärtigt. Diese sind uns schon in der Darstellung der spätmittelalterlichen Krise des römisch-katholischen Paradigmas (P III) vor Augen geführt worden, so daß ich mich hier kurz fassen kann (für alle biographischen Details sei wiederum auf »Große christliche Denker« verwiesen).

2. Die Grundfrage: wie vor Gott gerechtfertigt?

So vieles drängte seit langem auf eine tiefreichende Umgestaltung der bestehenden Gesamtkonstellation hin. Und so war kaum eines von Luthers Reformanliegen ganz neu. Aber die Zeit war nicht reif für sie gewesen. Jetzt aber war die Zeit gekommen, und es brauchte nur das religiöse Genie, um diese Anliegen zu bündeln, sprachlich zu vermitteln und persönlich zu verkörpern. Luther war dieser Mann der Zeit.[5]

Warum es zur lutherischen Reformation kam

Was hatte vor der Reformation den neuen **welthistorischen Paradigmenwechsel vorbereitet**, was die strukturellen Bedingungen heraufgeführt, die erfüllt sein mußten, damit es zu einer epochalen Veränderung kommen konnte? Es war ein ganzes Syndrom krisenhafter Erscheinungen[6]:

– der Sturz der päpstlichen Weltherrschaft, die westliche Kirchenspaltung und das Zweier-, dann Dreierpapsttum sowie die Heraufkunft der Nationalstaaten, Frankreich, England, Spanien;

– die Erfolglosigkeit der Reformkonzilien (Konstanz, Basel, Ferrara-Florenz, Lateran) bei der »Reform der Kirche an Haupt und Gliedern«;

– die Ablösung der Natural- durch die Geldwirtschaft, die Erfindung des Buchdrucks und das weitverbreitete Verlangen nach Bildung und Bibeln;

– der absolutistische Zentralismus der Kurie, ihre hemmungslose Finanzpolitik und ihr hartnäckiger Widerstand gegen Reformen, die Prunk- und Prestigeideologie der Renaissance, die Unsittlichkeit und Verstrickung in die italienischen Händel, zuletzt der Ablaßhandel für den Neubau der Peterskirche, der in Deutschland als der Gipfel der kurialen Ausbeutung angesehen wurde.

Freilich waren auch nördlich der Alpen die Mißstände himmelschreiend:
– die Dominanz des Adels im höheren Klerus und die Distanz zum niederen, die damit gegebene Verweltlichung der reichen Fürst-Bischöfe und Klöster;
– die vom Zölibatszwang verursachten haarsträubenden Mißstände, das viel zu zahlreiche ungebildete und arme geistliche Proletariat;
– die Rückständigkeit kirchlicher Einrichtungen: Zinsverbot, kirchliche Steuerfreiheit und Gerichtsbarkeit, klerikales Schulmonopol, Förderung des Bettelunwesens, zu viele kirchliche Feiertage;
– die Überwucherung von Kirche, Theologie und Gesellschaft durch das kanonische Recht;
– die radikalen Kirchenkritiker – Wyclif, Hus, Marsilius, Ockham, die Humanisten – und die theologische Unsicherheit und Orientierungslosigkeit;
– schließlich ein erschreckender Aberglaube und Reliquienkult im Volk, eine religiöse Nervosität in oft schwärmerisch-apokalytischen Formen, eine veräußerlichte Liturgie und vergesetzlichte Volksfrömmigkeit, ein Haß auf die arbeitsscheuen Mönche und Kleriker und eine Malaise unter den städtischen Gebildeten und den unterdrückten, ausgebeuteten Bauern in Deutschland … Dieser ganze Komplex von Symptomen zeigt eine abgrundtiefe **gesamtgesellschaftliche Krise** an und zugleich eine Unfähigkeit von traditioneller Theologie, Kirche und Gesellschaft, mit ihr fertig zu werden.

Alles war für einen Paradigmenwechsel bereit, aber es brauchte einen, der das neue Paradigma glaubwürdig präsentierte. Die Geschichte war reif für den Mann, der dann auch Geschichte machte. Er war ein kleiner Mönch und wurde doch eine epochale prophetische Gestalt: **Martin Luther** (1483-1546). Wiewohl sich dieser junge Doktor der Theologie zunächst gewiß nicht als Prophet, sondern eben als Lehrer der Kirche verstanden hat, hat er intuitiv-inspirativ das überschwengliche religiöse Verlangen des Spätmittelalters, hat er die starken positiven Kräfte in Mystik und Humanismus, auch in Nominalismus und Volksfrömmigkeit, hat er alle die frustrierten reformerischen Bewegungen in seiner genialen, tiefgläubigen Persönlichkeit aufzufangen, zu läutern, zielsicher zu zentrieren gewußt und zugleich mit unerhörter Sprachgewalt zum Ausdruck gebracht.

Auf die »challenge«, in der Terminologie Arnold Toynbees, auf die große historische »Herausforderung« gab Luther die »response«, die angemessene geschichtliche »Antwort«. Ohne Luther keine Reformation![7]

Doch zunächst die Frage: War Luther mit seinem Verständnis des Rechtfertigungsgeschehens von vorneherein unkatholisch? Nein! Man muß Kontinuität und Diskontinuität Luthers mit der Theologie der Vorzeit sehen.[8]

Der katholische Luther

Ein **ununterbrochener Traditionszusammenhang** verbindet Luther gerade im Rechtfertigungsverständnis mit Kirche und Theologie der Vorzeit. Auf vier Linien historischer Kontinuität, die alle für Luthers Rechtfertigungsverständnis wichtig sind und zum Teil ineinander übergehen, muß kurz hingewiesen werden: die katholische Frömmigkeit, wie sie Luther im Kloster begegnete, in Verbindung damit die mittelalterliche Mystik, dann die Theologie Augustins und schließlich der spätmittelalterliche Nominalismus in der Gestalt des Ockhamismus:

Die katholische Frömmigkeit? Zugegeben: Die traditionelle katholische Frömmigkeit hatte Luther im Kloster in die Krise gestürzt. Und so blieb der mönchische Weg der Vollkommenheit für ihn sein Leben lang der Weg der gesetzlichen Werkerei und des Vor-Gott-etwas-Geltenwollens, der ihm nicht Gewissensfrieden und innere Sicherheit, sondern Angst und Verzweiflung brachte. Und trotzdem: Luther hat Bestes aus der katholischen Frömmigkeit durch seine Krise hindurchgerettet. Für die Rechtfertigungslehre ist von besonderer Bedeutung, daß es Luthers reformorientierter Klosteroberer Johannes von Staupitz war, der ihn von seinen Grübeleien über seine eigene Prädestination abgebracht und auf die Bibel, auf Gottes Heilswillen und auf das Bild des Gekreuzigten gewiesen hat, vor dem alle Angst um Erwählt- oder Nichterwähltsein verschwinde.

Die mittelalterliche Mystik? Gewiß, die pantheisierenden Züge der Mystik und deren Neigung zur Verwischung zwischen Göttlichem und Menschlichem lagen Luther völlig fern. Dieser Professor der neutestamentlichen Exegese war kein Mystiker. Und trotzdem: Luther hat mystisches Gedankengut für seine Theologie fruchtbar gemacht. Es ist bekannt, daß er nicht nur Kenntnisse der Mystik des Areopagiten und Bernhards von Clairvaux hatte, sondern daß er die mystische Schrift »Deutsche Theologie« aufgefunden, mit Begeisterung studiert und 1515/16 (vollständig 1518) herausgegeben hat und daß er den Mystiker Tauler als einen der größten Theologen gerühmt und empfohlen hat. Luthers Sinn für das Demütigwerden, Kleinwerden, Zunichtswerden vor Gott, dem allein die Ehre gebührt, weiter seine Einsicht, daß die Werkfrömmigkeit zu Eitelkeit und Selbstgefälligkeit und so weit weg von Gott führt, schließlich sein Glaube an den leidenden Christus, wie er ihn besonders aus den Worten des Psalters vernommen hat – all diese für sein Rechtfertigungsverständnis entscheidenden Gedanken sind traditionelles Gut der mittelalterlichen Mystik.

Die Theologie Augustins? Gewiß, nicht zuletzt waren es die Lehre von der Prädestination und sein Verständnis der vollkommenen Liebe Gottes, wie sie der alte antipelagianische Augustin entwickelt hatte, die an Luthers Krise schuld waren. Und Luther hat zeitlebens die Gnade anders, personaler, verstanden als Augustin. Und trotzdem: Für Luthers Rechtfertigungsverständnis blieb jener Blick für die tiefe Verderbnis der Sünde als der Selbstsucht und Ichverkrümmtheit des Menschen sowie sein Blick für die Allmacht der Gnade Gottes bestimmend, wie ihn Luther vor allem von Augustin gelernt hatte. Und so blieb Luther mit einer der Grundkomponenten mittelalterlicher Theologie verbunden, eben mit der Theologie Augustins, dessen »Bekenntnisse« und großen Traktate über die Trinität und den Gottesstaat er schon früh studiert hatte, der nicht nur in der voraristotelischen Frühscholastik und in der Hochscholastik bei Alexander von Hales und Bonaventura dominierte, sondern der auch, wiewohl deutlich zurückgedrängt, bei Thomas von Aquin und seiner Schule und schließlich auch im Spätmittelalter nicht zu übersehen war. Die Kontinuität war nicht nur in Trinitätslehre und Christologie, sondern auch in der Gnadentheologie viel stärker, als sich Luther selbst bewußt war. Dies beweist die Tatsache, daß die für Luthers reformatorischen Durchbruch entscheidende Römerbrief-Stelle 1,17 nicht von der unerbittlich richterlichen Gerechtigkeit Gottes, vor der kein Sünder im Gericht bestehen kann, sondern von der schenkenden Gerechtigkeit Gottes redete. Dies hatte nicht nur, wie Luther meinte, Augustin, sondern, wie katholische Forscher nachwiesen[9], der allergrößte Teil der mittelalterlichen Theologie vertreten.

Der Ockhamismus? Es ist bekannt: Luther hat in seiner Rechtfertigungslehre aufs heftigtse reagiert gegen den Pelagianismus der spätfranziskanisch-ockhamistischen Schule, der sich sowohl bei Ockham selbst findet wie bei seinem einflußreichen Tübinger Schüler Gabriel Biel und dessen Schüler Bartholomäus Arnoldi von Usingen, dem Lehrer Luthers. Und trotzdem: Es führt auch ein Weg von Ockham und Biel zu Luthers Rechtfertigungslehre. Und so wenig gerade die thomistische Schule recht hat, wenn sie die spätmittelalterliche Theologie im allgemeinen und den Ockhamismus (Nominalismus) im besonderen als Desintegration der mittelalterlichen Theologie diffamiert, so wenig hat andererseits protestantische Reformationsforschung recht, wenn sie die spätmittelalterliche Theologie nur als den dunklen Hintergrund behandelt, vor dem Luthers Rechtfertigungslehre besonders hell zu strahlen vermag. Luther darf also nicht, wie weithin im Raum protestantischer Theologie üblich, nur in seiner Abhängigkeit von Paulus und Augustin, er muß ebenso in seinem positiven Zusammenhang mit Ockham und Biel betrachtet werden: zum Beispiel bezüglich bestimmter Aspekte seines Gottesbegriffs (der absoluten Souveränität Gottes), der Auffassung der Gnade als Gunst, der Sünde, des forensischen Aspekts der Rechtfertigung, der Annahme des Menschen aus freier göttlicher Wahl, die keinen Grund im Menschen hat.

Ist angesichts dieser Verwurzelung Luthers in der katholischen Tradition eine **pauschale Verurteilung Luthers** für Katholiken noch möglich? Nein, sie ist **unmöglich**! Dafür haben mittelalterlich-katholisches Rechtfertigungsverständnis und Luthers neues Rechtfertigungsverständnis einfachhin zu viel Gemeinsames. Diese Einsicht hat freilich Konsequenzen für beide Seiten: Das mittelalterliche Rechtfertigungsverständnis ist nicht von vornherein unevangelisch, umgekehrt ist das lutherische nicht einfach unkatholisch! Mit anderen Worten: Nur eine differenzierte und nuancierte Beurteilung wird beiden Seiten gerecht. Und diese differenzierte und nuancierte Beurteilung wird nun allerdings auch nichts harmonisieren. Vielmehr wird sie in aller Kontinuität zugleich die Diskontinuität sehen: Luthers entscheidenden Neueinsatz.

Der reformatorische Luther

Gerade die entscheidende **theologische** Auseinandersetzung, die in erster Linie nicht vom Kirchenhistoriker, sondern vom systematischen Theologen zu leisten ist, darf nicht nur mit dem »katholischen« Luther geführt werden – mit einem Luther, der noch katholisch sei oder katholisch geblieben sei; sie muß – darauf hat der katholische Thomas- und Lutherkenner Otto Hermann Pesch aufmerksam gemacht[10] – gerade mit dem **reformatorischen Luther** theologisch geführt werden, der mit Paulus und Augustin gegen die Scholastik insgesamt und besonders den Aristotelismus anging. Gerade Luthers eigentlich reformatorische Lehre verdient es, nicht nur in ihren kirchengeschichtlichen, theologiegeschichtlichen und persönlichen Voraussetzungen psychologisch und historisch erklärt, sondern theologisch ernst genommen zu werden.

Die entscheidende Frage ist freilich: Nach welchem **Maßstab**? Eine Frage, die leider selbst von katholischen Kirchenhistorikern selten reflexiv gestellt wurde, wenn sie über die Theologie Luthers faktisch weniger historisch urteilende als dogmatisch wertende Urteile abgaben. Als Maßstab für ihre Beurteilung nahmen sie vielfach das Konzil von Trient, dessen grundlegende theologische Schwächen man übersah: so Hubert Jedin. Oder die Theologie der Hochscholastik (Bernhard von Clairvaux, Thomas von Aquin), die man nicht kritisch auf ihre Katholizität hin befragte: so Joseph Lortz. Oder die griechische und lateinische Patristik, deren Abstand von der Schrift offenkundig nicht gesehen wurde: so französische Theologen. Oder schließlich die sehr oft gerade vom Historiker unkritisch seit den Studienjahren mitgeschleppte Schultheologie, die faktisch ein Konglomerat aus neuscholastischen, tridentinischen, hochscholastischen und patristischen Elementen darstellt, das nur an bestimmten Stellen mit Ergebnissen einer neueren Theologie und Exegese angereichert und aufpoliert wurde.

Hier ist zu fragen: Wenn der Kirchenhistoriker sein **theologisches** Urteil schon nicht suspendieren will – was man, da jedes Fach seine Grenzen hat, durchaus zu respektieren hätte –, darf er sich dann um die saubere **exegetische** Auseinandersetzung mit Luthers Theologie und besonders seinem Rechtfertigungsverständnis herumdrücken? Gründen Luthers Rechtfertigungslehre, sein Sakramentenverständnis, seine ganze Theologie und seine weltgeschichtliche Sprengwirkung nicht in dem einen: in der Rückkehr der Kirche und ihrer Theologie zum Evangelium Jesu Christi, wie es in der Heiligen Schrift ursprünglich bezeugt ist? Kann man sich also mit Luther im eigentlichsten überhaupt auseinandersetzen, wenn man gerade diesen Kampfplatz meidet, sei es aus Oberflächlichkeit, Bequemlichkeit oder Unfähigkeit? Hier wird über Kirchenspaltung und Kircheneinigung letztlich entschieden!

Nach dem Vatikanum II wird auch katholische Theologie zugeben, daß neuscholastische Schultheologie oder Trient, daß Hochscholastik oder Patristik nun einmal sekundäre Kriterien sind gegenüber diesem **primären, grundlegenden und bleibend verbindlichen Kriterium**: der **Schrift**, des Evangeliums, der ursprünglichen christlichen Botschaft. Auf diese berufen sich ja die griechischen und lateinischen Väter ebenso wie die mittelalterlichen Theologen, die Väter von Trient und die neuscholastischen Schultheologen. Vor ihr hat sich natürlich auch Luther selbst zu verantworten. Das heißt: Entscheidend ist nicht, ob diese oder jene Aussage Luthers sich in dieser oder jener Form auch schon bei Thomas von Aquin, bei Bernhard von Clairvaux, bei Augustin oder irgendeinem Papst findet, sondern ob sie das Evangelium, die ursprüngliche christliche Botschaft, hinter sich hat oder nicht. Deshalb:

Worin Luther recht hatte

Hat Luther in seinem Grundansatz das Neue Testament hinter sich? Diese Frage kann ich hier natürlich nicht umfassend beantworten. Wohl aber kann ich eine Antwort andeuten, die sich auf meine bisherige Arbeit auf dem Gebiet der Rechtfertigungslehre stützt.[11] Und da scheint mir unbestreitbar: **Luther** hat mit seinen Grundaussagen über das Rechtfertigungsgeschehen, er hat mit dem Sola gratia, dem Sola fide, dem Simul iustus et peccator **das Neue Testament hinter sich**, inbesondere Paulus, auf den es in der Rechtfertigungslehre entscheidend ankommt. Ich deute es nur in Stichworten an:

- Was ist »**Rechtfertigung**«? Nach dem Neuen Testament meint sie nicht einen physiologisch verstandenen, im menschlichen Subjekt sich abspielenden Prozeß übernatürlichen Ursprungs. Vielmehr meint Rechtfertigung Gottes gnädiges Urteil, in welchem er dem schuldigen Menschen seine Schuld nicht anrechnet, ihn um Christi willen gerecht erklärt. Der Mensch wird von Gott gerechtfertigt und so wirklich gerecht gemacht.
- Was ist »**Gnade**«? Nach dem Neuen Testament ist Gnade nicht eine übernatürliche Kraftzufuhr, eine Qualität oder ein Habitus der Seele, nicht eine Reihe von verschiedenen quasi-physischen übernatürlichen Entitäten, die in Substanz und Fakultäten der Seele sukzessive eingegossen werden. Vielmehr ist Gnade Gottes lebendige Gunst und Huld, sein personales und gerade so den Menschen wirkkräftig bestimmendes und wandelndes Verhalten, wie es in Jesus Christus offenbar geworden ist.
- Was ist »**Glaube**«? Nach dem Neuen Testament meint Glaube nicht ein intellektualistisches Für-wahr-Halten von Wahrheiten. Vielmehr ist Glaube die vertrauende Hingabe des ganzen Menschen an Gott, der ihn nicht aufgrund von frommen Werken und sittlichen Leistungen, sondern aufgrund seines glaubenden Vertrauens allein durch seine Gnade rechtfertigt, so daß er diesen Glauben in den Werken der Liebe bewähren kann. Ein gerechtfertigter und doch immer wieder zugleich (»simul«) neu als Sünder erfundener Mensch, der, immer wieder der Vergebung bedürftig, erst auf dem Wege zur Vollendung ist.

Katholische Theologie wird heute unbefangener als noch vor wenigen

Jahrzehnten den **Schriftbefund** und so auch Luthers Lehre **zur Kenntnis nehmen** können. Warum? (1) Die katholische Exegese hat beträchtliche Fortschritte gemacht und zeigt bezüglich der in der Reformationszeit umstrittenen Stellen etwa des Römer- und Galaterbriefes kaum noch konfessionelle Differenzen. (2) Die Zeitverhaftetheit des Konzils von Trient und seiner Formulierungen sind durch das Zweite Vatikanische Konzil für jedermann offenkundig geworden. (3) Die römische Schultheologie, deren beinahe exklusive Herrschaft im katholischen Raum zwischen den beiden Vatikanischen Konzilien das ökumenische Verstehen weithin unmöglich machte, hat ihre Unfähigkeit zur Lösung der neuen Probleme von heute deutlich manifestiert und manifestiert sie im allenthalben mit Kritik aufgenommenen »Weltkatechismus« (1993) von neuem. (4) Die seit dem Konzil gewandelte Atmosphäre hat für eine ökumenische Verständigung unabsehbare und vor dem Vatikanum II noch kaum geahnte Möglichkeiten eröffnet. (5) Die seit dem Konzil um die Rechtfertigung geführte Diskussion hat zwar große Unterschiede in der Interpretation, jedoch keine irreduktibel **kirchenspaltenden** Unterschiede zwischen der evangelischen und der katholischen Rechtfertigungslehre zu Tage gefördert. Daß die **Rechtfertigungslehre heute nicht mehr kirchentrennend** ist, wurde durch mehrere offizielle Verständigungsdokumente von beiden Seiten bestätigt.[12]

Ein letztes muß bezüglich der Rechtfertigungslehre Luthers deutlich ausgesprochen werden, was bisher von offizieller katholischer Seite kaum gesagt wurde: Luther hat wie in den 1500 Jahren vor ihm keiner, selbst Augustin nicht, einen unmittelbaren existentiellen Zugang zu der so bald nicht mehr ursprünglich verstandenen Rechtfertigungslehre des Apostels Paulus gefunden. Und diese **Wiederentdeckung der ursprünglichen paulinischen Rechtfertigungsbotschaft** unter den Verschiebungen und Verschüttungen, den Verkleisterungen und Übermalungen von anderthalb Jahrtausenden ist eine erstaunliche, ist eine ungeheure theologische Leistung. Schon von daher legt sich eine formelle **Rehabilitierung Luthers** und eine Aufhebung der Exkommunikation durch Rom nahe. Seine Leistung aber wäre nicht möglich gewesen ohne eine von der mittelalterlichen Gesetzesfrömmigkeit provozierte spirituelle Grunderfahrung, die Luther selbst nicht seinem Ingenium, sondern einer gegen alles Zweifeln und alles Verzweifeln gnädig geschenkten Gewißheit zugeschrieben hat. Warum wurde sie gerade ihm und nicht einem anderen geschenkt? Wir haben darüber nicht zu spekulieren – aber vielleicht geschah es doch zur Demütigung einer Theologie, die ihrer Orthodoxie allzu sicher geworden war.

Dies alles heißt nicht, daß es zwischen paulinischer und lutherischer Rechtfertigungslehre nicht schon aufgrund der verschiedenen Ausgangslage Unterschiede gegeben hätte; evangelische Forscher selbst haben sie mittlerweile festgestellt, so besonders eine allzu individualistische Ausrichtung. Dies heißt auch nicht, daß Luther in manchen Schriften nicht **Einseitigkeiten und Übertreibungen** verfallen wäre; manche Formulierungen des »Solum«, manche Aussagen über die »Hure Vernunft« und die Philosophie und Schriften wie »De servo arbitrio« oder »Von den guten Werken« waren und bleiben mißverständlich und bedürfen der Ergänzung und der Korrektur. Aber nicht der Grundansatz war falsch! Dieser Ansatz war richtig, und richtig war auch – trotz mancher Mängel und Einseitigkeiten – dessen Durchführung. Die (nicht unlösbaren) Schwierigkeiten und Probleme liegen in den weiteren Schlußfolgerungen, vor allem in Fragen des Kirchen-, Amts- und Sakramentsverständnisses. Sehen wir näher zu: Was meint Rückkehr zum Evangelium? Ich mache dies an den großen Programmschriften des Jahres 1520 klar.

3. Die Rückkehr zum Evangelium

Das Jahr 1520 war das Jahr des theologischen Durchbruchs für Martin Luther, entstehen in diesem Jahr doch seine großen reformatorischen Programmschriften. Und so wenig Luther der Mann eines zielbewußt aufgebauten theologischen Systems war, so sehr war er der Mann der situationsgerechten, zielsicher gewählten und kraftvoll durchgeführten theologischen Vorstöße, ja, eines kohärenten und konsequenten Programms.

Das reformatorische Programm

Die **erste Schrift** dieses Jahres ist an die Gemeinden gerichtet, nicht programatisch, sondern erbaulich, in deutscher Sprache: der umfangreiche Sermo »Von den guten Werken« (Anfang 1520)[13]. Er ist grundlegend, insofern es hier um die Grundfrage christlicher Existenz ging: das **Verhältnis von Glaube und Werken**, die innersten Motive des Glaubens ebenso wie die daraus folgenden praktischen Konsequenzen. Anhand der Zehn Gebote wird deutlich, daß der vertrauende **Glaube**, der allein Gott die Ehre gibt, die Grundlage christlicher Existenz ist. Aus dem Glauben nur können und sollen dann auch gute Werke folgen.

Die **zweite Schrift**, an Kaiser, Fürsten und den übrigen Adel gerichtet, greift die schon so oft geäußerten »Gravamina« (Beschwerden) der deutschen Nation auf und ist ein leidenschaftlicher Ruf zur **Reform der Kirche**, ebenfalls in der Volkssprache: »An den christlichen Adel deutscher Nation von des christlichen Standes Besserung« (Juni 1520)[14]. Es ist der bisher schärfste Angriff auf das römische System, das eine Kirchenreform mit seinen drei Prätentionen (»Mauern der Romanisten«) verhindert: (1) die geistliche Gewalt steht über der weltlichen; (2) der Papst allein ist der wahre Ausleger der Schrift; (3) der Papst allein kann ein Konzil einberufen. Zugleich wird in 28 Punkten ein ebenso umfassendes wie detailliertes Reformprogramm entwickelt. Die ersten 12 Forderungen gelten der Reform des Papsttums: Verzicht auf die weltlichen und kirchlichen Herrschaftsansprüche, Unabhängigkeit des Kaisertums und der deutschen Kirche, Abstellung der vielfältigen kurialen Ausbeutung. Doch dann geht es um die Reform des kirchlichen und weltlichen Lebens überhaupt: Klosterleben, Priesterzölibat, Ablässe, Seelenmessen, Heiligenfeste, Wallfahrten, Bettelorden, Universitäten, Schulen, Armenpflege, Abschaffung des Luxus. Schon hier erfolgen die programmatischen Aussagen über das Priestertum aller Gläubigen und das kirchliche Amt, das auf einer Beauftragung zur öffentlichen Ausübung der gemeinsamen priesterlichen Vollmacht beruht.

Die **dritte Schrift** im Spätsommer 1520 ist an die Gelehrten und Theologen und deshalb lateinisch und in wissenschaftlicher Form geschrieben: »Von der babylonischen Gefangenschaft der Kirche«[15]. Und gerade diese wohl einzige streng systematisch-theologische Schrift des Exegeten Luther ist – da es sich um die Grundlage des römischen Kirchenrechts handelt – der Neubegründung der **Sakramente** gewidmet. Diese sind Luther zufolge durch eine Verheißung und ein Zeichen Jesu Christi selber konstituiert. Nimmt man so als Kriterium »Einsetzung durch Jesus Christus selbst«, so bleiben nur zwei Sakramente im eigentlichen Sinn (Taufe, Abendmahl), bestenfalls drei (Buße). Die übrigen vier aber (Firmung, Priesterweihe, Eheschließung, Letzte Ölung) sind fromme kirchliche Bräuche, aber eben nicht von Christus eingesetzte Sakramente. Auch hier wieder viele praktische Reformvorschläge – von der Kelchkommunion für Laien bis zur Wiederverheiratung der schuldlos Geschiedenen.

Die im Herbst veröffentlichte **vierte Schrift**, »Von der Freiheit eines Christenmenschen«[16], entwickelt die Gedanken der ersten Schrift weiter und bietet eine Zusammenfassung von Luthers **Rechtfertigungsverständnis** im Anschluß an 1 Kor 9,19 in zwei paradoxen Sätzen: »Ein Christenmensch ist (im Glauben, nach dem inneren Menschen) ein freier Herr über alle Dinge und niemand untertan.« Und: »Ein Christenmensch ist (in den Werken, nach dem äußeren Menschen) ein dienstbarer Knecht aller Dinge und jedermann untertan.«[17] Die Lösung des Paradoxons liegt im Glauben, der den Menschen zu einer freien Person macht, die den Mitmenschen in ihren Werken zu Dienst sein darf.

In diesen vier Schriften haben wir reformatorisches Urgestein vor uns. Und es läßt sich jetzt auch die Frage beantworten, worum es Martin Luther letztlich geht, was ihn in allen seinen Schriften bewegt, was seinen Protest, seine Theologie und seine Politik zutiefst motiviert.

Der reformatorische Grundimpuls

Luther bleibt trotz seiner enormen politischen Sprengwirkung zutiefst ein Mann des Glaubens, ein Theologe, der aus existentieller Not um die Gnade Gottes angesichts der Sündenverfallenheit des Menschen ringt. Er wäre völlig oberflächlich verstanden, wenn man meinte, es ginge ihm nur um den Kampf gegen die unbeschreiblichen kirchlichen Mißstände, insbesondere den Ablaßhandel, und in diesem Zusammenhang um die Befreiung vom Papsttum. Nein, Luthers persönlicher reformatorischer Impetus wie seine ungeheure historische Sprengwirkung kommen aus dem einen: **der Rückkehr der Kirche zum Evangelium Jesu Christi**, wie er es in der **Heiligen Schrift** und besonders bei **Paulus** lebendig erfahren hat. Und dies bedeutet konkret, und hier zeichnen sich bereits deutlich die entscheidenden Unterschiede des neuen Paradigmas P IV zum mittelalterlichen Paradigma P III ab:

- Gegen all die im Laufe der Jahrhunderte hinzugewachsenen Traditionen, Gesetze und Autoritäten stellt Luther den **Primat der Schrift**: »allein die Schrift« (»sola scriptura«).
- Gegen all die tausend Heiligen und abertausend amtlichen Mittler zwischen Gott und den Menschen stellt Luther den **Primat Christi**: »allein Christus« (»solus Christus«)! Er ist die Mitte der Schrift und daher Orientierungspunkt aller Schriftauslegung.
- Gegen alle kirchlich verordneten frommen religiösen Vorleistungen und Anstrengungen des Menschen (»Werke«) zur Erlangung des Seelenheils stellt Luther den **Primat der Gnade und des Glaubens**: »allein die Gnade« (»sola gratia«) des gnädigen Gottes, wie er sich in Kreuz und Auferweckung Jesu Christi gezeigt hat und den bedingungslosen Glauben (»sola fide«) des Menschen an diesen Gott, sein unbedingtes Vertrauen.

Gegenüber dem »Stockwerk-Denken« der Scholastik geht es in Luthers Theologie um ein **verschärftes Konfrontationsdenken**, bei dem die Akzentuierungen eindeutig sind:

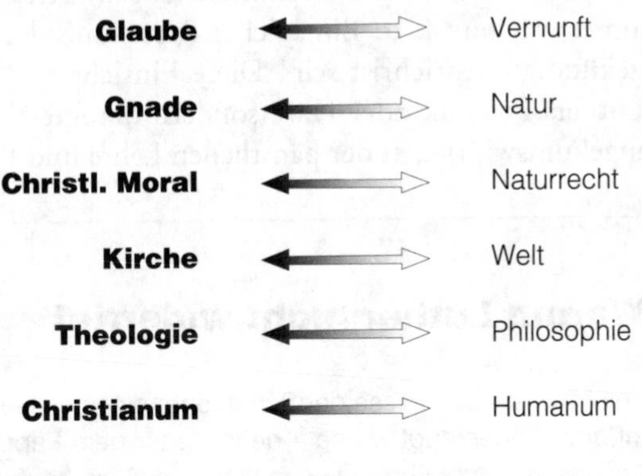

So sehr Luther ursprünglich die private Gewissensnot eines gequälten Mönches kennengelernt hat, mit seiner Rechtfertigungsbotschaft geht es ihm also um mehr als privatistischen Seelenfrieden. Seine Theologie der Rechtfertigung bildet die Basis für einen **öffentlichen Appell an die Kirche zur Reform** im Geiste des Evangeliums, eine Reform, die nicht so sehr auf die Neuformulierung einer Lehre als auf die Erneuerung des kirchlichen Lebens in allen Sparten zielt. Eine **radikale Kritik des Papsttums** ist unter den gegebenen Umständen nicht zu vermeiden. Doch nicht um den Papst als Person geht es ihm dabei, sondern um die von Rom geforderten und begünstigten institutionellen Praktiken und Strukturen, die dem Evangelium offenkundig widersprechen.

Es kommt nun alles darauf an, wie Rom auf die Forderung nach einer radikalen Reform reagiert. Doch von Rom kein Zeichen der Umkehr, im Gegenteil. Die Kurie Leos X. meint, den ketzerischen jungen Mönch im fernen Norden rasch zum Widerruf oder aber (wie in den Fällen von Hus, Savonarola und von Hunderten von »Häretikern« und »Hexen«) mit Staatshilfe auf den Scheiterhaufen bringen zu können. Und deshalb kann – geschichtlich betrachtet – kein Zweifel bestehen: Nicht Luther, sondern **Rom trägt die Hauptverantwortung** dafür, daß aus dem Streit um den rechten Heilsweg und die praktische Besinnung auf das Evangelium sehr rasch ein grundsätzlicher Streit um die Autorität in der Kirche und die

Unfehlbarkeit von Papst und Konzilien wird. Martin Luther aber steht ein für allemal als ein Christenmensch vor uns, der, 1521 vor den Reichstag zu Worms zitiert, den Mut hatte, mit Berufung auf die Schrift, die Vernunft und sein Gewissen bei seinem Glauben zu bleiben.[18] All den Pressionen von staatlicher (Kaiser!) und kirchlicher (Papst!) Seite widerstand er. Aber für Luther war nun klar: Ein solcher Papst muß der im Neuen Testament angekündigte Antichrist sein. Diese Einsicht war nicht bloß Produkt von Luthers Polemik oder Haß, sondern drängte sich ihm auf wegen der Evangeliumswidrigkeit der päpstlichen Lehre und Praxis.[19]

Warum Luther nicht widerrief

»Wenn ich nicht durch Zeugnisse der Schrift oder einen einleuchtenden Vernunftgrund überzeugt werde – denn weder dem Papst noch den Konzilien allein glaube ich, da es feststeht, daß sie häufig geirrt und sich selbst widersprochen haben –, so bleibe ich an die von mir angeführten Schriftworte gebunden. Und solange mein Gewissen gefangen ist von den Worten Gottes, kann und will ich nicht widerrufen, da gegen das Gewissen zu handeln weder sicher noch lauter ist. Gott helfe mir. Amen.«

Schluß von Luthers Rede vor Kaiser und Reichsständen zu Worms am 18. April 1521

Das reformatorische Paradigma

Nach der Verurteilung auf dem Reichstag hat Luther, auf der Wartburg versteckt, in zehn Monaten neben anderem – auf der Basis der griechisch-lateinischen Ausgabe des Erasmus – seine **Übersetzung des Neuen Testaments** vollendet, das maßgebende Meisterwerk hochdeutscher Sprache. Die Bibel soll ja die Grundlage evangelischer Frömmigkeit und des neuen Gemeindelebens sein. Und das ganz auf der Bibel aufbauende reformatorische Paradigma Luthers sollte nun die echte, die große Alternative zum radikal kritisierten mittelalterlichen römisch-katholischen Paradigma darstellen. Das Evangelium als Motiv der Innovation!

Die Rückkehr zum Evangelium unter Protest gegen die Fehlentwicklungen und Fehlhaltungen in der traditionellen Kirche und Theologie

bildete tatsächlich den Ansatz für das neue **reformatorische**, eben **protestantisch-evangelische Paradigma von Kirche und Theologie**. Luthers Neuverständnis des Evangeliums und der völlig neue Stellenwert der Rechtfertigungslehre haben faktisch die ganze Theologie neu orientiert und die Kirche neu strukturiert: ein **Paradigmenwechsel** par excellence, wie dies Stephan Pfürtner im Vergleich mit Thomas von Aquin aufgewiesen hat[20]. Auch in Theologie und Kirche kommt es also von Zeit zu Zeit nicht nur im beschränkten Mikro- oder Mesobereich der Einzelfragen und Traktate, sondern auch im Makrobereich zu **paradigmatischen Wandlungsprozessen**: Ähnlich wie etwa beim Wechsel von der geozentrischen zur heliozentrischen Auffassung verhält es sich auch mit dem Wandel von der mittelalterlichen zur reformatorischen Theologie:
– Feststehende und vertraute Begriffe ändern sich: Rechtfertigung, Gnade, Glaube, Gesetz und Evangelium; oder sie werden als unnütz aufgegeben: aristotelische Begriffe wie Substanz, Akzidenz, Materie, Form;
– Normen und Kriterien, die über die Zulässigkeit bestimmter Probleme und Lösungen bestimmen, verschieben sich: Bibel, Konzilien, Papstdekrete, Vernunft, Gewissen;
– Ganze Theorien wie die hylemorphistische Sakramentenlehre und Methoden wie die spekulativ-deduktive der Scholastik werden erschüttert.

Gerhard Ebeling, der sich bei Luther und bei Thomas von Aquin vorzüglich auskennt, hat es in seinem Luther-Buch[21] beeindruckend – wenn auch allzu einseitig auf Kosten des früheren Paradigmas – deutlich gemacht: In Luthers Theologie verändern sich theologische Grundbegriffe von Grund auf, und zwar vom neu erkannten Evangelium her. Die mittelalterliche Theologie in der Tradition der Griechen gebrauchte physikalisch-physiologische Kategorien: Akt und Potenz, Form und Materie, Substanz und Akzidenz; Wirk-, Material-, Formal- und Zweckursache; Aktualisation, Wachsen ... Luther gebraucht **personale Kategorien**: der gnädige Gott, der sündige Mensch, Gerechtsprechen, Vertrauen, Zuversicht. Sah man dort auf die statische Ordnung, so hier mehr auf die geschichtliche Dynamik. Favorisierte man dort die aristotelische Logik und das Widerspruchsprinzip (»damals Sünder, jetzt Gerechter«), so hier die dialektische Denkweise und paradoxe Formulierung (»zugleich Sünder und Gerechter«). Grundlegend war dabei, daß Luther – obwohl wie Origenes und Augustin ein unermüdlicher, sprachschöpferischer und stets höchst aktueller Kommentator der Bibel – sehr viel entschiedener als auch Thomas die allegorische Schriftauslegung des Origenes und Augustin ablehnte. Er begründet – und dies ist für seinen Paradigmenwechsel grundlegend – eine strenge **sprachlich-grammatische Schriftauslegung**.[22]

Nicht zuletzt die theologische, ästhetisch oder sprachlich bedingte Attraktivität des neuen Paradigmas war es, was für Geistliche und Laien den Ausschlag gab. Viele waren von Anfang an fasziniert von der inneren **Kohärenz**, elementaren **Transparenz** und seelsorgerlichen **Effizienz** der lutherischen Antworten, von der neuen Einfachheit und schöpferischen Sprachkraft der lutherischen Theologie. Hinzu kam, daß sich Buchdrukkerkunst, Predigten- und Flugschriftenflut und deutsches Kirchenlied als wesentliche Faktoren zur raschen Popularisierung und Ausbreitung des alternativen Paradigmas erwiesen.

So wandelt sich also das Deutungsmodell mit dem ganzen Komplex der verschiedenen Begriffe, Methoden, Problemgebiete und Lösungsversuche, wie sie bisher von Theologie und Kirche anerkannt waren. Wie die Astronomen nach Kopernikus, Galilei und Kepler, so gewöhnen sich die Theologen nach Luther gleichsam an **ein anderes Sehen**: das Sehen im Kontext eines anderen Makromodells. Das heißt: Manches wird jetzt wahrgenommen, was man früher nicht sah, und natürlich wird auch wieder einiges übersehen und vernachlässigt, was man früher im Blick hatte. Kurz: Martin Luthers neues Verständnis von Wort und Glaube, Gerechtigkeit Gottes und Rechtfertigung des Menschen, vom einen Mittlertum Jesu Christi und dem allgemeinen Priestertum aller Gläubigen führt zu seiner grundstürzenden **biblisch-christozentrischen Neukonzeption** der gesamten Theologie. Von seiner Neuentdeckung der paulinischen Rechtfertigungsbotschaft her ergibt sich für Luther:

- Ein neues Verständnis **Gottes**: nicht ein Gott abstrakt »an sich«, über dessen inneres Wesen man spekulieren soll, sondern ein Gott ganz konkret »für uns«, auf dessen Gnade man bauen darf.
- Ein neues Verständnis des **Menschen**: nicht im Schema Natur-Gnade, sondern aus der Entgegensetzung von Gesetz und Evangelium, Buchstabe und Geist, Werke und Glaube, Unfreiheit und Freiheit.
- Ein neues Verständnis der **Kirche**: nicht als bürokratischer Macht- und Finanzapparat, sondern wieder neu als Gemeinschaft und allgemeines Priestertum der Glaubenden.
- Ein neues Verständnis ihrer **Sakramente**: nicht als quasi mechanisch »Gnade« verleihende Rituale, sondern als Verheißungen Christi und Zeichen des vertrauenden Glaubens an den gnädigen Gott.

War von diesen theologischen Neuansätzen her eine durchgängig radikale **Kritik an der mittelalterlichen Gestalt des Christentums** nicht einfach unausweichlich? Kritik an einer in Lehre und Praxis vom Evangelium abgewichenen, verweltlichten und vergesetzlichten Kirche? Im Grund seines Herzens war Luther konservativ, über die reformatorischen Exzesse in der Zeit seiner Abwesenheit von Wittenberg war er erschreckt, in der praktischen Realisierung seiner Reformvorschläge zunächst recht behutsam. Trotzdem hat seine Kritik bald revolutionäre Folgen:

– Kritik am lateinischen **Meßopfer** und an der **Privatmesse**: deshalb jetzt im Gottesdienst zentral die Predigt und eine vom Opfergedanken gereinigte gemeinsame Abendmahlsfeier (mit gewöhnlichem Brot) in der Volkssprache mit Kelchkommunion auch für die Laien; mancherorts statt täglicher Messe tägliche Predigt.

– Kritik am kirchlichen **Amt**, das den einen Herrn und Mittler Jesus faktisch verdrängt hatte: deshalb Abschaffung des Priesterbegriffs, einer von Gott eingesetzten Hierarchie und göttlicher Elemente im Kirchenrecht und dafür Stärkung des Gemeindebewußtseins und des Dienstbewußtseins des kirchlichen Amtes (der Pfarrer am Abendmahlstisch in schwarzer Robe mit Gesicht zur Gemeinde).

– Kritik am **Mönchtum** und am religiös sanktionierten Bettel: deshalb Betonung des weltlichen Berufs als göttlicher Berufung und der Würde auch niedrigster Arbeit als gleichwertig, ja, als Gottesdienst.

– Kritik an den von der Schrift nicht gerechtfertigten kirchlichen **Traditionen** und der frommen Werkerei des katholischen Alltags: deshalb Ablehnung von Heiligenverehrung, Fastenvorschriften, Wallfahrten, Prozessionen, Seelenmessen, Reliquienkult, Weihwasser, Amuletten; viele Feste abgeschafft, das Fronleichnamsfest vor allem.

– Kritik schließlich auch am unevangelischen **Zölibatsgesetz**, das Sexualität, Frau, Ehe und Familie abwertet und die Freiheit des Christenmenschen vergewaltigt: deshalb grundsätzliche Bejahung der Priesterehe und Aufwertung der Ehe überhaupt (nicht als Sakrament, wohl aber als ein »weltlich-heilig Ding« in der Kirche feierlich vorgenommen[23]).

Keine Frage: Die Reformation bedeutet für die traditionell Römisch-Katholischen den Abfall von der wahren Form des Christentums. Für die Evangelischgesinnten jedoch bedeutet sie die Wiederherstellung seiner ursprünglichen Form. Das mittelalterliche Paradigma von Christentum (P III) wird von ihnen mit Freuden aufgegeben. Den Reformator Luther vermag Rom noch zu exkommunizieren, aber die radikale Neugestaltung des kirchlichen Lebens nach dem Evangelium durch die fortschreitende und ganz Europa erregende Reformationsbewegung kann Rom nicht mehr aufhalten. Das **neue, reformatorische Paradigma von Theologie und Kirche** (P IV) ist bald solide etabliert. Ab 1525 wird die Reformation in zahlreichen deutschen Territorien durchgeführt und nach der mißlungenen Versöhnung auf dem Reichstag zu Augsburg 1530 (»Confessio

Augustana«) wird der Schmalkaldische Bund der protestantischen deutschen Fürsten begründet, der die Verbindung von lutherischer Reformation und politischer Macht perfekt macht.

Aber: Zur großen Kirchenspaltung zwischen Ost und West war im Westen die nicht kleinere zwischen Nord und Süd gekommen – ein welthistorischer Vorgang allerersten Ranges mit unabsehbaren Auswirkungen auch auf Staat und Gesellschaft, Wirtschaft, Wissenschaft und Kunst, die hier (in ihrer Ambivalenz) schwierig zu umschreiben sind. Die theologische Frage indessen ist bis heute akut: Geht es in Luthers Reformation wirklich nur um ein anderes, neues Paradigma oder nicht vielleicht doch um einen anderen, neuen Glauben?

Ein anderer Glaube?

In der rasanten Entwicklung der Geschichte müßte man eigentlich einhalten und ein wenig nachdenken über diesen in der Gestalt Martin Luthers verkörperten Paradefall eines Paradigmenwechsels, der so etwas wie eine **Kopernikanische Wende in der Theologie** darstellt: weg von der allzumenschlichen Ekklesiozentrik der Machtkirche – hin zur Christozentrik des Evangeliums, alles im Zeichen der Freiheit eines Christenmenschen, die dann freilich auch im protestantischen Raum nur beschränkt verwirklicht wird. Denn sehr viel deutlicher als bei Origenes, bei Augustin oder Thomas – weil eben (trotz aller Vorbereitung in Gesellschaft, Kirche und Theologie der Vorzeit) rascher, radikaler, revolutionärer – lassen sich auch in Theologie und Kirche jene geschichtlichen Gesetzmäßigkeiten feststellen, wie sie Thomas S. Kuhn[24] von den damals sich ebenfalls vorbereitenden »wissenschaftlichen Revolutionen« in der Geschichte der Naturwissenschaft (Kopernikus, Newton, Lavoisier, Darwin, Einstein) abgelesen hat und wie ich sie zur Anwendung auf die Theologie in fünf Erfahrungssätzen formuliert habe.[25] Auch im Falle Luther sind zu beobachten:

– **Widerstand der Normalwissenschaft gegen das Neue**: Wie alle »Neuerer« hatte es Luther mit der Autorität und Macht einer (kirchlich wie staatlich institutionell abgesicherten) theologischen **Normalwissenschaft** zu tun, ihren Autoritäten, Klassikern und Lehrbüchern, die das Neue nicht liebte. Man wußte ja, was die Wahrheit ist.

– **Krise als Ausgangslage für einen Wechsel**: In der Theologie geht es so wenig wie in der Naturwissenschaft nur um eine ständige »organische Entwicklung«, vielmehr geht es, wie in der Gesellschaft, so auch in Kirche und Theologie, auch immer wieder um radikale **Krisen**, die Ausgangspunkte sind für die Heranbildung eines neuen Paradigmas. Luthers Theologie – zunächst eine Theologie der Krise.

– **Ohne neuen Paradigmakandidaten kein Paradigmenwechsel**: Das abzulösende Paradigma braucht ein glaubwürdiges Nachfolgemodell, bevor es abgelöst werden kann: einen neuen »Paradigmakandidaten« (Thomas S. Kuhn)[26], eine »neue Sprach- und Verstehensform des Glaubens an das Evangelium ... von **besonderer**, epochenscheidender Neuartigkeit« (O. H. Pesch)[27], »ein neues **Gesamtverständnis des Christentums**« (H. Zahrnt)[28]. Geht es doch hier nicht nur um eine geringfügige Kurskorrektur, sondern um einen Kurswechsel. Mehr als eine »scientific revolution«, eine »wissenschaftliche Umwälzung«, bedeutet er eine »epochale Wende«. Für die Theologie kommt es zu einer grundlegenden Umgestaltung ihrer Begriffe, Methoden und Kriterien, ihres Sprachschatzes, ihres Problemhorizontes, ja, ihrer gesamten Sichtweise.

– **Außerwissenschaftliche Faktoren bei der Conversio**: Wie in der Naturwissenschaft sind auch in der Theologie bei Annahme oder Zurückweisung eines neuen Paradigmas neben wissenschaftlichen auch **außerwissenschaftliche Faktoren** beteiligt. Der Übergang zu einem neuen Modell kann deshalb nicht rational erzwungen werden, sondern ist als conversio, Bekehrung, zu beschreiben. Rationale und irrationale, »objektive« und »subjektive«, gesellschaftliche und individuelle Faktoren spielen hinein. Wäre die Geschichte der Reformation nicht anders verlaufen, wäre Luther nicht Sachse, Deutscher, nicht Mönch, Augustiner gewesen und umgekehrt der Papst nicht Italiener, Weltmensch, Mediceer (mit der Furcht vor einem neuen Savonarola und einer Kardinalsverschwörung im Nacken)?

– **Ein dreifacher Ausgang eines Paradigmenstreites möglich**: Ähnlich wie in der Naturwissenschaft ist auch in der Theologie mitten in großen Auseinandersetzungen schwierig vorauszusagen, ob ein neues Paradigma das alte ablöst oder ins alte absorbiert oder aber für längere Zeit archiviert wird.

Sicher ist nur: Wird das neue Paradigma **akzeptiert**, so verfestigt sich die Innovation mit der Zeit zur Tradition. So geschah es jedenfalls im Falle von Luther – aber eben nicht nur im Luthertum. Es geschah im ganzen protestantischen Raum. Und bald sollte es hier eine protestantische »Orthodoxie« geben, eine neue protestantische Normaltheologie, die auf den Buchstaben der Bibel und Luthers schwört und die oft so intolerant sein sollte gegen Abweichler und Ketzer wie das römische System.

Außerhalb dieses protestantischen Raumes jedoch – und vor allem in den südlichen Ländern Europas – wurde das neue Paradigma **verworfen**.

Eine neue Spaltung der Kirche, die jetzt quer durch die Weltkirche, quer durch Deutschland und durch Europa (und schließlich auch die »neue Welt« der beiden Amerika) ging und geht, war die unausweichliche Folge. Ebenso unausweichlich die Frage: Wie ist dieser Paradigmenwechsel von heute aus zu beurteilen?

4. Bei aller Diskontinuität Kontinuität

Luthers Paradigmenwechsel bedeutete langfristig eine »wissenschaftliche Umwälzung« mit ungeheuren politischen Folgen für Kirche und Gesellschaft. Aber, Luther war **kein politischer Revolutionär** und die Reformation auch keine frühbürgerliche Revolution, wie eine bestimmte marxistische Geschichtsschreibung es wollte. Man mag das schätzen oder nicht: Luther ist nicht zu vergleichen mit jenen großen Revolutionären der Weltgeschichte von Spartakus über die englischen Puritaner und französischen Jakobiner bis zu Marx, Lenin und Mao, die von vornherein auf einen gewaltsamen plötzlichen Umsturz der gesellschaftlichen Ordnung, ihrer Werte und Repräsentanten zielten. Bekanntlich wandte sich Luther heftig gegen die Revolution der Bauern und deren theologischen Anführer Thomas Müntzer. Nein, Luther wollte nichts als **ein »Re-formator«** der Kirche sein, der sich auf die ursprüngliche »Form« des Christentums »zurück« besann. Aber damit löste er faktisch eine »Revolution« aus, weil sich die damalige »christliche« Gesellschaft so weit vom Evangelium entfernt hatte. Nur wider Willen also war er zum politischen Rebell geworden, der aus Gewissensgehorsam gegenüber Gottes Wort aufgestanden war – gegen das römische System und das dieses System absichernde Recht.

Das Evangelium als Grund der Kontinuität der Glaubenssubstanz

Dies weist auf etwas Entscheidendes hin: Selbst in diesem einzigartig rasanten Paradigmenwechsel von Theologie und Kirche in der ersten Phase der Reformation geht es um eine Diskontinuität, die eine **tiefere Kontinuität** voraussetzt. Auch bei den »wissenschaftlichen Revolutionen« der Naturwissenschaft handelt es sich ja keineswegs um einen totalen Bruch, vielmehr auch hier trotz aller Diskontinuität um eine grundlegende Kontinuität.[29] Und gerade am Fall Luthers wird deutlich, daß sich für die Theologie das Problem der Kontinuität in noch ganz anderer Tiefe stellt. Denn hier geht es ja doch entscheidend um etwas, worum sich

Wissenschaftshistoriker, die lieber von »Bewährung« reden, in der Regel herumdrücken: um die »Wahrheit«[30]. Ja, um die »Lebenswahrheit« oder – wie Wittgenstein sagte – um die »Lebensprobleme«[31]. Lebensfragen nach dem Woher und Wohin von Welt und Mensch, also nach letzten-ersten Sinngebungen und Maßstäben, Werten, Normen und damit überhaupt nach einer letzten-ersten Wirklichkeit: das sind in der Tat nicht die Fragen der Naturwissenschaft, sondern die Fragen der Religion, die Fragen eines – gewiß nicht irrationalen, sondern durchaus vernünftigen – glaubenden Vertrauens oder vertrauenden Glaubens.[32] Und für diese ist als Wissenschaft nun einmal die **Theologie** verantwortlich: die Theologie als denkende Rede oder Rechenschaft von Gott. Verantwortlich ist sie freilich entsprechend der ihr eigenen Methoden und Voraussetzungen.

Eine »voraussetzungslose« Wissenschaft gibt es nicht. Und christliche Theologie hat nie einen Zweifel daran gelassen, daß sie noch weniger als andere Wissenschaften voraussetzungslos existieren kann. **Voraussetzung und Gegenstand** ist ihr die **christliche Botschaft**, wie sie in den Schriften des Alten und Neuen Testaments ursprünglich bezeugt ist, durch die Jahrhunderte überliefert wurde und in der Kirche verkündigt wird. Hierin liegt die **Kontinuität** gerade der christlichen Theologie begründet. Christliche Theologie ist deshalb bei aller Wissenschaftlichkeit wesentlich bestimmt nicht nur durch Geschichtsbezogenheit, Geschichtlichkeit, sondern durch Ursprungsbezogenheit, Ursprünglichkeit. Nein, der christlichen Theologie geht es nicht um eine **un**geschichtlich-mythologische und auch nicht um eine **über**geschichtlich-philosophische, sondern um eine zutiefst **geschichtliche**, um die **ursprüngliche** christliche Wahrheit.

Kontinuität: Gilt das nun auch für die Theologie **Martin Luthers**? Wahrhaftig nicht weniger als die Theologie eines Paulus, Origenes, Augustin oder Thomas wollte Luthers Theologie denkende Rechenschaft von der Wahrheit des **christlichen** Glaubens sein: von der Sache Jesu Christi, welche die Sache Gottes in der Welt und so zugleich eine Sache für den Menschen ist. Allerdings gilt für Luther nach anderthalbtausend Jahren höchst zwiespältiger Kirchen- und Theologiegeschichte: Das ursprüngliche Glaubenszeugnis von diesem Christus Jesus, das **Evangelium** also, soll wieder neu und deutlich die **Basis und Norm christlicher Theologie und Kirche werden**: Norm aller Normen, Autorität aller Autoritäten!

Im Rückblick gefragt: Hätten damit im Prinzip nicht auch Luthers Gegner, hätten damit nicht auch der päpstliche Legat Kardinal Cajetan, sein Disputationsgegner Johannes Eck und die römischen Prälaten einverstanden sein können? Im Prinzip schon. Nur daß sie in jedem Konfliktfall – dies hatte sich im römisch-katholischen Paradigma (wie wir sahen) langsam so herausgebildet – faktisch allesamt das Wort des Papstes und seine Interessen über das Schriftverständnis aller anderen stellten. Wie die Schrift für Lehre und Leben des Einzelnen und der Kirche wirklich zu verstehen sei, wußte in souveräner Weise der römische Papst und das in seinem Auftrag herrschende Lehramt allein. Dieses Lehramt verfügte damit faktisch über die Schrift. Und genau dieser **römische Autoritarismus**, auch dies sahen wir, war schon lange zuvor von den östlichen Kirchen abgelehnt worden. Und darum ging jetzt auch in der westlichen Christenheit der ganze Streit.

Gerade am Beispiel Luthers ist somit deutlich geworden: Christliche Theologie ist:
– nicht nur (wie die Naturwissenschaft) **gegenwartsbezogen;**
– auch nicht nur (wie jede historische Wissenschaft) **traditionsbezogen**;
– sondern darüber hinaus (und dies macht ihr Spezifikum aus) **ursprungsbezogen**. Und das **Ursprungsgeschehen** in der Geschichte Israels und Jesu Christi und von daher das Ur-Zeugnis, die alt- und neutestamentliche Ur-Kunde, bleibt für Luther mehr als für andere nicht nur der beliebige historische Anfang des christlichen Glaubens, sondern dessen ständiger **normativer Bezugspunkt.**

Was heißt dies alles anderes, als daß auch die Reformation im fundamentalen Umbruch die **Glaubenssubstanz des Christentums bewahrt** hat? Bei allen radikalen Veränderungen doch eine fundamentale Kontinuität des Glaubens, des Ritus und des Ethos! Ja, trotz aller wahrhaft epochalen Differenzen geht es auch im protestantisch-reformatorischen Paradigma (P IV) noch immer um **dieselben Konstanten** des Christentums wie im judenchristlich-urkirchlichen (P I), im hellenistisch-altkirchlichen (P II) und im mittelalterlichen römisch-katholischen Paradigma (P III):

- dasselbe Evangelium von Jesus Christus, seinem Gott und Vater und dem Heiligen Geist;
- derselbe Eingangsritus der Taufe;
- derselbe Gemeinschaftsritus der Eucharistie;
- dasselbe Ethos der Nachfolge Christi.

Und doch, die Frage stellt sich verschärft: War Luthers Reformation nicht dennoch eine Revolution?

Das Evangelium als Grund der Diskontinuität des Paradigmas

Auf das biblische Urzeugnis darf und soll sich der Christ jederzeit berufen. Und weil dies Theologen auch schon vor Luther faktisch immer wieder – in vermittelter Unmittelbarkeit zur Schrift – getan haben, hat es gleichzeitig mit den großen paradigmatischen Schulen auch immer wieder **kreative Einzelne und Gruppen** gegeben, die ihren eigenen Weg der Schriftinterpretation und der Theologie gegangen sind und denen man doch den Titel des Theologen keineswegs absprechen konnte. Abseits vom großen Strom der Theologie haben sie – und für Luther wurden deshalb die deutsche Mystik, Johannes Tauler und das (von Luther unmittelbar vor dem Ablaßstreit herausgegebene) Büchlein »Die Theologia deutsch« des unbekannten Frankfurter »Gottesfreundes vom vollkommenen Leben« wichtig – mit Berufung auf das Urzeugnis ihre eigene Theologie entwickelt. **Im einen Paradigma** sind **verschiedene Theologien** möglich und – neben der gerade vorwiegenden oder herrschenden – auch immer wirksam gewesen.

Anders gesagt: Das christliche Urzeugnis – von der christlichen Theologie nie voll eingeholt – hat immer wieder eine die Theologie beunruhigende und überraschende inspiratorische Kraft entfaltet. Das Evangelium als Motiv der Innovation! Das gilt noch mehr als für Origenes, Augustin und Thomas für Luther, für den das christliche Urzeugnis – angesichts der beispiellosen kirchlichen und theologischen Verfestigung und »Petrifizierung« – eine geradezu revolutionäre Sprengkraft entfaltet. Unter solchen Umständen können dann sogar ältere, vergessene Paradigmata inspirierend wirken, und Rückblicke werden dann zu neuen Durchblicken. Wie Augustin sich besonders auf des Paulus Römerbrief berief, so Luther wieder auf Augustin und Paulus; und später sollte sich Karl Barth mit seiner »Theologie der Krise« gleichzeitig auf Paulus, Augustin und die Reformatoren berufen.

Das **Evangelium** selber – selbstverständlich immer im Zusammenhang der großen zeitgeschichtlich-gesellschaftlichen Entwicklung – kann also direkter Auslöser der theologischen Krise sein: Grund der **Diskontinuität** in der Theologie als Anstoß zum neuen Paradigma. Doch da dieses christliche **Ur**-Zeugnis ja auch bleibendes **Grund**-Zeugnis ist, kann es Anlaß sein dafür, daß es in der theologischen Umwälzung zwar zu einem neuen Paradigma, **nicht** jedoch einfach zur **Totalablösung**, zur Totalverdrängung des alten Paradigmas kommt. Und ist nicht auch dafür Luthers Theologie ein Beleg? Grundsätzlich können nämlich Elemente des alten ins neue Paradigma übernommen werden, wenn und sofern sie dem Ur- und Grundzeugnis nicht widersprechen. So ist denn schon von vornherein dafür gesorgt, daß wie bei Origenes und Augustin, so auch bei Luther eine Umwälzung nicht zu einem totalen Bruch führt, sondern eine gewisse theologische Gemeinsamkeit mit den theologischen Vorfahren bewahrt wird. Deswegen findet man denn auch – und darauf ist man erst in neuerer Zeit wieder aufmerksam geworden – die Bejahung der »Rechtfertigung durch den Glauben allein« nicht nur im Römerbriefkommentar Luthers, sondern schon in dem des Thomas, des Augustin und dem des Origenes.

Dies heißt bis in unsere Gegenwart: Eine theologische Revolution kann sich in der christlichen Theologie – will sie christlich sein und bleiben – immer nur **aufgrund** des Evangeliums und letztlich **wegen** des Evangeliums, nie aber **gegen** das Evangelium oder **abgesehen** vom Evangelium abspielen! Die Wahrheit des Evangeliums (so sehr dessen Texte historisch-kritisch auszulegen sind) steht für den Theologen nicht zur Disposition – noch weniger als für einen Verfassungsrechtler die Verfassung! Das **Evangelium** selber erscheint somit als **Grund** nicht nur möglicher Diskontinuität, sondern auch **der notwendigen Kontinuität** in der Theologie: Eine »theologische Revolution« durch Paradigmenwechsel also gerade aufgrund der Permanenz der christlichen Botschaft! Ist es nicht genau das, was Luthers Reformation ausmacht?

Paradigmenwechsel ist nicht Glaubenswechsel

Freilich: Die Entscheidung für das neue Paradigma wurde von Luthers Gegnern (aber im Gegenzug dann auch immer mehr von Luther selbst) zu einer Glaubensentscheidung im streng religiösen Sinn hinaufgesteigert: für oder gegen den Ablaß = für oder gegen den Papst = für oder gegen die Kirche = für oder gegen Christus = für oder gegen Gott! Ja, über die Rechtfertigung des Sünders durch den Glauben allein – dies hat sich in unserem Jahrhundert gezeigt – hätte man sich damals durchaus verständigen können. Aber man erkannte eben nicht, daß es hier in erster Linie (in heutiger Wissenschaftssprache fomuliert) um einen theologisch-kirchlichen **Paradigmenwechsel** (mit allerdings einschneidenden praktischen Folgen für die ganze Gesellschaft) ging und **nicht** um einen **Glaubenswechsel**!

Aber: »Rückkehr zum Evangelium Jesu Christi« forderte der Reformator von Rom. »Rückkehr zur Lehre der Kirche« forderte das reformunwillige Rom vom Reformator. Dies war von Anfang an – Roms Strategie immer wieder neu – eine Aufforderung zur Kapitulation: Auf diese Weise wurde der **theologische Gegner** notwendig **zum Irrgläubigen** oder gar Ungläubigen. Das heißt: Für Rom ist Luther in der Folge nur noch der Ketzer, ja im Hinblick auf den Gesamtprotestantismus auf Jahrhunderte hinaus geradezu der »Erzketzer«. Aber auch umgekehrt: Für Luther ist Rom nur noch die »Hure Babylon« und der Papst der »Antichrist«, der sich an Christi Stelle ins Heiligtum gesetzt hat. Die fatalen Folgen dieser gegenseitigen Verketzerung sind bekannt:

– Die Kirchen der **Reformation** betrachtete **Rom** als vom wahren, »katholischen Glauben« abgefallen, als schismatisch und häretisch. Bis zum Vatikanum II wurde ihnen gar der Titel »Kirchen« vorenthalten.

– Die Kirche **katholischen** Glaubens wurde für **Luther** und die reformatorische Christenheit zur unreformierten römischen »Papisten-Kirche«. Sie galt als eindeutig vom Evangelium abgefallen, als häretisch, gar antichristlich.

Gerade die Konfrontation zwischen Luther und der römisch-katholischen Theologie läßt auch die drei Möglichkeiten des Ausgangs eines Paradigmenwechsels in verschärftem Licht erscheinen:

- Wird in Theologie und Kirche ein bestimmtes Paradigma **abgelehnt**, so wird aus der Ablehnung leicht eine **Verurteilung**, und aus der Disputation wird eine **Exkommunikation**. So geschah es im römischen Katholizismus: Man identifizierte hier fälschlicherweise die eigene Theologie mit dem Evangelium, das kirchliche System mit dem christlichen Wesen, die Glaubensgestalt mit dem Glaubensgehalt.
- Wird ein Paradigma **angenommen** und aus Innovation Tradition, so wird aus einer theologischen Deutung wiederum leicht eine **Glaubenswahrheit**: Das Theologumenon wird **Dogma**, die Tradition **Traditionalismus**. So sollte es im Luthertum geschehen: Ein Traditionalismus wird sich entwickeln, der jetzt nicht mehr in hellenistisch-byzantinischem oder mittelalterlich-römischem, sondern eben in protestantisch-biblizistischem Gewand daherkommt.
- Bleibt die Auseinandersetzung unentschieden und wird ein neues Paradigma vorläufig »zu den Akten gelegt«, **archiviert**, so stellt eine solche »Archivierung« in der Naturwissenschaft zumeist einen vorwiegend wissenschaftlichen Prozeß dar, in dem die Fragen offenbleiben. Anders im katholischen Raum durch die Jahrhunderte gegenüber allen reformatorische Anliegen aufgreifenden Reformtheologen: Da wird die Archivierung oft **mit Zwang durchgesetzt**. Aus der Archivierung wird dann **Tabuisierung**. Diese wird aufrechterhalten durch Inquisition, Verfolgung der Dissidenten, psychische, früher gar physische Verbrennung, durch Unterdrückung der Gewissens- und Lehrfreiheit, ja, Unterdrückung schon jeglicher Diskussion.

Ist das vielleicht eine böswillige Übertreibung? Wir haben es ja im Rahmen von P III gesehen, wie man auf Jahrhunderte hinaus in katholischer Theologie und Kirche von bestimmten Lehren (wie Laienpriestertum,

Freiheit eines Christenmenschen, Ecclesia semper reformanda) und bestimmten Reformforderungen (Volkssprache in der Liturgie, Laienkelch, Priesterehe) nicht mehr sprechen durfte. Das alles galt als lutherisch! Und wer es trotzdem tat, wurde gedemütigt und gezüchtigt. Jahrhunderte sollten vergehen, bis man **in den verschiedenen Paradigmata** (P IV und P III) von Kirche und Theologie **dieselbe christliche Botschaft** und christliche Kirche wiedererkannte. Erst jetzt begann man zu sehen, wie die Geschichte der Reformation in fairer Weise zu werten ist:
– weder als eine Neuentdeckung des (beinahe seit Paulus und jedenfalls seit Augustin völlig verlorengegangenen) Evangeliums überhaupt (so in der protestantisch-pessimistischen Geschichtsauffassung)
– noch (wie in der organisch-optimistischen katholischen Geschichtsdeutung) als den großen häretischen Abfall von der sich im Prinzip organisch entwickelnden katholischen Kirche und ihrer Lehre,
– sondern (so die hier vorgetragene Analyse) als ein epochaler Paradigmenwechsel, der die theologisch-kirchlich-gesellschaftliche Gesamtkonstellation veränderte, die christliche Glaubenssubstanz aber durchaus bewahrte.

Aber nun haben wir ja im Grunde nur die erste Phase des reformatorischen Paradigmenwechsel untersucht. Sollte es doch fünfzig, ja, hundert Jahre dauern, bis sich die heutigen Konfessionen ausgebildet hatten. Noch lange waren verschiedene Optionen für bestimmte Länder und Regionen offen. Man fragte sich damals, wie man sich heute fragen kann: Gab es nicht eine dritte Möglichkeit, eine »dritte Kraft« neben der ersten Kraft (Rom) und der zweiten Kraft (Wittenberg): den katholischen Humanismus und »Evangelismus«, der vor allem mit dem Namen Erasmus von Rotterdam verbunden ist? Wir haben von dieser »katholischen Reform« schon im letzten großen Kapitel (P III) kurz gesprochen. Jetzt müssen wir hier – im Blick auf eine ausgewogene Beurteilung der Reformation (P IV) – noch einmal genauer zusehen.

5. Die problematischen Ergebnisse der lutherischen Reformation

Eine Alternative zu Rom und zu Luther? Die geschichtlich zu betrachtende Frage hat theologische Relevanz auch für die Gegenwart: Hätte nicht vielleicht das humanistische Reformprogramm des **Erasmus von Rotterdam**, wäre es von Papst und Bischöfen rechtzeitig aufgenommen worden, doch die Kirchenspaltung verhindern können? Kirchenhistoriker in beiden konfessionellen Lagern haben da ihre Zweifel. Aber ob man ihrer historischen Objektivität, angesichts nicht selten durchbrechender konfessioneller Ressentiments, immer so ganz trauen darf?[33] Deshalb ganz unverdrossen nochmals die Frage: Hätte das Reformprogramm des Erasmus von Rotterdam, wäre es rechtzeitig aufgenommen worden, die Kirchenspaltung nicht verhindern können? War nicht das Zentralthema des Erasmus, das sich schon ganz früh abzeichnete: »Wie kann man ehrlichen Gewissens Kulturmensch und zugleich Christ sein?«[34] Ging es ihm nicht – in Verbindung von Bildung und Frömmigkeit, Kultur und Religion, Antike und Christentum – um ein echtes Menschsein durch Christsein und Christsein durch Menschsein?

Des Reformers Erasmus Gemeinsamkeit mit dem Reformator

Ja, waren es nicht Werke wie das berühmte **Enchiridion** (1503)[35], in welchem der Humanist unter dem Einfluß seiner englischen Freunde (des englischen Lordkanzlers Sir Thomas More vor allem) eine deutliche Wende zur biblischen Frömmigkeit vollzogen hat und das nach dem amerikanischen Erasmus-Biographen Roland H. Bainton am meisten von all seinen Werken dazu beigetragen hat, ihn zum Sprecher der liberalen katholischen Reformbewegung, zum Ratgeber der Päpste und zum Mentor Europas zu machen?[36]

In der Tat: In den Auseinandersetzungen seiner Zeit hat sich Erasmus verstanden »als Verteidiger der wahren Freiheit, die von Christus gebracht und vor den Pharisäern beschützt worden war, die Paulus gegen die Judaisten verteidigt hatte, die die Kirche des ersten Jahrhunderts wieder zum Judentum zurückführen wollten«[37]. »Judentum« hier – nicht ungefährlich – verstanden gewiß nicht als Volk oder Religionsgemeinschaft, sondern als eine Haltung veräußerlichter, vergesetzlichter Religiosität. Erasmus war zutiefst davon überzeugt, daß er damit den Kern der biblischen Botschaft getroffen hatte, so viele seiner Gedanken auch bei Autoren der Antike wiederzufinden sind. **Ziel** seiner Arbeit war je länger desto mehr **die Erneuerung von Kirche, Theologie und Volksfrömmigkeit**, fundiert in der Bibel.

Mit diesem Programm wollte Erasmus katholischer Christ bleiben, wollte er die katholische Kirche von innen her reformieren: ein Reformprogramm schon vor der Reformation, ein Ruf zur Umkehr auch nach Ausbruch der großen Krise, die Erasmus natürlich so wenig geahnt hatte wie all seine Zeitgenossen. Was im »Enchiridion« und im »Lob der Torheit«[38] (1511) in kritischer Satire wirkungsvoll konkretisiert wird, das wird von Erasmus, der viele »genera litteraria« perfekt beherrschte, verdeutlicht in der neuen Ausgabe der »Adagia« (1515)[39], jener so populären, von ihm glänzend kommentierten klassischen Sprichwörtersammlung, wo er in aller Schärfe gegen die Tyrannei der Fürsten und die Übel der Kriege, für Veränderungen in Kirche und Gesellschaft plädiert. Wenig später macht er in seiner bewegenden Antikriegsschrift »Querela pacis«[40], »Klage des in allen Ländern verfolgten Friedens«, (umsonst) den Vorschlag eines europäischen Friedensvertrags zwischen dem Deutschen Reich, Spanien, Frankreich und England und verfaßt mit der »Institutio principis Christiani« (1516)[41] einen antimacchiavellinischen **Fürstenspiegel**, dem späteren Kaiser Karl V. gewidmet. Im gleichen Jahr 1516 veröffentlicht er das »Instrumentum Novi Testamenti«, die kühne (nicht umsonst Leo X. gewidmete) **erste griechische Druckausgabe und eine eigene lateinische Übersetzung des Neuen Testaments** (samt Einleitungsschriften). Sie verbessert – unter Protest der sich auf die Unfehlbarkeit der Kirche berufenden Traditionalisten – die jahrhundertelang gebrauchte lateinische Vulgata und wird fünf Jahre später von Luther zur Grundlage seiner deutschen Bibelübersetzung genommen.

Kein Wunder, daß diese überragenden Arbeiten den zierlichen, äußerlich schwachen und immer um seine Gesundheit und Hygiene besorgten feinnervigen Basler Gelehrten zum gefeiertsten Wissenschaftler des Jahrzehnts vor der Reformation (»Licht der Welt«) und zum Mittelpunkt des ganz Europa umspannenden Netzes christlicher Humanisten (»Fürst der Humanisten«) machten. Was er inhaltlich zur **Reform der Kirche** vorschlug, läßt sich – leicht systematisiert – mit fünf Punkten umschreiben.

Wie Luther geht es schon Erasmus zuallererst um eine **andere Bibelwissenschaft**. Nichts gegen eine allegorische, geistliche Auslegung des Neuen Testaments, wenigstens solange dies nicht – bei Predigern besonders! – in Willkür und Abstrusitäten ausartete! Aber in neuer Zeit noch ständig die mittelalterliche Auslegung wiederholen und auf die Vulgata schwören? Nein, die Bibel ist ein literarisches Werk, und Grundlage ihrer Interpretation muß die Philologie sein, die Bemühung nicht primär um einen möglichst tiefsinnigen, übertragenen Spiritualsinn, sondern um den wörtlich genommenen **Literalsinn der Schrift**. Deshalb jetzt des Erasmus genauere Bibelübersetzung, ins Lateinische zuerst, dann auch in die Volkssprachen: »Wenn doch der Bauer mit der Hand am Pflug etwas davon vor sich hinsänge, der Weber etwas davon mit seinem Schiffchen im Takt vor sich hinsummte und der Wanderer mit Erzählungen dieser Art seinen Weg verkürzte!«[42]

Wie Luther geht es auch Erasmus zweitens um eine **andere systemati-**

sche Theologie. Die gelehrten Theologen, dieser eingebildete und reizbare Menschenschlag, meinen, Gottes unergründliche Geheimnisse ergründen zu können, und kommen dabei auf die allerunmöglichsten Fragen (hätte Gott auch in die Gestalt eines Weibes, Teufels, Esels oder Kürbisses eingehen können?). Unnütze Spekulationen, die nichts mit dem apostolischen Ursprung der Kirche zu tun haben. Auch von einer Transsubstantiation in der Eucharistie, von der unbefleckten Empfängnis Mariens und anderen »quaestiones disputatae« hätten doch die Apostel nichts gewußt. **Zurück zu den Quellen**: das muß die Devise der Zeit sein! Christentum und Antike schließen sich nicht aus! Diese neue Zeit braucht eine Theologie, welche die Heilige Schrift als einzige Richtschnur anerkennt, die sich in ihrem Schriftverständnis statt an der Scholastik an den Kirchenvätern orientiert und die so die ursprüngliche christliche Botschaft verständlich in die Gegenwart hinein übersetzt. In solcher Theologie wird die **Exegese zur theologischen Basiswissenschaft**: Vom Bibeltext her wird kirchliches Dogma, kirchliches Recht, kirchliche Praxis der Kritik unterzogen, alles nicht auf metaphysische Spekulationen, sondern auf Christi Heilswerk und der Menschen Heilsweg konzentriert.

Wie Luther geht es Erasmus drittens um eine **andere Volksfrömmigkeit.** Ob das Herplappern von Gebeten oder die Anrufung der Vierzehn Nothelfer (Apollonia bei Zahnweh, Antonius bei Verlorenem), ob quantitativ immer mehr gesteigerte Messen und Wallfahrten oder lukrative Wundergeschichten, ob Beichtmißbräuche oder kostspielige Ablässe: Soll Aberglaube, sollen Mißstände von Ironie, Satire und biblisch begründeter Kritik verschont bleiben, weil manche Kleriker und Mönche vor allem solche Kritik als subversiv, ja destruktiv empfinden? Auch die Frömmigkeit des Volkes soll sich doch wieder positiv ausrichten auf die biblische Botschaft, genauer, auf den Jesus der Evangelien, wie er angesichts falscher Schriftgelehrter und heuchlerischer Priester seinen Weg – uns zum Vorbild – gegangen ist. In populären »Paraphrasen« der neutestamentlichen Bücher soll vor allem den **Gebildeten unter den Laien** der Weg **zum Verständnis des wahren Jesus geebnet** werden.[43] Kam Luther vor allem von Paulus her, so Erasmus vom Jesus der Evangelien. »Evangelismus« nennt man diese Reformbewegung besonders in Italien und Spanien.

Wie Luther geht es Erasmus viertens um einen **anderen Klerus.** »Als ob es außerhalb der Kutte kein Christentum gäbe …!« So am Schluß des »Enchiridion«. Nichts wird schon von Erasmus – auch seine eigenen Lebenserfahrungen schlagen hier immer wieder durch – so unerbittlich kritisiert wie das Mönchtum. Die dummdreisten Mönche – niemand tut sich mehr durch Ungebildetheit, Aberglauben und lächerliches Pathos in den Predigten hervor! Für sie sind der Bauch, das Geld oder die Ehre wichtiger als die Nachfolge Jesu, sind die Ordensregeln bedeutsamer als das Evangelium, ist der Ordensname entscheidender als die Taufe, das Ordensgewand mehr wert als alles andere. Solche Kritik läuft schon bei Erasmus auf die **radikale Infragestellung des bisherigen Ideals der Frömmigkeit** hinaus. Denn: Mit Berufung auf die eine und selbe Taufe wird der wesentliche Unterschied zwischen Klerus und Laien aufgehoben, werden alle traditionellen Äußerlichkeiten und geistlosen Zeremonien relativiert und wird zugunsten einer zeitgemäßen, für alle geltenden, auf das Christlich-Jesuanische konzentrierten nüchternen Alltagsfrömmigkeit plädiert. Und der Zölibat? Er wird nicht total abgelehnt, aber unter den gegebenen Umständen als unerwünscht bezeichnet und ihm gegenüber – im »Encomium matrimonii« 1518 – die Ehe (zum größten Ärger der klerikalen Löwener Professoren und mancher Prediger) hochgepriesen.

Wie Luther geht es auch Erasmus fünftens um eine **andere Hierarchie**. Die Diskrepanz zwischen dem hohen Anspruch der »Nachfolger der Apostel« und der Wirklichkeit ihres so wenig apostolischen Lebens läßt sich leicht aufzeigen. Kreist bei den Hierarchen nicht alles primär um Ehre, Macht und Herrlichkeit, um Kirchenrecht, Kirchenpracht und Kirchenprunk? Welch eine Bürokratie mit ungezählten Funktionären! Statt Communio Exkommunikation. Statt Verkündigung des Evangeliums Bannflüche und Interdikte. Und bei allen – wie bei dem niederen so erst recht beim höheren Klerus – das Geld im Zentrum, die Einnahmen und Ausgaben. Ja, »aber wenn erst die Päpste, die Stellvertreter Christi es versuchen wollten, ihm nachzuleben, nämlich seiner Armut, seiner Arbeit, seiner Lehre, seinem Kreuz, seiner Todesbereitschaft, … wessen Herz wäre da bedrückter als das ihre«[44]? Jener sofort dem Erasmus zugeschriebene anonyme Dialog »Julius exclusus e coelis« – der gottvergessene kriegerische Papst Julius II., der die falschen Schlüssel (die zu seiner Schatzkammer) eingesteckt hat und der nun an den Türen des Himmelreiches von Petrus, dem ersten Papst, abgewiesen wird – wurde vom ganzen gebildeten Europa wegen der Konfrontation von Papst und Evangelium nicht nur als Zeitsatire, sondern als scharfe theologische Kritik verstanden.

Immer deutlicher war es Erasmus in jenen entscheidenden ersten beiden Jahrzehnten des 16. Jahrhunderts aufgegangen, wie ungeheuerlich die Kluft geworden war zwischen den »Nachfolgern der Apostel« und den Aposteln selbst, zwischen der triumphalistischen Kirche der Gegenwart und der einfachen der Urzeit, kurz, zwischen dem Christentum heute und dem Christus Jesus damals. Kirche und Papst statt Hilfe ein Hindernis auf dem Weg zu Gott! Und immer klarer war ihm geworden, was wahres Christentum heute heißt: Es heißt, sich statt auf Kirchenrecht, Kirchendogma, Kirchensystem auf die Heilige Schrift und ihren lebendigen Christus einzulassen. Statt auf eine hohe Christologie, auf die sich dann die hohe Hierarchie mit ihren hohen Ansprüchen gar leicht berufen kann, wieder auf den menschlichen erniedrigten Jesus der Evangelien, der es in Demut und Sanftmut mit den Niedrigen und Verachteten hält, der die Welt nicht mit Syllogismen (logische Schlußfolgerungen), Geld und Krieg überwunden hat, sondern mit seiner »Dien-mut« und Liebe. Dieses praktische Christentum in Demut, Sanftmut, Toleranz, Friedfertigkeit, Liebe war es, das Erasmus – wohl im Anschluß weniger an Plutarch und Cicero (A. Renaudet[45]) als vielmehr an die griechischen Kirchenväter (L. Bouyer[46]) – »Philosophie von Christus« oder »christliche Philosophie« genannt hat.

Des Reformers Erasmus Vorbehalte gegenüber dem Reformator

Des Erasmus Reformprogramm – hier zweifellos kompakter vorgetragen als von ihm selbst je formuliert – ist von den politisch entscheidenden Leuten in Kirche und Staat nicht rechtzeitig akzeptiert worden. Denn plötzlich überschlugen sich die Ereignisse. Gleichsam über Nacht war durch **Martin Luther** aus dem humanistischen Gelehrtengespräch und den folgenlosen Theologendiskussionen der **Ernstfall** geworden, wo es für jedermann, ob er wollte oder nicht, um Kopf und Kragen ging, wo man sich nicht mehr mit erasmianischen Mahnungen zur Geduld und mit Warnungen, den Papst und die Fürsten doch ja nicht zu reizen, begnügen konnte, wo man sich – pro oder contra – **entscheiden** mußte.

Aber gerade entscheiden wollte sich **Erasmus auf gar keinen Fall**. Sein Wahlspruch »nulli concedo« – »ich weiche keinem« – konnte ja von ihm, dem Ängstlich-Übervorsichtigen, Konfliktscheu-Harmoniebedürftigen, zur Not auch so verstanden werden: »Ich entscheide mich für keinen!« Nein, gewiß nicht nur aus Schwäche, gar Feigheit, wie man damals und später oft meinte, sondern letztlich doch aus der Überzeugung und dem Willen, sich die geistige Unabhängigkeit zu bewahren. Sie war Grundlage seiner Existenz. Hatte er für sie sein ganzes Leben nicht genug gelitten, geschrieben und gekämpft? Galt es nicht, sie zu verteidigen – um der Wissenschaft und schließlich auch um der Kirche willen? War er, der Kirchenkritiker und Schrifttheologe, nicht in der Öffentlichkeit als Gesinnungsgenosse, ja, geistiger Ziehvater Luthers angesehen worden? Er habe das Ei gelegt, das Luther ausgebrütet habe …

Erasmus wollte (wie manche auch heute) über den Parteien bleiben. Er, der freie Geist, wollte frei sein – auch im Streit. Mann der Mitte und allen Extremen abhold, der er war, wollte er beide Seiten hören und vermitteln. Er wollte das »Et – et«, das »Sowohl – als auch«. Deshalb: weder eine Verurteilung Luthers noch eine Identifikation mit Luther. Das Dilemma genauer formuliert:

Einerseits: **keine Verurteilung Luthers** ohne eingehende Untersuchung. In der Sache konnte der Rotterdamer dem Wittenberger weithin zustimmen. Wollte man die gesamte Lehre Luthers unterdrücken, meinte er, müßte man einen guten Teil des Evangeliums unterdrücken! Nein, Erasmus war nicht bereit, Luther einen Häretiker zu nennen, und beharrlich verweigerte er sich allen römischen und sonstigen kirchlichen Aufforderungen, gegen Luther zu schreiben. Beharrlich überging er auch alle drängenden Einladungen, nach Rom zu kommen, um dort eine Aufgabe zu übernehmen, selbst als die Einladung von Hadrian VI. kam, dem Erzieher Karls V. und ersten niederländischen (und bis in die Gegenwart letzten nichtitalienischen) Papst, der Luthers Werke freilich von Anfang an als höchst schädlich angesehen hatte. Zum kurialen Hoftheologen und Kardinal sah sich Erasmus, der große Unabhängige, gerade nicht geboren.

Doch andererseits galt auch für ihn: **keine Identifikation mit Luther**, diesem, schien ihm, in der Art deutscher Landsknechte in Theologie und Kirche um sich schlagenden massigen Kraftmenschen. Hatte doch Luther so vieles umgeworfen, was man auch gut hätte stehen lassen können. Schrecklich, diese deutsche Konsequenz! Wenn er, Erasmus, anfangs Luthers Kritik gebilligt habe, hieße dies doch nicht, daß er alles, was Luther seither geschrieben hatte, ebenfalls billigen müsse. Sollte er sich etwa dessen völlig undifferenzierte Aussagen vom unfreien Willen des sündigen Menschen und die Unmöglichkeit guter Werke zu eigen machen? Nein, sich mit diesem maßlosen Glaubensfanatiker identifizieren, das konnte und wollte Erasmus immer weniger. Dazu hatte dieser hochgebildete, reservierte, sensible Mann zuviel unkämpferische Gelehrtennatur in sich. Worin Luther recht hatte, darin stimmte ihm Erasmus zu; worin aber unrecht, da konnte man Zustimmung von ihm nicht erwarten; da hielt ein Erasmus sich letztlich lieber an Papst und Kaiser.

Mit seiner höchst ambivalenten Politik und diplomatischen Kunst geriet Erasmus **zwischen die Fronten**. Und für viele trat er, der Initiator der Reformbewegung, bald ganz hinter Luther, ihren Exekutor, zurück. Der Reformator begann den Reformer zu verdrängen. Der Sämann des Windes bekam Angst vor dem Sturm; kein Wunder, daß Erasmus den Ruf der Halbherzigkeit, Doppelzüngigkeit, des Opportunismus von jetzt ab nicht mehr losbekam. Zuerst beliebt und bewundert, von allen Seiten dann umworben und begehrt, wurde Erasmus schließlich in beiden Lagern mißtrauisch beargwöhnt, verleumdet und verhöhnt.

Doch unermüdlich arbeitete und publizierte Erasmus für den **Consensus**, die **Concordia** zwischen den christlichen Lagern, die ab 1520 immer mehr feindselig auseinanderdrifteten. 1533 war seine letzte Friedensschrift erschienen mit dem Titel »Über die wiederherzustellende Einheit der Kirche«. Noch ein gutes Jahr zu leben war ihm, dem bald 70jährigen, jetzt in Basel gegeben. Und immer wieder, selbstkritisch und selbstbezogen, wie er war, fragte er sich: Ist er auf dem richtigen Weg gewesen? Hätte er nicht vieles nicht schreiben oder anders schreiben sollen? Aber: Was hatte er doch alles getan, geduldig, übergeduldig Tag für Tag, um Konflikte durch Begreifen zu entschärfen, gefährdete Kontakte auf dem Korrespondenzweg aufrechtzuerhalten, überallhin verständige (und oft widersprüchlich erscheinende) Antworten auf verschiedene Fragen und Situationen zu schicken und so Unversöhnliches zu überwinden und Unversöhnliche durch Bibel und Vernunft zu überzeugen!

Erasmus starb in der Nacht vom 11. zum 12. Juli 1536 in Basel bei vollem Bewußtsein mit Psalmworten und schließlich in der Sprache seiner Kindheit holländisch »Lieve God« (»Lieber Gott«) auf den Lippen. Er wurde, bis zum Ende ein katholischer Theologe, vom evangelischen Pfarrer der Stadt unter Anwesenheit des evangelischen Bürgermeisters und Rates, der Professoren und Studenten der Universität im evangelischen Münster zu Basel feierlich beigesetzt. War er, der Zartbesaitete, unter den wenig zarten Heroen seiner Zeit – Luther, Zwingli, später Calvin und Ignatius von Loyola – vielleicht doch der einzige souveräne Ökumeniker?

Das Unterliegen der Dritten Kraft

Die Frage ist aus heutiger Sicht durchaus berechtigt: Hatte der vorsichtige Gelehrte Erasmus, dem alle Zurschaustellung der Innerlichkeit zuwider war, nicht recht mit seinem ständigen Eintreten für Sachlichkeit, weitestmögliche Toleranz, zur Not auch Anerkennung der Unterschiede in der Einheit, in jedem Fall Verständigung und Frieden, gegen Emotionalisierung, Haß, Fanatismus und Tumulte? Hatte er nicht recht, wenn man bedenkt, was der unberechenbare Tatenmensch Luther, der allzu oft Argumente durch Inbrunst und Zorn zu ersetzen schien, seiner Kirche zugemutet hatte? Hatte er nicht recht angesichts der ungeheuerlichen Opfer der Reformation in Staat und Gesellschaft, recht mit seiner Devise: **Reform ja, Reformation à la Luther nein?**

Von daher ist es durchaus nicht müßig zu fragen: Was wäre Europa alles erspart geblieben, wenn man mehr auf ihn, Erasmus, statt auf Luther gehört hätte, wenn in Europa die **Dritte Kraft**, die er verkörperte, die Kraft der Reform, der Verständigung und der Toleranz, in Rom zuerst, aber schließlich auch im Lager der Reformation, wo er so viele Freunde hatte, zum Zuge gekommen wäre? Die Geschichte jedoch, Luther, Rom (und Machiavelli) folgend, schien über Erasmus, den Verlierer, hinwegzugehen.

Der österreichische Historiker Friedrich Heer, der »Die Dritte Kraft« zum Thema eines ebenso weitausholenden wie engagierten Buches gemacht hat[47], hat deshalb mit seiner traurigen Bilanz recht. Für die einzelnen Länder Europas hatte das Scheitern der Dritten Kraft bittere Folgen. Friedrich Heer wörtlich: »**Das Unterliegen der Dritten Kraft bedeutete**: für Deutschland den hundertjährigen Bürgerkrieg, der im Dreißigjährigen Krieg gipfelt; für Frankreich den hundertfünfzigjährigen bald kalten, bald heißen Bürgerkrieg zwischen der ›königlich-katholischen Religion‹ und den Hugenotten, der mit der Vernichtung beziehungsweise Austreibung einer Blüte französischen Adels, französischen Bürgertums, französischer Intelligenz endete; für Spanien die innere Abtrennung von Europa, durch die Vernichtung beziehungsweise Vertreibung seiner erasmianischen Humanisten, seiner Juden, Marranen, Protestanten; für Italien die Austreibung der religiösen Nonkonformisten, die Einschnürung in die Ghettostaaten des sechzehnten bis neunzehnten Jahrhunderts, die mit ihren Staatspolizeien und Inquisitionen das innere Leben ersticken, zumindest verzweifelt bedrängen; für England die endgültige Distanzierung, als ein ›alter orbis‹, von Europa, als einem anderen ›Kontinent‹. Für Europa im ganzen: die bis zum zwanzigsten Jahrhundert endgültige Fixierung als ›Abendland‹, als Westeuropa, scharf abgesetzt gegen den Osten, Rußland, die Ostkirche, gegen die eigenen Massen, das Niedervolk, gegen den Untergrund der Person.«[48]

Steht also angesichts dieser monströsen Schuldgeschichte Desiderius Erasmus von Rotterdam nicht vor der Geschichte da wie ein Gerechtfertigter? Doch Gegenfrage: Hätte er gegenüber Rom – angesichts der Alternative von Aggressivität auf der einen Seite und Neutralität auf der anderen – nicht das engagierte **öffentliche Widerstehen und Standhalten** wählen und üben sollen? Aber das war die Sache des Erasmus und vieler Erasmianer nicht.

Im Todesjahr des Erasmus 1536 wurde der uns bereits bekannte Erasmianer **Reginald Pole**, Vetter Heinrichs VIII., zusammen mit dem uns ebenfalls bekannten finsteren Eiferer **Gian Pietro Caraffa**, Gründer des strengen Theatinerordens, zum Kardinal ernannt. Beide gehörten dann zur berühmten neunköpfigen Kommission, die das freimütige »Gutachten über die Kirchenreform« (Consilium de emendanda Ecclesia) erstellten, wie wir im Zusammenhang der Gegenreformation (P III) hörten, das allgemein als Wende im Vatikan zur Erneuerung der Kirche angesehen wurde. Doch welch historische Chance für die Reformer wurde Jahre später durch das Versagen eben dieses Erasmianers Pole im Zusammenhang einer **Papstwahl** verpaßt!

Wie konnte dies passieren? Bei der Papstwahl im Dezember 1549 hatte Kardinal **Pole** 21 und am darauffolgenden Tag sogar 24 Stimmen erhalten. Weil aber 28 Stimmen notwendig waren und diese gegen die Opposition der französisch gesinnten Kardinäle unmöglich zusammenzubringen waren, setzten seine Freunde von der kaiserlichen Partei alles daran, um Pole noch in der darauffolgenden Nacht »per modum adorationis«, auf jene Weise der »Huldigung« zu wählen, die seinen Gegnern Zustimmung zur Wahl ohne ein formelles Ja ermöglicht hätte. Doch die große Überraschung: Pole, gefragt, ob er die Wahl – mitten in der Nacht »per adorationem« – annehme, schwieg und ging »stumm wie ein Ochse« (so sagte er später selber) in seine Zelle. Am nächsten Tag aber fehlte ihm die eine versprochene entscheidende Stimme. War Pole also, so darf man fragen, vielleicht doch auch darin Erasmianer, daß er sich in einer entscheidenden Stunde als unentschiedener »Cunctator«, als Zögerer, erwies und den Zeitpunkt zum Handeln verpaßte? Vielleicht! Erasmianer war er zumindest darin, daß er, statt die Wahl anzunehmen und die Reform persönlich und praktisch in die Hand zu nehmen, während des sich nun zwei volle Monate hinziehenden Konklaves in seiner einsamen Zelle ein – Buch schrieb. Worüber? Über Macht und Aufgabe des Papstes!

Und wie der Gang der Dinge so ist: Die verpaßte Gelegenheit kam nicht wieder, wiewohl Pole am 71. Konklavetag noch immer die gleiche hohe Stimmenzahl hatte wie am Anfang. Der aber wohl am meisten zur Verhinderung seiner Wahl beigetragen und der den erst 49jährigen Ausländer Pole öffentlich der Häresie besonders in Sachen Rechtfertigung angeklagt hatte, war selber Kandidat (der Franzosen): Es war kein anderer als **Caraffa**. Exponent der konservativ-restaurativen Gruppe und Begründer der zentralen römischen Inquisition (»Sacrum Officium Sanctissimae Inquisitionis« 1542), der er jetzt war, gewann Caraffa bekanntlich doch sechs Jahre später noch als 80jähriger die Wahl: Paul IV., der erste Großinquisitor auf dem Papstthron, der, wie wir hörten, sogar seine Mitkardinäle Pole und Morone von der Inquisition verfolgen ließ. Die Dritte Kraft hatte ausgespielt.

Das Doppelgesicht der Reformation

Im Dezember 1545 war nun endlich doch jene bescheidene kleine Kirchenversammlung zusammengetreten, der sich die deutschen »Protestanten« (so genannt seit der Speyrer »Protestation« von 1529) verweigerten und die sich, wie wir im Zusammenhang des römisch-katholischen Paradigmas (P III) hörten, als das geschichtsmächtige Konzil der Gegenreformation erweisen sollte: das Konzil von Trient.

Die lutherische Bewegung hatte sich in der Zwischenzeit besonders im Norden, Osten und Süden Deutschlands mächtig ausbreiten können, aber darüber hinaus auch in Livland, Schweden, Finnland, Dänemark und Norwegen. Parallel zu den Ereignissen in Deutschland war in der Schweiz, die sich schon seit der Mitte des 15. Jahrhunderts vom Reich zu lösen begann, durch Huldrich Zwingli eine eigenständige, radikalere Form der Reformation begründet worden, die wir noch eigens zu betrachten haben werden. Martin Luther war es noch in den 20er Jahren gelungen, die **reformatorische Bewegung innerlich zu festigen**:

– ihren Gottesdienst durch ein deutsches »Taufbüchlein«, eine »Deutsche Messe« und ein »Traubüchlein«,

– ihre religiöse Bildung durch den »Großen Katechismus« für die Pfarrer und eine Kurzfassung, den »Kleinen Katechismus«, für den Hausgebrauch,

– ihre Kirchenverfassung durch eine neue von den Landesfürsten erlassene Kirchenordnung. Später hat Luther auch ein liturgisches Formular für die Ordination von Pfarrern konzipiert und selber Pfarrer ordiniert, schließlich auch zwei Bischöfe. Beseitigt waren jetzt im lutherischen Einflußbereich weithin die Winkelmessen und das Heer der Meßpfaffen, die zahllosen Heiligenfeste und die Ohrenbeichte, die Klöster und die Zölibatspflicht für den Weltklerus. Auch Luther hatte geheiratet, und zwar die frühere Nonne Katharina von Bora, mit der er sechs Söhne und Töchter hatte.

Und doch: Deutschland hatte sich **in zwei konfessionelle Lager gespalten**. Und angesichts der Bedrohung des Reichs durch die Türken, die 1526 die Ungarn bei Mohács besiegt hatten und 1529 bis vor Wien vorgerückt waren, hatte sich auch Luther die Frage gestellt, ob für die Christenheit die päpstliche oder die türkische Macht – für ihn beides Werk- und Gesetzesreligionen – gefährlicher sei. Selbst die Zukunft der reformatorischen Kirchen sah für Luther am Ende seines Lebens längst nicht mehr so rosig aus wie im Jahr des großen Durchbruchs. Bei Luther selber machten sich in den letzten Jahren seines Lebens, zusammen mit apokalyptischen Endzeit-Ängsten, zunehmend Schwermut, manische Depressionen und geistliche Anfechtungen breit. Und sein Jahr um Jahr wachsender Pessimismus hatte nicht nur psychologische, sondern auch sachliche Gründe.[49] Denn neben schweren Krankheiten bedrückten Luther große Enttäuschungen:

(1) Die ursprüngliche **reformatorische Begeisterung** war **verpufft**: Das Gemeindeleben lag vielfach darnieder, nicht zuletzt wegen Pfarrermangels. In den dreißiger Jahren war der Elan der evangelischen Bewegung im Volk schließlich doch stark erlahmt. Viele, die für die »Freiheit eines Christenmenschen« nicht reif waren, verloren mit dem Zusammenbruch des römischen Systems auch allen kirchlichen und damit moralischen Halt. Und selbst Luther, klagend über die undankbaren Deutschen, fragte sich manchmal, ob durch die Reformation die Menschen nun wirklich so viel frommer und moralisch besser geworden seien. Auch eine erschreckende Verarmung in der Kunst – die Musik ausgenommen – ließ sich nicht übersehen.

So manches aber, was sich hätte verändern sollen, hatte sich nicht verändert.[50] Manche mittelalterlichen Mißstände führten ein zähes Eigenleben.[51] Zwar waren allüberall Schulen gegründet worden, um fromme Christen heranzubilden, die Bibel und Katechismen zu lesen verstanden. Aber Visitationsberichte zeigten, daß Ignoranz und Aberglaube, Zauberei, Fluchen und Schwören sowie seltsame Riten und Bräuche noch weit verbreitet waren, oft in Form einer katholisch-protestantischen Mischreligion.[52] Gewiß, die Gewährung der Priesterehe hatte viele Mißstände beseitigt, aber natürlich nicht alle sexuellen und sonstigen Verfehlungen verhindert. Zwar hatten die lutherischen Pastoren viele legale und finanzielle Privilegien – früher Anlaß zum Antiklerikalismus – verloren, und die Pastorenfamilie wurde zur sozial-kulturellen Mitte der Gemeinde. Aber das »allgemeine Priestertum« der Gläubigen war deshalb noch keineswegs verwirklicht, und die Kluft zwischen Klerus und Laien blieb vielerorts. Ja, es bildete sich nun aufgrund der bald allgemein geforderten Universitätsausbildung der Pfarrer (und aufgrund der Heiraten von Pfarrerssöhnen und -töchtern) bald doch wieder – nach dem Modell des Beamtenstandes – ein neuer, allerdings nun mehr intellektueller Klerikerstand, Vorboten einer von der Volkskultur stark abgehobenen intellektualisierten Religion.[53]

(2) Die Reformation stieß aber auch auf **wachsenden politischen Widerstand**: Nach dem ergebnislosen Augsburger Reichstag 1530 (der Kaiser

hatte das vor allem von Melanchthon ausgearbeitete versöhnliche »Augsburger Bekenntnis« abgelehnt) vermochte die Reformation in den 30er Jahren sich zunächst nicht nur in den bisherigen Territorien zu konsolidieren, sondern sich auch auf weitere Gebiete von Württemberg bis Brandenburg auszudehnen. Doch in den 40er Jahren hatte Kaiser Karl V., der sich bisher immer wieder um Vermittlung bemüht hatte, die aufreibenden Kriege mit der Türkei und Frankreich hinter sich. Er glaubte sich für Deutschland jetzt wieder stark genug. Und als die Lutheraner die Teilnahme am endlich einberufenen Trienter Konzil (weil unter päpstlicher Leitung) ablehnten (Luthers grobe Schrift »Wider das Papsttum zu Rom, vom Teufel gestiftet« 1545[54]), nahm der Kaiser dies zum Anlaß, den jetzt mächtigen Schmalkaldischen Bund der Protestanten militärisch in die Knie zu zwingen. Die protestantischen Mächte wurden denn auch in diesen ersten Religionskriegen 1546/47 (»Schmalkaldische Kriege«) besiegt, und der Wiederherstellung römisch-katholischer Verhältnisse (mit Konzessionen immerhin bezüglich Priesterehe und Laienkelch) in den protestantischen Territorien stand nun nichts mehr im Wege …

Nur der Parteiwechsel des verschlagenen Moritz von Sachsen, der sich im geheimen mit Frankreich verbündet, den Kaiser in Innsbruck 1552 in einer Überrumpelungsaktion zur Flucht gezwungen und so auch die Unterbrechung des Konzils von Trient provoziert hatte, rettete den Protestantismus vor dem völligen militärischen Untergang. Drei Jahre später, 1555, wird die konfessionelle Spaltung Deutschlands zwischen den altgläubigen Territorien und denen des »Augsburgischen Bekenntnisses« endgültig festgeschrieben (»Augsburger Religionsfrieden«). Jetzt war auf deutschem Boden auch das Ende der Dritten Kraft (»via media«) gekommen, die bis dahin sowohl an den Fürstenhöfen wie an der Basis noch immer eine Rolle gespielt hatte. Jetzt galt nicht etwa die Religionsfreiheit, sondern das Prinzip: »Cuius regio, eius religio«. Wer nicht zu den beiden »Religionen« gehörte, blieb vom Frieden ausgeschlossen, und das waren viele; denn:

(3) Das protestantische Lager hat die **Einheit nicht bewahren können**. Zahlreich waren von Anfang an die Gruppierungen, Gemeindebildungen, Sammlungen, Bewegungen und die publizistischen Einzelgänger, die bei der Verwirklichung der Reformation verschiedene Ziele und Strategien verfolgten. Schaut man auf die großen miteinander verfeindeten Lager, so ist zuerst die Spaltung des Protestantismus in Deutschland in eine »linke« und eine »rechte« Reformation zu betrachten, dann die zwischen dem deutschen Luthertum, dem schweizerischen Zwinglianismus und dann

dem Calvinismus, ja, schließlich auch im Luthertum wie im Calvinismus selbst – alles höchst folgenschwere Entwicklungen.

Die »linke« Reformation: radikale Nonkonformisten

Luther hatte Geister gerufen, aber manche bekam er nur gewaltsam wieder los. Es waren dies die Geister des **Nonkonformismus** (»Schwärmertum«)[55], die sich gewiß aus mittelalterlichen Wurzeln nährten, aber doch von Luthers Auftreten ungemein gefördert wurden. »The Left Wing of the Reformation« (R. H. Bainton) – das sind radikale religiös-soziale Bewegungen, die man weder vom Mittelalter noch von der aufgeklärten Moderne her deuten, sondern als eigenständige Bewegungen im Rahmen des reformatorischen Paradigmas (P IV) verstehen sollte. Sich »von unten« her aufbauend, geht es hier um antiklerikal orientierte Laienbewegungen, die sich, wo verfolgt, auch gegen die staatliche Macht wenden. Im übrigen weisen sie aber eine so außerordentlich große Verschiedenheit von Führungsgestalten, Gruppen und Bewegungen auf, daß eine Typologisierung kaum möglich ist.

Eine Vielzahl von Einzelinteressen und Einzelerhebungen begann sich unter Berufung auf Luthers Namen breitzumachen, und bald sah der Reformator sich in der Tat einer zweiten, einer »linken« Front gegenüber. Ja, diese radikalen Gruppen (angeheizt von Karlstadts[56] Agitation gegen Messe, Priester und Mönche, Tumulte und Bildersturm schon 1522 in Luthers eigener Stadt Wittenberg!) erschienen ihm für sein reformerisches Unternehmen bald mindestens so gefährlich wie die römisch orientierten Traditionalisten. Beriefen sich die »Papisten« auf das römische System, so schienen ihm diese »Schwärmer« – dieser denunzierende Name blieb ihnen trotz korrigierender historischer Forschung vielfach bis heute – einen fanatischen religiösen Subjektivismus und Enthusiasmus zu praktizieren. Sie beriefen sich auf eine persönlich erlebte unmittelbare Offenbarung und Geisterfahrung (»innere Stimme«, »inneres Licht«) und verbanden diese mit apokalyptisch-sozialrevolutionären Ideen. Radikale Durchsetzung der Reformation hier und jetzt war die Devise, notfalls auch mit Gewalt, ohne Rücksicht auf bestehendes Recht. Aufrichtung des tausendjährigen Reiches Christi auf Erden – so schon der revolutionäre Agitator und radikale Konkurrent Luthers, der in mittelalterlicher Mystik und Apokalyptik verwurzelte Pfarrer Thomas Müntzer.

Bekanntlich war nach einem Reichsritteraufstand 1523 schon zwei Jahre später der **Bauernkrieg** ausgebrochen, in dem Müntzer das herannahende Gericht über die Gottlosen und den Anbruch der neuen Ordnung erkennen wollte: angesichts der höchst ungünstigen wirtschaftlichen Verhältnisse der Bauern ein mehr als verständlicher politisch-revolutionärer Flächenbrand. Daß es sich dabei um eine »frühbürgerliche Revolution« handelte, wie von der marxistischen Geschichtsforschung lange Zeit behauptet, hat sich schon deshalb nicht verifizieren lassen, weil die große Mehrheit der stadtbürgerlichen Bevölkerung in diesem »Bauernkrieg« auf der Seite der Feudalgewalten stand. Sicher aber ist, daß sich die Bauern für die Legitimation ihrer politisch-wirtschaftlich-sozialen wie religiös-kirchlichen Forderungen (z. B. freie Pfarrerwahl) jetzt neu auf das »Evangelium« berufen konnten und berufen haben, so daß der direkte Zusammenhang zwischen Bauernkrieg und Reformation unbestreitbar ist.[57]

Luther aber fürchtete, seine Reformation würde durch solche Revolution in den Augen der Herrschenden kompromittiert. Zuerst vermittelnd zum Frieden ermahnend[58], wird er zunehmend durch Nachrichten von greulichen Ausschreitungen der Bauern aufgeschreckt. Er reagiert mit seiner äußerst leidenschaftlichen und ausfallenden Schrift: »Wider die mörderischen und räuberischen Rotten der Bauern«[59]. Die **Obrigkeit** fordert er zu **rücksichtslosem Eingreifen** (»das Schwert«) gegen diese in seinen Augen verwerfliche Empörung auf, zu Hauen und Stechen. Das hat Luther viel von seiner anfänglichen Volkstümlichkeit gekostet.

Lange Zeit hat man im Luthertum diese tragische Entwicklung verdrängt, bis nach der 1848er-Revolution Friedrich Engels die erste Geschichte des Bauernkriegs[60] schrieb und nach dem Ersten Weltkrieg Ernst Bloch[61] Thomas Müntzer[62] als Begründer einer revolutionären Tradition in Deutschland würdigte. Doch diese Verdrängung hatte zweifellos mit Luther selber zu tun. Denn politisch und theologisch offensichtlich in einer Sicht »von oben« befangen, war der Reformator nun einmal **nicht bereit**, aus seiner radikalen Forderung nach Freiheit für einen Christenmenschen **ebenso radikale politische und soziale Konsequenzen zu ziehen.** Er wollte die berechtigten Forderungen der Bauern gegen Fürsten und Adel nicht mit entsprechender Deutlichkeit unterstützen. Dabei gab es – bei allen verwerflichen Ausschreitungen – höchst vernünftige und berechtigte Forderungen der Bauern, die in ihrer Selbständigkeit bedroht und zunehmend ausgebeutet wurden. Und auch Luther hat die wirtschaftliche und rechtliche Not der Bauern nicht leugnen können. Wäre damals ein Reformkonzept von vornherein illusionär gewesen? Nein. Denn die genossenschaftliche Ordnung der schweizerischen Eidgenossenschaft, für die süddeutschen Bauern das Ideal einer Neuordnung, wäre ein durchaus realisierbares Modell gewesen. Dem in Thüringer Perspektive befangenen Luther aber war dieses fremd. Und Habsburg seinerseits hatte schon immer ein Übergreifen der genossenschaftlichen politischen Organisationsprinzipien auf Süddeutschland gefürchtet.[63]

So erlitten die **Bauern** bei Frankenhausen schließlich nicht nur eine vernichtende militärische **Niederlage**, sondern auch ein schreckliches Strafgericht, bei dem auch Thomas Müntzer nach einer Folterung durch Enthauptung den Tod fand. Als überregionaler reichspolitischer Faktor scheiden die Bauern, diese größte soziale Gruppe im Reich, nun aus. Sieger sind erneut die Fürsten, an die sich jetzt auch Luther gebunden hat und die in Deutschland mit seiner Zustimmung als »Notbischöfe« fungieren und so sehr bald zu Herren auch der Kirche werden.

Damit aber hatten die radikal-reformatorischen Strömungen noch keineswegs ausgespielt. Im Gegenteil. Vor dem Horizont des Bauernkrieges hatte im Zürich Zwinglis der Laie Konrad Grebel am 21. Januar 1525 in einem Bürgerhaus am entlaufenen Mönch Georg Blaurock ohne alles besondere Zeremoniell mit einer Schöpfkelle Wassers die erste **Erwachsenentaufe** vollzogen.[64] Das war ein »aufrührerisches« Signal zu jenem dann aber höchst vielgestaltigen **Täufertum**, in dem Laien zu predigen, Abendmahl zu feiern und (auch Frauen wagten es) zu taufen begannen. Scharf kritisierten sie nun auch die neu etablierten reformatorischen Zwangskirchen, welche sich schon die unmündigen Säuglinge als Mitglieder einverleibten. Aufgrund der Schrift forderten die Täufer die bewußte Glaubensentscheidung des Einzelnen und deshalb die Erwachsenentaufe, die sie als die einzig wahre christliche Taufe anerkannten und praktizierten – von ihren Gegnern deshalb als »Wieder-Täufer« (Anabaptisten) denunziert.

Da diese Täufer, ursprünglich zwischen Friedfertigkeit und Militanz schwankend, sich von Zwinglis Reformation abwandten und die durch die Taufe gegebene Integration in die kirchlich-politisch-rechtliche Gemeinschaft ablehnten, wurden sie verfolgt, verbreiteten aber gerade so ihre Botschaft als Wanderprediger erstaunlich rasch in ganz Deutschland bis nach Mähren im Osten und Friesland im Norden. Sie hielten sich für die allein wahrhaft Wiedergeborenen, die allein Gerechtfertigten und Geheiligten. Sie vertrauten auf die Schrift und noch mehr auf das ihnen geschenkte »innere Licht«. Sie legten höchsten Wert auf gesetzlich festgelegte Sittlichkeit im Sinne der Bergpredigt. Dem Staat und dem Staatskirchentum gegenüber blieben diese oft apokalyptisch-frühkommunistisch ausgerichteten Gruppen mißtrauisch und waren im übrigen durchaus bereit, in heroischer Weise als Martyrer alle Gewalt und Verfolgung von seiten sowohl der evangelischen wie der katholischen politischen Instanzen geduldig zu ertragen.

Die Täuferforschung hat in neuester Zeit ein erstaunliches Ausmaß angenommen.[65] Dabei hat sich gezeigt, daß man den Täufern nicht gerecht wird, wenn man sie

– verketzert als die mißratenen, enthusiastisch-unbelehrbaren Schüler Luthers (so die aus dem konfessionellen Luthertum kommenden Historiker) oder sie

– idealisiert als eine einheitliche und kohärente Bewegung zur Wiederherstellung der Urkirche (so die aus freikirchlicher Tradition stammende amerikanische Forschung) oder sie

– reduziert auf rein soziale Bewegungen und die religiöse Basis vernachlässigt (so die marxistische Reformationshistorie vor allem der früheren DDR).

Das Täufertum muß vielmehr als eine eigenständige, wenngleich in Europa am Rande des reformatorischen Spektrums stehende Ausformung der Reformation gesehen werden, die höchst heterogen zusammengesetzt ist. Ihr »Sitz im Leben« war ein prononcierter Antiklerikalismus von Laien, die eine Besserung des Lebens wünschten, den Glauben deshalb stark ethisierten und auf den einzelnen Frommen hin personalisierten.[66]

Offensichtlich ist, daß sich die Täufer selbst durch brutale Verfolgung und Todesstrafe nicht ausrotten ließen. In einem Gutachten der Wittenberger Fakultät von 1531 hatte sich auch Melanchthon für die Hinrichtung der Taufgesinnten ausgesprochen, und Luther hatte sich ihm angeschlossen. Er war gegen diese »Schleicher und Winkelprediger«[67]. Sie kamen ohne öffentliche Berufung in die Gemeinden, predigten und entzogen so der Pfarr- und Bürgergemeinde zahlreiche Mitglieder. Luther sah darin nichts als »Aufruhr«. Man war offensichtlich auch in Wittenberg noch meilenweit von einer Religionsfreiheit im modernen Sinn entfernt, so weit, daß gerade auch im protestantischen Kursachsen **Wiedertäufer hingerichtet** werden konnten, auch wenn sie gar nicht Aufrührer, sondern eben nur Irrende im Glauben waren. Freilich: In Einzelfällen konnte auch die religiöse Schwarmgeisterei, wenn sie wie in Holland und von da aus in Münster 1535 (Jan Beuckelssen, Bernt Knipperdolling) gewaltsam ein »Reich Christi« zu verwirklichen trachtete, in ein Regime des Fanatismus und Terrors umschlagen, das – unter Berufung auf die Apokalypse und ein wörtlich verstandenes Altes Testament – nicht nur gesetzliche Wiedertaufe und brutale Unterdrückung der Gegner, sondern auch Güterkommunismus und gar Vielweiberei einschloß.

Doch im allgemeinen waren die Täufer jetzt – wie die vom früheren katholischen Priester Menno Simons († 1561) in bald weitverzweigten Gemeinden gesammelten gemäßigten Täufer, »**Mennoniten**« – stille, friedliche, leidensbereite Menschen, die aber gerade wegen der Täuferrevolution in Münster als »Aufrührer« galten und zu Hunderten und Tausenden das Martyrium ertragen mußten. Erst später sollten sie in Holland, in der Schweiz und in einigen norddeutschen Städten sowie in Mähren Duldung erfahren. Richtig entwickeln konnten sie sich freilich wie andere Nonkonformisten erst in einer neuen Heimat, fern vom alten Europa. Und es braucht nicht betont zu werden, daß es auch sonst im reformatorischen Raum zu den dominanten Strukturen und Institutionen stets Gegenfiguren und Gegenströmungen gab, die in Opposition zum alten wie neuen Klerus sich radikalisierten: der alle äußeren Dinge vernachlässigende Spiritualismus eines Caspar von Schwenckfeld oder eines Sebastian Franck oder die sich auf die Bekämpfung der traditionellen Trinitätslehre konzentrierenden Antitrinitarier. Aus den täuferischen und mennonitischen Gemeinden entwickelten sich jedenfalls die ersten **Freikirchen**, Kirchen gründend in freiwilliger Mitgliedschaft, mit eigener Kirchenordnung in eigenen Kirchen sich versammelnd – doch ohne alles Mitspracherecht der weltlichen Obrigkeit. Mehr als nur ein Mitspracherecht – das war andererseits ein Charakteristikum der reformatorischen Rechten, was uns erneut zu Martin Luther zurückführt.

Die »rechte« Reformation: statt der Papstkirche die Obrigkeitskirche

Das **Ideal der freien christlichen Kirche**, wie es Luther in seinen Programmschriften begeisternd seinen Zeitgenossen vor Augen gemalt hatte, ist im Bereich des Luthertums **nicht verwirklicht** worden. Zwar sind zahllose Kirchen durch Luther von der Herrschaft verweltlichter und reformfeindlicher Bischöfe und vor allem von der »Gefangenschaft« durch die römische Kurie befreit worden. Doch was war das Ergebnis?

Luther hatte grundsätzlich die Lehre von Staat und Kirche als den »zwei Reichen« vertreten. Aber zugleich schrieb er angesichts all der Schwierigkeiten mit Rom einerseits sowie mit »Schwärmern« und »Aufrührern« andererseits den Landesherren (aber leider waren nicht alle ein Friedrich »der Weise«!) die Pflicht zu, die Kirche zu schützen und die Ordnung in ihr aufrechtzuerhalten. Von daher kam ein politisch-konservativer Zug ins Luthertum. Da die katholischen Bischöfe im lutherischen Bereich ausfielen und ihre Jurisdiktion nicht mehr anerkannt wurde, so verwandelten sich die fürstlichen »**Notbischöfe**« bald in »**Summepiscopi**«, die sich quasi bischöfliche Vollmacht zuschrieben, kirchliche Gesetzgebung, Gerichtsbarkeit und Kirchenzucht übernahmen und über das anfallende Kirchengut insbesondere der aufgehobenen Klöster – nicht nur für kirchliche und schulische Zwecke – verfügten und deshalb in ihrer politischen Gewalt ungemein gestärkt wurden.

Kurz: Aus der Volksreformation wurde jetzt eine **Fürsten- und Magistratsreformation**, was zur Folge hatte: Die aus der »Gefangenschaft Babylons« befreiten lutherischen Kirchen vermochten keine autonome Kirchenorganisation zu entwickeln, sondern erhielten ein landesherrliches oder städtisches »Kirchenregiment«. Sie gerieten rasch in die fast vollständige und oft nicht weniger drückende Abhängigkeit von ihren eigenen Fürsten samt deren Juristen und kirchlichen Verwaltungsorganen (Konsistorien). Und was die Reichsstädte betrifft: Wiewohl hier zuallermeist eine Bürgeropposition die evangelische Predigt und die Institutionalisierung einer evangelischen Kirche erzwungen hatte, war es schließlich doch der Rat der Stadt, der Magistrat, der auch in der Kirche – unter nur geringer Beteiligung der Gemeinde – das Sagen hatte.[68]

In der Tat: Die Fürsten, die schon vor der Reformation gegen Bauern und Bürger auf innere Vereinheitlichung ihrer oft bunt zusammengewürfelten Territorien und einen geschlossenen Untertanenverband hingearbeitet hatten, waren durch den Rückzug der Kirche auf die religiöse Sphäre übermächtig geworden. Der **Landesfürst** wurde schließlich zu so etwas wie einem **Papst im eigenen Territorium**! Dabei wurde nicht so sehr der Fürst sakralisiert als die Religion politisch domestiziert, gar in Anfängen säkularisiert. Die Gewissens- und Kultfreiheit blieb dabei auf der Strecke, die Obrigkeit hatte das Sagen. Zwar gab es in den Gemeinden Widerstand etwa gegen Rekatholisierung oder auch den Calvinismus. Doch eine Lehre vom Widerstandsrecht gegen den Landesherrn hat das Luthertum nicht entwickelt, bestenfalls Ansätze zu einem Widerspruchsrecht der Pfarrer oder Superintendenten. Auch viele evangelische Forscher sagen es heute: Die Reformation hat in Deutschland nicht so sehr (wie in protestantischer Kirchengeschichtsschreibung so oft behauptet) der Moderne, der Religionsfreiheit und der Französischen Revolution den Weg bereitet (dafür wird ein weiterer epochaler Paradigmenwechsel nötig sein), sondern hat zunächst einmal den Obrigkeitsstaat und den fürstlichen Absolutismus begünstigt und so eine der Voraussetzungen für die kommende Modernisierung geschaffen.

Aufs Ganze gesehen wurde also im lutherischen Deutschland nicht die freie christliche Kirche realisiert, sondern die oft wenig christliche **kirchliche Magistrats- und Fürstenherrschaft**, die in Deutschland erst mit der Revolution nach dem Ersten Weltkrieg ihr – verdientes – Ende finden sollte. Doch selbst noch in der Zeit des Nationalsozialismus war der Widerstand der lutherischen Kirchen gegenüber einem staatlichen Terrorregime wie dem Hitlers entscheidend geschwächt durch die jahrhundertelang angewandte Zwei-Reiche-Lehre: durch jene von Luther her übliche Unterordnung der Kirchen unter die staatliche Autorität und die Betonung des bürgerlichen Gehorsams in weltlichen Dingen. Nur am Rande sei hier erwähnt, weil es mich bereits im ersten Band über das Judentum ausführlich beschäftigt hat[69]: Auch Martin Luther hat sich trotz judenfreundlicher Anfänge noch kurz vor seinem Tod derart haßerfüllt und unchristlich über die **Juden** geäußert, daß es den Nationalsozialisten nicht schwer fiel, ihn als Kronzeugen für die Berechtigung ihres Antisemitismus anzuführen.

Am 18. Februar 1546, zehn Jahre nach Erasmus, war auch Martin Luther – auf »Dienstreise« in Eisleben, wo er geboren war, predigend – verstorben, nach wenigen Stunden körperlicher Schwäche im Kreise seiner Reisegefährten, die mittelalterliche »Ars moriendi« benützend. Und seine »Sache«, die »Sache« der Reformation ging weiter. Aber auch nach Luther konnte sich das Luthertum schließlich doch nur in Deutschland und in den skandinavischen Staaten auf Dauer durchsetzen. Und doch wurde der Protestantismus eine Weltmacht. Das ist das Verdienst jener anderen Reformation, die nicht von Wittenberg, sondern, in Zürich vorbereitet, von Genf ausging. Wir treten ein in eine weitere Phase des reformatorischen Paradigmenwechsels.

6. Der konsequent reformatorische, »reformierte« Protestantismus

Seit der Auseinandersetzung mit dem »Schwärmertum« waren manche Kritiker Luthers der Meinung, Luther sei zu wenig radikal, man müsse mit dem römisch-katholischen Paradigma gründlicher aufräumen, müsse den Weg der Reformation angesichts lutherischer »Halbheiten« konsequent zu Ende gehen: von der Abschaffung der Kruzifixe, der Bilder und liturgischen Gewänder bis hin zur Eliminierung der Messe. In der Kirche solle nur an dem festgehalten werden, was sich von der Schrift her rechtfertigen ließe. Hier war es Luthers selbstbewußter Zeitgenosse, Konkurrent und Kontrahent Huldrych Zwingli, der die Grundlagen legen sollte. Wir haben seine abweisende Einstellung gegenüber den ersten Täufern kurz erwähnt. Jetzt muß er von seinem eigenen Ansatz her ausführlicher beschrieben werden. Denn Zwingli steht für jenen konsequenten Typus von Reformation, der dann für Jean Calvin das wirklich **reformierte Christentum** werden sollte: nicht nur eine mehr oder weniger gründliche

Renovation, sondern ein systematisch betriebener Neubau der Kirche, eine Reform nicht nur der Lehre, sondern des gesamten Lebens.

Reformation in der Schweiz: Huldrych Zwingli

Der Reformator der deutschen Schweiz, **Huldrych Zwingli** (1484-1531)[70], war ganz anders als Martin Luther kein asketischer Mönch gewesen, sondern ein durchaus lebensfroher, scholastisch gebildeter Pfarrer, zuerst am Marienwallfahrtsort Einsiedeln, seit dem 1. Januar 1519 »Leutpriester« am Großmünster in Zürich. Als Feldprediger war er nicht nur beim Sieg der Eidgenossen bei Novara und der Eroberung von Mailand 1513, sondern auch bei ihrer vernichtenden Niederlage bei Marignano 1515 dabei. Diese Schlacht bedeutete das Ende der expansiven Großmachtpolitik der Schweizer in Richtung Lombardei und Burgund, die seit den Siegen über den Burgunderherzog Karl den Kühnen im Ruf standen, die besten Soldaten Europas zu sein.

Um seine Eigenständigkeit gegenüber Luther herauszustellen, hat Zwingli seine **reformatorische Wende** nachträglich schon sehr früh angesetzt, zwischen 1516 und 1519. Die ältesten Biographen (Myconius, Bullinger, Kessler) und einige neuere wie O. Farner sind ihm darin gefolgt. Doch die neuesten historischen Untersuchungen von W. H. Neuser[71] und G. W. Locher[72] haben deutlich gemacht, daß Zwingli anfangs eher ein Mann der Mitte, ein Vertreter des christlichen Humanismus und der gemäßigten innerkatholischen Kirchenreform im Geiste des **Erasmus** war. Diesen hatte er zum erstenmal 1515 in Basel getroffen und ihn gepriesen als den, der die Theologie von der Barbarei (der Verachtung der Antike) und der Sophisterei (der Scholastik) befreit habe. Jedenfalls predigt Zwingli seither nicht mehr über Papstgewalt, Ablaß, Fegefeuer, Wunder, Gelübde und Höllenstrafen, sondern über die »Philosophia Christi«, das Evangelium Christi, stark ethisch verstanden. Und so katholisch ist er dabei geblieben, daß er noch 1518 Wert auf einen päpstlichen Ehrentitel legt.

Im Gegensatz zu Erasmus aber ist Zwingli ein entscheidungsfreudiger Pastor und Politiker. So vermögen ihn Luthers mutiges Auftreten bei der Leipziger Disputation sowie dessen erste Programmschriften stark zu beeindrucken. Zunächst geht Zwingli – von schaurigen Kriegserfahrungen geprägt – gegen den Mißstand vor, daß Schweizer Bauern und Bürger Söldnerdienste im Ausland leisten, das sogenannte »Reislaufen«! Mehr noch: Zwingli kritisiert die festen alljährlichen »Pensionen«, die von ausländischen Mächten an Schweizer Aristokraten bezahlt werden, um die

Anwerbung von Schweizer Söldnern überhaupt zu ermöglichen. Aber zusammen mit der Lektüre der paulinischen Briefe, des Johannesevangeliums und Augustins steht dann doch Luthers Schrift »Von der Babylonischen Gefangenschaft der Kirche« (1520) am Ursprung von Zwinglis radikalerer Theologie. Und diese eigentliche reformatorische **Wende vom humanistisch gesinnten Reformer zum evangelisch konsequenten Reformator** dürfte erst 1521-1522 stattgefunden haben.[73]

Jedenfalls sieht sich Zwingli jetzt – nach anfänglichem Zögern angesichts der Bannandrohungsbulle Roms gegen Luther – zu einem **systematischen Angriff auf das römische System** ermutigt. Und es sind die Jahre 1522-23, die zu den Durchbruchsjahren der Reformation in Zürich werden:

– **Verbot des »Reislaufens«** durch den Zürcher Rat.

– Offenes **Brechen der Fastengebote** (die erste reformatorische Schrift Zwinglis »Von Erkiesen und Freiheit der Speisen«[74], die zu Auseinandersetzungen mit dem Bischof von Konstanz führt).

– **Freie Predigt** des Evangeliums und Erlaubnis der **Priesterehe** (Zwinglis »Supplicatio« und Apologie »Archeteles«).

– Erste **Zürcher Disputation** mit Zwinglis »67 Schlußreden« (Zwinglis wichtigste reformatorische Schrift[75]).

– Gebot des Rates, daß alle Prediger das **Evangelium zu predigen** haben.

– **Bildersturm** (gegen Zwinglis Willen) und Zweite Zürcher Disputation (über Messen und Bilder).

– Planmäßige **Einführung der radikalen Reformen** durch eine Kommission aus Pfarrern und Ratsmitgliedern: Abschaffung der Messe, der Orgel, des Kirchengesangs und der Altäre, aber auch der Prozessionen und der Reliquien, der Firmung und der Letzten Ölung; Beschränkung des Abendmahls auf vier Sonntage im Jahr (unter der Auflage der Teilnahme der gesamten Gemeinde).

– Schließlich Übernahme des **Kirchenregiments durch den Rat**, der nun zuständig ist für Ehegesetzgebung, Sittenzucht, Armenordnung und Neuordnung des Schulwesens.

Freilich ging es auch in Zürich keineswegs nur um theologisch-kirchliche Fragen, sondern zugleich um politisch-soziale: zwischen der Stadt, wo der Rat auch in der Kirche das Sagen haben wollte, und den Landgemeinden, wo man eine Reform durch die Gemeinde selber wünschte, die verhaßte kirchliche Zehntsteuer und gleichzeitig auch die Herrschaft der Stadt über das Land abschaffen wollte. Während der bereits genannte spätere Täufer Konrad Grebel und seine Freunde sich auf die Seite der Landgemeinde stellten, so finden wir Zwingli auf der Seite des Rates.

Dieser stellte schließlich nach jener ersten Erwachsenentaufe, dem Bruch der Täufer mit der Zürcher Reformation und einer weiteren Disputation 1526 die »Wiedertaufe« als aufrührerischen Akt unter Todesstrafe, die denn auch schon im folgenden Jahr an einem Täufer durch Ertränken in der Limmat vollstreckt wurde. Hierin war Zwingli Luther gleich.

Und doch war der Schweizer theologisch wie politisch konsequenter als Luther. Denn als ein Mann klarer Rationalität, praktischer Effizienz und kühner Furchtlosigkeit betreibt er in seiner Kirchenreform nicht nur – wie Luther – die Ausscheidung offensichtlich unchristlicher, sondern darüber hinaus aller Elemente, die nicht biblisch begründet sind. Das bedeutete faktisch eine **völlig neue Kirchenverfassung** und lief nicht wie schließlich im Luthertum auf eine obrigkeitlich regulierte Landeskirche hinaus, sondern auf eine unter der Selbstverwaltung der Städte stehende synodale Kirche. Calvin wird später auf ihren Fundamenten weiterbauen.

Diese Reformation Zwinglis, der auch außerhalb Zürichs viele theologische Freunde besitzt und sich immer mehr zum Staatsmann entwickelt, setzt sich rasch auch in Basel durch (Hauptfigur hier: Johannes Oekolampad), weiter in Bern, St. Gallen und anderen Schweizer Städten. Sie übt starken Einfluß auch in Süddeutschland aus, ohne daß es zu aktivem politisch-sozialem Zusammenwirken kam. Nur die traditionell katholische Bevölkerung der ländlichen Urschweiz (Uri, Schwyz, Unterwalden) sowie der Städte Luzern, Zug und Fribourg leistete Widerstand und verweigerte die Durchführung der Reformation. Konsequenz: Auch in der Schweizerischen Eidgenossenschaft geht jetzt die **Spaltung** mitten durch Land und Volk. Diese führt wie in Deutschland zu politischen und militärischen Bündnissen und schließlich gar zum Bürgerkrieg.

Zwingli bleibt nichts anderes übrig, als doch wieder als Feldprediger in die Schlacht zu ziehen. Es kommt zum Ersten Kappelerkrieg, der ein Religionskrieg ist. Bereits im zweiten dieser Kriege fällt Zwingli: 1531. Seine Leiche wird von Katholiken gevierteilt und verbrannt. Aber: Zwinglis Werk hat Bestand. Schon zehn Jahre später kann unter dem Schutz der reformierten Stadt Bern der Franzose Jean Calvin in Genf seine Kirche aufbauen. Calvin, der 1549 im Consensus Tigurinus mit Zwinglis Nachfolger Heinrich Bullinger die Wurzeln zum Zusammenschluß aller Reformierten in Europa legen wird. Die reformierte Schweiz sollte – nachdem sich Zwinglianer und Calvinisten in der »Confessio Helvetica posterior« von 1566 zu einer kirchlich-theologischen Einheit zusammengeschlossen hatten – den Rückhalt für den Weltcalvinismus und damit Weltprotestantismus bilden. Wer ist dieser Calvin?

Die Vollendung des reformatorischen Paradigmenwechsels: Jean Calvin

Er war erst acht Jahre alt, als in Deutschland der Ablaßstreit ausbrach. Eine Generation trennt Luther und Zwingli bereits von **Jean Calvin**[76], ursprünglich Cauvin, lateinisch Calvinus (1509-64). Und doch sind die reformatorischen Grundintentionen dieselben geblieben: Auch Calvin geht es wesentlich um eine Rückkehr zum Evangelium, um einen kompromißlosen Gehorsam gegenüber dem Worte Gottes. Auch Calvin hatte um Christi willen der Papstkirche den Rücken gekehrt, die für ihn nicht mehr länger die Kirche Christi ist: »Wir haben uns von ihnen wegwenden müssen, um uns zu Christus hinzuwenden.«[77]

Wie Luther und Zwingli ist Calvin ein Mensch tiefer Frömmigkeit, die im vertrauenden Glauben auf die Rechtfertigung durch Gottes Gnade allein wurzelt. Aber anders als Luther ist Calvin von Hause aus kein Mönch und anders als Zwingli kein Pfarrer, sondern ein Jurist, Sohn eines bischöflichen Juristen. Ursprünglich zum Priester bestimmt, ist Calvin wohl schon mit 14 Jahren aus der nordwestfranzösischen Pikardie an das Collège Montaigu in **Paris** gekommen, wo fast zur selben Zeit auch der Spanier Ignatius von Loyola studiert, der kommende Gründer des Jesuitenordens. Hier wird er in Philosophie und Disputation geschult. Seiner Mutter früh beraubt und in einer adligen Familie erzogen, absolviert Calvin auf Wunsch seines Vaters, der in einem Konflikt mit dem Domkapitel exkommuniziert worden ist, zunächst ein Studium des bürgerlichen und kanonischen Rechtes. Das schloß damals auch nicht geringe Kenntnisse in Theologie ein. Auch Griechisch lernt Calvin früh, für manche die Sprache der Häresie. Calvin bringt es zum Lizentiaten (und damit außerordentlichen Dozenten) der Rechte an der Universität von **Orléans**.

Eine seelische Krise wie bei Luther? Sie scheint dieser ernste, selbstsichere Mann mit aristokratischen Manieren nie durchgemacht zu haben. Anders als Luther jedenfalls berichtet er von sich selber kaum Genaueres. Offen muß deshalb bleiben, ob Calvin sich einfach immer mehr von der römischen Kirche abwandte oder wirklich ein »Bekehrungserlebnis« durchgemacht hat (was meint »subita conversio«, von der erst 1557 in der Vorrede zum Psalmenkommentar die Rede ist). Sicher dagegen ist: Wie Zwingli kam er über den humanistischen Reformkatholizismus im Geist des Erasmus (und in Frankreich des Faber Stapulensis) zum Studium des Griechischen, der Bibel und der Kirchenväter, besonders Augustins (Calvins erstes Buch galt Senecas »Clementia«). Er wechselt von Orléans an die Universität **Paris**, und hier gerät er in Kontakt mit evangelisch Gesinnten, die ihn jetzt ganz automatisch in die Diskussion um Martin

Luther hineinziehen. Denn Luther war natürlich auch in Paris längst ein Fall, der die Meinungen polarisierte. Unter den Theologen der Sorbonne gibt es fanatische Gegner, unter den Pariser Humanisten aber, die ihrerseits schon von der Rechtfertigung durch Gnade und Glauben gesprochen hatten, zahlreiche Sympathisanten Luthers.

Von weichenstellender Bedeutung ist zweifellos der 10. November 1533, die Antrittsrede von Calvins Freund, des Humanisten und Doktors der Medizin Nicolas Cop (ein Basler), der soeben zum Rektor der Pariser Universität gewählt worden ist. In dieser (von Calvin möglicherweise mitverfaßten) Rede interpretiert Cop nicht bloß die Seligpreisungen der Bergpredigt, er wagt es – polemisch gegen die Scholastik – Erasmus, ja sogar Luther zu zitieren. Das war mutig, aber unklug, denn auf Betreiben der theologischen Fakultät wird jetzt die Polizei eingeschaltet, um Cop und weitere Sympathisanten zu verhaften, darunter Calvin. Diesem gelingt es, aus Paris zu fliehen und – unter Decknamen öfters den Ort wechselnd – der Haft zu entgehen. Obwohl noch keineswegs »Lutheraner«, beginnt Calvin jetzt erst recht neben der Bibel und den Kirchenvätern Martin Luther zu studieren.

Die Repression geht weiter. Wegen der »Affaire des placards« (häßliche Plakate gegen die Messe) werden an die zwanzig evangelisch Gesinnte, darunter ein Freund und Studienkamerad Calvins, als »Lutherische« auf den Scheiterhaufen gebracht. Und wiewohl von Haus und Fach aus auf Ordnung und Autorität bedacht, fühlt sich Calvin jetzt vollends getrieben, den Weg der Reformation zu beschreiten. Anfang Januar 1534 siedelt er nach **Basel** über, und in kurzer Zeit schon ist der theologische Autodidakt in der Lage, sein theologisches Hauptwerk in einer ersten (freilich noch recht unvollkommenen) Ausgabe vorzulegen. Er widmet es dem französischen König Franz I. – mit der Bitte um Toleranz für die Evangelischen. Dieses Buch bietet eine kurze Zusammenfassung der evangelischen Lehre und ist ganz der Schrift verpflichtet. Calvin nennt es die **»Institutio christianae religionis«**. Sie erscheint auf Latein 1536, im Todesjahr des Erasmus und im Jahr der Kardinalsernennung von Pole und Caraffa. Luther, den Calvin bewundert und mit dem er freundliche Briefe wechselt, hat jetzt nur noch zehn Jahre zu leben, Zwingli war bereits fünf Jahre tot. Und bald sollte Calvin als reformatorischer Führer diejenigen überflügeln, die jetzt noch auf dem Höhepunkt ihres Einflusses standen: Melanchthon in Wittenberg und Bucer in Straßburg.

Geschichtliche Fügung? Noch im selben Jahr – Ignatius von Loyola bricht im Winter 1536 mit seinen ersten Gefährten von Paris nach Rom auf – kommt Calvin auf der Durchreise nach **Genf** und trifft hier auf den von Bern protegierten Reformator Wilhelm Farel, der im Jahr zuvor der evangelischen Bewegung zum Sieg verholfen hat – gegen das katholische Savoyen und das mit diesem verbundene Bistum Genf. Farel bewegt Calvin zum Bleiben, und der 28jährige wird in Genf zunächst »Lecteur publique« für Neues Testament und dann ohne jede amtliche Ordination auch Prediger. Biographen haben oft übersehen, daß Calvin, zweifellos ein großer Systematiker, später nie Dogmatik gelehrt, sondern immer wieder neu die Schrift erklärt hat. Vers um Vers wird die Bibel direkt aus dem Hebräischen oder Griechischen ins Latein übersetzt, um dann eine grammatische Textanalyse und eine historische und theologische Interpretation samt philologischen und philosophischen Differenzierungen durchzuführen.

Doch kaum zwei Jahre dauert der erste Aufenthalt in Genf. Calvin schreibt in dieser Zeit einen alle Einwohner verpflichtenden Katechismus, läßt die Bevölkerung auf ein Glaubensbekenntnis vereidigen und führt mit Hilfe einer vom Rat beschlossenen Kirchenordnung eine so straffe Sittenzucht ein, daß Farel und er schließlich von einer neuen Ratsmehrheit ausgewiesen werden: 1538. Calvin zieht wieder nach Basel und dann nach **Straßburg**, wohin ihn der Reformator Martin Bucer zur Betreuung der französischen Flüchtlingsgemeinde ruft und wo er jetzt wertvolle pastorale und liturgische Erfahrungen sammeln kann. Mit deutschen Reformatoren, besonders mit dem von ihm hochgeschätzten Melanchthon, pflegt Calvin Kontakt. Sogar an den protestantisch-katholischen Religionsgesprächen von Hagenau, Worms und Regensburg nimmt er teil, um freilich gerade da zu lernen, daß theologische Kompromißformeln mit einer Kirche, die ihre mittelalterliche Theologie und Kirchenverfassung dogmatisierte, wenig Sinn haben. In Straßburg heiratet Calvin und bekommt einen Sohn, der aber bald nach der Geburt sterben wird. Auch seiner Ehe ist keine lange Dauer beschieden. Nach nur neun Jahren rafft eine Krankheit seine Frau dahin ...

In **Genf** sind unterdessen heftige Parteikämpfe ausgebrochen. Sie führen nach drei Jahren zur Rückberufung Calvins: 1541. Dieser kommt erst, nachdem er klare Garantien erhalten hat. Doch ebenfalls charakteristisch für Calvin: In Genf rechnet er mit seinen Gegnern nicht ab. »Der Reformator schlug den Bibelabschnitt auf, bei dem er vor ein paar Jahren aufhören mußte, und fuhr einfach mit der Auslegung dieser Stelle fort, als ob nichts geschehen wäre. Das war höchst stilvoll.«[78] Dann aber macht Calvin mit der Durchführung der Reformation in Genf vollends ernst: Das ganze öffentliche und private Leben der Stadt, ja der Alltag von Schule, Wirtschaft, Politik und Wissenschaft soll zum »Gottesdienst« werden.

Eine totale Verchristlichung des Gemeinwesens! Unermüdlich als Prediger an der Kathedrale, als Bibelexeget, theologischer Lehrer und Schriftsteller tätig, gelingt es Calvin in der Tat, in Genf eine strenge Kirchenzucht (Hauskontrollen, Sittengericht, Verbot von Tanz und Kartenspiel) ein- und durchzuführen und sein in der »Institutio« angelegtes reformatorisches Programm mit beispiellosem Einsatz und unbeugsamer Konsequenz zu verwirklichen – unnachsichtig streng selbst gegen seine Freunde.

Dabei bringt Calvin der weltlichen Obrigkeit stets Gehorsam entgegen und hält sich an die Gesetze. Doch je länger desto besser wird er auch mit der bittersten Oppositionsgruppe im Rat der Stadt fertig: den »Patriotes«, die, ausländerfeindlich, gegen die Glaubensflüchtlinge aus Frankreich, Italien und Holland eingestellt waren. Sie wurden die »Libertains« genannt, weil sie sich für die Ausübung der Sittenzucht durch den Rat und nicht durch Calvins Konsistorium aussprachen. Mit ihnen schlägt sich Calvin jahrelang am Rand seiner täglichen Tätigkeit herum; oft läßt der kühle, distanzierte und humorlose Mann (in all dem sehr verschieden von Luther) seine Gegner seine Bestimmtheit, Reizbarkeit und Intelligenz fühlen. Doch erst 1555, 14 Jahre nach Calvins Rückkehr, unterliegen sie in den Wahlen definitiv, werden nach einer unterdrückten (antifranzösischen?) Kundgebung vertrieben und – zum Teil unbarmherzig exekutiert.

»Unsere Geschichte ist die eines Mannes von Ordnung und Frieden, der in eine Welt des Konflikts hineingeboren war«, schreibt der englische Historiker T. H. L. Parker, der in seiner Calvin-Biographie im Lichte von Karl Barth und Vatikanum II ganz neu Calvins unermüdliche Predigertätigkeit und exegetische Arbeit einbezieht: »Von Natur, von Erziehung, von Überzeugung ein Konservativer, wurden seine Ideen mit zu den revolutionärsten in Europa. Die Ordnung, tendenziell aristokratisch, die er pries und die aufzurichten er sein Leben widmete, wurde eine der Plattformen für Demokratie in den folgenden Jahrhunderten. Seine Theologie war im Grund so altmodisch, daß sie als eine Novität erschien.«[79] Keine Frage: Calvin – er mag als Mensch und Kirchenpolitiker seine tiefen Schattenseiten haben – hat die Reformation, die Luther für Deutschland initiiert hatte, für Europa, so weit es sie annehmen wollte, zur Vollendung gebracht.

Die klassische reformierte Synthese

Die »Institutio« war Calvins persönliche und zugleich höchst sachliche Apologie seiner religiösen Lebensentscheidung, als systematisches Werk auf einer Stufe mit »De vera et falsa religione« Zwinglis von 1525 oder den »Loci communes« Melanchthons in ihrer zweiten Ausgabe von 1535. Ja, mehr noch: Calvin hatte eine **elementare Einführung ins reformatorische Christentum** vorgelegt, die ihn bald zum bedeutendsten reformatorischen Dogmatiker machen sollte, der konsequenter als alle anderen den christlichen Glauben von der Bibel und den Kirchenvätern her zu begründen verstand – frei von allen Schablonen des mittelalterlich-römischen Systems.[80] Zentrales Thema: »die Erkenntnis Gottes und unser selbst«[81]! In den sechs Kapiteln der ersten Auflage werden nach dem Katechismusschema behandelt:

– das Gesetz (der Dekalog)
– der Glaube (das apostolische Glaubensbekenntnis)
– das Gebet (das Vaterunser)
– die Sakramente (Taufe und Herrenmahl)
– die übrigen fünf Sakramente (die keine wahren Sakramente sind)
– die christliche Freiheit, die kirchliche Gewalt und die politische Administration.

Warum aber in dieser Inhaltsübersicht nichts von der »Rechtfertigung des Sünders«? Das ist kein Zufall. Denn schon im Aufbau der allerersten Institutio wird auf diese Weise sichtbar, daß Calvin nicht wie Luther vom ganz persönlichen Ringen des sündigen Menschen um einen »gnädigen Gott« und um individuelle **Heils-Gewißheit** ausgeht. Er geht aus von der Sündhaftigkeit der dekadenten Christenheit, die einer besseren **Heils-Ordnung** bedarf. Calvins reformatorisches Bemühen zielt dann auch auf die Praxis, besser: auf die Lebens-Ordnung des Christen. Und von daher ist es denn nicht erstaunlich,

– daß die für Luther alles begründende Rechtfertigungslehre im Kapitel über das **Gesetz** als Schlußüberlegung erst nach der Auslegung der Zehn Gebote folgt[82];
– daß Calvin das in den Zehn Geboten zusammengefaßte alttestamentliche Gesetz, welches der Mensch freilich nur aufgrund von Gottes Gnade erfüllen kann, ausdrücklich als **gut** bezeichnet, weil es ja vor allem den inneren Gehorsam des Herzens fordert, den ganzen Menschen der Herrschaft Gottes unterwirft und ganz und gar auf die Liebe zu Gott und den Menschen zielt;
– daß das Gesetz deshalb nicht nur Zeugnis gibt von Sünde und Gnade und hinweist auf die Strafe, sondern auch Anreiz ist zum **Fortschritt**;
– daß deshalb die aufgrund des Glaubens getanen **guten Werke** im Alltag der Welt durchaus zu loben und zu fördern sind;
– daß also neben der Rechtfertigung durch den Glauben allein auch die **Heiligung** durch die Werke für das Christenleben betont werden muß.

Luther hatte mit seinen Grundintentionen der Reformation den Weg gewiesen. Und vergleicht man Calvins reformatorische Programmschrift, die er schon in Straßburg (1539) völlig umgestaltet und erweitert hatte, mit Luthers Programmschriften 20 Jahre früher (1520), so wird man zweifellos den heißen Atem reformatorischer Leidenschaft und die religiös-existentielle Tiefe des deutschen Theologen vermissen. Aber Calvins Buch, das geschlossenste systematische Werk der Reformation (man spürt den Juristen noch in jeder Zeile), besticht auf seine Weise: durch die lateinische Klarheit der Darstellung, die strenge Logik der Argumentation und die biblisch inspirierte Frömmigkeit. Ungezählte Menschen hat Calvin durch diese einzigartige Synthese überzeugen können, so daß die »Institutio« schon bald in alle europäischen Kultursprachen übersetzt und zu einem der meistgelesenen Bücher des 16. Jahrhunderts wird; mit der Übersetzung ins Französische von 1541 rückt Calvin zu den Klassikern der französischen Sprache auf. Entsprechend der Notwendigkeit, auf immer wieder neu auftretende theoretische wie praktische Fragen eine möglichst ausgewogene Antwort zu geben, mußte dieses Buch im Verlauf der Jahrzehnte ständig wachsen. Während die erste Ausgabe noch 6 Kapitel zählte, so die zweite Ausgabe von 1539 bereits 17 und die endgültige Ausgabe von 1559 schließlich 80 Kapitel; und während die erste Ausgabe im Corpus reformatorum nur 248 Spalten umfaßt, so die letzte 1118. Unermüdlich ergänzt und überarbeitet Calvin sein Buch bis zur letzten Auflage von 1559, die der jetzt 50jährige, von einer schweren Krankheit bedroht, unbedingt vor seinem Tod noch abschließen will.

Selbst Gegner Calvins werden es zugestehen: Mit der letzten Auflage hat die »Institutio« einen solchen Grad der Stringenz und Prägnanz in allen Fragen von Glauben und Leben erreicht, daß sie die **bedeutendste christliche Dogmatik zwischen Thomas von Aquin und Schleiermacher** darstellt. Was als »Oratorium« begonnen hatte, so hat man gesagt, endet als Kathedrale der Theologie, jetzt noch sehr viel stärker als zuvor gestützt und getragen von der Schrift und den Kirchenvätern, aber auch abgesichert an kritischen Punkten aufgrund der mittlerweile durchgestandenen theologischen Kontroversen. Alles kreist nach wie vor um zwei Grundprobleme: um Gotteserkenntnis und Selbsterkenntnis. Doch am Ende ordnet Calvin sein Opus magnum noch einmal neu, und zwar jetzt nach dem apostolischen Glaubensbekenntnis: zuerst die Lehre von Gott dem Schöpfer, dann von Gott dem Erlöser in Christo, dann von der Gnade teilhaftig im Heiligen Geist und schließlich von Kirche, Sakramenten und bürgerlichem Regiment. Jedes der vier Bücher ist übersichtlich in Kapitel gegliedert und jedes Kapitel wieder in numerierte Abschnitte.[83]

So blieb dieses Werk bis heute die klassische Synthese der konsequent reformatorischen, eben der »reformierten« Lehre. Man darf doch wohl sagen: Es ist die theologische Vollendung des reformatorischen Paradigmas (P IV), das Luther initiiert hat. Was Thomas nach Augustin, so könnte man vielleicht vergleichen, war Calvin nach Luther. Und doch: Nicht nur Lutheraner werden zögern, Calvin in allem zu folgen. Denn bei aller Anerkennung von Calvins theologischer Leistung können die kritischen Fragen nicht unterdrückt werden. Zum Beispiel die: Wie steht es um Calvins berühmt-berüchtigte Sonderlehre von der doppelten Vorherbestimmung?

Jeder Mensch vorherbestimmt

Alle Reformatoren betonen Gottes Souveränität, die Einzigartigkeit Christi als des Mittlers zwischen Gott und den Menschen und das Wort Gottes als die alle anderen Normen (»normae normatae«) normierende Norm (»norma normans«). In einem entscheidenden Punkt jedoch sollte sich Calvins Theologie ab der zweiten, völlig umgearbeiteten Straßburger Auflage von 1539 von der Lehre der anderen Reformatoren unterscheiden: in der Frage der ewigen **Vorherbestimmung eines jeden Menschen zum Heil oder Unheil.**[84] Während Luther die (vom alten Augustin her) höchst bedrohliche Prädestinationsfrage in den vertrauenden Rechtfertigungsglauben aufgenommen und so entschärft hat; während sein Meisterschüler Melanchthon sie absichtlich nicht in die grundlegende lutherische Bekenntnisschrift, die Augsburger Konfession (1530), integriert hat, tritt das Problem der Prädestination bei Calvin aufgrund der Auseinandersetzung mit seinen Gegnern gerade umgekehrt in aller Schärfe in den Vordergrund.

Doch ist die Prädestinationslehre überhaupt die »Zentrallehre« Calvins, die als einheitliches materiales Prinzip alle anderen Lehren durchdringt? Dies wird zu Unrecht gesagt. Richtig ist, daß sie eine für Calvin **charakteristische Lehre** ist. Noch zu Calvins Lebzeiten wird sie im »Consensus Genevensis de aeterna Dei praedestinatione«[85] in aller Form zum Dogma erklärt – unbekümmert um die Kritik, deren Sprecher der Arzt Hieronymus Bolsec war und der deswegen denn auch vom Magistrat verurteilt und verbannt wurde.[86] Auch spätere calvinistische Synoden wie die von Dordrecht und Westminster erklären die Prädestinationslehre in aller Form für verbindlich. Was ist mit dieser Lehre gesagt?

Schon für Calvin selber ist es schlicht eine Erfahrungstatsache: Mitten durch die Menschheit geht offensichtlich eine Scheidung zwischen

Gläubigen und Nichtgläubigen. Einige glauben, andere nicht. Warum ist dies so? Calvin findet die Antwort in der Schrift – wo sonst? Und dort liest man – etwa im Epheserbrief: »In ihm (Christus) hat er uns (die Glaubenden) erwählt vor der Erschaffung der Welt« (1,4). Die Glaubenden. Andere nicht! Daß die Menschheit also in ihrer Geschichte geschieden ist, kommt aus einer Entscheidung des ewigen Gottes selber her – vor aller Schöpfung, von Anfang an. Unumschränkt frei, wie er ist, hat Gott von Ewigkeit her in einem geheimen (für uns Menschen nicht durchschaubaren) »Dekret« die einen Menschen zum ewigen Leben und die anderen zur ewigen Verdammnis vorausbestimmt! War dies für Calvin eine quasi-gnostische Spekulation über einen verborgenen Weltengrund und dessen Verhältnis zu den Geschöpfen? Nein, dies erschien ihm als eine in der Bibel gut begründete und deshalb unverzichtbare Auffassung von der Herrschaft und Souveränität Gottes über die Welt. Eine **doppelte Vorausbestimmung** des Menschen meinte Calvin deshalb annehmen zu müssen: »Denn die Menschen werden nicht alle mit der gleichen Bestimmung erschaffen, sondern den einen wird das ewige Leben, den anderen die ewige Verdammnis vorherbestimmt. Wie also nun der Einzelne zu dem einen oder anderen Zwecke geschaffen ist, so – sagen wir – ist er entweder zum Leben oder zum Tode vorherbestimmt.«[87]

Das heißt: Calvins Theologie regiert eine **radikale Theozentrik.** Alles ist zur Ehre Gottes geschaffen. Alle Geschöpfe, der Mensch, aber auch der Satan, sind Werkzeuge in Gottes Hand, sind da für die Gloria Dei, die Selbstverherrlichung Gottes.[88] Und dies meint Calvin ganz praktisch: Jedes Gemeindeglied soll nämlich mithelfen, die Welt zu einem »Schauspiel von Gottes Ruhm« zu gestalten. Eine auffällige **Parallele zu Ignatius von Loyola** und dessen Leitsatz »Ad maiorem Dei gloriam«, »Zur größeren Ehre Gottes«. Doch während der Mensch beim Gründer des Jesuitenordens von Anfang an ganz in die institutionelle Kirche und deren Heilsmittel, die Sakramente, eingebunden ist und bleibt, findet sich der Einzelne bei Calvin zunächst einsam unter Gottes unerforschlichem ewigen Ratschluß vor. Fromme Furcht und blindes Vertrauen hat er Gott entgegenzubringen. Gnadenmittel als Menschenwerk sind untauglich; sie verwässern das erste Gebot, das Calvin radikalisiert. Priestertum und Privatbeichte sind deshalb abzulehnen. »Gott allein die Ehre« heißt die calvinische Devise, die begreiflich macht, warum auch alle sinnlich-gefühlsmäßigen Elemente in der Religiosität und Kultur (abgesehen vom Gemeindegesang) von Calvin zurückgedrängt werden.

Dafür tritt die aktive, praktische Seite bei Calvin in den Vordergrund. Obwohl Calvin selber nur einmal pro Tag ißt, verwirft er keineswegs den

Genuß des irdischen Lebens, sondern nur die Versklavung an irdische Güter. Aktives, **praktisches Engagement in der Welt**, aber mit der notwendigen inneren kritischen Distanz – auch darin ist Calvin Ignatius verwandt. Doch auffällig: Während sich das calvinistische »Gott allein die Ehre« jederzeit gegen Könige und Fürsten wenden kann, so das ignatianische »Zur größeren Ehre Gottes« merkwürdigerweise nie kritisch gegen Päpste und Bischöfe, denen gegenüber im Exerzitienbüchlein vielmehr ein »sentire in Ecclesia«, in allem ein »Fühlen« mit »Unserer Heiligen Mutter der Hierarchischen Kirche« gefordert wird.[89]

Von daher versteht man, warum Calvin – darin Luther folgend – nun ganz neuen Wert auf die **alltägliche Arbeit** des Menschen zur größeren Ehre Gottes legt, besonders auf die Erfüllung der Berufsaufgaben (Beruf ist Berufung!), in der sich der Mensch seiner Erwählung vergewissern kann. Denn **gute Werke** sind zwar nicht der Grund des Heils, aber doch – darauf legt Calvin ganz anders als Luther Gewicht – äußere, sichtbare **Zeichen der Erwählung.** Das Gewissen des Glaubenden »wird auch durch die Betrachtung der Werke gestärkt, insofern sie nämlich Zeugnisse dafür sind, daß Gott in uns wohnt und regiert«[90].

Zur Ordnung der Lebensführung aller (und nicht etwa wie im Katholizismus vor allem einer Mönchselite) ist vor allem rationale Selbstkontrolle nötig, die sich in **innerweltlicher Askese** ganz auf die Bewährung des Glaubens und der persönlichen Berufung im rastlosen innerweltlichen Berufs- und Wirtschaftsleben ausrichtet. Selten hat das neue reformatorische Paradigma so deutlich soziale Gestalt angenommen wie hier: statt der altkirchlichen oder mittelalterlichen geistlichen Aristokratie der Mönche **neben** der Welt jetzt die geistliche Aristokratie der Erwählten **in** der Welt. In Leben und Beruf sollen sich diese in jeder Hinsicht höchst aktiv, oft heroisch (leider manchmal auch unversöhnlich) im Kampf für die Ehre Gottes einsetzen. Meditation und Gebet sollen nicht abgehoben in einem Kloster, sondern mitten in der Welt des Alltags geschehen.

Calvinistische Ethik und Kapitalismus

Ist es verwunderlich, daß ein so gescheiter Kopf wie der Religionssoziologe Max Weber[91] in dieser **calvinistischen Ethik** eine der wichtigsten psychologischen Voraussetzungen des typisch modernen »**kapitalistischen Geistes**« gesehen hat? Im Gegenzug zu Karl Marx hat Weber aufgezeigt, daß nicht nur ökonomische Verhältnisse religiöse Auffassungen bestimmen, sondern auch umgekehrt religiöse Auffassungen ökonomische Entwicklungen. Auch Weber leugnet natürlich nicht, daß es längst vor der

Reformation Formen des Frühkapitalismus in Italien und auch in Genf gab. Unterdessen hat der Zürcher Historiker J. F. Bergier[92] zeigen können, daß der wirtschaftliche Aufschwung Genfs auch mit der durch die Revolution von 1535 erreichten politischen Unabhängigkeit des Stadtstaates von Savoyen und mit der Unterstützung durch reformierte Schweizer Städte zusammenhing. Außerdem hatte die Entwicklung Genfs zu tun mit dem Zuzug wirtschaftlich dynamischer Glaubensflüchtlinge aus Frankreich und Italien: »Die Chance für Genf bestand darin, daß die Stadt folgende drei Faktoren von außen an sich zog: Kapital, qualifizierte Arbeitskräfte und Absatzmöglichkeiten; und das alles dank des protestantischen Refugiums, d. h. eines Umstandes, der zunächst nichts mit der Wirtschaft zu tun hatte.«[93]

So muß Webers These gewiß in vielfacher Weise differenziert, ergänzt und korrigiert werden.[94] Religiöse und außerreligiöse Komponenten greifen ineinander und beeinflussen sich wechselseitig. Weber interessiert sich indes weniger für das Vorhandensein kapitalistischer Möglichkeiten als für den neuen »Geist«, den neuen Habitus, den neuen Lebensstil, diese kapitalistischen Wirtschaftsformen zu nutzen. Und für die dafür notwendige Bewußtseinsbildung, die neue kollektive Mentalität und Normativität, spielte der calvinistische Hang zum moralischen und wirtschaftlichen Aktivismus zweifellos eine wichtige Rolle.

Die reformatorische Lehre konnte gewiß auch anders gedeutet werden, und gewiß gab es im katholisch-tridentinischen Raum auch einzelne parallele Entwicklungen. Aber aufs Ganze gesehen ist der Unterschied zu den katholisch geprägten Ländern doch kaum zu bestreiten: Während katholische Moral sich (mittelalterlich) auf die einzelnen Handlungen und (bei schuldhafter Handlung) auf die Entlastung durch das Bußsakrament konzentriert, fordert die calvinistische Erwählungslehre von den Erwählten die systematische, ethische »Heiligkeit« ihrer gesamten Lebensführung. Und während Luthers wirtschaftliche Ansichten von den wenig entwickelten ländlichen Verhältnissen Deutschlands und dem Kampf zwischen Bauern und Adligen geprägt waren, so die Calvins durch die fortschrittliche städtische Gesellschaft und Wirtschaft. Im Mittelalter haben reiche Geschäftsleute sehr oft ihr mit schlechtem Gewissen erworbenes Geld schließlich wieder der Kirche für caritative Zwecke gestiftet. Der calvinistische Geschäftsmann aber darf seine rentablen Geschäfte im Vertrauen auf seine Erwählung mit gutem Gewissen machen, diszipliniert freilich, »puritanisch« ohne Verschwendung. Calvin war hier ganz der Praktiker. Besonders in seinen geistlichen und homiletischen Schriften kann man ihn kennenlernen als einen ausgesprochen weltbejahenden, realistischen und praxisnahen Mann. So bejaht Calvin Privateigentum, Produktivität von Kapital und menschlicher Arbeit und deshalb auch einen variablen Zinssatz, ohne diesen wie Luther (mittelalterlich) als Wucher zu denunzieren.

Doch hindert dies Calvin keineswegs, antifeudalistisch und antiklerikal, wie er war, den Prunk der Kirchenfürsten seiner Zeit scharf zu kritisieren und auch das »tote Kapital« einer Adelskaste, die nicht arbeiten will. Bewußt vollzieht Calvin eine geistliche **Um- und Aufwertung der Arbeit**: Körperliche Arbeit wird gelobt. Sie ist für den Menschen nicht entwürdigend, sondern ehrenvoll – eben zur größeren Ehre Gottes! Kein Wunder, daß Calvin gerade unter Handwerkern und Kaufleuten, die den modernen Kapitalismus vorantreiben werden, viele Anhänger findet. Während die katholische Hierarchie zumeist auf Seiten des Adels und der etablierten Ordnung steht, so der Calvinismus eher auf der Seite der wirtschaftlichen, politischen und auch wissenschaftlichen Kräfte, denen die Zukunft gehören sollte. Während auch Luther das neue Weltmodell des Kopernikus als im Widerspruch zur Bibel ablehnt, macht sich Calvin von solch wortwörtlicher Auffassung der Bibel frei: Eigentlicher Gegenstand der Bibel sei das Heil und nicht die Weltordnung, und ihre Botschaft würde nun einmal in einer den Menschen angepaßten Sprache verkündet.

Es ist eine in manchem beinahe moderne Ethik, die Calvin und in seinem Gefolge Puritanismus, Pietismus, Methodismus vertreten, die jedoch eine **doppelte Gefahr** in sich birgt: entweder alle diejenigen, die sich im Berufs- und Weltleben nicht so erfolgreich zeigen, als »Nicht-Erwählte« abzustempeln und sich selber zur **Klasse der Auserwählten** zu rechnen – oder aber (wie dann im 17. Jahrhundert) in rein weltlichem Engagement die religiöse Motivation aufzugeben und völlig zu verweltlichen. Der evangelische Glaube, das Erwählungsbewußtsein und der Berufsgedanke werden dann völlig untheologisch in **rein säkulares Profitdenken** umgegossen. So geschah es vielfach; Calvins strenge doppelte Erwählungslehre wurde später ohnehin selbst von manchen Calvinisten (so in Holland von Jakob Arminius und seiner zahlreichen Gefolgschaft) über Bord geworfen.

Was aber zählt das gegenüber der historischen Tatsache, daß es gerade die unter calvinistischem Einfluß stehenden Länder wie Holland, England und Frankreich waren (und nicht etwa das Land Luthers, wo der Calvinismus nur in der Pfalz und am Niederrhein sich durchsetzen konnte), die im folgenden 17. Jahrhundert sich zu den höchstentwickelten Kulturländern entwickeln sollten. Reichtum und Wohlstand sollten später in Nordamerika geradezu als Zeichen göttlicher Erwählung gelten. Die wirtschaftlich-sozialen Unterschiede zwischen Nord- und Südeuropa, Nord- und

Südirland, Nord- und Südamerika haben jedenfalls auch mit den religiösen Unterschieden zu tun. Mit Calvinismus war in diesen Zusammenhängen gewiß keine spezifische Wirtschaftsethik gemeint, wohl aber eine theologisch begründete ethische Grundauffassung, die auch die ökonomische Lebensführung nachhaltig zu bestimmen vermag und die sich vom 16. bis zum 18. Jahrhundert im »asketischen Protestantismus« überhaupt ausbreiten sollte. Alles sehr wichtig nicht nur für die Theologie-, sondern auch für die Mentalitätsgeschichte.

Presbyterial-synodale Kirchenverfassung und Demokratie

Schon vor Max Weber hatte der Heidelberger Rechtsgelehrte Georg Jellinek in einem ebenfalls bahnbrechenden Aufsatz die Bürger- und Menschenrechte aus religiöser Wurzel abgeleitet und auf die »Bills of Rights« der nordamerikanischen Einzelstaaten zurückgeführt, wobei auch hier dem Calvinismus eine besondere Bedeutung zugeschrieben werden muß.[95] Doch ist es nicht einfach, außerkirchliche und innerkirchliche Motive und Bedingungen zu unterscheiden. Sicher konzentrierte sich Calvin von Anfang an auf eine weithin eigenständige Gemeindeordnung. Während Luther die Organisation der Gemeinde weithin den Fürsten überlassen hatte, bemühte sich Calvin, schon bald der Führer der nichtlutherischen evangelischen Kirchen, mit größter Intensität darum, die biblische Gemeindeordnung nachzuahmen.[96] Vom Straßburger Reformator Martin Bucer übernahm er für die Stadtgemeinde samt den umliegenden Dörfern (das war für ihn die »sichtbare Kirche«) die **Vier-Ämter-Ordnung** presbyterialen Zuschnitts:
– Pastoren (für Predigt und Sakramentsverwaltung);
– Doktoren (für Jugendunterweisung und theologische Ausbildung);
– Älteste (für die Gemeindezucht);
– Diakone (für die Armenpflege).

Pastoren (Prediger) und Doktoren (Lehrer) bilden die »Vénérable compagnie«. Strenge Kirchenzucht soll herrschen, überwacht vom »Konsistorium« aus Pastoren und Ältesten (Laien). Diese sollen das sittliche Leben der Bürger ebenso kontrollieren wie die Lehre der Prediger, sollen zu allen Häusern ungehinderten Zutritt haben und mit Hilfe des Rates – etwa für Ehebruch und Prostitution ebenso wie für Fluchen und Spotten – auch harte Strafen verhängen können: Ermahnung der Sünder, Ausschluß vom Abendmahl, im Notfall Übergabe an die weltliche Justiz (mit Haft, Verbannung, Hinrichtung). An der Unterscheidung zwischen Klerus und Laien, »Ministern« und »Volk« hält Calvin fest. Daß jedoch Älteste

(Presbyter, Anciens) zusammen mit den Pastoren die Aufsicht über die Gemeinde haben und mit diesen das Konsistorium bilden, gab **Laien** in den Gemeinden eine ganz neue Bedeutung. Diese Ordnung bildete mit Berufung auf die frühe Kirche (Apostelgeschichte!) den Ausgangspunkt für eine völlig neue Kirchenstruktur: das »**Presbyterialsystem**«. Dieses schließt einen Vorsitzenden, Präsidenten, Moderator, »Bischof« an der Spitze des synodalen Gremiums auf lokaler oder regionaler Ebene nicht aus, solange dieser nicht einen »Primat« oder ein »Dominium« beansprucht, vielmehr kollegial eingebunden bleibt.[97]

Tausende von Flüchtlingen, besonders aus Frankreich und England, wo die Evangelischen verfolgt werden, strömen jetzt nach Genf. Doch **von Religionsfreiheit** war auch in Genf **keine Rede**. Sie hätte genau das verlangt, was Calvin unter allen Umständen verhindern wollte: eine Trennung von Staat, Gesellschaft und Religion. In der Calvinstadt herrschte dagegen ein ausgesprochener Dogmen- und damit Gewissenszwang! 1553 taucht in Genf der Antitrinitarier **Michael Servet** auf (in seinen Schriften hatte er die Dreieinigkeit ein Monstrum mit drei Köpfen genannt und auf die Einheit Gottes Gewicht gelegt), zweifellos eine allenthalben umstrittene Gestalt. Im katholischen Vienne war der Arzt und Theologe (nicht ohne belastendes Material von seiten Calvins an die Inquisition!) bereits zum Feuertod verurteilt worden, konnte aber in letzter Minute ins protestantische Genf fliehen. Es nützt ihm nichts. Auch in Genf wird ihm der Prozeß gemacht: Servet endet als »Gotteslästerer« auf dem Scheiterhaufen. Und Calvin? Er hatte »nur« die Enthauptung befürwortet. Auch andere reformierte Schweizer Kirchen, selbst Melanchthon in Wittenberg, sind mit dem Todesurteil einverstanden. Reformatoren, denen es um nichts denn das Evangelium geht – einverstanden mit der Verbrennung eines Ketzers, von Ketzern überhaupt?

Auch wenn es damals als Aufgabe des Staates betrachtet wurde, die wahre Religion zu etablieren und aufrechtzuerhalten, so kommt man doch um die Feststellung nicht herum: **Auch im reformierten Genf** gibt es wie zuvor unter der Herrschaft Roms **Inquisition, Folter und Feuertod**, gibt es schreckliche Hexenverbrennungen – trotz des Abscheus vieler Zeitgenossen, die gegen die Tötung von Häretikern waren. Dies alles – so wenig wie die römisch-katholische Inquisition »aus der Zeit heraus« zu entschuldigen! – hat das Andenken des Genfer Reformators, auch wenn sein Einfluß gewiß oft mehr faktischer als rechtlicher Art war, schwer belastet. Denn allzu sehr erlag der Jurist Calvin mit einem besonderen Interesse für Kirchenordnung und Kirchenrecht der Gefahr, seine Auffassung von der Ordnung einer Gemeinde mit der Ordnung Gottes selber gleichzusetzen.

Kirchenverfassungen
P II / P III

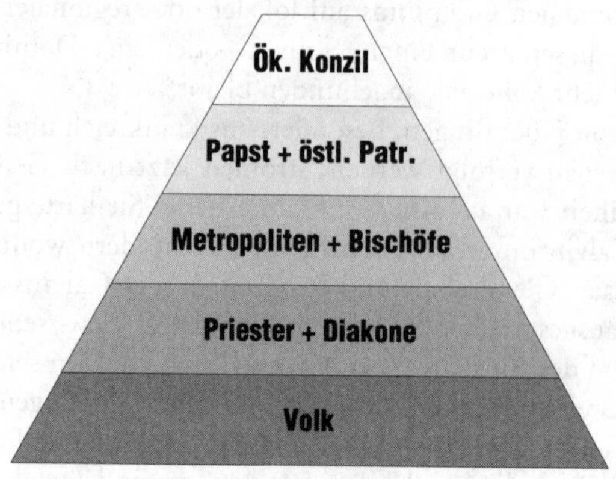

Gemeinschaft (Communio, Koinonia) der Kirchen (1. Jahrtausend)

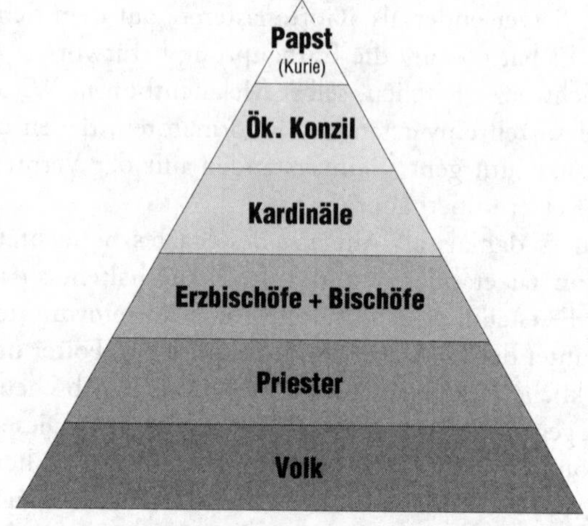

Römisch-katholische Papstkirche (seit 11. Jh.)

Kirchenverfassungen
P IV

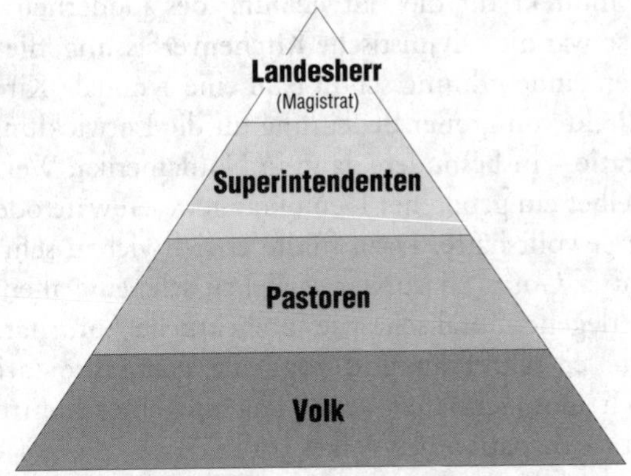

Lutherische Obrigkeitskirchen (seit 16. Jh.)

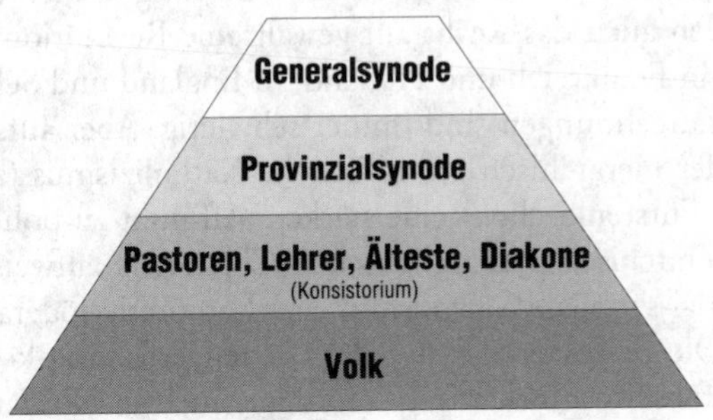

Reformierte Gemeindekirchen (seit 16. Jh.)

Toleranz? Was Protestanten dem Papst abgetrotzt hatten, gaben sie nicht einmal an ihre eigenen »Protestanten«, Dissidenten, Abweichler weiter. Sollte also die Zeit der Toleranz erst noch kommen? In der Tat: die Moderne im eigentlichen Sinn (P V) wird erst nach der Genfer Reformation (P IV) kommen …

Und doch darf man nicht übersehen: Wie die calvinistische Prädestinationslehre indirekt für die Entwicklung des modernen Kapitalismus wichtig war, so war die calvinistische **Kirchenverfassung**, die mit der presbyterialen Gemeindeordnung schon bald eine synodale Kirchenordnung verband, **indirekt** von großer Bedeutung für die Entwicklung der modernen **Demokratie** – insbesondere dann in Nordamerika. Weit gefehlt also, daß Calvin selber ein geborener Demokrat gewesen wäre oder eine solche Entwicklung gewollt hätte. Dazu fühlte er sich viel zu sehr als autoritativer Botschafter Gottes, dazu war er viel zu sehr eine allen seinen Zeitgenossen überlegene moralische wie intellektuelle Autorität. »Pöbelherrschaft« lehnte er scharf ab und zog eine gemischte (aristokratische, eventuell auch monarchische) Verfassung mit einer kontrollierten und qualifizierten Partizipation des Volkes vor.

Während indes das Luthertum wider Willen den staatlichen Frühabsolutismus gefördert hat, so hat die von Calvin geschaffene presbyteriale und synodale Kirchenverfassung etwas anderes gefördert: die Bildung nämlich einer selbständigen, sich selbst ordnenden, **sich dem absolutistischen Herrscher und Staat entziehenden Gemeinschaft** und dann Gesellschaft. Und das sollte sich als zukunftsträchtig erweisen. Dies galt besonders dort, wo der Calvinismus in der Minderheit war und mit erstaunlicher Kraft trotz Unterdrückung überlebte. Sicher hat gerade er das (schon mittelalterliche) **Widerstandsrecht** mächtig wiederbelebt und unter Umständen auch das Recht auf gewaltsame Revolution in Anspruch genommen: in Frankreich und Holland, in England und Schottland.

Einzelne Zurechnungen sind immer schwierig. Aber aufs Ganze gesehen dürfte der hierarchisch-zentralistische Katholizismus (aber auch die lutherischen Fürstenkirchen) eine stärkere Affinität zu politisch-sozialen Systemen hierarchisch-patriarchalischen Charakters aufweisen, während der presbyterial-synodale Calvinismus eher korporativ-föderalen Systemen nahestand. Die presbyterial-synodale Kirchenverfassung konnte als eine von Gott geforderte Einrichtung – so dann auch in Nordamerika gegen das englische Staatskirchentum – ins Feld geführt werden und damit langfristig eine politische Ordnung in diesen Ländern formen, die sich selbst in der Säkularisierung der Staaten durchhalten und in Form der repräsentativen politischen Demokratie weiterwirken konnte. Dabei sahen die frühen calvinistischen Siedler Amerikas (wie später die calvinistischen Buren in Südafrika) ihre Geschichte in Parallele zum alten Volk Israel: Amerika als das gelobte Land und die Amerikaner als das von Gott neu auserwählte Volk des Bundes, bestätigt durch Erfolge und Siege. »God's own country«, gepriesen in den nationalen Hymnen wie »America« oder »America, the beautiful«.

Protestantismus als Weltmacht

Am 27. Mai 1564 war Jean Calvin – nach immensen Anstrengungen als Prediger, Professor, Schriftsteller und Staatsmann und durch schwere Krankheit körperlich erschöpft – in Genf gestorben. Eine so große Zahl von Menschen erwies der aufgebahrten Leiche die letzte Ehre, daß man sie, um einer neuen Heiligenverehrung vorzubeugen, schon am folgenden Tag, einem Sonntag, auf dem allgemeinen Friedhof ohne Grabstein beisetzte – ganz wie Calvin dies selber gewünscht hatte. In das Gedächtnis nicht nur Genfs, sondern der Christenheit überhaupt hatte er sich ohnehin durch seine Lebensleistung eingeschrieben.

An Martin Luthers grundlegender Bedeutung für die Reformation – ihren Grundimpuls, ihr Programm, ihr neues Paradigma überhaupt – soll wahrhaftig nichts abgestrichen werden. Aber es war zweifellos Calvin, dieser jetzt in ganz Europa berühmte französisch-schweizerische Reformator, der durch seine tief verwurzelte Frömmigkeit, durch seine unerbittliche Logik, durch seinen eisernen Willen, durch seine durchsichtig klare und umgreifende theologische Synthese, durch seinen Sinn für Kirchenordnung, Organisation und die internationale Weite der Kirche den **Protestantismus zu einer Weltmacht** machte – ganz anders als der doch provinziell-deutsch gebliebene Wittenberger Reformator. Was der Protestantismus außerhalb Deutschlands und Skandinaviens bewahren oder dazugewinnen konnte, verdankt er Calvin. Ob diese Erkenntnis aber eine Entschuldigung für die Genfer Kleinkariertheit unseres Jahrhunderts sein kann, die es fertigbrachte, auf dem großen Genfer Reformatoren-Denkmal die Gestalt Calvins in die Mitte zu stellen, die Gestalt Luthers aber, für dessen epochale historische Leistung gerade Calvin große Worte des Lobes gefunden hat, einfach wegzulassen? Ohne Luther kein Calvin!

Ja, wie hatte sich doch – ein äußeres Zeichen des erfolgten Paradigmenwechsels – die früher so einheitlich **römisch-katholische Landkarte Europas (P III) durch Luther und Calvin verändert (P IV)**. Groß sind nun die Flächen von den Britischen Inseln bis nach Siebenbürgen, von der Schweiz bis nach Skandinavien, wo der Papst nichts mehr zu sagen hat.

Und wenn einer unter den Reformatoren nie national, sondern **europäisch dachte** (und zumindest darin »päpstlich«), dann war es Calvin. Die Stadt Genf, zwischen der Schweiz, Frankreich und Savoyen geopolitisch günstig plaziert und aufgrund der oft ökonomisch potenten hugenottischen und englischen Flüchtlinge schon damals international ausgerichtet, war für ihn Europas heimliche Hauptstadt. Von hier aus konnte Calvin als Berater, Theologe und Kirchenführer von Frankreich bis nach Polen und Ungarn Einfluß nehmen. Und in der Tat war Calvin der Mann, der ein **internationales kirchliches Netzwerk** zu schaffen fähig war. Wie?

– durch ihm ergebene **Freunde und Schüler** in allen möglichen Ländern, besonders aber in Frankreich, wo jetzt der Name »Lutheraner« verdrängt wird durch den der »Hugenotten« (vermutlich eine Entstellung von »Iguenots« = »Eidgenossen«) und wo sich evangelische Gemeinden nach Genfer Muster gebildet hatten, aber auch in England (Erzbischof Cranmer, Somerset, König Eduard VI.) und in Schottland (John Knox);

– durch eine erstaunlich ausgedehnte internationale **Korrespondenz** mit Theologen und Kirchen, Magistraten und einzelnen Gemeindegliedern in ganz Europa (elf Bände im Corpus Reformatorum);

– durch die 1559 begründete theologische **Akademie** zur Ausbildung von Predigern für West- und Osteuropa (an ihr lehrte neben Calvin auch sein Nachfolger Theodor Beza), die spätere Genfer Universität;

– durch **Büchersendungen** (Verlagsgründungen in Genf) und Vermittlung von **Pastoren**, vor allem in sein geliebtes Frankreich;

– durch rastlose **wissenschaftliche Tätigkeit** (Kommentare zu fast allen Büchern des AT und NT, theologische Traktate und Streitschriften);

– durch Entwurf von Grundlagendokumenten wie des »**Catéchisme**« der Kirche von Genf (1542), der »**Confession de foi**« (1559) und der »**Discipline ecclésiastique**« für die erste französische Nationalsynode der calvinistischen Gemeinden in Frankreich 1559.[98]

Nur mit den deutschen Lutheranern kam es zu keiner Einigung, vielmehr zu einem erneuten großen **Streit um das Abendmahl**.[99] Das Verständnis dieses Mahles der Gemeinschaft hatte ja, tragisch genug, schon Luther und Zwingli entzweit (und noch 1929 bei der Vierjahrhundertfeier dieses Marburger Religionsgespräches von 1529 sollten sich die Lutheraner einem gemeinsamen Abendmahl verweigern). Nun aber einte der neue Streit zwar Zürich und Genf, spaltete jedoch zugleich Genf und Wittenberg. Während nämlich Luther die Gegenwart Christi im Abendmahl als »real« (auch leiblich) interpretiert hatte, Zwingli aber als »sinnbildlich« (nur geistlich), wollte Calvin die Glaubensinteressen beider Seiten ernst nehmen und die Gegenwart »geistlich« verstehen (durch den

Heiligen Geist): eine »Realpräsenz« also durchaus, aber nur für den Glaubenden während des Essens und Trinkens (»manducatio spiritualis«)! Dies ermöglichte einen Konsens zwischen den reformierten Kirchen der Schweiz und den Anhängern Calvins (»Confessio Helvetica posterior« 1566[100]), führte jedoch zur definitiven Trennung zwischen calvinistischen und lutherischen Kirchen. Calvin selber hatte wie Zwingli den Abendmahlsgottesdienst (auch nur viermal im Jahr) vom Predigtgottesdienst abgetrennt und neben der Predigt nur Gebet und Psalmengesang übriggelassen. Entfernung von Orgel, Altar, Kerzen, Kreuzen, Bildern: Im Luthertum empfand man dies als finstere, legalistische Konsequenzmacherei.

Doch auch Lutheraner können nicht bestreiten: Gerade als das Luthertum auf seine Grenzen gestoßen war, hat sich der Calvinismus als die große dynamische Kraft der reformatorischen Bewegung, hat er sich auch als der grundlegende **Katalysator** in den beiden ernsthaftesten politischen Konflikten dieser Periode erwiesen: einerseits in den **französischen Religionskriegen**, wo die Politik der Krone auch nach der »Pariser Bluthochzeit« (»Bartholomäusnacht«) schwankte zwischen Ausrottung und Toleranz der Hugenotten (1598 schließlich das Toleranzedikt von Nantes: für die 1,2 Millionen Hugenotten 150 Sicherheitsstädte); andererseits in der **niederländischen Revolte gegen Spanien** und dem jahrzehntelangen holländisch-spanischen Krieg bis zum westfälischen Frieden (1648). Der Calvinismus erwies sich überall nicht nur als reformiertes Christentum von oft größerer Vitalität als das Luthertum, sondern auch als eine subversive Bewegung, eine politische Kraft mit innovativen politischen Ideen.[101] Mit dem Pathos der geistlichen Welteroberung verband sich mühelos ein unbekümmertes politisches Engagement.

So ist es denn auch kein Zufall, daß sich gerade im Einflußbereich des Calvinismus in der Folgezeit auch über Europa hinaus Strömungen entwickelten, die dem Antlitz des Christentums auf dieser Erde neue Züge verleihen sollten. Die Rede ist von verschiedenen **Bewegungen des »asketischen Protestantismus«** (Max Weber), die sich bei allen dogmatischen Unterschieden (auch bezüglich der Prädestination) durch eine strenge sittliche Lebensführung auszeichneten. Dazu gehören neben den verschiedenen calvinistischen, »reformierten«, »presbyterianischen« Kirchen:

– der **Methodismus**, im Kontext der englischen Staatskirche um die Mitte des 18. Jahrhunderts entstanden und vor allem in Nordamerika stark verbreitet;

– der **Pietismus**, im Kontext des englischen und vor allem holländischen Calvinismus entstanden (freilich hatte der Pietismus im Luthertum auch seine eigenen Wurzeln);

– der **Baptismus**, wiewohl urspünglich von Calvin abgelehnt, doch seit dem späten 17. Jahrhundert in England und Frankreich und später in Amerika (»Baptists«) in starker Verbindung mit dem Calvinismus;
– der **Puritanismus**, seit dem 17. Jahrhundert ein Sammelname für verschiedene »reine«, also asketisch gerichtete Bewegungen in Holland, England und dann in Amerika (Kongregationalisten, Mennoniten, Quäker und andere).

Die Suche nach der verlorenen Einheit

Calvin, darauf wird heute mehr Gewicht gelegt als früher, war zumindest im Hinblick auf den Protestantismus ein **ökumenischer Geist**[102], ein Lehrer der Christenheit, der bei aller übergroßen Strenge leidenschaftlich um die Einheit der Kirche bemüht war: Architekt der Einheit der reformierten Kirchen gerade in der Frage des Abendmahls. Einheit des Glaubens nur in einigen unveräußerlichen Grundsätzen, in sekundären Fragen dagegen Pluralismus: Das war seine Grundidee. Unermüdlich bemühte er sich deshalb um eine Verständigung in der Abendmahlsfrage, er, der ja schon der lutherischen Confessio Augustana 1530 zugestimmt hatte. Er sah das Wesentliche des Glaubens gewahrt und konnte mehrere Schulmeinungen hinnehmen. Genf war so schon zu Calvins Zeiten so etwas wie ein ökumenisches Zentrum geworden.

Die Einheit des Protestantismus freilich hat selbst Calvin nicht wahren können. Im Gegenteil, es kam zu einer **zunehmenden Aufsplitterung** in verschiedene Tendenzen, Kirchen und Gemeinschaften. Und angesichts dieser Aufsplitterung, die sich nicht nur auf Streitigkeiten zwischen verschiedenen Personen, lokalen Kirchen und ethnischen Gruppierungen zurückführen lassen, sondern auch auf theologische und kirchliche Fragmentierung, drängen sich nun doch – im Gedenken an Calvins Bemühungen um Einheit – Fragen auf.

Fragen für die Zukunft

• In der Analyse des römisch-katholischen Paradigmas (P III) ist immer deutlicher geworden, wie sehr der römische Zentralismus und Absolutismus vom Ursprung (P I) und von der altkirchlichen Einheit in der Vielfalt (P II) weggeführt und gerade so die Spaltung der Christenheit – sowohl von West und Ost wie jetzt von Nord und Süd

– vorbereitet hat. Doch Gegenfrage: Haben andererseits die starke Betonung des glaubenden Individuums und seines Gewissens und der bald auftretende Mangel an kirchlicher Bindung und überregionaler Autorität nicht ihrerseits zu einer progressiven **Fragmentarisierung** und schließlich **Atomisierung** der evangelischen Christenheit geführt, die auch das reformatorische Paradigma (P IV) für viele unglaubwürdig werden ließ?

- Zu Recht hatte sich die reformatorische Kritik gegen das **Meßopfer** gewandt, mit dem besonders zahlreiche Mißbräuche verbunden waren. Ist nun aber nicht gerade das Abendmahl – das Sakrament der Erinnerung und Verheißung, um dessen Erneuerung gemäß der Schrift sich die Reformatoren bemühten – zum Hauptanlaß ihres Zwistes geworden, der nicht geschlichtet werden konnte? Wurde es nicht zum hauptsächlichen Spaltungsfaktor zwischen den Kirchen der Reformation, die sich nun zur Freude Roms auch noch gegenseitig exkommunizierten? Ja, ist das nur selten gefeierte eucharistische Mahl – wie wir sahen eine Konstante des Christentums – in den Kirchen der Reformation nicht bis in die neueste Zeit vielfach zur Randerscheinung, zum Anhängsel des Wortgottesdienstes herabgesunken und in spiritualistischen Kreisen überhaupt aufgegeben worden? Müßten sich also die ökumenischen Bemühungen nicht gerade auf die Überwindung von Differenzen und die Erneuerung der Eucharistiefeier konzentrieren? Statt aller Exkommunikationen eine lebendige Communio zwischen den Kirchen?

Und so soll im Vorausblick schon hier – bevor wir uns noch einem weiteren Grundtyp von Reformation zuwenden – darauf hingewiesen werden, daß auch die führenden aktiven und international denkenden Köpfe der ökumenischen Bewegung zu Beginn unseres Jahrhunderts bezeichnenderweise vor allem aus den calvinistisch orientierten Kirchen kamen. Sitz des Weltrates der Kirche wurde denn auch nicht zufällig weder Rom noch Wittenberg noch Canterbury, sondern Genf. Und sein langjähriger Generalsekretär, Ehrenpräsident und späterer Genfer Ehrenbürger, wurde der holländische Reformierte Dr. Willem Visser't Hooft, eine der ganz wenigen wirklich epochalen Gestalten der Kirchengeschichte des 20. Jahrhunderts. Intensiv wurde er bei seinen Bemühungen um die Einheit der Kirchen unterstützt gerade von Canterbury, von jener Kirchengemeinschaft, die in der Reformationszeit noch einmal einen eigenen Weg gegangen war zwischen dem römischen Katholizismus und der lutherisch-calvinischen Reformation: den Kirchen der anglikanischen Gemeinschaft.

7. Der dritte Weg: der Anglikanismus zwischen den Extremen

Seit Gregors des Großen Zeiten hatte sich gerade die Ecclesia anglicana – im Mittelalter eine geographische Bezeichnung für die katholische Kirche in Anglia/England – mit den beiden Erzbistümern Canterbury und York an Rom gebunden gefühlt. Mit ihrer Klosterkultur und Gelehrsamkeit hatte sie im frühen Mittelalter die so bedeutungsvolle Mission auf dem europäischen Festland unter den germanischen Stämmen betrieben. Mit Anselm von Canterbury hatte sie im englischen Investiturstreit die Freiheit der Kirche verteidigt sowie die Scholastik eingeleitet! Doch war nicht gerade in dieser Kirche der Protest gegen das römische System früher und stärker laut geworden als auf dem europäischen Kontinent: als in Böhmen (mit Jan Hus) oder in Deutschland (mit Martin Luther)?

Bruch mit Rom, nicht mit dem katholischen Glauben

Schon im 14. Jahrhundert war ein Oxforder Professor, Bibelübersetzer und schließlich Wanderprediger namens **John Wyclif** (1328-84) aufgestanden und hatte einem erst national motivierten, dann aber religiös von der Bibel her fundierten Protest Stimme verliehen: gegen das Papsttum als Institution des Antichrists, gegen die schriftwidrige Hierarchie, gegen die päpstlich privilegierten Bettelorden, gegen unbiblische Bräuche von Heiligen- und Bilderverehrung bis zu Ohrenbeichte und Ablässen. Wyclif – mit seinem Verständnis der Kirche als »Gemeinschaft der Prädestinierten« ein »Vorreformator« und in vieler Hinsicht ein Calvinist vor Calvin! Insofern brachte die von Heinrich VIII. 1532-34 durchgesetzte Kirchengesetzgebung nur eine spätmittelalterliche Tendenz zur Nationalkirche zum Durchbruch, vollzog damit allerdings den **Bruch Englands mit Rom.**[103]

Es ist müßig, darüber zu spekulieren, ob dieser Bruch hätte vermieden werden können. Was wäre gewesen, wenn Papst Clemens VII. die (unkanonische, nur aufgrund päpstlichen Dispens' geschlossene und dem König verhaßte) **Ehe Heinrichs VIII.** (1509-47) mit der Spanierin Katharina von Aragon aufgelöst und dessen Vermählung mit der Hofdame Anna Boleyn zugestimmt hätte? Immerhin: Heinrich, früher einmal zum Kleriker bestimmt, hatte bis dahin keinerlei antirömische Tendenzen erkennen lassen. Im Gegenteil: Laientheologe, der er war, hatte er sich mit einer Schrift über die sieben Sakramente gegen Luthers »Von der Babylonischen Gefangenschaft der Kirche« als katholischer Apologet zu profilieren verstanden; war dafür von Papst Leo X. mit dem Titel eines »Glaubensverteidigers« (»Defensor fidei«) belohnt worden.

Papst Clemens VII. war denn auch in einer prekären Lage, als Heinrichs Ansinnen ruchbar wurde. Weder will er es mit dem englischen König noch mit dem mächtigen katholischen Kaiser verderben, dessen Tante Katharina von Aragon war. Er taktiert so lange, bis der faktisch absolutistisch herrschende König, ganz »Renaissance-Mensch«, die Geduld verliert und in einem Gewaltakt die englische Hierarchie nötigt, ihn als **Oberhaupt der Kirche Englands** (»Church of England«) anzuerkennen. Das war 1531. Zwei Jahre später erreicht Heinrich die Auflösung seiner Ehe sowie die Heirat mit Anna Boleyn; 1534 schließlich die formelle Anerkennung als »Oberstes Haupt auf Erden der Kirche von England«.

Daß Heinrich seine zweite Frau, die ihm die Prinzessin Elisabeth gebar, schon drei Jahre später wegen Hochverrats aufs Schafott schickt, noch vier weitere Ehen eingeht, alle Klöster aufhebt und das Klostergut an die Krone fallen läßt, ist hier nur insofern von Belang, als es aufzeigt: Heinrich VIII. ging es vor allem um die Ausweitung seiner Herrschaft, nicht um eine Reformation der Kirche. Gewiß: Seine »Reformation« war zweifellos nicht nur ein Ehescheidungsfall, wie oft von katholischer Seite dargestellt wurde. Aber sie war auch nicht, wie im protestantischen Deutschland, eine Volksbewegung, sondern zunächst vor allem ein Parlamentsentscheid, vom König durchgesetzt. Das Bedürfnis nach Reform war im englischen Volk sehr viel weniger verbreitet als auf dem Kontinent: »Die spätmittelalterliche Kirche war keine korrupte und repressive Institution, deren Mißbräuche radikale Reformen erforderten.«[104]

Heinrichs VIII. **anglikanische Staatskirche** wird denn auch in Lehre und Verfassung nicht etwa protestantisch nach deutschem Vorbild, sondern bleibt weithin katholisch. Trotz einiger evangelischer Anwandlungen denkt Heinrich nicht daran, reformatorische Bestrebungen zu fördern. Im Gegenteil: Durch das »Blutige Statut« von 1539 droht er allen grausame Strafen an, die sich gegen die Gültigkeit der Keuschheitsgelübde, gegen Privatmessen, Transsubstantiation und Ohrenbeichte sowie für Priesterehe und Laienkelch aussprechen. Einen Bruch also mit Rom nahm Heinrich in Kauf, nicht aber einen Bruch mit der römisch-katholischen Glaubenstradition! Der Hauptunterschied zwischen seiner Kirche und der des Papstes war, daß ehemals römische Jurisdiktion und Vollmacht jetzt voll beim König beziehungsweise dem Erzbischof von Canterbury lagen.[105]

Ein reformierter Katholizismus

Erst unter Heinrichs Nachfolger Edward VI. (1547-53), einem schwächlichen Knaben, sollte dies anders werden. Denn jetzt konnte der noch von Heinrich ernannte Erzbischof von Canterbury **Thomas Cranmer**[106] (uns schon bekannt als Korrespondent Calvins) das durchführen, was keinem Bischof in Deutschland gelang: eine **Reformation unter Beibehaltung der bischöflichen Verfassung**! Eine Reform der Lehre, der Liturgie und der Disziplin – jedoch ohne Preisgabe der traditionellen Amtsstrukturen.

Thomas Cranmer (1489-1556) spielte dabei zweifellos theologisch eine Schlüsselrolle. Schon früh war er von der Schriftwidrigkeit des päpstlichen Primats überzeugt, den er unter Berufung auf Röm 13 durch den Primat des Königs ersetzen wollte. Aber anders als der radikale Calvin war Cranmer, dieser geistige Architekt der englischen Reformation, nicht nur Bischof, sondern auch ein milder und behutsam vorgehender Gelehrter. Aufgrund seiner gründlichen theologischen Bildung an der Universität Cambridge verstand er es, verschiedene alte Liturgien der Christenheit so in einen einfachen englischsprachigen Gottesdienst umzuformen, daß die Laien zum erstenmal seit Jahrhunderten an der Liturgie aktiv teilnehmen konnten. Dies geschah durch Einführung des »**Book of Common Prayer**« (1549) nur zwei Jahre nach Heinrichs Tod als amtliches liturgisches Buch. Es brachte eine erhebliche Vereinfachung und Konzentration des Gottesdienstes und blieb bis in die 20er Jahre des 20. Jahrhunderts hinein in der anglikanischen Gemeinschaft identisch. Darüber hinaus ist Cranmer auch Hauptautor der »**42 articles**« (1552), die ein Glaubensbekenntnis mit evangelischer Rechtfertigungslehre und calvinistischer Abendmahlslehre darstellen. Beides blieb, nur wenig verändert, die Grundlage des anglikanischen Glaubens bis heute.

Auf diese innerkirchliche Reformation aber (begleitet allerdings von königlicher Mißwirtschaft) sollte bald eine **katholische Reaktion** folgen, und zwar durch jene Maria Tudor (1553-58), Tochter aus der Ehe Heinrichs VIII. mit Katharina von Aragon, welche die »Katholische« oder die »Blutige« genannt wird. Die Ehe mit Philipp II. von Spanien gibt ihr genügend politischen Rückhalt, um in England die päpstliche Jurisdiktion wiederherzustellen, eine schroffe Rekatholisierungspolitik zu betreiben, ja, alle Gegner zu verfolgen, von denen rund 300 standhafte Protestanten sogar hingerichtet werden. Auch Erzbischof Cranmer endet auf dem Scheiterhaufen und wird deshalb bis heute in der anglikanischen Kirche als Märtyrer verehrt. Dabei ist es kaum ein Trost, wenn man weiß, daß Marias Berater, der bedeutende Dominikanertheologe Bartolomé de Carranza, nach seiner Rückkehr aus England immerhin Erzbischof von Toledo, nun seinerseits von der spanischen Inquisition angeklagt wurde: wegen Lutheranismus, vor allem weil er die Bibellektüre durch Laien und

Theologie in der Volkssprache verteidigt hatte – mit dem Ergebnis, daß dieser Mann für volle 17 Jahre (fast bis zu seinem Tod) ins Gefängnis ging.[107]

Durch die Reformation war England faktisch gespalten. Zahlreiche englische Protestanten mußten damals nach Holland oder nach Genf fliehen. So auch der kommende Reformator Schottlands, **John Knox**, der von Genf aus sein vehementes Pamphlet »Erster Trompetenstoß gegen das monströse Weiberregiment« veröffentlicht, in welchem er angesichts dreier regierender Königinnen (in England, Schottland und Frankreich) die Herrschaft von Frauen als schlechthin schriftwidrig und naturrechtswidrig »aufwies«. Knox, dem die Feier einer katholischen Messe schlimmer war als ein Becher Gift, konnte nicht ahnen, daß das Erscheinen seiner Schrift mit einem Thron- und Konfessionswechsel in England zusammenfallen würde. Und daß es ausgerechnet wieder eine Frau sein würde, die das Ruder noch einmal herumwerfen würde – zugunsten der Reformation.

Denn 1558 kommt **Elisabeth I.** auf den Thron (bis 1603), Marias Halbschwester, Tochter Heinrichs VIII. aus der Ehe mit Anna Boleyn. Ein Jahr später stellt sie die Unabhängigkeit der anglikanischen Kirche von Rom wieder her, und zwar durch zwei Parlamentsgesetze, die man später das »Elizabethan settlement« nannte. Während Schottland sich nach der Rückkehr von John Knox (1560) radikal dem Calvinismus zuwendet und eine presbyterianische Kirchenverfassung einführt, gelingt es Elisabeth, in England all jene für sich zu gewinnen, die einen **reformierten Katholizismus** wünschen. Konkret heißt das: eine Kirche, die zwar in Liturgie und Gebräuchen sich reformiert, aber in Lehre und Praxis katholisch bleibt. Diese zwei Gesetze sind:

– der »Act of Supremacy«, das Oberhoheitsgesetz: Der Monarch (oder die Monarchin) ist zwar nicht »Haupt der Kirche«, wohl aber »oberster Regent des Staates (supreme governor) in ecclesiasticis et politicis«; ein Suprematseid wird gefordert; der Widerstand fast des gesamten Episkopats wird durch Einsetzung regierungstreuer Bischöfe gebrochen;

– der »Act of Uniformity«, das Uniformitätsgesetz: Die reformierte Liturgie Edwards VI. wird wiederhergestellt, das Prayer Book wieder eingeführt. Bilder, Kreuze, Priestergewänder und Kirchenmusik aber werden beibehalten.

Auch die 42 Artikel werden in der Folge überarbeitet und dabei vor allem die calvinische Abendmahlslehre gemildert. **39 Artikel** werden schließlich als das Glaubensbekenntnis der Anglikanischen Kirche vom Parlament genehmigt und bleiben bis heute die gültige Lehrgrundlage. So verfolgte Elisabeth gegenüber der Kirche eine kluge, vorsichtige Politik, distanziert gegenüber Rom, aber auch gegenüber Luthertum und Calvinismus (erst später schärfere Verfolgung der unterdrückten Katholiken und der heimlich zurückgekehrten Priester; in 44 Regierungsjahren »nur« 200 Hinrichtungen). Daß Pius V. die Königin aufgrund von Fehlinformationen über Erfolge von Aufständischen schließlich 1570 exkommunizierte und sie ihrer Thronrechte für verlustig erklärte, erwies sich politisch wie kirchlich als Fehlschlag, der die Katholiken Englands in einen Loyalitätskonflikt trieb und ihre äußere Lage erheblich verschlechterte. Die elisabethanische Zeit blieb als eine Blütezeit von Literatur, Theater, Musik und bildender Kunst in Erinnerung.

Die anglikanische Kirche verstand sich so von Anfang an als eine katholische, aber reformierte Gemeinschaft, als ein **dritter, mittlerer Weg zwischen den Extremen**. Vor allem zwei bedeutende englische Theologen haben ihn gewiesen: Bischof **John Jewel**, der als erster die Position der anglikanischen Kirche gegenüber der römischen Kirche methodisch begründet[108], und **Richard Hooker**, der auf der Linie Cranmers in Frontstellung gegen einen engen calvinistisch-biblizistischen Puritanismus die Via media der anglikanischen Kirche zum erstenmal systematisch darlegt.[109] Doch noch gab es zwei Gruppen in der Church of England, die mit dem »Elizabethan settlement« keineswegs versöhnt waren: Die einen wollten die Rückkehr nach Rom, die anderen eine noch radikalere Reform nach dem Vorbild Genfs. Die Würfel also waren noch nicht gefallen im Lande der Briten ...

Englands drei Optionen: Rom – Genf – Canterbury

Beide oppositionellen Gruppen hatten ihre geschichtlichen Chancen und haben sie auf ihre Weise genutzt. Konnten sie sich durchsetzen? Die verschlungenen Pfade der englischen Geschichte und Politik sind hier nicht nachzuzeichnen; geht es doch nur darum herauszuarbeiten, welchen Ort die anglikanische Kirche im Rahmen unserer Paradigmenanalyse einnimmt. Deshalb ist ein mehr systematischer Zugang nötig. Analysieren wir also knapp die drei zunächst noch durchaus offenen Optionen.

Option 1: Rückkehr nach Rom. Unter Jakob I. (1603-25), dem absolutistisch gesinnten Sohn Maria Stuarts, unter dessen Regierung William Shakespeare alle seine (nicht von reformatorischen Idealen getragenen) Dramen schrieb, der England und Schottland in Personalunion regierte und in die presbyterial verfaßte schottische Kirche wieder den Episkopalismus einzuführen versuchte, witterten die Katholiken noch einmal Morgenluft. Doch sie wurden enttäuscht. Aus der Erbitterung heraus kam es 1605 zur sogenannten **Pulververschwörung**, als katholische Extremisten Parlament samt König in die Luft zu sprengen planten, was aber vereitelt wurde. Damit hatten die Katholiken zunächst ihre geschichtliche Chance verspielt. Unter den Puritanern aber hielt sich der Verdacht, England solle schließlich doch wieder rekatholiziert werden. Und in der Tat wurde dies noch einmal versucht – doch erst nach der presbyterianisch-puritanischen Revolution, von der jetzt die Rede sein muß.

Option 2: Presbyterianisch-republikanische Herrschaft im Sinne Genfs. Durch eine Revolution gegen den Absolutismus der Stuarts und die englische Staatskirche kam es zu einer radikalen Reformation der englischen Kirche nach dem Muster der presbyterianischen Kirche Schottlands (John Knox!).[110] Hauptbetreiber waren jene Radikalen, die zumeist eine calvinisch-presbyterianische Theologie besaßen und sich **Puritaner, Independenten oder Kongregationalisten** nannten.[111] Sie lehnten jegliches Staatskirchentum ab und traten für Religionsfreiheit ein. Was für sie allein zählte, waren die autonomen (vom Staat unabhängigen) Gemeinden (»congregations«). Diese sind grundsätzlich gleichberechtigt; in ihnen gibt es keinen Unterschied zwischen Geistlichen und Laien; die Leitung geschieht durch von der Gemeinde gewählte Älteste (Presbyter) und Pastoren. Alle Christen sind ja nach dem Neuen Testament »die Heiligen«, und in ihrer Gemeindeversammlung dürfen alle reden, wie es ihnen der Geist eingibt, ohne vorgeschriebene Gebete oder Glaubensbekenntnisse.

Dieser »Kongregationalismus«, den es in England lange schon in jenen Kreisen gab, die eine enthusiastisch-puritanische Spiritualität pflegten, wird freilich erst dann zu einer durchschlagenden politischen Kraft, als der Bürgerkriegsgeneral **Oliver Cromwell** (1599-1658)[112] zur Revolution gegen Staat und Staatskirche antritt. 1642 gelingt es ihm, ein von enthusiastischer Frömmigkeit bewegtes und doch puritanisch diszipliniertes Heer aus Independenten zu sammeln. Militärische Leistungen bestätigen ihn in seinem gut calvinistischen Glauben an göttliche Auserwähltheit; das Parlamentsheer schließt sich ihm an. Cromwell gelingt es sogar, London zu besetzen, sich des Königs zu bemächtigen und das Parlament mit Waffengewalt von seinen königstreuen Mitgliedern zu »reinigen«: 1648, auf dem »Kontinent« das Jahr des Westfälischen Friedens! Ein Jahr später kommt König Karl I., Jakobs I. Sohn, aufs Schafott (150 Jahre vor der Französischen Revolution!), kurz danach werden Königtum wie Oberhaus abgeschafft. England ist Republik!

Doch das von Cromwell berufene, durch independente Gemeinden nominierte »**Parlament der Heiligen**« von 1653 besteht aus lauter schwärmerisch redenden und handelnden Independenten. Es ist völlig ineffektiv, so daß es schließlich von Cromwell persönlich auseinandergetrieben wird. Ein letztes Mal in der Geschichte Europas hat man versucht, das ganze gesellschaftliche System auf rein religiöser Basis aufzubauen und die Quadratur des Kreises zu schaffen: eine Art Theokratie auf parlamentarischer Grundlage, ein parlamentarisches Pendant zum Kirchenstaat! Das konnte auf Dauer nicht funktionieren. Und das Ende der protestantischen Republik kommt denn auch bald.

Oliver Cromwell hatte die Königskrone stets abgelehnt; nichts desto weniger regiert er auf Lebenszeit monarchisch und schließlich despotisch (mit ständiger Berufung auf »Gottes Willen«) als »Lord-Protektor« von England, Schottland und auch Irland, das unter Anrichtung eines furchtbaren Blutbades erobert wurde, dort unvergessen bis heute. Zwar betreibt Cromwell eine bewußt protestantisch orientierte Außenpolitik, setzt sich für unterdrückte protestantische Minderheiten (etwa die Waldenser in Savoyen) ein und wirkt in Deutschland, Holland und der Schweiz für den Zusammenschluß aller protestantischen Mächte. Doch am Ende stirbt er als vereinsamter, verdüsterter, von Verschwörern umgebener Diktator, dessen Erbe auch sein Sohn nicht zu bewahren vermag. Die auf seinen Tod folgenden Wirren führen 1660 zur Restauration der Stuarts, die der anglikanischen Kirche 1662 ihre alte Stellung wiedergeben. Cromwells presbyterianisches Republikexperiment hatte keine 15 Jahre gedauert. Seither sind in England die Furcht vor Revolution und die Abneigung gegen politische Utopien weit verbreitet.

Auch für die enthusiastisch-mystischen Nebenströmungen der Reformation selbst bedeuteten die Erfahrungen unter Cromwell einen Wendepunkt: vom militanten, ja militärischen Engagement zum Rückzug auf sich selbst, zur Verinnerlichung und zur Gewaltlosigkeit. Beeindruckendes Beispiel dafür ist die »Gesellschaft der Freunde«, spöttisch »**Quäker**« (enthusiastische »Zitterer«) genannt, die von einem einfachen Schuster namens George Fox (1624-80) ins Leben gerufen wurde. Nach einer kurzen enthusiastischen und bisweilen gewaltsamen Phase verlegten sie sich, jetzt selber verfolgt, als vom »inneren Licht« (»Christus in uns«) Erleuchtete ganz auf ein menschenfreundliches praktisches Christentum. Sie zeigen sich gleichgültig gegenüber Sakramenten, Liturgie, Glaubensbekenntnissen, wollen keine berufsmäßigen Pastoren, verwerfen Eid, Kriegsdienst und sogar das Lachen. Sie treten ein für unbedingte Wahrhaftigkeit und Einfachheit der Kleider und Lebensformen, später sogar in Amerika als erste für die Abschaffung der Sklaverei.

Erfolgreich waren die Puritaner vor allem in Englands **amerikanischen Kolonien.** Schon 1620 hatten unterdrückte englische Puritaner auf der »Mayflower« in der Bucht von Cape Cod (Massachusetts) eine Gemeinde der Auserwählten gegründet, andere heilige »commonwealths« finden sich in Virginia, Connecticut, Pennsylvania ... Kein Wunder, daß in den ursprünglichen 13 Kolonien Englands schließlich um die 85% puritanischen Geistes waren.

Option 3: Die episkopalistische Staatskirche. 1660 wieder an die Macht gelangt, richteten die Stuarts (Karl II. - Jakob II.) nicht nur die anglikanische Episkopalkirche wieder auf, sondern beginnen zugleich die protestantischen Dissenters im eigenen Land rücksichtslos zu verfolgen. Zu Tausenden wanderten diese ins Gefängnis. Die Katholiken dagegen behandelten sie mit verdeckter und dann offener Sympathie. Gegen die erneute Gefahr der Rekatholisierung erfolgte 1688 die »Glorious Revolution«. Auf den Thron kommt jetzt Jakobs niederländisch-protestantischer Schwiegersohn **Wilhelm III.** von Oranien. Erst jetzt ist die Reformation in England definitiv etabliert.

Wilhelm erläßt schon im folgenden Jahr im Einvernehmen mit dem Parlament die **Toleranzakte** (1689), die zum erstenmal in der europäischen Geschichte die **Gewissensfreiheit** zum Gesetz erhebt. Diese gilt allerdings nicht für Katholiken und Antitrinitarier, wohl aber für alle protestantischen Dissenters. Zwar dürfen diese nach wie vor nicht Parlamentsabgeordnete, Staats- und Gemeindebeamte werden, auch keine Universitäten und Schulen besitzen, haben aber jetzt wenigstens das Recht auf einen öffentlichen Gottesdienst. So entwickeln sich aus den unterdrückten Oppositionsparteien innerhalb der anglikanischen Staatskirche allmählich **selbständige Denominationen neben der Staatskirche**: freie Kirchen, **Freikirchen**, die jegliches Staatskirchentum verwerfen und mit der Religionsfreiheit die Autonomie der »Kongregation« oder der Einzelgemeinde verlangen. Diesen »Kongregationalisten« – zusammen mit den Täufern (Baptisten) und später vor allem den Methodisten – sollte in den Vereinigten Staaten von Amerika die Zukunft gehören.

Wie der Anglikanismus zwei Paradigmen verbindet

Gut hundertfünfzig Jahre nach Heinrich VIII. hatte sich die **anglikanische Kirche** endgültig konsolidiert und eine **Grundstruktur** gefunden, die auch in den folgenden Jahrhunderten Bestand hatte: nicht nur in England, sondern auch in der episkopalistischen Kirche der Vereinten Staaten (getrennte Organisation seit 1789!) und schließlich in der weltweiten »anglikanischen Gemeinschaft« (»Anglican Communion«), wie sie sich im 19. Jahrhundert durch Auswanderung von Engländern in die neuerworbenen Kolonien und den Erfolg der anglikanischen Missionsarbeit (mit Hilfe großer Missionsgesellschaften) in der nichtchristlichen Welt herausbildete.

In origineller Weise hatte die anglikanische Kirche von Anfang an **Elemente des mittelalterlich-katholischen** (P III) **und des reformatorisch-protestantischen Paradigmas** (P IV) **integriert**, was den Anglikanismus jetzt endgültig als »**dritten Weg**« zwischen römischem Katholizismus und Protestantismus auswies. So hätte vielleicht die ganze katholische Kirche aussehen können, wenn sich Rom nicht von vornherein dem Anliegen Luthers verschlossen hätte. Der Anglikanismus ist, gut englisch, ein den Extremen abgeneigtes mittleres Modell von Kirche. Das sind seine prägenden Strukturen:[113]

– **Schrift und zugleich die Tradition**: Anglikaner glauben, daß die Bibel alles enthält, was zur Erlangung des Heiles notwendig ist.[114] Doch zugleich sind sie überzeugt von der Bedeutung einer kontinuierlichen Tradition, die trotz aller Brüche und Wechselfälle der Kirchengeschichte bis in die alte ungeteilte Kirche der Kirchenväter, ja, in die Kirche des Neuen Testaments selber zurückreicht. Schon Richard Hooker hatte die spezifisch anglikanische Hermeneutik ausführlich begründet: Die Wahrheit der Schrift gilt, wo immer sie unzweideutig und klar ist; wo aber nicht, muß sie durch die kirchliche Tradition ausgelegt oder muß zur Klärung ein drittes Element in Anschlag gebracht werden: die Vernunft. Was den zentralen Streitpunkt der Rechtfertigungslehre betrifft, erklären sich die 39 Artikel für die Rechtfertigung durch den Glauben allein, betonen aber gleichzeitig die Bedeutung der Werke.

– **Traditionelle liturgische Ordnung und zugleich flexible Reform**: Konzentration und Vereinfachung in biblisch-altkirchlichem Geist ist die Leitlinie des Book of Common Prayer, das zugleich Revisionen und Anpassungen erlaubt. Getreu der Schrift stehen Taufe, Eucharistie und Gebet im Vordergrund. Biblisch nicht begründete »Sakramente« werden aufgegeben oder bestenfalls als kirchliche Bräuche beibehalten. Nur in wenigen Kirchen wird so viel auf die öffentliche wie private Lektüre der Heiligen Schrift Gewicht gelegt wie in der anglikanischen und doch zugleich die Festlichkeit, Freudigkeit und Musikalität der Liturgie gefördert. In evangelischem Geist erneuerte Gottesdienste gibt es für den Morgen, den Mittag und, besonders beliebt, den Abend (»evensong«) – ohne übertriebene liturgische Uniformität.

– **Bischöfliche Amtsstruktur und zugleich weitherzige Toleranz:** An der Ordination der Priester und der apostolischen Sukzession der Bischöfe wird festgehalten. Wichtig für das anglikanische Zusammengehörigkeitsgefühl in aller Welt ist die Loyalität zum jeweiligen Erzbischof von Canterbury, der keine eigentlich legislative oder exekutive Macht außerhalb seiner Diözese besitzt, der aber die Einheit der Gesamtkirche in Raum und Zeit sichtbar repräsentiert und mit dem alle anglikanischen Bischöfe bis heute als dem Primus inter pares Gemeinschaft und so Gemeinschaft auch untereinander halten.

Zugleich aber zieht man die Grenzen des Dogmas und der Lehre weit: Die 39 Artikel müssen nur Kleriker sich zu eigen machen und auch sie in einem mehr allgemeinen Sinn. Religionsfreiheit für die Dissidenten ist ebenso Konsequenz dieser Haltung wie der Raum für die verschiedenen Strömungen innerhalb der einen anglikanischen Kirche: High Church (mit katholischem Charakter), Low Church (evangelisch-biblizistisch) und Broad Church (aufgeklärt liberal). Bis heute bestehen diese Strömungen fort: als Anglo-Katholiken (welche die Kontinuität mit der mittelalterlichen und alten Kirche und ihre Einheit in Gottesdienst und Lehre betonen); als Evangelikale (welche die Notwendigkeit steter Erneuerung, heute »methodistisch«-individualistisch durch die Erfahrung von Gottes Gnade in Christus und dem Geist, als das wichtigste ansehen); als Liberale (welche gegen alle Enge und dogmatische Verfestigung für Offenheit gegenüber den modernen Erfordernissen eintreten für Bibelkritik und Sozialarbeit). Und bis heute zeichnet sich die anglikanische Kirche aus durch solide Theologie (bedeutende Gelehrte besonders in Exegese, Patristik, Kirchengeschichte, Dogmatik und Ethik), aber auch durch gute Organisation mit starker Laienrepräsentanz und ausgedehnte Bildungs- und Sozialarbeit.

Zusammen mit dem britischen Weltreich hat sich auch die anglikanische Kirche in alle Weltteile ausgebreitet, namentlich in Nordamerika, Australien, Neuseeland und Südafrika. Normalerweise brachte sie dabei unterschiedlichen kirchlichen Gemeinschaften und Gruppen sehr viel mehr Toleranz entgegen als die kontinentaleuropäischen Kirchen. Gewiß gibt es auch in der komplexen anglikanischen Kirchenstruktur Reibungen und Spannungen, vor allem zwischen einheitsbetonenden und zentrifugalen Kräften, da ja die anglikanische Kirche kein unangefochtenes organisatorisches Zentrum hat, von dem aus alle wichtigen Fragen entschieden werden. Überhaupt ist das anglikanische Modell von Kirche nicht frei von immanenten Problemen, die man in ökumenischer Offenheit ansprechen muß.

Rückfragen an den Anglikanismus: Staatskirche – Bischofskirche?

In der Tat: Die Geschichte der anglikanischen Kirche selbst zeigt, daß die mittlere Position zwischen Katholizismus und Protestantismus ihre eigenen Probleme hat, die sich bis in die Gegenwart durchgehalten haben. Sie betreffen vor allem die beiden Problemfelder Staatskirche und Bischofskirche.

a) **Staatskirche für immer?** Staatskirchenrechtliche Perspektiven

Die Problematik der Staatskirche (»the Church established by law«) zeigt sich schon beim großen Architekten der anglikanischen Reformation, bei Erzbischof **Thomas Cranmer**: Seine reformatorische Mäßigung wird mit Recht allenthalben gerühmt. Aber erwies er sich dabei nicht allzusehr als gefügiges Werkzeug seines Königs? Kaum zum Erzbischof geweiht, scheidet er Heinrichs VIII. erste Ehe und krönt dessen zweite Frau – um drei Jahre später auch Heinrichs zweite Ehe und wiederum vier Jahre später seine dritte aufzulösen. Derart involviert war er in die persönliche Geschichte seines Königs, daß man nur ihm zutraute, den immer unbeherrschteren König über den Ehebruch seiner leichtlebigen zwanzigjährigen fünften Frau aufzuklären, die daraufhin ebenfalls ihr Leben verwirkt hat. Cranmer begleitet seinen König treu bis zu dessen Tod. Doch gerade wenn Cranmer seine politische Gefügigkeit mit religiösen Motiven begründet – Gehorsam gegenüber der von Gott eingesetzten Obrigkeit (Röm 13): Erscheint seine Angepaßtheit nicht in einem um so fataleren Licht, als sie sich aus der Theologie des Paulus und überhaupt des Neuen Testamentes keineswegs ableiten läßt?

Hier muß nun doch als Gegenpol eines Mannes gedacht werden, der in der anglikanischen Kirche und Literatur allzuoft verschwiegen oder vernachlässigt wird, heute aber als einer der größten Engländer weltweit anerkannt ist: Sir **Thomas More** (Morus)[115]. Er war zur Zeit Heinrichs VIII. der Speaker des House of Commons und dann Lordkanzler. Auch er war anfangs ein Freund des Königs. Zugleich war er als gelehrter Humanist ein Freund des Erasmus von Rotterdam, der ihn denn auch einen »omnium horarum homo«, einen »Mann für alle Stunden« (»a man for all seasons« in Robert Bolts Film 1960) nannte, einen Mann also, der nicht nur in Schönwetterperioden, sondern auch in schlechten, düsteren Zeiten zu seinen Überzeugungen stand. Dieser Thomas More paßte sich nicht wie Cranmer an, sondern wurde am Ende für seine Überzeugung von Heinrich aufs Schafott geschickt. Und man kann sich denken, daß der Fall des

Thomas More für den Anglikanismus eine schwere Belastung bedeutete und bedeutet.

Nun gilt es freilich zu differenzieren. Zugegeben: Man kann Thomas More einer allzu unkritischen Identifikation mit dem Primatsanspruch des Papstes bezichtigen, dessen Fragwürdigkeit Cranmer früh durchschaute. Man kann seinen – höchst überlegten, passiven und keineswegs provokativen! – Widerstand gegen den König auf eine defiziente kritische Theologie zurückführen, wie sie der Theologe Cranmer im Geiste des reformatorischen Schriftprinzips für sich zweifellos erarbeitet hatte. Und doch: Läßt sich leugnen, daß Thomas More anders als Cranmer

– eine **Freiheit des Gewissens** gegenüber der höchsten politischen Autorität an den Tag legte, die sich nur mit Luthers Kampf um die Gewissensfreiheit vor Kaiser und Papst vergleichen läßt?

– um die **Einheit der Kirche** rang, die ihn am selben 16. Mai 1532 als Lordkanzler zurücktreten läßt, da die Versammlung der Erzdiözese von Canterbury der Krone durch ein Dokument zusichert, daß sie künftig nie Gesetze verabschieden oder auch nur zusammenkommen werde ohne Zustimmung des Königs?

– eine im Glauben verwurzelte **Widerstandskraft** gegen einen despotischen Staatsführer zu mobilisieren vermochte, die ihn zu humorvoller Gelassenheit bis auf das Schafott befähigte?

Dies alles steht in scharfem Kontrast zu jenen Kirchenmännern, die zwar theologisch eine andere als die römische Staats-Kirchen-Beziehung gut begründen konnten, es aber ohne ein Wort des Widerspruchs hinnahmen, daß ihr oberster politischer Führer (von vielen immer mehr als Narr oder Monster oder beides angesehen) nicht nur einige seiner Frauen und alten Freunde hinrichten läßt, sondern auch weitere 50 »Verräter« und schließlich Mitglieder der Familie Pole (aus der Kardinal Reginald Pole stammte) und Courtenay, da sie wegen ihres königlichen Blutes der geschwächten Dynastie Tudor hätten gefährlich werden können. In der Tat, Sir Thomas More hat in seiner letzten Verteidigungsrede vor Gericht (unter seinen Richtern waren Vater, Bruder und Onkel der Anna Boleyn!) die Einheit der Kirche (»zur Entlastung seines Gewissens«) als Hauptmotiv seines Dissenses angegeben. Und er starb – noch auf dem Schafott mit Humor Herr der Lage, die Zuschauer ansprechend – »im Glauben und für den Glauben der katholischen Kirche, als der treue Diener des Königs, aber Gottes zuerst«. Sein Tod war ein Schock für ganz Europa. Es ehrt die englische Nation, daß sie neuerdings Sir Thomas More durch Monumente im englischen Parlament und im Tower ihren Respekt erwies.

Ob Thomas Mores **Widerstand gegen Herrscher- und Staatswillkür**, zwar nicht als Konstitutiv, wohl aber als Korrektiv, im Rahmen der Verfassung der anglikanischen Kirche nicht ernst genommen werden müßte, um einen wirklichen dritten Weg darzustellen? Widerstand gegen den Papst, gewiß, wo immer dieser die Sache des Evangeliums oder der Menschenrechte mißachtet. Aber doch auch Widerstand gegen den Staat nicht weniger, wo immer dieser die Freiheit des Gewissens ignoriert und die Menschenrechte mit Füßen tritt. Solcher Widerstand, sagt man, sei nur ausnahmsweise geboten gewesen. Ob es aber mit der allgemeinen Auskunft getan ist, man respektiere die staatliche Autorität, aber man füge sich ihr nicht?

Schon Richard Hooker, der große Systematiker der anglikanischen Kirche, hat auf die Einheit von Kirche und Staat höchstes Gewicht gelegt. Und die Kirche ist denn auch mit dem Leben der englischen Nation eng verbunden. Bis heute ernennt formell der regierende Monarch (Monarchin) alle Bischöfe und Dekane, bis heute gibt es keine kirchenrechtliche oder liturgische Änderung ohne Zustimmung von Parlament und Monarch, bis heute haben einige Bischöfe einen Sitz im Oberhaus. Ist aber andererseits, könnte man fragen, eine stärkere Distanz von Kirche und Staat nicht wichtig, wenn die Kirche ihre prophetische Sendung überhaupt noch erfüllen soll? Immerhin steuert der englische Staat nichts zur Finanzierung seiner Kirche bei, die seit dem Mittelalter über reiche Stiftungen und Pründen verfügt. Noch immer ist die Church of England die Kirche des englischen Volkes, wenngleich manche Bürger sie nicht als solche erfahren. Eine totale Trennung von Kirche und Staat wird also von der Mehrheit kaum gewünscht und hätte für Staatskirche, für Staat und Gesellschaft schwerwiegende Auswirkungen: nicht nur für Staatsrituale wie die Krönung, sondern auch für die Vermögensverhältnisse von Kirche und Staat. Trotzdem wäre wohl auch nach der Ansicht vieler Anglikaner statt einer solchen Einheit von Staat und Kirche eine stärkere (nicht feindliche) Distanz und somit eine gewisse Entflechtung auf längere Sicht die bessere Lösung.

b) Nur Bischofskirchen? Ökumenische Perspektiven

Annahme des **Alten und Neuen Testaments** als Glaubensregel, nizänisches und apostolisches **Glaubensbekenntnis**, die Sakramente der **Taufe** und **Eucharistie** und der geschichtliche **Episkopat**: dies sind die vier für das Leben der anglikanischen Kirche unverzichtbaren Elemente, die auch die Basis für alle Einigungsbestrebungen der anglikanischen Gemeinschaft mit anderen Kirchen zu sein haben. So wurde dies ganz auf der Linie der anglikanischen Tradition zuerst in Chicago 1886 und dann leicht verändert durch die Lambeth Conference der Anglican Communion 1888 als sogenanntes »Lambeth Quadrilateral« akzeptiert. Doch während die ersten drei Elemente weithin akzeptiert sind, bildet die Forderung, der Episkopat habe als Basis der Kirchenverfassung zu dienen, die Hauptschwierigkeit für eine Versöhnung mit den protestantischen Kirchen, die kein Bischofsamt haben. Zu Recht?

Daß die »Lord Bishops«, im Oberhaus vertreten, eindeutig zu den obersten Klassen gehörten, ergab sich aufgrund der Verfaßtheit der anglikanischen Kirche wie von selbst, bildete aber auch den sozialen Hintergrund der Entstehung der wichtigsten Oppositionsbewegung im englischen 18. Jahrhundert, des **Methodismus**[116] – auch dies zuerst (wegen des sehr methodischen Lebens und Lehrens) ein Spottname. Der anglikanische Geistliche **John Wesley**[117] wandte sich aufgrund eines Bekehrungserlebnisses anläßlich der Behandlung von Luthers Vorrede zum Römerbrief in seiner Verkündigung zuerst in den Kirchen und dann unter freiem Himmel an die »outcasts«, die Ausgestoßenen und Erniedrigten. Zusammen zuerst mit George Whitefield, dann vor allem mit seinem Bruder Charles, dem Hymnenkomponisten, bildete er eine »Society« im Rahmen der bischöflichen Staatskirche. Diese bestand aus nur wenigen Priestern, dafür aus vielen Laien und Laienpredigern, die in einer Zeit der wirtschaftlichen Depression dem armen Volk geistig und sozial zu überleben halfen durch die Predigt vom Heiligen Geist, der den Glauben stärkt und Gewißheit schenkt, und durch ein von daher verändertes, wohlgeordnetes, »methodisches« Leben.

John Wesley hatte seine Bewegung als inneranglikanische Gruppe unter anglikanischen Bischöfen verstanden und nur in Amerika mangels anglikanischer Bischöfe aus der Not heraus unter Berufung auf die frühchristliche Praxis zwei Bischöfe für die Methodisten ordiniert. Nach Wesleys Tod wurden die Spannungen in England zur Bischofskirche so stark, daß es zur **Trennung** kam. Die wohlsituierten Bischöfe schlossen sich in England der neuen Reformationsbewegung so wenig an wie früher in Deutschland der Reformationsbewegung Luthers. So war denn die methodistische Erweckungsbewegung zwar straff organisiert durch eine zentrale Autorität mit einer effektiven lokalen Organisation, aber sie war in England anders als in Amerika nicht bischöflich verfaßt; wo Bischöfe eingesetzt wurden, standen sie naturgemäß nicht in der »apostolischen Sukzession«.[118] Trotzdem breitete sich der Methodismus rapide aus, vor allem in Nordamerika, wo die Methodisten auch an der New Frontier, im »wilden Westen«, unter freiem Himmel predigten. Was einem vornehmen episkopalischen Priester oder Bischof nie eingefallen wäre, wurde so zu einem »Markenzeichen« für die methodistische Kirche. Und diese ihre Volksnähe war zugleich eine glänzende »Investition« in die Zukunft. Denn schon Mitte des 19. Jahrhunderts war der Methodismus in Amerika die größte Einzelkirche unter allen christlichen Kirchen.

Mit den Anglikanern teilen die Methodisten bis heute die Hochschätzung nicht nur der Bibel, sondern auch der christlichen Tradition, ohne aber auf einer lehrmäßigen Konformität zu insistieren und sich für theologische Spekulationen zu interessieren. Was sollte also heutzutage die von beiden intensiv **angestrebte Wiedervereinigung** von anglikanischer und methodistischer Kirche hindern? Das zum Teil fehlende Bischofsamt oder die fehlende apostolische Sukzession dürften für sie kein Hindernis sein, wenn man, wie es dem Selbstverständnis beider Kirchen entspricht, an der neutestamentlichen Kirchenverfassung Maß nimmt. Diese kennt ja – wie wir sahen – neben der Ordination durch Handauflegung des Amtsträgers auch die Ordination durch die Gemeinde oder das freie Aufbrechen eines Charismas. Akzeptiert man diese beiden Grundmodelle, würde der anglikanischen Bischofskirche nicht etwa zugemutet, für sich selber Bischofsamt und apostolische Sukzession aufzugeben, was ja zweifellos ein wichtiges theologisches Zeichen der Kontinuität der Kirche durch die Zeiten ist, für deren Beibehaltung überdies auch vieles praktisch spricht. Es würde der anglikanischen Kirche nur zugemutet, daß sie – gut biblisch – auch andere Wege in das kirchliche Amt als theologisch legitim und kanonisch gültig anerkennt. Die Anglican Communion könnte damit ihre schon jetzt sehr gewichtige vermittelnde Stellung und einheitstiftende Funktion im Weltrat der Kirchen verstärken. Doch dies ist nur die eine Seite der Problematik.

Die Chancen des Anglikanismus: Rückfragen an Katholiken

Unübersehbar ist: Die anglikanische Kirche mit ihrer Lehre und Praxis stellte schon immer eine **Herausforderung für die katholische Kirche** dar, die im mittelalterlichen Paradigma verharrt und die berechtigten Anliegen der Reformation zu ignorieren versucht. Auch dies muß in ökumenischer Offenheit angesprochen werden. Denn bis heute verhindert das römische System die Lösung der diesbezüglichen Fragen und gibt so zunehmend Anlaß zu ständigen Irritationen, polarisierenden Spannungen, ja, einer verdeckten Kirchenspaltung zwischen einer »Kirche von oben« (»Rom«) und einer »Kirche von unten« (»Basis«). Im Licht der anglikanischen Tradition stellen sich folgende Fragen an das römische System:

– Warum soll nicht auch in römisch-katholischen Diözesen die selbständige **Wahl der eigenen Bischöfe** (wie vor allem in den amerikanischen Episkopalkirchen) durch repräsentative Organe des Klerus und der Laien möglich sein?
– Warum soll die **Bestätigung** der Wahl eines Bischofs durch die nationale Bischofskonferenz nicht ausreichen?
– Warum soll für Fragen der zeitgemäßen **Lehre** und der religiösen **Erziehung** (»Katechismus«) nicht die nationale oder regionale Kirche zuständig sein können?
– Warum soll nicht eine Aus- und Umgestaltung der **Liturgie** in Anpassung an die offenkundigen Bedürfnisse im eigenen Land vorgenommen werden dürfen?
– Warum soll nicht jede nationale Kirche ihre eigene **Disziplin** auf die örtlichen Umstände und sozialen Zustände abstimmen dürfen, so daß – wenn ein weltweiter Konsens vorläufig nicht erzielt werden kann – im einen Land etwa die »Frauenfrage« (Ordination vor allem) früher als anderswo gelöst werden könnte: nach gründlicher theologischer Klärungsarbeit, nach geziemender Beratung und in geordneten Entscheidungsprozessen selbstverständlich?
– Warum soll eine Kirche in ihrem Land mit anderen Kirchen nicht schon **Eucharistiegemeinschaft** aufnehmen dürfen, wenn sie selber die Differenzen als bereinigt ansieht?

In allen diesen Punkten könnte die anglikanische Gemeinschaft für die römisch-katholische Kirche ein Vorbild sein. Natürlich kann durch größere Freiheiten die Einheit gefährdet werden, und man wird (auch dies ist anglikanische Tradition) behutsam darauf achten, daß man in Zeiten beschleunigten sozialen Wandels nicht leichtsinnig kostbare traditionelle Elemente aufgibt. Hier ist der Anglikanismus auch eine **Mahnung an einen individualistischen Protestantismus**, der der Gefahr des Schwärmertums stärker ausgesetzt ist als andere christliche Traditionen und der das Chaos, ja, den frommen Terror »puritanischer« Gruppen kennengelernt hat (Cromwell und die Folgen). Gerade die **Geschichte der anglikanischen Kirchengemeinschaft vermag Katholiken zu zeigen,**
– daß die »Anglican Communion« trotz lockerer Strukturen einen viel stärkeren Zusammenhang aufweist als andere protestantische Bekenntnisfamilien, die erst in neuer Zeit konfessionelle »Weltbünde« (lutherischer, reformierter) gründeten;
– daß flexible Strukturen und mehr konsultative, beratende Organe viele Vorteile haben gegenüber einem zentralistisch-kurialen System;

– daß auch neue Glaubensbekenntnisse (über die 39 Artikel hinaus oder an ihrer Stelle) die Kirchengemeinschaft nicht zu sprengen brauchen, vielmehr Ausdruck sind einer biblisch legitimen lebendigen Glaubensvielfalt;
– daß liturgische Revisionen zwar zu einer Vielfalt liturgischer Formen führen, doch deshalb ein gemeinsamer Gottesdienst und ein Zusammengehörigkeitsgefühl mit anderen Mitgliedern der Kirchengemeinschaft nicht verunmöglicht werden;
– daß regionale oder nationale Eigeninitiativen auf umstrittenen Gebieten wie etwa der Frauenordination oft die einzige Möglichkeit sind, um überhaupt etwas zu bewegen und mit der Zeit zu einem neuen Konsens zu gelangen;
– daß die Aufnahme von Gemeinschaftsbeziehungen zu anderen Kirchen im einen Land die Beziehungen zur eigenen Kirche in anderen Ländern nicht zu stören oder gar zu zerstören brauchen.[119]

Gewiß, man kann im einzelnen viele Abweichungen vom anglikanischen Ideal feststellen. Aber es läßt sich doch nicht übersehen, daß sich diese komplexe und verhältnismäßig ausgeglichene Kirchenstruktur durch die Jahrhunderte in einem erheblichen Ausmaß bewährt hat. Auch in einer Frage, die zu den umstrittensten gehört: die Frage der Ordination für Frauen. Denn trotz großer Schwierigkeiten hat die Church of England diese Frage 1994 endgültig positiv entschieden und dabei sogar die Abwanderung eines winzigen konservativen Teils ihres Klerus in die römisch-katholische Kirche in Kauf genommen, unter anderen den früheren anglikanischen Bischof von London, Dr. Graham Leonard. Daß dieser am 23. April 1994 »sub conditione« (»unter der Bedingung«, daß er nicht schon vorher gültig ordiniert war) zum katholischen Priester ordiniert werden konnte, macht deutlich: Auch nach römischer Auffassung kann die lange behauptete Ungültigkeit anglikanischer Weihen nicht mehr länger automatisch unterstellt werden. Umgekehrt hat das durch den mutigen anglikanischen Schritt ausgelöste Apostolische Schreiben Johannes Pauls II. »Ordinatio sacerdotalis« vom 22. Mai 1994, das in quasi-unfehlbarer Manier »definitiv« für alle Zeiten Frauen von der Priesterweihe ausschließen möchte, erst recht eine Lawine innerkatholischen Protests und erneuter Diskussion ausgelöst. – Doch die hiermit aufgebrochenen Grundfragen müssen uns jetzt noch weiter beschäftigen. Im Rahmen unserer Paradigmenanalyse haben wir uns zu fragen, was der reformatorische Paradigmenwechsel für die Frau in Kirche und Gesellschaft bewirkte, um zu verstehen, welchen langen Weg man auch im angelsächsischen Bereich noch brauchte, um zu einer konstruktiven Lösung vorzudringen.

8. Die Zwitterstellung der Frau im Zuge der Reformation

Mit dem Augsburger Religionsfrieden von 1555 zwischen lutherischen und katholischen Territorialfürsten (auch das Konzil von Trient endete 1563) war die eigentliche Reformationszeit vorbei und für den Protestantismus das Zeitalter der Orthodoxie angebrochen. Die gewaltigen Antriebe der Reformation (P IV) und die Gegenwehr des Katholizismus (P III) hatten sich gegenseitig zu neutralisieren begonnen, was zugleich zu einer inneren Stabilisierung führte. Die Landesherren durften jetzt die Religion ihrer Untertanen bestimmen. Zu einem neuen epochalen Paradigmenwechsel kam es nicht, nur zur Weiterentwicklung des überkommenen Paradigmas: Das orthodox-protestantische Paradigma – ob lutherischer oder calvinistisch-reformierter Herkunft – verhielt sich jetzt zu dem der Reformation ähnlich wie das gegenreformatorisch-römisch-katholische zu dem des Mittelalters: Es blieb jetzt aufs Ganze gesehen ein **Paradigma der Konservierung**. Symptomatisch zeigt sich dies in der Frage nach der Stellung der Frau in Kirche und Gesellschaft.

Die veränderte Situation der Frau

Martin Luther wollte eine Rückkehr zum Evangelium. Hatte dies auch Konsequenzen für die Stellung und Rolle der Frau in Kirche und Gesellschaft? War die im Galaterbrief des Apostels Paulus (3,28) konstatierte Gleichheit von Mann und Frau vor Gottes Angesicht auch kirchlich-gesellschaftlich wirklich gegeben? Das heißt: Ist die wahre Gleichstellung der Frau mit dem Mann im Geist des Neuen Testaments, die schon in der frühen Kirche (P II), wie wir sahen, verhindert wurde, wenigstens im Zeichen der Reformation erreicht worden? Angesichts all der Verschiedenheiten von Land, Stand, Bildung, Glaubensrichtung und persönlicher Umstände der einzelnen Frauen kann eine Antwort auf diese Fragen im Rahmen unserer Paradigmenanalyse nur sehr grundsätzlich erfolgen.

Es muß zunächst anerkannt werden, daß die Stellung der Frau nicht nur in der Kirche, sondern auch in der Gesellschaft durch den mit der Reformation eingetretenen Paradigmenwechsel verändert wurde. Denn was charakterisiert die **neue Konstellation** (P IV), in der nun die Frau in den Gebieten der Reformation zu leben hat? Aufgrund der früheren Darlegung über die Frau im römisch-katholischen Paradigma des Mittelalters (P III) versteht man sofort, wie epochal die Veränderungen sind:

- Der mittelalterliche Vorrang der Ehelosigkeit wird jetzt ersetzt durch die **Aufwertung der Ehe**, der Primat der Priesterweihe durch den des alltäglichen Familienlebens, das Ideal der Nonne durch das der Ehefrau und Mutter, die Verteufelung der Sexualität durch ihre Bejahung als eines (in der Ehe zu befriedigenden) menschlichen Naturtriebs (auch wenn nicht der Kinderzeugung dienend).

- Das Klosterwesen wird ebenso abgeschafft wie das Eheverbot für Priester; dafür eröffnet die **Pfarrerehe** der Frau in der konkreten Gemeinde ein völlig neues Betätigungsfeld (Vorbild: Luthers Frau Katharina).
- Der Marienkult, der die Jungfrau-Mutter Maria auf Kosten anderer Dimensionen des Weiblichen idealisierte, tritt zurück zugunsten eines – schon seit der Laienkultur (Minnesang) des 12. Jahrhunderts und der Renaissance sich abzeichnenden – **weltlichen Frauenideals.**

Mit anderen Worten: Für den ganzen reformatorischen Bereich ist **die von Priestern, Mönchen, Nonnen und deren Enthaltsamkeitsideal bestimmte Welt zusammengebrochen** – und dies definitiv; Ausnahmen heute bestätigen die Regel. Dies ist nur ein Exempel gegen die törichte Auffassung, die Geschichte sei stationär, alles käme wieder, und jede Entwicklung könne schließlich wieder rückgängig gemacht werden. Nicht zu übersehen ist auch die sozialpsychologische Veränderung der Gemeindestruktur: Bei nun verheirateten Pfarrern fällt die in römisch-katholischen Gemeinden zumeist gegebene bewußt-unbewußte Ausrichtung des weiblichen Teiles der Gemeinde auf den einen unverheirateten »Geistlichen« (Pfarrer, Mönch) ebenso weg wie die oft damit ebenfalls gegebene bewußt-unbewußte Distanziertheit des männlichen Teils.

Es war eines der zahlreichen Verdienste **Martin Luthers**, daß er in seiner Theologie mehr als seine Vorgänger **das Menschsein in seiner Leiblichkeit und Geschlechtlichkeit** gesehen hat: Die Gemeinschaft von Mann und Frau und die Beziehung der Frau zu Mann und Kindern sind für Luther ein Grunddatum menschlicher Existenz. Die evangelische Theologin Gerta Scharffenorth umschreibt die Position Luthers wie folgt:
– »Mann und Frau als Gottes Kreatur sind gemeinsam zum Bilde Gottes geschaffen; Leiblichkeit und Geschlechtlichkeit stehen nicht in ihrem Verfügen; sie sind Gottes Gabe und als solche zu achten.«[120]
– Aus dem Schöpfungsauftrag Gottes ergibt sich eine »gemeinsame Verantwortung von Mann und Frau«: »für die Schöpfung, für den Zusammenhalt aller Lebensbereiche und für menschenwürdige Lebensbedingungen der kommenden Generation«[121]. Diese nehmen sie vorwiegend im Vater- und Mutterstand wahr, der allen anderen geistlichen und weltlichen Ständen vor- und übergeordnet ist.
– Durch die Taufe sind Frauen und Männer dazu bestimmt, »Freunde in

Christus zu werden«[122]. Luther wörtlich: »Sintemal alle getauften Weiber aller getauften Männer geistliche Schwestern sind, als die einerlei Sakrament, Geist, Glaube, geistliche Gaben und Güter haben, damit sie viel näher im Geist Freunde werden denn durch äußerliche Gevatterschaft«[123].

Es ist von daher keine Frage, daß Martin Luther auch praktisch zur **Aufwertung der Frau** beigetragen hat, vor allem durch sein – allerdings durch Thomas Morus und Erasmus zuvor noch deutlicher ausgesprochenes – Plädoyer für die Erziehung und Schulung auch der Mädchen; so geschehen in seinem Schulmemorandum von 1524[124]. Belegbar ist zugleich, daß auch Frauen (im Gemeindeaufbau Margarete Blaurer, publizistisch Argula von Grunbach, Lieder dichtend Elisabeth Kreuziger u. a.) bei der Entwicklung, Verbreitung und Verteidigung evangelischer Lehre und dem Aufbau evangelischer Gemeinden eigenständig mitgearbeitet haben.[125] Vereinzelt freilich hatten Frauen, wie wir sahen[126], auch schon im hohen und späten Mittelalter vor allem als Herrscherinnen (besonders als Witwen) und Äbtissinnen eine führende Rolle inne. Insofern war die Rolle Elisabeths I. von England und einiger anderer Regentinnen und Adliger nicht neu. Und doch – dies alles ist leider nur die halbe Wahrheit.

Die Gesellschaftsstruktur – unverändert patriarchalisch

Die unbestreitbaren Fortschritte dürfen nämlich nicht darüber hinwegtäuschen: Auch im reformatorischen Paradigma bleibt die **Gesellschaftsstruktur durch und durch patriarchalisch**.[127] Von Luthers wichtigen Gedanken der Geschwisterlichkeit und Freundschaft von Männern und Frauen in Christo blieb faktisch nur die Pflicht zur Ehe übrig. Bei allen neuen Betätigungsmöglichkeiten für die Frau: An deren untergeordneter Rolle gegenüber dem Mann änderte sich grundsätzlich nichts. Die hierarchische Gehorsamsstruktur (Mann – Frau, Eltern – Kinder, Herr – Dienerschaft) wird beibehalten. Die Ehe wird nach wie vor von den Eltern arrangiert. Die Frau blieb wirtschaftlich, rechtlich und politisch dem Mann unterlegen, und die Wahl ihres Ehegatten hatte zumeist nach praktischen Gesichtspunkten zu erfolgen. Der ständige Frauenüberschuß machte es der Frau ohnehin nicht leichter. Und wenn sie auch seit dem Spätmittelalter an den stadtbürgerlichen Freiheiten Anteil hatte und größere berufliche Entfaltungsmöglichkeiten in Handwerk, Gewerbe und Handel (auch als Frauenärztinnen) besaß, so waren damit noch keineswegs schon die gleichen Rechte oder die gleiche Entlohnung verbunden.

So blieb denn nicht nur im Raum der Gesellschaft die geschlechtsspezifische Arbeitsteilung und die Stereotypisierung der Rolle der Geschlechter zu Ungunsten der Frau erhalten. Auch im Raum der reformatorischen Kirchen (die große Ausnahme im Pietismus: Zinzendorf) erhalten Frauen keineswegs gleichen Anteil an »Sakrament, geistigen Gaben und Gütern«. Nein, Frauen haben nach wie vor **keine Mitbestimmung in Staat, Bildungswesen und Kirche**. Im Gegenteil: Unter der Herrschaft der protestantischen Orthodoxie des 17. Jahrhunderts kommt es aufgrund der Kriege, des wirtschaftlichen Niedergangs und der vermehrten Erwerbsarbeit außerhalb des Hauses sogar zu einer erneuten Beschränkung der Frau auf den engen häuslichen Bereich. Inwiefern?

– Die Frau bleibt weiterhin von allen wichtigen kirchlichen Ämtern ausgeschlossen; nur als Katechetinnen und Kirchendienerinnen sind sie zugelassen.

– Nicht nur die Sakramentenspendung, auch das im Mittelalter in Sekten geübte und von manchen humanistischen Gelehrten geforderte Predigen bleibt Frauen normalerweise verboten.

– Freiräume sowie Bildungs- und Wirkungsmöglichkeiten für unverheiratete Frauen, die früher in Klöstern eine gesicherte, sinnerfüllte Existenz hatten, sind jetzt verschwunden, und der unverheirateten Frau ist damit diese Grundlage für ein eigenständiges Leben entzogen.

– Gleichzeitig wurde das Selbstwertgefühl der Frauen allerdings gestärkt durch religiöse Unterweisung und die möglich gewordene Vertrautheit mit der Schrift.

Dies alles gilt, wie die amerikanische Historikerin Jane Dempsey Douglass (Princeton) in einer instruktiven Studie herausgestellt hat, im Prinzip auch für den Bereich des **Calvinismus**.[128] Auch Calvin setzt die patristisch-mittelalterliche Tradition fort. Auch bei ihm geht die geistige Gleichheit der Frauen mit den Männern (aufgrund der gleichen Geistseele, der gleichen Gnade in diesem Leben und der gleichen Vollendung durch die Auferstehung) zusammen mit der gesellschaftlichen Ungleichheit sowie der Unterordnung der Frauen unter die Männer. Insofern wirkt sich auch bei Calvin das Christentum keineswegs emanzipatorisch im modernen Sinn des Wortes aus.

Und doch sollte man sehen: Anders als Augustin und Thomas von Aquin lehnt Calvin (im Anschluß an den berühmtesten Arzt des Altertums Galenus) die aristotelische Meinung ab, daß die **Frau** bei der Entstehung eines Fötus keinen **aktiven biologischen Anteil** habe. Wiewohl auch im 16. Jahrhundert unter den Ärzten die Zweifel an der physischen Robustheit und intellektuellen Potenz der Frau noch weit verbreitet sind, so bildet sich doch langsam ein Konsens gegen Aristoteles heraus, daß die Frau mehr sei als ein »defizienter Mann«. Jedenfalls argumentiert Calvin nicht mehr von der physischen Natur her, wenn er sich gegen eine Ordination der Frau ausspricht. Anders noch als Thomas von Aquin, der der Frau eine naturgemäße Fähigkeit zum Priestertum absprach und von der Biologie und vom göttlichen Gesetz her gegen öffentliche Ämter von Frauen in der Kirche argumentierte, berief sich Calvin »nur« auf die menschliche, kirchliche oder staatliche Rechtsordnung. Das lief zwar im Ergebnis für die Frau noch auf dasselbe hinaus (und insofern ist Calvin kein Vorkämpfer der Frauenordination), hatte aber den entscheidenden Vorteil, daß die Veränderbarkeit dieser menschlichen Ordnung zumindest prinzipiell nicht mehr mit biologischen Argumenten bestritten werden konnte. Sie wurde ja dann auch später veränderten Zeiten angepaßt ...

Emanzipation in den »Sekten«?

Wie verschieden die Rolle der Frau je nach Land, Konfession und historischer Situation sein kann, zeigt sich, sobald man genauere Forschungen anstellt. Dies wurde durch Einzelstudien über »Women in Protestant History« belegt (Wiedertäufer, Quäker, Methodisten!).[129] Dies hat auch die australische Historikerin Patricia Crawford über Frauen und Religion für **England** zwischen 1500 und 1720 aufgewiesen.[130] Ihre Untersuchung ist nicht nur aufschlußreich, weil sie die schon in der früheren Forschung untersuchten einzelnen Frauen, die im Zusammenhang mit der englischen Reformation eine wichtige Rolle gespielt haben, im Zusammenhang behandelt: so Heinrichs VIII. zweite Frau **Anna Boleyn**, die als Beschützerin der evangelisch gesinnten Bischöfe, des reformfreudigen Klerus und der protestantischen Schriftsteller zusammen mit anderen Damen eine Schlüsselfigur der Reformer um den König war und diesem möglicherweise zur Auflösung der Klöster geraten hatte; so auf der anderen Seite **Margaret Roper**, die verheiratete Tochter von Thomas Morus, die als hochgebildete Frau religiöse Werke aus dem Griechischen und Lateinischen übersetzte[131] und so auch des Erasmus lateinischen Kommentar des Vaterunser veröffentlichte; so schließlich auch die umstrittene junge **Elizabeth Barton**, eine prophetisch begabte Nonne, die zu sehen ist auf dem Hintergrund der langen Tradition visionsbegabter Frauen[132]. Sie stand an der Spitze der Opposition gegen Heinrichs VIII. zweite Ehe, wurde ohne Prozeß 1534 hingerichtet und so die erste Märtyrerin für den althergebrachten Glauben. Überhaupt ging es den Klosterfrauen nach Aufhebung ihrer Klöster viel schlechter als Mönchen, die – weil ordiniert – im Diözesan-Klerus unterkommen konnten. Auch unter Edward VI. spielten Frauen wie die protestantischen Herzoginnen von Suffolk und

Richmond keine geringe Rolle – ganz zu schweigen von den später folgenden beiden Königinnen **Maria der Katholischen**, welche die Entlassung aller Bischofs- und Priesterfrauen forderte, und **Elisabeth I.**, welche die Unabhängigkeit der anglikanischen Kirche von Rom wiederherstellte.

Doch auch hier ist die **Gegenrechnung** aufzumachen. Noch der klassische Exponent der anglikanischen Theologie, Richard Hooker, hielt wie damals üblich die Urteilsfähigkeit von Frauen aufgrund ihres Geschlechts für geschwächt. Ja, selbst der uralte Topos von der besonderen Häresieanfälligkeit der Frauen hielt sich im Anglikanismus noch lange durch. Frauen, welche die männliche Macht herauszufordern versuchten, konnten jederzeit der Verletzung der göttlichen Ordnung und der Gefährdung der Sitten angeklagt werden. Gewiß: Frauen haben gerade **im religiösen Radikalismus** der presbyterianisch-republikanischen Phase zwischen 1640 und 1660 eine besondere Rolle gespielt, natürlich nicht weil ihre Urteilsfähigkeit geschwächt war, sondern weil sie im Gegenteil mit klarem Urteil eine reformierte Kirche wünschten und ihnen nach dem Zusammenbruch der kirchlichen Kontrolle mehr Wirkmöglichkeiten gewährt wurden. Eine ähnliche Entwicklung hatte sich auf dem europäischen Kontinent ein Jahrhundert zuvor im Bauernkrieg und im Täufertum abgespielt.[133] Jetzt sah und hörte man Frauen lehren, predigen, Liturgie feiern und missionieren. Viele hatten sich den neueren Gemeinschaften, wie etwa den Quäkern, angeschlossen (die bedeutendste unter ihnen: Margaret Fell, die »Mutter des Quäkertums«[134]). Und ihre Rolle war verschieden von der der protestantischen und katholischen Mätyrerinnen des 16. Jahrhunderts: »Die Konflikte der Frauen des 17. Jahrhunderts waren Konflikte mit lokalen Autoritäten, Pfarrern, Friedensrichtern und Amtsrichtern. Sie übernahmen eine öffentliche Rolle, aber sie waren nicht Märtyrinnen, obwohl viele von ihnen Gefängnis, körperliche Strafen und Gewalt um ihres Glaubens willen erduldeten« (P. Crawford[135]).

Aber auch dies darf nicht dazu führen, die Rolle der Frau im radikalen Protestantismus zu übertreiben: »Es wäre anachronistisch zu suggerieren, daß Frauen in den Sekten ›Emanzipation‹ gefunden hätten. Es sollte uns nicht überraschen, daß die üblichen Ansichten von der Natur und dem Platz der Frau in der Welt im Wesentlichen dieselben blieben während der revolutionären Periode der 1640er und 1650er Jahre.«[136] Nicht nur blieben die ökonomischen Möglichkeiten beschränkt, es blieben auch die Auffassungen bezüglich der Rolle der Frau, der Sexualität und des Kindergebärens dieselben. »So boten die Sekten keine grundlegend verschiedene Sicht der Frau von der der anglikanischen Kirche oder der Gesellschaft überhaupt.«[137] Erst langsam entwickelten sich »die Kirchen hin auf die

Akzeptierung von Frauen als gleichberechtigten Partnern«, entstand eine »wachsende Bereitschaft, sie in den Kirchen sprechen zu lassen, was schließlich in den letzten Jahrzehnten zu einer allmählichen Akzeptanz von Frauenordination führte«[138].

In einem Punkt allerdings kommt England besser weg: Auch hier gab es bis Ende des 17. Jahrhunderts den Hexenglauben, aber im Vergleich mit dem europäischen Kontinent (und Schottland) wurden in England sehr viel weniger Menschen verfolgt. Die Frage ist für die Paradigmenanalyse nicht unerheblich: Wie ist dieser entsetzliche Hexenwahn zu erklären?

Wer ist schuld am Hexenwahn?

Bis heute ist noch nicht völlig geklärt, wie dieser Hexenwahn verstanden werden soll. Räumlich und zeitlich trat er in Schüben auf, kam interessanterweise in Süditalien und Spanien kaum vor, in England, Irland, Skandinavien, in der norddeutschen Tiefebene, in Bayern und auch Osteuropa wenig, war aber vor allem in Frankreich, Norditalien, den Alpenländern, im übrigen Deutschland, in den Beneluxstaaten und Schottland sehr verbreitet.[139] Ja, wie soll man dieses Massenphänomen, das zu 80-90% Frauen betraf, erklären? Gewiß hat man in der Christenheit schon immer etwas gegen Zauberinnen gehabt; und der Satz der Hebräischen Bibel »Eine Zauberin sollst du nicht leben lassen« (Ex 22,18) hat vielen Hexen den Tod gebracht. Aber »Hexe« (vom althochdeutschen »hagazuzza« = Zaunreiterin) meint entschieden mehr als eine Zauberin und ein Hexenprozeß entschieden mehr als ein Prozeß wegen Schadenzauber (»maleficium«). Im Hochmittelalter war die Vorstellung von Menschen, die nachts durch die Lüfte fahren, noch als heidnischer Irrtum bekämpft worden.

Dies also ist die Frage: Wie soll man erklären, daß der übergroße Teil der Christenheit seit dem 15. Jahrhundert, aber vor allem in der Zeit von Reformation und Gegenreformation, nicht mehr nur an die Existenz einzelner Zauberinnen glaubte, sondern – in Kombination verschiedener Motive – an eine teuflische Verschwörung, eine neue Sekte und hochgefährlich häretische Bewegung von Hexen, von bösartigen, triebhaften, naturmächtigen, teuflischen Frauen? Nach dem wohlbekannten Deutungsmuster der Hexengläubigen soll sich eine ganze Masse von Frauen ergeben haben

– dem **Teufelspakt**: quasi einem Ehebund mit dem Teufel unter Abschwörung Gottes;
– der **Teufelsbuhlschaft**: dem (zumeist öfters vollzogenen) Beischlaf mit dem Teufel, der den Pakt besiegelte;

– dem **Teufelszauber**: einem Schadenzauber mit der Folge von Ernte- und anderen Schäden sowie von Tod bei Tieren oder Menschen;
– dem **Teufelstanz**: den nächtlichen Orgien (Hexensabbat) mit anderen Hexen.

Der um die Bekämpfung des bis heute grassierenden Teufelsglaubens hochverdiente Tübinger Exeget Herbert Haag stellt fest, daß »die Kirche mit ihrer Teufelslehre« die »theologische Begründung« für die Eliminierung der vermeintlichen Hexen lieferte: »Wäre der Teufel nicht zu einer überdimensionalen Gestalt aufgebaut worden, hätte ein derartiger Vernichtungsapparat nicht in Bewegung gesetzt werden können, hätte die Säuberungswelle beim von der Teufelsangst geplagten Volk nicht diesen Widerhall gefunden. So aber wurde der Scheiterhaufen zum einfachsten und zugleich wirkungsvollsten Mittel der Krisenbewältigung.«[140]

In der Kirchengeschichtsschreibung (von der Dogmatik nicht zu reden) ist der Hexenwahn oft nur am Rande und wenig umfassend behandelt, wenn nicht gar weithin verdrängt worden. Zu Recht wurde er von der Frauenbewegung der 70er Jahre ins Zentrum der Forschung gestellt, da Hexenverfolgung für die Frauen ganz allgemein fatale Folgen hatte: Zerstörung der selbstverständlichen weiblichen Kultur und Solidargemeinschaft, Zersetzung der Weitergabe von spezifisch weiblichem Wissen über den eigenen Körper und totale Unterordnung unter patriarchale Dominanz. Noch einmal: Gibt es für all das eine schlüssige Erklärung?

Zur **Erklärung** des Hexenwahns dürfte es nicht ausreichen, auf Drogengebrauch (Rauschzustände) zurückzugreifen, deren Massenkonsum nicht bewiesen ist; oder auf Geisteskrankheit, die das Massenphänomen ebenfalls nicht erklärt; oder auch auf einen verdrängten Dianakult (Fruchtbarkeitskult), der sich bestenfalls lokal oder regional verifizieren läßt. Unbestreitbar ist andererseits, daß es ohne volkstümlichen, heidnisch geprägten Aberglauben, ohne Frauenfeindlichkeit, ohne Inquisition und ohne Folter keine Hexenprozesse gegeben hätte. Nur gab es Aberglauben, Frauenfeindlichkeit, Inquisition und Folter auch schon vor den Hexenprozessen, so daß die Frage gestellt werden muß: Was kam hinzu? Wer trug die Verantwortung für diese Entwicklung? Der Überblick über die Hexenforschung zeigt: Eine monokausale Erklärung der massenhaften Hexenprozesse ist nicht möglich, und die Verantwortung, so weit wir sie noch übersehen können, trifft Theologen und Bettelorden, Papst und Kurie, Kaiser und staatliche Macht und schließlich auch das Kirchenvolk. Nur kurz zu diesen Verantwortlichkeiten:

(1) **Scholastische Theologen**, besonders Thomas von Aquin, haben angesichts der großen Ketzerbewegungen des 13. Jahrhunderts eine aus-

führliche Dämonologie entfaltet, in der im Anschluß an Augustin die Lehre vom Teufelspakt zur Begründung einer Theorie des Aberglaubens gebraucht wird.[141] Was früher als heidnischer Aberglaube bekämpft wurde, war jetzt **ins theologische System eingebaut**. Und es waren wiederum zwei Dominikanertheologen, die Inquisitoren für Oberdeutschland und die Rheinlande, Heinrich Institoris und (zumindest gab er seinen Namen dafür her) Jakob Sprenger, die zunächst die unter Volk und Klerus weitverbreiteten Hemmungen gegenüber Hexenglauben und Hexenprozessen überwanden. Sie taten dies mit ihrem verhängnisvollen Handbuch der Hexenlehre, dem **»Malleus maleficarum«** (**»Hexenhammer«**)[142], der, versehen mit einer gefälschten Approbation der Kölner Theologischen Fakultät, von 1487 bis 1669 in rund 30 Auflagen eine ungeheure Verbreitung gefunden hatte und für Theologen, Juristen und Ärzte, für geistliche wie weltliche Gerichte zum Standardwerk avancierte. Hier war im ersten Teil der Hexenbegriff mit einer Reihe (zum Teil gefälschter) Zitate aus Bibel und klassischen Autoren auf Frauen zugespitzt, waren im zweiten Teil die Untaten der Hexen allesamt spezifiziert und war im dritten Teil ein Leitfaden für deren Strafverfolgung dargeboten.

(2) **Papsttum und Kurie**: Es waren die Päpste, die, wie wir sahen, seit dem 13. Jahrhundert die Ketzerverfolgung institutionalisierten und intensivierten und die auch eine Verbindung zwischen Ketzerei und Zauberei, beides Teufelswerk, annahmen. Es war dann aber der Renaissance-Papst Innozenz VIII., der schon 1484 auf Bitten der beiden genannten Dominikaner seine berüchtigte **Hexenbulle »Summis desiderantes«** (im »Denzinger« verschwiegen![143]) herausgab und damit der neuartigen Hexenlehre den päpstlichen Segen gab. Unter Androhung der Exkommunikation wurde befohlen, die »geliebten Söhne« bei ihrer Inquisition nicht zu behindern. Und diese unglückselige Bulle wurde denn auch prompt dem »Hexenhammer« von 1487 vorangestellt. Papst und Kurie sind also maßgeblich beteiligt an Urheberschaft, Legitimation und Fortführung der massenhaften Hexenprozesse in Europa. Die **päpstliche Inquisition**, mit der Ketzerverfolgung jetzt weniger beschäftigt, lieferte das **Instrumentarium**, das nun auf die Frauen angewendet wurde: irgendeine Denunziation, dann statt öffentlicher Anklage (accusatio) durch eine Privatperson eine geheime Untersuchung (inquisitio) durch die Behörde, schließlich die Folter zum Erzwingen von Geständnissen, am Ende der Feuertod.

(3) **Kaiser und weltliche Obrigkeit**: In Kaiser Karls V. neuem (römischen) Prozeßrecht von 1532 (»Carolina«) wurde die gesetzliche Voraussetzung für die massenhafte Durchführung von Hexenprozessen geschaffen. Der **Inquisitionsprozeß** wurde jetzt ganz **vom Staat durchgeführt**.

Dabei waren die Indizien für Hexenprozesse so vage und vielfältig gehalten, daß fast jedermann in die praktisch unentrinnbare Mühle der Inquisitionsmaschinerie geraten konnte. Schon ein Gerücht reichte oft aus. Da es sich dabei um ein »Ausnahmeverbrechen« (crimen exceptum) handelte, konnte die **Folter** angewandt werden, und zwar ohne die von den Juristen sonst vorgesehenen Einschränkungen. Die Folge: Unter unbeschreiblichen Qualen wurden die Namen angeblicher Komplizinnen (vom Hexentanz her ja bekannt) erpreßt und eine neue Prozeßspirale in Gang gesetzt. Auch waren grausamste Hexenproben (Wasser- und Nadelprobe) üblich. Das volle Geständnis führte zumeist zum Todesurteil, der Widerruf zu erneuter (manchmal dutzendfacher) Folter. Unsägliche Menschenquälereien spielten sich dabei ab. Das Todesurteil war lange Zeit zunächst die **Verbrennung**, dann nach 1600 zumeist die **Enthauptung**. Jahrzehnte um Jahrzehnte dauerte dieser Terror, der nach den ersten Religionskriegen zwischen 1560 und 1630 erst noch seinen Höhepunkt erreichen sollte.

(4) **Das Kirchenvolk selbst**: Da es sich bei der Großzahl der Opfer um Frauen aus ländlichen Unterschichten handelte (Adlige nur ausnahmsweise), nimmt man an, daß manche **Denunziation** auch von den Gemeinden selber ausging. Simpler Dorfklatsch, das abnorme Aussehen oder Benehmen einer Person, Haß, Neid, Feindschaft oder Geldgier konnten den Anfang bilden jener »Bittschriften« an die Obrigkeit um Schutz vor Hexen, die dann die gesamte Maschinerie in Gang brachten. Den Untergrund bildeten freilich die im Volk so weit verbreiteten **archaischen Ängste** vor magischen Kenntnissen und Praktiken. Dies läßt fragen:

Warum der Hexenwahn?

Über die letzten **psychologischen und politischen Motive** der Hexenverfolgung läßt sich im einzelnen heute wenig Exaktes sagen. Genannt werden in der Forschung eine ganze Reihe von Motiven:

– Reaktionen auf Verbitterung und Verwünschungen einzelner Frauen aus der bäuerlichen Unterschicht;

– patriarchalische Ängste vor alleinstehenden Frauen und ihren oft durchaus realen medizinischen und verhütungstechnischen Kenntnissen;

– feindliche Einstellung der (erst mit den Universitäten aufkommenden) ausgebildeten Ärzte gegenüber der Volksmedizin und den fachlich nicht ausgebildeten Hebammen und Heilerinnen, die durch all die Jahrhunderte zuvor mit ihrem vielfach erprobten und tradierten »Geheimwissen« (insbesondere für Geburtshilfe, Geburtenkontrolle und Heilungen aller Art) dem Volk zur Verfügung gestanden hatten;

– ein Sündenbockdenken im Zusammenhang von Impotenz und Unfruchtbarkeit, von Mißernten, Viehseuchen und Katastrophen, von Krankheit und Tod;
– eine allgemeine Frauenfeindlichkeit, die an die Stelle der (nach allen Vertreibungen weithin gegenstandslosen) Judenfeindschaft trat;
– die sexuell fixierte Phantasie zölibatärer kirchlicher Inquisitoren, die sich sehr an den angeblichen Perversionen, Obszönitäten und Orgien (gar mit Dämonen) jener in der Wollust unersättlichen Frauen interessiert zeigten und die Hexen, im Gefolge Satans, als dunkles weibliches Prinzip »verteufelten« (was umgekehrt mit der Idealisierung der Frau in Maria – entsinnlicht, rein und unbefleckt empfangen – kompensiert wurde);
– die Reaktion der kirchlichen Hierarchie und der absolutistischen Obrigkeit auf eine unterschwellige, nicht kontrollierbare Volkskultur;
– die Konfessionalisierung, die an einer weitgehenden Disziplinierung des Denkens und Verhaltens der Untertanen interessiert war.

Lange Zeit waren die Hexenprozesse Gegenstand konfessioneller Apologetik und Polemik; jede Seite versuchte der anderen vorzurechnen, daß sie selber weniger auf dem Kerbholz habe als die Gegenseite. Ein vergebliches Unterfangen angesichts der Tatsache, daß **der Dämonen- und Hexenglaube Katholiken und Protestanten weithin gemeinsam** war. Auch wenn der »Hexenhammer« im einzelnen immer wieder angefochten wurde, muß als bedauerliche Tatsache festgehalten werden: Nicht nur innerhalb des mittelalterlichen Paradigmas (P III), sondern auch innerhalb des neuen reformatorischen Paradigmas (P IV) dachte man nicht daran, diesen Dämonen- und Hexenglauben kritisch zu überprüfen, wie man es doch bei den neuen Ausrichtungen auf das Evangelium hätte erwarten dürfen. Wird die katholische Seite durch die lange Tradition der Ketzer- und Hexenverfolgung belastet, so die evangelische Seite durch das Fehlen eines Aufbegehrens gegen diesen unmenschlichen und unchristlichen Wahn.

Wenn die heutige Forschung auch nicht mehr mit Millionen von Opfern, aber immerhin mit mindestens 100 000 Hinrichtungen rechnet (wozu noch andere Strafen wie Verbannung und öffentliche Ächtung kamen), wenn also jedenfalls feststeht, »daß diese Prozesse mit Ausnahme der Judenverfolgungen die **größte nicht kriegsbedingte Massentötung von Menschen durch Menschen in Europa** bewirkt haben« (Gerhard Schormann[144]); und wenn es feststeht, daß trotz aller Denunzierung von Frauen durch Frauen es eben doch – nachdem Männer als Spezialisten, Theologen und Juristen, als Richter und Henker amteten – »eine Massentötung von Frauen **durch Männer** war« (Claudia Honegger[145]), da wird man sich schon fragen dürfen, warum nicht zumindest von evangelischer Seite ein energischer Protest gegen Hexenwahn, Hexenprozesse und Hexenverbrennung erfolgt ist – im Namen der Freiheit eines Christenmenschen und der Not des Gewissens.

Es war vor allen der tapfere Jesuit und Hexenbeichtvater **Friedrich von Spee**, der 1631 mit seiner anonym veröffentlichten Schrift »Cautio criminalis oder Rechtliche Bedenken wegen der Hexenprozesse«[146] gegen all die Machenschaften anging, mit freilich noch wenig Erfolg. Ihm folgte am Anfang des 17. Jahrhunderts im Zug der erwachenden Aufklärung der protestantische Jurist **Christian Thomasius**, der den Teufelspaktgedanken und das ganze Gerichtsverfahren gegen Hexen angriff. Er stieß jetzt bereits auf viel Zustimmung in der Öffentlichkeit. Während die Massenprozesse in den Vereinigten Niederlanden schon bald nach 1600 und in Frankreich noch vor 1650 aufgehört hatten, so im Deutschen Reich erst um 1680. Die letzte Hexenverbrennung wurde – so gilt gemeinhin – an Anna Schwägelin 1775 vollzogen, und zwar im katholischen Kempten; aber noch 1786 fanden in Brandenburg Massenverbrennungen statt. Dies alles heißt im Klartext: Es war nicht die Reformation, es war vielmehr die Aufklärung, die mit Hexenwahn, Hexenprozessen und Hexenverbrennung aufgeräumt hat.

9. Die Reformation geht weiter

Der Platz Martin Luthers konnte nach dessen Ableben im Luthertum von niemandem eingenommen werden; keine ähnliche autoritative Person hatte sich als Nachfolger aufgedrängt. Wer oder was aber soll nun Streitfälle schlichten und entscheiden? Nur zu sehr bedurfte es einer solchen Instanz, um das von Beginn der Reformation an drohende Erbübel des Protestantismus aufzuhalten: die immer weiter fortschreitende Spaltung.

Der Streit um die protestantische Orthodoxie

Zum Teil waren ja schon vor Luthers Tod jene Streitigkeiten ausgebrochen, die nach seinem Tod jahrzehntelang das Luthertum beschäftigen und belasten sollten. Es war vor allem der **Streit zwischen »Philippisten« und »Gnesiolutheranern«**: zwischen den Anhängern des Philipp Melanchthon, der bezüglich der menschlichen Mitwirkung mit der göttlichen Gnade (Synergismus), bezüglich der Notwendigkeit guter Werke und bezüglich des geistlichen Charakters des Abendmahles von Luther abweichende und sich Calvin annähernde Auffassungen vertrat, und andererseits den »echten Lutheranern«, die unter Matthias Flacius (»Illyricus«) fanatisch angeblich »urlutherische« Positionen vertraten.

Doch so wenig interessant es gewesen wäre, in unserem Rahmen auf die **Schulstreitigkeiten der gegenreformatorischen Theologie** (P III) um Gnade und Willensfreiheit einzugehen, so nun auf all die Schulstreitigkeiten **der reformatorischen Theologie** (P IV): den antinomistischen, den adiaphoristischen, den osiandrischen, den majoristischen, den synergistischen Streit ... Zahllos die Streitschriften und Stellungnahmen zu Themen wie Erbsünde und Willensfreiheit, Rechtfertigung und gute Werke, Gesetz und Evangelium, Abendmahl und Person Christi, Vorsehung und ewige Vorherbestimmung, Themen, in denen theologische Lehrfragen oft zu kirchlichen Lebensfragen emporgesteigert wurden.[147] Auch im Protestantismus ging der Streit nicht ab ohne Eingriffe der staatlichen Gewalt: Bestrafungen, Absetzungen, gar Einkerkerungen. Freiheit eines Christenmenschen?

Das »**Bekenntnis**« sollte hier helfen und Umstrittenes autoritativ entscheiden: die »**Confessio**«, unter deren Zeichen sich die verschiedenen Lager der Christenheit (nach dem Trienter Konzil auch das katholische) sammelten, zumeist von der staatlichen Macht unterstützt. Es kommt zur **Konfessionalisierung**, die nach dem Tübinger Historiker Ernst W. Zeeden, der den Prozeß der Konfessionsbildung früher und gründlicher als andere untersucht hat, in Reformation und Gegenreformation trotz unterschiedlichen Tempos weitgehend **parallel** verlaufen ist (eine Bestätigung für das zu P III Gesagte): Sie ist zu verstehen als »die geistige und organisatorische Verfestigung der seit der Glaubensspaltung auseinanderstrebenden christlichen Bekenntnisse zu einem halbwegs stabilen Kirchentum nach Dogma, Verfassung und religiös-sittlicher Lebensform«[148]. Verfestigung? Was war dabei die Funktion des Bekenntnisses? Eine doppelte: Nach **innen** war es »das Zeichen der **Einheit**, das selbst dem Kult, der Verfassung und der Disziplin seinen Stempel aufdrückte«; nach **außen** war es »Zeichen der **Unterscheidung** gegen die anderen Teilgebilde, gegen die sie sich kräftig verschanzte«[149]. Das Resultat: »Im Konfessionsbildungsprozeß vertieften und verhärteten sich die Risse im abendländischen Christentum. Bis zur Mitte des 17. Jahrhunderts gediehen die größeren Konfessionen schließlich zu solcher Stabilität, daß der Rückweg zur alten kirchlichen Einheit vollends nicht mehr möglich schien.«[150]

Es ging also in diesen neuen »Kirchentümern« zugleich um Staat, Kirche und Volk. Gewiß, die Formung der Bevölkerung durch die Bekenntnisse war zunächst in allen konfessionellen Lagern oft recht oberflächlich, und mit der theologischen Bildung der Pfarrer vor Ort war es auch nicht immer weit her. Doch nicht nur im katholischen (P III), sondern auch im protestantischen Bereich (P IV) hat die **staatliche Macht** der Konfessionalisierung zumeist kräftig nachgeholfen.[151] Konfessionalisierung – ob katholisch oder protestantisch – bedeutete im Frühabsolutismus bis auf die Dörfer hinaus eine kirchlich-staatliche **Sozialdisziplinierung** (G. Oestreich) auch in bisher ganz privaten Sphären zu einem einheitlichen »christlichen« Verhalten, wie dies die mittelalterliche Christenheit nicht gekannt hatte.[152] Das hieß: Erziehung der Untertanen zu strengerer Disziplin; neben dem »stehenden Heer« das »sitzende Heer« (der »Beamte«) und schließlich über Schule, Kirche und Staatsaufsicht die Kontrolle über das gesamte Volk – faktisch eine Vorbereitung auf die moderne Zweckrationalität! Dabei war die soziale Disziplin im Protestantismus in mancher Hinsicht – etwa in bezug auf Tanzen, Glücksspiele, Alkoholtrinken, Kirchweihe, Karneval – entschieden strenger als im Katholizismus. Während sich nämlich die Gegenreformation strategisch der Volksfrömmigkeit eher anpaßte, hat der Protestantismus, von intellektuellen Pastoren, die zugleich Staatsfunktionäre waren, geleitet, seine Distanz zur Volkskultur betont, so daß die Reformation zunehmend als die rationalere, aber auch noch mehr vom Staat geprägte Religion erschien. So kam es nicht nur zu einer verschiedenen organisatorischen »Institutionalisierung« der Konfessionen, sondern auch zu einer den Alltag prägenden verschiedenen »Lebensform«.

Gleichzeitig bemühte sich auch auf protestantischer Seite die **Kontroverstheologie**, die Unterschiede zwischen den Konfessionen scharf herauszuarbeiten, unterstützt von einer **Kontroverspredigt**, die nicht davor zurückscheute, die gegnerische Position zu karikieren und sogar mit Lügen und Fabeln zu arbeiten. Die verschiedenen Konfessionen hatten denn auch bald nur noch klischeehafte Vorstellungen voneinander. Das heißt: Von Toleranz und Gewissensfreiheit war auf beiden Seiten keine Spur, vielmehr arbeiteten Kirche und staatliche Gewalt auch hier zusammen, um die je eigene Konfession durchzusetzen und die Minderheiten möglichst einzuschränken.

Auch auf protestantischer Seite suchte man also jetzt keineswegs mehr unvoreingenommen die lebendige biblische Botschaft. Vielmehr bemühte man sich wie auf katholischer Seite um Belegstellen (»dicta probantia«) für die »reine Lehre« der eigenen Konfession – gegen die Lehre der anderen, und sei es auch der anderen protestantischen Konfession! Dogmatik und Polemik nannte man das. Schon bald waren die **»Bekenntnisschriften«** gerade auf lutherischer Seite zu einem mächtigen Band angeschwollen, nicht kleiner als der (erst aus dem 19. Jahrhundert stammende) römisch-katholische »Denzinger«. Das »Konkordienbuch« umfaßte die drei altkirchlichen Glaubensbekenntnisse, das Augsburgische Bekenntnis und Melanchthons Apologie, die Schmalkaldischen Artikel, Melanchthons Traktat über die Gewalt und den Primat des Papstes, Luthers Großen und Kleinen Katechismus und schließlich die Konkordienformel (»Formula concordiae«) von 1577, die, mühseligst erarbeitet, auf Dutzenden von Seiten alle die genannten Streitthemen behandelt und so alle Lehrstreitigkeiten unter Lutheranern beendigen soll.[153] Ein Lehrkonsens auf der mittleren Linie zwischen extremen Philippisten und radikalen Gnesiolutheranern, welcher im Luthertum »die **Entwicklung zur Lehrkirche** nachhaltig verstärkt«[154], den Bruch mit Katholiken wie Calvinisten endgültig macht und zugleich die Bekenntnisbildung der lutherischen Reformation abschließt.

Das ganze Konkordienbuch wurde 1580 – genau 50 Jahre nach der Confessio Augustana – als deren Bestätigung von 86 Reichsständen und rund 8000 Theologen unterschrieben. Aber – eben doch nicht von allen. Selbst das **Kernland der Reformation** blieb trotz aller Bemühungen auf Dauer konfessionell **gespalten**: in Herrschaftsgebiete der Formula concordiae, lutherische Gebiete ohne Formula concordiae und direkt calvinistische Gebiete, die sich jetzt aber unter Festhalten an Luther als »reformiert« (im Sinne von Calvins konsequenter Reformation) bezeichneten.

Doch wie immer: Auf dem europäischen Kontinent herrschte im evangelischen Raum nach Luthers Tod ungefähr ein Jahrhundert die **protestantische Orthodoxie**. Die Glaubensgegenstände (»loci«) wurden in dieser protestantischen Theologie des »rechten Glaubens« bald in großen dogmatischen Lehrbüchern behandelt, wobei man auch auf Bernhard, Tauler, einige Scholastiker und vor allem auf Augustin zurückgriff und die radikalen Lehren Luthers mit den vermittelnden Melanchthons verband. Das klassische Werk der lutherischen Orthodoxie stellen **Johann Gerhards** (1582-1637) »Loci theologici« (1610-1622 veröffentlicht) dar, wo mit allen möglichen exegetischen Begründungen sowie historischen und philosophischen Argumentationen die Abgrenzung von Katholizismus und Calvinismus vollzogen wird – neun Bände.[155] So komplex war jetzt auch der lutherische Glaube geworden ...

Zweifellos kann man sich bei der Behandlung der dogmatischen Topoi auch in unserem Jahrhundert mit all den orthodoxen Theologen lutherischer oder calvinistischer Konfession kritisch-konstruktiv auseinandersetzen, wie das Karl Barth in seiner monumentalen »Kirchlichen Dogmatik« immer wieder getan hat.[156] Aber für die Übersetzung der ursprünglichen christlichen Botschaft in ein neues Paradigma hinein können alle diese orthodoxen Dogmatiker aufs Ganze gesehen doch bestenfalls Hilfsdienste der Orientierung und Differenzierung leisten und finden denn auch in der zeitgenössischen evangelischen Theologie zumeist eine nur stiefmütterliche Behandlung. Immerhin hat damals die (gerade in Holland noch lange herrschende) streng scholastische calvinische Orthodoxie mehr auf strenges Leben (»Präzision«) Gewicht gelegt und so den Gegensatz zur aufbrechenden »pietistischen« Frömmigkeit vermieden. Dagegen kümmerten sich die lutherischen Orthodoxen in ängstlicher Sorge weniger um das »fromme Leben« als um die **in der Bibel wörtlich niedergelegte »reine Lehre«** bis hin zum Konstrukt der Verbalinspiration (z. B. bei David Hollaz). Deren berufene Hüter und Ausleger waren die Prediger und Theologen, so daß die evangelische Kirche sich jetzt erst recht als **Pastoren- und Professorenkirche** präsentierte und die Gemeindekirche als – von der Obrigkeit dominierte – **Landeskirche**.

Die theologische Basis sowohl der lutherischen wie der reformierten Orthodoxie also war aufs Ganze gesehen weniger die biblische Botschaft, das Evangelium, Jesus Christus selber, an dem nach Luther auch in der Bibel alles gemessen werden soll. Ihre Basis waren vielmehr wörtlich genommene Bibelsätze, die ganz bestimmte Lehrpunkte betrafen und die man – zum Teil sogar wieder mit Hilfe des Aristoteles und zahlreichen Anleihen bei der Scholastik – in ein geschlossenes philosophisch-theologisches System brachte. Ein **Biblizismus**, der die zumindest in Rom behauptete Unfehlbarkeit des lebendigen römischen Papstes in Deutschland durch die faktische Unfehlbarkeit des »papierenen Papstes« ersetzt und der auf die Inerranz des göttlich inspirierten und deshalb irrtumslosen Buches schwört; dieser Biblizismus wird die sich in der Moderne entwickelnde historische Bibelkritik als Werk des Antichristen ansehen.

Konfessionalismus und Traditionalismus

Wie bei den früheren Paradigmen, so kann ich auch beim reformatorischen Paradigma (P IV) die späteren Phasen aus Raum- und Sachgründen nicht so eingehend beschreiben wie die Phasen der Grundlegung und frühen Ausgestaltung. Die Forschung unseres Jahrhunderts hat immerhin herausgestellt, daß es auch im Rahmen der lutherischen Orthodoxie Reformbereitschaft und Reformideen gegeben hat, so etwas wie eine »Reformorthodoxie«, die allerdings nur schwer von der übrigen Orthodoxie abzugrenzen ist. Doch angesichts all der vielen Lehrdokumente auch im Protestantismus fragt man sich nun doch: Was ist faktisch aus dem reformatorischen Programmwort Sola scriptura geworden? Geht es im Protestantismus wirklich noch um die Schrift allein? Hält man neben der Schrift nicht auch seinerseits starr an der eigenen, wenn auch noch so jungen **protestantischen Tradition** fest?

In der Tat: Luthers und Calvins Schriften hatten schon bald quasikanonischen Rang erhalten und wurden nun im theologischen Unterricht der Universitäten in aller Breite ausgelegt. Wie die Lutheraner ihre Bekenntnisschriften hatten (und die Katholiken den Trienter Katechismus und die Trienter Dekrete[157]), so die Reformierten den Genfer und den Heidelberger Katechismus sowie die verschiedenen reformierten Bekenntnisse (Confessio Gallicana, Scotica, Belgica, Helvetica posterior, Westminster Confessio).[158]

Das alles heißt: Auch dem ursprünglich so traditionsfeindlichen Protestantismus blieb, nachdem er administrativ, kirchenrechtlich, bekenntnismäßig und liturgisch ausgeformt war, ein Kleben an der eigenen Tradition nicht erspart. Der von mir ausführlich analysierten Phase des Aufschwungs, des Reformierens und Initiierens, war eine jetzt nur noch knapp zu umschreibende **Phase der Formierung, Durchsetzung und Konsolidierung** gefolgt, die **auf Beruhigung, Bewahrung und Befestigung aus** war.[159] Auf den Nonkonformismus der Reformatoren folgte die Konformität der Epigonen. Auch im Protestantismus wurde – kirchenrechtlich-administrativ, aber vor allem auch theologisch – an »Bollwerken« gebastelt und gebaut. Immer weiter ging der Theologenstreit (»rabies theologorum«), oft zum Gezänk über zweitrangige Fragen ausartend: zwischen Katholiken und Protestanten ohnehin, aber jetzt zum Teil noch heftiger zwischen Lutheranern und Reformierten, Lutheranern und Lutheranern, Reformierten und Reformierten …

Das Zeitalter des **Konfessionalismus** – ausmündend in einen dreißigjährigen Konfessions- oder »Religionskrieg« (1618-1648) – nannte man es. Und ein **Zeitalter erstarrter konfessioneller Paradigmen** war es denn auch! Die in der ersten Hälfte des 16. Jahrhunderts noch ziemlich fließenden Reformbewegungen hatten sich zu rigiden Reformlagern verfestigt, die keine Mischehen und keinen Studentenaustausch wünschten, wiewohl dies nie ganz ausgeschlossen werden konnte. Eine »neuartige kirchenpolitische und religionssoziologische Lebensform«: »nach Lehre, Liturgie und Organisation eindeutig abgegrenzte Teilkirchen, die gegeneinander mit dem Anspruch auf Alleinvertretung der christlichen Wahrheit auftreten«[160]. Doch wurde für eine neue Zeit theologisch und kirchlich wenig Neues produziert, sondern vor allem Altes renoviert. Im Westfälischen Frieden 1648 – rund 100 Jahre nach dem Augsburger Religionsfrieden –

wurde denn auch endgültig der konfessionelle Status politisch festgeschrieben, wie er sich (im Normaljahr 1624) eingespielt hatte. Der Verbindung von Konfession und Staat war zumindest im Luthertum die Unterordnung der Konfession unter den Staat gefolgt.

Aus dieser Entwicklung drängt sich uns eine wichtige Einsicht in die geschichtlichen Gesetzesmäßigkeiten des Paradigmenwechsels auf: Was im naturwissenschaftlichen Bereich, wo mit Hilfe der Mathematik und des Experiments auf die Dauer die Ablösung eines alten Paradigmas erzwungen wird, unmöglich ist, das ist auf geisteswissenschaftlich-kulturellem, auf künstlerischem, philosophischem und besonders theologisch-kirchlichem Gebiet offensichtlich möglich: Ein von der Zeit schon längst **überholtes Paradigma wird konserviert** – um den Preis allerdings von Lebendigkeit und Wirklichkeitsnähe!

So kam es auch in den reformatorischen Kirchen dazu, daß eine einstmals lebendige **Tradition zum Traditionalismus erstarrte**, daß ein ursprünglich lebendiges Paradigma versteinerte: Wie es im Paradigma II einen östlich-orthodoxen Traditionalismus (wohl zu unterscheiden von der wahren orthodoxen Tradition) und im Paradigma III einen römischen Traditionalismus (wohl zu unterscheiden von der großen katholischen Tradition) gibt, so gibt es jetzt im Paradigma IV – wiederum zu unterscheiden von der guten evangelischen Tradition – auch einen protestantischen Traditionalismus.

Doch dabei ist eines wohl zu bedenken: Der Gang der Geschichte kann die definitive Ablösung eines Paradigmas von Theologie und Kirche offensichtlich nicht erzwingen. Aber umgekehrt können die in einem solchen Paradigma erstarrte Kirche und Theologie ihrerseits die **fortschreitende Zeit nicht aufhalten**. Es droht dann eine gegenseitige Entfremdung von Kirche, Theologie und Religion einerseits und Gesellschaft andererseits – mit manchmal schizophrenen Folgen für die einzelnen Betroffenen. So auch im Zeitalter von Reformation und Gegenreformation: Ein neuer Paradigmenwechsel zeichnet sich bereits im 17. Jahrhundert ab durch die Krise der protestantischen Orthodoxie hindurch. Ja, den Erfahrungsregeln des Paradigmenwechsels entsprechend, unterminiert die protestantische Orthodoxie selber mit ihren immer diffizileren Ausformungen und Unterscheidungen das reformatorische Paradigma und gerät zusehends in die Krise.

Auf eine neue Zeit vorbereitet?

Dies zeigte sich schon früh in jenem Land, welches durch seine Toleranz bekannt war. Es hatte nicht nur Descartes und Spinoza, sondern neben der calvinischen Staatskirche auch manchen Nonkonformisten und »Sekten« eine Heimat gewährt: in den **Niederlanden**. Hier siegte in einer fast anderthalb Jahrzehnte andauernden religiös-politischen Auseinandersetzung (1604-1619) zunächst noch einmal der orthodoxe Volkscalvinismus mit der schroffen Prädestinationslehre seiner gestrengen Prediger über deren Gegner, den Leidener Professor Jakob Arminius und die »Arminianer«. Denn nachdem der Generalstatthalter Moritz von Oranien sich aus politischem Opportunismus dem orthodoxen Calvinismus angeschlossen hatte, wurden auf der Synode von Dordrecht 1618/19 alle Gegner – sie hatten vor allem im humanistisch gebildeten und toleranten Bürgertum ihren Wurzelboden – verdammt. Die Folge: Viele Vertreter einer humanistischen Theologie im Geiste des Erasmus von Rotterdam mußten zunächst aus Holland fliehen. Ja, ihr Führer, der 72jährige, hoch angesehene Oldenbarneveldt wurde sogar hingerichtet.

Ihr bester Kopf war indes der geniale Staatsmann, Rechtsphilosoph und Theologe **Hugo Grotius** (1583-1645). Zu lebenslänglicher Haft verurteilt, entkam er nach knapp drei Jahren mit Hilfe seiner Frau, floh nach Paris und wurde dort für eine Zeitlang der Gesandte Schwedens. Als Anhänger des Naturrechts billigte er der Kirche keine unabhängige Gewalt zu; er sah sie der staatlichen Souveränität unterworfen und arbeitete so dem »Territorialsystem« vor, demzufolge der Fürst unabhängig von seiner Konfession die oberste Autorität über alle Konfessionen seines Herrschaftsgebietes hat. Bis zu seinem Lebensende war Grotius Gegenstand schärfster calvinistischer Angriffe. Und doch: Nicht der Theologie der calvinistischen Orthodoxen sollte die Zukunft gehören, sondern der des Hugo Grotius,

– der einen Dogmenzwang ablehnte und für die Duldung anderer Überzeugungen eintrat,
– der eine undogmatische, grammatisch-historische Bibelexegese begründete,
– der die orthodoxe Dogmatik besonders in Trinitätslehre und Christologie vernünftig zu interpretieren versuchte,
– der, die Willensfreiheit betonend, für eine undogmatische praktische Frömmigkeit eintrat,
– der sich tatkräftig auch für die Wiedervereinigung der christlichen Kirchen engagierte.

Noch ganz im Zeitalter der Orthodoxie zeigten sich also bei diesem großen Europäer doch schon im Vorgriff Umrisse eines modernen Paradigmas von Theologie.

Eines wird man dabei freilich zugeben müssen: Trotz allem Traditionalismus war man **im Protestantismus (P IV) besser auf die neue Zeit vorbereitet** als im triumphalistisch-barocken Katholizismus (P III), der ab der Mitte des 17. Jahrhunderts bis Mitte des 20. Jahrhunderts den geistigen Bewegungen der Zeit (von einzelnen Wellen wie der Romantik abgesehen) zumeist nachhinken sollte. Warum?

- Während der gegenreformatorische Katholizismus bei aller Barockherrlichkeit eindeutig eine konservativ-restaurative Religion darstellte, so war im Protestantismus doch von seinem Ursprung her die vorwärtstreibende **Reformtendenz** beheimatet.
- Während der Katholizismus aufs Ganze gesehen die Religion der wirtschaftlich, politisch und kulturell jetzt vielfach zurückbleibenden romanischen Völker blieb (mit Ausnahme Frankreichs), so war der Protestantismus die Religion der jetzt **aufstrebenden germanischen und angelsächsischen Völker**.
- Während im Katholizismus der Papst über die Interpretation der Bibel befindet und keine Abweichung von der seinen duldet, so kann man sich im Protestantismus vom reformatorischen Ursprung her stets auf eine selbständig (und nicht notwendig lutherisch oder calvinisch) gelesene Bibel und seine eigene **Gewissensentscheidung** gegenüber kirchlichen Lehräußerungen berufen und eine **Verantwortungsethik** entwickeln.

Dies alles wird noch deutlicher, wenn wir nun in unserer knappen Zusammenschau über den Rahmen der Orthodoxie hinausschauen auf das breitere Spektrum der religiös-theologischen Positionen der Zeit. Das Zeitalter des Konfessionalismus und der Orthodoxie reduziert sich ja nicht auf Konfessionalismus und Orthodoxie. Und es waren paradoxerweise nicht zuletzt die Pietisten, die durch ihren Anspruch auf individuelle Religiösität mit religiöser Motivation der modernen Toleranz zum Durchbruch verhalfen.

Verinnerlichte Frömmigkeit – evangelische Kirchenmusik

Erstaunlich: Mit dogmatischer Intoleranz nach außen verband sich schon in dieser Zeit des Konfessionalismus eine **reiche Innerlichkeit** christlichen Glaubens. Sie kommt vor allem in den zahllosen **Kirchenliedern** dieser

Zeit zum Ausdruck, die bis heute die Hauptsubstanz der evangelischen Gesangbücher bilden. Man denke nur an die geistlichen Dichtungen Paul Gerhardts (1606-1676). Zwar sah dieser Lutheraner die Katholiken und auch die Calvinisten vom ewigen Heil ausgeschlossen; aber in seinen Liedern vermochte er die zentralen christlichen Glaubensinhalte für seine Zeit doch so überzeugend auszudrücken, daß seine Lieder schließlich auch in den von ihm verdammten Konfessionen gesungen wurden.

Dem Luthertum gelang es zwar nicht, ein Pendant zur umfassenden katholischen Barockkultur zu schaffen. Doch hat das Luthertum (nicht der Calvinismus!) zumindest in der Musik Werke von einem einzigartigen Rang hervorgebracht. Zwar gingen die entscheidenden musikalischen Impulse und die zukunftsträchtigen musikalischen Gattungen bekanntlich allesamt vom katholischen Italien aus: Was wäre das Concerto ohne Gabrieli, die Tastenmusik ohne Frescobaldi, das Oratorium ohne Carissimi und die Oper ohne Monteverdi? Und doch – ich folge hier den wohlbegründeten Ausführungen des Tübinger Musikwissenschaftlers Arnold Feil[161] – erreicht die **Versprachlichung** der instrumentalen Musik (sowohl die instrumentale Nachahmung vokaler Vorbilder wie die Anwendung instrumentaler Techniken auf vokale Typen) nicht zuletzt wegen der Ersetzung gregorianischer Melodien durch volkssprachliche Kirchenlieder den Höhepunkt in Deutschland. Man kann deshalb zu Recht von einem **Zeitalter der deutschen evangelischen Kirchenmusik** – musikalischer Ausdruck des reformatorischen Paradigmas – sprechen: »Heinrich Schütz am Anfang und Johann Sebastian Bach am Ende dieser Epoche und die vielen Meister hohen Ranges neben und zwischen ihnen schaffen eine neue Musik, die nicht mehr vokal oder instrumental, nicht mehr geistlich oder weltlich ist, sie rufen eine neue Musikanschauung hervor, die sich über ganz Europa verbreiten und überall Früchte bringen wird, seien diese auch hier und dort verschieden. Wo diese neue Musik singt, gebärdet sie sich zugleich instrumental, wo sie instrumental ist, scheint sie zu deklamieren.«[162] Wiewohl historisch bereits in einer erneuten kirchengeschichtlichen Wende zwischen altlutherischer Orthodoxie, Pietismus und beginnender Aufklärung situiert, hat **Johann Sebastian Bach** – zusammen mit **Georg Friedrich Händel** – seine musikalischen Gattungen auf ihre letzte musikalische Höhe geführt und dabei den christlichen Glauben in vor ihm unübertroffener musikalischer Kraft, Differenziertheit und Lebendigkeit zum Ausdruck gebracht.

Nun soll meine bisherige Darstellung nicht etwa den Eindruck erwekken, in der Zeit des Übergangs zwischen Reformation und Aufklärung habe es ohnehin nur die doktrinären Orthodoxen gegeben, die für die

Spannung zwischen Theologie und Frömmigkeit vor allem verantwortlich waren. Es gab vielmehr die verschiedensten religiös-theologischen Positionen, wie sie für dieses »Zeitalter des Absolutismus« der evangelische Kirchenhistoriker Hartmut Lehmann trefflich dargestellt hat.[163] Es gibt

– die **apokalyptischen Schwärmer**. Sie kompensieren den ungeheuren Druck der Angst aufgrund der ständigen Kriege durch die intensive Erwartung des baldigen Weltendes, für das sie überall die »Zeichen der Zeit« zu erkennen meinen: den Wiederaufstieg des päpstlichen Antichrist, die Erfolge der Gegenreformation, die Vorstöße der Türken, aber auch Aufruhr, Seuchen, Naturkatastrophen und besonders das Erscheinen »unglückbringender« Kometen (1664/65 werden 130, um wissenschaftliche Erkenntnisse meist völlig unbekümmerte Flugschriften über Kometen publiziert);

– die **repressiven Fanatiker**. Sie (oft ebenfalls vor apokalyptischem Horizont) projizieren ihre Ängste auf »Sündenböcke« und antworten so mit Verfolgung. Nicht von ungefähr erreichen in diesem Jahrhundert der äußeren und inneren Ungesichertheit die Hexen- wie die Judenverfolgungen ihren schaurigen Höhepunkt; nach Pogromen in Frankreich, Worms und Wien werden unmittelbar nach der Jahrhundertmitte in Polen mehr als 250 000 Juden, die von ihren polnischen Dienstherrn im Stich gelassen worden waren, von den aufständischen Kosaken umgebracht;

– die **Mystiker verschiedenster Prägung**. Sie versuchen einer von vornherein bestehenden Einheit des Menschen mit dem Ungrund und Urgrund, des »Seelenfünkleins« mit dem »fließenden Licht« der Gottheit, bewußt zu werden. Theosophische Gedankengänge à la Jakob Böhme sind zu nennen, pansophische Rosenkreuzler-Visionen à la Johann Valentin Andreae oder kosmologische Spekulationen à la Giordano Bruno.

Doch die Hauptströmung machten alle diese nicht aus. Sehr viel wichtiger war in jener Zeit eine neue Art von religiöser **Erbauungsliteratur**. Sie stand zwar einer bestimmten »Reformorthodoxie« nahe, ihr kam es aber statt auf theologische Gelehrsamkeit und objektive Richtigkeit der Lehraussagen auf **Vertiefung, Verinnerlichung und Praxis** an. Auch auf katholischer Seite gab es dazu, hörten wir (P III), Parallelen mit Franz von Sales, Kardinal Bérulle und dem Spanier Miguel de Molinos (wegen »Quietismus« zu lebenslänglicher Klosterhaft verurteilt ebenso wie Madame Guyon, vom schließlich selber verurteilten Erzbischof Fénelon vergeblich verteidigt!). Ihre Blüte erlebte diese oft mystisch orientierte Erbauungsliteratur freilich im Bereich des Protestantismus (P IV), wo es zu einer beispiellosen Menge von Kirchenliedern kam, zu einer Flut von Trostschriften, Leichenpredigten, Trauergedichten und Gebetssammlungen. Die Zeit war ja auch danach – eine für große Massen von Christen trostlose Not- und Krisenzeit, in der einer Trost- und Erbauungsliteratur eine besondere Funktion zukam.

Nach Philipp Nicolai und seinem »Freudenspiegel des ewigen Lebens« (1599)[164] ist hier vor allem **Johann Arndt** zu nennen mit seinen vier, später sechs Büchern »Vom wahren Christentum« (1606-10)[165]. Arndt war trotz dogmatischer Korrektheit von den strengen Orthodoxen zunächst vertrieben und auch später noch jahrzehntelang heftigst bekämpft worden. Doch seine Gedanken setzten sich durch, und Arndt wurde schließlich Generalsuperintendent (= Bischof) der evangelischen Kirche für Lüneburg. Viele empfanden wie er und waren auf der Suche nach einer innigen Form der Frömmigkeit. Ein epochaler Paradigmenwechsel? Dies vielleicht nicht, aber:

Eine neue Reformation: der Pietismus

Angesichts der Verhärtung der kirchlichen Verhältnisse in den protestantischen Kirchen und Theologien und des immer mehr veräußerlichten Staatskirchentums, angesichts dieser doktrinär-institutionellen Erstarrung des reformatorischen Paradigmas, zeigen sich seit der Wende vom 16. zum 17. Jahrhundert in verschiedenen europäischen Ländern gleichzeitig neue Frömmigkeitsbewegungen. Ihnen kommt es an auf die lebendige Erfahrung des Glaubens und der Glaubensgemeinschaft, auf Disziplinierung und Verinnerlichung des Lebens und auf die Sammlung der Frommen in freiwilligen Gesinnungsgemeinschaften: ein **Pietismus avant la lettre**, ein Pietismus, bevor es diesen Begriff gab![166]

An erster Stelle ist hier der Puritanismus in **England** mit einer Fülle erbaulicher Schriften zu nennen.[167] Erreichten den europäischen Kontinent doch schon früh Übersetzungen der Schriften von Richard Baxter, John Bunyan und anderen; nicht weniger als 1661 englische Traktate in deutscher Übersetzung hat man gezählt.[168] Aber auch die **Niederlande** spielen eine Rolle, religiöse Exulanten wie William Ames, die dort in Reaktion auf ein sich emanzipierendes Bürgertum eine bestimmte Art von holländischem »Pietismus« geschaffen hatten; maßgebender Führer: der Utrechter Professor Gisbert Voetius, Gründer des holländischen »Präzisismus«.[169]

Dies alles führte bald auch in **Deutschland** zu einer Reformbewegung, die sich vor allem gegen einen erstarrenden Konfessionalismus richtete und die im deutschen Luthertum bereits in Kreisen des »Reformluthertums« Umrisse annehmen sollte. Am deutlichsten kommt sie hier in den Schriften eben des Johann Arndt zum Ausdruck, so daß manche heutige

Historiker den Pietismus schon mit Arndt einsetzen lassen: Pietismus im weiteren Sinn (J. Wallmann) oder als erste Phase des deutschen Pietismus (M. Brecht). Doch der ausdrücklich diesen Namen tragende und sich als besondere Bewegung formierende Pietismus sollte erst ein gutes halbes Jahrhundert nach Arndts Tod (1621) einsetzen. Wie kommt es dazu?

Im Jahr 1675 schreibt zu einer Neuauflage von Johann Arndts Predigtbuch »Postille« ein aus dem Elsaß ausgewanderter Frankfurter Oberpfarrer (Senior) eine längere Vorrede mit dem Titel **»Pia desideria«**, die, bald separat veröffentlicht, im deutschen Protestantismus Geschichte machen wird. In ihr kristallisieren sich jene verschiedenen Impulse der Erneuerungsbewegung, wie sie im englischen Puritanismus, im französischen und italienischen Jansenismus und in der spanischen und niederländischen Mystik lebendig sind. Überall leistete man ja offen oder verborgen – längst vor dem aufgeklärten Bürgertum! – aus ethischen Motiven Widerstand gegen die absolutistisch-barocke Hofkultur, ihre beispiellose Verschwendung, ihre Ausschweifungen und die sozialen Mißstände. Man bekannte sich zur Distanz von »dieser Welt« (oft weltliche Lektüre, Theater, Tanz, Kartenspiel eingeschlossen). Man propagierte ein »herzliches Verlangen nach gottgefälliger Besserung der wahren Evangelischen Kirchen« (so der mit dem Lateinischen verbundene deutsche Titel der »Pia desideria«). Das alles wurde artikuliert von einem stillen, bescheidenen Mann: **Philipp Jakob Spener** (1635-1705)[170], der damit die Programmschrift des – zunächst spöttisch so genannten – **Pietismus** vorgelegt hatte.

Angeregt von Arndt, von englischen Puritanern, Genfer und niederländischen Reformierten geht es Spener um die ganz persönliche, um eine verlebendigte, verinnerlichte Frömmigkeit, deren Angelpunkt das Erlebnis der Wiedergeburt ist. Nicht der Rechtfertigungszuspruch steht bei ihm zum großen Ärger der lutherischen Orthodoxen im Zentrum, auch nicht Wort und Sakrament, sondern die Verwandlung des Menschen: die von Gott gewollte und von der Erleuchtung des Heiligen Geistes bewirkte persönliche **Wiedergeburt zu einem »neuen Menschen«**. Nicht einfach in der richterlichen Gerechtsprechung sieht Spener das Christsein realisiert, sondern in geistig erlebter Wiedergeburt zu neuem Leben und in einer durch die Tat vollzogenen Heiligung. Kirche deshalb verstanden nicht als Heilsanstalt, sondern als Gemeinschaft der wiedergeborenen Brüder und Schwestern. Von daher wird das »Wiedergeborensein« (»born again«) bis zum heutigen Tag für viele Christen in Europa wie Amerika das entscheidende christliche Schlüsselwort. Nicht eine neue Lehre will Spener propagieren (und insofern treffen ihn die nicht nachlassenden Angriffe der orthodoxen Dogmatiker nur bedingt), vielmehr ein neues Leben, eine radikale Existenzwende, eine praktisch gelebte »Herzensfrömmigkeit« und ein Engagement auf sozialem Gebiet.

Denn wer nun daraufhin dem Pietismus sogleich Individualismus und Spiritualismus vorwerfen will, der verfällt einem Klischee: Spener hat nicht nur Anweisungen für den frommen Einzelnen, sondern auch ein sehr respektables **umfassendes Reformprogramm** für seine evangelische Kirche vorgelegt. Mit Berufung auf das Urchristentum und den jungen Luther wendet es sich gegen das etablierte Staatschristentum (»Caesaropapie«) und läuft auf nicht weniger als auf die Vollendung und Überbietung von Luthers Reformation hinaus. Realistisch wird im ersten Teil des Buches der wenig erfreuliche Zustand der evangelischen Kirche durchleuchtet und im zweiten Teil die »Hoffnung besserer Zeiten« für die Kirche begründet (die von kirchenkritischen separatistischen Gruppen schon längst aufgegeben war), ja, im dritten Teil werden sogar sechs klare und konkrete Reformforderungen an Kirche und Einzelne gerichtet und das Bild einer »hoffenden Kirche« gezeichnet. Diese sind:

(1) Intensivierung des **Bibelstudiums** und Einrichtung von »collegia pietatis«; Zusammenkünfte zur brüderlichen Unterredung über das Wort der Schrift;

(2) Erneuerung des **Priestertums aller Gläubigen** angesichts einer an Institutionalismus erkrankten Amts- und Obrigkeitskirche;

(3) Konzentrierung auf die »praxis pietatis«: statt die reine Lehre die Bewährung des Glaubens in der **Praxis christlichen Lebens** und Handelns;

(4) Überwindung der schädlichen Religionsstreitigkeiten in **ökumenischem Geist** brüderlicher Liebe;

(5) Reform des **Theologiestudiums** durch Ausrichtung auf die Erfordernisse von Predigt und Seelsorge;

(6) Reform der **Predigt**, die nicht rhetorisch gelehrt, sondern wahrhaft erbaulich sein soll (Wegweiser: Arndt, Tauler, Theologia deutsch, Thomas von Kempen).

Spener, in Dresden als Hofprediger isoliert, wird 1691 als Propst nach Berlin geholt und verfügt jetzt über einen überragenden Einfluß: durch seine weitverbreiteten theologischen und erbaulichen Schriften und Predigten, durch seine Förderung der Jugend-, Sozial- und Missionsarbeit, aber auch durch seine politische Stellung. Denn die auf Expansion bedachten und deshalb konfessionell toleranten frühen Hohenzollern-Herrscher boten schon antitrinitarischen Sozinianern, Juden und vor allem den hochqualifizierten Hugenotten (20 000 nach dem Edikt von Nantes 1685) in Brandenburg-Preußen eine Heimat an. Sie nützen jetzt die Chance, sich die Pietisten, im Reich verfolgt, zu Bundesgenossen gegen das orthodoxe Luthertum und die mit ihm verbündeten Landstände zu machen. Von »Caesaropapie« redet Spener jetzt nicht mehr, obwohl die staatskirchlichen Bestrebungen gerade des Berliner Hofes offenkundig sind.[171] Durch Veränderung des Einzelnen Veränderung der Gesellschaft – das war ja durchaus Speners Anliegen.

Zugleich wirkt in Halle Speners Schüler **August Hermann Francke** (1663-1727)[172], ein energischer Organisator, der mit seinen mächtigen Stiftungen geradezu ein pietistisches Großunternehmen begründet. Waisenhäuser, Armen- und Bürgerschulen (mit besonderer Förderung der Mädchenausbildung!), eine pietistisch ausgerichtete theologische Fakultät an der 1694 gegründeten Universität Halle, eine Bibelanstalt mit eigener Druckerei: das alles geht auf Francke zurück. Auch er wird vom Berliner Hof kräftig unterstützt, was Francke zum Fürsprecher des fürstlichen »Territorialsystems« werden läßt. Die Folge: Der Pietismus ist unter Franckes Führung jetzt nicht mehr in der Defensive, sondern in der Offensive. Eine merkwürdige Wende: Zahlreiche Pietisten gelangen in hohe kirchliche und staatliche Ämter, viele werden Feldprediger. Unter dem Einfluß von Halle war auch bald der Großteil der norddeutschen protestantischen Theologenschaft auf pietistischem Kurs; aus Halle kommt auch der Organisator des Luthertums in Nordamerika, Heinrich Melchior Mühlenberg.

Allerdings gerät die von Francke geleitete theologische Fakultät in Streit nicht nur mit der Halleschen Geistlichkeit, sondern auch mit ihrem früheren Gönner, dem Juristen und Hexenprozeß-Gegner Christian Thomasius. Schließlich auch, wie wir später noch sehen werden, mit dem berühmten Philosophen Christian Wolff, der auf Betreiben der Pietisten aus Halle ausgewiesen wird. Durch das Bündnis zwischen Preußentum und Pietismus verliert dieser nicht wenig an ethischer Kraft und moralischer Glaubwürdigkeit. Und bald sollte er unter Friedrich II. und der Aufklärung auch seine politische Machtstellung wieder verlieren.

Die pietistische Bewegung griff indessen bald auch auf Nordwest- und Süddeutschland über, ja, auch auf die Schweiz, Skandinavien, Osteuropa und schließlich auf Nordamerika.[173] Eine besondere Entwicklung nimmt sie in Ostdeutschland unter dem gleichfalls aus Halle hervorgegangenen, ebenso gefühlvollen wie glaubensstarken **Nikolaus Ludwig Graf von Zinzendorf** (1700-60). Er nimmt geflüchtete böhmisch-mährische Brüder auf seinen Besitzungen in der Oberlausitz auf, wo sie die Kolonie »Herrnhut« begründen. Hier errichtet Zinzendorf 1727, Spenersche Ideen von der »ecclesiola in ecclesia« realisierend, die »erneuerte Brüderunität«, ein überkonfessionales Gemeinwesen mit eigener Verfassung, eigenem Gottesdienst und starker Laienbeteiligung. Gegen die Absichten Zinzendorfs, der ganz von der Theologie des jungen Luther geprägt blieb, entwickelt sich daraus schließlich doch eine eigene Freikirche. Anders aber als in Halle legt man hier in hoch emotionaler Frömmigkeit den Akzent nicht auf Zerknirschung und Buße, sondern – aufgrund einer streng christozentrischen Theologie, wenngleich mit manchen Absonderlichkeiten – auf den Glauben an Christi Versöhnung, die Freude über das neue Leben und neuartige brüderliche Formen des Gottesdienstes.

Geradezu einzigartig im Protestantismus ist das Eintreten Zinzendorfs gegen alle Arten der Verfemung menschlicher Leiblichkeit[174], für eine wahrhaft evangelische Ehelehre und Eheführung und für die volle Mitsprache der **Frauen** als gleichwertige Glieder im Gemeindeleben.[175] Eine entscheidende Rolle hat hier zweifellos Zinzendorfs Frau, Erdmuth Dorothea, geborene Gräfin Reuss, gespielt, die eine kongeniale Partnerin und Mitarbeiterin war.

Keine der anderen Pietistengruppen hat so weit über Deutschland hinaus auch nach Skandinavien, Grönland und Amerika gewirkt; schon Zinzendorf selber hat, eine Zeitlang verbannt, unermüdlich auch in England, Westindien und Nordamerika gewirkt. Und es waren keine Geringeren als die Begründer des Methodismus, die beiden jungen anglikanischen Geistlichen John und Charles Wesley, die zuerst im nordamerikanischen Georgia in Kontakt mit der Brüdergemeine kamen, um in London am 24. Mai 1738 in einer ihrer abendlichen Versammlungen beim Anhören von Luthers Vorrede zum Römerbrief ihre Bekehrung zu erfahren. Doch schon 1741 kam es zur Entfremdung von der Brüdergemeine, während die Trennung von der englischen Staatskirche erst 1795 erfolgte.

Vom »Inneren Licht« zum »Licht der Vernunft«

So wuchs der Pietismus in der Zeit von 1690 bis 1730 im deutschen Protestantismus zu einer bestimmenden Kraft heran, die alle gesellschaftlichen Schichten zu durchdringen vermochte. Und unbestreitbar ist: Der Pietismus hat eine Intensivierung des christlichen Lebens bewirkt mit Ausstrahlungen gerade auch auf das politisch-soziale Leben der Menschen. Durch eine verlebendigte und verinnerlichte Religiosität, durch eine erneuerte christliche Lebenspraxis und ein beeindruckendes pädagogisches und karitatives Engagement erreichte er eine echte **Erneuerung des bereits erstarrten reformatorischen Paradigmas.**

Die innerkirchlich-theologische Entwicklung des deutschen Protestantismus, seine Bibelwissenschaft, sein Kirchenverständnis und seine Seelsorgepraxis, läßt sich in dieser Zeit ohne den Pietismus ebensowenig denken wie die geistesgeschichtliche, politische, pädagogische und gesellschaftliche Entwicklung überhaupt. Er überwindet vielfach die Schranken des Konfessionalismus, betont in ökumenischem Geist das Gemeinsam-Christliche. Wichtig waren seine Impulse für Predigt, Kirchenlied, Gebetspraxis und Spiritualität. Im Hinblick auf Diakonie und Mission war er vielfach aktiver als die etablierten Kirchen. Die im Pietismus übliche vertiefte Selbstbeobachtung und asketische Selbstkontrolle wirkten sich aus bis hinein in psychologische Darstellungstechnik der neuen Biographien, Autobiographien und Romane.

Dabei hatte Spener selber durchaus keine Trennung seiner frommen Gesinnungsgemeinschaften von der Großkirche im Sinn. Auf die Dauer freilich ließ sich das kaum vermeiden. Das Konventikelwesen untergrub faktisch die etablierte Volks- und Staatskirche. Und die frommen Kreise sowie das fromme Individuum waren den Pietisten nun einmal wichtiger als die kirchliche Institution. Radikale Pietisten trennten sich denn auch ab und sammelten sich neu in Separatisten- oder Inspirationsgemeinden. Übergänge waren oft fließend.

Berühmt wurde der Kirchenhistoriker **Gottfried Arnold**, der zum bleibenden Ärgernis der Orthodoxen in seiner gelehrten vierbändigen »Unparteiischen Kirchen- und Ketzerhistorie, vom Anfang des Neuen Testaments bis auf das Jahr Christi 1688« (erschienen 1699/1700)[176] nicht die kirchliche Lehre oder Institution als geschichtstragend darstellt, sondern die Personen, deren religiöse Wahrhaftigkeit und moralische Integrität er einer Prüfung unterzieht. In unparteiischer, das heißt überkonfessioneller Weise tritt er durchgängig gegen die selbstgerechte und machtbesessene Orthodoxie auf und für die in der Kirchengeschichtsschreibung so arg traktierten und oft im Leben gescheiterten Ketzer und Sektierer ein, aber auch für die so oft diskriminierten Frauen und ihre Lehrbefugnis (privat und wo notwendig auch öffentlich). So wurde dieser radikale Pietist, der schließlich doch einen Pfarrdienst übernahm, ein Vorläufer der »unparteiischen« modernen Kirchengeschichtsschreibung.

Doch gerade die pietistische Betonung der subjektiv-individuellen Seite der Religion, der praktisch-moralischen Ausrichtung des Christentums und die antikonfessionalistische Grundhaltung trugen zur Auflösung des kirchlich-theologischen Systems bei. Ja, sie halfen jene Bewegung herauffühen, der die Zukunft gehören sollte: die **Aufklärung**. Und wer hier zunächst keinen Zusammenhang sieht, der beachte: Kurz war der Weg damals für viele von der pietistischen Erleuchtungsfrömmigkeit über die lichtgeprägte Transzendenzerfahrung der englischen Naturtheologie (Physikotheologie) zur aufklärerischen Rede vom Licht der Vernunft …

Angesichts dieser neuen Konstellation aber schien der Pietismus weithin wehr- und hilflos. Geistig unvorbereitet, verweigerte er jede selbstkritische Auseinandersetzung mit dem modernen (mit den Namen Descartes und Galilei verbundenen) **naturwissenschaftlich-philosophischen Weltbild** und damit mit dem modernen Paradigma (P V) überhaupt! So sehr die Pietisten die traditionellen biblischen Vorstellungen und christlichen Gehalte verlebendigen wollten, so sehr wehrten sie sich jetzt gegen jegliche moderne Neuinterpretation. In einer neuen Zeit gedachten sie, das Erbe zu besitzen, ohne es immer wieder neu geistig zu erwerben.

Die Folge: Bald war die Konfrontation mit der neuen Weltdeutung, eine wahrhaft schicksalshafte Herausforderung der europäischen Christenheit, unvermeidlich. Lessing, Kant und Schiller, teilweise auch Goethe, Fichte, Hölderlin und – für die künftige christliche Theologie besonders wichtig – Schleiermacher: Sie alle sind noch durch eine pietistische Erziehung beeinflußt worden, positiv wie negativ. Aber sie gehören zugleich einer Generation an, die bereits eine Transformation zur Moderne durchgemacht hat. Und so war es denn kein Wunder, daß – anders freilich als der beständigere niederländische und niederrheinische – auch der Hallesche Pietismus in der dritten Generation weithin in der Aufklärung aufging. Das »innere Licht« der Mystik ist hier nun vollends zum »Licht der Vernunft« geworden ...

Erweckungsbewegungen – charakteristisch für Amerika

Über das moderne aufgeklärte Paradigma (P V) wird in einem eigenen großen Kapitel (C V) zu handeln sein. Im Rahmen des reformatorischen Paradigmas (P IV) interessiert zunächst die Frage: War der Pietismus infolge der Aufklärung abgestorben? Antwort: Nein. Zwar beherrschte er jetzt nicht mehr weithin das kulturelle Leben im lutherischen Deutschland, wo eben immer mehr statt des Geistes der Frömmigkeit der der Vernünftigkeit wehte. Aber der Pietismus überwinterte auch in der Zeit der Aufklärung, nämlich in der Form einer frommen Subkultur, die für viele fromme Protestanten jedoch mehr Heimat bedeutete als die aufgeklärten Kirchen, in denen selbst Theologen und Pfarrer nicht mehr unzweideutig an der Bibel als der Offenbarung Gottes festzuhalten schienen. Und nach einer bestimmten Zeit brach dann aus diesem pietistischen Boden doch nach Phasen der Erschlaffung und Erschöpfung wieder ein geradezu frühlingshaftes Erwachen auf: die **Erweckungsbewegungen**[177]. Diese versuchten, das alte reformatorische Paradigma wieder mit neuem Leben zu füllen und dem Pietismus einen zeitgemäßen Lebensausdruck zu geben.

Gewiß: Man kann darüber diskutieren (und dies wird gerade in der deutschen historischen Forschung getan), ob es sich bei der deutschen Erweckungsbewegung des 19. Jahrhunderts um eine neue Phase des Pietismus oder um eine eigenständige Größe handelt. Zumindest bei den Erweckungsbewegungen in England und Nordamerika, die schon im frühen 18. Jahrhundert einsetzen, dürfte klar sein, was sich auch bei der europäischen und besonders deutschen Erweckungsbewegung vermuten läßt: Trotz aller Eigenheiten sind sie stark und vielfältig mit dem älteren Pietismus verbunden.[178] Wie aber war es in **Amerika**?

Erst seit dem 17. Jahrhundert kann in jenen schließlich 13 englischen Siedlungsgebieten, die sich 1776 zur »Union«, dem Kern der »Vereinigten Staaten von Amerika«, verbinden sollten, vom Christentum die Rede sein. Darauf kann im Rahmen dieses Buches nicht eingegangen werden, soll doch dem nordamerikanischen Christentum eine eigene Untersuchung gewidmet werden.[179] Für unseren Zusammenhang hier, der Analyse des reformatorischen Paradigmas, aber ist zumindest dies wichtig: Gerade in Nordamerika gelang es dem **Protestantismus**, das seit dem Zeitalter der Entdeckungen gegebene Defizit an **Einfluß in der »neuen Welt« wettzumachen**, und nicht nur dies. Denn diese englischen Ackerbaukolonien sollten sich als die von allen europäischen Kolonien weitaus wichtigsten erweisen. Und in ihnen hatte – von »Mary-land«, der Kolonie des katholischen Lord Baltimore (dem ersten Gemeinwesen, wo die Bürger volle Religionsfreiheit genossen!) abgesehen – der Protestantismus das Sagen.

Und was für ein Protestantismus! Bunter hätte er nicht sein können. Zunächst ein Spiegelbild aller möglicher europäischer Strömungen und Gruppierungen – und doch mehr als das! Seit der Gründung der Kolonie Virginia 1607, der ersten englischen Besiedlung der Ostküste, waren die Einwanderer vor allem **Dissenters**: Angehörige von unterdrückten religiösen Minderheiten, allen voran englische Puritaner (zuerst die schon früher genannten »Pilgerväter« von 1620 in Massachusetts), die sich (erfreuliche Ausnahme Rhode Island) höchst intolerant zeigten und später im toleranten Maryland die Katholiken sogar hart unterdrückten. Leuchtendes Vorbild der Toleranz wurde schließlich nicht Massachusetts, sondern der Staat »Pennsylvania« des begabten und hochgebildeten reichen Quäkers William Penn, der 1682 mit »Philadelphia« (Stadt der »Bruderliebe«) ein wahrhaft demokratisches und auf völliger Toleranz beruhendes Staatswesen begründete.

Damit ist aber auch schon klar: Von »Kirchen« konnte im 17. Jahrhundert in Nordamerika nur sehr beschränkt die Rede sein, von Unkirchlichkeit, Unchristlichkeit und bald auch Unmoral dagegen viel. Nach der religiösen Begeisterung der ersten Jahrzehnte war unter vielen Kolonisten eine religiöse Erschlaffung eingetreten. Gestalteten sich doch die innerkirchlichen Zustände bis in die ersten Jahrzehnte des 18. Jahrhunderts reichlich verwirrend: nicht nur ein unbeschreiblicher Mangel an Pastoren, auch mangelnde Bildung vieler Geistlicher und ungeordnete Ordinationsverhältnisse. Praktisch gab es kaum eine feste Kirchenorganisation, kaum größere kirchliche Verbände.

Und so waren es denn die **Erweckungsbewegungen**, die dem nordamerikanischen Christentum ein unverwechselbares eigenes Gepräge geben sollten. Denn selbst jene europäischen Pietismusforscher, die gerne möglichst alle Erweckungsbewegungen auf den Pietismus zurückführen möchten, können über die großen **Unterschiede zum europäischen Pietismus** nicht hinwegsehen:

– Der Pietismus konnte eine große kirchliche Organisation voraussetzen. Die Erweckungsbewegung aber mußte für eine solche überhaupt erst Voraussetzungen schaffen.

– Der Pietismus reagierte auf die zwar erstarrte, aber noch immer offenbarungsgläubige Orthodoxie. Die Erweckungsbewegungen aber waren je länger desto mehr konfrontiert mit der in England, Schottland und Amerika durchbrechenden Moderne, mit der selbstgewissen Vernünftigkeit der Aufklärung und mit den neuen sozialen Nöten der Industrialisierung.

– Der Pietismus war zumeist in den Grenzen seiner Staats- oder Landeskirche tätig. Die Erweckungsbewegungen aber, vielfach von Laienpredigern vorangetrieben, griffen über die Grenzen der Länder, Konfessionen und Denominationen hinaus.

»Das große Erwachen«: typisch protestantisch

»The world is my parish«, »Die Welt ist meine Pfarrei«, konnte gerade jener John Wesley sagen, der – wie wir hörten – in England eine erste große Erweckungsbewegung, den **Methodismus**, begründet hatte, die dann mächtig auch auf Amerika übergriff. In der ersten Hälfte jenes Jahrhunderts zwischen der Toleranzakte, die für Protestanten Gewissensfreiheit gewährte (1689), und der Französischen Revolution (1789), die allen Gewissensfreiheit gewährte, war in England der religiös-sittliche Niedergang nicht zu übersehen. Niedergang nicht nur in der anglikanischen Staatskirche und den sie tragenden Schichten (Adel, Bürgertum), Niedergang auch unter den Dissenters. Aber: Anders als im autoritär-katholisch regierten Frankreich konnte sich in England eine gegenüber der Staatskirche kritische religiöse Bewegung frei entwickeln.

Gleichzeitig war es nun auch in Amerika zu einer ersten großen Erweckungsbewegung gekommen: **»The Great Awakening«**. Dieses »Große Erwachen« (1734-44) wurde vom gelehrten Puritaner und mächtigen Prediger **Jonathan Edwards** in Massachusetts ausgelöst; vor allem unter der Landbevölkerung der verschiedensten Denominationen findet er ein großes Echo. Der bedeutendste Prediger der Bewegung indes wird der Methodist **George Whitefield**, der die Brüder Wesley 1738 nach Amerika begleitet hatte. In wenigen Jahren erfaßt der »Revival« alle Kolonien und trägt nicht wenig zum Zusammengehörigkeitsgefühl des so sehr disparaten Volkes im neuen Amerika bei. Die Gemeinden und die Denominationen, darunter besonders die Baptisten, wachsen und organisieren sich in größeren Verbänden; wir hörten schon von der Organisation des Luthertums durch den von der Leitung der Franckeschen Stiftungen abgesandten Heinrich Melchior Mühlenberg, der 1748 die Synode von Pennsylvanien errichtet hatte (ähnlich Michael Schlatter für die deutschen Reformierten).

Ein halbes Jahrhundert später ist die Situation noch einmal anders. Warum? Eine **zweite große amerikanische Erweckungsbewegung** (1797-1805) ging übers Land. Sie richtete sich jetzt gegen die Folgen des zunehmenden Rationalismus und Liberalismus und wurde angeführt von **Timothy Dwight** am Yale College und von **Charles G. Finney**. So entstand eine Bewegung, die sich dieses Mal besonders um die Großstadtbevölkerung und die vielen Menschen an der sich immer weiter nach Westen vorschiebenden »Frontier« (der »Grenze« zur Wildnis) bemühte. Mit großen, oft tagelang dauernden »camp meetings« im Freien wurden Tausende von Menschen durch Predigt, Gebet und Gesang versammelt und zur Umkehr gebracht. Doch Finney kümmerte sich mit Hilfe freiwilliger Mitarbeiter auch danach um die seelsorgliche Betreuung der »Neugeborenen« und schrieb schließlich als Professor am Oberlin College (Ohio) eine vielbeachtete Theorie der Evangelisation.[180]

Überblickt man alle diese Erweckungsbewegungen, so erkennt man sehr wohl die **Charakteristika**, die zum Teil Charakteristika des amerikanischen Christentums überhaupt wurden:
– zahlreiche **plötzliche Bekehrungen** von schlechten oder gleichgültigen Christen, oft großer Gruppen, und dies unter manchmal spektakulären Umständen (Weinen, Zittern, Freude, Ekstase);
– ein aus der Bekehrung folgendes **intensives Leben** aus dem Glauben mit zahlreichen praktischen Initiativen (Druck auf den Staat im Kampf gegen Sklavenhandel, Alkohol, Kapitalismus);
– Entstehung **neuer Glaubensgemeinschaften** von hoher Binde- und Prä-

gekraft über die schon von Europa her gegebene Vielfalt hinaus: ein **Pluralismus** der Denominationen, dem später ein Pluralismus der Religionen folgen sollte;
– stark vereinfachende Predigt und **gemütsbetont-spontane** (nicht »liturgische«) **Gottesdienste** mit massenhaften Zuhörerschaften;
– starke **Verwurzelung des Christentums im Volk**, das angesichts der Trennung von Kirche und Staat (von der im Zusammenhang des modernen Paradigmas die Rede sein muß) selber für die Finanzierung seiner Kirchen und Pastoren aufkommt (keine Kirchensteuer);
– aufgrund der rechtlichen, finanziellen und kulturpolitischen Lage ein starker **Einfluß der Laien**, von denen die Pastoren als Angestellte ihrer Gemeinden vielfach abhängen;
– ungewöhnlich starke **Zersplitterung** in zahlreiche Denominationen, die sich oft noch einmal spalten oder auch wieder vereinigen, zugleich aber eifriger friedlicher **Wettbewerb** in gegenseitiger Hochschätzung, so daß die Mitglieder anderer protestantischer Denominationen – ganz anders als in den europäischen Konfessionen – normalerweise zum Gottesdienst und auch zur Abendmahlsfeier zugelassen sind. Zurückhaltend gegenüber der Interkommunion sind, abgesehen von den Katholiken, nur die Episkopalianer (Anglikaner) und die strengen Lutheraner.

An sich könnten solche Erweckungsbewegungen im Rahmen sämtlicher Paradigmen des Christentums aufbrechen. Und es gab ja auch in der langen Kirchengeschichte immer wieder Erneuerungsbewegungen verschiedenster Art. Aber »**Erweckung**«? »Erweckung« ist, streng genommen, kein biblisches Wort, nicht einmal ein reformatorisches oder ein orthodox-protestantisches; es bekommt erst im Rahmen der genannten Bewegungen seine besondere Bedeutung. Es ist deshalb kein Zufall, daß diese spezifischen Erweckungsbewegungen faktisch **charakteristisch** sind **für das reformatorisch-protestantische Paradigma** (P IV). Haben sie doch mit einer mittelalterlichen monastischen Reformbewegung oder einer Kreuzzugsbewegung ebensowenig zu tun wie mit dem Jesuitenorden des 16. Jahrhunderts oder mit dem im 19. Jahrhundert aufkommenden Personenkult riesiger Papstaudienzen.

Zugleich ist unübersehbar: In diesen protestantischen Erweckungsbewegungen, die erst nach dem Vatikanum II auch in einem charismatischen Katholizismus Parallelerscheinungen zur Folge haben, geht es eben wie im reformatorischen Paradigma überhaupt um eine **Rückbesinnung auf das Evangelium**. Und hier stehen in der Tat die klassischen Anliegen der Reformation im Zentrum: die Rechtfertigung durch den Glauben und die Wiedergeburt des neuen Menschen im Geiste Christi.

Hier spielen das Überwältigtwerden von Gottes Gnade einerseits und das glaubende Vertrauen des sündigen Menschen andererseits die grundlegende Rolle. »Erweckung« verstanden als Grunderfahrung des Glaubens, der das ganze Leben bestimmen soll! Die Kehrseite freilich: In der Erweckungsbewegung werden in der Predigt oft jene Themen ganz bewußt und manchmal einseitig in den Vordergrund geschoben, die »Furcht und Zittern« hervorrufen sollen: apokalyptische Angst um das Seelenheil und deshalb dramatisches Eingeständnis der Schuld angesichts des bald kommenden Weltenrichters. Aber wie immer: das ehrliche Bemühen um eine geistige Erneuerung im Lichte des Evangeliums ist unübersehbar.

Von der »Erweckung« zum Ökumenismus?

Solche Erweckungsbewegungen gab es in der Folge auch außerhalb Nordamerikas, in Schottland und England (von der Oxford-Bewegung bis zur Heilsarmee[181]), aber auch in der französischen Schweiz, in Frankreich, den Niederlanden, in Deutschland und in Skandinavien. Es hätte wenig Sinn, hier alle die vielen Namen, Aktivitäten und Gründungen auch nur aufzuzählen[182]: In allen Ländern gibt es bald Zentren der Erneuerung (London, Basel, Genf, Paris, Wuppertal), Gründungen von Bibelgesellschaften, Missionsgesellschaften, Traktatgesellschaften, auch von Diakonissenanstalten und Krankenhäusern – manches im Widerstand gegen den Zeitgeist der Vernunft und des Liberalismus, manches auch in missionarischem Angriff.

Im letzten Drittel des 19. Jahrhunderts war es in Amerika noch einmal zu einem »**New Revivalism**« gekommen; sein erfolgreichster Prediger war der Kaufmann **Dwight L. Moody**, in Chicago Leiter der (1844 in London begründeten) »Young Men's Christian Association« (YMCA; deutsch: CVJM) und Stifter des »Chicago Bible Institute«. Aber wenn auch die Revivals die Kirchenmitgliedschaft stark ansteigen ließen, so geriet doch diese Form der Evangelisierung mit all ihren Begleiterscheinungen zunehmend ins Zwielicht. Warum? Viele kritisierten jetzt die manchmal ekstatischen Züge, die Überschätzung der persönlichen Erfahrung und die Gefahr emotionaler Selbsterlösung. Kirche, Predigt und Sakramente würden allzusehr vernachlässigt. Eine Theologiefeindschaft hätte sich da gebildet, die im Grunde auf eine Denkfeindschaft und Denkfaulheit hinauslief...

Jedenfalls verloren diese »Revivals«, so sehr sie bis nach Australien und Neuseeland Auswirkungen zeitigten, schon zu Beginn des 20. Jahrhunderts ihre alles überragende Bedeutung im angelsächsischen Protestantismus. Und auch die in unserem Jahrhundert mit neuen technischen Mitteln arbeitenden Evangelisierungskampagnien etwa eines Billy Graham vermochten, so große Massen sie auch anzogen, doch keine eigentliche Volksbewegung mehr auszulösen. Von der unmittelbaren Gegenwart (etwa den Erweckungshappenings, -songs, -liturgien der 70er Jahre) soll in einer späteren Untersuchung die Rede sein.

Und doch ist es für den christlichen Geist der »Erweckung« noch einmal bezeichnend, daß es ein methodistischer Laie war, dessen Engagement in der Erweckungsbewegung sich außerordentlich segensreich für die im ersten Drittel des 20. Jahrhunderts sich entwickelnde **ökumenische Bewegung** auswirken sollte: **John Mott**. Nach der Begegnung mit D. L. Moody unermüdlich im YMCA und in der Studentenarbeit tätig, gründete er 1895 den christlichen Studentenweltbund. Er war 1915-28 Generalsekretär des YMCA, 1921 Vorsitzender des Internationalen Missionsrates und hatte im Jahre 1900 die berühmte Programmschrift verfaßt: »The Evangelisation of the World in this Generation«. Dieser selbe John Mott, Träger des Friedensnobelpreises, wurde nun zusammen mit dem Holländer William Visser't Hooft die treibende Kraft der ökumenischen Bewegung, die 1948 mit der Gründung des Ökumenischen Rates der Kirchen (WCC) in Genf ihre Krönung erfährt. Ehrenpräsident: John Mott.

Doch über den Ökumenismus wird zu reden sein, wenn wir vom modernen beziehungsweise postmodernen Paradigma zu reden haben werden. Denn ein Großteil dieses pietistischen Protestantismus, von dem bisher die Rede war, wendete sich im 20. Jahrhundert leider nicht dem kirchenverbindenden Ökumenismus zu, sondern dem exklusivistischen Fundamentalismus. Wir sind damit nach langem Weg auch in diesem Paradigma (P IV) in der Gegenwart angekommen. Und diese steht unter dem Programmwort »Fundamentalismus«. Diesen gilt es in allen seinen Dimensionen zu analysieren.

10. Das Doppelgesicht des Fundamentalismus

Wenige Begriffe sind gegen Ende des 20. Jahrhunderts so populär und damit freilich auch so vage geworden wie »Fundamentalismus«[183], gebraucht für bestimmte konservative Strömungen nicht nur im Christentum (Protestantismus), sondern auch im Islam und im Judentum, ja, in allen Religionen. Selbst für bestimmte Strömungen in der Politik und in der Gesellschaft wird dieser Begriff mittlerweile gebraucht: »Fundis« gegen »Realos«, nicht nur in konservativen, sondern in progressiven, »roten«

oder »grünen« Parteien. Doch will man den Begriff sinnvoll ausweiten, muß man ihn zunächst schärfen.

Warum man Fundamentalist sein kann

Man wird dann **zuerst** feststellen müssen: Auch beim **Fundamentalismus** geht es vom Ursprung und der Geschichte des Begriffs und der Bewegung her zunächst um ein Phänomen **im Rahmen des reformatorisch-protestantischen Paradigmas** (P IV). Zwischen 1910 und 1915 wurde nämlich in den USA von führenden Männern der evangelischen Bewegung und konservativen Theologen aus Princeton eine ganze Schriftenreihe (12 Bände) herausgegeben mit dem Reihentitel »The Fundamentals« (gemeint natürlich die Fundamente des wahren christlichen Glaubens). Und so nannte man denn – der Baptist C. L. Law prägte den Begriff 1920 – die Vertreter dieser freilich schon vorher bestehenden Richtung »Fundamentalisten«.

Doch ein **zweites** muß sofort hinzugefügt werden: Nicht jeder Protestant und auch nicht jeder konservative Protestant ist Fundamentalist; ja, auch nicht jeder Pietist oder Evangelikale muß Fundamentalist sein. Es gibt viele konservative Protestanten, Pietisten und Evangelikale, die mit ihrer konservativen religiösen Grundhaltung durchaus eine Offenheit gegenüber den gesellschaftlichen, geistigen und religiösen Anliegen der Moderne zu verbinden suchen. Sie sind zwar nicht Modernisten, aber moderne Protestanten. Wer also ist dann ein Fundamentalist? Antwort: Ein Fundamentalist ist, wer sich – ob lutherischer, calvinistischer, pietistischer oder freikirchlicher Tradition – **zur wörtlichen Inspiration und deshalb unbedingten Irrtumslosigkeit der Bibel bekennt.**

Ich sage »bekennt«: Es ist wohl zu beachten, daß es sich hier nicht um eine wissenschaftliche Theorie, sondern um ein eigentliches **Glaubensbekenntnis** handelt. So ist es ja auch schon im ersten Artikel des sogenannten »Niagara Creed« der Niagara Bible Conference von 1878 antizipierend für die ganze fundamentalistische Bewegung formuliert worden: »Wir glauben, ›daß die ganze Schrift durch die Inspiration Gottes gegeben ist‹, durch die wir das ganze Buch, Bibel genannt, verstehen; wir verstehen diese Aussage nicht in dem Sinn, in dem manchmal auf törichte Weise gesagt wird, daß die Werke des menschlichen Geistes inspiriert seien, sondern in dem Sinn, daß der Heilige Geist genau diese Worte der heiligen Schriften heiligen Männern in alter Zeit gegeben hat; und daß seine göttliche Inspiration nicht in verschiedenen Graden vorliegt, sondern in gleicher und vollständiger Weise sich auf alle Teile dieser Schriften bezieht, die historischen, poetischen, lehrhaften und prophetischen, und zwar bis hin zum kleinsten Wort oder der Flexion eines Wortes, vorausgesetzt, ein solches Wort ist in den Originalmanuskripten zu finden.«[184]

Doch da ist ein **drittes** zu bedenken: Ist dies ein wirklich neues Glaubensbekenntnis? Der Fundamentalist wird mit Recht darauf hinweisen, daß dies alles nicht neu ist; an eine wörtliche Inspiration und unbedingte Irrtumslosigkeit der Bibel glaubte man doch auch schon in der alten Kirche. Und in der Tat: Konnte nach hellenistischer und dann auch christlicher Auffassung der Geist Gottes den Menschen nicht in einer Ekstase überkommen? Sahen deshalb nicht schon manche **Kirchenväter** die biblischen Autoren (ganz anders freilich als diese sich selbst) einfach als Werkzeuge des Geistes, unter dessen »Eingebung«, ja, »Diktat« sie schrieben? Vergleichbar einer Flöte oder einer Harfe, die erst vom Hauch der Luft auch zum Klingen gebracht werden? Gott selber durch seinen Geist spielt hier die Melodie, bestimmt Inhalt und Form der Schrift, so daß die ganze Bibel um Gottes willen von Widersprüchlichkeiten, Fehlern und Irrtümern frei sein beziehungsweise von Interpreten (durch Harmonisierung, Allegorese oder Mystifizierung) frei gehalten werden muß. Alles also inspiriert bis ins letzte Wort, Verbum, hinein: »Verbal-Inspiration«. Alles also Wort für Wort bedingungslos zu unterschreiben!

Ja, so dachte man in Altertum und Mittelalter in ganz selbstverständlicher, naiver, sozusagen unschuldiger Weise. Wie man damals ja auch selbstverständlich annahm, der allmächtige Gott habe die Welt in sechs Tagen und den Menschen aus Lehm geschaffen, er habe jedes beliebige Naturwunder bewirken können und es mindestens in alter Zeit auch gewirkt. Aber diese historische Reminiszenz führt für die Bestimmung des heutigen Fundamentalismus zu einer dritten Einsicht: Es ist noch **kein Fundamentalismus**, wenn Menschen **in vorkritischer Zeit** die Bibel unkritisch-naiv, wörtlich verstehen. Auf die Kirchenväter kann sich ein heutiger Fundamentalist nicht berufen. Aber vielleicht auf Martin Luther?

Martin Luther – ein Fundamentalist?

Schon Luthers Hermeneutik erweist erneut den Paradigmenwechsel der Reformation als einen Umbruch von epochaler kirchengeschichtlicher Bedeutung. Denn: **Martin Luther,**

– der, wie wir sahen, in revolutionärer Weise das Schriftprinzip (»sola scriptura«) kritisch gegen kirchliche Tradition, scholastische Theologie und philosophische Überfremdung der theologischen Sprache ins Feld geführt hat,

– der deshalb entschieden vertrat, die Bibel lege sich selber aus und ihr Sinn sei im Entscheidenden (in ihrer »res«) aus sich selber völlig klar und gewiß,
– der deshalb den allegorischen Schriftsinn verwarf und entschieden für das Ernstnehmen des Wortsinnes (»sensus litteralis«) der Schrift plädierte: derselbe Luther wollte die biblische Einzelaussage von der Zielaussage (»Skopus«) des Ganzen her verstanden haben: von Christus her, der als punctus mathematicus der Heiligen Schrift zu gelten habe.[185]

Das heißt: Nicht das einzelne isolierte Schriftwort ist Luther zufolge Wort Gottes. Nur in der Unterscheidung von Gesetz und Evangelium, nur in Orientierung an Jesus Christus selbst (»was Christum treibet«) kann insbesonders das Alte, aber auch das Neue Testament richtig als Wort Gottes verstanden werden. Unter Umständen muß Christus sogar gegen die (wörtlich genommene) Schrift gestellt werden. Das heißt: **Luther** zufolge sind die **einzelnen Schriftworte** nicht aus sich Gottes Wort, sondern **insofern sie vom fleischgewordenen Wort Gottes, das Jesus Christus ist, zeugen** und so im Glauben angenommen werden. Ein heutiger Fundamentalismus kann sich also nicht auf Luther berufen.

Doch die lutherische und calvinistische Orthodoxie hat diese befreienden Impulse ihres Kirchenvaters nicht aufgenommen. Stand sie doch zu sehr zunächst in Offensive gegen die mittelalterliche und dann in Defensive gegen die tridentinische Theologie. Die gegenreformatorische Theologie stellte gegen die bereits gespaltene reformatorische Theologie die Notwendigkeit der Kirche (Konzilien, Papst) als Entscheidungsinstanz für alle Schriftauslegung zur Vermeidung des Lehrchaos heraus. Mußte da die protestantisch-orthodoxe Theologie nicht zur apologetischen Entlastung die Klarheit und Selbstevidenz der Schrift herausarbeiten – durch eine bis ins einzelne ausgebaute Theorie von der Verbalinspiration der Schrift? Dies wird man aus heutiger Perspektive bezweifeln.

Jedenfalls gibt es erst jetzt, und nicht ursprünglich reformatorisch, eine rigoros systematisierte Lehre von der Verbalinspiration und deshalb auch von der »Inerranz«, Irrtumslosigkeit, oder »Infallibilität«, Unfehlbarkeit der Schrift. Und die so erarbeitete Lehre von der unfehlbaren Schrift wird faktisch zum Fundament von Theologie und Kirche, eine Verlagerung des Fundaments mit erheblichen Konsequenzen. Daraus ergibt sich die Einsicht: Insofern jetzt faktisch nicht mehr Jesus Christus selber »das Fundament ist, das (ein für allemal) gelegt ist« (1 Kor 3,10), sondern die (orthodoxe) Lehre von der unfehlbaren Bibel, hat die **protestantische Orthodoxie** aus Zwängen der theologischen Offensive und Defensive ungewollt das **Fundament für den Fundamentalismus** (»fundamentum fundamentalismi«) gelegt. Auf die Orthodoxen konnten sich die eigentlichen Fundamentalisten jederzeit berufen und haben sie sich auch berufen.

Bedrohung durch die Moderne

Für diese eigentlichen Fundamentalisten, die ja nicht mehr Menschen der Reformationszeit, sondern der modernen Zeit sind, war nun freilich nicht mehr der Fall Luther der kirchengeschichtliche Fall par excellence, sondern der Fall Galilei (die Kopernikanische Wende in Astronomie und Philosophie) und dann immer mehr – als statt der Astronomie und Physik die Biologie im Vordergrund stand – der Fall Darwin. Jetzt war für jedermann, der am ererbten »Glauben der Väter« festhalten wollte, die neue Bedrohung nicht mehr zu übersehen: Das **Weltbild der modernen Naturwissenschaft und Philosophie** stand in Teilen **im Gegensatz zum Weltbild der Bibel**.

Eine tiefe Erschütterung der Bibelgläubigkeit bedroht gerade die »einfachen Gläubigen«. Man bedenke: Die Welt nicht erschaffen in sechs Tagen (eventuell in sechs »Millionen-Tagen«)? Nein, das kann, das darf nicht wahr sein, wenn man gläubig die göttliche Inspiration und so die Unfehlbarkeit der Bibel akzeptiert. Der Mensch nicht erschaffen als Ebenbild Gottes (dann gefallen und mit der Erbsünde behaftet), sondern jetzt ein angeblich vom Affen abstammendes primitives Wesen, das den einen wahren Gott noch gar nicht kannte und zu einer Ur- und Erbsünde gar nicht fähig war? Nein, das darf ein gläubiger Christ nicht annehmen, wenn nicht das Ganze des biblischen Offenbarungsglaubens in Frage gestellt werden soll. So etwas wäre »Apostasie«. Denn erschüttert, wer hier auch nur einen Stein herausbricht, nicht das ganze Lehrgebäude? Nein, in dieser vom Fortschrittsoptimismus geblendeten Zeit geht es jetzt darum, angesichts des kommenden Jüngsten Gerichts, »die Seelen zu retten«, auch wenn es nur eine verhältnismäßig kleine Zahl sein soll.

Doch das Schlimme für die Fundamentalisten: Es sind nicht nur Naturwissenschaft und Philosophie, die gegen das Weltbild der Bibel opponieren. Es ist seit der Aufklärung auch die »ungläubige«, **mit historisch-kritischen Methoden arbeitende Bibelwissenschaft** selbst, die meint, mit ungeheurem Aufwand an Gelehrsamkeit die Entstehungsgeschichte etwa des Buches Genesis, der fünf Bücher Mose überhaupt, auch die Geschichte des Jesaja- und Daniel-Buches, ja, sogar die der synoptischen Evangelien und des (angeblich gar nicht vom historischen Johannes stammenden) Johannesevangeliums aufdecken und entschleiern zu können. Der Schock, den die historische Kritik auslöste, war in

Amerika erheblich größer als in dem darauf besser vorbereiteten Europa: Wird auf diese Weise aber nicht auch von der »christlichen« Exegese selbst das Fundament des Christentums zerstört?

Angesichts solcher Bedrohung muß ein fundamentalistischer Christ Stellung beziehen und sich klar abgrenzen. Was uns klarmacht: Der **Fundamentalismus** im eigentlichen Sinn ist ein **Produkt der Defensive und Offensive gegen moderne Naturwissenschaft, Philosophie und Exegese**, um die Verbalinspiriertheit und Irrtumslosigkeit der Bibel gegen die Bedrohung durch die Moderne zu retten. »Das theologische Hauptmerkmal moderner religiöser Fundamentalismen«, sagt der Herausgeber des bisher anspruchsvollsten Forschungsprojekts über den Fundamentalismus, Martin E. Marty, Lutheraner und Professor an der University of Chicago, »besteht in ihrem Oppositionscharakter« (»oppositionalism«).[186]

So in die Defensive gezwungen, erweist sich der Fundamentalismus als protestantischer denn die Protestanten: Er protestiert nicht nur gegen Rom und den Papalismus, sondern auch gegen das moderne Babylon und den Evolutionismus, Liberalismus, Säkularismus. Die Lage insbesondere in den USA verschärfte sich. Fundamentalisten (z. B. ein Billy Sunday) bezichtigen Liberale in den zwanziger Jahren dieses Jahrhunderts der Häresie, und diese (z. B. H. E. Fosdick) die Fundamentalisten der Verfälschung des Christentums. Doch dabei kommt es nun zu einem höchst merkwürdigen »Renversement des alliances«, was einmal mehr bestätigt: »Les extrêmes se touchent«, die Extreme finden sich.

Die Allianz von Fundamentalisten und Kurialisten

Nicht nur der Protestantismus (P IV), auch, wie wir sahen, der **römische Katholizismus** (P III) hatte immense Schwierigkeiten mit der Moderne (P V), und weil dieser Katholizismus sich schon der Reformation verweigert hatte und deshalb bereits um einen Paradigmenwechsel (im Mittelalter) zurückgeblieben war, potenzierten sich seine Schwierigkeiten.

So war es denn kein Wunder, daß die römische Theologie sich mit der üblichen Phasenverschiebung im 19. Jahrhundert die schon von der protestantischen Orthodoxie systematisierte **Lehre von der Verbalinspiration und Irrtumslosigkeit der Schrift** ebenfalls **weithin zu eigen gemacht** hat.[187] Und wie Rom noch lange an der alleinigen »Authentizität« der traditionellen lateinischen Vulgata-Übersetzung (und am »Comma Ioanneum«[188]) festhielt und sich gegen eine neue Übersetzung ins Lateinische sperrte, so hielten die amerikanischen Fundamentalisten an der traditionellen »King James Version« der Bibel von 1611 fest und lehnten jede neue Bibelübersetzung, auch die »American Standard Version« von 1901 und die »Revised Standard Version« von 1946/52, ab. Und wie die amerikanischen Fundamentalisten, so konzentrierten sich auch die römischen Theologen auf die Fragen des biblischen Schöpfungsberichts (6-Tage-Werk, Abstammungslehre und Erbsünde), auf die Quellen-Theorie des Pentateuch, auf die biologisch zu verstehende Jungfrauengeburt, auf Jesu wahre Gottheit und Versöhnung durch sein Blut, auf die leibliche Auferstehung und auf die wörtlich zu nehmenden Prophezeiungen vom Weltende und der Wiederkunft Christi ...

Keine Frage: Auch Fundamentalisten und Kurialisten benutzen moderne Verkehrs-, Kommunikations-, Heilungs- und Zahlungsmittel und oft sogar fortschrittlichste Organisationstechniken (»Radio Vaticana«, »Electronic Church«). Da kommt ihnen die Moderne, die sie sonst mit Rationalismus, Progressismus, Pluralismus, Materialismus und Säkularismus identifizieren, gerade recht. Beide aber werfen trotzdem ihren Gegnern »Modernismus« vor. Warum? Sie würden die Autorität der Bibel aufgrund der historischen Forschung relativieren, den Ursprung des Menschen durch Gott in Frage stellen, die Person Jesu Christi auf eine rein menschliche Ebene reduzieren ... Und wie Rom über staatliche Gesetze eine Positionen durchzusetzen versucht, so – gegen die Abstammungstheorie – auch der Fundamentalismus, dem dies in einigen amerikanischen Südstaaten gelang. Ja, wie sich die römische Kurie immer wieder im Lauf der Geschichte Ketzerprozesse geleistet hat, so nun auch der amerikanische Fundamentalismus, der im Jahre 1925 den berühmten »Affenprozeß« über die Evolutionslehre in Dayton (Tennessee) vom Zaun bricht, wo der Biologielehrer J. T. Scopes verurteilt wird, weil er getreu nach Darwin die Abstammung des Menschen aus dem Tierreich vertrat.

Doch wie die römische Inquisitionsbehörde mit Prozessen gegen Galilei und andere sich selber diskreditiert hat, so auch der amerikanische Fundamentalismus, der schließlich überall scheiterte, wo er seine Lehre vom »Creationismus« (Erschaffung des Menschen unmittelbar durch Gott) in den öffentlichen Schulen zeitweise verpflichtend vorschreiben konnte. Protestantischer »Fundamentalismus« bekam so einen negativen Beigeschmack, ähnlich wie katholischer »Dogmatismus« oder »Integralismus«. Das ist verständlich, denn: Wer immer sich **mit der Wahrheit identifiziert** und deshalb einen **autoritären exklusiven Anspruch auf die »ganze« Wahrheit** erhebt (»Splendor veritatis«), wer sich so der Wahrheit der anderen nicht mehr öffnen kann, der offenbart sich damit (auch wenn er sich gerne schriftwidrig als »Heiliger Vater« bezeichnet) als Fundamentalist.[189]

Der Fundamentalismus – ein Weltproblem

Was der führende jüdische Gelehrte Jacob Neusner von den sich absondernden (»segregationalist«) jüdischen Gemeinschaften sagt, das gilt analog nicht nur für die fundamentalistischen Christen, sondern auch für die islamistischen Muslime: »Alle denken im Blick auf die Wahrheit exklusiv, da sie das Judentum (Christentum, Islam) für die einzig gültige Selbstbekundung Gottes für die Menschheit ansehen – und unter den verschiedenen Judentümern (Christentümern, Islamismen) natürlich nur ihr eigenes.«[190]

Dies ist auch der Grund, warum in neuester Zeit der Ausdruck Fundamentalismus auch **auf andere Religionen**, und vor allem auf Islam und Judentum, **ausgedehnt** wird. Exklusivistisch-buchstabengläubiger Islam wird von den Muslimen selbst heute »Islamismus« genannt, exklusivistisch-buchstabengläubiges Judentum von Juden selbst »Ultra-Orthodoxie«. Aber wenn man heute starren Buchstabenglauben und legalistische Gesetzesbeobachtung (öfters verbunden mit politischer Aggressivität) negativ charakterisieren will, dann spricht man wie vom christlichen, so nun auch vom **muslimischen und jüdischen Fundamentalimus**. Theopolitische Strategien werden freilich nur vom Christentum (»Kreuzzug für Christus«, »Re-evangelisierung Europas«) und vom Islam (»Re-islamisierung der arabischen Welt«) entwickelt.

Man vergesse jedoch die Religionen indischen und chinesischen Ursprungs nicht; auch der Hinduismus (gegen Muslime oder Sikhs) oder der Konfuzianismus (gegenüber Nicht-Han-Chinesen) kann sich exklusiv, autoritär, repressiv, eben fundamentalistisch gebärden. Mit anderen Worten: Der Fundamentalismus ist ein **universales Problem**, ein Weltproblem![191]

Oft fragt man sich, woher die enorme Wirksamkeit und Stoßkraft der verschiedenen Fundamentalismen kommen. Eine sozialpsychologische Frage. Dem Psychiater Günter Hole, Spezialist der Religionspsychopathologie, zufolge wirken drei Faktoren zusammen[192]:

– **Konsequenz**: Ein religiöser Grundwert oder eine Grundidee wird konsequent durchkonstruiert und aus Angst vor aufweichender Kompromißbildung perfektionistisch gehütet.

– **Einfachheit**: Denkweise, Einstellung und System sind einfach und transparent; differenzierende Gesichtspunkte bleiben weithin ausgeklammert.

– **Eindeutigkeit**: Interpretation und Lehrgebäude sind unzweideutig festgelegt; jede nuancierte Interpretation wird als Abweichung von der reinen Lehre, ja, als Irrlehre abgelehnt.

Wenn es also Fundamentalismus in allen Religionen geben kann, dann ist **nicht** der **Monotheismus** Schuld am Fundamentalismus, wie manchmal auch unerleuchtete christliche Autoren behaupten: Der traditionelle Glaube an den einen und einzigen Gott sei Ausdruck von Bewußtseinsstrukturen, die mit einer pluralistischen Weltanschauung zutiefst unvereinbar seien. Als ob Religionen nicht auch im Namen mehrerer Götter andere Religionen oder Völker unterdrücken, Haß verbreiten und Kriege inspirieren könnten – von atheistischen Pseudoreligionen ganz zu schweigen! Und als ob nicht umgekehrt gerade der Glaube an einen einzigen, alles umgreifenden und durchwaltenden Gott einen Universalismus begründen könnte, der die Pluralität der Religionen ernst nimmt, ohne die eigene Einzigartigkeit aufzugeben. Nein, nicht der Glaube an einen einzigen Gott trennt, genau genommen, die drei Religionen semitischen-nahöstlichen Ursprungs voneinander, sondern der Glaube an das eine Volk und Land Gottes (Judentum), an Gottes einen Messias und Sohn (Christentum) sowie an Gottes eine Offenbarung und Buch (Islam).

Nach diesen Präzisierungen sei nun freilich eingeräumt: Die **prophetisch-monotheistischen Religionen** sind für **Fundamentalismus anfälliger** als andere.[193] Denn die auf All-Einheit hin orientierten mystischen Religionen Indiens versuchen ja eher, andere Religionen zu absorbieren, als Vorstufe zu relativieren, als Aspekte der einen und einzigen Wahrheit einzuschließen (Inklusivismus). Demgegenüber tendieren Judentum, Christentum und Islam als prophetische Religionen fast natürlicherweise dazu, andere Religionen von vornherein auszuschließen (Exklusivismus), sie zu bekehren, unter Umständen zu zerstören. Statt Kommunikation und Gemeinschaft Absonderung und Eroberung. Die eigene spezifische Konzentration auf den einen Gott manifestiert sich dann des öfteren nicht nur als Konfrontation mit den anderen Religionen, sondern zugleich auch als Exkommunikation, ja schließlich – durch »heilige Kriege« – als Destruktion von Andersgläubigen. Monotheismus wird zum **Fanatismus**, besonders wenn er noch mit Weltuntergangsvisionen verbunden wird.[194]

Dieser fatale Zusammenhang ist nur zu durchbrechen, wenn man den **universalen Horizont der großen Offenbarungsurkunden** nicht verdrängt: der Hebräischen Bibel wie des Neuen Testaments und des Korans. Immer geht es ja hier um die Geschichte der Menschheit als ganzer, aller Völker. Und wenn man diese großen Glaubensurkunden zugleich von ihrem geistigen Zentrum her geistig und nicht einfach naiv-buchstäblich versteht, kommt man zu einer anderen Grundhaltung auch den anderen Religionen gegenüber.[195]

Gegen das statische Offenbarungsverständnis einer Ultra-Orthodoxie, welche die gesamte Tora (Pentateuch, die übrigen biblischen Schriften und die mündliche Tora der rabbinischen Weisen) als Gottes wortwörtliche (und so auch wortwörtlich zu befolgende) ewige gültige Offenbarung ansieht, ist mit der gesamten neueren biblischen Forschung, auch manchen jüdischen Gelehrten zufolge, anzuerkennen, daß die Offenbarung Gottes ein geschichtliches Ereignis ist und von daher zu unterscheiden ist zwischen bedeutsamen und heute bedeutungslosen, gar schädlichen Geboten.[196] Ähnliches gilt auch für Christentum und Islam: Es darf die Lehre von der wortwörtlichen Irrtumslosigkeit oder **Unfehlbarkeit der Heiligen Schrift**, sei es der Hebräischen Bibel (Halacha), des Korans oder des Neuen Testaments (oder unter bestimmten Bedingungen gar die Unfehlbarkeit des Papstes, des Reformators oder des Konzils), **nicht** als Dogma der Dogmen, als formales **Zentraldogma** vorgeschaltet werden, an dem alle übrigen Glaubenswahrheiten hängen.

Aus diesem Befund ergeben sich im Rückblick Fragen für die Zukunft, und zwar für die aller Konfessionen und Religionen[197], also nicht nur an das Christentum, sondern auch an das Judentum[198] und den Islam[199]. Denn Judentum, Christentum und Islam wollen je alle dem Menschen in einer orientierungsarmen Zeit eine **Grundorientierung** für sein Leben vermitteln. Aber wie?

Fragen für die Zukunft

Das Judentum will den heutigen Menschen mit all seinen Festen, Feiern, Riten und Geboten einen sinnstiftenden, praxisbezogenen Orientierungsrahmen bieten. Wie aber soll ein **fundamentalistisches** Judentum, das mit Berufung auf die von Gott geoffenbarte schriftliche und mündliche Tora (Bibel und Talmud) jede Form des Umgangs mit der Welt außerhalb ihres eigenen Lebensbereichs und jede Mitarbeit an gemeinsamen Aufgaben von öffentlichem Interesse ablehnt, ja, das auch jede freiere Form eines (konservativen oder reformerischen) Judentums bekämpft: Wie soll ein solches Judentum auf die Dauer den Menschen einen solchen Orientierungsrahmen bieten können in einer modernen Demokratie (wie etwa in Amerika oder Israel)? Demokratie setzt ja nun einmal ein gemeinsames Interesse aller Staatsbürger und deren Verpflichtung auf das Gemeinwohl voraus.

✝ Das Christentum will den heutigen Menschen mit all seinen Lehren und Dogmen, Sakramenten und Weisungen für die Lebenspraxis eine umfassende Existenz- und Weltdeutung bieten. Wie aber soll ein **fundamentalistisches** Christentum in einer Zeit, die ganz von moderner Wissenschaft, Technologie und Kultur geprägt ist, eine solche Deutung bieten können, wenn es an ein wörtliches Verständnis von Schöpfungsbericht und Endgericht, von Urfall und Erlösung gebunden ist? Unter Vernachlässigung aller Regeln der Hermeneutik wird nur eine Auslegung zugelassen und für sie ein Absolutheitsanspruch erhoben.

☾ Der Islam will den Menschen von heute eine umfassende Lebensanschauung bieten, in der Glauben und Handeln untrennbar verbunden sind. Wie aber soll ein **fundamentalistischer** Islam in der modernen Zeit eine sinngebende und wegweisende Instanz sein können, wenn der Koran nicht für die jeweiligen Herausforderungen der Zeit neu interpretiert werden darf, wenn also nicht der Anlaß, der Zeitpunkt und die Situation der einzelnen Suren und Verse des Koran untersucht werden dürfen, um so ihren Geltungsbereich und ihre Geltungsdauer festzustellen? Es gibt doch auch klassische mittelalterliche Koraninterpreten, die unterscheiden zwischen Koranversen, deren Aussage nur für die Zeit gilt, in denen sie geoffenbart wurden, und solchen, deren Geltung für alle Zeiten bestimmt ist.

Der protestantische Theologe Jürgen Moltmann hat recht: »Was mit ›Fundamentalismus‹ heute bezeichnet wird, ist ein Sekundärphänomen: die primäre religiöse, interreligiöse und areligiöse Herausforderung ist nicht der ›Fundamentalismus‹, sondern die ›moderne Welt‹.«[200] Im Grund geht es sowohl im exklusivistischen Judentum und im islamistischen Islam wie im fundamentalistischen Christentum um einen Aufstand gegen die den traditionellen Glauben bedrohende Moderne, die man gerne stoppen, ungeschehen machen möchte, um frühere religiöse, politische und wirtschaftliche Zustände wiederherzustellen.

Aber kann sich denn eine Religion (und damit der einzelne Gläubige) überhaupt Fundament, Identität und Wahrheitsgewißheit bewahren, wenn sie nicht jeden Satz und jedes Wort ihrer Heiligen Schrift wortwörtlich nimmt? Darauf ist zu antworten: Die Anliegen der Fundamentalisten sind berechtigt, ihre Lösungen fatal. Dies führt uns nun auch bei diesem Paradigma zu einer kurzen ökumenischen Zwischenbilanz.

Was sind Stärken und Gefahren der protestantischen Kirchen?

Es ist kein Zweifel: Das **reformatorische Paradigma** hat die Menschen des 16. Jahrhunderts angesichts all des Gerölls und Geschiebes der mittelalterlichen Tradition wieder neu auf die lebendige Quelle des Christentums zurückverwiesen. Martin Luthers reformatorisches Programm hat ihnen so gegen alle spätmittelalterliche Zerrissenheit eine neue Identität vermittelt und ihre Heilsangst in einer neuen Glaubensgewißheit aufgefangen. Und Luther, der Mann des Glaubens, war ja nun so wenig ein Fundamentalist wie Jesus selber oder der Apostel Paulus. In dieser immer wieder neuen Konfrontation mit dem **Evangelium**, mit der ursprünglichen christlichen Botschaft, liegt die große **Stärke** des Protestantismus. Wo immer das Christliche verdeckt, verwässert, verzerrt oder gar abgeschafft wird, da ist **Protest** am Platz: nicht ein leerer Protest nur **gegen** Mißbräuche und Mißstände, sondern ein gezielter Protest **für** das Evangelium, für Jesus Christus, das »Wesen« des Christentums. **Evangelische Konzentration** ist der wahre Kern des »Protestantismus«. Und diese ist für die Christenheit schlechterdings unverzichtbar.

Nun hat freilich gerade unsere Zeit die überraschende Erfahrung gemacht, daß die in Gegenreformation und Antimodernismus anscheinend ganz erstarrte **katholische Kirche**, wie am Ende der Behandlung des römisch-katholischen Paradigmas (P III) schon kurz vermerkt, mit dem Zweiten Vatikanischen Konzil eine Wende hin auf die anderen christlichen Kirchen vollzogen hat, die bei allen Grenzen und Kompromissen sehr viel mehr als »Trient« epochal genannt werden muß. Denn worum geht es? Vorbereitet von vielen evangelisch gesinnten und oft verfolgten Theologen hat das Vatikanum II endlich den Paradigmenwechsel der evangelischen Christenheit vom Mittelalter zur Reformation in grundlegenden Dimensionen nachvollzogen und sich, ohne die Katholizität aufzugeben, um evangelische Konzentration und so um die **Integration des reformatorisch-evangelischen Paradigmas** (P IV) bemüht.

Niemand kann die ungeheuren Schwierigkeiten übersehen, welche die katholische Kirche wegen des römischen Systems vor, während und nach dem Vatikanum II mit ihrer Erneuerung hatte und hat. Doch dürfen trotz aller ungelöst gebliebenen Fragen (Geburtenregelung, Ehescheidung, Amtsfrage, Mischehe, Zölibat, Primat und Unfehlbarkeit) die konkreten positiven Resultate der konziliaren Reform nicht gering geschätzt werden, welche die katholische Kirche grundlegend verändert haben. Sie provozieren zugleich – das sei hier zumindest angedeutet – Rückfragen an die reformatorischen Kirchen. Inwiefern ist also eine Integration des reformatorisch-evangelischen Paradigmas in der katholischen Kirche Wirklichkeit geworden?

Es sei zuerst die **grundsätzlich neue Einstellung zur Reformation** angesprochen, die in den Konzilsdekreten programmatisch zum Ausdruck gebracht wird (und zugleich seien an dieser Stelle ganz knapp die katholischen Rückfragen eingebracht, die mir in langen Jahren ökumenischer Aktivität an Überzeugung gewachsen sind und die auch früher schon dargelegt wurden):

– Die katholische **Mitschuld** an der Kirchenspaltung wird jetzt anerkannt. Zugleich wurde die Notwendigkeit steter **Reform** ausdrücklich bejaht: Ecclesia semper reformanda – ständige Erneuerung der eigenen Kirche in Leben und Lehre nach dem Evangelium ist jetzt auch katholische Auffassung.

Als Rückfrage drängt sich auf: Dürfen sich deshalb die anderen Kirchen als überhaupt nicht zu reformierende (»orthodoxe« P II) Kirchen oder aber als bereits definitiv reformierte (»lutherische«, »calvinistische«, »freie«) Kirchen verstehen? Bleiben nicht auch sie allesamt noch weiter zu reformierende Kirchen?

– Die anderen christlichen Gemeinschaften werden jetzt **als Kirchen anerkannt**: Es gibt in allen Kirchen eine gemeinsame christliche Basis, die mit dem Glauben an Jesus Christus und der Taufe gegeben ist und die wichtiger ist als alles Trennende.

Eine Rückfrage auch hier: Müßte nicht auch in anderen Kirchen das Bemühen um die gemeinsame christliche Basis und »Substanz« intensiviert werden?

– Von der ganzen katholischen Kirche ist **ökumenische Haltung** gefordert, konkret: die innere Umkehr (Konversion!) der Katholiken selbst, das gegenseitige Kennenlernen der Kirchen und der lernoffene Dialog, die Anerkennung des Glaubens, der Taufe, der Werte der übrigen Christen, schließlich eine in ökumenischem Geiste getriebene Theologie und Kirchengeschichte.

Die Rückfrage würde lauten: Werden die anderen Kirchen nun auch ihrerseits die zahlreichen berechtigten katholischen Anliegen anerkennen und realisieren, in Theologie, Liturgie und Kirchenstruktur?

Man beachte: Über diese grundsätzliche Einstellung zur Reformation hinaus ist in den Konzilsdekreten eine ganze **Reihe zentraler evangelischer Anliegen** von der katholischen Kirche zumindest grundsätzlich, aber vielfach auch ganz praktisch **aufgenommen** worden:

(1) **Neue Hochschätzung der Bibel**: Im Gottesdienst (mehr umfassender mehrjähriger Zyklus der Schriftlesung), in der Theologie (Schriftstudium soll »Seele« der Theologie sein) und im kirchlichen Leben überhaupt: statt früherer Verbote von Bibellesung durch Laien jetzt Aufforderung zur häufigen Bibellektüre.

(2) **Echter Volksgottesdienst**: Gegenüber der früheren Klerikerliturgie ein Gottesdienst der ganzen Gemeinde in gemeinsamem Gebet, Gesang und Mahl. Gegenüber der füheren Verkündigung in der lateinischen Fremdsprache ein neues Hören auf das in der Volkssprache verkündigte Wort Gottes.

Gegenüber der früheren Überwucherung und Verdeckung Vereinfachung und Konzentration auf das Wesentliche der Mahlfeier. Gegenüber der standardisierten römischen Einheitsliturgie mehr Anpassung an die einzelnen Nationen. Statt des Verbots jetzt zumindest grundsätzlich die Gestattung des Laienkelches.

(3) **Aufwertung der Laienschaft**: Direkter Zugang der Laien nicht nur zur Bibel, sondern auch zur Theologie. Vielfältige Laienaktivität bei der Verwirklichung des Volksgottesdienstes und Verstärkung des Laieneinflusses durch Pfarreiräte und Diözesanräte.

(4) **Anpassung der Kirche an die Nationen**: Gegenüber einem zentralisierten System wird immer wieder die Bedeutung der Ortskirche und der Partikularkirchen (Diözesen, Nationen) hervorgehoben: der praktischen Dezentralisierung sollen die nationalen und kontinentalen Bischofskonferenzen dienen.

(5) **Reform der Volksfrömmigkeit**: Viele der speziellen Frömmigkeitsformen der Reformations- und Barockzeit (Andachten, Litaneien usw.) sind wieder verschwunden, Abschaffung vieler Fastenvorschriften und stark abgeflauter Marianismus.

Schließlich Luthers zentrales Anliegen: Die **Rechtfertigung** des sündigen Menschen aufgrund des Glaubens allein wird von katholischen Theologen heute, so hörten wir, ebenso bejaht wie umgekehrt die Notwendigkeit von Werken oder Taten der Liebe von evangelischer Theologie. Noch einmal: Diese katholische Realisierung reformatorischer Anliegen ist noch weit entfernt von der wünschenswerten Konsequenz – wer könnte es übersehen? Da könnte die katholische Kirche in vielem von der anglikanischen lernen. Aber verglichen mit den schwachen Anfangserfolgen des Konzils der Gegenreformation sind die des Vatikanum II geradezu sensationell zu nennen! Welche Kirche hat sich in so wenigen Jahren weltweit so gründlich verändern können wie die katholische? Trotz aller Unvollkommenheiten, Inkonsequenzen und Kompromisse gestattet es die bisherige Verwirklichung reformatorischer Anliegen, erneut **Rückfragen** an die reformatorischen Kirchen zu stellen; denn wäre es nun nicht Sache der evangelischen Kirchen, den Katholiken mit mehr selbstkritischem Verständnis ihrerseits entgegenzukommen?

Fragen für die Zukunft

• Noch mehr katholische Hochschätzung der Bibel, zugegeben. Doch Rückfrage: Wie steht es im Protestantismus mit der oft vernachlässigten gemeinsamen altkirchlichen und mittelalterlichen **Tradition**?

• Noch lebendigerer katholischer Wort- und Volksgottesdienst, gewiß. Doch Rückfrage: Wie steht es mit der Feier des in manchen evangelischen Kirchen noch immer an den Rand gedrängten oder vernachlässigten **Abendmahles**?

• Eine effektivere Aufwertung der katholischen Laienschaft, der Frauen vor allem, zweifellos. Doch Rückfrage: Wie steht es um die Bedeutung der Ordination und des kirchlichen **Amtes**, im lokalen, regionalen und universalen Bereich?

• Verstärkte Dezentralisierung und Inkulturation in den verschiedenen Nationen, dringend zu fordern. Doch Rückfrage: Wie steht es um die durch protestantischen Provinzialismus oder Nationalismus oft in Frage gestellte Internationalität und **Universalität** der Kirche?

• Noch weitergehende Reform der Volksfrömmigkeit, in bestimmten Ländern ganz besonders. Doch Rückfrage: Wie steht es um die durch den protestantischen Intellektualismus gefährdete **Volksnähe** von Kirche und Gottesdienst?

Eine großartige, vom Evangelium neu geprägte Gesamtkonstellation des Christentums – dieses Paradigma der Reformatoren! Doch auch diese Konstellation hat ihre spezifischen **Gefahren**. Der progressive **Separatismus** – die Spaltung in immer noch kleinere »Sekten«, Gruppen, Zellen – war von Anfang an eine Hauptgefahr des Protestantismus, analog der Gefahr jenes Zentralismus in der römisch-katholischen Kirche. Und was den Hauptstrom des Protestantismus betrifft: Mit der Zeit, so mußten wir feststellen, **verfestigte sich und verknöcherte auch dieses Paradigma**, wenngleich anders als das mittelalterliche römisch-katholische. Es kam zu einer starren Orthodoxie, die der Pietismus nur bedingt und partiell zu verlebendigen vermochte, da er sich wie die Orthodoxie der neu heraufkommenden modernen Konstellation im Prinzip verschloß. Man brauche die Bibel nur wörtlich zu nehmen, sich selber und seine Vernunft aufzugeben, um sich so aller Zweifel entledigen zu können. »Nur glauben« – meinte man.

Und so entstand in der Neuzeit aus schierer Opposition gegen moderne Wissenschaft, Gesellschaft, Exegese und Theologie jener protestantische **Fundamentalismus**, der nur noch der gespenstische **Schatten des großen reformatorischen Paradigmas** (P IV) ist. Er ist vergleichbar dem orthodoxen Traditionalismus, der nur eine schwache Kopie des altkirchlich-hellenistischen Paradigmas (P II) darstellt, vergleichbar dem römischen Autoritarismus und Infallibilismus, der eine karikaturhafte Verzerrung des großen mittelalterlichen Paradigmas (P III) ist. Er macht die Gefahr eines Protestantismus aus, der in **falschem Protest** erstarrt ist. Denn schaut man differenziert hin, so gilt:

(1) Die Suche vieler Menschen in Zeiten der Desorientiertheit nach einem **Fundament** ist ganz und gar verständlich. So viele Menschen wissen nicht mehr, um was es im eigenen Leben und auch in der eigenen Religion wirklich geht. Und eine Religion ohne ein klares Fundament verfällt dem Zeitgeist, entwertet sich selbst.

Aber zugleich ist unbestreitbar: Das Festhalten an einem Fundament ist nicht identisch mit Fundamentalismus. Ungezählte Menschen in allen Religionen haben sich durchaus ein Fundament bewahrt oder es wiedergewonnen, ohne in ihrer eigenen Heiligen Schrift alles wortwörtlich zu akzeptieren. Daraus folgt: Ein Fundament kann auch **ohne Fundamentalismus** bewahrt werden.

(2) Festhalten an bedrohter oder Rückgewinnung verlorener religiöser **Identität** ist ein völlig berechtigtes Anliegen. So viele Menschen haben Angst vor Entfremdung und Diffusion und sehnen sich nach Maßstäben und Halt. Und eine Religion, die keine Identität verleiht, sondern den Menschen spaltet und mit seinen Widersprüchen allein läßt, verbindet nicht mit dem Absoluten, sondern hält fern von ihm.

Aber zugleich ist unbestreitbar: Das Festhalten an religiöser Identität ist nicht identisch mit Fundamentalismus, der »eine bedrohte, verängstigte, verunsicherte und darum aggressiv reagierende Identität« verkörpert.[201] Identität läßt sich, so bezeugen heute viele Juden, Christen und Muslime, leben auch bei Anerkennung anderer Religionen. Daraus folgt: Identität ist möglich **ohne Exklusivismus**, möglich in Anerkennung der Pluralität anderer Wege zu Gott.

(3) Legitim ist das Bedürfnis nach **religiöser Wahrheitsgewißheit.** So viele Menschen fühlen sich in bezug auf die Frage nach dem letzten Woher und Wohin, dem ganzen Zusammenhang ihres Lebens und den langfristigen Perspektiven zutiefst verunsichert. Und eine Religion, die durch ihre Deutungen, Symbole und Maßstäbe keine Gewißheit zu verschaffen vermag, sondern die Ungewißheit womöglich noch vergrößert, dient nicht der Wahrheit.

Aber zugleich ist unbestreitbar: Das Festhalten an religiöser Wahrheitsgewißheit ist nicht identisch mit Fundamentalismus. Die religiöse Gewißheit meint kein Versicherungsdenken ohne Risiko und Zweifel, meint keine Bollwerkmentalität und Festungsstrategie, sondern ein Leben in letzter Gelassenheit – im Vertrauen darauf, daß die Wahrheit Gottes sich durchsetzt, auch ohne massive menschliche Nachhilfe. Daraus folgt: Religiöse Gewißheit **ohne Fanatismus** ist möglich; auch Zweifel und Wagnis gehören zum Glauben, auch die Einsicht in Grenzen und die Notwendigkeit der Toleranz.

Ökumene ist mehr als reiner Reformaktivismus. Ökumene läßt sich nur finden und verwirklichen, wenn sich alle Kirchen neu konzentrieren auf die eine christliche Tradition: auf das Evangelium Jesu Christi selbst! Nur von daher lassen sich die konfessionalistischen Ängste und Unsicherheiten weiter abbauen, der ideologische Fanatismus und die ressentimentgeladene Beschränktheit überwinden, die hinter den theologischen Differenzen verborgenen ökonomischen, politischen, kulturellen Verflechtungen mit einer bestimmten Gesellschaft, Schicht, Klasse, Rasse, Zivilisation, Staat sichten und auf eine neue Freiheit hin überschreiten. Das aber bedeutet freilich: Keine ökumenische Verständigung ohne kirchliche Erneuerung, aber auch keine kirchliche Erneuerung ohne ökumenische Verständigung!

In solcher ökumenischer Grundhaltung können auch die neuen, erst nach Reformation und Gegenreformation auftretenden Fragen angegangen werden, welche die Moderne an Katholiken, Protestanten und Orthodoxe in gleichem Maße stellt. Wir sind jetzt gut vorbereitet darauf, das schon in der Analyse der früheren Paradigmen immer wieder am Horizont aufscheinende Paradigma der aufgeklärten Moderne P V genauer zu untersuchen.

V. Das vernunft- und fortschrittsorientierte Paradigma der Moderne

Nach Reformation und Gegenreformation, nach dem Zeitalter des Konfessionalismus und den unbeschreiblichen Verwüstungen der Religionskriege, nach dem 30jährigen Krieg auf dem europäischen Kontinent (1618-1648), gefolgt später von der »glorious revolution« und der Toleranzakte Wilhelms III. (1688) in England, ist **um die Mitte des 17. Jahrhunderts** eine weitere große **Wasserscheide der neueren Geschichte** festzustellen; darin stimmen die allermeisten allgemein-historischen und kirchen-historischen Werke überein. Für unsere Paradigmenanalyse bedeutet dies: Jene bereits beschriebene Krise sowohl des reformatorischen Paradigmas (P IV) wie des mittelalterlichen in Gestalt des gegenreformatorischen (P III), die sich beide als unfähig erwiesen, grundlegend neue Impulse zu verarbeiten, bildete die Voraussetzung für den Übergang zu einer neuen Gesamtkonstellation: zum **neuen Paradigma der Moderne**, dessen Geschichte hier nicht geschrieben werden kann. Nur dessen Grundzüge und revolutionäre Schübe in ihren Auswirkungen auf Christentum, Kirche und Theologie sollen scharf herausgearbeitet werden.[1] Doch zuvor auch bezüglich dieses neuen Paradigmas (P V) einige geschichtshermeneutische Überlegungen, Differenzierungen, die uns helfen, die Analyse des modernen Paradigmas nicht naiv-historisch, sondern auf der Höhe des heutigen historisch-philosophischen Problembewußtseins anzugehen.

1. Der Beginn der Moderne

Historische **Periodisierungen**, die Bestimmung von Epochenschwellen, sind zunächst **unsere eigenen Festsetzungen** und somit relativ. Gliederung von Zeit läßt sich nie von einem überzeitlichen, sondern nur von einem innerzeitlichen Standpunkt aus vornehmen.[2] Historie ist eine Wissenschaft unseres **Wissens** von Geschichte: also eine durchaus standpunktbestimmt-perspektivische und interessenbedingte Wissenschaft, die keineswegs, wie Ranke meinte, bloß berichtet, »wie es eigentlich gewesen ist«, sondern zugleich auch immer schon interpretiert. Keine Schilderung deshalb ohne Deutung, und so auch keine Periodisierung ohne Entscheidung. Entscheidungen und Festlegungen freilich, die nicht einfach willkürlich sein dürfen, wenn sie nicht mit der Wirklichkeit selbst kollidieren sollen! Mit anderen Worten: Beliebig dürfen auch Periodisierungen nicht sein. Sie haben so gut wie möglich den »Tatsachen« gerecht zu werden und nicht sich selbst den Blick auf die Realität zu verstellen.

Das Zeitalter der Entdeckungen – Anfang der Moderne?

Je nach Standpunkt, Kriterien und Interesse kann man in diesem oder jenem Jahrhundert die **Neuzeit** beginnen lassen. Es gibt Forscher, die lassen sie schon im **Hochmittelalter** oder im **Spätmittelalter** beginnen, so daß für sie kaum noch ein Mittelalter übrigbleibt. Doch alle möglichen Vorformen, Vorzeichen und Vorläufer eines neuen Zeitalters bedeuten noch keinen Paradigmenwechsel.[3] Für einen solchen sind nicht irgendwelche Erstbelege entscheidend, sondern das Normativwerden des Neuen. Das heißt:
– Erst wenn die Ahnen einer Bewegung aus der privaten in die öffentliche Sphäre treten,
– erst wenn die Oppositionellen repräsentativ werden,
– erst wenn Einfälle und Beispiele Normen bilden und das Neue nicht nur angebrochen, sondern durchgebrochen ist, erst dann kann man von einer Welt-Zeiten-Wende, einem epochalen Wandel des Makroparadigmas sprechen.

Andere Historiker lassen die Neuzeit beginnen mit der **Renaissance**, wiewohl diese, wie wir gesehen haben[4], bei allem Vorwärtsdrängen sich an der Antike als ihrem Leitbild und nicht an der autonomen Vernunft oder am Fortschritt orientierte. Wieder andere mit der **Reformation**, wiewohl die zumeist antikopernikanischen und wenig demokratischen Reformatoren in vielfacher Weise noch an mittelalterliche Vorstellungen und Verfahrensweisen gebunden blieben. Nein, nicht Luther, Melanchthon, Calvin, Knox und Cranmer, auch nicht Erasmus, die Päpste der Gegenreformation und die Künstler des Barock, sondern erst Descartes und Leibniz, Galilei und Newton, Hobbes, Rousseau und Kant sind, jeder auf seine Weise, typisch »moderne« Gestalten.

Aber wie steht es dann mit dem historischen Datum 1492? Mit der **Entdeckung Amerikas** kann man zweifellos die europäische Neuzeit (im weiteren Sinn) beginnen lassen, aber: für die damalige Christenheit bedeutete sie noch keinen Paradigmenwechsel. Warum nicht?

Zu Recht lassen nicht nur spanische und portugiesische Historiker das Zeitalter der Entdeckungen als Beginn der europäischen Neuzeit gelten. Denn einzigartig kühn sind in der Tat das europäische Ausgreifen auf die Weltmeere und die damit verbundenen Entdeckungen und Eroberungen des 15./16. Jahrhunderts. Oder ist es etwa ein Zufall, daß von Europa aus die anderen Erdteile »entdeckt« wurden und nicht umgekehrt? Heute ist uns jene früher in Europa verbreitete arrogant-ignorante Denkweise zweifellos fern, als ob die anderen Erdteile vor ihrer »Entdeckung« in Ungeschichtlichkeit verharrt wären oder von vornherein kulturell unterlegen gewesen wären. Welcher Kenner der islamischen Kultur in Persien oder Bagdad oder der chinesischen Sung- und der Tang-Dynastie könnte dies behaupten? Aber zweifellos erscheinen im 16. Jahrhundert der chinesische, indische oder der islamische Kulturkreis im Vergleich mit Europa mehr nach innen gekehrt, mehr statisch. Jedenfalls verfügten die möglichen Konkurrenten Europas nicht über die für den Aufbau eines überseeischen Kolonialreiches notwendigen Antriebskräfte, wie immer man solches beurteilen mag. Unbestreitbar ist:

– Das **chinesische Reich** hat (bei allen Vorstößen nach Korea, Japan, Vietnam, Zentralasien und vereinzelten überseeischen Expeditionen bis nach Indien) aufgrund seiner universalistischen Welt- und Staatsauffassung kaum nachhaltiges Interesse an Überseehandel und Kolonialisierung gezeigt; es hat so nicht einmal die südostasiatische Inselwelt unter seinen Einfluß gebracht, so daß der Pazifik für die Chinesen nicht das wurde, was der Atlantik für die Europäer war; China und Japan entschieden sich angesichts der europäischen Expansion für die Abkapselung.

– Die **islamischen Reiche** hatten zwar bis ins 15. Jahrhundert nicht nur auf dem europäischen Kontinent (durch die Osmanen) eine starke Position. Sie kontrollierten darüber hinaus im Mittelmeer und im Indischen Ozean bis nach Java den Seehandel. Aber im 16. Jahrhundert wurden sie von der technisch weiterentwickelten Seefahrt der Portugiesen und Spanier (nicht nur Küstenschiffahrt, sondern ozeanische Seefahrt) überflügelt; die muslimischen Reiche (die Osmanen wie die Safawiden in Persien) beginnen Zeichen der Stagnation und Lähmung zu zeigen, auch wenn auf dem Balkan noch die militärische Expansion im Gang ist; das indische Mogulreich zerbricht in den Kämpfen mit den hinduistischen Marathen.

Gewiß gab es schon in Antike und Mittelalter interkontinentale Verbindungen: Handel, Eroberungszüge und Wanderungen auf Landwegen, Migrationen größerer Volksgruppen im Mittelmeerraum und im pazifisch-polynesischen Bereich. Aber die im 16. Jahrhundert einsetzenden Verbindungen Europas mit anderen Kontinenten, so dicht wie keine anderen zuvor, beschränken sich jetzt nicht mehr nur auf die bereits im Altertum bekannten Räume Asiens und Afrikas. Sie erschließen vielmehr bisher unbekannte Weltmeere und Weltteile, ja, lassen die Weltmeere nicht länger zu Faktoren der Trennung, sondern zu solchen der Verbindung werden. Geopolitisch hat hier eine neue Zeit begonnen, zweifellos; aber bedeutet dies für das Christentum schon einen Paradigmenwechsel? Dies ist eine ganz andere Frage.

Noch kein Paradigmenwechsel für das Christentum

Der überseeische Ausgriff Europas hatte globale Auswirkungen: Im Lauf der Neuzeit werden durch eine allmähliche, freilich ungleichmäßige Europäisierung – durch Militär, Handel, Mission, die einander in die Hände arbeiten – die verschiedenen Weltteile zu einer einzigen Welt zusammenwachsen: Eine Welt mit Europa als Zentrum! Insofern sollte das moderne Paradigma sich später als ein ganz und gar **eurozentrisches Paradigma** manifestieren! Daß dieser Europäisierungsprozeß höchst ambivalent war, daß er gewollt-ungewollt ungeheure Opfer gekostet hat, daß er die Vertreibung, Verschleppung und Vernichtung ganzer Stämme und Völker durch Krieg und epidemische Krankheiten und die Zerstörung uralter kultureller und gesellschaftlicher Kulturen bedeutet, dies alles sollte den Europäern selber erst nach dem Ende der Moderne und des europäischen Kolonialismus und Imperialismus nach dem Zweiten Weltkrieg allgemein zum Bewußtsein kommen. Der Prozeß der Kolonialisierung wie der der Entkolonialisierung der außereuropäischen Erdteile soll deshalb in einer eigenen Untersuchung dargestellt werden.[5]

Wir konzentrieren uns hier auf die Tatsache: Die Entdeckung der neuen Kontinente bedeutete **für das Christentum** noch **keineswegs einen epochalen Paradigmenwechsel**. Denn damals stand im Zentrum des politischen Geschehens zunächst die Reformation, die mit ihren Kräften und den ausgelösten Gegenkräften diese Epoche des Übergangs zwischen Mittelalter und Moderne beherrschen sollte! Die Entdeckungen außerhalb Europas blieben deshalb für die großen Massen der europäischen Bevölkerung noch lange ein Randgeschehen. Die überseeischen Kolonien waren zunächst nur wichtig und interessant, weil sie der aufsteigenden römisch-katholischen Vormacht **Spanien** für ihre (antiprotestantischen) Kriege ungeheure Gold- und Silbermassen zur Verfügung stellten – wenn wir hier von Geldvermehrung und Preisinflation und den neuen Genuß- und Nahrungsmitteln (von Kaffee, Kakao und Tee über Tabak und Rohrzucker bis hin zu Kartoffeln und Gewürzen aller Art) absehen. Für den einfachen Mann und die einfache Frau im damaligen Europa waren die Verhältnisse vor Ort unendlich viel wichtiger als die Entdeckung ferner neuer Länder und der Import vielfacher unbezahlbarer Kostbarkeiten.

Der mittelalterliche wie der reformatorische Glaube der Christenheit sollte jedenfalls durch die »Entdeckung« ganzer Kontinente von Un- oder Andersgläubigen erst später erschüttert werden. Spanien insbesondere blieb, wie wir hörten, trotz Reformen religiös dem mittelalterlichen Paradigma verhaftet und ging noch im selben Jahr 1492 in äußerst grausamer Weise gegen die Juden vor. Noch auf der großen Disputation von 1550 vertritt Juan Ginés de Sepúlveda erfolgreich die Ungleichheit der Rassen gegen die naturrechtlichen Argumente des Bartolomé de Las Casas, der sich für eine Rechtsgleichheit aller Menschen engagiert, die sich erst sehr viel später durchsetzen sollte ...

Aber war nicht **Christoph Kolumbus**, der kühne Entdecker, ein durch und durch moderner Mensch? In seiner »Weltanschauung« kaum. Denn auch dieser Cristóbal Colón aus Genua, überlegener und zielstrebiger Meister der Seefahrt und der Kartographie, ging bei seiner jahrelang genau geplanten und rational organisierten Transatlantikfahrt noch völlig von zum Teil phantastischen mittelalterlichen Vorstellungen und märchenhaften Erwartungen aus. In Wirklichkeit war die Westpassage nach Indien fast doppelt so lang, wie er aufgrund falscher Angaben des Ptolemäus angenommen hatte (21 000 statt 11 000 km), und die neuentdeckten Küsten waren bekanntlich nicht die östlichen Ausläufer der »Indias« (China und Japan), wie Kolumbus bis zu seinem Tod fest überzeugt blieb, sondern Randzone eines bisher völlig unbekannten Kontinents, Amerika.

Hinzu kommt: Kolumbus war auch in Frömmigkeit und Ethos ein ganz und gar mittelalterlicher Mensch, der seine Forschungsreise (vor allem um des Goldes und anderer Reichtümer willen) zugleich als eine Missionsreise (um des traditionellen katholischen Glaubens willen) propagiert und sich für sein Unternehmen in der Bibel alle möglichen »Prophezeiungen« zusammengesucht hatte. Unheil außerhalb der katholischen Kirche: das war für ihn selbstverständlich. Den Krieg gegen Ungläubige konnte er so in alter Kreuzzugsmentalität von vornherein als »gerechten Krieg« sehen und Kolonisierung und Christianisierung im Geist des augustinischen »Coge intrare« (»zwinge sie einzutreten«) betreiben; mit einem Teil des gefundenen Goldes gedachte er einen neuen Kreuzzug nach Palästina zu finanzieren und auch persönlich anzuführen.

Kurz, ein »moderner Mensch« im strengen Sinn war keiner der Conquistadores. Sie brachten den Menschen des neuen Kontinents denn auch kein »modernes«, sondern ein ganz und gar traditionelles, eben mittelalterliches römisch-katholisches Paradigma (P III). So vermochte sich unter der spanisch-portugiesischen Herrschaft (anders als etwa durch die christliche Mission im kirchlichen Altertum) kein autochthones, kein **indiani-**

sches Paradigma von Christentum (wie in der Frühzeit das hellenistische) herauszubilden; die Missionierung war Teil der Kolonisierung und beseitigte zumindest oberflächlich die angeblich primitiven Religionen der Eingeborenen und entwurzelte ihre lebensbestimmenden Mentalitäten.

Selbst die politischen und intellektuellen Eliten Europas brauchten Zeit, um die weitreichenden Auswirkungen der europäischen Expansion und die darauf folgenden globalen geographischen und verkehrstechnischen, wirtschaftlichen und politischen Aufgaben auch nur einigermaßen zu erfassen. Erst im 17. Jahrhundert sollten die Entdeckungen der ja durchaus bewohnten riesigen neuen Kontinente in Rückwirkung das Weltbild und den Glauben der europäischen Christenheit innerlich affizieren, verunsichern und verändern: **Ökumene** (die ganze bewohnte Erde) **und Christenheit** waren offensichtlich **nicht identisch**! Das ist nun aber bereits die Zeit der Aufklärung, die Zeit der eigentlichen Moderne, als nämlich nach allen konfessionellen Streitigkeiten und Kriegen Toleranz nicht nur für die verschiedenen Konfessionen, sondern auch für die verschiedenen Religionen propagiert wurde.

Das heißt: Nicht die Entdeckungen an sich, sondern die neue Philosophie und experimentelle Naturwissenschaft, das neue Natur- und Völkerrecht und das neue säkularisierte Verständnis von Politik und Staat werden das neue, das im eigentlichen Sinn moderne Paradigma (P V) des Christentums charakterisieren. Dem wollen wir im folgenden nachgehen. Kürzer wird der Weg der Analyse des modernen Paradigmas sein, dafür unendlich verzweigt und höchst schwierig zu übersehen.[6] Wir werden **mehrere große Modernisierungsschübe** feststellen.

2. Die neue politische Konstellation in Europa

Zwei wohlbekannte einzigartige Baudenkmäler, und doch grundverschieden, können als bildhafte Zeichen den epochalen Wandel illustrieren:
– der einsame, kühle und graue Klosterpalast **Escorial** im kastilischen Bergland, den der mächtigste Mann der zweiten Hälfte des 16. Jahrhunderts, der Habsburger Philipp II. von Spanien, durch und durch ein strenggläubiger Katholik, als Residenz, Behördensitz und zugleich als klösterliches Gebets- und Wissenschaftszentrum (Kirche im Mittelpunkt) und dynastisches Grabmonument erbauen ließ: zur Erinnerung seines Sieges über die Franzosen am Laurentiustag nach dem Grundriß eines Rostes (Marterwerkzeug für den heiligen Laurentius im dritten Jahrhundert) konstruiert: Monument des Kampfes und Sieges der Gegenreformation;

– das auf sumpfigem Gelände erbaute, doch jetzt von einer riesigen künstlichen Gartenlandschaft umgebene Prachtschloß von **Versailles**, welches der mächtigste Mann der zweiten Hälfte des 17. Jahrhunderts, Ludwig XIV. von Frankreich (Machtantritt 1661), ganz und gar ein verweltlichter »katholischer« Autokrat, von zeitweise dreißigtausend Arbeitern erbauen ließ: Residenz der französischen Könige bis zur Revolution, ein hochrepräsentativer klassizistischer Staatsbau (die »Chambre du Roi« im Zentrum, die Kirche im Seitentrakt), an dem sich dann ganz Europa orientieren wird; über den Toren wird des Sonnenkönigs Herrlichkeit in goldenen Lettern verkündet: »nec pluribus impar«. Das Schloß quasi die Kultstätte für das absolutistische Königtum und dessen Paraliturgie.

Die Zeitenwende im 17. Jahrhundert

Am Anfang des 17. Jahrhunderts war das katholische **Spanien** (Philipp II. war 1598 mit 71 Jahren in seinem Escorial gestorben) noch immer die größte, reichste, stärkste und gefürchtetste Macht in Europa – trotz des Untergangs der großen Invasionsflotte (der »unbesiegbaren Armada«) 1588 gegen England und dreier Staatsbankrotte (1557, 1575, 1596). Überall in der neuen Welt traf man jetzt auf spanische Soldaten, Kolonisten und Schiffe. Das spanische »Siglo de oro«, das »goldene Zeitalter«, reichte besonders kulturell – mit Lope de Vega, Cervantes und Calderón, mit Velázquez, Zurbarán und Murillo – fast bis zur Jahrhundertmitte. Noch immer las man in Europa mit Begeisterung spanische Literatur, bewunderte man spanischen Reichtum und spanische Kultur, imitierte man spanische Hoftracht. Erst **um die Jahrhundertmitte** mit der Niederlage Spaniens gegenüber Frankreich (1643) und dem Pyrenäenfrieden (1659), mit dem Verlust der Niederlande (1648) und Portugals (1668) wird der **Zerfall der spanischen Macht** offenkundig, und am Ende des Jahrhunderts ist Spanien als Großmacht aus dem Konzert der europäischen Mächte ausgeschieden. Wer aber trat an seine Stelle?

Deutschland und Italien kamen nicht in Frage, waren sie doch zu Beginn des 17. Jahrhunderts weltpolitisch irrelevante Größen. **Deutschland**, theoretisch vom Kaiser regiert, war faktisch ein verschachteltes Reich von Hunderten von Kurfürstentümern, Fürstentümern, Herzogtümern und Städten, überdies nach dem Augsburger Religionsfrieden von 1555 konfessionell gespalten mit der Gegenreformation auf dem Vormarsch. Das deutsche Reich? Ein Operationsfeld fremder Mächte und bedroht von einer neuen islamischen Offensive, die Sultan Mehmed III. startete, ein Mann, der sich selber als Herrscher der ganzen Welt vom Sonnenaufgang bis zum Sonnenuntergang proklamiert hatte. Und **Italien**? Durch den Kampf der entzweiten Stadtstaaten (Kirchenstaat, Mailand, Florenz, Neapel, Venedig, Genua) zum Einfallsgebiet der Großmächte geworden, war es damals größtenteils von Spanien besetzt. Und Papst Clemens VIII. (1592-1605) war mehr mit seinem Kirchenstaat beschäftigt als mit der Christenheit und der Abwehr der Türken, die denn auch in der Folge zweimal bis vor Wien vorstoßen sollten.

Der **Dreißigjährige Krieg** (1618-1648) machte aus Deutschland in manchen Gebieten ein Schlacht- und Trümmerfeld mit einem Bevölkerungsrückgang um 50% in den ländlichen und bis zu 30% in städtischen Gebieten. Anfangs ein Bürgerkrieg und Religionskrieg, war er in seinen weiteren Phasen, besonders nach dem Kriegseintritt Schwedens unter Gustav Adolf und Frankreichs unter Richelieu, zu einem rein machtpolitischen internationalen, europäischen Krieg geworden. Deutschland war am Ende derartig erschöpft und entmachtet, daß es sich viele Jahrzehnte lang von den erschreckenden Kriegswirren weder politisch noch kulturell zu erholen vermochte. Die Niederlande und die Schweiz schieden aus dem Reichsverband aus.

Hier zeichnet sich der Paradigmenwechsel zu einer neuen Gesamtkonstellation bereits deutlich ab:

- Die große Krise des 17. Jahrhunderts bildet der 30jährige Krieg, der als Konfessionskrieg den Konfessionalismus ad absurdum führt.
- Die Epochengrenze bildet der Westfälische Friede (1648), der die konfessionellen Verhältnisse im Deutschen Reich zementiert, die Konfessionen domestiziert und so den konfessionellen Frieden grundlegt.
- Die offensive Kraft des Protestantismus (P IV) erscheint gebrochen, die Konfession wird dem Staat untergeordnet. Die Versuche der Wiederaufrichtung der kaiserlich-katholischen Universalmonarchie (P III) aber sind endgültig gescheitert. Das Papsttum, das vergebens gegen die Kirche betreffende Bestimmungen des Westfälischen Friedens protestiert, fällt als völkerrechtliche Regulativinstanz aus und wird durch keine neue überstaatliche Institution ersetzt.
- Das konfessionelle Ordnungsprinzip hat sich abgenützt und hinterläßt im zwischenstaatlichen Bereich ein Vakuum. Das Zeitalter der Konfessionen wird abgelöst durch das Zeitalter des Absolutismus (1648-1789).[7]

Gegenüber diesem Epochenumbruch erscheint es als eher zweitrangige Frage, ob nicht nur Deutschland, sondern fast ganz Europa sich nach der Mitte des 17. Jahrhunderts in einer tiefen, anhaltenden **Strukturkrise** von

Gesellschaft und Kultur befunden habe. Verschiedene Untersuchungen zunächst englischsprachiger (E. J. Hobsbawm, T. K. Rabb, H. R. Trevor-Roper), französischer (R. Mousnier) und schließlich auch deutscher Historiker (H. Lehmann[8]) haben auf kritische Entwicklungen hinweisen können: Bevölkerungsstagnation, Konjunkturrückgang in Landwirtschaft, Handel und Gewerbe, Preisauftrieb, Zunahme des Analphabetentums, verbunden mit einer tiefgreifenden Verunsicherung moralischer Werte und Normen; statt der Zuversicht und Hoffnung dominierten Sorge und Angst. Ob es sich allerdings bei den verschiedenen ökonomischen und politischen Krisenphänomenen um eine zusammenhängende und »allgemeine Krise« gehandelt hat, wird von manchen Historikern bestritten.[9]

Faktum jedenfalls: Eine ganze Reihe von Aufständen und Bürgerkriegen erschütterte die Zeit, besonders in Katalonien, Portugal, Königreich Neapel, aber auch in England, Frankreich und anderen Teilen Europas. Die europäischen Staaten waren ja damals noch weithin ohne Polizeimacht, stehendes Heer, Bürokratie, Massenkommunikationsmittel, überhaupt ohne Nationalgefühl. So schien denn auch vielen rationalistisch argumentierenden politischen Denkern (wie Spinoza und Hobbes) der **königliche Absolutismus** das einzige Mittel zu sein, um dem Chaos zu wehren und den inneren Frieden zu gewährleisten. Eine starke Zentralregierung also zur Aufrechterhaltung von Gesetz und Ordnung. Neben allen politischen Streitigkeiten gab es auch noch immer späte Auswirkungen der Reformation, mit denen selbst die Kirchen nicht fertig wurden, gab es vor allem den Streit zwischen den Vertretern der göttlichen Vorherbestimmung und denen der menschlichen Willensfreiheit: zwischen Remonstranten und Contraremonstranten in Holland, zwischen Puritanern und Arminianern in England, zwischen Jansenisten und Jesuiten in Frankreich und den Niederlanden, den Spanischen Niederlanden. Doch nochmals die Frage: Wer aber hat dann Spanien als europäische Vormacht abgelöst?

Verschiebung des Machtzentrums an den Atlantik

Ein weiterer Indikator für den tiefgreifenden Paradigmenwechsel ist gerade dies: Um die Mitte des 17. Jahrhunderts kam es im europäischen Geschichtsverlauf zu einer neuen **Verschiebung der geschichtlichen Gewichte**. Eine Verschiebung nicht mehr nur wie in der Zeit von Reformation und Gegenreformation vom Mittelmeer (P III) nach Zentraleuropa (P IV), sondern jetzt von der Mitte Europas zur westlichen Randzone der **atlantischen Nationen** (P V). Gegenüber Spaniern und Portugiesen erzwangen jetzt die Niederländer, Franzosen und Engländer für ihre Flotten das »freie Meer« und drangen in zahllosen Entdeckungs- und Eroberungsfahrten systematisch in neue Erdteile vor, um sie nicht nur zu »entdekken«, sondern sie zu besetzen, zu besiedeln und so Schritt um Schritt für den eigenen Markt auszubeuten (Kolonialismus). Aus dem Nachteil der maritimen Randlage hatte sich damit ein neuer Vorteil ergeben. Eine koloniale Fünf-Mächte-Herrschaft bildete sich heraus (neben Portugal und Spanien immer mehr Frankreich, England und die Niederlande), welche sich lange Zeit für die moderne politisch-rechtlich-wirtschaftliche Weltordnung zuständig fühlte.

Das war in dieser Form ein neues Phänomen in der Menschheitsgeschichte: ein weltweiter europäischer Kolonialismus mit höchst ambivalenten Konsequenzen. Im Rahmen früherer Paradigmen war das Mittelmeer das geographische Zentrum der Nationen, im 17. Jahrhundert wird dies der Atlantik, an dessen europäischer Küste sich neue Metropolen entwickeln (nach Sevilla und Lissabon Antwerpen, Amsterdam, London). Der Überseeverkehr übertrifft jetzt den Mittelmeerverkehr, und das europäische Völkerrecht findet auch auf die überseeischen Kontinente Anwendung. Das eurozentrische Paradigma der Moderne – und dies hatte auch für das Christentum Folgen – ein **kolonialistisches Paradigma**!

Die neue Zeit gehörte den **protestantischen Seemächten.** Sieht man von den Schweden und Dänen im Norden ab, so treten jetzt als erste See- und Kolonialmacht die **Vereinigten Niederlande** (»Generalstaaten«) hervor, die sich in einem achtzigjährigen Befreiungskampf (1567-1648) im Westfälischen Frieden 1648 von Spanien unabhängig zu machen verstanden. Besonders in der Zeit des zwölfjährigen Waffenstillstands (geschlossen 1609) gelang es den Niederlanden mit ihrem reichen staatstragenden Bürgertum und der Niederländisch-Ostindischen Kompanie, die größte Handelsflotte der damaligen Welt aufzubauen, ein ostasiatisches Kolonialreich aufzurichten und Amsterdam zum größten Hafen und zur Drehscheibe des Welthandels auszubauen. Ja, mit der Gründung einer ganz und gar »modernen« Wechselbank (1609) wird Amsterdam auch zum Zentrum des europäischen Geldverkehrs. Dabei kam den Niederlanden die Flucht so vieler Juden von der Iberischen Halbinsel zugute, die sich in diesem freien Land höchst erfolgreich betätigten.[10] **England** ging, damals unter den Stuarts (1603-1689) mit nationalen Problemen beschäftigt, zunächst noch weithin seine eigenen Wege.

Der primäre Nutznießer des Niedergangs Spaniens und des deutschen Reiches auf dem europäischen Festland war unzweifelhaft **Frankreich**. Zu Beginn des 17. Jahrhunderts noch durch die acht Religionskriege (1562-1598) zerrissen und durch Hunger, Pest und Emigration zerrüttet, holte es im Lauf des Jahrhunderts mächtig auf und wurde zu dem damals **modernsten Staat Europas**. Diese erstaunliche Wende verdankt Frankreich dem Genie dreier großer Machtpolitiker – Heinrich IV., Richelieu und Mazarin –, die Frankreich auf den Weg des nachher für fast ganz Europa modellhaften zentralistischen **Absolutismus** und zur europäischen **Hegemonie** führten:

– **König Heinrich IV**. (1594-1610), als Bourbone zuerst Führer der reformierten »Hugenotten«, hatte sich 1593 zum Katholiken gewandelt, als die Krone Frankreichs zu gewinnen war (»Paris ist eine Messe wert«). Heinrich versuchte auch mittels einer Rekonstruktionspolitik die katastrophalen Auswirkungen der Hugenottenkriege durch eine neubegründete Staatsautorität und eine Sanierung der Staatsfinanzen zu überwinden und das Land innerlich wie äußerlich zu befrieden. Frankreich bleibt eine katholische Monarchie, aber ohne gegenreformatorischen Eifer; den 1,2 Millionen Reformierten wird im Edikt von Nantes (1598) Gewissensfreiheit, beschränkte Kultusfreiheit, bürgerliche Gleichstellung, ja in 200 mehrheitlich hugenottischen Städten als Sicherheitsplätzen sogar die politisch-militärische Macht zugesichert. Die Protestanten bilden jetzt damit faktisch einen Staat im Staat.

– **Kardinal Richelieu**, unter Ludwig XIII., Heinrichs Sohn, der allmächtige »premier ministre« (1624-1642 verantwortlich für Innen-, Außen- und Verteidigungspolitik, für Armee wie den von ihm aufgebauten Geheimdienst), führte die Politik nationaler Selbstbehauptung weiter und ordnete seine ganze Politik trotz wirtschaftlicher Rezession zwei Zielen unter. Nach innen: Durchsetzung der absolutistischen Macht des Königs gegen Anarchie, Autonomie der Feudalherren, Parlamente, aber auch gegen das aufrührerische Volk, die Bauern vor allem. Nach außen: Etablierung der französischen Vorherrschaft in Europa gegen die spanische Armee, die englische Flotte, die deutschen Söldnerheere. Den Hugenotten entzog er entschlossen die politischen und militärischen (nicht die religiösen) Sonderrechte, zerstörte durch persönlich angeführte Feldzüge im Westen und Süden deren politische Organisation und beseitigte so den Zustand eines »Staats im Staate« (1628/29). Dabei ging er, Kardinal der heiligen römischen Kirche, der er war, kalt kalkulierend Bündnisse selbst mit protestantischen Mächten ein, nur um die Umklammerung Frankreichs durch die (katholischen!) Habsburger (in Spanien, im Deutschen Reich und in Italien) zu durchbrechen. Ganz und gar modern stellte Richelieu die »Staatsraison« über alle kirchlich-konfessionellen Interessen. Im Rahmen einer systematischen Kulturpolitik gründete er die Académie française zur Pflege der französischen Sprache.

– **Kardinal Mazarin** (Giulio Mazarini), ursprünglich päpstlicher Unterhändler, dann Bewunderer und Mitarbeiter Richelieus, schließlich dessen Nachfolger als Erster Minister (1643-1661), vollendete dessen Politik der absolutistischen Zentralisierung: durch Beseitigung der politischen Rechte der Stände und das Niederschlagen der Fronde des Adels, durch den Ausbau von Armee und Flotte, durch ein Bündnis mit dem England Cromwells und die Durchsetzung der französischen Hegemonie gegen Österreich im Westfälischen Frieden (1648) und gegen Spanien im Pyrenäenfrieden (1659).

So waren denn die Grundlagen dafür gelegt, daß das »spanische Zeitalter« definitiv abgelöst wurde durch das **französische Zeitalter**, das nun von keinem glänzender repräsentiert werden sollte als vom Enkel Heinrichs IV., auf dessen Erziehung Mazarin einen entscheidenden Einfluß hatte: von Ludwig XIV. Doch überlegen wir uns zuerst, was diese neue europäische Mächtekonstellation im Kontext unserer Paradigmenanalyse bedeutet. Wirft die Politik der europäischen Mächte, die überall Züge der Zentralisierung, Sozialdisziplinierung und Militarisierung zeigt, doch viele grundsätzliche Fragen auf, die in der Moderne nur teilweise eine Lösung gefunden haben und die im folgenden kurz angemerkt werden sollen.

Prinzipien moderner europäischer Politik

Politisch gesehen zeigt die heraufkommende Moderne folgende Charakteristika, die sie vom mittelalterlichen wie zunehmend auch vom reformatorischen Paradigma unterscheiden:

An die Stelle des einen, in der Nachfolge Roms stehenden Universalreichs tritt nach dem Scheitern der hegemonialen Bestrebungen Karls V. und Philipps II. das Nebeneinander von **gleichberechtigten modernen Territorialstaaten**, wie sie sich bereits im 13./14. Jahrhundert, als damals die beiden höchsten Gewalten des Mittelalters, Imperium und Sacerdotium, verfielen, herausgebildet hatten. Aber diese Entwicklung warf eine theoretische wie praktische **Frage** auf: Wie sollen der Staat und dessen Repräsentation legitimiert werden? Und: Wem soll in einem Europa die **höchste Gewalt** zukommen, in welchem weder Kaiser noch Papst eine überragende Rolle spielen können?

Antwort: Anstelle von Kaiser und Papst erhob nun der **einzelne König** Anspruch auf die oberste Gewalt, auf eine allseits bindungsfreie **»Souveränität«**. Theoretisch begründet wurde diese zuerst von **Jean Bodin** in seiner neuartigen Staatslehre »Les six livres de la République« (1576)[11], programmatisch entwickelt zur Überwindung der anarchischen Folgen der Hugenottenkriege. Der Monarch wird dargestellt als die Verkörperung der staatlichen Souveränität – zur Abwehr des Machtanspruchs der französischen Stände (innere staatsrechtliche Souveränität) und zur Vorbeugung gegen etwaige Forderungen von Papst und Kaiser (äußere völkerrechtliche Souveränität). So wurde dem nationalen Herrscher – freilich in Bindung an das Recht Gottes und der Natur – die genuine höchste Macht zugeschrieben (Entscheidung über Krieg und Frieden, unbeschränkte Gesetzgebungsgewalt), die von keiner anderen Gewalt auf Erden abgelöst werden könne und deshalb schlechthin unabhängig sei.

Im folgenden Jahrhundert plädierte der englische Universalgelehrte und Staatstheoretiker des Absolutismus, **Thomas Hobbes**, ein Zeitgenosse und Bekannter Descartes' und Galileis, in die gleiche Richtung. Angesichts der chaotischen Verhältnisse in England sprach er sich ebenfalls für einen starken Staat aus, den er »Leviathan« (1651), einen sterblichen Gott, nennt.[12] Die erste Vision des Ungeheuers einer modernen Zentralmacht: von allen Beschränkungen durch eine übergeordnete Rechtsidee befreit und zugleich auf den ganz »natürlichen« Gesellschaftsvertrag (Unterwerfungsvertrag) zwischen dem Volk und dem Monarchen zurückgeführt. Denn um den Krieg aller gegen alle zu vermeiden, müssen Hobbes zufolge die ganz vom Selbsterhaltungstrieb bestimmten, von Natur aus gleichen Menschen auf ihre natürlichen Rechte verzichten und sie einem Souverän übertragen. Zwar wird die Monarchie »von Gottes Gnaden« von Hobbes auf natürliche Grundlagen zurückgeführt und so gewaltig entzaubert, aber die dem Herrscher übertragene Gewalt ist genauso unveräußerlich und unteilbar. Widerstand dagegen ist nicht erlaubt. Religion und Kirche erscheinen bei Hobbes (mit Argumenten aus der Schrift!) völlig herrschaftsstabilisierenden Zwecken untergeordnet. Politik muß über der (zerstrittenen!) Religion stehen. Eine Enttheologisierung und Entkonfessionalisierung des öffentlichen Lebens erschienen notwendig, eine schärfere Politisierung und Bürokratisierung waren die Folge.

Diese säkularisierte naturrechtliche Staatslehre, wie sie vom Dominikaner Vitoria, vom Jesuiten Suárez und den spanischen Naturrechtslehrern des 16. Jahrhunderts vorbereitet und von Grotius, dem »Säkularisator« des Naturrechts, von Hobbes, Locke und Pufendorf begründet wird, sieht den Staat also – im Prinzip ohne alles Gottesgnadentum und ohne alle übernatürliche Zielsetzung – als natürliches Produkt eines Vertrags zwischen Volk und Regierung. Und diese vertragstheoretische Staatslehre wird es möglich machen, daß die Souveränität, die da zuerst dem Herrscher (Fürstensouveränität) oder dem Staat (Staatssouveränität) zugeschrieben wurde, ein Jahrhundert später von einem Mann wie Rousseau am Vorabend der Großen Revolution dem Volk selbst (Volkssouveränität) zugeschrieben werden kann. Aber **Frage**: Bedeutete die naturrechtlich begründete Souveränität nach innen nicht faktisch eine **absolutistische Monopolisierung** staatlicher Macht sowie nach außen eine gefährliche **nationale Abkapselung** von anderen Staaten?

In der Tat: Anstelle der Religion nimmt in der politischen Werteskala jetzt immer mehr **die Nation die erste Stelle** ein. Selbst für den König wird sie (neben Gott) zum höchsten Wert, ja, sehr viel später wird sie in der Revolution gar Gott und König ersetzen. Das moderne Europa ist **ein Europa der Nationen**! Das Bewußtsein eines Anders- und Besonderseins aufgrund von Abstammung, Sprache, Geschichte, Religion, »Sendung« führte freilich nur zu leicht zur Geringschätzung anderer Nationalitäten und zur Animosität ihnen gegenüber. Deshalb **Frage**: Verlagert sich damit nicht jener Fanatismus, der alle Mittel heiligt und der bisher zumeist mit der Religion verbunden war, auf die Nation, die im modernen **Nationalismus** alle Mittel heiligt und bisher Unerlaubtes erlaubt?

Antwort: An die Stelle der konfessionellen Interessen und ethischer Überlegungen tritt jetzt tatsächlich die Vernunft, genauer die **Staatsraison** (»raison d'état«) und die Berufung auf die Eigengesetzlichkeiten der Politik, wie sie schon durch den florentinischen Renaissancedenker **Nicolò Machiavelli** (1469-1527), der zwar nicht ein Apologet jeglicher Gewaltpolitik sein wollte, doch grundgelegt worden war.[13] »Ragione di stato« (Wort von Guicciardini), Staatsraison, bedeutet: Das Staatswohl, genauer Erhaltung und Erweiterung der Macht, hat Maßstab und Maxime staatlichen Handelns zu sein. Deshalb ist eine staatlich-politische Handlungsweise erlaubt, die, wenn nötig, geltendes Recht oder herrschende Moral ignoriert. Solche »Staatsvernunft« kann von den ethischen Normen abweichen, welche die Einzelvernunft, das individuelle Gewissen zu befolgen hat. Der Herrscher, der sich klugerweise in allem den Anschein von Milde, Barmherzigkeit und Menschlichkeit gibt, darf und soll um seiner Herrschaft willen durchaus auch gegen Treu und Redlichkeit, Barmherzigkeit und Menschlichkeit verstoßen.

Richelieu, der natürlich auch unter bestimmten außen- und innenpolitischen Zwängen handelte, hat die Staatsraison zum Grundprinzip der französischen Außenpolitik erhoben und betrieb eine, wie er behauptete, von der Vernunft diktierte, aber faktisch an reinen Machtgesichtspunkten orientierte, skrupellose Interessenpolitik zugunsten Frankreichs. Tücke, Intrige und Mordtat waren dabei genauso erlaubt wie die Unterdrückung von Minoritäten oder der Bund mit »ideologischen Gegnern«: mit protestantischen Mächten und selbst den islamischen Türken. Aber **Frage**: Sind bei einer solchen »Realpolitik« nach dem Maßstab einer autonomen »Staatsraison« **Kriege** nicht von vornherein **vorprogrammiert**?

Das kennzeichnet die Moderne gerade: Zwar geht es nicht mehr um den Kampf zwischen Papst und Kaiser wie im Paradigma des Mittelalters, oder zwischen Katholiken und Protestanten, wie im Paradigma der Reformation, wohl aber jetzt um den **Kampf für die nationale Hegemonie** in Europa. Es geht um Vormachtstellung, für die immer wieder militärische Konflikte vom Zaun gebrochen werden und die Souveränität der jeweils anderen Staaten skrupellos verletzt wird. Der moderne Krieg ist freilich ein **rein weltlicher Krieg,** geführt ohne Rücksicht auf die religiöse oder konfessionelle Position des Gegners. Krieg, jetzt ganz »säkularisiert«, gilt mehr denn je als grundsätzlich unvermeidlich und praktisch unausrottbar und wird mit zunehmendem Aufwand und verfeinerten Methoden betrieben. Aber **Frage**: Wie soll dann in einem solchen Europa souveräner Nationen der Vernichtungskampf aller gegen alle vermieden werden: der Dreißigjährige Krieg – möglicherweise ein Vorspiel für noch größere europäische Kriege, vielleicht gar einen »Weltkrieg«?

Schon im 15./16. Jahrhundert war, ebenfalls in Italien, die (seit dem 17. Jahrhundert dann vor allem von England, der kommenden führenden See- und Kolonialmacht, favorisierte) Idee eines echten, beständigen **Gleichgewichts der europäischen Mächte** (»balance of power«) aufgekommen. Sie wurde zum beherrschenden Prinzip des modernen Staatensystems und so zu einer faktischen Grenze nationaler Souveränität. Diese Idee eines europäischen Gleichgewichts vermochte denn auch einzelne Konflikte zu entschärfen und über die Jahrhunderte die Hegemoniebestrebungen einzelner – ob Philipps II. von Spanien, Ludwigs XIV. von Frankreich, Napoleons I. oder Wilhelms II. von Deutschland (von Hitler nicht zu reden) – durch Bündnisse und Bündniswechsel (»renversement des alliances«) der übrigen Mächte zu vereiteln. Aber **Frage**: Vermochte diese Idee von einem »Konzert der europäischen Mächte« auch das Wettrüsten und unaufhörliche Kriege zwischen den Nationen zu verhindern? Trotz zahlreicher europäischer Konferenzen oder Kongresse und der Abgrenzung wirtschaftlicher, militärischer und politischer Interessenssphären konnte der **Friede nicht wirklich garantiert** werden. War nicht schon der Westfälische Friede von 1648 eine riesige Enttäuschung, da doch auch die zweite Hälfte des 17. Jahrhunderts voll von Kriegen war: der Westfälische Friede – ein Vorbild für weitere ähnlich labile Friedensschlüsse (später einmal ein »Versailles«)?

Viele setzten ihre Hoffnung auf ein **neues Recht für die Völker**. Nicht mehr das kanonische, römische oder germanische Recht wie in Mittelalter und Reformationszeit, sondern das von Rechtsgelehrten wie Vitoria und Suárez grundgelegte und von Jean Bodin, Richard Zouch, Hugo Grotius und Samuel von Pufendorf aufgrund des Naturrechts ausgearbeitete Völkerrecht. Doch der »Deus legislator« der Spanier ist jetzt kaum noch notwendig. Das Völkerrecht soll jetzt ohne ethisch-religiöse Begründung in rationaler Weise die Beziehungen zwischen den Nationen regeln und besonders die Kriegsführung zu Lande und zu Wasser erträglicher und menschlicher gestalten. Nach Pufendorfs realistischer Konzeption besteht das Völkerrecht teils aus dem von der Vernunft diktierten Naturrecht, teils aus den unter zivilisierten Völkern gebräuchlichen Sitten.

Wie problematisch aber diese Prinzipien moderner Politik waren, ließ sich dort feststellen, wo sie, als souveräner Nationalstaat, Staatsraison und Hegemoniestreben, auf die Spitze getrieben wurden. Und dies geschah zuerst (Jahrhunderte, bevor sie durch Napoleon – und unendlich schlimmer – durch Nazismus und Stalinismus definitiv in Mißkredit gebracht wurden) unter dem absolutistischen Regime Ludwigs XIV.

Der moderne Machtstaat: Ludwig XIV.

Louis XIV.[14] mag das berühmte Wort »L'état – c'est moi« nicht wirklich gesagt haben, gehandelt aber hat er nach diesem Grundsatz, wenngleich auch seine Macht, wie die neuere Geschichtsforschung herausstellt, faktisch Grenzen hatte und der König auf die alten »Stände« und Gewohnheitsrechte (Eigentum!) stets Rücksicht zu nehmen hatte. Seine Autokratie religiös begründend und verbrämend, griff Ludwig durch eine rücksichtslose Außenpolitik in das Gleichgewicht der Mächte Europas schmerzhaft ein. Niemand konnte ihn hindern, denn der Anspruch des National-Herrschers hatte sich ins fast Übermenschliche gesteigert. Was seit der Gregorianischen Reform in einzigartiger Weise den absolutistischen mittelalterlichen Päpsten zugeschrieben wurde, das schreiben nun in einer Zeit, da die Päpste politisch nicht mehr viel bedeuten, die modernen absoluten Staatslenker sich selber zu: »Gott, der den Menschen Könige gesetzt hat, will, daß man diesen als seinen Stellvertretern auf Erden Ehrfurcht erweist; ihm allein steht das Recht zu, über sie zu urteilen«, so Ludwig XIV., der damit das römische Diktum »prima sedes a nemine iudicatur«[15] für sich in Anspruch nahm. Statt »ein Gott – ein Christus – ein Glaube – ein Papst« heißt es jetzt »un Dieu – une foi – une loi – un roi«. Staat und Krone als gottgegebener dynastischer Besitz und die staatliche Einheit von der Glaubenseinheit überhöht!

Nach dem Tod Mazarins 1661 hatte sich der jetzt 23jährige Ludwig – seit seiner Jugend in Furcht vor Aufständen der Fronde und des Pariser Pöbels – zu seinem eigenen Premierminister gemacht. Der entmachtete Adel wird durch Einfügung in ein raffiniertes System wohldotierter Hofämter über seine politische Machtlosigkeit hinweggetäuscht, das Parlament völlig entmachtet. Die eigentliche Macht liegt nicht beim Hofstaat mit seinen 4000 Menschen, sondern beim König und einem »Cabinet« (ursprünglich »kleines Zimmer«), das aus ganz wenigen hochqualifizierten, allesamt bürgerlichen Ressortministern besteht. Systematisch wird Ludwigs **zentralistischer Machtstaat** ausgebaut, das stehende Heer aufgerüstet, Steuer- und Verwaltungsapparat modernisiert, unterstützt von einem Finanzminister namens Colbert, der durch eine »merkantilistische« Handelspolitik (staatlich gelenkte Entwicklung der Großmanufakturen und Förderung des Exports bei gleichzeitiger Einschränkung des Imports von Fertigwaren durch Schutzzölle) dem König immer mehr Finanzen zu verschaffen versteht. Ein in vieler Hinsicht trotz allem fragiles, inkohärentes, krisenanfälliges System, wirksam direkt nur auf oberster Ebene des Staates, das aber doch mit seinem Militarismus, Bürokratismus und Merkantilismus eine durchgreifende **Sozialdisziplinierung** zur Folge hatte.[16]

Kaltblütig werden von Ludwig **Eroberungskriege** geplant und durchgeführt, um allüberall – auch in Übersee – mehr Raum und Einfluß zu gewinnen. Das gelingt zunächst. Und zugleich bricht für die höfische Kultur und Kunst Frankreichs ein neues, das »große Zeitalter« (»grand siècle«) an, in dessen Verlauf Frankreich zur **führenden Kulturnation** in Europa aufsteigt. Der französische Klassizismus löst im Zeichen der Geometrie den exuberanten Barock ab und diktiert jetzt den Geschmack auch über Frankreich hinaus. Paris und das Prachtsschloß von Versailles (begonnen 1661, bezogen 1682) und nicht mehr Rom oder Madrid ist jetzt die Welthauptstadt der Kultur, Französisch und nicht mehr Latein die Weltsprache (auch Vertragssprache). Corneille, Racine und Molière in der Literatur, Poussin, Le Brun und Mansart in Malerei und Architektur, Lully, Rameau und Couperin in der Musik geben den Ton an.

Alles ging dabei – zumindest äußerlich – höchst geordnet, symmetrisch, ja, geometrisch zu; **Geometrie** ist der historischen Forschung zufolge geradezu das **herrschende Charakteristikum der Epoche**.[17] An geometrischen Verhaltensmustern orientierte man sich – vom Staat als einer rational durchkonstruierten Maschine über Städtebau, Festungswesen und Gartenarchitektur bis hin zum Exerzieren und Fechten, zu Musik und Tanz. Sogar die Mathematisierung der Künste wird angestrebt und überhaupt eine Verwissenschaftlichung des Lebens.

Der »Roi Soleil« mit dem allgegenwärtigen Sonnenemblem ist eine politisch starke, pflichtbewußte, geistig dagegen eher oberflächliche Herrscherpersönlichkeit. Kaum ein wirklich religiöser Mensch, versteht er es jedoch glänzend, die **Religion zur Legitimation** seines Absolutismus zu benutzen. Kultivierung, Charismatisierung und Sakralisierung der Rolle des Fürsten sind für ihn nicht weniger wichtig als Modernisierung, Zentralisierung und Bürokratisierung. Zum disziplinierten Tagesablauf gehört (vom feierlichen Aufstehen bis zum feierlichen Bettgang pompös ritualisiert) nach dem morgendlichen Staatsrat mittags auch eine Messe, was Ludwig nicht daran hindert, gleich anschließend wie auch abends nach dem Souper, zu einer seiner Maitressen zu gehen.[18]

Kirchenpolitisch zielt Ludwig auf ein domestiziertes Staatskirchensystem und scheut deshalb auch den Konflikt mit Rom nicht. Sein Hofbischof Bossuet, führender katholischer Theologe und Kanzelredner dieser Zeit, verteidigt ganz anders als Thomas Hobbes virtuos theologisch die Rechte des direkt von Gott eingesetzten, allein Gott verantwortlichen, seinen Untertanen gegenüber allmächtigen Monarchen. In den vier Artikeln der »Gallikanischen Freiheiten« formuliert er das kirchenpolitische Selbstverständnis des absolutistischen Staates (1690 von Papst Alexander VIII. verurteilt[19]), letztlich freilich ohne Erfolg. Nicht aus primär religiösen, sondern ebenfalls politischen Gründen verfolgt Ludwig XIV. eine Konfessionalisierungspolitik, hebt schon 1685 das Edikt von Nantes auf und betreibt mit Hilfe seiner Dragoner die Zwangsbekehrung der Reformierten, so daß mehr als eine Viertelmillion vielfach gebildeter und wirtschaftlich produktiver Hugenotten mit ihrem Know-how nach Holland, Brandenburg-Preußen, England und gar nach Südafrika auswandern – zum Schaden Frankreichs und seines Prestiges in Europa.

Der Sonnenkönig, besessen von der Gier nach »gloire« für sich und »grandeur« für Frankreich, regiert zwar über das volkreichste, einheitlichste und bestorganisierte Land in Europa. Aber seine Aufrüstung und seine Verschwendungssucht bringen schließlich den Staat an den Rand des Bankrotts, und seine unnötigen Konflikte und Eroberungskriege stacheln alle übrigen europäischen Mächte gegen ihn auf. Das Gleichgewicht in Europa war denn auch aufs höchste gefährdet. Der **Niedergang** erfolgt schon in den 1680er Jahren, besiegelt wird er aber im dreizehnjährigen Krieg um die spanische Erbfolge, der in die letzte Phase von Ludwigs Herrschaft (1701-1713) fällt. Unersättlich in seiner Machtgier hatte Ludwig jetzt doch auch noch (für seinen Enkel) die spanische Krone beansprucht und war damit erneut in eine erbitterte Rivalität mit dem Hause Habsburg geraten. Doch allmählich ist das Volk Ludwigs absolutistischer

Herrschaft überdrüssig, wird die Kritik an seinem Regime immer lauter. Frankreich wird ins europäische Gleichgewichtssystem zurückverwiesen.

Allerdings erwiesen sich um die Jahrhundertwende zum 18. Jahrhundert nicht mehr die katholischen Habsburger, sondern die finanz- und flottenstarken protestantischen **Seemächte**, zuerst Holland, dann England, als Frankreichs gefährlichste Feinde. In beiden Ländern hatten Parlamente den totalen Durchbruch jenes königlichen Absolutismus verhindert, der jetzt bis nach Schweden, Polen und Rußland die Oberhand gewann. Durch Seefahrt und Handel, durch Wohlstand und volle Staatskassen (1694 Gründung auch der Bank von England) hatten Holland und England die Voraussetzung für ihre weltgeschichtliche Rolle und ihr eigenes »goldenes Zeitalter« geschaffen. **England** ist seit der »Glorious (weil unblutigen) Revolution« auf dem Weg zur konstitutionellen Monarchie und zu einer realen **politischen Alternative** zum kontinentalen Absolutismus und bald zum Vorbild der europäischen Aufklärer; England wird schließlich führende Macht in Übersee und Schiedsrichter in Europa.

Auf dem Totenbett noch bekennt Ludwig XIV., er selber habe zu sehr den Krieg geliebt und der Verschwendung gefrönt. Bevölkerungsrückgang von 21 Millionen (1700) auf 18 Millionen (1715), der Staatshaushalt, um 18 Jahresbudgets überzogen, vor dem finanziellen Ruin und in den Händen privater Finanzunternehmer, waren denn auch die schlimmen Folgen dieser Politik, so daß das Volk Ludwigs Tod als Befreiung empfand und Steine auf seinen Sarg warf. Doch: Weder sein Urenkel Ludwig XV. noch erst recht dessen Nachfolger Ludwig XVI. (80 Jahre später sollte er guillotiniert werden) hatten die Kraft, die schon unter Ludwig unhaltbar gewordenen gesellschaftlichen Strukturen zu verändern. Eine Hauptursache der Revolution! Mit Recht schreibt ein französischer Biograph, P. Goubert, über Ludwig XIV.: »Schon früh durch seinen Hochmut, eine Intrigantin, einige Priester und Höflinge in Versailles isoliert«, »ignorierte er und wollte er ignorieren, daß seine Zeit ein Zeitalter der Vernunft, der Wissenschaft und der Freiheit wurde«.[20] Ein Zeitalter der Vernunft, der Wissenschaft und der Freiheit – wo zeichnete es sich ab?

3. Die Revolutionen in Wissenschaft und Philosophie

Die Revolution der Moderne war in erster Linie eine **Revolution des Geistes! Francis Bacon**, der englische Politiker, Philosoph und große Vorläufer († 1626), hatte schon eine Generation vor Descartes und Galilei in einer Synthese von Wissenschaft, Ethik und Sozialreform das utopische

Gesellschaftsmodell einer »Nova Atlantis« entwickelt[21]: Wissen ist Macht, und die moderne Wissenschaft soll der Menschheit die kollisionsfreie Befriedigung aller Bedürfnisse ermöglichen: eine konstruktive Politik mit Hilfe wissenschaftlich-technischer Experten und so einen universalen Frieden. In der Tat ist die **erste Großmacht der heraufkommenden Moderne die Wissenschaft.**

Was Bacon proklamierte, aber noch kaum empirisch-experimentell begründete, wurde methodisch initiiert von Galilei, Descartes und Pascal, denen Spinoza, Leibniz und Locke, Newton, Huygens und Boyle folgten. Wurden die Namen dieser Genies (von Leibniz abgesehen kaum Namen aus den Ursprungsländern der Reformation!) für die Moderne nicht repräsentativer, aussagekräftiger und bis heute bewundernswerter als Ludwig XIV. und all die Namen der absolutistischen Herrscher der frühen Moderne, denen nur noch die Historiker ein Gedächtnis bewahren? Jene waren es, die internationale Bedeutung erlangten und das **neue Überlegenheitsgefühl der Vernunft**, die eine quasi-geometrische Gewißheit versprach, begründeten. Und diese Überlegenheit sollte zum Hauptcharakteristikum der Moderne werden. Es stand sowohl hinter der naturwissenschaftlichen wie der philosophischen Revolution des 17. Jahrhunderts. Zu Recht spricht deshalb der amerikanische Wirtschaftstheoretiker Stephen Toulmin von einer in diesem Jahrhundert rational orientierten »Gegenrenaissance« und von der jetzt aufkommenden Vision einer »Kosmopolis«, das heißt einer Gesellschaft, deren rationale Ordnung derjenigen des Newtonschen Naturbildes entspricht.[22]

Die naturwissenschaftliche Revolution: Galilei – Newton

Es war kein säkularisierter Naturwissenschaftler, sondern ein katholischer Domherr im königlich-polnischen Preußen, der, auf eine Idee des Aristarchos von Samos zurückgreifend, aufgrund eigener Beobachtungen, Berechnungen und geometrisch-kinetischer Überlegungen ein neues, wahrhaft revolutionäres Weltsystem grundgelegt hat: **Nikolaus Kopernikus** (1473-1543). Er, der vor allem in Italien studiert hatte, schlug bekanntlich in seinem Werk »De revolutionibus orbium coelestium libri VI« (Sechs Bücher über die Kreisbewegungen der Himmelskörper)[23] statt des traditionellen geozentrischen Weltsystems des Ptolemäus, welches sich für die Vorhersage der Planetenpositionen über längere Zeiträume immer mehr als ungeeignet erwiesen hatte, das heliozentrische Weltsystem vor. Ein Paradigmenwechsel par excellence in der Tat, zuerst in der Physik, dann aber auch mit Auswirkungen auf die gesamte Welt-Anschauung und »Meta-Physik« des Menschen. »Kopernikanische Wende« wurde zum Stichwort für verschiedene grundlegende »Wenden«, welche die Moderne konstituieren, Schulbeispiel auch für das, was »Paradigmenwechsel« bedeutet.

Doch das von Kopernikus rein theoretisch und nur als Hypothese vorgetragene, von Johannes Kepler dann bestätigte und korrigierte neue Weltmodell erschien erst in dem Moment für das traditionelle biblische Weltbild höchst bedrohlich, als der italienische Mathematiker, Physiker und Philosoph **Galileo Galilei** (1564-1642)[24] mit dem nach einem holländischen Vorbild entwickelten Fernrohr die Phasen der Venus, vier Monde des Jupiter und die Saturnringe entdeckte und herausfand, daß die Sternhaufen und die Milchstraße aus Einzelsternen bestehen. Eine unwiderlegbare Bestätigung des kopernikanischen Modells, demzufolge sich die Erde um die Sonne dreht, durch einen genialen Forscher, der mit der Einführung des quantitativen Experiments (Pendel- und Fallgesetze) zum **Begründer der modernen Naturwissenschaft** wurde. Das Aufzeigen der Naturgesetze und die grenzenlose Erforschung der Natur, die immer neue Bereiche erfassen sollte, waren jetzt grundgelegt. Galilei erkannte natürlich selber die Bedrohlichkeit seiner Forschungen für das biblische Weltbild. In einem Brief an den Benediktiner B. Castelli[25] legte er 1613 seine Auffassungen über das Verhältnis der Bibel zur Naturerkenntnis dar: Wenn die naturwissenschaftlichen Erkenntnisse feststehen, ist ihm zufolge eine Neuinterpretation der Bibel fällig!

In grandioser Weise wurde Galilei schon gut zwei Generationen später bestätigt durch den nicht weniger genialen englischen Mathematiker, Physiker und Astronomen Sir **Isaac Newton**, Professor in Cambridge, der 1687 sein Hauptwerk »Philosophiae naturalis principia mathematica«[26] veröffentlichte, in welchem er seine drei Axiome der Mechanik und sein schon zwei Jahrzehnte früher gefundenes Gravitationsgesetz im Zusammenhang formulierte – alles angewandt auch auf die Bewegung der Himmelskörper (Himmelsmechanik). Zugleich hatte er die Natur des Lichts und der Elektrizität entdeckt und gleichzeitig mit Leibniz die Infinitesimal- und Differentialrechnung begründet. Während Descartes und Galilei fragmentarische Elemente lieferten, hat Newton aus ihnen und anderen Entdeckungen ein **überzeugendes neues Weltsystem** rational aufgewiesen. Damit wurde Newton nach Galilei zum zweiten Begründer der exakten Naturwissenschaft, zum Begründer der klassischen theoretischen Physik, die erst zu Beginn des 20. Jahrhunderts durch die Einsteinsche Relativitätstheorie modifiziert werden sollte.

Und die Kirche? Inquisition

Wie aber reagierte die Kirche auf dieses neue Weltbild? Wie stellte sie sich zu diesem kopernikanischen »Wechsel der Gesamtkonstellation«? Bekannt und bezeichnend ist, daß schon der Domherr Kopernikus selbst die Veröffentlichung seines Lebenswerkes bis fast zu seinem Tod hinausgezögert hat – aus Angst vor Indizierung und Scheiterhaufen! Vielleicht eine typisch römisch-katholische Angst vor dem Neuen, der neuen Naturphilosophie und Naturwissenschaft vor allem? Nein, auch die Reformatoren Luther und Melanchthon verwarfen das Werk des Kopernikus. Aber da es nur theoretisch begründet und nur als Hypothese vorgetragen worden war, meinten sie es vernachlässigen zu können. Kopernikus wurde denn auch erst 1616 – als der Fall Galilei akut wurde – auf den Index der verbotenen Bücher gesetzt. **Religion** wurde jetzt weithin zur **verharrenden Potenz**, die katholische Kirche eine Institution, die, statt sich um geistige Verständigung, Anstrengung und Verarbeitung zu bemühen, nach Zensur, Index und Inquisition rief.

Im selben Jahr war es nämlich – drei Jahre nach dem Brief an Castelli – zu einer ersten Auseinandersetzung Galileis mit Rom gekommen. Während die Renaissance-Päpste sich weder über die Entdeckung neuer Erdteile noch über die Entdeckungen im Bereich der Naturwissenschaft so rasch beunruhigen ließen, versteifte sich die Einstellung der römischen Kirche unter den Päpsten der Gegenreformation auch in dieser Hinsicht:

– 1600 war der ehemalige Dominikaner **Giordano Bruno**, der das kopernikanische Weltmodell mit einer pantheisierenden neuplatonisch-mystischen Renaissancefrömmigkeit verbunden hatte (und der 1579 auch von der streng protestantischen Tübinger Universität verwiesen wurde, nachdem ihm der Senat die »licentia docendi« verweigert hatte[27]), auf dem Campo de' Fiori in Rom verbrannt worden.

– Schon ein Jahr zuvor war der antiaristotelische Philosoph **Tommaso Campanella** durch die Inquisition verurteilt worden. Im Gefängnis hatte er dann seine Utopie von der »Città del Sole« (Sonnenstaat, 1602) geschrieben[28], und erst 1634 vermochte er nach Frankreich zu fliehen; seinen Idealstaat mit umfassender Organisation ohne Privateigentum unter der Herrschaft der obersten Weisen und Priester versuchten die Jesuiten in den Indianerreduktionen von Paraguay zu verwirklichen.

– 1619 war auch der italienische Naturphilosoph **Lucilio Vanini**, weil er angeblich die Identität von Gott und Natur gelehrt hatte, in Toulouse auf den Scheiterhaufen gebracht worden. Wahrhaftig, es war damals eine lebensgefährliche Angelegenheit, in die Hände der Inquisition zu fallen.

1632 wird nun auch **Galilei vor die Inquisition** zitiert und aufgrund der Übertretung eines angeblich 1616 ausgesprochenen Verbots verurteilt. Den legendären Ausspruch »Und sie bewegt sich doch« hat er vermutlich nicht getan. Auch wurde er nicht, wie oft behauptet, der Folter unterworfen. In jedem Fall aber war der Druck so groß, daß der Gelehrte am 22. Juni 1633 als treuer Katholik seinem »Irrtum« abschwört. Aber auch jetzt wird er noch zu unbefristetem Hausarrest auf seiner Villa in Arcetri verurteilt, wo ihm acht Jahre (nach vier Jahren erblindet) im Kreis seiner Schüler bleiben und wo er das für die weitere Entwicklung der Physik so wichtige Werk über Mechanik und Fallgesetze fertigstellt.

War Galileis Konflikt mit der Kirche ein unglücklicher Zufall? Nein, er war ein **symptomatischer Präzedenzfall**, der das Verhältnis der jungen aufstrebenden Naturwissenschaft zu Kirche und Religion an der Wurzel vergiftet hat, besonders nachdem sich die Einstellung Roms auch in der Folgezeit nicht änderte, sondern sich mit dem Fortschritt der Naturwissenschaft (und später besonders der biologischen Forschung mit Charles Darwin) gar versteifte. Nachdem der Fall Galilei mehrfach den Stoff für dichterische Gestaltungen – des Marxisten Bert Brecht, des Juden Max Brod und der Katholikin Gertrud von Le Fort – bildete, hat sich in unseren Tagen ein Papst, der in Sachen Biologie und Pille ebenso unfehlbar falsch urteilt wie seine Vorgänger in Sachen Astronomie und Heliozentrik, dadurch eher lächerlich gemacht, daß er meinte, Galileo Galilei 350 Jahre nach seinem Tod »rehabilitieren« zu können. Als ob er nicht schon durch Newton und die Geschichte der Naturwissenschaft rehabilitiert worden wäre.[29]

Diese ganze Entwicklung bestätigt, daß die offizielle katholische Kirchenpolitik auf die Restauration des mittelalterlich-gegenreformatorischen Paradigmas (P III) fixiert war, unbekümmert um alle (damals freilich noch nicht abzusehenden) Verluste. Nach der Exkommunikation der Protestanten kam es so zur beinahe lautlosen **Emigration der Naturwissenschaftler** aus der Kirche, kam es zum permanenten Konflikt zwischen Naturwissenschaft und der herrschenden Normaltheologie; Italien und Spanien, unter der Knute der Inquisition, blieben denn auch ohne naturwissenschaftlichen Nachwuchs. Doch selbst Rom konnte den Kollaps des mittelalterlichen Weltgebäudes mit seiner Erdscheibe zwischen dem Himmel oben und der Hölle unten, konnte die Entgeisterung der Natur und die Überwindung des mittelalterlichen Teufels-, Dämonen-, Hexen- und Zauberglaubens nicht aufhalten. Und ist es erstaunlich, daß jetzt nicht nur naturwissenschaftliche Forschung, sondern auch philosophisches Denken und auch die politische Macht eigene Wege gingen?

Die philosophische Revolution: Descartes

Die Verurteilung Galileis 1633, in den katholischen Ländern an den Universitäten durchgesetzt mit allen Mitteln der Nuntiaturen, Denuntiatoren und Inquisitoren, verbreitete eine Atmosphäre der Furcht, so daß der kühle Mathematiker, Naturwissenschaftler und Philosoph **René Descartes** (1596-1650) die Veröffentlichung seiner Abhandlung »Über die Welt oder Traktat über das Licht«[30] auf unbestimmte Zeit verschob; tatsächlich wurde dieser Traktat erst vierzehn Jahre nach Descartes' Tod veröffentlicht. Obwohl Descartes ursprünglich überhaupt nichts mehr publizieren wollte, veröffentlichte er schließlich doch seinen »Discours de la méthode«[31], der nach Calvins »Institutio« das zweite klassisch gewordene Sprachdenkmal der französischen Prosa wurde, das zur Ablösung des Latein als Sprache der Gelehrten nicht wenig beitrug.

Sicher ist es eine seiner Übertreibungen, wenn einer der bekanntesten Mathematiker und Philosophen unserer Zeit, der Brite Bertrand Russell meint, bis zum 17. Jahrhundert habe es in der Philosophie nichts von Bedeutung gegeben. Aber keine Übertreibung ist es, wenn man die **moderne Philosophie** mit dem Franzosen Descartes **beginnen** läßt. Dieser hatte sich freilich ab 1620 aus dem Paris Richelieus ins freiere »häretische« Holland abgesetzt und den Rest seines Lebens zumeist dort verbracht. Sein Leben beendet hat er im protestantischen Schweden, wo er 54jährig an einer Lungenentzündung starb (Königin Christine, die ihn schon morgens um fünf zum Philosophieren zu bestellen pflegte, hatte ihn dorthin berufen).

Es ging in der Tat um eine neue Methode. Denn die **Gewißheit der Mathematik**, die jeden Zweifel ausschließt, sollte für das neue Zeitalter des Rechnens, des Experimentierens und der neuen Naturwissenschaften das neue **Erkenntnisideal** sein. Und niemand verkörpert dieses Ideal der unbedingten mathematisch-philosophischen Gewißheit glänzender als Descartes, der Begründer der analytischen Geometrie und der modernen Philosophie, dessen latinisierter Name Cartesius mit »clarté«, der geometrisch geprägten Klarheit des Denkens, synonym wurde. Hier zeigt sich das genuin Moderne an Descartes' philosophischem Ansatz: So ganz anders als in der Renaissance ohne jede Rücksicht auf früher Gedachtes, auf philosophische und theologische Traditionen und Schulen, auf staatliche oder kirchliche Autoritäten, will dieser Philosoph in aller Freiheit untersuchen, was der Mensch wirklich wissen und inwieweit er zu wahrhaft begründetem Urteil kommen könne. Der Name Descartes steht für **radikale Neubegründung von Philosophie und menschlichem Wissen**

überhaupt durch den je Einzelnen! Das Individuum soll sein Leben in möglichst sicherer, vernünftiger Eigenverantwortung meistern. Das ist ein durch und durch moderner Gedanke. Und die wissenschaftliche Theorie ist hier nicht mehr wie bei Aristoteles und auch noch Thomas von Aquin höchster Lebenszweck, sondern – höchst modern und funktional – Mittel zur Verwirklichung einer (rationalen) Praxis.

Und wie soll der Mensch den Felsengrund der Gewißheit unter die Füße bekommen? Nach Descartes auf dem kühnen Weg der »tabula rasa«, des methodischen, radikalen und universalen Zweifels. Denn gerade durch alle Zweifel hindurch kann der Mensch die grundlegende Einsicht gewinnen: Solange ich zweifle, denke ich, und solange ich denke, bin ich: »Cogito, ergo sum«, »ich denke, also bin ich«! Das **Faktum der eigenen Existenz** ist also das **Fundament aller Gewißheit**. Von diesem archimedischen Punkt her setzt Descartes alle Grundfragen der Philosophie in Bewegung: die drei großen Fragen nach dem Ich, nach Gott (Gottesbeweise) und nach den materiellen Dingen. Dabei unterscheidet Descartes scharf zwischen »res extensa« (Ausdehnung, Körper, Materie, Außenwelt) und »res cogitans« (Denken, Geist, Ich, Innenwelt) und begründet so die moderne (idealistische) Entgegensetzung von Subjekt und Objekt, von Mensch und (mechanisch verstandener) Natur – ein Dualismus, der Voraussetzung ist für Newtons mechanistisches Weltmodell.

Mit Descartes hat das abendländische Bewußtsein in einer kritischen Entwicklung einen **epochalen Wendepunkt** erreicht: Der **Ort der ursprünglichen Gewißheit** ist von Gott **in den Menschen verlegt** worden. Das heißt: nicht mehr mittelalterlich oder reformatorisch von der Gottesgewißheit zur Selbstgewißheit, sondern neuzeitlich von der Selbstgewißheit zur Gottesgewißheit! »Hier können wir sagen, sind wir zu Hause, und können, wie der Schiffer nach langer Umherfahrt auf der ungestümen See ›Land‹ rufen; Cartesius ist einer von den Menschen, die wieder mit allem von vorn angefangen haben; und mit ihm hebt die Bildung, das Denken der neueren Zeit an«, so wird Hegel fast zwei Jahrhunderte später in seiner Vorlesung zur Geschichte der Philosophie ausrufen, wenn er auf Descartes zu sprechen kommt.[32] In der Tat, der Kartesianismus wurde trotz aller Widerstände zu sehr viel mehr als zu einer Schule. Er wurde zu einer Denkweise, einer Denkhaltung, einer Sache der Bildung überhaupt. Seine Geschichte geht weithin in der Philosophiegeschichte auf. Berufen sich auf Descartes doch nicht nur Rationalismus, Psychologismus und vor allem Idealismus zur Rechten, sondern – bei Descartes' scharfer Trennung von Leib und Seele als zwei Substanzen verständlich – auch Empirismus, Mechanismus, ja Materialismus zur Linken.[33] »Moderne« wurde denn auch gleichbedeutend mit Streben nach Gewißheit, nach strenger emotionsloser Rationalität, nach einem großen System der Philosophie, Natur- und Sozialwissenschaft.[34]

Gottesbeweise und Gegenbeweise unmöglich: Kant

Was sowohl im kontinentalen Rationalismus eines Spinoza, eines Bayle und Leibniz wie im englischen Empirismus eines Hobbes, Locke und Hume weitergeführt wird, findet seine erste große empirisch-rationale Synthese bei **Immanuel Kant**: »Kant drückt die moderne Welt in einem Gedankengebäude aus« (J. Habermas[35]). Kant hat deshalb auch nicht zufällig von einer »Kopernikanischen Wende« in der Philosophie gesprochen.[36] Denn: Ausgangspunkt des Erkennens ist nicht mehr der fertig gegebene Gegenstand, der sich im menschlichen Verstand abbildet, den der Verstand mehr oder weniger passiv rezipiert. Ausgangspunkt ist der menschliche Verstand, der (zusammen mit der Sinnlichkeit) aktiv seine reinen Formen (Kategorien) dem sinnlich Gegebenen aufdrückt und so den Gegenstand des Erkennens überhaupt erst konstituiert. Also Selbsterkenntnis der menschlichen Vernunft, des menschlichen Erkenntnisvermögens in allen seinen Dimensionen! Genauer: Selbsterkenntnis des reinen Verstandes und der reinen Vernunft, insofern sie mit ihren »reinen« Begriffen und Ideen von sich her (a priori) unsere Erfahrungen und ihre Gegenstände konstituieren und regulieren. Das ist die vorausliegende, »transzendentale« Fragestellung Kants nach der Erkenntnisart von Gegenständen, nach den Bedingungen der Möglichkeit menschlicher Erkenntnis überhaupt. Die gesamte Wirklichkeit wird auf diese Weise vom menschlichen Subjekt her konstruiert. Aber war Kant deshalb ein Gottesleugner?

Immer wieder hat man den Philosophen aus Königsberg, der neben naturwissenschaftlichen auch wichtige politische und geschichtsphilosophische Schriften verfaßt hat, des **Kritizismus** in seinen drei »Kritiken« (»der reinen Vernunft« 1781, »der praktischen Vernunft« 1788 und »der Urteilskraft« 1790)[37] angeklagt und damit des Agnostizismus und verschleierten Atheismus. Zu Unrecht. Denn gerade Kant war es – angesiedelt zwischen Orthodoxie und Freidenkertum, zwischen französisch-deutschem Rationalismus und dem englischen Empirismus und Skeptizismus eines David Hume –, der den Gottesglauben in einer Zeit des heraufziehenden Atheismus gegen eine »kläffende Vernunft« in Schutz nehmen, ja, die Vernunft an ihre eigenen Ketten legen wollte.

Hinter Kants Kritik steckt nicht, wie so oft vermutet, Resignation in

Sachen Vernunft, sondern die letztlich ethisch-religiös fundierte Überzeugung, daß der Vernunft durchaus Grenzen gesetzt werden müssen und daß die Grenzen der Vernunft nicht identisch sind mit den Grenzen der Wirklichkeit. Was die Vernunft nicht erkennt, kann durchaus sein. Kant selber im Vorwort zur zweiten Auflage der »Kritik der reinen Vernunft«: »Ich mußte also das **Wissen** aufheben, um zum **Glauben** Platz zu bekommen.«[38] Denn Glaube ist auch für den »kritischen« Kant – wie für den von ihm so geschätzten französischen Kulturphilosophen Jean-Jacques Rousseau (das einzige Bild in Kants Arbeitszimmer!) – eine Wahrheit des Herzens, besser: des Gewissens vor und jenseits aller philosophischen Reflexion und Demonstration: »Der Glaube an einen Gott und eine andere Welt ist mit meiner moralischen Gesinnung so verwebt, daß, so wenig ich Gefahr laufe, die erstere einzubüßen, eben so wenig besorge ich, daß mir der zweite jemals entrissen werden könne«, so bezeugt Kant selbst am Ende seiner »Kritik der reinen Vernunft«[39].

Kein Wunder also, daß Kant, der Aufklärer, in seinen drei Kritiken die Aufklärung zugleich überwand. Denn der naiven Allmacht der **Vernunft** gerade bezüglich der Erkenntnis des ganz anderen **Gottes** setzte Kant scharfe **Grenzen**, ebenso dem naiven Glauben. Klar ist: Wissenschaftliche **Gottesbeweise** sind **nicht möglich**. Über Gottes Existenz, der nicht in Raum und Zeit und so nicht Gegenstand der Anschauung ist, lassen sich keine wissenschaftlichen Erkenntnisse gewinnen und keine Urteile fällen, die doch auf Anschauung angewiesen sind. Die Gottesbeweise sind nach Kant nicht nur faktisch gescheitert, nein, sie sind theoretisch gar nicht möglich. Warum nicht? »Alle unsere Schlüsse, die uns über das Feld möglicher Erfahrung hinausführen wollen«, sind »trüglich und grundlos«[40]. Die Vernunft spannt vergeblich ihre Flügel, um durch die Macht des Denkens über die Erscheinungswelt zu den »Dingen an sich« (denknotwendig, aber nicht durchschaubar!) hinauszukommen oder gar zum wirklichen Gott vorzustoßen. Türme, die bis zum Himmel reichen, kann der Mensch nicht bauen, sondern nur Wohnhäuser, für unsere Geschäfte auf der Ebene der Erfahrung gerade geräumig und hoch genug! Klar ist damit aber auch umgekehrt: Auch alle Gegenbeweise gegen Gott sind gescheitert! Was ist zu tun?

Kant appelliert deshalb in Fragen der Gotteserkenntnis nicht an die »theoretische«, sondern an die **»praktische« Vernunft**, die sich im Handeln des Menschen manifestiert: Es geht nicht um reines wissenschaftliches Erkennen und kritisches Ergrübeln, sondern um das moralische Handeln des Menschen und die Bedingung dieser Möglichkeit. Kant argumentiert aus dem Selbstverständnis des Menschen als eines sittlichen, verantwortlichen Wesens; es geht nicht nur um Sein, sondern um Sollen, nicht nur um Wissenschaft, sondern Moral. Gerade in der Kritik der praktischen Vernunft wendet Kant den Blick deshalb nicht mehr »hinaus« oder »hinauf« auf ein Jenseitiges (ein »Transzendentes«), sondern hinter sich selbst zurück, gleichsam nach innen, auf die vorausliegende Bedingung der Möglichkeit (das »Transzendentale«): Gott also die Bedingung der Möglichkeit von Sittlichkeit und Glückseligkeit! Während Descartes Gott vor allem als vollkommenes Wesen und unendliche Substanz, Spinoza als die einzige Substanz oder Gott-Natur und Leibniz als die unendliche Monade verstand, hatte Kant den Ausgang nicht von den Naturdingen, sondern vom Menschen als sittlichem Wesen genommen und von daher – aus nicht theoretischer, sondern praktischer Notwendigkeit – Gott als höchstes sittliches Wesen und Urheber der Welt postuliert.[41]

Sowohl die naturwissenschaftliche Revolution (Galilei – Newton) wie die philosophische (Descartes – Kant) mußten schwerwiegende Auswirkungen auf die europäische Gesellschaft haben, wo so viele Jahrhunderte lang die kirchlichen Autoritäten alles Denken beherrscht hatten. Sie führten zu einer Kulturrevolution, die schließlich auch eine politische Revolution zur Folge hatte.

4. Die Revolutionen in Kultur und Theologie

»Die Nase der Kleopatra: wäre sie kürzer gewesen, das ganze Antlitz der Erde hätte sich verwandelt«: Blaise Pascal[42], einer der großen Vordenker, allerdings auch Warner des neuen Zeitalters, hatte recht: Der Gang der Weltgeschichte wird oft von Kleinigkeiten bestimmt. Und doch wird er nicht nur von einmaligen »Sternstunden der Menschheit« (Stefan Zweig) gelenkt, sondern auch vom Wechsel der großen »Gesamtkonstellationen« und keineswegs zufälligen »welterschütternden Übergängen« (Goethe).

Das Wort »modern« wird modern

Auch im 17./18. Jahrhundert geht es um nicht mehr und nicht weniger als um den Übergang zu einer neuen Gesamtkonstellation, zum Paradigma der Moderne. Dabei ist das **Wort »modern«** selber alt; es stammt aus der Spätantike.[43] Erst in der französischen Frühaufklärung des 17. Jahrhunderts wird es als positive Bezeichnung für ein neues Zeitgefühl benutzt. Es ist jetzt Ausdruck des Protestes gegen das antikebezogene, zyklische Geschichtsbild der Renaissance, die (bei aller jetzt einsetzenden

Distanzierung von der christlichen Vorzeit des dunklen »mittleren Alters«) »modern« gerade nicht als Epochenbegriff benutzte; dazu war das Rinascimento (vgl. P III) zu sehr »rückwärts«, auf die Antike hin gewandt. Erst jetzt, im 17. Jahrhundert, kommt es durch das Vertrauen in die autonome Vernunft zu einem neuen Überlegenheitsgefühl, wie es seinen Niederschlag fand in einer rund 20 Jahre andauernden Polemik, »Querelle des Anciens et des Modernes«, die auf eine berühmt gewordene Sitzung der von Richelieu gegründeten Académie française von 1687 zurückgeht.

Man beachte: Zum erstenmal in der Geschichte der Christenheit kommen im 17. Jahrhundert die **Anstöße** zu einem neuen Paradigma, zu einem neuen Grund-Modell von Welt, Gesellschaft, Kirche und Theologie, primär **nicht aus dem Innenraum von Theologie und Kirche, sondern von außen**: aus jener sich rasch »verweltlichenden«, »säkularisierenden« und so von Bevormundung von Kirche und Theologie sich »emanzipierenden« Gesellschaft. Die mittelalterliche Einheit des Denkens war jetzt definitiv zerbrochen: Der Mensch rückt als Individuum in den Mittelpunkt, und gleichzeitig weitet und differenziert sich der Horizont des Menschen ins beinahe Unendliche: geographisch durch die Entdeckungen neuer Kontinente, physikalisch durch Teleskop und Mikroskop. Und was für die Renaissance die Wiederbelebung der klassischen Studien war, das war für die beginnende Moderne das Aufkommen von Mathematik, Naturwissenschaft und neuer Philosophie.

Es war ein **Durchbruch epochalen Ausmaßes**, nicht weniger eine Zäsur als die Reformation. Bis ins 17. Jahrhundert war die abendländische Kultur, ob katholisch oder protestantisch, wesentlich vom Christentum bestimmt und durchdrungen. Jetzt aber entwickelt sich ein Geistesleben unabhängig von der Kirche und – da insbesondere die katholische Kirche sich abschottete – immer mehr auch gegen sie. Stichwort Kopernikanische Wende: eine wissenschaftliche und philosophische Revolution zugleich, die zu einer technologischen, dann politischen und schließlich industriellen Revolution führen sollte.

Es wäre nicht schwer aufzuzeigen, daß ähnlich wie im Falle Luthers und der Reformation so auch für diesen Paradigmenwechsel der beginnenden Neuzeit sich bestimmte Gesetzmäßigkeiten manifestieren. Thomas Kuhn hat ja die Kopernikanische Wende geradezu zum Ausgangspunkt aller seiner Überlegungen über den Paradigmenwechsel gemacht. Und was Philosophie und Theologie, Kirche und Religion betrifft, so habe ich selber anhand der beiden – für die frühe Moderne typischen – französischen Mathematiker, Naturwissenschaftler, Erfinder und Philosophen Descartes und Pascal ein Dreifaches bereits skizziert:[44]

– Im 17. Jahrhundert zeichnet sich eine tiefe **Krise** des überlieferten römisch-katholischen Paradigmas und der sie stützenden Gesellschaft ab. Durch Schultheologie oder einen Rückgriff auf augustinisch-reformatorisch-jansenistische Frömmigkeit ist diese nicht aufzufangen.
– Ein **neues Paradigma**, das im Grunde auch für Theologie und Kirche akzeptabel gewesen wäre, zeichnet sich ab, steht bereit, wobei auch bei diesem Paradigmenwechsel eine Menge rationaler und irrationaler, individueller und gesellschaftlicher Faktoren mitgespielt hat.
– Der **Ausgang** der Auseinandersetzung zwischen Altem und Neuem – besonders angesichts der Resistenz der katholischen Kirche und der französischen Krone – ist durchaus **ungewiß**. Und es sollte noch Jahrzehnte dauern, bis sich ein klares Profil zeigte. Aber die Anzeichen einer neuen Epoche sind schon früh sichtbar.

Die Wende gegen die Religion

Markieren wir zunächst mit wenigen Strichen den allgemeinen kulturellen Wetterumschlag und die starke religiöse Abkühlung. Wir stellen fest: Im **17. Jahrhundert** hat sich das neue Paradigma **angekündigt**, im **18. Jahrhundert** hat es sich **durchgesetzt**. Nur zu oft sieht man die revolutionäre Veränderung nicht kommen, und der gesellschaftliche Schein trügt:
– Im 17. Jahrhundert sind Ordnung, Autorität und Disziplin, Kirche, Hierarchie und Dogma noch immer hoch geschätzt. Von absolutistischen Herrschern und ihren devoten Kirchenfürsten werden sie hinter glänzender staatskirchlicher Fassade skrupellos zur eigenen Macht- und Prachtentfaltung mißbraucht.
– Doch im 18. Jahrhundert, im katholischen Frankreich insbesondere, werden diese traditionellen Werte und Institutionen von der intellektuellen Elite bereits weithin abgelehnt und lächerlich gemacht.
– Im 17. Jahrhundert denken viele Gebildete noch wie der große Redner und Hofbischof Bossuet, letzter prominenter Vertreter einer augustinisch geprägten Geschichtstheologie.
– Doch im 18. Jahrhundert denken sie zunehmend wie der geistreiche und skeptische Polemiker und Essayist Voltaire, der in seinen literarischen, philosophischen und geschichtlichen Werken alle positive Religion ablehnt, die Kirche haßt (»écrasez l'infâme!«) und wirkungsvoll für Toleranz auch gegenüber den Protestanten (Hugenotten) eintritt.
– Im 17. Jahrhundert hat ein entschiedener Aufstieg des Bürgertums (Kaufleute, Financiers, Industrielle, Akademiker, freie Berufe) eingesetzt,

und dies nicht zuletzt auf dem Weg über die rasch anwachsende Bürokratie bis hinauf zum Ministeramt (dagegen hatten die Aufstände der durch höhere Steuern ausgebeuteten Bauern keine großen Auswirkungen).
– Doch im 18. Jahrhundert verlangt man in Deutschland zwar noch immer nur nach einem »guten Monarchen« im Geist des aufgeklärten Absolutismus, der aufgrund seiner partriarchalischen Verantwortung und vernünftigen Einsicht das Wohl des Staates und der Bürger garantiere (Beispiel Friedrich II. von Preußen). In Frankreich aber fordert man bereits eine Verfassung, eine konstitutionelle Monarchie und zugleich nach englischem Vorbild eine Trennung der Gewalten als Voraussetzung der politischen Freiheit (so Montesquieu, † 1755[45]). Es ist das Bürgertum, das sich immer energischer gegen die Verschwendung des Hofes zur Wehr setzt: gegen das verfestigte merkantilistische Wirtschaftssystem und überhaupt gegen die nicht auf Leistung, sondern allein auf Geburt gegründete Vorherrschaft des Adels und des mit ihm verbündeten hohen Klerus.

Denn anders als in toleranten protestantischen Staaten wirkt sich im katholischen Frankreich aus, daß man hier das gegenreformatorisch-reaktionäre Paradigma mit Zensur, Polizei- und Militärgewalt kompromißlos und gewaltsam verteidigt, und zwar nicht nur gegen die Protestanten, sondern auch gegen strengere katholische Tendenzen: gegen Pascal und die augustinisch-asketischen Jansenisten und gegen mystische Strömungen. In Frankreich hat man als Katholik jetzt praktisch nur die Wahl zwischen dem offiziellen antijansenistisch-jesuitischen Katholizismus und dem Freidenkertum Voltaires. Eine Irrsinnsalternative, die fatale Folgen haben sollte.

Dabei hatte es so schlecht für die Religion gar nicht angefangen. Denn im 17. Jahrhundert waren die führenden Geister in Philosophie und Naturwissenschaft auch in Frankreich durchaus noch an einer Übereinstimmung mit der kirchlichen Lehre interessiert. Sowohl Descartes und Pascal wie auch Kopernikus, Kepler, Galilei und Newton, die führenden Vertreter der neuen mathematisch-mechanischen Naturwissenschaft, sind nicht nur Gottgläubige, sondern bekennende Christen. Und selbst noch Voltaire, der Newtons Weltbild auf dem Kontinent popularisiert, ebenso wie d'Alembert und Diderot mit ihrer 35bändigen »**Encyclopédie**«[46] – dem monumentalen Werk der französischen Aufklärung, welches als **Summa modernen Wissens** die aufklärerische Kritik an Staat und Kirche zusammentragen und Mensch, Natur und Gesellschaft rational entschlüsseln will – propagieren die neue mechanistische Weltschau nicht als Atheisten, sondern als Deisten. Sie glauben an einen (freilich sehr fernen) Schöpfer und Lenker der Maschine Welt. Zu einer Verständigung hätte es noch kommen können, wenn man von kirchlicher Seite zu einer kritischen Interpretation der Bibel im Hinblick auf die Resultate der neuen Naturwissenschaft und zu einer mehr kritischen Haltung gegenüber dem Ancien Régime vorgestoßen wäre. Aber daran denkt man zumindest in Rom auf keinen Fall.

Der neue Glaube an Vernunft und Fortschritt

Was ist die Triebfeder, die treibende Kraft, die dieser geistes- und sozialgeschichtlichen Bewegung die ungeheure Schubkraft verleiht? Es ist in erster Linie, wie bereits deutlich wurde, die Kraft der autonomen Vernunft:

- Für das mittelalterliche römisch-katholische Paradigma war die oberste Autorität »Ecclesia sive Papa« (Kirche = Papst) und für das reformatorische das »Wort Gottes«. Für das Paradigma der Moderne aber ist die oberste Autorität die »Ratio«, »Raison«, »**Vernunft**« des Menschen: moderner Leitwert I.

Was ist der Mensch? Der Mensch muß gesehen werden als ein natürliches und vernunftbegabtes Wesen, das auf die grundsätzliche Erkenntnismöglichkeit durch seine Vernunft so wie auf die Entwicklungsfähigkeit seiner Verhältnisse vertrauen kann. Und die beispiellose Dynamik der Moderne gründet in diesem großen Vertrauen auf des Menschen Vernunftnatur: eine ganz und gar nicht kirchliche und erst recht nicht päpstliche »Ratio«, wie es sich im Fall Galilei – so verschieden vom Fall Luther – zeigte. »Raisonnement« (in pragmatischer Absicht) – die höchste Tätigkeit des Menschen; »räsonieren« (über sich selbst, die Gesellschaft und die Geschichte) – damals noch ganz und gar kein Schimpfwort. »Raison« und damit Maß, Gleichgewicht, Proportion: Sie sollen, sie werden ein menschengemäßes, humanes »savoir faire« und »savoir vivre« ermöglichen. Praktisch bedeutet dies freilich auch: Mit diesem neuen Glauben an die **Vernunft** des Menschen, die zur **Schiedsrichterin über alle Fragen der Wahrheit** wird, beginnt die Neuzeit, die Moderne im strengen Sinn: Alle traditionellen Autoritäten – ob Aristoteles oder die Scholastik, ob Papst oder Bibel – geraten von daher in die Krise, in eine Krise ihrer Legitimation. Was ist vernünftig, was ist nützlich? Nur was vernünftig ist, gilt künftig als wahr, nützlich und verpflichtend …

Das Vernünftige aber – und dies macht man sich vor allem in England klar – ist nichts anderes als das Natürliche, die Natur des Menschen. Nein, nicht auf dem geschichtlich Gewordenen, Traditionellen, Zufälligen sind Recht und Verfassung, Wirtschaft und Kultur, auch Moral und

Religion aufzubauen, sondern auf der **allen gemeinsamen Menschennatur**, die es freilich gestattete, Verhältnisse unter Umständen auch zu reformieren. Statt auf dem Mündlichen, Besonderen, Lokalen, Zeitgebundenen lag der Akzent neu auf dem Schriftlichen, Allgemeinen, Globalen, Zeitlosen.[47] Statt auf Gottes Gesetz und Gebot konzentriert sich das Interesse auf ein autonomes Naturrecht. Statt der geschichtlichen Offenbarung und Dogmatik betont man nun die ursprünglich gegebene natürliche Religion, von der man ohne historische Begründung annimmt, sie sei mit der Vernunftreligion identisch. Das heißt:

- Die im strengen Sinn »neuzeitliche« Gesamtkonstellation orientiert sich im Gegensatz zu Reformation und Gegenreformation am Primat der **Vernunft** gegenüber dem Glauben; am Vorrang der **Philosophie** (mit ihrer Wende zum Menschen) vor der Theologie; an der Priorität der **Natur** (Naturwissenschaft, Naturphilosophie, Naturreligion, Naturrecht) vor der Gnade; an der Vormachtstellung der sich nun immer mehr säkularisierenden **Welt** gegenüber der Kirche. Kurz, gegenüber dem Christianum, dem spezifisch Christlichen, betont man jetzt durchgängig das Humanum, das allgemein Menschliche. Und gesellschaftliches Leitbild ist nicht mehr der Pfarrer, sondern der Philosoph.

Das aufgeklärt-moderne Paradigma von Theologie

Glaube	⟶	**Vernunft**
Gnade	⟶	**Natur**
Christl. Moral	⟶	**Naturrecht**
Kirche	⟶	**Welt**
Theologie	⟶	**Philosophie**
Christianum	⟶	**Humanum**

Gewiß: Schon in der italienischen Renaissance und im Humanismus hatte sich, wie wir sahen, eine neue Einstellung zum Leben und zur Welt, eine Besinnung auf die menschliche Würde vollzogen, die den Menschen aus dem mittelalterlichen Ordo herauslöste. Insbesondere die Kunst war jetzt nicht mehr eingebunden in jenes ganz auf Transzendenz ausgerichtete mittelalterliche Ordnungsgefüge, sondern war Selbstzweck geworden: das Ästhetische ein Eigenwert, manifest in säkularen Kunsttheorien, Kunstgeschichtsschreibungen, Kunstsammlungen. Aber dies geschah, wie betont, in Rück-Besinnung auf die Antike: Ri-nascimento hieß das Zauberwort, Wieder-geburt.

Jetzt aber im 17. Jahrhundert beginnt die intellektuelle Elite selbstbewußt, autoritätsunabhängig und offen nach vorne zu denken: gegen die Renaissance in einer für die Moderne charakteristischen **Progressivität**, die sich nicht auf die Antike (Re-naissance) oder die Bibel (Re-formatio), sondern auf des Menschen autarke Raison beruft. Der Glaube an die Allmacht der Vernunft und an die Beherrschbarkeit der Natur: dies ist die Grundlage des modernen Fortschrittsdenkens! In solch neuem Selbst- und Gegenwartsbewußtsein kann der Mensch auf den eigenen wie den allgemeinen Fortschritt vertrauen. Voltaire zufolge ist das Vernunftprinzip nicht nur absoluter Maßstab menschlicher Gesinnung, sondern auch Motor menschlichen Fortschritts. Dieses Prinzip unterscheide schon das Zeitalter Ludwigs XIV. von den anderen drei großen Kulturzeitaltern der europäischen Geschichte: dem Athen des Perikles, dem Rom unter Augustus und dem Florenz der Medici, ja, mache es diesem überlegen und könne aufgrund des immerwährenden Fortschritts sogar noch überboten werden (an Revolution freilich dachte auch Voltaire nicht). In der Tat: Jetzt erst beruft man sich ganz und gar zentral auf die autonome Vernunft, mit der der Mensch die Natur zunehmend beherrschen und sogar den Verlust seiner Zentralstellung im All kompensieren kann. In dieser Verlust- und Gewinnerfahrung gründet nach Pascal des Menschen Schwäche und Macht zugleich: »L'homme n'est qu'un roseau, mais c'est un roseau pensant«, »Der Mensch ist nur ein Schilfrohr, aber er ist ein denkendes Schilfrohr«.[48]

Symptomatisch (und indirekt eine erneute Bestätigung für unsere Periodisierung) ist die Tatsache, daß sich auch die für die Moderne so charakteristische säkulare **Fortschrittsidee**[49] (nochmals im Gegensatz zur Renaissance) ebenfalls erst im 17. Jahrhundert ausprägt und im 18. Jahrhundert auf sämtliche Lebensbereiche ausgedehnt wird – jetzt das zeitliche Muster aller Geschichte. Der ganze **Geschichtsprozeß** erscheint als **vernünftig fortschreitend und fortschreitend vernünftig.** Erst jetzt kommt es zur neuen Wortprägung »der Fortschritt«, gleichzeitig auftauchend mit dem Wort »die Geschichte«. Ein mechanischer Fortschrittsglaube, der sowohl evolutionär wie dann auch revolutionär verstanden werden kann. Später im 19. Jahrhundert, auf dem Höhepunkt der wissenschaftlich-technisch-industriellen und politisch-sozialen Entwicklung, wird der Glaube an den immerwährenden Fortschritt geradezu zur modern-säkularen **Ersatzreligion** (für Liberale wie für Sozialisten), Indikator und Faktor einer politischen Bewegung zugleich. Es läßt sich nicht übersehen, daß der ungeheuer optimistische Glaube an den Fortschritt, dem geradezu göttliche Attribute wie Ewigkeit, Allwissenheit, Allmacht und Allgüte zuerkannt werden, im Lauf der neuzeitlichen Entwicklung immer mehr den Glauben an den einen Gott ablöst. Verwirklichung der »Glückseligkeit« schon in dieser Welt – dies ist das Ziel. Also:

- Statt einer unveränderlich-statischen, hierarchisch geordneten, **ewigen Weltordnung** (ordo im platonisch-augustinisch-thomanischen Sinn), statt einer reformatorischen Zwei-Reiche-Lehre von Gottesreich und Weltreich gilt jetzt eine neue einheitliche Welt-und Geschichtsauffassung im Sinne eines andauernden **Fortschritts**: moderner Leitwert II.

Dieser soll schon in diesem Leben der Menschheit eine Besserung ihrer Lage, eine Beherrschung der Natur und dem Einzelnen Wohlergehen und Glückseligkeit (»happiness«) bringen. Die Geschichtsphilosophen der Moderne – Hegel, Marx und Comte – werden unter der Leitidee des Fortschritts eine umfassende säkulare Weltschau, Geschichtsauffassung und Gesellschaftstheorie gestalten. Vernunft- und Fortschrittsgläubigkeit: Wie gestaltete sich unter diesen neuen Bedingungen die Lage des Christentums?

Toleranz der Religionen – Relativierung des Christentums

Nach Reformation und Gegenreformation, nach dem Zeitalter des Konfessionalismus und den endlosen Streitigkeiten und unbeschreiblichen Verwüstungen um Religion und Konfession kam es nach dem 30jährigen Krieg um die Mitte des 17. Jahrhunderts nicht nur zu einer **religiösen Erschöpfung**, sondern auch – vor allem in den protestantischen Ländern – zu einer wachsenden **religiösen Toleranz**. Die Toleranz, die auch noch den Reformatoren ganz und gar ferne gelegen hatte, wird jetzt geradezu ein Schlüsselwort der Moderne. Weder der untolerante tridentinische Katholizismus noch der in manchem kaum tolerantere orthodoxe Protestantismus konnte es auf die Dauer aufhalten, daß die Freiheit des Denkens sich nicht nur in Philosophie und Naturwissenschaft, sondern auch in Politik und Religion durchsetzte. Hoch waren die Kosten geistiger Intoleranz. Die von Spanien vertriebenen Juden und Mauren vermehrten jetzt in anderen Städten – von Amsterdam bis Istanbul – geschäftliche Initiative und Wohlergehen. Die von Ludwig XIV. in törichter Weise unterdrückten Hugenotten waren in Preußen ebenso erfolgreich wie in Holland und in England. Die südlichen katholischen Länder waren in wachsender Gefahr, wissenschaftlich und damit auch technisch und wirtschaftlich zurückzubleiben.

Religionskriege galten jetzt zunehmend als ebenso unmenschlich und unchristlich wie Hexenverbrennungen. In das neue Zeitalter der Vernunft paßten nicht mehr der mittelalterliche und reformatorische Teufels-, Dämonen- und Zauberglaube, die Hexenprozesse und Hexenverbrennungen – zuerst angegriffen, wie wir hörten[50], vom Jesuiten Friedrich von Spee und dann vom protestantischen Juristen Christian Thomasius, jenem Professor – auch ein Zeichen der Zeit –, der als erster unter größtem Aufsehen Vorlesungen in deutscher Sprache hielt.

Eine andere Entwicklung war dabei auch nicht mehr länger zu übersehen: Wie die Teleskope der Astronomen zu zeigen vermochten, daß unsere Erde keine singuläre Größe im All ist, so ließen die immer genaueren Nachrichten und Berichte der Entdecker, Missionare und Kaufleute die Einsicht wachsen: Die christliche Religion ist vielleicht doch nicht ein so einzigartiges Phänomen, wie man bisher geglaubt hatte. Ja, je weiter sich durch die Entdeckung neuer Länder, Kulturen und Religionen die internationale Kommunikation intensivierte, um so mehr zeigte sich auch die **Relativität des eigenen europäisch geprägten Christentums**. Die christliche Mission in Asien hatte jetzt in einer Dialektik eigener Art schwerwiegende Rückwirkungen auf das Christentum in Europa. Warum?

Der Begründer der katholischen **Chinamission** am Ende des 16. Jahrhunderts war der bedeutende italienische Jesuit **Matteo Ricci** (seit 1583 in China und seit 1601 in Peking), der sich in Kleidung, Sprache und Benehmen ganz der chinesischen Lebensart angepaßt hatte: ein Christ mit dem Habitus eines konfuzianischen Gelehrten![51] Schon die ersten Jesuiten haben von der 4000jährigen, unvergleichlich hohen Kultur Chinas einem staunenden Europa berichtet. Aber gegen ihre mit großer Kühnheit vollzogene pädagogisch-diplomatische Adaption des Christentums regte sich in Rom und bei den anderen Orden Widerstand – aus vielfach durchsichtigen Gründen der Kolonial-, Kirchen- und Ordenspolitik. Man klagte die Jesuiten des Ausverkaufs des Christentums an. Alles lief auf einen großen Streit hinaus, der dann auch als der eigentliche **Ritenstreit** ausbrach, als 1634 spanische Dominikaner und Franziskaner in China zu missionieren begannen.[52] Endlose Verhandlungen vor der römischen Inquisition und heftige Diskussionen in ganz Europa waren die Folge.

Die Mission in China hatte unterdessen trotz allem nicht geringe Fortschritte gemacht: 1670 – also bald 100 Jahre nach Riccis Anfängen – zählte man immerhin 273 780 Katholiken, und die Aussichten für die Zukunft schienen gut. Der bedeutendste Kaiser der neuen Manchu-Dynastie **K'ang-hsi** hatte 1692 durch ein erneutes **Toleranzedikt** die Predigt des Evangeliums in ganz China freigegeben. Ja, manche Jesuiten am Kaiserhof konnten sich sogar begründete Hoffnungen auf eine Bekehrung dieses Kaisers machen, den der Mathematiker, Philosoph und Diplomat Leibniz und mit ihm viele in Europa für den größten Fürsten der Welt hielten. Als die Schwierigkeiten der Jesuiten in Rom bezüglich der chinesischen Riten und Namen zunahmen, schickte Kaiser K'ang-hsi die von ihm erbetene offizielle Antwort des chinesischen Riten-Tribunals an den Papst, die dort 1701 eintraf. Aus ihr ging klar hervor, daß Konfuzius in China nicht als Gott, sondern als Lehrer verehrt werde; daß die Ahnenverehrung ein Gedenken und nicht ein Gottesdienst sei; daß die Gottesnamen »T'ien« und »Shang-ti« nicht den physikalischen Himmel, sondern den Herrn des Himmels und der Erde und aller Dinge meinten …

Dies alles aber nützte wenig. 1704 verbietet Papst Clemens XI. unter Androhung der Exkommunikation den chinesischen Christen ihre Ritenpraxis, ebenso die Ahnenverehrung, die Konfuzius-Verehrung und den Gebrauch der beiden traditionellen Gottesnamen Shang-ti (»Herr in der Höhe«) und T'ien (»Himmel«); nur der neuere christliche Ausdruck T'ien-chu (»Himmelsherr«) wird gestattet. Nachdem aber die Ahnenverehrung nun einmal geradezu Grundlage des chinesischen Gesellschaftsgefüges ist und das konfuzianische Ethos alle Werte durchdringt, läuft dies auf die Konsequenz hinaus: Wer Christ bleiben oder werden will, muß aufhören, ein Chinese zu sein. Eine fatale Alternative, verschuldet durch eine **päpstliche Fehlentscheidung von historischem Ausmaß**, die denn auch katastrophale Folgen für das Christentum in China haben wird.[53]

Die **chinesische Reaktion** auf diese römische Provokation setzt unter Kaiser K'ang-hsi langsam ein. 1717 ergeht das Urteil der neun höchsten Gerichte Chinas: Ausweisung der Missionare, Verbot des Christentums, Zerstörung der Kirchen, zwangsweise Abschwörung des christlichen Glaubens. Die Zahl der Katholiken sinkt schnell und beschränkt sich zumeist auf – abgesondert und verachtet lebende – Bauern und Fischer. Es kommt, in Abwehr oppositioneller Strömungen und des Christentums, zu einer innerchinesischen Dogmatisierung des Konfuzianismus nach römischem Muster – mit ebenfalls für die zukünftige Entwicklung verhängnisvollen Folgen.

Der Ritenstreit hatte nicht wenig auch zur Verdüsterung jenes universalen Geistes beigetragen, der als erster Europäer die pluralistische Struktur der Menschheit mit gleichwertigen Rassen und Kulturen philosophisch ernst genommen und der die Versöhnung nicht nur der christlichen Kirchen (Gespräche mit Bossuet), sondern auch der westlichen und östlichen Kultur angestrebt hat: der große Ökumeniker **Gottfried Wilhelm Leibniz.**[54] Wie die christlichen Missionare die Chinesen im Evangelium und in den neuen Wissenschaften unterrichten, sollen ihm zufolge chinesische Missionare in Europa die natürliche Religion, Ethik und Staatsordnung lehren. Noch wenige Monate vor seinem Tod hat Leibniz eine französische »Abhandlung über die natürliche Theologie der Chinesen« (1716) veröffentlicht, wo er mit erstaunlichem Einfühlungsvermögen die alten Begriffe Shang-ti und T'ien, aber auch den mehr philosophischen Begriff des T'ai-chi (das Große Letzte) mit einem philosophisch-europäischen Gottesverständnis in Einklang zu bringen versucht. Gott ist ihm zufolge allgegenwärtig in dem bestmöglichen und letztlich jedenfalls nicht widersprüchlichen System seiner Schöpfung, dem System einer »prästabilierten Harmonie«.

Auch Leibnizens Schüler und Freund **Christian Wolff**, in Deutschland der populärste Aufklärungsphilosoph, hatte sich für die chinesische Philosophie interessiert. Wenige Jahre nach Leibnizens Tod (1721) hatte er jedoch die Universität Halle und das preußische Territorium unter Androhung der Todesstrafe innerhalb von 48 Stunden zu verlassen, weil er mit einer allzu positiven Vorlesung über die praktische Philosophie der Chinesen[55] das Ärgernis nun nicht der römischen Inquisition, sondern der protestantischen Pietisten erregt hatte.

Das Christentum begann jetzt deutlich seine Universalstellung bei den intellektuellen Eliten Europas einzubüßen, nachdem die Auseinandersetzung mit dem Islam vor allem militärisch geführt und für Europa positiv entschieden worden war (endgültige Niederlage der Türken vor Wien 1683). Und in Deutschland hat keiner die Problematik schärfer erfaßt als **Gotthold Ephraim Lessing** (1729-1781). Sein großes Aufklärungsstück »Nathan der Weise« (1779)[56] bringt das dramatische Gespräch zwischen den drei Weltreligionen semitischen Ursprungs und prophetischen Charakters auf die Bühne, präsentiert in plastischen Bühnen-Figuren voll von Esprit und Verstand: einem aufgeklärten Juden (Nathan, der erste edle Jude in einem deutschen Theaterstück), einem aufgeklärten Muslim (dem bedeutenden Sultan Saladin) und einem unreifen, aber schließlich doch aufgeklärten Christen, einem jungen Kreuzritter, zugleich (mit dem einfachen Klosterbruder) das Gegenbild zu jener vom infam-pfäffischen »Patriarchen« repräsentierten autoritären Kirche, die ihren Absolutheitsanspruch machtpolitisch zur Not mit Scheiterhaufen absichert und die Menschen in unmündigem Gehorsam hält.

Lessings Werk ist mehr als ein indifferentes Toleranzdrama, es ist ein utopisches Versöhnungsdrama. Es geht darin um die politisch-religiöse Utopie einer besseren Zukunft der Menschheit, symbolisch gespiegelt im Umarmungsfest der Menschen verschiedenen Glaubens am Schluß des Stückes: ganz im Geist von Lessings zukunftsgerichtetem Geschichtsdenken die noch heute und heute wieder neu inspirierende **Vision eines Friedens unter den Religionen als Voraussetzung eines Friedens in der Menschheit überhaupt**!

Zumindest der Toleranzgedanke setzt sich in der europäischen Aufklärung gegen allen Konfessionalismus durch:

- Statt der Monopolstellung einer einzigen Religion (»extra ecclesiam nulla salus!«) wie im mittelalterlichen Paradigma oder der Herrschaft zweier Konfessionen (»cuius regio, eius et religio«) jetzt die Toleranz verschiedener christlicher Konfessionen und auch verschiedener Religionen. Freiheit des Gewissens, Freiheit des Religionsbekenntnisses und der Religionspraxis stehen ganz oben auf der Liste der jetzt immer mehr geforderten Menschenrechte.

Die Aufklärung als Kulturrevolution

Statt des Rufs nach Reformation ertönt jetzt allenthalben der Ruf nach **Aufklärung.** Und »Aufklärung« – in Deutschland im Rahmen des orthodox-protestantischen Paradigmas, wie wir hörten[57], durch einen individualistischen, spiritualistischen, aber dogmatisch-indifferenten Pietimus vorbereitet – ist nach Kants berühmter Definition **»der Ausgang des Menschen aus seiner selbstverschuldeten Unmündigkeit«**: »Unmündigkeit ist das Unvermögen, sich seines Verstandes ohne Leitung eines anderen zu bedienen … Sapere aude! Habe Mut, dich deines **eigenen** Verstandes zu bedienen! ist also der Wahlspruch der Aufklärung.«[58]

Gegen wen richtet sich dieser Wahlspruch der Aufklärung? **Gegen die alles Denken beherrschenden kirchlichen Autoritäten aller Konfessionen**, die – wiewohl sie durch Glaubensstreit und Glaubenskriege ihre Glaubwürdigkeit vielfach eingebüßt haben – die Menschen noch immer in unwürdiger Abhängigkeit zu halten versuchen. Deshalb will die »Aufklärung« (»enlightenment«) in einer von kirchlichem Aberglauben und kirchlichen Vorurteilen verfinsterten Welt das Licht der Vernunft verbreiten: »les lumières«! Der übermächtige Einfluß von Religion, Kirche und Theologie, charakteristisch für das europäische Mittelalter und auch noch die Reformation, ist für ein Zeitalter der Vernunft unerträglich geworden – von dem ganzen Kloster-, Prozessions-, Wallfahrts- und Ablaßwesen nicht zu reden. Was sollen jetzt noch alle die alten Konfessionen und Dogmen, was die ständige Einmischung der Kirche in staatliche Angelegenheiten, was die Oberhoheit der Theologie an der Universität über die anderen Wissenschaften? Beweist denn die selbständig gewordene Vernunft nicht jeden Tag mehr, was sie zu leisten vermag, wenn sie nicht von Kirche und Theologie geknebelt wird und sich statt auf ein fernes Jenseits auf das zu bewältigende Diesseits konzentriert?

Da die Aufklärung alles menschliche Denken aus der bisherigen Abhängigkeit von äußeren Autoritäten lösen und sich auf die der Vernunft innewohnenden Prinzipien begründen will, kommt sie einer **Kulturrevolution** gleich. Denn so sehr die Aufklärung sich gegen die kirchlichen Autoritäten auflehnt, so sehr stellt sie im Prinzip doch jegliche Autorität in Frage – außer die der Vernunft. Denn die Aufklärung setzt voraus, was freilich schon damals manche in Zweifel zogen: daß erstens jeder Mensch vernunftbegabt ist und damit auch die Fähigkeit zum selbständigen Vernunftgebrauch besitzt und daß zweitens die Vernunft als oberste Autorität objektiv und unveränderlich feststeht. Die Folge dieser Kulturrevolution für das Christentum ist grundstürzend: Im Unterschied zu Luthers, Calvins und Trients Zeiten beeinflussen jetzt nicht mehr primär religiös-theologische und kirchliche Forderungen die politischen, wirtschaftlichen, sozialen und kulturellen Prozesse, sondern umgekehrt: Kirchenorganisation, Frömmigkeitsbewegungen und Theologie werden zunehmend von politisch-wirtschaftlich-sozial-kulturellen Faktoren bestimmt.

Damit kommt ein weiteres Charakteristikum der Moderne in den Blick: das **Auseinanderdriften von Kultur und Religion** als Beginn eines zunehmend allesbestimmenden Prozesses der für das Christentum bedrohlichen »Verweltlichung«, die sich als eine wachsende Entkirchlichung, ja Entchristlichung erweisen sollte. Zu Recht spricht der evangelische Theologe und Sozialethiker Ernst Troeltsch von einer »Gesamtumwälzung der Kultur auf allen Lebensgebieten« mit der Tendenz einer »immanenten Erklärung der Welt aus überall gültigen Erkenntnismitteln und einer rationalen Ordnung des Lebens im Dienste allgemeingültiger praktischer Zwecke«[59].

Von ferne war dieser **Säkularisations- und Emanzipationsprozeß**, so sahen wir[60], schon im Hohen Mittelalter grundgelegt worden. Thomas von

Aquin hatte mit Hilfe von Aristoteles eine – gewiß beschränkte, aber doch wirkliche – Selbständigkeit der Vernunft gegenüber dem Glauben, der Natur gegenüber der Gnade, der Philosophie gegenüber der Theologie, des Staates gegenüber der Kirche eingeräumt. Dieses höchst labile, natürlich-übernatürliche Zweistockgebäude war schon durch einen unasketischen Humanismus und eine diesseitsfreudige Renaissance erschüttert worden: als nämlich mit Berufung auf die Antike das Humanum und die Autonomie der Kultur (Kunst, Literatur) in neuer Weise betont wurden. Eine Entwicklung, die dann aber durch Luthers Reformation (und die Gegenreformation) – zum Ärger späterer säkularer Geister wie Friedrich Nietzsche – konterkariert wurde, bis sie im 17. Jahrhundert erneut ans Licht trat: als Glaube nun freilich nicht mehr an die Antike, sondern eben – typisch modern – an die Vernunft. Der moderne Rationalisierungsprozeß war aus seiner Natur heraus zugleich ein Säkularisierungsprozeß.

Ursprünglich war ja mit **Säkularisierung**[61] zunächst nur – juristisch-politisch – die Überführung kirchlicher Besitztümer in den weltlichen Gebrauch von Menschen und Staaten gemeint. Doch es wurde nun immer deutlicher: nicht nur einige Kirchengüter, sondern ungefähr alle wichtigen Bereiche des menschlichen Lebens – Wissenschaft, Wirtschaft, Politik, Recht, Staat, Kultur, Erziehung, Medizin, soziale Wohlfahrt – sollten dem Einfluß der Kirchen, der Theologie, der Religion entzogen und in die direkte Verantwortung und Verfügung des so selber vernünftig, mündig, »säkular«, weltlich gewordenen Menschen gestellt werden. So wurde des Menschen Welt selber zu einer »säkularen«, weltlichen Welt.

Ähnlich meint das Wort **»Emanzipation«** ursprünglich rein rechtlich die Freilassung des Kindes aus väterlicher Gewalt oder des Sklaven aus der Macht des Herrn. Dann aber meint es im übertragenen politischen Sinne die bürgerliche Gleichstellung all derer, die in einem Abhängigkeitsverhältnis zu anderen stehen: gegenüber der Fremdbestimmung nun die **Selbstbestimmung** der Juden, Bauern, Arbeiter, Frauen, der nationalen, konfessionellen oder kulturellen Minderheiten. Schließlich meint so das Wort »Emanzipation« die Selbstbestimmung des Menschen überhaupt gegenüber blinden Gehorsam fordernder Autorität und nicht legitimierter Herrschaft: Freiheit von Naturzwang, vom gesellschaftlichen Zwang und vom Selbstzwang der noch nicht mit sich selber identischen Person.[62]

Immer deutlicher wurde es nun: Der Mensch wollte vor allem Mensch sein. Kein Übermensch, freilich auch kein Untermensch. Beinahe zur gleichen Zeit, da die Erde aufhörte, Mittelpunkt des Kosmos zu sein, lernte der Mensch, sich selbst als den Mittelpunkt der von ihm erbauten Humanwelt zu verstehen. In einem jahrhundertelangen komplexen **Pro-**

zeß der »Entzauberung«, wie ihn bahnbrechend der große Religionssoziologe Max Weber[63] analysiert hat, trat der Mensch so seine Herrschaft an: Erfahrungen, Erkenntnisse, Ideen, die ursprünglich vom christlichen Glauben her gewonnen wurden und an ihn gebunden waren, gingen in die Verfügung der menschlichen Vernunft über. Die verschiedenen Lebensbereiche wurden immer weniger von einer Überwelt her gesehen und normiert. Aus sich selber heraus wurden sie verstanden, aus ihrer eigenen immanenten Gesetzlichkeit erklärt. Nach ihr und nicht nach überweltlichen Instanzen richteten sich immer mehr die Entscheidungen und Gestaltungen des Menschen.

Erstaunlich ist in der Tat, wie rasch der Zugriff auf die Welt erfolgen konnte. Vieles, ja beinahe alles, wofür früher Gott und übermenschliche, überweltliche Mächte zuständig waren, konnte sukzessive in eigene Regie genommen werden. Vernünftigkeit, Freiheit, Mündigkeit war die Devise. Der Mensch der Herr seiner selbst und Herr der Natur – eine Selbstbestimmung, die (mit allen noch nicht voraussehbaren positiven und negativen Konsequenzen) zur **Weltbemächtigung** führen sollte.

Es war eine Kulturrevolution, keine Frage, die von Teilen der offiziellen katholischen Kirche bis heute negativ gesehen wird. Von der säkularen Welt selbst her gesehen, stellt sie sich als ein unvergleichlicher Fortschritt dar:

– Ein unerhörter **Fortschritt der Wissenschaften**: Philosophie und Naturwissenschaft wandeln sich. Sie operieren nicht länger mit dogmatischen Annahmen, sondern mit Erfahrungstatsachen. Die Geschichtsschreibung bleibt nicht länger eine Unterabteilung von Rhetorik oder Ethik, sondern wird eine eigene Disziplin.

– Eine völlig **neue Gesellschaftsordnung**: Im Naturrecht werden religiöse Toleranz und Glaubensfreiheit begründet; Ideen wie Rechtsstaatlichkeit, Abschaffung der Privilegien von Klerus und Adel kommen auf; Wissenschaft und Künste, Industrie und Handel werden offiziell gefördert, das Schulwesen wird reformiert.

– Eine **Aufwertung des Individuums**: Dessen angeborene Menschenrechte sollen kodifiziert und dem Schutz des Staates unterstellt werden: Recht auf Leben, Freiheit und Eigentum, und damit zugleich eine soziale und politische Emanzipation der Bürger, der »citoyens«.

Theologie – versöhnt mit der Aufklärung

Auch die christliche Theologie bleibt von dieser Kulturrevolution selbstverständlich nicht unberührt. Ja, der Geist der Aufklärung führt auch bei ihr zu einer Krise, da innerhalb der traditionellen Theologie jetzt alte Plausibilitätsstrukturen zusammenzubrechen beginnen. Eine Schlüsselrolle kommt dabei der Bibelwissenschaft zu, die im Zuge der aufklärerischen kritischen Geschichtsschreibung mit einem Tabu bricht, das selbst die Reformatoren gewahrt hatten: die **Schrift selber historisch-kritischen Analysen zu unterziehen**. Die Frage wurde plötzlich virulent: Was beinhaltet die Bibel an geschichtlicher Wahrheit wirklich? Und diese Grundfrage unterscheidet sich noch einmal radikal von derjenigen, von der die Reformation angetrieben worden war: Was enthält die Bibel an religiöser Wahrheit gegenüber den Traditionen der Kirche? Der Wahrheitsanspruch des Wortes Gottes selber stand auf einmal zur Disposition.

Wie die moderne Naturwissenschaft und Philosophie, so hat auch die moderne Bibelwissenschaft bereits im 17. Jahrhundert eingesetzt. Sie bleibt verbunden mit dem Namen **Richard Simon**. Dieser ist ein damals weithin unbekannter Oratorianer und Zeitgenosse Descartes' und Galileis. Er hat vom jüdischen Philosophen und Bibelkritiker Baruch de Spinoza und einem Rabbiner in Paris gelernt und als erster christlicher Autor dargelegt, daß die »Fünf Bücher Moses« (der Pentateuch) nicht vom einen und selben Verfasser stammen können, sondern aus verschiedenen Quellen zusammengesetzt worden sind. Hintergrund dabei: Die Schöpfungsberichte des Buches Genesis hatten sich nun einmal als Haupthindernis für die Annahme der neuen Astronomie und Physik erwiesen. Die historisch-kritische Erforschung und die Bestimmung der Natur der biblischen Texte (die Bibel ist gerade kein offenbartes Lehrbuch auch noch für Physik, Kosmologie und Biologie!) sollten dazu beitragen, falsche Frontstellungen zwischen Glaube und Naturwissenschaft zu vermeiden. Richard Simon sucht hier nach konstruktiven Lösungen und hatte keineswegs die Absicht, seine kritischen Ergebnisse dem kirchlichen Dogma entgegenzusetzen.

Doch als Simons »Histoire critique de l'Ancien Testament« (1678) erscheint, wird sie auf Betreiben des Pariser Hofbischofs Bossuet sofort konfisziert. Der Autor selber wird vom Oratorium ausgeschlossen. Zwar arbeitet Simon bis zu seinem Tod unermüdlich weiter und veröffentlicht seine Werke im toleranten Amsterdam. Aber innerhalb der **katholischen Kirche** ist der Geist kritischer Bibelerforschung bereits erloschen, bevor er richtig aufblühen kann. Simon hat denn auch zunächst keinen Nachfolger, zu mißtrauisch steht man im römisch-katholischen Paradigma der kritischen Bibelwissenschaft von Anfang an gegenüber und vermag diese ob ihrer »Subversion« – zunächst wie immer mit Erfolg – abzuschotten. Die **Emigration der kritischen Exegese aus der Kirche Roms** und damit die der intellektuellen Avantgarde in der Theologie überhaupt ist die Folge.

Anders dagegen im **Protestantismus**. Hier wirkt das reformatorische Prinzip weiter, so daß der neue kritische Ansatz schließlich doch aufgenommen und weitergeführt werden kann. Im konfessionell gemischten Deutschland, durch die Konfessionskriege noch lange Zeit in jeder Hinsicht geschwächt, hatte die Aufklärung nämlich sehr viel später eingesetzt und sich in sehr viel gemäßigteren Formen vollzogen als im katholischen Frankreich. Von der Krise des mittlerweile erstarrten reformatorisch-protestantischen Paradigmas (P IV) hörten wir bereits.[64] Aber während die Orthodoxen und die Pietisten weiterhin im traditionellen Paradigma verharren, wenden sich nun – zusammen mit einem Großteil der protestantischen Fürsten – viele Theologen und Kirchenmänner dem neuen, aufgeklärten Paradigma (P V) zu.

Gewiß: In Deutschland blieb die große Masse des Kirchenvolkes zunächst den traditionellen Kirchen und ihrer Lehre treu. Unter den Gebildeten aber zeichnete sich eine Abkehr vom alten Paradigma ab, die jedoch aufgrund der anderen geschichtlichen Situation nicht wie in Frankreich zum Deismus, Atheismus und Materialismus führt, sondern zu einer aufgeklärten christlichen Religiosität und schließlich zum Idealismus. Nicht ein Religionsspötter wie Voltaire stand hier geistig Pate, sondern ein **Gottfried Wilhelm Leibniz**. Er hatte ja, wie wir hörten, eine aufgeklärte Versöhnung von Naturwissenschaft und Philosophie, von Philosophie und Theologie und auch eine ökumenische Vermittlung zwischen Protestantismus und Katholizismus angestrebt, ja, schließlich sogar zwischen europäischem und chinesischem Denken. Leibniz steht nicht für Aufklärung gegen Religion, sondern für Aufklärung in und mit der Religion.

Daß sich aber die neue Bewegung, die geschichtsmächtigste seit der lutherischen Reformation, nicht aufhalten ließ, zeigte sich schon darin, daß der wegen Verherrlichung des Konfuzius schließlich ausgewiesene Aufklärungsphilosoph **Christian Wolff** fast zwanzig Jahre später unter einem neuen König an die Universität Halle zurückkehren darf und daß dieser neue König – Friedrich der Große – selber als entschiedener Vorkämpfer der Aufklärung auftritt und im intensiven Kontakt mit Voltaire und anderen bedeutenden Franzosen steht. Er konnte es sich leisten, Toleranz nicht nur gegenüber den französischen Hugenotten, sondern auch gegenüber den ideologisch ihm völlig konträren Jesuiten zu üben, deren Orden unter dem Druck aufgeklärter europäischer Regierungen vom Papst aufgehoben worden war.

Freilich: In der protestantischen Theologie Deutschlands hat sich nur langsam die Aufklärung durchgesetzt: Die »Übergangstheologen«[65] zwischen der späten Orthodoxie des 17. Jahrhunderts und der aufgeklärten neuen Zeit wollten zunächst einmal nur »vernünftige« Orthodoxe sein, die Vernunft und Offenbarung auf dieselbe Stufe stellten, um so die Vernunft praktisch doch der Offenbarung überzuordnen, was denn auch von den Theologen, die Christian Wolff folgten[66], ganz offen und systematisch geschehen ist, allerdings noch immer ohne Angriff auf das Dogma.

Dieser **Angriff auf das Dogma** wurde eingeleitet durch die mit dem Ketzernamen »**Neologen**« bedachten Theologen.[67] Die Offenbarung als solche leugneten sie nicht, aber man verschwieg dieses oder jenes Dogma, griff ein anderes an, deutete ein drittes um. Kurz, man strich die Dogmen zusammen und fand der Offenbarung Kern: die Vernunftreligion, gegründet auf Gott, Freiheit (= Moral), Unsterblichkeit. Unversehens war dabei manches schon früher nicht mehr sehr Wichtige unwichtig, überflüssig geworden: Christi Gottheit, seine jungfräuliche Geburt, sein Tod als Genugtuung, seine Auferstehung, Himmelfahrt, Wiederkunft. Die Neologen verzichteten darauf nicht aufgrund großer Theorien, etwa eines konsequenten Wolffianismus. Nein, dies alles hatte einfach keinen Sinn mehr für die moderne praktische Frömmigkeit und das moralische Streben nach einem besseren Leben. Der aufgeklärte Mensch empfand kein seelisches »Bedürfnis« danach, im Gegenteil, manches davon war für die Betonung der Moralität – man denke etwa an die Erbsünde – eher lästig und hinderlich geworden.[68]

Im protestantischen Deutschland setzte sich so die **Aufklärungstheologie** durch, und zwar in einem Ausmaß, wie das für an die Dogmen und vor allem an das Lehramt gebundene katholische Theologen nicht möglich war. Mit Recht kämpfte sie gegen allen möglichen Obskurantismus in Theologie, Frömmigkeit und kirchlicher Praxis. Ohne die Aufklärung würden noch immer Ketzer und Hexen verbrannt und Menschen gefoltert! Die großen Anliegen der Aufklärungstheologie sollen also nicht geringgeachtet werden. Leider aber wurden sie vielfach simplifiziert und degenerierten zu einer platt naturalen, optimistisch-eudaimonistischen Jedermannsreligion, die wie selbstverständlich ein jedem Menschen eingeborenes Gottesbewußtsein und natürliches Sittengesetz voraussetzt sowie die Freiheit des Willens betont und die Unsterblichkeit der Seele – alles zum Zwecke der guten Moral, das heißt zur Herausbildung edler Menschlichkeit.

Sollte dies nun also die spezifisch **moderne Religion** sein? Der Mensch von Natur aus gut und die moralischen Tugenden als Voraussetzung für das Glück des Individuums? Gegen das Sündenbewußtsein des Luthertums jetzt der Optimismus des großen Jahrhunderts? Offenbarung als Ergänzung der Vernunft und das Christentum als die vorteilhafteste der Religionen? Christus, besser: Jesus, weiser Lehrer der Moral, der neu und einleuchtend zum Bewußtsein brachte, was man in der Menschheit schon immer wußte: vernunftgemäßes, natürlich-menschliches Leben? So dachten damals in der Tat viele: Statt Theorie Praxis! Statt Lehre Leben! Statt Dogma Moral! Der wahre christliche Glaube ist Tat, ist Wirken zum moralischen Nutzen des Menschen und seiner Glückseligkeit!

Der Ruf der Rückkehr zu den Quellen wird jetzt neu erhoben, leise zuerst, dann laut, nicht nur gegen die reformatorischen Bekenntnisschriften, die mit Hilfe einer pragmatischen Geschichtsauffassung und eines bestimmten Idealbildes des Urchristentums entzaubert werden, sondern auch gegen die Heilige Schrift selbst. Und auf diesem Feld sollten die eigentlichen Entscheidungen für die moderne Theologie fallen.

Der Aufbruch der historisch-kritischen Bibelwissenschaft

Die **aufklärerische Exegese** versuchte zunächst, die Texte einfach aus sich selbst heraus zu verstehen, undogmatisch, wenngleich faktisch oft am Leitfaden einer im Grunde cartesianisch verstandenen Vernünftigkeit. Diese rationale Bibelkritik – von Erasmus, Grotius und Hobbes vorbereitet, von Spinoza in Anlehnung an das naturwissenschaftlich-mathematische Erkennen begründet, dann von Bayle und Hume gefestigt – trat nun ihren Siegeslauf quer durch die protestantische Theologie an.

In der neubegründeten griechischen und semitischen Philologie, im Studium der alten Codices, der Textüberlieferungen, der jüdischen Synagogalliteratur, im langsam sich durchsetzenden geschichtlichen Denken und in ihrer unmythologischen Vernünftigkeit hatte diese moderne Schriftauslegung eine doch recht solide Ausgangsbasis. Was sollte dagegen der unhistorisch-reaktionäre protestantische Biblizismus mit seiner Verbalinspiration? Oder was die in Konfessionspolemik oder Väterzitation und -imitation festgefahrene katholische Exegese? Es war unaufhaltbar geworden: Auch die **Geschichte Jesu** mußte, gegen allen Dogmatismus, durch die Vernunft geklärt werden. Nicht mehr um die Kirche ging der Kampf wie im 16. und 17. Jahrhundert; im Jahrhundert des Indifferentismus ging der Streit um Jesus den Christus selbst. Die altkirchlich-mittelalterliche Tendenz zu einer doketischen Auflösung des geschichtlichen Jesus war umgeschlagen. »Die geschichtliche Erforschung des Lebens Jesu ging nicht von dem rein geschichtlichen Interesse aus, sondern sie suchte den Jesus der Geschichte als Helfer im Befreiungskampf vom Dogma. Dann, als sie vom Pathos befreit war, suchte sie den historischen Jesus, wie er ihrer Zeit verständlich war« (Albert Schweitzer[69]).

So ist es denn die deutsche **historische Bibelwissenschaft**, die für die Herausbildung eines aufgeklärten Paradigmas von Theologie die Hauptrolle spielen, ja, die es im 19. und beginnenden 20. Jahrhundert zur Weltgeltung bringen soll. Entscheidende Voraussetzung war, daß die stark von hellenistischen Vorstellungen bestimmte, aber auch noch von den Reformatoren und der lutherischen wie calvinistischen Orthodoxie festgehaltene traditionelle Auffassung von einer beinahe mechanisch-magisch wirkenden **wortwörtlichen Inspiration** (Verbalinspiration) der Bibel **aufgegeben** wurde – zugunsten einer völlig neuen universalen Hermeneutik, die für sakrale wie nichtsakrale Texte gilt.

Diese typisch moderne Hermeneutik wird grundgelegt von **Johann Salomo Semler**, dem bedeutendsten der »Neologen«, der für die wissenschaftliche Theologie (nicht ohne weiteres für die Religion überhaupt) die völlige Freiheit beansprucht und mit seiner großen »Abhandlung von freier Untersuchung des Kanons« (1771-75) die **historisch-kritische Theologie** begründet. Er, der Initiator der modernen undogmatischen Kirchen- und Dogmengeschichte, will auch die Bibel undogmatisch verstehen. So sieht er schlicht ab von aller Inspiration und zeigt nüchtern historisch die Entstehung der unter sich so verschiedenen und verschiedenwertigen biblischen Schriften auf. Die Heilige Schrift wird so zu einer Sammlung historischer Quellen, die genau wie profane Schriften nur historisch richtig verstanden werden können. Philosophische und theologische Hermeneutik werden umgriffen von einer sich nun entwickelnden universalen historischen Hermeneutik. Als Wort Gottes sei doch nicht all das historisch bedingte Beiwerk zu nehmen, sondern nur das der moralischen Besserung des Menschen dienende.

Semler führt hier die für die Folgezeit so wichtige Unterscheidung zwischen »natürlicher« (»vernünftiger«) und »positiver« (»übernatürlicher«) Religion ein. Von einem vollkommenen Christentum am Anfang und einem einheitlichen Lehrsystem in der Bibel, wie dies die protestantische Orthodoxie behauptet, könne ohnehin keine Rede sein. Allerdings heiße dies nicht, daß jede individuell-private Lehrmeinung ohne staatliche Zustimmung zur öffentlichen Religion gemacht werden dürfe. Deshalb stellt sich Semler in der größten Diskussion, die seit Martin Luther im deutschen Protestantismus ausgebrochen ist, schließlich gegen den, der sie provoziert hat. Es ist ein uns Bekannter, der hier einen Unbekannten zur Ehre gebracht hat.

Denn ein halbes Jahr nach Richard Simons Tod hat jener scharfsinnige protestantische »Laientheologe« und wortmächtigste Polemiker der klassischen deutschen Literatur, **Gotthold Ephraim Lessing**, als Hofbibliothekar zu Wolfenbüttel die unter dem Einfluß der englischen Deisten verfaßten »Fragmente eines Ungenannten« veröffentlicht: vom »Zwecke Jesu und seiner Jünger«. Die Schrift stammte vom Hamburger Professor für orientalische Sprachen, **Hermann Samuel Reimarus**, der in den neutestamentlichen Quellen eine Menge von Widersprüchlichkeiten, Menschliches und Allzumenschliches bei den Jüngern und sogar bei Jesus selbst entdeckt hatte. Das ganze Evangelium Jesu reduziert sich für Reimarus auf die Botschaft: »Bekehret euch, denn das Himmelreich ist nahe herbeigekommen.«[70] Damit hatte er zielsicher die Mitte der Botschaft Jesu getroffen. Immer wieder warnt er davor, den heutigen Katechismus in die Evangelien hineinzulesen. Die biblische Botschaft müsse in ihrer ursprünglichen Schlichtheit und Einfachheit gesehen werden. »Bekehret euch!«: Jesus lehrte gegen die Pharisäer die echte Moral und nur die echte Moral[71]; Reimarus lobt sie aufrichtig. Von der Offenbarung neuer übervernünftiger Geheimnisse (Gottessohnschaft im eigentlichen Sinn, Heiliger Geist, Trinität) bei Jesus selbst keine Spur.[72] Auch nicht von der Abschaffung des mosaischen Zeremonialgesetzes.

Wer war Jesus? Reimarus zufolge niemand anderer als der politische Befreier Israels und der Messias eines weltlichen Himmelreiches, was zu einem offenkundigen Fiasko führte: zum Tod am Kreuz.[73] Wie reagierten die Jünger? In der großen Enttäuschung ihres Lebens inszenierten sie einen großen Betrug: die Auferstehung. Ja, in ihrer Not griffen sie auf die damals in apokalyptischen Kreisen gehegte zweite Form der jüdischen Messiashoffnung zurück, für die der Messias zweimal erscheint: zuerst in der Niedrigkeit (Umdeutung des Todes Jesu zum Genugtuungstod eines geistlichen Erlösers von der Sünde), dann in Herrlichkeit (auf den Wolken des Himmels). Das Urchristentum: nichts als eine Religion enttäuschter apokalyptischer Naherwartung, von der her alle Evangelien – retrospektiv – geschrieben wurden.[74]

Man wird auch heute noch begreifen, was ein solch historisch-kritisches Bild vom Urchristentum an Schockwellen auslösen mußte – nach gut siebzehn Jahrhunderten kirchlicher Verkündigung. Mit Bestürzung gingen denn nun auch in Deutschland – in Frankreich hatte einige Jahre vorher das Glaubensbekenntnis von Rousseaus savoyardischem Vikar (in seinem Roman »Émile«[75]) einen ähnlichen Schock verursacht – den Theologen und den Gebildeten die Augen auf. Was war aus der christlichen Botschaft geworden! Während die einen sich freuten und höhnten, protestierten die anderen und riefen nach Abwehr oder Zensur; Prediger waren ratlos, und manche Theologiestudenten gaben ihr Studium auf. Lessing selber identifizierte sich nur bedingt mit Reimarus, und Semler versuchte den toten Verfasser in einem umfangreichen Werk Satz für Satz zu widerlegen.

Ja, es ging hier um eine wirkliche **Revolution in der Theologie**. Aber gerade durch sie kam es in Deutschland nun zu einer ernsthaften historisch-kritischen Erforschung der Bibel und besonders des Lebens Jesu, die uns mit der Zeit doch ein historisch gesichertes und differenziertes Jesusbild liefern sollte. Die dramatische Geschichte der **Leben-Jesu-Forschung** im Rahmen des neuzeitlichen Paradigmas – »von Reimarus bis Wrede« meisterhaft beschrieben von Albert Schweitzer in seiner theologischen Phase – ist hier nicht nachzuzeichnen. Unschätzbare Verdienste sollten dabei den beiden kühnen Tübingern **David-Friedrich Strauss** und **Ferdinand Christian Baur** zukommen.

Es war in der Tat der junge Stiftsrepetent **David Friedrich Strauss**, der 1835 sein hyperkritisches Buch über das »Leben Jesu«[76] veröffentlichte, das ihm die sofortige Entlassung aus dem kirchlichen Dienst und die Verurteilung zum lebenslänglichen Privatgelehrtendasein eintrug. Der historischen Jesusforschung aber waren die Aufgaben für ein Jahrhundert gestellt, an dessen Ende das Verständnis für das zunächst widersprüchliche Verhältnis der ersten drei (»syn-optischen«) Evangelien und deren Charakter als Verkündigungsgeschichten stand.[77]

Zur gleichen Zeit hatte der geniale protestantische Tübinger Historiker **Ferdinand Christian Baur**, inspiriert von Hegels universaler und dialektischer Geschichtsschau, die Grundlagen gelegt für eine nicht mehr dogmatisch bestimmte und übernatürlich eingefärbte, vielmehr rein wissenschaftlich-historische Erforschung des Urchristentums, der Kirchen- und Dogmengeschichte.[78] In Auseinandersetzung mit Baurs »jüngerer Tübinger Schule«, die noch allzusehr mit apriorischen Hegelschen Dreitakt-Schemata arbeitete, kam es zu einer umfassenden historischen Klärung der Geschichte nicht nur des Urchristentums, sondern auch der Dogmen- und Theologiegeschichte überhaupt, als deren exemplarisches Werk am Ende des Jahrhunderts die dreibändige Dogmengeschichte **Adolf von Harnacks** angesehen werden darf.[79]

Der **Paradigmenwechsel von der Reformation zur Moderne** ist somit nirgendwo so offenkundig wie in der Erforschung der Hebräischen Bibel und des Neuen Testaments. Der ungeheuren Arbeit von Generationen zunächst protestantischer Exegeten ist es zu verdanken, daß die Bibel zu dem am besten – Vers für Vers, Wort für Wort – untersuchten Buch der Weltliteratur geworden ist, was heute im Gespräch auch mit anderen

Weltreligionen von höchstem Wert ist. In einer umfassenden, minutiösen Arbeit haben ganze Gelehrtengenerationen in Text- und Literaturkritik, Form- und Gattungskritik, verbunden mit Begriffs-, Motiv- und Traditionsgeschichte, um jede Schrift, jeden Satz, ja jedes Wort gerungen.[80]

Dabei ist auch ein neuer – nicht mehr hellenistisch, sondern ursprünglich verstandener – Sinn von dem, was man »Inspiration« nennen kann, deutlich geworden: das Evangelium Jesu Christi als eine erfreuliche Kunde, die nicht in einem Buch verschlossen bleiben, sondern zu jeder Zeit wieder neu lebendig verkündet werden soll: das **eine Wort Gottes in allen fehlbaren Menschenworten**. Nicht inspirierte unfehlbare Sätze, sondern eine vom Geist Gottes und Jesu Christi inspirierte und so inspirierende Botschaft ist das Evangelium, das für den Nichtglaubenden durch und durch problematisches Menschenwort bleibt, für den Glaubenden aber zum helfenden, befreienden, rettenden Gotteswort wird. Hier zeigt sich die stärkste Kontinuität des modernen Paradigmas der Theologie mit dem ursprünglich Christlichen.

Aber natürlich hat die historisch-kritische Exegese unmöglich das liefern können, was die Theologie auch in der Moderne brauchte: eine Gesamtvision und die Übersetzung der nun historisch eruierten Botschaft in die neue Zeit hinein. Wer würde der Origenes, der Thomas von Aquin, der Luther der Moderne sein? Um diese Probleme zu sichten, haben wir uns nun dem Theologen zuzuwenden, der zum paradigmatischen Theologen der Moderne wurde und der deshalb im folgenden Kapitel ebenso eingehend wie die früheren paradigmatischen Theologen zur Darstellung gebracht werden soll.

5. Theologie im Geist der Moderne: Friedrich Schleiermacher

Mit Friedrich Daniel Ernst Schleiermacher (1768-1834) hat – für alles Biographische verweise ich erneut auf »Große christliche Denker« – zwar nicht eine neue Periode in der Kirchengeschichte angehoben, wohl aber ist sie in ihm theologisch zur Reife gekommen. Der theologische Paradigmenwechsel von der Reformation zur **Moderne** gewinnt hier geradezu körperliche Gestalt: Schleiermacher lebt nicht mehr wie Martin Luther noch weithin vorkopernikanisch in einer mittelalterlichen Welt der Engel und Teufel, Dämonen und Hexen, getragen von einer pessimistisch-apokalyptischen Grundeinstellung, intolerant gegenüber anderen Konfessionen und Religionen. Es wäre ihm gar nicht in den Sinn gekommen, jemanden wegen Problemen mit einem altkirchlichen Dogma verbrennen zu lassen wie noch Calvin den Antitrinitarier Servet. Ebensowenig hatte er Schwierigkeiten mit der modernen Naturwissenschaft, mit Kopernikus und Galilei, wie die dem Paradigma des Mittelalters verhafteten römischen Päpste; verblieben doch im 19. Jahrhundert neben den Reformatoren und der modernen Philosophie (von Descartes bis Kant) auch die Schriften der modernen Naturwissenschaften auf dem Index der für Katholiken verbotenen Bücher. Schleiermacher, der auch noch als Professor naturwissenschaftliche Vorlesungen besuchte, blieb durch Kant ein Leben lang davon überzeugt, daß es eine durchgehende Gesetzmäßigkeit der Natur gibt, die keine »über-natürlichen« Ausnahmen zuläßt. Ein Supra-Naturalismus in der Theologie? Das war Schleiermachers Sache nicht.

Verkörperung eines Paradigmenwechsels

So tritt uns mit Schleiermacher ein Theologe entgegen, der durch und durch ein **Mensch der Moderne** ist. Das heißt:

Er bejaht und kennt die moderne **Philosophie**, mit der er aufgewachsen war und die mit Kant, Fichte und Hegel ihre herausfordernde Höhe erreicht hatte; als klassischer Philologe hat er sich durch seine meisterhafte Platonübersetzung auch bei Altphilologen Ansehen verschafft.

Er bejaht die historische **Kritik** und wendet sie selber auf die biblischen Offenbarungsurkunden an; im großen Streit um die Fragmente des Reimarus hätte er zweifellos auf der Seite Lessings gegen den Hamburger Hauptpastor Goeze gestanden; später jedenfalls initiiert er die historische Kritik an den Pastoralbriefen durch eine kritische Studie über den ersten Timotheusbrief, der nicht vom Apostel Paulus stammen könne; die Schriften des Lukas führt er auf das urchristliche Gemeindeleben und dessen mündliche Überlieferung zurück; im Mattäusevangelium weist er eine Spruchsammlung nach; die neutestamentlichen Schriften seien nicht anders zu behandeln als andere; seine **Hermeneutik** (Anleitung zum Verstehen von Texten) wird ein grundlegendes Werk werden für theologische, philosophische und literaturwissenschaftliche Interpretationen.

Er bejaht und liebt vor allem die moderne **Literatur, Kunst und Geselligkeit** (für ihn eine Kunst), ja, ist hier selber aktiv durch seine enge Beziehung zu den über die Aufklärung hinausstrebenden Berliner Romantikerzirkeln. Ein Theologe also in engstem Kontakt mit Schriftstellern, Poeten, Philosophen, Künstlern, politischen Schwärmern aller Art! Erst jetzt gewinnt sein Denken und Schreiben den weiten Horizont und vermag schließlich die Gefühlsreligion der Romantik mit der wissenschaftlichen Kultur zu vereinen.

Hinzu kommt: Durch seine zukunftsweisende »Kurze Darstellung des theologischen Studiums«[81] hat Schleiermacher als erster der **Theologie** ihren **Platz an der modernen Universität** angewiesen; auf modern wissenschaftstheoretischer (und nicht glaubensmäßiger) Basis bringt er die in der Neuzeit ausgefächerten theologischen Einzelwissenschaften in einen organischen Gesamtzusammenhang und in eine methodische und thematische Beziehung zu außertheologischen Wissenschaften: als Wurzel die philosophische Theologie (Apologetik und Polemik), als Körper die historische (Exegese, Kirchengeschichte und Dogmatik) und als Krone die praktische Theologie (Schleiermacher gilt als deren Begründer). Die früher alles dominierende Dogmatik erscheint hier eingeordnet in ein funktional geordnetes System gleichrangiger Wissenschaften. Mehr als durch jeden anderen erhielt die Theologie auf diese Weise ihren modern-wissenschaftlichen Charakter. Schleiermacher – auch ein Pionier der neuen Pädagogik – hat durch seine planende und organisatorische Tätigkeit nicht nur das preußische **Schulwesen** maßgebend geformt, sondern auch die Berliner **Universität** mitbegründet und die Berliner **Akademie der Wissenschaften** entscheidend mitaufgebaut. Wahrhaftig, ein Theologe, der in erstaunlicher Weise ganz selbstverständlich mitten im modernen Leben stand und dieses aktiv mitgestaltete!

Für Religion in religionsmüder Zeit

Schleiermacher wußte selbstverständlich, wie ambivalent das Bild von Religion zu seiner Zeit geworden war, gerade bei den Gebildeten, denen er sich besonders verpflichtet fühlte. Es schwankte zwischen Bejahung und Verwerfung, Zustimmung und Spott, Bewunderung und Verachtung. Als er anläßlich seines 29. Geburtstages von den Gratulanten aufgefordert wird, zu seinem 30. Geburtstag ein Buch vorzulegen (wohl zu dem Thema, wie denn die Sache der Religion heute neu zu sagen wäre), nimmt er die Herausforderung an. Er wendet sich an die gebildeten Schichten (auch den Ungebildeten, meint er, solle man predigen), doch ausdrücklich vor allem an die Gebildeten unter den **Verächtern der Religion**, die zumindest kennen sollten, was sie verachten beziehungsweise aufgrund von Vorurteilen verkennen.

So entsteht das berühmte **Erstlingswerk** »Über die Religion. Reden an die Gebildeten unter ihren Verächtern«[82], erschienen im 31. Lebensjahr Schleiermachers: 1799. »Reden«: Dieses Wort bezeichnet nur die literarische Form, die Schleiermacher wählt. Sein trotz allen dithyrambischen Schwungs seiner Prosa oft schwer verständlicher Text, der sich bei aller

Abhängigkeit besonders von Fichte auf niemand beruft[83], wurde nie als »Rede« vorgetragen. Er ist gleich als Abhandlung konzipiert, als höchst planvoll durchstrukturierter rhetorischer Traktat, in dem (fast) alles argumentationsstrategisch gut angelegt ist.

So zeigt dieses Buch: Friedrich Schleiermacher war durch und durch ein moderner Mensch, war aber gleichzeitig in erstaunlicher Weise ein Mann der Religion geblieben. Moderne Kultur und religiöse Überzeugung – Schleiermacher demonstriert auf herausfordernde Weise, daß dies kein Widerspruch zu sein braucht. Was er für sich erkämpft hatte, davon wollte er Zeugnis geben: Auch heute noch kann man modern **und** religiös sein, kritisch **und** fromm. Und gerade so wurde Schleiermacher zum Lehrmeister für die Theologie des 19. Jahrhunderts, ein Mann des Geistes der Moderne.

Um die Sache von Religion und Theologie stand es in der Tat nicht gut in dieser Zeit. Einige der bedeutendsten Zeitgenossen Schleiermachers – Fichte, Schelling, Hegel und Hölderlin – waren in diesen Jahren denn auch von der Theologie in die Philosophie (oder in die Dichtung) übergewechselt. Zwar hatten sie »Religion« nicht einfach aufgegeben, wohl aber in ihr spekulatives metaphysisches System eingebaut – als philosophische Denker, denen man gewiß nicht alle Religion absprechen kann (vor allem nicht die von Hegel in Anspruch genommene »Frömmigkeit des Denkens«), die aber selber doch aus philosophischen Wurzeln heraus lebten und dachten. Viele von Schleiermachers neuen Freunden zeigten gegenüber der Religion nur Unverständnis.

Es brauchte schon einen Mann vom Format eines Schleiermacher, um hier eine ernst zu nehmende Gegenposition zu beziehen. Weit und breit gab es denn auch in der kirchlich-theologischen Szene niemanden, der in diesen stürmischen Zeiten zwischen Revolution und Restauration, Aufklärung und Romantik die **Gretchenfrage** »Wie hast du's mit der Religion?« so eindringlich, glaubwürdig und öffentlich wirksam hätte stellen können wie er: »Es mag ein unerwartetes Unternehmen sein, und Ihr mögt Euch billig darüber wundern, daß jemand gerade von denen, welche sich über das Gemeine erhoben haben und von der Weisheit des Jahrhunderts durchdrungen sind, Gehör verlangen kann für einen, von ihnen so ganz vernachlässigten Gegenstand«, so beginnt Schleiermacher denn auch provozierend seine zunächst anonym veröffentlichten »Reden« und fügt sogleich hinzu, daß er, auch selber »von der Weisheit des Jahrhunderts durchdrungen«, keineswegs ins vormodern-reaktionäre Lager eingeschwenkt sei: »In das Hilferufen der meisten über den Untergang der Religion stimme ich nicht ein, denn ich wüßte nicht, daß irgend ein Zeitalter sie besser aufgenommen hätte als das gegenwärtige, und ich habe nichts zu schaffen mit den altgläubigen und barbarischen Wehklagen, wodurch sie die eingestürzten Mauern ihres jüdischen Zions und seiner gotischen Pfeiler wieder emporschreien möchten.«[84]

Von daher wird klar: Schleiermacher sieht seine geradezu prophetische Sendung, seinen göttlichen Beruf, darin, Religion ganz neu zur Geltung zu bringen; denn Religion ist ihm, dem kritischen Denker, trotz aller persönlichen Einwände gegen bestimmte Lehren alles andere als ein »vernachlässigter Gegenstand«; sie ist ihm geradezu Inhalt und Leitstern seines Lebens. Davon will er künden, sowohl den ganz dem Irdisch-Sinnlichen verfallenen wie den über leere Ideale spekulierenden und moralisierenden Zeitgenossen. Das Thema Religion ist aktuell, weil es von der ganzen Anlage des Menschen her gegeben und deshalb unabweisbar ist.

Alles freilich hängt von der Frage ab, was man unter »Religion« versteht. Was ist **Religion** nach Schleiermacher? Etwa jenes »vernünftige Christentum«, das aus Versatzstücken von Metaphysik und Moral zusammenkomponiert wurde? Nein. Denn anders als für den philosophischen ist für den religiösen Menschen »Religion« keine Sache des Systematisierens und Theoretisierens; aber auch anders als für die orthodoxen Dogmatiker (»Buchstabentheologen«) keine Angelegenheit von Glaubensformeln und Beweisen; denn im Bannkreis der »Religion« hat gerade nicht die Lehre, sondern das Leben Priorität. In der Religion geht es also nicht darum, einfach »moralisch« zu sein im Geiste Kants, oder nur »ästhetisch« im Sinne Schillers, Goethes oder Herders; denn wer nur moralisch oder ästhetisch ist, ist ja noch nicht »fromm«, noch nicht »religiös«. Aber wer ist dann »religiös«?

Antwort (zentraler Gedanke der zweiten Rede): Das Eigentümliche der Religion ist ein geheimnisvolles **Erleben**, ist ein **Bewegtwerden von der Welt des Ewigen**. Bei Religion geht es also um die himmlischen Funken, die entstehen, wenn eine heilige Seele vom Unendlichen berührt wird, ein religiöses Erlebnis, dem die »Virtuosen der Religion« in ihren Reden und Äußerungen unmittelbar Ausdruck verleihen und das von ihnen auch den gewöhnlichen Menschen vermittelt wird. Genauer gesagt: Religion will das Universum, die Gesamtheit des Seienden und Geschehenden, andächtig erleben in – diese Kategorien stammen von Fichte – **unmittelbarem Anschauen und Fühlen**: »Ihr Wesen ist weder Denken noch Handeln, sondern Anschauung und Gefühl. Anschauen will sie das Universum, in seinen eigenen Darstellungen und Handlungen will sie es andächtig belauschen, von seinen unmittelbaren Einflüssen will sie sich in kindlicher Passivität ergreifen und erfüllen lassen.«[85]

Man kann auch sagen: Religion ist **Herzensreligion**: ein Betroffensein, Ergriffensein, Erfülltsein und Bewegtsein des Menschen in seinem Innersten und in seiner Ganzheit – von dem in allem Endlichen wirkenden Unendlichen. Nein, Religion ist weder Praxis noch Spekulation, weder Kunst noch Wissenschaft, sondern **»Sinn und Geschmack fürs Unendliche«**[86]. Dieser lebendige Bezug zum Ewigen, Unendlichen stellt eine ursprüngliche Anlage eines jeden individuellen Ichs dar, die freilich geweckt werden muß. Zahllos sind die religiösen Erfahrungen, und Duldsamkeit ist angebracht. Im religiösen Bewußtsein berühren sich so die beiden Grenzpunkte, Individualität und Universum. Historisch betrachtet heißt dies: Religion ist

– nicht mehr mittelalterlich oder auch noch reformatorisch ein Abheben, Hinübergehen in ein Über-Weltliches, Über-Natürliches;

– auch nicht deistisch-aufklärerisch ein Hinausgehen in ein Hinter-Weltliches, Meta-Physisches;

– vielmehr ist sie, modern verstanden, das Erahnen, Anschauen, Erfühlen, **Innewerden des Unendlichen im Endlichen**. Das Unendliche im Endlichen oder Gott als das allesbedingende ewige absolute Sein – dies ist, können wir sagen, das moderne Gottesverständnis und nicht (wie er in der zweiten Auflage am Ende des Exkurses über die Gottesidee hinzufügt) »Gott, wie er gewöhnlich gedacht wird als ein einzelnes Wesen außer der Welt und hinter der Welt«[87]. Wie Fichte, Schelling und Hegel erteilt Schleiermacher in philosophischer Strenge jeglicher Vermenschlichung Gottes eine Absage. Gott, modern verstanden, ist der immanent-transzendente Urgrund allen Seins, Wissens und Wollens.

Man sieht: Schleiermacher setzt bei seinem kühnen Unternehmen nicht einfach mit irgendwelchen heiligen Urkunden ein, unter deren Hülle seiner Ansicht nach das eigentliche **Wesen** der Religion verborgen bleibe. Nein, er will »die Sache einmal beim andern Ende ergreifen und mit dem schneidenden Gegensatz anheben, in welchem sich die Religion gegen Moral und Metaphysik befindet«[88]. Gegensatz also von Religion einerseits und Moral sowie Metaphysik andererseits? Dies ist nur vor zeitgeschichtlichem Hintergrund zu verstehen: Nicht mit einem »aufgeklärten« Atheismus und Materialismus wie im benachbarten Frankreich der Revolution hatte es Schleiermacher zu tun, sondern mit einem hochgespannten Idealismus, wie ihn die Aufklärung in Deutschland hervorgebracht hatte: mit einer idealistischen Metaphysik und Moral. Schleiermacher muß deshalb – auch wenn es das Wesen der Religion nie und nirgends rein und abstrakt gibt – an der **Unabhängigkeit** der Religion gelegen sein: **einerseits von der Metaphysik**, d. h. der philosophischen Spekulation, und **andererseits**

seits von der Moral, d. h. der sittlichen Anstrengung. Ja, war es nicht öfters der Streit um die Moral und besonders um die Metaphysik, welche die Religion als intolerant, gehässig, verfolgungssüchtig erscheinen ließ statt als duldsam? Lehrsätze, Dogmen, Begriffe sind indessen gerade nicht Religion, sondern Reflexionen über die Religion.

Wenn dies aber so ist: Ist durch diesen Paradigmenwechsel die Kontinuität protestantischer Theologie zur Reformation nicht völlig unterbrochen? Nicht unbedingt.[89] Denn hatte nicht schon **Luther** gegen die doppelte Überfremdung der **Theologie** durch Metaphysik und Moral protestiert: gegen die Metaphysizierung durch die aristotelische Philosophie (spekulativer Aufschwung zu Gott) und gegen die Moralisierung des Christlichen durch die Werkfrömmigkeit (das Spekulieren auf das eigene Werk)? Ähnlich **Schleiermacher**. Auch er wendet sich gegen eine Überfremdung der **Religion** durch spekulierendes Denken und moralisierende Praxis. Religion oder (wie er später sagen wird) Frömmigkeit ist für Schleiermacher eine ganz und gar existentielle Angelegenheit, ist Sache des allem Denken und Handeln vorausliegenden und zugrundeliegenden **Gefühls**.

Dieses Gefühl ist nicht psychologisch-enggeführt als romantisch schwärmerische Emotion zu verstehen, sondern existentiell-ganzheitlich als ein Betroffensein in der Personmitte, als unmittelbares religiöses Selbstbewußtsein (Ebeling vergleicht dessen Funktion mit der des Gewissens bei Luther). Schleiermacher wird diesen Gedanken später selber präzisieren, wird den mißverständlichen Begriff »Anschauung« (sinnlich oder geistig?) des Universums (das man ja als Ganzes kaum »anschauen« kann) zugunsten des Begriffs »Gefühl«, der Anschauung und Erkenntnis einschließt, zurücknehmen und wird, wie wir sehen werden, in seiner »Glaubenslehre« genauer sprechen von Religion als dem **Gefühl schlechthinniger Abhängigkeit des Menschen**.

Theologie oder Philosophie? Rückfrage 1

Wenn aber Religion das Gefühl schlechthinniger »Abhängigkeit« des Menschen ist, ist dann nicht ein Hund der beste Christ[90] – so eines der bösesten Bonmots über Schleiermachers Denken, geäußert von Georg Friedrich Wilhelm Hegel, seit 1818 als Nachfolger Fichtes sein Berliner Kollege in der Philosophie? Nein, so bissig und witzig dieses Bonmot ist (Schleiermacher hat Hegels Polemik ignoriert), es geht an der Sache vorbei, weil es nicht nur die geistig-ganzheitliche Natur des »Gefühls« ignoriert, sondern vor allem Schleiermachers Gottesverständnis mit seiner

Betonung der christlichen Freiheit gegenüber jeglicher religiöser Knechtschaft. Ein Christ ist also im »Gefühl« von seinem Gott gerade nicht so »abhängig« wie ein Hund von seinem Herrn. Im Gegenteil.

Schleiermacher kommt es gerade auf die innere **Freiheit** des sittlichen Menschen an – Quelle ewiger Jugend und Freude –, und Freiheit ist denn auch ein Schlüsselwort schon in jenen **»Monologen«**, die Schleiermacher nach den »Reden« als zweites größeres Werk veröffentlichte (als »eine Neujahrsgabe« zum Jahrhundertbeginn 1800) und in der er seine religiöse Lebens- und Weltansicht in der Form eines »lyrischen Extrakts aus einem permanenten Tagebuch« darzulegen versuchte.[91] Und ganz anders als Hegel ist Schleiermacher schon in den »Reden« entschieden **gegen das Staatskirchentum**, für ihn, den Reformierten, der Quell allen Verderbens, angetreten, hat leidenschaftlich die Trennung von Kirche und Staat nach dem Vorbild Frankreichs gefordert und so in seiner vierten Rede geradezu das Programm einer radikalen Kirchenreform entwickelt, in welchem die Pfarrgemeinden durch Personalgemeinden (wie er später eine haben sollte) abgelöst sind.

Und doch: Haben nicht diejenigen Kritiker vielleicht recht, die auf die Zwielichtigkeit dieser Theologie hinweisen, die sich ganz an die Moderne ausgeliefert habe? Haben sie nicht recht, wenn sie (wie schon der junge Karl Barth) Schleiermacher, der sowohl über die Theologie wie über die Philosophie in ihrer ganzen Breite Vorlesungen hielt, verdächtigen, er betreibe im Grunde keine Theologie, sondern Philosophie? In seinem vielbewunderten späten Nachwort zu einer Schleiermacher-Auswahl im Jahre 1968 (50 Jahre nach seinem Römerbrief und im Jahr seines Todes) stellt **Karl Barth** wiederum diese Frage, aber der alte Barth läßt sie in bemerkenswerter Weise offen:

– Geht es in Schleiermachers Unternehmen »eigentlich um eine auf Gottesdienst, Predigt, Unterricht, Seelsorge ausgerichtete christliche **Theologie**«, die nur »uneigentlich das Gewand einer dem Menschen seiner Zeit angepaßten Philosophie« trägt?

– Oder handelt es sich um eine »christlich indifferente **Philosophie**«, die sich nur »uneigentlich in das Gewand einer, der christlichen Theologie gehüllt hätte?«[92]

Auf der Linie des frühen Barth haben viele Vertreter der »dialektischen Theologie« Schleiermacher der Auflösung der Theologie in Philosophie (»Identitätsphilosophie«, »Platonismus«, »Gnostizismus«, »Pantheismus« oder »Spinozismus«) angeklagt. In neuerer Zeit aber ist gerade der Schleiermacher der »Reden« als Theologe verteidigt worden, der eine »mit philosophischen Mitteln vorgetragene Apologie« des Christentums entwikkelt habe[93] und dessen Theorie der Religion einem »theologischen Ansatz« verpflichtet sei[94]. Dagegen hat man den Standpunkt vertreten, die Schleiermacher-Interpretation dürfe »nicht mit Konfrontations- und Alternativvorstellungen von Philosophie und Theologie« arbeiten. In der Tat: Nicht Philosophie oder Theologie, sondern Philosophie oder Dogmatik ist Schleiermachers Alternative.[95]

Dies alles berücksichtigend, lautet meine Antwort auf Karl Barths Frage: Es handelt sich schon in Schleiermachers »Reden« keineswegs um eine christlich indifferente Philosophie; tendieren diese Reden doch von Anfang an verborgen, aber zielsicher auf das Christentum hin. Allerdings handelt es sich auch nicht um Theologie, wie sie zumindest Karl Barth betrieb, nicht um eine von Anfang an dogmatische (mit der Trinität einsetzende) und in jedem Fall kirchliche (den kirchlichen Dogmen verpflichtete) Theologie. Doch ist etwa nur Karl Barths »Kirchliche Dogmatik« christliche Theologie? Er selber hatte in seinem Schleiermacher-Kapitel von 1946 zugestanden, daß die anthropozentrische »Umkehrung der Betrachtungsweise« nicht notwendig eine »Un-Theologie oder gar A-Theologie« bedeuten müsse: »echte, rechte Theologie **konnte** auch von da aus aufgebaut werden«.[96] Nein, eine alleinseligmachende Methode der Theologie gibt es nicht. Schleiermacher, der die traditionelle Dogmatik für sein Examen zu studieren hatte, sie aber verabscheute, wählte bewußt einen anderen Ansatz, mit dem er an die Gebildeten unter den Verächtern der Religion heranzukommen hoffte: Man wird dies sachgerecht die **fundamentaltheologische** Methode, die mit allgemeinen Leiteinsichten und Leitbegriffen arbeitet, nennen. Mehr als in der protestantischen Theologie, die sich mit »Prolegomena zur Dogmatik« begnügte, wurde die »Fundamentaltheologie« in der Folgezeit von katholischen Theologen entwickelt.

Nun wird man bei aller Anerkennung der Eigenständigkeit des religiösen Gemüts mit Schleiermacher gewiß darüber diskutieren müssen, ob sich Religion derartig schroff vom Denken und Handeln, von Theorie und Praxis, von Metaphysik und Moral, von Wahrheitsbewußtsein und sittlichem Bewußtsein scheiden läßt: Soll es denn wahre religiöse Ergriffenheit ohne Wahrheitsgehalt und ohne Gewissensantrieb geben? Aber wir müssen gleich hinzufügen: Auch Schleiermacher wird bei diesem Standpunkt nicht bleiben. Und es wird noch deutlicher werden, daß das Gefühl reiner Abhängigkeit von seiten des Menschen die reine Ursächlichkeit von seiten Gottes voraussetzt, so daß von einer Auslieferung der christlichen Theologie an eine säkulare Philosophie nicht die Rede sein darf.

Methodisch gesehen ist zunächst wichtig: Schleiermacher holt seine Leser an dem Ort in der Welt ab, wo diese nun einmal stehen, und versucht gegenüber deren Mißverständnissen das wahre Verständnis von Religion im allgemeinen herauszuarbeiten. Dabei vermeidet er möglichst jede spezifisch theologische Begrifflichkeit, oder, wo sie nicht zu vermeiden ist, interpretiert er sie. So gebraucht er statt des von seinen gebildeten Zeitgenossen anthropomorph-vormodern verstandenen Wortes »Gott« lieber Worte wie »das Universum«, »das Unendliche«, »das Heilige«, Begriffe also, von denen er hofft, sie seien für den modernen Zeitgenossen überzeugender, weil weniger vorbelastet. Erweist sich aber damit Schleiermacher nicht doch als Vertreter einer autonomen, von jeder Offenbarung unabhängigen »natürlichen« Religion?

Die Bedeutung des »Positiven« in der Religion

Wer meint, Schleiermacher betreibe in seinen »Reden« einfachhin »natürliche Theologie« (eine seit Karl Barth von vielen Theologen verabscheute Sache), der sollte zur Kenntnis nehmen: Schleiermacher macht gegenüber der ganzen Aufklärungstheologie mit höchstem Nachdruck deutlich, daß es für ihn **keine »natürliche Religion«** gibt. Sie wäre faktisch eine moralisch ausgerichtete Sache der Vernunft, so daß alles über eine solche Vernunftreligion Hinausgehende als »Aberglauben« zu verwerfen sei. Nein, eine solche Natur- oder Vernunftreligion war für Schleiermacher ein Kunstprodukt der philosophischen Reflexion ohne jene Lebendigkeit und Unmittelbarkeit, die eine echte Religion nun einmal charakterisiert. Es gehört deshalb von Anfang an zu Schleiermachers Überzeugung: Religion kann nur dann richtig verstanden werden, wenn sie nicht einfach »im allgemeinen«, sondern in den einzelnen, lebendigen, konkreten, eben »positiven« Religionen betrachtet wird. Schleiermacher nennt diese einzelnen konkreten Religionen (Judentum, Christentum, Islam usw.) »positive Religionen«.

So münden die »Reden« denn auch in eine Reflexion über das »Positive« in den Religionen. Der Grundgedanke ist der: Das »Unendliche« gibt es nicht »für sich«, gibt es nicht in reiner Abstraktheit. Das Unendliche ist immer nur greifbar im Endlichen; es entäußert und manifestiert sich in unendlich vielen verschiedenen Gestaltungen. Die Anschauung des Universums ist immer eine individuelle, und keine dieser zahllosen Anschauungen kann grundsätzlich ausgeschlossen werden. »Religion« muß sich also in verschiedenen Religionen individualisieren. Wer folglich »Religion« verstehen will, muß die verschiedenen Religionen verstehen. Mögen die einzelnen Religionen ihr ursprüngliches Leben verloren haben und sich mit bestimmten Formeln, Schablonen und Rechthabereien identifizieren, mögen sie im Verlauf ihrer langen Geschichte noch so entstellt und verbildet worden sein: sie sind doch echte und reine Individualisationen von »Religion«, wenn und insofern sie eine Erfahrung des Unendlichen im menschlichen Subjekt ermöglichen, insofern sie eine bestimmte Anschauung des Unendlichen zu ihrem Zentralpunkt, zu ihrer Zentralanschauung machen, auf die alles in dieser Religion bezogen wird.

Damit hatte sich Schleiermacher in seinen »Reden« nicht nur die größte Mühe gegeben, alle Vorurteile der modernen Zeitgenossen gegenüber Religion im allgemeinen zu zerstreuen. Größte Mühe gab er sich darüber hinaus auch, sie gegenüber dem **»Positiven« in den Religionen** aufgeschlossen zu machen, dem Positiven (»Gegebenen«) in allen Religionen. Man beachte jedoch: Die einzelnen Religionen stehen bei Schleiermacher keineswegs auf der gleichen Höhe, geht Schleiermacher doch wie selbstverständlich davon aus: Im Christentum hat sich das, was »Religion« ist, am reinsten individualisiert; das Christentum ist damit die relativ beste aller Religionen in der Geschichte der Menschheit. Einen Vergleich mit anderen Religionen braucht gerade das Christentum nicht zu scheuen.

Man kann dabei nur bedauern, daß Schleiermacher über genauere Kenntnisse der **nichtchristlichen Religionen** (von der griechischen abgesehen) nicht verfügte. Wenn er auch mit seiner Herausstellung des religiösen Erlebnisses einen gewichtigen Aspekt von »Religion« zur Geltung gebracht hat, so hat er sich doch auch in späteren Jahren nie so breite religionsgeschichtliche Kenntnisse angeeignet wie etwa sein späterer Berliner Kollege und Rivale Hegel. In seinen religionsphilosophischen Vorlesungen hatte dieser ja die verschiedenen Religionen der Menschheit behandelt: als die großen geschichtlichen Gestaltungen des im Menschengeist sich offenbarenden absoluten Geistes – von den Naturreligionen (die Gottheit als Naturmacht und Substanz) in Afrika, China, Indien, Persien und Ägypten angefangen über die Religionen der geistigen Individualität Judentum, Griechentum und Römertum bis hin zum Christentum, das als Hochform der Religion alle ihre Vorformen in sich aufnehme.

Und doch ist nicht zu bestreiten: Kein Theologe hat der künftigen Religionsgeschichte, -phänomenologie und -psychologie, die im 19. Jahrhundert einen so starken Aufschwung nehmen sollte, denkerisch so sehr vorgearbeitet wie Schleiermacher. Wenn bis heute in Religionswissenschaft und Theologie so viel von **Erfahrung** die Rede ist, so ist dies wesentlich ihm zu verdanken. Und wenn Religion nicht nur als bloße private Religion, sondern als Sache der **Gemeinschaft** angesehen wird, so ist auch dies Schleiermachers Verdienst. Wenn das Christentum als die beste und höchste Individualisation von Religion verstanden werden und so in den Vergleich der Religionen einbezogen werden kann, so findet dies bei Schleiermacher seine zumindest prinzipielle Legitimation. Doch auch hier müssen wir die Rückfrage hören:

Auflösung in Anthropologie? Rückfrage 2

Haben nicht doch jene **Kritiker** recht, die in der Nachfolge von Emil Brunner – er wollte Schleiermacher auf die Mystik zurückführen[97] – den Vorwurf erheben, er würde statt auf das von außen kommende Wort der Heiligen Schrift auf die sprachlose Innerlichkeit des Gefühles setzen, ja, er würde, so der frühe Karl Barth, eine **Anthropologisierung** und **Subjektivierung der Theologie** betreiben und damit Feuerbachs »Aufhebung« und Auflösung der Theologie in Anthropologie den Weg bereiten?

Der späte **Karl Barth** ist auch in dieser (zweiten) Frage vorsichtig geworden:
– Fühlt, denkt und redet der Mensch bei Schleiermacher »im Verhältnis zu einem unaufhebbaren Anderen«, in Entsprechung zu einem »**Gegenstand**«, der »seinem eigenen Sein, Fühlen, Erkennen, Wollen und Tun überlegen« ist und »demgegenüber Anbetung, Dank, Buße, Bitte konkret möglich, ja geboten sind?«
– Oder fühlt, denkt und redet der Mensch bei Schleiermacher »in und aus einem souveränen Bewußtsein seines eigenen Zugleichseins, ja **Einsseins** mit allem, was als Gegenstand, als ein von ihm verschiedenes Anderes oder gar als ein Anderer in Frage kommen könnte?«[98]

Meine Antwort auf diese Frage lautet: Schleiermachers theologische Reflexion nimmt – ganz auf der Linie von Descartes bis Kant – ihren **Ausgang vom Subjekt** und der Selbsterfahrung des Menschen, aber es ist damit **keine Subjektivierung** und Anthropologisierung der Theologie vollzogen. Ausdrücklich betont Schleiermacher schon in seinem Frühwerk, daß ohne diese im Gefühl bestehende »Religion« das Denken wie das Handeln der verhängnisvollen Sucht verfiele, den Mensch zum Mittelpunkt aller Dinge zu machen: »im ganzen Universum nur den Menschen als Mittelpunkt aller Beziehungen, als Bedingung alles Seins und Ursache alles Werdens« zu sehen.[99] Bei der Religion verhalte es sich gerade umgekehrt. Sie wolle »im Menschen nicht weniger als in allen andern Einzelnen und Endlichen das Unendliche sehen, dessen Abdruck, dessen Darstellung«[100]. Von einer Anthropozentrik, einer Auflösung der Theologie in Anthropologie, kann also bei Schleiermacher keine Rede sein.

Unberechtigt ist deshalb auch der immer wieder erhobene **Pantheismusverdacht**. Gewiß: Schleiermacher will das Endliche **im** Unendlichen sehen und das Unendliche **im** Endlichen, aber damit ist kein »Einssein« von Endlichem und Unendlichem behauptet, keine Einerleiheit von Gott und Welt. Energisch bestreitet Schleiermacher schon damals, ein Pantheist zu sein. Zu Spinoza hat er bei allem Studium und aller Sympathie sein Leben lang ein sachlich differenziertes Verhältnis und behauptet denn auch später glaubwürdig, er sei keinen Augenblick dessen Anhänger gewesen. Gott ist in allen Dingen, ist in uns. Gott und Welt sind aufeinander bezogen, aber doch wesentlich unterschieden. Gewiß: Schleiermacher will nicht nur personalistische Religionen, die dem Unendlichen ein eigentümliches Bewußtsein zuschreiben, sondern auch pantheistische Religionen, die das nicht tun, als Religionen anerkannt haben. Entschieden lehnt er jedenfalls einen Gott ab, »der nur der Genius der Menschheit wäre«; eine solche Vorstellung von Gott war ihm ebenso fremd wie die von Gott als einem »von der Menschheit gänzlich unterschiedenen Individuum«[101]. Lieber als vom persönlichen spricht er vom lebendigen Gott.

Grundsätzlich gilt also für Schleiermacher: Das eigentliche »Objekt« der Religion ist das Unendliche, das im Endlichen erscheint, ist das göttliche Leben und Handeln. Ob dies nun personal vorgestellt wird oder nicht, es bleibt doch für das religiöse Bewußtsein eine überlegene, höchste und letzte Kraft, mit der sich der religiös Begeisterte in bestimmten Momenten eins fühlen kann, mit der er aber keineswegs substantiell eins ist. Wie kein Pantheist, so ist Schleiermacher auch kein Einheitsmystiker, und in seinen »Monologen« geht er (mit Hilfe vor allem von Fichte) deutlich gegen einen spinozistischen Monismus und Determinismus an. Wenn man also seinen Standpunkt schon mit einer Etikette versehen will, so wird man statt vom Pantheismus vom »Pan-en-theismus« reden müssen. Und von da aus wird man auch seine Neuinterpretation grundlegender theologischer Begriffe verstehen müssen, von Begriffen wie Wunder (ohne Durchbrechen der Naturgesetze), Offenbarung (in menschlicher Erfahrung), Weissagung und Gnadenwirkung.

Ob allerdings Schleiermachers Neuinterpretation theologischer Grundbegriffe befriedigt, ist eine andere Frage. Und wenn man ihm auch keine Anthropologisierung und Subjektivierung der Religion vorwerfen kann, so stellt sich doch die Frage nach der Christlichkeit seiner Theologie: Ist er wirklich ein christlicher Theologe, treibt er christliche Theologie?

Die Einzigartigkeit des Christentums

Der leichteste Zugang, den Geist der Religionen zu erfassen, ist für Schleiermacher, selber eine zu haben. Und dies ist sicher besonders wichtig für den, der sich »dem Allerheiligsten nähert, wo das Universum in seiner höchsten Einheit angeschaut wird«[102]: dem Christentum. Auch dies ist aller Kritik zum Trotz nicht zu bestreiten: Schleiermacher hat wesentlich dazu beigetragen, die von der Aufklärung gestellte Frage nach dem **Wesen des Christentums** konstruktiv zu beantworten. Er ist ja der Auffassung, daß das Wesen jeder Religion in einer »Grundanschauung« gesehen werden muß, in ihrer jeweiligen »Anschauung des Unendlichen«.[103] Das gilt schon für das Judentum und erst recht für das Christentum.

Was ist – diese Frage muß kurz vorgeschaltet werden – das Wesen, die Grundanschauung, der Geist des **Judentums**? Wie auch Hegel und andere deutsche Idealisten ist Schleiermacher dem Judentum wenig freundlich gesinnt. Es biete gerade nicht den Schlüssel zum Christentum. Gewiß: Das Judentum – meint Schleiermacher – habe vieles gelehrt und sei, sehe man von der Verschüttung des eigentlich Religiösen unter dem Politischen, Moralischen und Zeremoniellen ab, in seinem »so schönen kindlichen Charakter« durchaus anziehend gewesen.[104] Doch seine überall durchschimmernde Grundanschauung, sein Verhältnis zum Unendlichen? Das stehe unter der Idee der »allgemeinen unmittelbaren **Vergeltung**«[105]: Lohn und Strafe!

Schleiermacher begreift dabei die ganze Geschichte des jüdischen Volkes als ein lebendiges Gespräch zwischen Gott und Mensch, ein Gespräch in Wort und Tat, wobei der Weissagung und dem Messiasglauben besondere Bedeutung zukommt. Diese lebendige Geschichte aber sei schon zu dem Zeitpunkt abgestorben, als mit dem Ende der heiligen Schriften im Judentum auch das Ende des Gespräches Gottes mit seinem Volk gekommen sei. Für Schleiermacher ist es deshalb keine Frage: Bis heute ist das Judentum eine tote Religion, und wir haben uns damit abzufinden. Nicht abfinden freilich sollten wir uns mit Schleiermachers verzerrter Optik des Judentums, die keinerlei Sensibilität verrät für die Fortexistenz nicht nur des jüdischen Volkes allgemein, sondern auch der jüdischen Religion, freilich im mittelalterlichen rabbinisch-synagogalen Paradigma, das erst zu Schleiermachers Zeiten, Ende des 18. Jahrhunderts, durch den Einfluß der Moderne (Moses Mendelssohn) aufgesprengt wurde.[106] Als einziges zur Entlastung Schleiermachers wird man anführen dürfen: Im damaligen Berlin dachten moderne, jetzt assimilierte Juden auch nicht wesentlich positiver über die Vergangenheit ihrer eigenen Religion! Und Schleiermacher selber hat schon im Jahr 1799 gefordert, daß Juden gerade nicht, wie von manchen Aufklärern gefordert, in die protestantische Kirche aufgenommen werden sollen, vorausgesetzt, sie akzeptieren die Grundwahrheit der natürlichen Vernunftreligion, sondern daß sie die bürgerlichen Rechte als Juden, unabhängig vom christlichen Bekenntnis, verliehen bekommen.

Vor der wenig erfreulichen negativen Folie des Judentums hebt sich das **Christentum** bei Schleiermacher natürlich hell ab – zumindest das Christentum in seiner ursprünglichen Gestalt: »Herrlicher, erhabener, der erwachsenen Menschheit würdiger, tiefer eindringend in den Geist der systematischen Religion, weiter sich verbreitend über das ganze Universum ist die ursprüngliche Anschauung des Christentums.«[107] Schleiermacher ist der Überzeugung, daß nur im Christentum das Wesen der Religion rein und klar sichtbar wird.

Was aber ist nun die Zentralanschauung, das ursprüngliche Wesen, der Geist des **Christentums**, den man bestimmen kann trotz aller geschichtlichen Entstellungen, trotz aller Wortstreitereien und trotz aller blutigen Heiligen Kriege? Schleiermacher sieht das Verhältnis des Endlichen zum Unendlichen im Christentum entscheidend als Verhältnis von **Verderben und Erlösung, Feindschaft und Vermittlung**. Das Christentum sei durch und durch polemisch, insofern es das allgemeine Verderben erkenne und gegen die Irreligion außerhalb und innerhalb seiner selbst angehe. Das Christentum freilich habe das Ziel, auf eine immer größere Heiligkeit, Reinheit und Gottbezogenheit zu drängen: Alles Endliche soll überall und jederzeit auf das Unendliche bezogen werden.

So stellt das Christentum die Religion in höherer Potenz dar, auch wenn es deshalb nicht etwa als eine Universalreligion alle anderen und alle neuen Religionen ausschließen soll. Es hat seinen Ursprung nicht im Judentum, sondern unableitbar und unerklärbar in dem einen **Gesandten**, dem zuerst die Grundanschauung vom allgemeinen Verderben und der Erlösung durch höhere Vermittlung aufgegangen ist. Was bewundert Schleiermacher an Jesus Christus? Nicht einfach die Reinheit seiner Sittenlehre und die Eigentümlichkeit seines Charakters, die Kraft und Sanftmut verbindet; was da Aufklärer an Jesus hervorheben, das seien menschliche Züge. Das »wahrhaft Göttliche« aber an Christus – und darauf kommt es Schleiermacher an – sei »die herrliche Klarheit, zu welcher die große Idee, welche darzustellen er gekommen war, die Idee, daß alles Endliche höherer Vermittlung bedarf, um mit der Gottheit zusammenzuhängen, sich in seiner Seele ausbildete«[108]. Was meint diese »höhere Vermittlung«?

Alles Endliche bedarf zu seiner Erlösung der Vermittlung eines Höheren, und dieses kann »unmöglich bloß endlich sein; es muß beiden angehören, es muß der göttlichen Natur teilhaftig sein, ebenso und in eben dem Sinne, in welchem es der endlichen teilhaftig ist«[109]. Nicht der einzige Mittler ist er deshalb, aber der einzigartige, von dem es zu Recht heiße »Niemand kennt den Vater als der Sohn, und wem er es offenbaren will«: »Dieses Bewußtsein von Einzigkeit seiner Religiosität, von der Ursprünglichkeit seiner Ansicht, und von der Kraft derselben, sich mitzuteilen und Religion aufzuregen, war zugleich das Bewußtsein seines Mittleramtes und seiner Gottheit.«[110] Es ist keine Frage, daß solche Formulierung der Bedeutung Jesu Christi schon damals nicht nur Orthodoxe die Stirne runzeln ließ.

Auflösung in Psychologie? Rückfrage 3

Man hat von Anfang an Schleiermachers **Bewußtseinschristologie** scharf angegriffen: Wird hier die Offenbarung Gottes nicht doch zu einem Modus menschlichen Erkennens und Fühlens? Wird aus dem Christusglauben nicht doch eine einleuchtende allgemeine menschliche Möglichkeit? Bleibt da Jesus Christus noch eine gegenständliche, geschichtliche Größe, die vom frommen Gefühl unterschieden ist? Oder wird die Christologie in Psychologie aufgelöst: statt einer konkreten historischen Christologie eine allgemeine christologische Psychologie? Und wird bei all dem die Gottheit Christi nicht doch letztlich außer acht gelassen?

Auch an Schleiermachers Christologie erneuert **Karl Barth** in seinem Alter die kritische Anfrage (es ist seine dritte) – läßt sie aber auch hier unbeantwortet:

– Fühlt, denkt und redet der Mensch »primär im Verhältnis zu einer **besonderen**, konkreten und also bestimmten und bestimmbaren Wirklichkeit und erst von daher, sekundär verallgemeinernd, abstrahierend, im Blick auf Wesen und Sinn dessen, wozu er sich in Beziehung findet?«

– Oder »primär im Verhältnis zu einem **allgemeinen**, zum vornherein eruierten und festgestellten Wesen und Sinn der Wirklichkeit und erst von daher, nur sekundär in der Aufmerksamkeit auf ihre besondere, konkrete, bestimmbare und bestimmte Gestalt?«[111]

Schleiermacher hat nach den Reden und Monologen seine christologische Position verdeutlicht in einer 1805 als »Gespräch« abgefaßten poetisch-theologischen Schrift »**Die Weihnachtsfeier**«[112]. Ein Jahr zuvor war Schleiermacher aus seinem »Exil« in der kleinen Provinzstadt Stolp erlöst worden durch einen Ruf an die Universität Halle als außerordentlicher

Professor für reformierte Theologie und Prediger der Universität. In seinem »Gespräch« anläßlich einer konkret geschilderten familiären Weihnachtsfeier mit Musik, Gesang und Essen, welches den »Dialogen« Platons nachgebildet ist, zeigen verschiedene Gesprächspartner, die er alle sympathisch mit innerem Verständnis präsentiert, wie verschieden sie die Weihnachtsfeier erfahren und die Person Christi verstehen.

Da ist der denkend reflektierende, ungläubige **Leonhard**, der eine radikale historische Kritik übt und die Weihnachtsgeschichte symbolisch versteht. Da ist der à la Schelling spekulierende Geschichtstheologe **Eduard**, der die Weihnachtsgeschichte vom fleischgewordenen Wort des Johannes-Prologs her idealisiert und Christus als zentralen Gattungsmenschen versteht. Da ist schließlich, Schleiermacher wohl am nächsten, der Erfahrungstheologe **Ernst** (Schleiermachers dritter Name), der zwar nicht für die Historizität der Weihnachtsgeschichte eintritt, wohl aber für deren tiefen Sinn als der Erscheinung des Erlösers, der hier als ein unüberholbares Faktum und als verbindlich religiöse Wirklichkeit dargestellt wird: »Bleibt die Geschichte des Erlösers das einzige, allgemeine Freudenfest, weil es für uns kein anderes Prinzip der Freude gibt als die Erlösung, in der Entwicklung von dieser wiederum die Geburt des göttlichen Kindes der erste helle Punkt ist, nach welchem wir kein anderes erwarten und unsere Freude noch länger verschieben können.«[113]

Doch am Ende der Feier kommt noch verspätet der Gast **Josef**, der eine eigene Interpretation verweigert und mit Verweis auf seine »sprachlose Freude«[114] zur Bescherung und zum fröhlich-frommen Gesang auffordert. Ein »Herrnhuter höherer Ordnung«? Jedenfalls bleibt die Geschichte letztlich offen. Es wird bis heute darüber diskutiert, mit welchem der Gesprächspartner sich Schleiermacher identifiziert, ja, ob er sich überhaupt mit einem identifiziert. Die Antwort Schleiermachers selbst findet sich in seiner »Dogmatik«, der »Glaubenslehre«.

»Glaubenslehre«: Die Synthese aus Tradition und Moderne

Durch Vorlesungen in Halle und Berlin war Schleiermacher nun genügend vorbereitet, sein theologisches Opus magnum zu schreiben, welches die **bedeutendste Dogmatik der modernen Zeit** werden sollte. Absichtlich jedoch vermeidet er das Wort »Dogmatik« und wählt statt dessen als Titel »Der christliche Glaube« – jetzt aber mit dem bezeichnenden Zusatz »nach den Grundsätzen der evangelischen Kirche im Zusammenhang dargestellt«[115]. Zieht man die »Reden« nochmals zum Vergleich heran, fällt die schulmäßige Aufmachung des neuen Werkes sofort ins Auge, das denn auch aus Schleiermachers Vorlesungen herausgewachsen war und in Vorlesungen benutzt wurde. Es ist eingeteilt nach Paragraphen, die mit einem (nicht immer leicht verständlichen) Leitsatz eingeleitet und dann mit langen differenzierten Erläuterungen versehen werden. Doch die Schulmäßigkeit wirkt nicht steril. Vielmehr liegt hier eine kunstvoll strukturierte systematische Theologie vor uns, die ob ihrer ingeniösen Einzig- und Andersartigkeit durchaus an die Seite von Thomas' von Aquin »Summa« und Calvins »Institutio« gestellt werden kann. Gläubig-fromm und kritisch-rational wollten sie übrigens – auf ihre Weise – alle sein!

Wer sich auf dieses schon sprachlich schwierige Werk in Geduld einläßt, wird nicht umhin können, je länger desto mehr dessen großartige innere Architektonik zu bewundern. Unter der **Leitidee Erlösung** (Sünde – Gnade) – in der Aufklärung ganz an den Rand gedrängt – sind **zwei Dreier-Schemata** bei der Stoffgliederung und Stoffgestaltung ineinander gearbeitet. Es gibt drei Hauptteile, die (1) das christliche Bewußtsein abgesehen von Sünde und Gnade, (2) das Bewußtsein der Sünde, (3) das Bewußtsein der Gnade beschreiben. Und jeder dieser Hauptteile umfaßt noch einmal drei Formen dogmatischer Sätze: zuerst Beschreibungen menschlicher Zustände, dann Begriffe von göttlichen Eigenschaften und schließlich Aussagen über Beschaffenheiten der Welt.

Schleiermacher, der Meister der großen Linienführung wie der feinen Ziselierarbeit, bringt nun das Kunststück fertig, in diesen neunfächrigen Raster alle üblichen dogmatischen »Lehrstücke« einzuordnen und dabei sogar die herkömmliche Themenordnung weitgehend zu wahren: **modern und traditionell** zugleich! Bei jedem Lehrstück zitiert er bei ausführlicher Darlegung des Status quaestionis die lutherischen und reformierten Bekenntnisschriften, die ältere und die zeitgenössische Dogmatik, patristische und scholastische Aussagen, berücksichtigt aber gleichzeitig auch die Kritik der Aufklärung. Intellektuell unbedingt redlich und von unvergleichlicher systematischer Kraft, geht er, unerschrocken, wie er war, an die kritisch-konstruktive Bilanzierung, Überprüfung und Weiterführung bisheriger Theologie. Sofort fällt auf, daß entgegen der üblichen Ordnung die Lehre »Von der göttlichen Dreiheit« statt in der Gotteslehre am Anfang erst am Ende als »Schluß« aufscheint, was von Schleiermacher zwar nicht als Verabschiedung, aber auch kaum als Krönung seiner Systematik gedacht ist.

Schleiermachers moderne Glaubenslehre unterscheidet sich dabei sowohl von mittelalterlichen Summen wie von jeder reformatorisch-orthodoxen Dogmatik, für die der Glaube primär das Fürwahrhalten bestimmter objektiver Offenbarungstatsachen oder Glaubenswahrheiten meint.

Dagegen ist Schleiermachers modernes Werk
– **streng geschichtlich ausgerichtet**: Dogmatische Theologie ist für ihn – und dies ist gegen den Biblizismus wie den Rationalismus gesagt – nicht die Wissenschaft von einer (angeblich) zeitlos-unveränderten christlichen Lehre, sondern ist »die Wissenschaft von dem Zusammenhange der in einer christlichen Kirchengesellschaft zu einer bestimmten Zeit geltenden Lehre« (§ 1);
– **ökumenisch gestaltet**: Der Verweis auf die »Kirchengesellschaft« meint natürlich nicht die Autorität eines Lehramtes, wohl aber die Bekenntnisschriften der Kirchen und ihr Urdokument, die Heilige Schrift, wobei aber den Kontroversen zwischen lutherischer und reformierter Lehre (anders als dem Gegensatz zwischen Protestantismus und Katholizismus) die kirchentrennende Bedeutung abgesprochen wird; für die lutherisch-reformierte Union, in Preußen zum Reformationsfest 1817 mit gemeinsamen Abendmahlsfeiern eingeleitet, ist Schleiermacher mehr als jeder andere eingetreten; seine Glaubenslehre verstand er als Unionsdogmatik;
– **erfahrungsbezogen**: Wie gewohnt geht Schleiermacher aus von den religiösen Erfahrungen, den Gemüts- oder Bewußtseinszuständen der Christen, der Frömmigkeit der Kirchengemeinschaft, kurz vom (freilich kollektiv-gemeinschaftlichen) frommen menschlichen Bewußtsein. Die dogmatischen Sätze aus Schrift und Tradition sollen zwar nicht bewiesen werden, und doch kann Schleiermacher zu Recht beanspruchen, in der christlichen Tradition zu stehen. Denn Schleiermacher treibt Theologie ja ausdrücklich von der Glaubensgemeinschaft her, aus der Kirche heraus, um deren Glauben zwar nicht zu beweisen, wohl aber nach seinem inneren Wesen in kritisch-konstruktiver Weise verständlich zu machen. Die beiden Anselm-Worte auf der Titelseite seiner Dogmatik sind deshalb nicht nur Traditionsschmuck, sondern Traditionsbewußtsein: »Ich versuche nämlich nicht zu erkennen um zu glauben, sondern ich glaube um zu erkennen. – Denn wer nicht glaubt, wird es nicht erfahren, und wer es nicht erfährt, der wird es nicht erkennen.«[116]

In der inhaltsschweren programmatischen **Einleitung** – ebenso oft kommentiert wie das Corpus selbst – nimmt Schleiermacher wichtige Aussagen seiner Fundamentaltheologie wieder auf. Sie zeigen, daß er sich nach wie vor nicht nur von der Orthodoxie, sondern auch von der aufklärerischen Gleichsetzung von Frömmigkeit und Vernunft-Wahrheit absetzt. Zunächst werden die Grundzüge einer Theorie der Religion und der religiösen Gemeinschaft (in der zweiten Auflage als »Lehnsätze aus der Ethik« bezeichnet) beschrieben, ferner die Verschiedenheiten der geschichtlichen Religionen (»Lehnsätze aus der Religionsphilosophie«)

und schließlich eine Wesensbestimmung des Christentums und des Protestantismus (»Lehnsätze aus der Apologetik«). Manches, was wir aus den »Reden« kennen, erscheint hier präzisiert. Zur Religion oder – dieses Wort wird jetzt vorgezogen – der »**Frömmigkeit**« ist zu lesen: »Die Frömmigkeit an sich ist weder ein Wissen noch ein Tun, sondern eine Neigung und Bestimmtheit des Gefühls« (§ 8). Das Wesen der Religion oder der Frömmigkeit kann damit genauer bestimmt werden: »Das Gemeinsame aller frommen Erregungen, also das Wesen der Frömmigkeit ist dieses, daß wir unsrer selbst als schlechthin abhängig bewußt sind, das heißt, daß wir uns abhängig fühlen von Gott « (§ 9). Der Begriff des **schlechthinnigen Abhängigkeitsgefühls** ist also Zentralbegriff einer allgemeinen Theorie der Religion bei Schleiermacher, nicht aber, wie Hegels Kritik insinuiert, die Formel für das Wesen des »Christen«.

Die Schlüsselbedeutung von Jesus als dem Christus

Was also ist dann nach Schleiermachers Glaubenslehre nun das **Wesen des Christentums**? Die berühmte Wesensbestimmung lautet: »Das Christentum ist eine eigentümliche Gestaltung der Frömmigkeit in ihrer teleologischen Richtung, welche Gestaltung sich dadurch von allen andern unterscheidet, daß alles einzelne in ihr bezogen wird auf das Bewußtsein der Erlösung durch die Person Jesu von Nazareth« (§ 18).

Will man diese einfache, aber nicht ganz einfach zu verstehende Wesensbestimmung richtig verstehen, muß man viererlei bedenken:

– Im Hinblick auf die auch von Schleiermacher vorausgesetzten drei Entwicklungsstufen der Religion, Fetischismus – Polytheismus – **Monotheismus** (in der Aufklärung allgemein vertreten), steht das Christentum auf oberster Stufe, und zwar als eine nicht nur »ästhetische« Religion (Natur- oder Schicksalsreligion), sondern als eine dem menschlichen Wesen entsprechende »teleologische«, d. h. zielbestimmte und damit **ethische**, aktive Religion.

– Das »Eigentümliche« des Christentums, das dieses von allen anderen Religionen unterscheidet, besteht nicht in seinem natürlichen Vernunftcharakter, sondern in seinem **Erlösungscharakter**; denn alles ist vom Grundgegensatz von Sünde und Gnade bestimmt und gerade so auf den »Vermittler« Jesus von Nazaret bezogen.

– Die **Christozentrik** wird durch die herausragende Stellung der Christologie schon in der »Einleitung« unterstrichen: Christologische Aussagen stehen bei Schleiermacher an der Stelle, wo in der orthodoxen Dogmatik die Heilige Schrift behandelt wurde. Die zentrale Stellung der Person

Christi im Christentum ist für Schleiermacher unabdingbar!
– Der grundsätzliche methodische Ausgangspunkt beim Glaubensbewußtsein wird beibehalten: Schleiermacher geht nicht aus von der objektiven Geschichte Jesu von Nazaret, sondern von unserem, der Kirchengemeinschaft frommen christlichen »**Bewußtsein**« der Erlösung durch die Person Jesu Christi.

Hier kommt nun Barths Frage zurück, die wir im Zusammenhang der »Weihnachtsfeier« zurückstellen mußten: Befindet sich das fromme Bewußtsein angesichts der Person Jesu Christi im Verhältnis zu einer **besonderen**, konkreten und also bestimmten und bestimmbaren Wirklichkeit, oder wird diese besondere Gestalt einem **allgemeinen** Wesen und Sinn der Wirklichkeit eingeordnet, nivelliert?

Eine Schwierigkeit gegenüber Schleiermachers Bewußtseinschristologie war schon immer, daß das fromme Bewußtsein nur um sich selber kreise, daß es keinen eigentlichen Gegen-stand hätte. Diese Schwierigkeit erscheint mir mit der »Glaubenslehre« beantwortet: Schleiermachers Christologie ist zweifellos nicht nur Postulat des frommen Bewußtseins, ist nicht die komplexe Einbildung subjektiven Glaubens. Denn es läßt sich nicht übersehen:
– Das christliche Bewußtsein, das Christentum überhaupt, ist gar nicht denkbar ohne die historische Gestalt Jesu von Nazaret als seines **geschichtlichen Ursprungs**.
– Im **Zentrum des Christentums** steht also nicht ein allgemeiner Gedanke oder eine Morallehre, sondern eine **geschichtliche Gestalt** und deren erlösende Wirkung auf die Menschen und die Geschichte nach ihm. Die Christozentrik der Glaubenslehre (und das Christusbild seiner Predigten) ist somit nicht Resultat Schleiermacherscher Spekulation, sondern Folge der Geschichte und Nachgeschichte Jesu Christi selbst.
– Diese historische Gestalt bleibt bei Schleiermacher nicht ein abstraktes »Heilsereignis«, ihre **Geschichte** läßt sich vielmehr **erzählen**. Nicht zufällig hat Schleiermacher denn auch ein »Leben Jesu« geschrieben, in welchem Jesus von Nazaret mit seinem unerschütterlichen Gottesbewußtsein und seiner Zuwendung zu den leidenden Menschen geschildert wird, gewiß idealistisch, allzu sehr orientiert am Johannesevangelium und am griechischen Ideal der »edlen Einfalt und stillen Größe«, aber doch keineswegs einfach konform mit den Idealen der bürgerlichen Gesellschaft in Schleiermachers Zeit.[117]

Zugleich vollzog Schleiermacher, indem er die Kritik der Aufklärung aufnahm, aber nach religiösen und nicht rein rationalen Maßstäben anwandte, in seiner Glaubenslehre eine **Entmythologisierung** großen Stiles:

nicht nur der alttestamentlichen Erzählungen von einem paradiesischen Urzustand eines ersten Menschenpaares, von einem Urfall und einer Erbsünde, von Engeln und Teufeln, von Wundern und Weissagungen, sondern auch eine Entmythologisierung der neutestamentlichen Erzählungen von Jesu Jungfrauengeburt, Naturwundern, Auferstehung, Himmelfahrt und der Weissagung seiner Wiederkunft.

Trotz aller Entmythologisierung ist der Unterschied der Schleiermacherschen Christologie zur Jesulogie der aufklärerischen Rationalisten deutlich. Nach Schleiermacher ergibt eine Analyse des frommen christlichen Selbstbewußtseins,

– daß Christus der Tätige ist und der Mensch der Empfangende: Christus ist es, der die Macht der Sünde durch seine Gnade überwindet;
– daß Christus eine Lebensgemeinschaft mit dem Menschen und ein neues höheres Leben in der Menschheit ermöglicht;
– daß dafür nicht möglicherweise zweifelhafte Einzelzüge ausschlaggebend sind, sondern der Gesamteindruck seiner fortwirkenden Persönlichkeit;
– daß diese geschichtliche Persönlichkeit eine urbildliche Vollkommenheit in sich trägt, so daß er nicht nur Vor-Bild ist, dem die Menschen nacheifern sollen, sondern ein **Ur-Bild des Gottesbewußtseins**, das die Menschen ergreift und formt.

Der Erlöser als geschichtliche Person ist also Grund und Ursache der Erlösung. **Wie** aber vollzieht sich die Erlösung im Menschen? Wenn wir knapp zusammenfassen, was Schleiermacher in seiner Erlösungslehre entfaltet hat, so gilt: Erlösung meint, in die Lebensgemeinschaft mit Christus aufgenommen zu werden. Der Anfang dieses neuen Lebens wird grundgelegt durch die **Wiedergeburt**, die aus zwei Momenten besteht: der »Rechtfertigung« (ein verändertes Verhältnis des Menschen zu Gott aufgrund des Glaubens und der Sündenvergebung) und der »Bekehrung« (eine veränderte Lebensform durch den Übergang von der Gemeinschaft der Sünde in die Gemeinschaft der Gnade durch Buße und Glauben – freilich ohne pietistischen Bußkampf). Das Leben der Wiedergeburt aber wird festgehalten und entfaltet durch die **Heiligung**: Die guten Werke des Wiedergeborenen sind – allen bleibenden Sünden zum Trotz – natürliche Wirkungen des Glaubens.

Alle Wiedergeborenen versammeln sich in der Gemeinschaft der Glaubenden, in der christlichen **Kirche**. Diese gründet in der göttlichen Erwählung und wird geeint und gelebt in allen ihren Gliedern durch jenen **Gemeingeist**, welcher nichts anderes ist als der von Christus ausgehende und in den Gläubigen Macht gewinnende **Heilige Geist**. Keine Lebensgemeinschaft mit Christus ohne Einwohnung des Heiligen Geistes und umgekehrt!

Und die christologischen Dogmen? Rückfrage 4

In bezug auf die Einwohnung des Heiligen Geistes vernehmen wir nun des alten **Karl Barth** vierte kritische Frage an Schleiermacher, die er aber wiederum bewußt offenläßt:
– Ist der den fühlenden, redenden, denkenden Menschen bewegende Geist »ein schlechthin **partikularer**, spezifischer, von allen anderen Geistern sich immer wieder unterscheidender, ein ernstlich ›heilig‹ zu nennender Geist?«
– Oder ist dieser Geist »zwar individuell differenziert, aber doch **universal** wirksam, im Einzelnen aber eine diffuse geistige Dynamis?«[118]

Schleiermacher hat seine diesbezüglichen Ausführungen in seiner zweiten Auflage von 1830 erheblich modifiziert und präzisiert. Deshalb ist die Antwort zunächst zu geben von dem her, was er dort selber in seinem Epilog über die **Trinitätslehre** gesagt hat[119]: Daß »nicht etwas Geringeres als das göttliche Wesen in Christo war, und der christlichen Kirche als ihr Gemeingeist einwohnt«, und daß er diese Ausdrücke »weder in einem verkürzten noch in einem ganz uneigentlichen Sinn« meint – als ob etwa nur »untergeordnete Gottheiten in Christo und dem Heiligen Geist« wären! Genau »diese Gleichstellung des Göttlichen« in Christo und dem Heiligen Geist und auch die Gleichstellung »beider mit dem göttlichen Wesen an sich« sind für Schleiermacher »das Wesentliche der Trinitätslehre«[120]. Von deren späteren kirchlichen Formulierungen freilich distanziert er sich in der Hoffnung, daß dieser Lehre »noch eine auf ihre ersten Anfänge zurückgehende Umgestaltung bevorstehn« mag.[121]

Was heißt dies für die christologische Frage im engen Sinn: für die Frage nicht nur nach der Funktion (dem »Geschäft«) Christi, sondern für die Frage nach Christi **Person**? Wer war dieser Jesus Christus im Tiefsten? Leidenschaftlich hat er, der alte Herrnhuter, sich um die Antwort auf diese Frage bemüht. Lange hat er sich um tief religiöse und zugleich klare und einfache neue Antworten auf alte Fragen bemüht. Jetzt – in der »Glaubenslehre« kann er sie beantworten: Christus ist allen Menschen **gleich**! Inwiefern? »Vermöge der Selbigkeit der menschlichen Natur.« Christus ist von allen Menschen **unterschieden**! Inwiefern? »Durch die stetige Kräftigkeit seines Gottesbewußtseins, welche ein eigentliches Sein Gottes in ihm war.«[122]

Ein »**eigentliches Sein Gottes**« in Christus? Schleiermacher läßt keinen

Zweifel: Während anderen Menschen nur eine allgemeine religiöse Anlage und ein »verdunkeltes und unkräftiges« Gottesbewußtsein zukomme, so Jesus ein »schlechthin klares und jeden Moment ausschließend bestimmendes«[123]. Das könne »als eine stetige lebendige Gegenwart, mithin als ein wahres Sein Gottes in ihm« angesehen werden, womit dann auch seine »schlechthinnige Unsündlichkeit« – und (als deren Voraussetzung) seine Unschuld von Anfang an – gegeben sei.[124] Das heißt: »das Sein Gottes« ist in Christus ungebrochen »als seine innerste Grundkraft gesetzt, von welcher alle Tätigkeit ausgeht, und welche alle Momente zusammenhält«[125] (ähnlich, im Bild gesprochen, wie die Intelligenz als Grundkraft im Menschen alle anderen Kräfte ordne und zusammenhalte). Der ewige Unendliche ist mit seiner unbedingten Kraft und Macht in Jesu Selbstbewußtsein gegenwärtig, ohne es zu vernichten; vielmehr beherrscht er es und gestaltet Jesu gesamtes Leben zu einem Werkzeug, Abbild und Urbild. Und dies ist entscheidend: Denn ohne göttliche Würde des Erlösers keine Erlösung und umgekehrt. So ist die neue Lebensgemeinschaft mit Christus, sind der Anfang des neuen Lebens und die immer wieder notwendige Erneuerung des Gemüts möglich gemacht – ein ganz und gar gnadenhafter Vorgang; darauf kommt es dem Theologen und vor allem dem Prediger Schleiermacher besonders an.

So ist denn die christologische Frage bei Schleiermacher beantwortet: Vere Deus? Wahrhaft Gott? Ja, wie kein anderer ist Jesus geformt durch den göttlichen Urgrund. Gewiß, Gott ist im Endlichen überall als der schlechthin Tätige präsent, aber in Christus ist das Gottesbewußtsein geradezu das die Persönlichkeit bildende Prinzip. Sein Gottesbewußtsein muß als eine reine und echte Offenbarung, ja, als die wahrhaftige und eigentliche Einwohnung des Seins Gottes im Endlichen verstanden werden. Das ist kein übernatürliches Mirakel, aber das ist doch etwas ganz und gar Einzigartiges und Wunderbares in dieser von der Sünde bestimmten Welt. Der Glaubende postuliert hier nicht das Sein Gottes, wohl aber wird er des mit Christus in der Geschichte lebendig wirkenden Göttlichen inne – Schleiermachers großes Anliegen seit den »Reden«.

Schleiermacher erklärt gerade heraus, daß er sich mit dieser Interpretation der Gottheit Christi »von der bisherigen Schulsprache«[126] (der Zwei-Naturen-Lehre) absetzt. Das freilich tut er mit um so größerem Selbstbewußtsein, als er, der über fast alle neutestamentlichen Schriften Vorlesungen gehalten hat, der Meinung ist, seine Auffassung sei biblisch begründet: Sie gründe »auf dem Paulinischen, Gott war in Christo und auf dem Johanneischen, das Wort ward Fleisch«[127]! »So hat Schleiermacher sein eigenes Christentum verstanden: nicht als Nachahmung eines ethischen Ideals, wie es damals die Aufklärungstheologie tat, aber auch nicht als gehorsame Übernahme unbegreiflicher dogmatischer Lehrsätze, sondern als völliges inneres Bestimmtsein durch den geschichtlichen Jesus und den in ihm gegenwärtigen Gott« (D. Lange[128]).

Ist Schleiermacher also ein naiver »Pluralist«? Schleiermacher würde sich gegen jegliche pluralistische Religionstheologie wenden, die einfachhin verschiedene »Erlöser« (»saviours«) in der Welt feststellt und damit meint, das Problem des Wahrheitsanspruches der Religionen gelöst zu haben. Er ist der Überzeugung, das »Sein Gottes« komme Christus »ausschließend« zu, so daß nur im Zusammenhang mit ihm gesagt werden kann, daß »Gott Mensch geworden ist«[129]. »Das Wort ist Fleisch geworden« ist für Schleiermacher geradezu »der Grundtext der ganzen Dogmatik«[130].

Eines wird man dem durch und durch modernen Theologen Schleiermacher und den vielen in seinem Gefolge nicht vorwerfen dürfen: daß sie die »Substanz« des Christentums, die sie doch allesamt bewahren wollten, verschleudert und der Verweltlichung ausgeliefert hätten. Nein, sie haben sich allergrößte Mühe gegeben, in einer neuen Zeit auch für die Gebildeten unter den Verächtern der Religion das **Wesen des Christentums** neu glaubwürdig zur Sprache zu bringen. Bei aller Transformation ging es ihnen in der Welt der vielen Konfessionen und Religionen noch immer um

- den Glauben an den einen Gott: den Unendlichen im Endlichen, den immanent-transzendenten Urgrund allen Seins, Wissens und Wollens;
- die Nachfolge Jesu Christi: der Mensch Jesus als Gottes Wort, einzigartiges Abbild, Urbild und Vorbild, Gesandter, Vermittler und Erlöser;
- das Wirken des Heiligen Geistes: der von Christus ausgehende, in den Gläubigen und der Gemeinschaft Macht gewinnende göttliche Geist.

Ausgeliefert dem Zeitgeist der Moderne?

Natürlich können Dogmatiker aus heutiger Perspektive fragen, ob Schleiermacher in seinen christologischen Aussagen **die »Höhe« der christologischen Konzilien** des 4./5. Jahrhunderts erreicht habe. Aber Schleiermacher würde darauf antworten, daß er diese konziliaren christologischen Aussagen – vom Neuen Testament und von der gegenwärtigen Zeit her gesehen – als abgehoben, als »**überhöht**« ansehen würde. Jesus von Nazaret keine echte menschliche Person? Stattdessen von Ewigkeit her eine zweite göttliche Person, die eingegangen ist in das menschliche Dasein? Statt einer wahrhaft menschlichen Person mit einem menschlichen Willen also zwei Naturen und zwei Willen und widersprüchliche Theorien über das Göttliche und Menschliche in Christus? Und dann noch drei Personen in der einen göttlichen Natur? Ist das alles biblisch, ursprünglich, ist das alles verstehbar und dem modernen Menschen zumutbar? Nicht umsonst vertritt Schleiermacher in seiner Glaubenslehre die programmatische These: »Die kirchlichen Formeln von der Person Christi bedürfen einer fortgesetzten kritischen Behandlung.«[131] Und so hat er in einer theologischen Gedankenarbeit sondergleichen eine moderne Christologie nicht nur jenseits der offensichtlich zeitgebundenen altkirchlichen Zwei-Naturen-Lehre, sondern auch jenseits der dürftigen aufgeklärten Jesulogie entwickelt.

Natürlich bedarf auch die Lehre Schleiermachers – und er selbst würde gewiß zustimmen – »der fortgesetzten **kritischen Behandlung**«. Und diese fortgesetzte kritische Behandlung – bald werden zwei Jahrhunderte seit Schleiermachers epochaler Leistung vergangen sein – hat denn auch vieles an Kritik ergeben, so daß sich die Frage stellt: Ist Schleiermachers so moderne Christologie die Christologie für heute? Folgende Überlegungen sind hier anzustellen:

Erstens: In Schleiermachers Bewußtseinstheologie ist zwar durchaus Platz für das Erzählen der **Geschichte Jesu**, hat er doch selber Vorlesungen über das Leben Jesu gehalten; insofern ist er offen für eine (heute häufig leider nur plakativ geforderte statt geübte) »narrative Theologie«[132]. Trotzdem besteht bei Schleiermachers Ansatz und der untergeordneten Rolle der Bibel in seiner »Glaubenslehre« die Gefahr, daß unsere eigene Erfahrung von Erlösung allzusehr über die Erzählung der Geschichte Jesu verfügt, statt daß sie sich von der Geschichte Jesu immer wieder neu nicht nur inspirieren, sondern auch radikal kritisieren und korrigieren läßt; ist doch der Christus der Christen das bleibende Kriterium und ständige Korrektiv des Christentums.

Zweitens: Der moderne Ausgang vom menschlichen Subjekt, vom **Bewußtsein der Glaubensgemeinschaft**, ist grundsätzlich zu bejahen, auch wenn man Schleiermachers Bestimmung der Religion (»Gefühl schlechthinniger Abhängigkeit«) als eine Überdehnung der Ergebnisse seiner Analyse des Selbstbewußtseins bemängeln kann. Ernster zu nehmen ist die Gefahr, daß durch Schleiermachers allgemein philosophisch-theologische Ausführungen über die Religion und die Wesensbestimmung des Christentums in seiner »Einleitung« schon darüber vorentschieden ist, »welcher Gehalt für die Christologie übrigbleibt, um sie von der Anthropologie zu unterscheiden« (M. Junker[133]).

Drittens: Schleiermachers idealistische Wirklichkeitsinterpretation und harmonische Grundstimmung nehmen die **realen Erfahrungen der Negativität** kaum mit der nötigen Dringlichkeit ernst: Die Entfremdung und Zerrissenheit des Menschen, des Leidens, der Schuld und des Scheiterns und die Widersprüche und Verhängnisse der Geschichte – dies alles erscheint in der Einheit des göttlichen Erlösungsratschlusses aufgehoben. Auch das unerschütterliche Gottesbewußtsein Jesu hat Schleiermacher vom Johannesevangelium her idealistisch interpretiert und so die Dunkelheit Gottes und Jesu Anfechtung bei aller Gottinnigkeit weithin um- und weginterpretiert.

Viertens: In seiner großartigen Systematik hat Schleiermacher zwar das prophetische, hohepriesterliche und königliche Amt Jesu zur Darstellung gebracht. Doch dabei hat er dem **Skandalon des Kreuzes** und der **Hoffnung der Auferstehung**, für die neutestamentlichen Schriften grundlegend, nicht den zentralen Platz eingeräumt. So blieb er unfähig, Jesu Menschen- und Gottverlassenheit wirklich ernst zu nehmen (vom Liebäugeln mit der Hypothese eines Scheintodes ganz zu schweigen); Tod und Auferstehung sieht er – anders als die synoptischen Evangelien – als bruchlosen Übergang einer Idealgestalt der Heiterkeit und der reinen Liebe aus der leiblichen in die geistige Gegenwart, die allen Nachlebenden den unmittelbaren Zugang zu ihr ermögliche.[134]

All dies sind Fragen, die diese moderne Theologie schließlich doch ins Zwielicht gerückt haben: eine Theologie der Moderne, die sich in manchem doch zu stark dem Zeitgeist der Moderne ausgeliefert hat.

6. Die Revolutionen in Staat und Gesellschaft

All die bisher skizzierten Revolutionsbewegungen in Wissenschaft und Philosophie, in Kultur und Theologie müssen selbstverständlich zusammengesehen werden mit den Revolutionen auf der Ebene von Politik, Staat und Gesellschaft. Ja, auf diesen Feldern erreicht die Revolution sogar einen unerhörten Höhepunkt: den politischen Durchbruch der Moderne.

Dabei hatten sich am Anfang – als es nur um die Lösung aus den kirchlichen Bindungen ging – die absolutistischen Monarchen die Forderungen der Aufklärung noch sehr gerne zu eigen gemacht; Aufklärung und Absolutismus gingen ja lange Zeit Hand in Hand, stützten sich gegenseitig und waren doch im Grund eine »mésalliance«. Aufgeklärte Monarchen wie Friedrich II. von Preußen (oder Josef II. von Österreich) galten geradezu als exemplarisch und verkörperten doch gerade so »ein Königtum der Widersprüche« (T. Schieder[135]). Denn je sozial konsequenter und politisch konkreter die Forderungen der Aufklärung besonders in Frankreich formuliert wurden, um so mehr richteten sie sich mit der Zeit auch **gegen die absolute Monarchie**, welche den Adel politisch entmachtet, die Kirche verweltlicht und die Intellektuellen domestiziert hatte. Aus der Kulturrevolution der Aufklärung folgte die politische Revolution. Und die Revolution schlechthin ist die Französische Revolution. Ihre keineswegs kohärente und eindeutige Geschichte ist hier nicht zu schreiben, wohl aber ihre epochale Bedeutung für das Christentum zu analysieren.

Die Große Revolution: Nation als Souverän

Über die Ursachen der Französischen Revolution wurde auch noch im Zusammenhang der 200-Jahr-Feier 1989 viel gerätselt.[136] Doch was wir bereits in den vorherigen Kapiteln über Ludwig XIV. und seine Nachfolger hörten, die das Ancien Régime weiter herunterwirtschafteten, und was wir von den Forderungen der Aufklärung vernahmen, reicht schon aus, um wesentliche Voraussetzungen der Revolution zu begreifen, die sich auch für Antirevolutionäre wie Goethe als »Folge einer großen Notwendigkeit« manifestierte. Wie für die Reformation in Deutschland die **Kirchenkrise** und das Versagen der Reformpolitik (der Ablaßstreit als Katalysator!) die Voraussetzungen waren, so für die Revolution in Frankreich die **Wirtschafts- und Gesellschaftskrise** der 1770er Jahre: Teuerungswellen, Hungerrevolten, Massenarbeitslosigkeit und Massenelend. Katalysator war der jetzt offenkundige Staatsbankrott, der zur Einberufung der (seit 1615 nicht mehr zusammengetretenen) Generalstände zum 1. Mai 1789 nach Versailles zwang. Und hier wurde nun in allerkürzester Zeit der von niemandem (auch nicht von den Vordenkern Voltaire, Rousseau oder den Enzyklopädisten, die zumeist an einen König und ein aus zwei Kammern bestehendes Parlament nach englischem Vorbild dachten) in dieser radikal-demokratischen Form erwartete politische Paradigmenwechsel eingeleitet. Nur äußerst gerafft können wir uns das Entscheidende vergegenwärtigen, um daraus die für das Christentum notwendigen Schlußfolgerungen zu ziehen.

So sehr sich im Ancien Régime Haß und Feindschaft auch gegen Kirche und Klerus angestaut hatten, so richtet sich die Revolution zunächst keineswegs gegen die Kirche. Warum nicht? Weil von den 130 000 Geistlichen nur die sprichwörtlichen »oberen Zehntausend« ihre Privilegien verteidigen. Wie schon in der Reformationszeit der deutsche Episkopat sich fast ausnahmslos für die etablierte Macht entschied, so ähnlich jetzt auch der französische Episkopat. Er verbindet sich mit dem zweiten Stand, dem

Adel, während **der niedere Klerus**, der nach Herkunft und sozialem Notstand zu den Unterschichten gehört, **sich mit dem dritten Stand solidarisiert**, mit den 98% der Nichtprivilegierten. Die bedeutendste Reformschrift »Was ist der Dritte Stand?« (auf deutsch neu herausgebracht im Jahr der Studentenrevolten 1968) stammt ausgerechnet von einem Abbé, von Emmanuel-Joseph Sieyès[137]. Er wird damit zum führenden Theoretiker des Dritten Standes und sollte später in der Verfassungsgebenden Nationalversammlung zusammen mit Graf von Mirabeau und dann wieder beim Staatsstreich Napoleons eine Hauptrolle spielen.

Das Beispiel dieses Abbé steht für viele: Aus sozialen wie religiösen Gründen hat ein Großteil des niederen Klerus beim entscheidenden Durchbruch zur Revolution zunächst mitgemacht. Man versprach sich bei dieser Lösung aus den Fesseln des Ancien Régime eine wirtschaftliche Besserstellung und zugleich eine tiefere Verwurzelung der Kirche im französischen Volk. Nach der Eröffnung der Generalstände konstituiert sich nun der Dritte Stand angesichts der Reformunwilligkeit der beiden anderen Stände – entgegen dem historischen Verfassungsrecht – als **Nationalversammlung** (»Assemblée nationale«). Sie beansprucht kühn, **alleiniger Repräsentant des Willens der Nation** und Partner der Krone zu sein – der grundlegende Akt der Revolution. Um der Forderung Nachdruck zu verleihen, wird ein allgemeiner Steuerstreik beschlossen (17. Juni 1789).

Die Revolution entwickelt nun eine explosive Kraft: Als die Krone mit einer Machtdemonstration reagiert, kommt es zum Schwur der Nationalversammlung im Ballhaussaal von Versailles (20. Juni), zum Widerstand gegen die Staatsgewalt (23. Juni) und schließlich zur **direkten Realisierung der Volkssouveränität** (6./9. Juli), die ja lange schon theoretisch von Philosophen (Rousseau vor allem) vorgedacht und begründet worden war. Die Nationalversammlung erhebt sich zur Verfassungsgebenden Nationalversammlung (»Assemblée nationale constituante«), die der Monarchie ihre Legitimität zur Herrschaft bestreitet. Nicht dem aufgeklärten Monarchen, nein, dem Volk, der »Nation« gehört das Vertrauen. Nicht der König, sondern die das Volk verkörpernde Nationalversammlung (die Abgeordneten) hat die souveräne Macht.

- Statt der mittelalterlichen Theokratie, verkörpert im Papst (P III),
  statt der protestantischen Obrigkeit, Fürst oder Rat (P IV),
  statt des frühmodernen aufgeklärten Absolutismus
  jetzt die **Demokratie** (P V): Das Volk, verkörpert in der Nationalversammlung, ist der Souverän. »Die **Nation**« ist der moderne Leitwert III.

Doch voll durchgesetzt wird die Revolution erst durch die – für die moderne Revolution von da ab typischen – **Gewaltaktionen gelenkter Massen** im Zeichen einer programmatischen Ideologie: »liberté« (politisch), »égalité« (sozial), »fraternité« (geistig). Erst der Volksaufstand und der Sturm auf die Bastille am 14. Juli zwingen Ludwig XVI., die Revolution sowie die Nationalversammlung als Souverän Frankreichs anzuerkennen. Das Symbol absolutistischen Despotismus war damit gefallen, der 14. Juli wird später der französische Nationalfeiertag. Die darauf folgende bewaffnete Erhebung auch der ländlichen Massen in einer Kollektivpanik (»Grande peur«) führt zum Sturm auf die Schlösser der Grundherren und zur Zerstörung der Archive und Abgabenlisten. Auf Antrag des Bischofs Talleyrand (des späteren Außenministers des Direktoriums, Napoleons und der Restauration!) beschließt die Nationalversammlung in der Nacht vom 4./5. August die Annullierung aller Feudalrechte und Sonderrechte von Ständen, Städten und Provinzen; Adel und Geistlichkeit verzichten »freiwillig«: Der **Zusammenbruch des Ancien Régime** ist besiegelt! Die Ereignisgeschichte hat sozusagen Strukturgeschichte produziert.

Die Menschenrechte – Charta der modernen Demokratie

Jetzt ist der Weg frei für eine neue Gesellschaftsordnung. Sie wird grundgelegt durch die – nach amerikanischem Vorbild vom Amerikakämpfer General Lafayette unter Mitwirkung des amerikanischen Gesandten Thomas Jefferson verfaßten – **Erklärung der Menschen- und Bürgerrechte** (»Déclaration des droits de l'homme et du citoyen«) vom 26. August 1789. Sie ist der zentrale Beitrag der Revolution, auf den Frankreich bis heute zu Recht stolz ist. Was für das deutsche Geschichtsbewußtsein die Reformation, das ist für das französische die Revolution. Sie reicht, wie François Furet herausarbeitete, der eine Neuorientierung der Revolutionsforschung erzwang[138], weit über die Interessen und Strategien einer Klasse hinaus. Und gerade die Menschenrechtserklärung ist nicht eine »bürgerliche« Erklärung zur Maskierung des Besitzegoismus, sie ist vielmehr ein großes Dokument der Moderne überhaupt: die große **Charta der modernen Demokratie**.

Weit über die Standesinteressen des Bürgertums hinaus erhebt diese Erklärung einen universal-menschheitlichen Anspruch. Ja, weit über die Begründung der französischen Staatsnation hinaus ist hier das **Programm einer Menschheitsmission** formuliert. In ganz Europa findet diese Erklärung denn auch einen beispiellosen Widerhall und zeigt zusammen mit der bereits erfolgten nordamerikanischen Freiheitsbewegung eine welt-

Charta der modernen Demokratie

Es erkennt und erklärt die Nationalversammlung, in Gegenwart und unter dem Schutze des höchsten Wesens, folgende Rechte des Menschen und des Bürgers:

1. Die Menschen werden frei und gleich an Rechten geboren und bleiben es. Die gesellschaftlichen Unterschiede können nur auf den gemeinsamen Nutzen gegründet sein.

2. Der Endzweck aller politischen Vereinigung ist die Erhaltung der natürlichen und unabdingbaren Menschenrechte. Diese Rechte sind die Freiheit, das Eigentum, die Sicherheit, der Widerstand gegen Unterdrückung.

3. Der Ursprung aller Souveränität liegt seinem Wesen nach beim Volke. Keine Körperschaft, kein Einzelner kann eine Autorität ausüben, die nicht ausdrücklich hiervon ausgeht.

4. Die Freiheit besteht darin, alles tun zu können, was einem andern nicht schadet. Also hat die Ausübung der natürlichen Rechte jedes Menschen keine Grenzen als jene, die den übrigen Gliedern der Gesellschaft den Genuß dieser nämlichen Rechte sichern. Diese Grenzen können nur durch das Gesetz bestimmt werden.

5. Das Gesetz hat nur das Recht, solche Handlungen zu verbieten, die der Gesellschaft schädlich sind. Alles, was durch das Gesetz nicht verboten ist, kann nicht verhindert werden, und niemand kann genötigt werden, zu tun, was das Gesetz nicht verordnet …

10. Niemand soll wegen seiner Ansichten, auch nicht wegen der religiösen, beunruhigt werden, sofern ihre Äußerung die durch das Gesetz errichtete öffentliche Ordnung nicht stört.

11. Die freie Mitteilung der Gedanken und Meinungen ist eines der kostbarsten Rechte des Menschen. Jeder kann mithin frei sprechen, schreiben, drucken, mit Vorbehalt der Verantwortlichkeit für den Mißbrauch dieser Freiheit in den durch das Gesetz bestimmten Fällen …

17. Da das Eigentum ein geheiligtes und unverletzliches Recht ist, so kann niemand dessen beraubt werden …

Erklärung der Rechte des Menschen und Bürgers von 1789

geschichtliche Zäsur an: **Das modern aufgeklärte Paradigma** (P V) hat sich nun offensichtlich **auch in der Politik durchgesetzt!**

Gewiß, schon vor der Revolution gab es die Entwicklung zum demokratischen Staat, schon vorher den Prozeß einer Säkularisierung und Entchristlichung. Jetzt aber ist das alles übermächtig durchgebrochen in einem politischen, sozialen und geistigen Umbruch sondergleichen. Und man beachte: Auch bei der Verkündigung der Menschen- und Bürgerrechte sind katholische Kleriker entscheidend beteiligt. Ja, es gibt in der Konstituierenden Nationalversammlung durchaus Stimmen, die eine Verabschiedung dieser ersten Menschenrechtserklärung auf europäischem Boden »im Namen Gottes« und eine Formulierung auch der Pflichten der Menschen fordern. Doch vom »höchsten Gesetzgeber des Universums« zu reden, schien manchen zu viel, andererseits nur von der »Natur« zu sprechen, manchen zu wenig. So einigte man sich auf die Formel: »in Gegenwart und unter dem Schutz des höchsten Wesens«.

Revolution gegen Religion

Der **Stellenwert der Religion war in Frankreich und Nordamerika** unübersehbar **verschieden:**

– In **Nordamerika** wurde Religion weder mit einer Staatsregierung noch mit einer bestimmten Kirche identifiziert. Vielmehr lehnten alle religiösen Gemeinschaften und auch die kommende politische Führung eine nationale Staatskirche von vornherein ab. Denn ob Rationalisten wie Jefferson, Franklin und Madison, die eine Vernunftreligion vertraten, oder aber »Pietisten« in der Tradition von John Wesley, die auf dogmatische Unterschiede kein besonderes Gewicht legten: Sie alle waren gegen die Vertreter einer Staatskirche gemeinsam der Überzeugung, daß das **friedliche Zusammenleben der Glaubensgemeinschaften in gegenseitiger Toleranz** zu garantieren sei; die Regierung solle der Religion wohlwollend gegenüberstehen und die freie Religionsausübung nicht behindern.

– Ganz anders in **Frankreich**: Da war Religion mit Kirche identisch, war die katholische Kirche **Staatsreligion** und so die treueste Stütze und zugleich größte Nutznießerin des Ancien Régime. Wer das Ancien Régime ablehnte, mußte auch der katholischen Kirche kritisch gegenüberstehen. Und deshalb gilt: Nicht schon die Amerikanische Revolution (grundlegend zweifellos für die politische Unabhängigkeit des nordamerikanischen Kontinents), sondern erst die **Französische Revolution** war es, die als soziale Massenrevolution zu einem **welthistorischen Wendepunkt** wurde – mit Auswirkungen nach Lateinamerika, der Türkei und Indien. Dieser

Revolution also muß im Kontext unserer Paradigmenanalyse im Hinblick auf das Christentum die besondere Aufmerksamkeit gelten.

Nach der erzwungenen Übersiedlung des Königs von Versailles nach Paris am 5./6. Oktober 1789 faßt die mit ihm umgezogene Nationalversammlung nun grundstürzende **Beschlüsse gegen die Kirche**, die größte, mächtigste und reichste Körperschaft des alten Systems – zunächst vor allem zur Sanierung der maroden Staatsfinanzen. Erst dies löst gegenrevolutionäre Bewegungen aus, die ihrerseits unter den Revolutionären die Stimmung einer Kirchen- und Religionsfeindlichkeit anheizen:

– Die **Kirchengüter** werden zum Nationaleigentum erklärt, versteigert oder in kleinen Parzellen verkauft; die **Klerikergehälter** werden eingeschränkt und von der Staatskasse übernommen (2. November 1789).

– Alle **Klöster** und geistlichen Orden werden aufgelöst und die Mönchsgelübde für ungültig erklärt und verboten (13. Februar 1790).

– Die absolutistische Struktur der Kirche Frankreichs wird durch eine **»Zivilkonstitution des Klerus«** (»Constitution civile du clergé«, 12. Juli 1790) aufgehoben, und neue Diözesen entsprechend den (ganz rational nach gleichen Flächen festgelegten) Departementsgrenzen werden geschaffen (statt 130 jetzt 83): Wahl des Pfarrers durch alle Bürger des Kantons, welcher Religion auch immer; Wahl des Bischofs durch die staatliche Departementsverwaltung; ein Beratungsgremium der Bischöfe aus Priestern und Laien. Aufs Ganze eine im Geist der alten gallikanischen Freiheiten von Rom weitgehend unabhängige Nationalkirche!

Erst gegen diese letzten Radikalmaßnahmen regt sich nun massiver Widerstand auch im Klerus (unterstützt oft von der ländlichen Bevölkerung).[139] Die Folge auf der anderen Seite aber war eine noch stärkere Radikalisierung. Auf Beschluß der Nationalversammlung muß jetzt jeder Kleriker den Eid auf die Zivilkonstitution ablegen (27. November 1790). Die meisten (adligen) Bischöfe und rund die Hälfte des niederen Klerus verweigern nun doch den Eid, weil die Zivilkonstitution die Autorität des Papstes und der Bischöfe mißachte. Sie verlieren ihre Ämter und werden als Konterrevolutionäre verdächtigt; unter den 1100-1400 Opfer der Septembermorde waren rund 300 Priester.

Papst **Pius VI.**, selber ein Aristokrat, erklärt nun im Breve »Quod aliquantum« vom 10. März 1791 die Zivilkonstitution für ungültig und **verwirft** mit Berufung auf die göttliche Offenbarung **»die verabscheuungswürdige Philosophie der Menschenrechte«** (Religions-, Gewissens- und Pressefreiheit und die Gleichheit aller Menschen) – zunächst allerdings nur mit dem Ziel, »die Rechte der Kirche und des Apostolischen Stuhls vor jedem Angriff zu schützen«[140]. Erst nachdem im folgenden Jahr allein

40 000 eidverweigernde Priester aus Frankreich vertrieben werden – im Ausland agieren sie nun zusammen mit den emigrierten Aristokraten als leidenschaftliche Gegner der Revolution –, ja nachdem zahllose Priester und Gläubige hingerichtet, Kirchengüter entweiht, und sogar der Sonntag abgeschafft wird, erfolgt schließlich 1793 in einer päpstlichen Ansprache die unzweideutige Ablehnung der revolutionären Prinzipien. Ab jetzt erscheint die römische Kirche als die große Feindin der revolutionären Umgestaltung. Besonders seit Frankreichs Krieg mit den Nachbarstaaten bricht jetzt vollends die Verfolgung über Priester und Ordensleute herein.

Der totale Bruch mit der Vergangenheit

Die weitere turbulente und widersprüchliche Entwicklung der Französischen Revolution, ihre Radikalisierungen, Emigrationswellen, Aufspaltungen, Intrigen, Prozesse, Hinrichtungen und Machtverschiebungen – immer wieder zugunsten der noch radikaleren bürgerlichen Jakobiner (Anwälte, Journalisten, Geschäftsleute), jetzt verbündet mit den Massen der städtischen Armen, den kleinbürgerlich-unterbürgerlichen Sansculotten (Handwerker, Kleinhändler, Arbeiter) – dies alles braucht uns hier nicht im Detail zu beschäftigen. Wichtiger ist die grundsätzliche Beurteilung der Ereignisse im Zusammenhang mit dem Christentum.

Von Anfang an waren die **Wertungen** der Revolution höchst verschieden, je nach politischem, sozialem und weltanschaulichem Standpunkt des Betrachters. Für den optimistischen Revolutionär **Antoine de Condorcet**, der 1794 in Paris seinen »Entwurf einer historischen Darstellung der Fortschritte des menschlichen Geistes«[141] schrieb und der noch im selben Jahr im Gefängnis der Revolution sterben sollte, war die Revolution der Gipfel des Fortschritts. Aber dem uns bereits bekannten Traditionalisten und Papalisten **Joseph de Maistre**, dessen »Betrachtungen über Frankreich«[142] 1797 in London erschienen waren, erschien die Revolution die Gottesstrafe für die Gottlosigkeit der Franzosen. Es folgten nun Jahr um Jahr zahllose Veröffentlichungen zur Revolution, darunter die großartigen Darstellungen von Adolphe Thiers, Jules Michelet, Alexis de Tocqueville, Hippolyte Taine und Albert Mathiez. Allein die Werke zur Geschichte der Revolutionsgeschichtsschreibung sind vom Nichtspezialisten kaum noch zu übersehen.[143]

Aber die Revolution ist weder das Tschernobyl der französischen Geschichte, wie der reaktionär-katholische Sozialhistoriker Pierre Chaunu verlauten ließ, noch nur Aufstieg und Sieg der Bourgoisie, wie vom Sozialisten Jean Jaurès bis zum Kommunisten Albert Soboul behauptet. Definitiv abgelaufen erscheint heute die Zeit der »En bloc-Interpretation« der Revolution als eine Zeit konsequenten Klassenkampfes der Bourgoisie. Weder kann die Revolution mit dem Hinweis auf die terroristischen Exzesse und Emanzipationsforderungen der Sansculotten verurteilt werden, noch darf sie einfach als trotz ungeheurer Opfer konsequente Verwirklichung der Aufklärungsideale und der Demokratie verherrlicht werden. Gewiß: die **Guillotine** – Inbegriff der für alle gleichen, technisch perfekten, also durch und durch **modernen Todesstrafe** – hat unter der Gewaltherrschaft Robespierres binnen 10 Monaten rund 16000 Menschen das Leben gekostet.[144] Und diese blutige Hypothek der Revolution (von späteren Revolutionen oder Konterrevolutionen gewiß noch übertroffen) darf nicht, wie früher von marxistischen Historikern (natürlich im Blick auf Lenin und die russische Oktoberrevolution) als »unvermeidbar« gerechtfertigt werden. Und doch darf sie ebenfalls nicht, wie von rechten Gegnern der Revolution, die von einem ideologisch bedingten Völkermord (»génocide franco-français«) reden, mit dem Holocaust, dem generalstabsmäßig geplanten industrialisierten Millionenmord an einem ganzen Volk (Frauen und Kinder inbegriffen), auf eine Stufe gestellt werden. Bei allen Parallelen: Von der Guillotine zu den Todeslagern und Gaskammern war noch ein weiter Weg.

Ähnliches gilt vom **totalen Krieg**, der als Inbegriff des spezifisch **modernen** – nämlich die ganze Nation engagierenden patriotischen – **Krieges** erscheint. Diesen Krieg hat das Jakobinerregime gewonnen durch eine neuartige totale Mobilmachung (»levée en masse«): allgemeine Wehrpflicht, Aufhebung des Unterschieds zwischen Soldaten und Zivilisten, Rationierung der Lebensmittel und staatliche Wirtschaftskontrolle. Doch nicht zu übersehen ist: Die Armee wurde dadurch in der Gesellschaft immer wichtiger. Der vom Jakobinerregime ideologisch zum revolutionären Freiheitskrieg aufgewertete Revolutionskrieg wurde rasch zu einem Annexionskrieg, der dann wieder Befreiungskriege der Revolutionsgegner provozierte. Und erst die beiden Weltkriege des 20. Jahrhunderts sollten vor Augen führen, welch schreckliche Folgen der Paradigmenwechsel der Moderne für die Kriegsführung (Volkskrieg, totaler Krieg) haben sollte.

Die Radikalisierung der Revolution indessen ist nur teilweise eine Folge der Revolutionskriege. Wichtig ist, was François Furet herausgearbeitet hat: Das »**Entgleisen**«, das »Vom-Weg-Abkommen« (»dérapage«) der **Revolution**, bei welchem der revolutionäre Prozeß die Akteure selber mitreißt, die Verfassung suspendiert und die Revolution eine unsteuerbare Dynamik freisetzt, ist keineswegs Produkt reinen Zufalls. Republikanischer Verunftkult und der Terror (»la terreur«) als Tugend (Robespierre)?

Diese Entwicklung gründet nicht nur in äußeren Faktoren (Krieg, Konterrevolution, Bürgerkrieg im Westen und Südosten), sondern war **in der revolutionären Ideologie und Mentalität angelegt**. Wie nie zuvor war von seiten der Radikalen ein totaler Neuanfang beabsichtigt: die Utopie einer völligen **Neubegründung der gesellschaftlichen Ordnung und aller ihrer Institutionen allein auf der Vernunft**! Eine **Rationalisierung** der Nation – unbekümmert um alle Traditionen, Konstitutionen und Institutionen! Die komplizierten traditionellen Vorschriften und Gebräuche sollen durch einfache, aus der Vernunft und dem Naturrecht abgeleitete Gesetze ersetzt werden. Die früher kontrollierenden Institutionen – absolute Monarchie, Aristokratie und Kirche – werden hinweggefegt und eine noch sehr viel »absolutere« Macht als die des Königs aufgerichtet: die mit niemandem geteilte Souveränität des Volkes, genauer seiner Abgeordnetenversammlung, die nicht einmal mehr der Kontrolle Gottes unterworfen ist. Ja, schließlich wird die Demokratie zu einer neuen »Kirche« mit eigenen Kult- und Glaubensformen überhöht: statt Gott die Vernunft als Göttin.

In der Tat: Radikaler konnte der Bruch nicht sein, und bis heute – folgt man F. Furet – ist nicht geklärt, wie und warum es zu diesem **totalen Bruch mit der Vergangenheit** kommen konnte. Ob dies nicht zuletzt damit zu tun hat, daß **Frankreich keine protestantische Reformation (P IV)** erlebt hat? In den Ländern der Reformation nämlich (sowohl in der Alten wie in der Neuen Welt) blieben ja Gottesglaube und Religion trotz aller Religions- und Kirchenkritik glaubwürdig. Das katholische Ancien Régime Frankreichs jedoch ruhte mit seinen Traditionen, Institutionen und Gewohnheiten religiös noch immer weithin auf **mittelalterlichen Fundamenten (P III)**, die spätestens im 18. Jahrhundert völlig unglaubwürdig geworden waren. Doch nicht der philosophische Rationalismus von Descartes bis Voltaire, sondern eben erst die politische Revolution mit ihrer physischen Gewalt hat diese morschen mittelalterlich-feudalistisch-klerikalen Fundamente zum Einsturz gebracht. Genauer: Die philosophischen Einsichten, die wissenschaftlichen Entdeckungen und technischen Erfindungen haben dem zur politischen Führung strebenden Bürgertum das notwendige moderne Selbstbewußtsein gegeben. Aber erst die Revolution hat für die französische Gesellschaft radikal das Mittelalter beendet. Konserviert wurde es noch in der traditionellen französischen Kirche, bis auch hier das Zweite Vatikanische Konzil eine neue Phase einleitete …

Im Mai 1795 kommt es, nachdem der Jakobinerklub vorher geschlossen worden war, zum Sieg der liberalen Bürger über die egalitären Pariser Unterschichten und zur Entwaffnung der Sansculotten (Prairialaufstand).

Bald folgt die Verkündigung einer Direktorialverfassung, die ein deutliches Abrücken vom sozialen Engagement und eine Verabsolutierung des Privateigentums manifestiert. Doch auch das Regime des Direktoriums gerät angesichts der neuen Invasion, der inneren Opposition und des Staatsbankrotts in die Krise: Voraussetzung für den – zusammen mit Direktoriumsmitglied Sieyès, Polizeiminister Fouché und Außenminister Talleyrand (alles frühere Kleriker!) organisierten – Staatsreich des in Ägypten erfolglosen, aber in Italien siegreichen Generals **Napoleon Bonaparte** (18. Brumaire = 9. November 1799). Dieses militärische Genie von scharfem Intellekt, eisernem Willen, unermüdlicher Arbeitskraft und maßlosem Ehrgeiz, jetzt Erster Konsul, erklärt die Revolution als auf ihre Grundsätze zurückgeführt und damit für »beendet«.

Napoleon, persönlich irreligiös, aber Bewunderer der römischen Kirchenorganisation, schließt mit dem Papst ein Konkordat (1801) und beendet damit das Experiment einer konstitutionellen demokratisierten Kirche. Er schafft die revolutionäre Zeitrechnung wieder ab, krönt sich selber in Notre-Dame zum erblichen Kaiser der Franzosen (1804) und in Mailand zum König von Italien (1805) und versucht, mit Satellitenstaaten von Spanien über Deutschland bis Rußland sein diktatorisch-absolutistisches Militärregime aufrechtzuerhalten. Zwar werden von Napoleon die Ideale von Freiheit, Gleichheit und Brüderlichkeit noch propagiert, faktisch aber mit Füßen getreten. Auch mit Rom kommt es zu einem neuen Konflikt, der zur Gefangennahme und Deportation des Papstes nach Fontainebleau führt (1812). Doch jetzt von allen Seiten bedrängt, stellt Napoleon schließlich den Kirchenstaat wieder her; zwei Monate später muß er abdanken (11. April 1814).

Robespierre blieb auch in Frankreich wegen seiner Bluthherrschaft verfemt, und kaum ein Platz oder eine Straße wurde nach dem Advokaten von Arras benannt. Mit Napoleon dagegen schien die moderne Menschheit ihren ersten weltlichen Mythos zu haben. Und auch die französische Geschichtswissenschaft schwankt zwischen Bewunderung und Haß. Trotz der unbestreitbaren Verdienste Napoleons für die zum Teil bis heute bleibende Rechts-, Verwaltungs-, Finanz- und Wissenschaftsorganisation Frankreichs sowie für die Abschaffung des Ancien Régime im übrigen Europa (»Reichsdeputationshauptschluß« 1803 und die Auflösung des Heiligen Römischen Reiches): Die nationale Expansion war Napoleon eindeutig wichtiger als der Menschheitsauftrag! Das heißt: Das **nationale Prinzip erdrückte das humane**. Und dies forderte Hunderttausende von Toten während all der Kriegszüge und Schlachten, bis Napoleon 1815 sein »Waterloo« erlebte!

Daß dann auch Italien (1861) und Deutschland (1871) ihre nationalstaatliche Einigung nachholen wollen, liegt ebenso in der Konsequenz des nationalen Prinzips wie die Unabhängigkeit der neuen slavischen Nationalstaaten auf dem Balkan (Serbien 1878/82, Rumänien 1878/81, Bulgarien 1878/1908 – jetzt auch kirchlich unabhängig vom Patriarchat Konstantinopel). Doch nicht zu übersehen ist: Dieses schon sehr viel früher ausgebildete nationale Prinzip beschert dem modernen Europa eine verhängnisvolle **Ideologie:** die **des Nationalismus.** Dieser erklärt die Nation zum höchsten Wert überhaupt, führt stets zu neuen blutigen Auseinandersetzungen zwischen den Nationen, was zuletzt auf Kosten Frankreichs geht, das als Verkünder und Träger der revolutionären Werte Freiheit, Gleichheit und Brüderlichkeit schon längst unglaubwürdig geworden ist. Ja, der Nationalismus kulminiert im letzten Jahrzehnt des 19. Jahrhunderts im **Imperialismus** und läßt aus dem europäischen Staatensystem ein Weltstaatensystem werden: Die USA dehnen sich bis zum Rio Grande und an den Pazifik aus, ja bis nach Hawaii und den Philippinen, Rußland bis nach Zentral- und Ostasien; Frankreich, Deutschland und vor allem England (ohnehin weltweit präsent) teilen Afrika unter sich auf; China und Japan müssen sich den europäischen Mächten öffnen, und Japan richtet seine Vorherrschaft in Ostasien auf. Dieses nationalistisch-imperialistische Staatensystem war die hochexplosiv aufgeladene weltpolitische Konstellation am Vorabend des Ersten Weltkriegs. – Für uns aber stellt sich jetzt die spezielle Frage: Was hat nun diese politische Durchsetzung des modernen Paradigmas für das Christentum gebracht?

Und das Christentum?

Über die »Nutzen-Kosten-Rechnung« der Französischen Revolution wird bis heute gestritten. Sicher ist: Die Revolution hat zumindest die vorindustrielle Wirtschafts- und Gesellschaftsstruktur weniger verändert, als die vom jakobinischen Selbstverständnis beeinflußte traditionelle republikanische französische Geschichtsschreibung von Jules Michelet bis Albert Soboul annahm. Die industrielle Revolution, werden wir sehen, folgte in Frankreich denn auch erst im 19. Jahrhundert. Neue französische Spezialuntersuchungen haben ergeben, daß die Französische Revolution weniger einen ökonomisch-sozialen als eben, wie kurz umrissen, einen **politisch-soziokulturellen Umbruch** bedeutet, durch den nun aber gerade **Religion und Kirche** zweifellos in besonderer Weise betroffen waren.

Teuer bezahlt hat die katholische Kirche Frankreichs (und bald auch die anderer »katholischer« Staaten) für ihre Jahrhunderte anhaltende »mittelalterliche« Reformunwilligkeit und Reformunfähigkeit. Es ist keine Frage, daß die **Kirche** – noch mehr als der Adel, der später manche Güter zurückkaufen konnte – das **Hauptopfer der Revolution** war: Nicht nur verlor sie, die einen Staat im Staat gebildet hatte, ihre **weltliche Macht**, die sich auch auf Erziehung, Krankenhäuser und Armenfürsorge erstreckt hatte, sie verlor auch ihren gewaltigen **Grundbesitz** und vor allem einen erheblichen Teil ihres **Klerus**: durch Emigration (ca. 40 000), Hinrichtungen und Deportationen (2 000-5 000) sowie Abdankungen (ebenfalls viele Tausende). Kein Wunder, daß die liberalen und politisch engagierten Geistlichen der Aufklärung im 19. Jahrhundert eher Ausnahmen waren. Die große gallikanische Tradition einer relativ selbständigen französischen Kirche war zerstört. Abgelöst wurde sie je länger desto mehr durch eine prononciert antirevolutionäre, römisch-papalistische Orientierung mit einem Episkopat und einer Pfarrerschaft, die in Rom »hinter den Bergen« (»Ultra-Montanismus«) die einzige Zuflucht sah.

Doch nie mehr konnte diese Kirche noch einmal sein, was sie bis 1789 gewesen war. Ein **epochaler Paradigmenwechsel zumindest ihres sozialen Umfeldes** hatte auch auf sie selber, ob sie wollte oder nicht, tiefgreifende Auswirkungen, und dies auch noch, als man nach der jakobinischen Schreckensherrschaft in aller Form die Neutralität des Staates in Religionsdingen deklarierte und im Rahmen der neuen Ordnung freie Religionsausübung gestattete. Man bedenke die folgenden grundlegenden Veränderungen, die sich direkt oder indirekt auch in all den Staaten auswirkten, in denen sich (oft durch französische Armeen) der Geist der Französischen Revolution verbreitete:

(1) Anstelle der **kirchlich-klerikal bestimmten Kultur** der Feudalgesellschaft und des niederen Klerus, mit all ihren Festen und Riten, Symbolen, Regulierungen und Verhaltensweisen, bildete sich jetzt eine **säkularisierte demokratische Kultur**. Sie sah sich legitimiert durch das Prinzip der Volkssouveränität und gründete auf den Menschenrechten, deren wirksamste Agenten Parlament und Presse, politische Clubs und manchmal auch direkte Aktionen der Volksmassen waren. Hauptnutznießer der Revolution wie des Direktoriums und dann des Kaiserreiches war das Bürgertum, das sich auf Besitz und Bildung und nicht auf eine Ahnenreihe gründete und das auch in der Kirche, wo alle höheren Chargen mit Adligen besetzt waren, durch die Jahrhunderte von der Macht ferngehalten wurde; es bildete jetzt die Notablengesellschaft aus Vermögenden und Gebildeten.

(2) Anstelle der **christlichen Konfessionen** mit ihren Glaubensbekenntnissen, Sakramenten, Rechtsordnungen und Gebräuchen wurde in zum

Teil durchaus geplanter Gegenstrategie eine **nationale Zivilreligion** gebildet.[145] Zwar hielt sich der neue Kalender (Jahr I beginnend mit dem ersten Tag der Republik, 22. September 1792) nur wenige Jahre, wurde der »Dékadi« (der zehnte Tag als Feiertag) wieder durch den Sonntag ersetzt und konnte der altrömisch aufgeputzte antichristliche Kult zuerst der »Vernunft« (als Göttin) und dann des »Höchsten Wesens« die Guillotinierung Robespierres am 10. Thermidor des Jahres II (27. Juli 1794)[146] nur um wenige Jahre überleben und auch der vom Direktorium favorisierte Kult der »Théophilantropie« sich nicht halten. Aber manche andere Veränderungen hielten sich und prägten die Mentalität der Menschen:

– statt des Apostolischen Glaubensbekenntnisses nun die Tafel der Menschenrechte;
– statt des Kirchenrechts nun die Staatsverfassung;
– statt des Kreuzes nun die Trikolore (als öffentliches Zentralsymbol);
– statt der vom Pfarrer vollzogenen und registrierten Taufe, Eheschließung und Bestattung nun das von der zivilen Behörde eingeführte staatliche »Zivilstandsregister« (unter Freigabe der Ehescheidung);
– statt der Priesterschaft nun die Lehrerschaft;
– statt des Altares und des Meßopfers in der Kirche nun der Altar des Vaterlandes, auf dem der Patriot sein Leben hinzugeben hat;
– statt der religiös gefärbten Namen von Orten, Städten und Straßen nun patriotische Namen (liberté, concorde, constitution, nation, Voltaire, Rousseau);
– statt der Heiligenverehrung nun die Verehrung heroisierter Märtyrer der Revolution (Marat!);
– statt der christlichen Kirchen- und Patronatsfeste mit dem »Te Deum« nun öffentliche patriotische Feiern mit der »Marseillaise«;
– statt der christlichen Ethik nun die aufgeklärte Ethik der bürgerlichen Tugenden und der sozialen Harmonie ...

(3) Anstelle der **katholischen Volksfrömmigkeit** zeigte sich eine freilich schon unter dem Absolutismus massiv um sich greifende, jetzt aber zum Teil durch geplante Regierungsmaßnahmen durchgeführte, zum Teil aber auch spontan unter dem Einfluß der Sansculotten sich durchsetzende eklatante **Entchristlichung** (schon im frühen 19. Jahrhundert kommt der Begriff der »déchristianisation« auf). Selbstverständlich gab es schon vor der Revolution Kritik an den kirchlichen Zuständen, und natürlich wurde die Volksfrömmigkeit in den Gemeinden nicht quasi per Dekret plötzlich »abgeschafft« oder verdrängt. Dennoch ist ein deutlicher Bruch mit ungeheuren Langzeitwirkungen unübersehbar. Dabei fielen die zahllosen Akte des »vandalisme« (auch dieses Wort wird jetzt ein Schlagwort) gegen

Kirchen, Portalschmuck, Heiligenbilder, Reliquienschreine und Beichtstühle weniger ins Gewicht, auch nicht die Requirierung von Glocken und kostbarem Kirchengerät oder die Dezimierung des Klerus. Entscheidender war die **Veränderung der politischen Gesamtkonstellation**: Jene in früheren Paradigmenwechseln immer wieder mögliche Osmose zwischen dem Christentum und der neuen Kultur wurde im Fall der neuen republikanischen Kultur von der rückwärtsgewandten Hierarchie und besonders von Rom gar nicht gewünscht, und gleichzeitig wurde sie von den Revolutionären durch ihre republikanische Gegenkultur systematisch verhindert. In Rom betrachtete man die Revolution »als das Endergebnis einer langen Kette von Irrtümern, die damit begonnen hätten, daß Luther das Individuum dem Einfluß der Macht Roms entzogen habe« (und die sich in den Irrtümern der Moderne bis hin zum Kommunismus fortsetzen sollte), deren Heilmittel »in nichts anderem bestehen könne als in einer Rückkehr zu einer christlichen Zivilisation, d. h. zu einer im wesentlichen hierokratischen Ordnung«, bilanziert der italienische Kirchenhistoriker Daniele Menozzi.[147] »Re-evangelisierung« nennt man es heute, »Re-katholisierung«, »Re-romanisierung« ist es in der Tat.

Was also war – im Rahmen unserer Paradigmenanalyse gesehen – längerfristig das Resultat der Französischen Revolution? In Frankreich und in anderen »katholischen Staaten«, die geistig-religiös im mittelalterlichen Paradigma (P III) verharrten und sich zuerst dem Paradigmenwechsel der Reformation (P IV) und dann auch dem Paradigmenwechsel der Moderne (P V) verweigerten, kommt es (oft zusammen mit einer Trennung von Staat und Kirche) zur **Herausbildung zweier** gegensätzlicher und zutiefst miteinander verfeindeter **Kulturen**:

– die neue militante **republikanisch-laizistische Kultur des herrschenden liberalen Bürgertums**: freidenkerische, dynamische, progressive Anhänger von Aufklärung und Fortschritt (P V);

– die eingewurzelte **katholisch-konservative**, klerikale und royalistische (später papalistische) **Gegen- oder Subkultur der Kirche** und der von der Revolution Enteigneten und Enttäuschten: traditionalistische, defensive, regressive, reaktionäre Gegner von Aufklärung und Fortschritt (P III).

Der Marsch der offiziellen katholischen **Kirche in ein kulturelles Getto** hatte begonnen, auch wenn es neben dem rückwärtsgewandten »rechten« Katholizismus in Frankreich immer auch einen bewußt modernen, »linken« Katholizismus gab, der trotz aller innerkirchlichen Repressionen nicht ausgelöscht werden konnte. Im großen kirchlichen Getto aber versuchte man nach der Revolution wieder zu predigen, zu lehren und zu feiern, als wäre nichts geschehen, obwohl man sich nun in der Gesellschaft ganz deutlich in der Minderheit befand. Nach der Schreckensherrschaft hatte man nämlich wieder ein neues konservatives Selbstbewußtsein gefunden, fand Zuspruch bei allen Gegnern der Revolution, lebte nicht schlecht von den Spenden der Gemeinden und war im übrigen von manchen weltlichen Hypotheken befreit. Autorität und Struktur der Kirche festigten sich wieder. Doch ihre weltliche Macht blieb reduziert und ihr gesamtgesellschaftlicher Einfluß begrenzt: Überall wirkte sich die Aufspaltung zweier Kulturen aus bis hinein in die Schulen, ins Krankenhauswesen und in die Armenfürsorge. Mit der völligen Trennung von Staat und Kirche 1905 – nachdem die französische Hierarchie aufgrund römischen Drängens einen für sie fairen Kompromiß abgelehnt hatte – wurde diese Entwicklung in Frankreich besiegelt. Der Gegensatz zwischen dem (trotz aller revolutionären Exzesse grundgelegten) Paradigma der modernen Demokratie und dem das mittelalterliche Paradigma konservierenden antidemokratischen römischen System blieb durch das ganze 19. und 20. Jahrhundert hindurch bis zum 2. Vatikanischen Konzil unübersehbar.

Moderne Demokratie (P V)	**Römisches System (P III)**
Ende des absolutistischen Systems	Konservierung des absolutistischen Systems
Verschwinden der Stände	Bewahrung des Klerikerstandes
Bürger- und Menschenrechte	Verurteilung der Menschenrechte
Volkssouveränität (repräsentative Demokratie)	Ausschluß von Volk und Klerus bei der Bischofs- und Papstwahl
Gewaltenteilung: legislative, exekutive, judikative	Alle Gewalt in der Hand von Bischöfen und vor allem dem Papst (Primat und Unfehlbarkeit)
Gleichheit vor dem Gesetz	2-Klassen-System von Klerikern und Laien (Prima sedes a nemine iudicatur)
Freie Wahl der Verantwortlichen auf allen Ebenen	Ernennung durch die übergeordnete Instanz (Bischöfe, Papst)
Gleichstellung der Juden und der Andersgläubigen	Katholische Staatsreligion (wo durchsetzbar)

Freiheit, Gleichheit, Brüderlichkeit: unchristlich?

Gab es damals für die katholische Kirche **eine demokratische Alternative?** Für viele demokratisch gesinnte Geistliche gab es sie. Man denke nur an den von urchristlichen Idealen bewegten und bis heute innerkirchlich umstrittenen **Abbé Henri-Baptiste Grégoire**, späterer Präsident der verfassunggebenden Versammlung und als Bischof geistiger Führer der konstitutionellen Kirche. Er war ein großer Kämpfer für die Menschenrechte, eine republikanisch gesinnte Christenheit, die Gleichheit der unteren Bevölkerungsschichten, die Freiheit der Juden und der Schwarzen (in Haiti) sowie für die Volkssprache im Gottesdienst. Die Rede Grégoires für die Zivilkonstitution des Klerus hatte damals 62 geistliche Abgeordnete, darunter 7 Bischöfe, zur Eidesleistung bewegt. Nach neuesten Berechnungen sollen zunächst immerhin 52-55% des französischen Klerus – allerdings noch vor den päpstlichen Verurteilungen im März/April 1791 – für die Zivilkonstitution gewesen sein, nach Regionen freilich sehr verschieden. »Es bestanden also echte Chancen für die Organisation einer Kirche Frankreichs, die Religion und Revolution zu versöhnen vermochte«, folgert der französische Politologe und Theologe Bernard Plongeron, der dem bedeutenden Seelsorger Grégoire, der »für diese nationale Erneuerung … die eigentliche beseelende Kraft« war, ein überzeugendes Porträt gewidmet hat.[148]

Die Reaktion Roms und des konservativen Teils von Episkopat und Klerus einerseits und die antiklerikale Radikalisierung der Revolution andererseits aber machten eine **Versöhnung von Kirche und Demokratie schwierig**, wiewohl auf Antrag Grégoires nach der Schreckenszeit am 21. April 1795 die Kultusfreiheit wieder anerkannt und eine institutionelle gallikanische Kirche möglich wurde, getrennt vom Staat und nicht von vornherein in Opposition zu Rom. Vielen Anliegen aber, die bei den beiden Nationalkonzilien der konstitutionellen Kirche 1797 und 1801 vertreten worden waren, sollte jedoch erst das **Zweite Vatikanische Konzil** zum Durchbruch verhelfen: parlamentarisches Vorgehen, Kollegialität der Bischöfe, Priesterrat, Diözesansynoden unter Einbeziehung von Laien, Volkssprache in der Liturgie … Nur der Grundsatz der Wahl bei der Besetzung von Ämtern (schon in der »revolutionären« Rückbesinnung auf die Urkirche mit der Wahl des Apostels Matthias begründet) kam noch nicht einmal auf dem Vatikanum II zur Sprache.

Immerhin darf seit dem Vatikanum II offen ausgesprochen werden, daß **»Freiheit, Gleichheit und Brüderlichkeit«** – lange Zeit in der katholischen Kirche als teuflische Parolen bezeichnet und im übrigen erst 1848 formell in die französische Verfassung geschrieben – ein **urchristliches Fundament** besitzen, das allerdings, wie wir sahen, schon früh von bestimmten hierarchischen Machtstrukturen überlagert wurde. In unserer Paradigmenanalyse ist beides überdeutlich geworden: sowohl die urchristlichen Ideale von Freiheit, Gleichheit und Brüderlichkeit (P I und P II) wie auch deren Überlagerung schon in der alten Kirche (P II) und erst recht im mittelalterlichen Paradigma (P III). Auch von der Reformation (P IV) nur teilweise wieder zum Leben erweckt, brachen sie in der Französischen Revolution (P V) schließlich mit Macht durch. »Freiheit, Gleichheit und Brüderlichkeit«: »Die Christen sind seither auf den Gedanken gekommen – einige hatten schon 1789 daran gedacht –, daß in diesen drei Worten sehr wohl das Evangelium nachklingt«, so schließt der französische Kirchenhistoriker Jean Comby seine Ausführungen über jene drei »Grundsätze für eine Nation und für eine Kirche«[149].

Nein, die demokratischen Parolen der Französischen Revolution hätten nicht von vornherein kirchenfeindliche Parolen sein müssen. Die katholische Kirche und weithin auch die anderen Kirchen haben sie damals nur nicht verstanden, verstehen wollen. Warum nicht? Weil sie sich selber so weit von der ursprünglichen evangelischen Freiheit, Gleichheit und Brüderlichkeit entfernt hatten. Im Lichte der damaligen Erfahrungen stellen sich deshalb Fragen im Hinblick auf eine künftige **Demokratisierung der Kirche**, die ja von ihrem Ursprung her weder eine Aristokratie noch eine Monarchie ist, sondern das »Volk« Gottes, eine Gemeinschaft der Glaubenden, wo alle Glieder eine Mitverantwortung durch angemessene Entscheidung in Freiheit und Solidarität haben. Was meint eine solche Demokratisierung konkret? Gewiß nicht den gewaltsamen gleichschaltenden Umsturz der Werte und der Leitung der Kirche, auch nicht einfach die Herrschaft des Volkes und damit des Menschen über Bibel, Offenbarung, Gott, eine Preisgabe der ewigen Wahrheit an den wechselnden Volkswillen. Vielmehr meint Demokratisierung einen dynamischen Mitgestaltungsprozeß von möglichst vielen Gläubigen in allen Fragen der Organisation von Kirche. Auf diese Weise soll auf allen kirchlichen Ebenen sowohl gesinnungsmäßig (in bezug auf Grundsätze, Haltungen, Stil, Verhaltensweisen) wie institutionell und strukturell (in bezug auf Verfassungs-, Rechts- und Organisationsformen) eine Lebensform (nicht Herrschaftsform) heraufgeführt werden, die in Solidarität (Brüderlichkeit/Geschwisterlichkeit) der christlichen Botschaft selbst und zugleich dem neuzeitlichen Bewußtsein von größtmöglicher Freiheit und bestmöglicher Gleichheit (Rechtsgleichheit) entspricht.

Fragen für die Zukunft

Die Kirche der Zukunft soll nicht mehr als Bollwerk der antidemokratischen Reaktion erscheinen, sondern im Geiste ihres Gründers als eine **Gemeinschaft in »Freiheit, Gleichheit und Brüderlichkeit«**:

• Die Kirche eine Gemeinschaft von **Freien**! Darf sie stattdessen als eine Herrschaftsinstitution oder gar als eine Großinquisitorin erscheinen? Müßte die Freiheit sich nicht vielmehr in der Gestaltung der kirchlichen Gemeinschaft ausdrücken: so daß ihre Institutionen und Konstitutionen nie wieder einen oppressiven oder repressiven Charakter haben und eine Herrschaft von Menschen über Menschen aufrichten? Die christliche Kirche folglich als ein Raum der vom Evangelium her ermöglichten Freiheit und zugleich Anwalt der Freiheit in der Welt!

• Die Kirche eine Gemeinschaft von grundsätzlich **Gleichen**! Darf sie stattdessen als eine Klassen-, Rassen-, Kasten- oder Amtskirche erscheinen? Müßte sich diese Gleichheit nicht in der Gestaltung der kirchlichen Gemeinschaft auswirken: so daß zwar die Vielfalt der Gaben und Dienste durch keinen mechanischen Egalismus eingeebnet wird, wohl aber die fundamentale Gleichberechtigung der in sich so verschiedenen Mitglieder und Gruppierungen garantiert wird und die Verfassungsstrukturen keinesfalls der Ungerechtigkeit und der Ausbeutung Vorschub leisten? Die christliche Kirche als Raum der Gleichberechtigung und zugleich Anwalt der Gleichberechtigung in der Welt!

• Die Kirche eine Gemeinschaft von **Brüdern und Schwestern**! Darf sie stattdessen ein patriarchal regiertes Herrschaftssystem sein, das Menschen durch Paternalismus und Personenkult in die Unmündigkeit zurückversetzt und (bezüglich Ämtern und Repräsentation) das weibliche Geschlecht rechtlich oder faktisch ausschließt oder marginalisiert? Müßte sich der Geist der Brüderlichkeit und Schwesterlichkeit nicht in den Ordnungen und sozialen Bezügen der kirchlichen Gemeinschaft verwirklichen: so daß die im Grunde sich widerstrebenden demokratischen Forderungen nach größtmöglicher Freiheit und bestmöglicher Gleichheit Versöhnung in einer geschwisterlichen Solidargemeinschaft finden? Die christliche Kirche als Raum der Geschwisterlichkeit und ihr Anwalt in der Welt!

Doch zurück zu unserer Paradigmenanalyse: Wenn Frankreich mit den großen Parolen der Revolution durch das ganze 19. Jahrhundert die politische Entwicklung bestimmte, so blieb es doch nicht die bestimmende politische Macht. Es war nicht Frankreich, sondern Großbritannien, das im 19. Jahrhundert die führende Welt-Macht wurde. Und dies hing mit der historischen Entwicklung zusammen, daß England schon vor der Französischen Revolution jene Revolution in Gang gesetzt hatte, welche das moderne Weltwirtschaftssystem, ja die neue Weltzivilisation, heraufführte: die technologisch-industrielle Revolution.

7. Die Revolutionen in Technologie und Industrie

Frankreich vermittelte der modernen Welt die politischen Ideen, war aber durch die Revolution und die anschließenden Kriege wirtschaftlich eher zurückgeblieben. England aber, das seine »Glorreiche Revolution« und Parlamentarisierung des politischen Systems schon 100 Jahre vor der Französischen Revolution durchgeführt hatte, lieferte die wirtschaftlichen Impulse und technischen Errungenschaften: Dampfmaschine, Eisenbahnen, Fabriken ... Es initiierte jene technologischen und industriellen Revolutionen, welche die europäische Welt und damit auch das Christentum nicht weniger tiefgreifend verändern sollten als die politische Revolution.

Und doch – fragte man sich damals: Gibt es nicht einen Weg zurück? Wieder-herstellung des Früheren, Re-stauration? Die Geschichte Europas steht im 19. Jahrhundert im Spannungsfeld von Beharrung und Veränderung, Legitimität und Revolution, Restauration und Reform. Natürlich ist es unmöglich und auch unnötig, dieses bisher inhaltsreichste aller Jahrhunderte, das auch in der Kirche in einer erstaunlichen Lebendigkeit auf allen Gebieten bedeutende Wandlungen hervorbringt, hier auch nur skizzenhaft zu umschreiben. Nur um die Herausarbeitung weiterer Grundzüge des modernen Paradigmas geht es, in dem jetzt freilich keine geschlossene und einheitliche kirchliche Entwicklung mehr feststellbar ist.

Zurück ins Alte: Restauration

Es war schon die Französische Revolution selbst, die mit ihrer Schreckensherrschaft in ganz Europa ein Umdenken und eine entscheidende **Korrektur der irreligiösen Aufklärung** herbeigeführt hatte. Dabei hatte es schon vor der Großen Revolution Reaktionen gegen einen extremen Rationalismus gegeben. Vor allem der Gefühls- und Naturenthusiasmus eines Jean-

Jacques Rousseau sowie dessen pessimistische Zivilisations- und Fortschrittskritik hatten überall schon im 18. Jahrhundert starken Eindruck gemacht, nicht weniger auch die Gefühlsmoral des englischen Grafen Shaftesbury. Schon in der Sturm- und Drangzeit (»Geniezeit«) hatte es zumindest in Deutschland einen gewaltigen Ausbruch des subjektiven Gefühlslebens und der Gefühlsfrömmigkeit gegeben. Ein neuer Sinn für das Ursprünglich-Naive kam auf, für nationale Traditionen, für die geschichtliche Entwicklung im Leben der Individuen und der Völker. Vom großen Versuch, das Christentum als Humanitätsreligion zu rehabilitieren, wie dies bei Schleiermacher (aber auch in Johann Gottfried Herders Geschichtsphilosophie) zum Ausdruck kam, haben wir gehört. Dies alles zeigt bereits die heraufkommende Frühromantik an.

Doch erst nach den Schrecken der Französischen Revolution und der napoleonischen Kriege konnte die Sehnsucht nach der »schönen alten Zeit« allgemein durchbrechen. Und es fehlte nun nicht an **Versuchen, das alte Paradigma sowohl im protestantischen (P IV) wie im katholischen Bereich (P III) zu restaurieren.** Gerade für die Kirchen (nicht allein die katholische) war die Versuchung groß, die Tendenzwende der »Heiligen Allianz« – zwischen den konservativen Staaten Rußland, Österreich und Preußen, angeführt vom gar nicht heiligen Staatskanzler **Klemens Wenzel Fürst Metternich** – auch zur kirchlichen Restauration zu nutzen. **Konservatismus** nennt man dies. Schon aus lauter Revolutionsfurcht populär, bejaht er bestimmte vorrevolutionäre Ordnungen als geschichtlich und organisch gewachsen, ja »gottgewollt«: monarchische Staatsform, hierarchisch gestufte Gesellschaft, römisch-katholische Kirche, Familie und Besitz als historisch zwar wandelbare, aber im Prinzip konstant bleibende Grundwerte. In England hatte dieser Konservatismus mit dem gescheiten Revolutionsgegner **Edmund Burke**[150] ein Erhaltungs- und Verbesserungsprinzip bejaht, auf dem europäischen Kontinent aber wird er rasch zur schieren Reaktion. Propagieren doch Leute wie der Burke-Übersetzer und Metternich-Berater **Friedrich Gentz** – reformunwillig, wie er war – mit nur geringen Korrekturen schlicht den Wiederaufbau des Ancien Régime. Ob sich die Uhren Europas zurückdrehen lassen?

Nach dem Sieg über Napoleon und dem Wiener Kongreß 1814/15 und insbesondere nach dem Studentenattentat auf den Dichter Kotzebue ist es denn auch soweit. Die Karlsbader Beschlüsse von 1819 sind ein politisches Signal der Restauration par excellence. Ursprünglich war die »Heilige Allianz« als Verpflichtung der Fürsten auf eine patriarchalisch-christliche Staatsform gedacht. Doch unter der Ägide eben jenes österreichischen Staatskanzlers Metternich versuchen Staat und Kirche jetzt überall in

Europa mit aller Macht, die neuen demokratischen Freiheiten und alle neuen geistigen Regungen insbesondere an den Universitäten mit alten Polizei- und Zensurmaßnahmen zu unterdrücken. **Restauration** – ist jetzt offen die Parole! Ideologisch wird sie unterstützt von Staatstheoretikern wie dem Schweizer **Karl Ludwig von Haller**, der mit seinem legitimistischen Werk »Die Restauration der Staats-Wissenschaft«[151] der Epoche den Namen gibt, sowie vom Preußen **Friedrich Julius von Stahl**, Inhaber vieler Ämter, der in seiner »Philosophie des Rechts nach geschichtlicher Ansicht«[152] gegen das revolutionäre Prinzip der Volkssouveränität das Prinzip der fürstlichen Legitimität stellt, um so das Gottesgnadentum aller Obrigkeit, den »christlichen Staat« und die unwandelbare hierarchische Ständeordnung als göttliche Wahrheit zu propagieren – und dies alles mit biblischen und reformatorischen Argumenten.

Zu nutzen wußte diesen neuen, alten Zeitgeist auch die **römische Kurie.** Sie hatte 1815 den von Napoleon aufgehobenen Kirchenstaat fast vollständig zurückerhalten und dort sofort die traditionelle Monsignori-Wirtschaft wieder eingeführt. In Frankreich wurde der Katholizismus jetzt erneut Staatsreligion mit der Folge, daß royalistisch-katholische Geheimgesellschaften ihrerseits ideologische Gegner denunzierten und verfolgten. Restaurative katholische Gesellschaftstheoretiker – neben **Joseph de Maistre** auch **de Bonald**[153] – hatten schon 1797 die Rückkehr zur unerschütterlich feststehenden Autorität des Papstes propagiert. Sie wurden jetzt hochpopulär, vor allem durch de Maistres Buch über den Papst[154], wie wir im Zusammenhang von P III hörten, in dem er eine damals neuartige Unfehlbarkeitsideologie vertrat.

Aber auch die protestantischen Kirchen gingen auf Restaurationskurs, natürlich anders: Sie entdeckten ihre orthodoxe Konfession oder besser ihren Konfessionalismus wieder. Auch in England kam es in der Staatskirche unter dem Einfluß des Methodismus einerseits und in Reaktion auf die Französische Revolution andererseits zu einer neuen Zuwendung zur Religion, ja, kam es zu jenen evangelischen »revivals«, Erweckungsbewegungen, von denen wir im Zusammenhang der reformatorisch-protestantischen Konstellation (P IV) gehört haben, ja, schließlich sogar zu einer vorreformatorisch orientierten anglokatholischen Bewegung, die als eine Annäherung an das römische Papsttum (P III) freilich von vielen abgelehnt wurde.

Zusammen mit einem Neupietismus formierte sich in Deutschland eine lutherische **Neuorthodoxie**, die sich in Liturgie, Theologie, Verkündigung und Kirchenleitung am orthodox-protestantischen Paradigma des 17. Jahrhunderts orientierte. Gerade in den 60er und 70er Jahren (zur

Zeit also des römischen Syllabus und des Ersten Vatikanums!) sollte diese protestantische Version der Restauration in den theologischen Fakultäten und in der Pfarrerschaft Deutschlands ihren Höhepunkt erreichen. Die mit der Aufklärung aufgebrochene Chance einer kirchlichen Einigung zwischen Lutheranern, Reformierten und Unierten jedenfalls verpaßte man, nicht weniger verhängnisvoll auch die einer größeren Unabhängigkeit von Staat und Monarchie. Die ganze Zeit hindurch verdammten diese Kirchenmänner und Theologen Revolutionen prinzipiell als Aufruhr gegen Gott und proklamierten das Gottesgnadentum der Fürsten ebenso feierlich wie die Gehorsamspflicht der Untertanen. Und da sollten liberal-fortschrittliche Bürger nicht anti-kirchlich, ja, anti-christlich werden?

So wenig wie ihre traditionalistischen römisch-katholischen Glaubensgenossen ließen sich diese protestantischen Traditionalisten wirklich auf die Auseinandersetzung mit der Moderne ein, die jetzt in Gestalt des neuzeitlichen Atheismus eines Feuerbach, Schopenhauer, Marx und Nietzsche ihrem Höhepunkt zutrieb. Rückwärts gewandt, nahmen sie kaum wahr, wie sehr sich die Welt um sie herum verändert hatte. Wie die Päpste, so lehnten auch führende konservative Protestanten die Menschenrechte und die Demokratie ab und verteidigten die Fürstenherrlichkeit. Die meisten Sätze des päpstlichen Irrtümer-Syllabus wären auch von ihnen verurteilt worden. Mit Erfolg?

Gegenrevolutionäre Zwischenspiele

Doch anzumerken ist: Bei den gegen Ende des 18. Jahrhunderts einsetzenden geistigen Gegenbewegungen gegen die extrem rationalistische und irreligiöse Aufklärung handelt es sich keineswegs überall um ein Zurück hinter das moderne Paradigma, sondern vielfach um **Bewegungen innerhalb des modernen Paradigmas**. Man überwand ja die Aufklärung nicht, indem man einfach hinter sie zurückging, sondern indem man über sie hinausführte. Das gilt nicht etwa nur vom englischen und französischen Positivismus (John Stuart Mill, Herbert Spencer, August Comte). Das gilt auch schon von der Kantschen Vernunftkritik, die ja Religion »innerhalb der Grenzen der bloßen Vernunft« bejahte, und nicht zuletzt vom nachkantschen Idealismus Fichtes, Schellings und Hegels. Das gilt erst recht von der klassischen deutschen Dichtung (von Lessing und Wieland bis Schiller und Goethe), die keine religiöse oder primär moralische, sondern eine vor allem ästhetische »Weltanschauung« vertritt. Diese findet denn auch im 19. Jahrhundert weithin Eingang in Deutschlands höhere Schulen mit ihrem neuhumanistischen Bildungsideal und einer mehr am (idealisierten) Griechentum als am (allzu realen) Christentum orientierten Religiosität. Zumindest die protestantischen Kirchen hatten sich in ihren Predigten und Agenden, Katechismen und Kirchenliedern ja doch dem aufgeklärten Bewußtsein weithin angepaßt.

Selbst die in den 90er Jahren des 18. Jahrhunderts aufkommende **Romantik**, ihre spätere Verklärung der mittelalterlichen Sozialstruktur und Zurückdrängung der Aufklärung, vermochte die moderne Entwicklung nur zu bremsen, zum Teil klug zu korrigieren, aber nicht zu stoppen. Mit einem kleinen Kreis ästhetisch interessierter Schriftsteller in Jena und Berlin (der frühe Fichte, die Gebrüder Schlegel, Ludwig Tieck, Novalis) hatte durchaus fortschrittlich die Romantik begonnen: Betonung des Gefühls, der Phantasie und des Naturhaften; Interesse für Märchen und Legenden, das Mythische und das Mystische. Aber gerade so hatte sie schließlich eine deutliche Wende zum Religiösen, ja zum Katholischen hin genommen (ästhetische Marien- und Heiligenverehrung), oft freilich mit deutlichen spinozistisch-pantheistischen Untertönen. In der Restaurationszeit wurde die Romantik zur großen internationalen Bewegung (Chateaubriands »Génie du Christianisme«[155] hatte sie in Frankreich 1802 eingeläutet), und es kam zu einem bedeutenden Aufschwung der (jetzt allerdings wieder konfessionalistisch traditionell geprägten) Religiosität.

Doch auch diese rückläufige Bewegung des geistigen wie politischen Lebens vermochte das neue Paradigma selbst im katholischen Bereich nicht zu erschüttern oder zu absorbieren. Die Schlußfolgerung drängt sich deshalb auf: **Romantik und Restauration** erwiesen sich schon seit 1848, wiewohl die Reaktion nochmals siegte, als ein **gegenrevolutionäres Zwischenspiel**. Mit der »Solidarität (Interventionsbereitschaft) der Throne« war es ohnehin bald vorbei. Diese vermochten mit ihrem Legitimitätsprinzip – zugunsten der wiederetablierten Monarchie und zugunsten der »ewigen« Gesetze menschlicher Ordnung – die erneut erstarkenden liberalen demokratischen Kräfte nicht zu ersticken, denen es primär um eine konstitutionelle, verfassungsmäßige und parlamentarische Staatsform (mit oder ohne Monarchie) und um demokratische Reformen ging.

Überall begannen sich nach englischem Vorbild die konstitutionelle Monarchie, eine Gewaltenteilung mit einem Parlament aus zwei Kammern und die Verankerung von Grundrechten durchzusetzen; der Polizeistaat wird abgelöst durch den Rechtsstaat, der Freiheit und Eigentum des Individuums schützt und in dem die Staatsverwaltung an das Gesetz gebunden ist. Freilich gibt es dabei den für die Zukunft bedeutungsschwangeren Unterschied zwischen den liberalen Westmächten England und Frankreich und den konservativen Zentral- und Oststaaten Preußen,

Österreich, Rußland (das Osmanische Reich miteingeschlossen). Doch auch diese vermochten die Mächte der Neuzeit – Wissenschaft, Technologie, Industrie und Demokratie – nicht wieder zu entthronen. Im Gegenteil: Im 19. Jahrhundert sollte sich nun gerade die Industrie revolutionär durchsetzen, so daß die moderne Gesellschaft die Gestalt einer Industriegesellschaft annahm. Wie kam es dazu?

Die Umbrüche in Technologie und Industrie

Die Naturwissenschaft war die stolze Mutter der Technik. Schon die Mathematiker, Naturwissenschaftler und Philosophen Descartes und Pascal hatten sich um die technische Realisierung vieler ihrer Ideen bemüht. Doch konnten sie nicht im entferntesten ahnen, wie sehr ihre neue, auf Mathematik und Experiment aufbauende induktive Wissenschaft und die mechanistische Technik die Welt – den Menschen, seine Umwelt, aber auch seine Glaubenswelt – von Grund auf verändern mußten.

Nur ein Beispiel für die **technische Revolution**: Schon um die Mitte des 18. Jahrhunderts hatte Benjamin Franklin den Blitzableiter gefunden. Was jahrtausendelang notwendig schien, erübrigte sich nun immer mehr: Warum sollte der Mensch noch bei Gewitter, Donner und Blitz Gott anrufen, nachdem er jetzt einen Blitzableiter auf seinem Dach hatte? Doch kommt es in dieser Zeit zu noch ganz anderen technischen Erfindungen: Spinnmaschine, mechanischer Webstuhl, mit Kohle geheizte Dampfmaschine ... Und zugleich zu tiefgreifenden Neuerungen im Verkehrswesen: zu Straßen-, Brücken- und Kanalbau, zur Entwicklung von Lokomotive, Dampfschiff, Telegraphie und seit 1825 zur ersten Eisenbahnlinie in England.

Dies alles sollte das Angesicht der Erde verändern.[156] Denn dies alles bildete die Voraussetzungen für **neue Produktionsmethoden**: Eisenverhüttung mittels Koks, Dampfantrieb, Arbeitsteilung. So führt die technische Revolution in konsequenter Weiterentwicklung zur Mechanisierung der Produktion und damit zum Übergang von der Heimindustrie zur Maschinenfertigung und zum Fabrikbetrieb. Es kommt für Massen von Menschen zur völligen Veränderung ihrer Produktions- und Lebensbedingungen, die man die **industrielle Revolution** nennt, zu einer totalen Umwälzung der ökonomischen Gegebenheiten, der gesellschaftlichen Verhältnisse und der Mentalität überhaupt.

Begleitet wird diese industrielle Revolution von einer **Bevölkerungsexplosion**, die ihrerseits hervorgerufen wurde vor allem durch bessere medizinische Versorgung und Hygiene, aber auch von einer **Agrarrevolution**

(Fruchtwechsel, Urbarmachung, Maschinen, Kunstdünger), steigender Lebensmittelproduktion (Kartoffel- und Zuckerrübenanbau) sowie einem steigenden Außenhandel. Die pessimistischen Prognosen des britischen Nationalökonomen Thomas R. Malthus bezüglich einer unausweichlichen Verelendung der Massen (die Nahrungsmittelproduktion bleibe hoffnungslos hinter dem Bevölkerungswachstum zurück) schienen desavouiert, wenngleich die Landarbeiter miserabel bezahlt waren und bei Mißernten Hungersnöte doch nicht ausblieben. Zunächst in der Textilherstellung (Baumwollspinnerei) und in der Kohlegewinnung (zur Erzeugung von Dampfkraft) eingeführt, setzt sich das Fabriksystem und damit die industrielle Massenproduktion auf der ganzen Linie durch.

All dies hatte einschneidende Folgen für die Menschen und das gesamte Sozialgefüge. Denn die Masse der Bevölkerung lebt jetzt zunehmend in den Städten; diese **Verstädterung** aber führt zu neuen Ballungszentren und eigentlichen Industrielandschaften. Beispiel Manchester: 1650 etwa 5000, 1760 etwa 17000, 1801 schon mehr als 70000, 1851 rund 218000 und 1901 rund 544000 Einwohner. Gestern noch Bauern oder Schafhirten, finden sich jetzt Ungezählte meist notgedrungen als Fabrikarbeiter vor, die an Maschinen zu stehen haben, welche mit lebloser Energie angetrieben werden und den Menschen doch ihr Gesetz aufdrücken. Es kommt zu unerhörten quantitativen Veränderungen der gesamten Gesellschaftsstruktur, die von den Menschen zumeist recht hilflos und armselig als qualitativer Wandel ihrer gesamten Lebensweise und ihres Lebenssinnes erfahren werden. Ob das traditionelle Christentum diesen vielfach um ihre frühere Würde gebrachten, bedrückten, elenden und sich abrackernden Menschen helfen kann?

Ja, die **Industrialisierung** bedeutet eine epochale Umwälzung im Bereich nicht nur der Technik, der Produktionsverfahren, der Energieerzeugung, des Transportwesens, der Märkte, sondern auch im Bereich der Gesellschaftsstrukturen und der Mentalität. Der große industrielle Start (W. W. Rostow: »take-off«[157]) erfolgte zunächst in Großbritannien, wo die Industrialisierung schon seit dem letzten Viertel des 18. Jahrhunderts in Gang ist; aufgrund seiner politischen und gesellschaftlichen Bedingungen, seiner natürlichen Ressourcen, seiner relativ mobilen Sozialstruktur und seines Monopols im Überseehandel (Baumwolle!) ist Großbritannien denn auch zum Modellfall der industriellen Revolution prädestiniert. Aber von England aus erfaßt die Industrialisierung im ersten Drittel des 19. Jahrhunderts auch die Niederlande, Belgien, Frankreich und die Schweiz, erst in der Mitte des Jahrhunderts Deutschland und schließlich seit dem letzten Jahrhundertdrittel auch Schweden,

Italien, Rußland und das übrige Europa; Nordamerika und Japan kommen hinzu.

Die jungen Industrieländer erleben jetzt einen rasanten wirtschaftlichen Aufstieg. Die Wirtschaftspolitik wird liberalisiert, die Gewerbefreiheit eingeführt, wachstumshemmende Handelsbeschränkungen läßt man fallen, so daß sich in der zweiten Hälfte des 19. Jahrhunderts allmählich eine arbeitsteilige Weltwirtschaft und ein freier Weltmarkt entfalten können. Hinzu kommt: Die industrielle Technik wird statt wie bisher schlicht empirisch jetzt auf wissenschaftlicher Basis betrieben, sie wird zur **Technologie**, was sich besonders in der Stahlherstellung, jetzt die Schlüsselindustrie, auswirkt – eine Voraussetzung für die rasante Entwicklung des Eisenbahnwesens, das eine bisher unbekannte gesellschaftliche Interaktion und Kommunikation ermöglicht. Natürlich müssen für diesen Industrialisierungsschub – in der zweiten Phase vor allem in den Bereichen Kohle, Eisen, Stahl und Maschinenbau – gewaltige Kapitalien investiert werden. Der Ausbau des Bankwesens ist die Folge. Nicht nur in Großbritannien, wo Kapital sich reichlich findet, auch im übrigen Europa werden deshalb Kredit-, Investitions- und Hypothekenbanken errichtet.

So ist es denn kein Wunder, daß **Großbritannien**, das schon im 18. Jahrhundert führende Welthandelsmacht geworden war, diese Position nach den napoleonischen Kriegen und dem Wiener Kongreß (1814/15) ausbauen kann. Es vermag jetzt nicht nur Europa mit einer Gleichgewichtspolitik zu neutralisieren, sondern auch in Übersee seine Hegemonialstellung auszubauen. Den Amerikanischen Unabhängigkeitskrieg (1775-83) verliert Großbritannien zwar, aber um so energischer baut es jetzt ein neues »British Empire« auf, das von Kanada und Afrika bis nach Australien, Indien und Sri Lanka, Singapur und Hongkong reicht. Zugleich werden im Inneren trotz allen Widerstandes der Staatskirche Reformen durchgesetzt: volle politische Gleichberechtigung der Nonkonformisten, jetzt in der Gestalt von Freikirchen (1828), und der Katholiken (1829), die aufgrund irischer Einwanderung eine wachsende und deshalb nicht mehr zu ignorierende Minorität darstellen.

Noch sichert dieses Empire die britische Vormachtstellung. Doch bald wird Großbritannien nach einem europäischen Konjunktureinbruch (1873) und einer großen Depression von Deutschland und den USA eingeholt. Denn unter Nutzung neuer Energiequellen wie Elektrizität und Erdöl können beide Länder im letzten Drittel des 19. Jahrhunderts die Konkurrenz erheblich verschärfen, was sich besonders in den neuen Industriezweigen der Elektrotechnik, des Maschinenbaus, der chemischen Industrie zeigt (erst später sollte die Auto- und Flugzeugindustrie folgen).

Anders gesagt: Der Industrialisierungsprozeß beginnt Ende des 19. Jahrhunderts globale Dimensionen anzunehmen. Strukturen einer Weltwirtschaft zeichnen sich ab.

Damit ist klar: Die **Industrie** – von Wissenschaft und Technologie ermöglicht – hatte sich im Verlauf des 19. Jahrhunderts zusammen mit der Demokratie als **vierte Großmacht der Moderne** entwickelt. Man redet deshalb von einer Industriegesellschaft, in der die agrarisch bestimmte Adelsgesellschaft durch eine bürgerliche Gesellschaft weithin abgelöst erscheint. Diese **Industriegesellschaft** setzt eine andere Grundeinstellung des Menschen voraus: Charakteristische Tugend für das moderne Unternehmertum, das nun zum Gegenpol der Fabrikarbeiterschaft wird, ist in der Tat die »industrie« (von Frankreich her bald auch in Deutschland ein wichtiges Fremdwort), jener »erfinderische Fleiß« der »Industriellen«, der sich oft als brutaler Individualismus äußert, der aber mit seiner geschäftigen Betriebsamkeit die geistes- und sozialgeschichtliche Voraussetzung bildet für jenen Übergang von der Agrar- zur Industriegesellschaft, die ganz entscheidend eine Leistungsgesellschaft ist. Durch Arbeitsteilung, Spezialisierung, Mechanisierung, Rationalisierung, später Automatisierung der Produktion wird sowohl im Bergbau wie in Energie- und Bauwirtschaft und schließlich auch in der verarbeitenden Industrie ein gewaltiger technologischer Fortschritt für die Massen erreicht, der allerdings auch zunehmend soziale Umwälzungen und Krisen zur Folge hat.

Die Schattenseite: das Elend des Proletariats

Seit der Entstehung der Landwirtschaft, der Städte und des Alphabets am Ende des Neolithikums dürfte es keinen größeren ökonomisch-sozialen Umbruch in der Menschheit gegeben haben als eben diese industrielle Revolution. Die Folgeprobleme freilich sind ebenfalls außerordentlich, und mit ihnen plagt sich die Menschheit auch noch 100 Jahre später ab: »Wenn die Industrielle Revolution noch nicht beendet ist, sondern andauert und erst jetzt in ihr zweites Stadium tritt, so bedeutet das, daß sogar die fortgeschritteneren Industriegesellschaften sich mit Problemen sozialer Umschichtung und kultureller und politischer Erneuerung auseinandersetzen müssen, die nicht weniger einschneidend sind als diejenigen, die den sogenannten unterentwickelten Ländern zu schaffen machen … Sobald man sich einmal auf den Weg zur Industrialisierung begeben hat, ist keine Umkehr und kein Halt mehr möglich« (C. M. Cipolla[158]).

Heute ist uns klar geworden: Es darf die vielgepriesene industrielle Revolution nicht nur als ökonomische Wachstumsphase verstanden werden.

Ihre **sozialen Folgeerscheinungen** sind für alle kritischen Beobachter schon in der Frühphase durchaus **nicht nur positiv**. Zwar vergrößert sich das reale Sozialprodukt mit den wachsenden Investitions- und Wachstumsraten sprunghaft, sowohl insgesamt wie pro Kopf. Zwar kann die Massenarmut, die aufgrund der agrarrevolutionären Vorstufe der Industrialisierung durch Bevölkerungswachstum und Bauernbefreiung entstanden war, beseitigt werden. Und ohne den Industrialisierungsprozeß und das wachsende Arbeitsplatzangebot hätte es angesichts der Überbevölkerung ohnehin keinen Ausweg gegeben.

Aber aus dem industriell-kapitalistischen Produktionsprozeß entstehen **neue Klassengegensätze**. Erst jetzt kann man statt nur von Arbeitern im eigentlichen Sinn von einem **Proletariat** reden, das heißt: einer ganzen Klasse von Menschen, die durch die ökonomisch-gesellschaftliche Entwicklung vor allem negativ betroffen ist, da sie leidet unter niedrigen Löhnen, langen Arbeitszeiten, miserablen Wohnverhältnissen und sozialer Unsicherheit, von ausbeuterischer Kinder- und Frauenarbeit nicht zu reden. Massen von Menschen geraten so in eine trostlose Lage, was gelegentlich zu Maschinenstürmereien und anderen Ausbrüchen der Verzweiflung führt. Kurz: Die Industrialisierung der Lebensverhältnisse kreiert das, was man **»die soziale Frage«** schlechthin nennt. Zwar versucht man das vom »Laisser faire« des »Manchester-Liberalismus« verursachte physisch-psychische Elend des frühindustriellen Proletariats zunehmend durch höhere Lohnzahlungen und staatliche Sozialgesetzgebung zu lösen, aber nicht zu übersehen war:

– Langfristig verfestigt sich die ungleichmäßige Entwicklung der industriellen Sektoren und entsteht ein bedenklicher Unterschied zwischen Industrie- und Entwicklungsländern.

– Unaufhaltsam kommt es aufgrund von demokratischen und industriellen Revolutionen zu einer Erosion des traditionellen Werte- und Gesellschaftssystems, was schon früh zu Reaktionen führt.

Die neuen Ideologien: Liberalismus und Sozialismus

Auch Romantik und politische Restauration nach den Erschütterungen der Französischen Revolution konnten, so ist deutlich geworden, den Siegeszug der Moderne nicht aufhalten. Im Gegenteil:

– Im 19. Jahrhundert machten **Naturwissenschaft** und auch **Medizin** größere Fortschritte denn je. Am Ende des Jahrhunderts – die Bildungseliten waren weithin materialistisch, agnostisch und atheistisch geworden – konnte man, nicht zuletzt mit Hilfe von Darwins Entwicklungstheorie,

davon träumen, »die Welträtsel« (so des Naturforschers Ernst Heckels Buch im Jahre 1899) gelöst zu haben.
– Parallel zur Naturwissenschaft hatte die kritische **Geschichtswissenschaft** einen nicht weniger rasanten Aufstieg genommen, eine Wissenschaft, die in Welt-, Kirchen- und Theologiegeschichte nichts unbefragt ließ (außer den der eigenen Wissenschaft immanenten Dogmen).
– Aber auch neue **Humanwissenschaften** kündigten sich an, die Psychologie und Soziologie, und zwar mit dem Anspruch, selbst den bisher rätselhaften Gesetzmäßigkeiten der menschlichen Psyche (von »Seele« spricht man jetzt nicht mehr gern) und der menschlichen Gesellschaft (die in jeder Hinsicht komplexer wird) auf den Grund zu kommen.

Ja, der atemberaubende Fortschritt der Wissenschaften vor allem in der zweiten Jahrhunderthälfte macht – vor dem Hintergrund einer ständig rapide ansteigenden Bevölkerungszahl und einer sich immer mehr entwickelnden Weltwirtschaft, Weltpolitik – eine Weltzivilisation möglich. Sollte man da nicht höchst optimistisch in die Zukunft blicken? Ein Fortschritt ohne Ende schien grundgelegt.

Andererseits hatte die autoritär-reaktionäre Politik von Staat und Kirche in der Restaurationszeit überall in Europa nicht nur neue Revolutionen, sondern auch den Prozeß der **Entkirchlichung und Entchristlichung** zur Folge, zuerst unter den Gebildeten und dann auch in der Arbeiterschaft. Seit den 1840er Jahren nimmt er größeren Umfang an. Schon 1820/21 war es von Spanien über Italien und Griechenland bis hin nach Polen zu sozialen Aufständen gekommen. Beide Male von Paris ausgehend, fegten dann 1830 (Julirevolution: Sieg des liberalen Bürgertums über die Bourbonen) und 1848 (Februarrevolution) ganze **Wellen von Revolutionen** über die europäischen Staaten hinweg, in denen sozialer Protest und Freiheitssehnsüchte elementar durchbrachen. Nationale, demokratische, liberale und sozialistische Forderungen mischten sich, neutralisierten sich aber gegenseitig. So siegte vorübergehend noch einmal die Reaktion. Doch in der sich jetzt ausbildenden Massengesellschaft war die Entwicklung zu immer mehr parlamentarischen Systemen unaufhaltsam. Und der in den Revolutionen durchgebrochene massive Antiklerikalismus erschütterte schon früh den Traum von einer erneut die gesamte Gesellschaft beherrschenden Kirche. Seit 1848 fürchtete freilich nicht nur die Kirche, sondern auch das liberale Bürgertum die Revolution. Die Furcht griff um sich, daß das Aufbegehren der Unterschichten (Handwerksgesellen, Fabrikarbeiter) zu einer »roten Republik« führen könnte, wie sich dies denn auch im Aufstand der Pariser Kommune nach der Kapitulation im Deutsch-Französischen Krieg 1871 zeigen sollte.

Diese Protestbewegungen werden jetzt zumeist von einer neuen Ideologie getragen: dem **Liberalismus**. Dieser strebt staatspolitisch gegen jegliche absolutistische Staatsmacht den Schutz der persönlichen Freiheitsrechte und die verfassungsrechtliche Beschränkung der Staatsgewalt an, wirtschaftspolitisch aber den Rückzug des Staates aus dem wirtschaftlich-gesellschaftlichen Bereich sowie die Anerkennung von Gewerbe-, Handels-, Unternehmer-, Wettbewerbs- und Koalitionsfreiheit. Kronzeuge: der aufgeklärte schottische Theologe **Adam Smith** († 1790), der Begründer der klassischen **Nationalökonomie**. Smith legt in seinem moralphilosophischen Gesamtwerk[159] durchaus Gewicht auf die das Selbstinteresse zügelnden kodifizierten Normen der »Gerechtigkeit« (Leben, Freiheit, Eigentum, Vertragstreue). In seinem nationalökonomischen Hauptwerk[160] freilich propagiert Smith Gerechtigkeit und soziale Harmonie nur aufgrund eines freien Spiels von Angebot und Nachfrage, also aufgrund des uneingeschränkten ökonomischen Wettbewerbs im Rahmen des sich selbst regulierenden Marktes (»unsichtbare Hand«) – ohne alle staatlichen Eingriffe. In der Rezeption von Smiths Werk verdrängte das marktwirtschaftliche Prinzip das ethische fast völlig.

Damit hatte Smith der sich entfaltenden bürgerlichen Gesellschaft eine wissenschaftliche ökonomische Selbstinterpretation geliefert, wider Willen aber zu einer schrankenlosen Herrschaft des Privatkapitals und zum hemmungslosen Manchester-Kapitalismus beigetragen. Ein solcher bleibt zwar auf England beschränkt, überall aber setzt sich jetzt der staatspolitische und ökonomische Liberalismus durch, getragen von einem **Besitz- und Bildungsbürgertum**, das in Frankreich das politische System beherrscht, in England in dieses integriert ist und nur in Deutschland noch weithin politisch entmündigt erscheint, weil es sich dem Adel noch allzusehr anpaßt.

Doch dieses in Industrie, Handel und Finanzwesen höchst erfolgreiche gehobene Bürgertum zeigt sich gegenüber den Fragen der **Arbeiterschaft** zunehmend reserviert. Eingedenk der zerstörerischen Eigendynamik der Revolution, grenzt es sich gegenüber dem »Vierten Stand« immer mehr ab, besonders nachdem die Arbeiterschaft schon in den Revolutionen von 1848 und noch mehr in der zweiten Hälfte des 19. Jahrhunderts bei besserer Schulbildung und mehr politischen Rechten immer offensiver ihre eigenen Interessen anmeldet, einer eigenen Führung nachfolgt und auch (mit Hilfe bürgerlicher Intellektueller) eine eigene Ideologie entwickelt: den **Sozialismus**. Diese sozialistische Arbeiterbewegung ist von Anfang an freilich keineswegs einheitlich. Wenn wir hier von den vor allem französischen »utopischen« Frühsozialisten (von Saint-Simon bis Proudhon) und den Anarchisten (Bakunin) absehen, die kaum Geschichte gemacht haben, so war es, wie bekannt, der »wissenschaftliche Sozialismus« von **Karl Marx** († 1883) und **Friedrich Engels** († 1895), der die Geschichte der Arbeiterbewegung weithin prägte. Beide proklamierten schon 1848 mit ihrem **Kommunistischen Manifest**[161] die Weltanschauung eines dialektischen und historischen Materialismus, der die Theorie Adam Smiths (und dessen Nachfolger David Ricardos) kritisch aufnimmt und beansprucht, die Gesetze der Weltgeschichte jetzt auf wissenschaftlicher Grundlage ein für allemal analysiert zu haben. Die ganze Geschichte der Menschheit muß, aufgrund des ökonomischen Unterbaus, immer wieder neu als eine Geschichte von dialektischen Klassenkämpfen verstanden werden, die aber in der letzten, spätkapitalistischen Phase durch den Gegensatz von Kapital und Arbeit notwendig zur sozialistischen Revolution umschlägt, zur Diktatur des Proletariats führt und schließlich in die klassenlose Gesellschaft mündet.

Doch beherrschen die Kommunisten die Arbeiterbewegung im 19. Jahrhundert organisatorisch nur zum Teil. In England jedenfalls haben die Arbeiterparteien eine mehr pragmatische, nur im Kontinentaleuropa eine direkt ideologische Ausrichtung, insofern sie revolutionär-marxistisch oder doch auch evolutionär-demokratisch eine Beseitigung der sozialen Mißstände und eine neue gerechte Sozialordnung anstreben. Wichtiger sind oft die Gewerkschaften (sozialistischer, liberaler oder christlicher Provenienz). Schon bald wird indessen aus dem Sozialismus eine **internationale Bewegung**. Unter aktiver Beteiligung von Karl Marx wird in London 1864 die internationale Arbeiter-Assoziation, die »Erste Internationale« gegründet, die aus dem Kommunistischen Manifest die Parole »Proletarier aller Länder vereinigt euch« übernimmt. Sie wird vom Bürgertum zum Schreckgespenst stilisiert, wiewohl sie nach dem blutig niedergeschlagenen Pariser Kommuneaufstand von 1871 schon bald wieder zerfällt.

Während die europäische Geschichte bis 1870 vor allem durch den politischen Kampf des Bürgertums für freiheitlich-konstitutionelle und nationale Staatsordnungen bestimmt war, sind seither die sozialen Kämpfe der Proletarier gegen den Kapitalismus von wachsender Bedeutung. Mit anderen Worten: **Statt** nur um die **Freiheit** für das Individuum (das liberale Grundanliegen) geht es nun zunehmend um **soziale Gerechtigkeit** (das Grundanliegen des Sozialismus) und damit um eine andere, **gerechtere Gesellschaftsordnung.**

Im Juli 1889 (!) wird in Paris die »Zweite Internationale« gegründet, in der aber die orthodoxen Marxisten, die revolutionären Sozialisten und die sozialdemokratischen Revisionisten nicht nur in der Frage »Sozialreform oder Revolution«, sondern auch in der ab 1900 brisant werdenden Kriegsfrage zerstritten sind; 1914 werden sowohl deutsche wie französische Sozialisten für Kriegskredite votieren. Doch in bezug auf das Christentum muß uns noch mehr die Frage beschäftigen: Wie stehen die Kirchen zur industriellen Revolution und zur sozialen Gerechtigkeit?

Und die Kirchen?

Betrachtet man die Reaktionen der europäischen Kirchen auf den Industrialisierungsprozeß des 19. Jahrhunderts genauer – und über jedes Industrieland gibt es eine hier nicht anzuführende lange Literaturliste –, so trifft man auf eine fast unübersichtliche Lage. Denn diese ist in Großbritannien sehr verschieden von der in Frankreich, Belgien oder gar in Deutschland. Und da ist man dem evangelischen Kirchenhistoriker Martin Greschat (Gießen) dankbar, daß er es gewagt hat, zumindest für diese ökonomisch wie kulturell führenden Industrieländer die bisher üblichen nationalen und konfessionellen Grenzen der historischen Forschung zu überwinden und eine wahrhaft ökumenische, nach allen Seiten hin faire und zugleich kritische Gesamtdarstellung über die Kirchen und das industrielle Zeitalter zu bieten.[162] Greschat macht dabei deutlich,
– daß der mit der Industrialisierung gegebene Umbruch weit über den wirtschaftlichen Bereich hinaus nahezu **alle menschlichen Zusammenhänge** betrifft;
– daß der erzwungene Bruch mit seit Jahrhunderten Gewohntem und Selbstverständlichem für die Kirchen einen bis heute noch nachwirkenden **Schock** bedeutet;
– daß dieser Schock aber auch eine ganze Reihe **neuer Formen kirchlichen Handelns** auslöst, die nicht nur auf die Rückgewinnung der Arbeiterschaft zielt, deren Loslösung von der christlichen Tradition am greifbarsten war, sondern auch auf die anderen gesellschaftlichen Schichten;
– daß sich mit der industriellen Revolution **das Ganze des kirchlichen Lebens**, der Theologie und der persönlichen Frömmigkeit **verändert**.

Zugleich mit dem demokratischen Umbruch im Gefolge der Französischen Revolution sahen sich die Kirchen jetzt mit dem industriellen Umbruch konfrontiert, mit dessen Auswirkungen auf den Paradigmenwechsel des Christentums zur Moderne wir uns hier zu beschäftigen haben. Was also waren die Reaktionen der Kirchen der führenden europäischen Industrienationen auf die industrielle Revolution? Basierend auf den Ausführungen Greschats möchte ich folgende Reaktionen unterscheiden, die sich im konkreten Leben natürlich überlappen:

(1) **Wahrnehmungsblindheit**: Die meisten europäischen Kirchen brauchten lange Zeit, um die Bedeutung der industriellen Revolution überhaupt zu erfassen. Lebten sie doch allesamt im Gehäuse ihrer traditionellen Paradigmata auf sich selber konzentriert dahin. Sie wähnten sich im Besitz der unveränderlichen »ewigen« Wahrheiten, Institutionen und Positionen. Und so merkten sie zunächst nicht, daß da »draußen« eine ganz neue Welt, eben das moderne Paradigma, für Massen von Menschen bestimmend geworden war. Merkten nicht, daß sie selber hineingezogen wurden in den Sog der rasanten Entwicklung. Bischöfe der englischen Staatskirche (Mitglieder des Oberhauses) verteidigten ebenso wie die Mitglieder der römisch-katholischen Hierarchie und die Vertreter der lutherischen Staatskirche zunächst, wo immer sie konnten, die »gottgewollte« Ordnung – und die mit ihr gegebene politisch-soziale Ungerechtigkeit. Und im industriell fortgeschrittenen England brauchte es für die anglikanische Staatskirche ein eigenes »Waterloo«, um angesichts der ungeheuren Empörung in der Arbeiterschaft langsam zu einem Gesinnungswandel zu kommen. Am 16. August 1819 nämlich wird in Manchester auf dem St. Petersfeld (deshalb »Peterloo« genannt) eine riesige, disziplinierte Arbeiterdemonstration auf Weisung des Stadtrates blutig zusammengeschlagen. Mit im Rat sitzen fatalerweise auch zwei Pfarrer. Was in ländlichen Gegenden noch eine Zeitlang möglich war, erwies sich so in den dramatisch anwachsenden städtischen Ballungsgebieten zunehmend als unmöglich: die Kirche herauszuhalten aus dem gesellschaftlichen Transformationsprozeß. Aus Unkenntnis und Hilflosigkeit aber war man vielfach wie gelähmt. Noch immer mehr von Fragen des Mittelalters oder der Reformationszeit umgetrieben, fand man in den Kirchen nur schwer Zeit und Kraft, die jetzt notwendig gewordene zeitgemäße Neuinterpretation im Geist des ursprünglichen Christentums durchzuführen. In allen Paradigmen der Christenheit (im hellenistisch-byzantinisch-russischen Paradigma P II zeigte sich dies freilich erst sehr viel später) hatte man ähnliche Schwierigkeiten.

(2) **Caritas und Kirchenbau**: Es waren Untersuchungsberichte und aufrüttelnde Broschüren wie die des Heilsarmeegründers William Booth, welche den Kirchen zeigten, wie groß das Massenelend in den Industrieslums und wie weit fortgeschritten die Entchristlichung war. Dabei sollte man die zahlreichen humanitären Aktionen von Pfarrern und Gemeinden nicht als soziale Alibimaßnahmen abqualifizieren: all das gerade auch in England hochkommende Engagement für Suppenküchen, Niederlassungen von Sparkassen und Organisation vielfältiger Hilfsvereine, für Arbeitsschutz von Frauen und Kindern und Reformen im Wohnungsbau,

Gesundheits- und Gefängniswesen (oder wie später in Deutschland für Siedlungswerk und Arbeiterschutzgesetzgebung). Es ging um durchaus neuartige soziale Aktionen aus christlicher Verantwortung, die nicht wenigen Menschen in ihrer verzweifelten Lage geholfen haben. Aber zuzugeben ist auch: Die bestehende Gesellschaftsordnung wurde durch diese Aktionen nicht grundlegend verändert, ja, sollte auch nicht grundlegend verändert werden. Denn an der Gerechtigkeit der bestehenden Gesellschaftsordnung hatte man weder in den Kirchen Großbritanniens noch des europäischen Kontinents ernsthafte Zweifel. Ja, nachdem die schlimmsten sozialen Mißstände abgestellt worden waren, meinte man, sich um grundlegendere Strukturreformen nicht weiter kümmern zu müssen. War der Bau von Kirchen und Kapellen, mit dem man gegen die Entfremdung der Arbeiterschaft von der Kirche und dem drastisch zurückgegangenen Gottesdienstbesuch anzukommen hofft, nicht wichtiger? Mit dem Kirchenbau verband man zur Erziehung des Volkes vielfach den Bau von Schulen – oft mit bester Absicht im Sinne paternalistischer bürgerlicher Betreuung.

(3) **Kirchliche Vereinigungen**: Typisch für die Kirche des 19. Jahrhunderts in den Industriestaaten wurde das durch die Menschenrechtserklärung ermöglichte Assoziationsmodell: Immer mehr kirchliche Vereinigungen Gleichgesinnter, zumeist Laien (oft unter Leitung von Geistlichen), gibt es nun mit religiös-sozialpolitischen Zielsetzungen, mehr oder weniger reglementiert, in der Form von Assoziationen, Kongregationen, Vereinen und Verbänden. Durch diese Vereinigungen sollte den Menschen in ihrer Not geholfen und zugleich sollten die entfremdeten, ausgeschlossenen oder ausgewanderten Gruppen durch Selbstorganisation wieder in die Kirche integriert werden. Besonders in Deutschland begann sich ein reiches katholisches Vereinswesen zu entwickeln (Pius-, Vinzenz-, Bonifatiusvereine); der katholische »Volksverein« schließlich vermochte sich mit einer Fülle von Initiativen religiöser, sozialer und indirekt politischer Art höchst effektiv zum größten katholischen Verein der Welt herauszubilden.

Doch bei allen sozialpolitischen Reformvorschlägen der Kirchen ging es auch hier zuallermeist um die Einordnung des Proletariats in die alte, ständisch geordnete Gesellschaftsstruktur. Dies gilt auch für **Wilhelm Emmanuel Ketteler**, der mit seinen Adventspredigten in Mainz 1848 die soziale Frage auf die Agenda des deutschen Katholizismus setzte und der, seit 1850 Bischof von Mainz, die Kirche öffentlich zum Anwalt der armen und notleidenden Unterschichten werden ließ. Das gilt auch für den ökumenisch gesinnten **Johann Hinrich Wichern**, der im deutschen Protestantismus die »Innere Mission« initiierte und so eine zeitgemäße Antwort der

Kirche auf die neuen sozialen Herausforderungen zu geben versuchte. Denn bei allen Reformen sozialer kirchlicher Praxis: Das Selbstverständnis von Kirche, ihrer Wahrheit und Ordnung, blieb von all dem unberührt. Reformen werden nur im Akzidentellen, Äußerlichen, in den Mitteln und Formen zugelassen, nicht aber in Wesen und Substanz. Doch zeigte sich im Wandel der Geschichte immer mehr, daß in den Kirchen keine Übereinstimmung mehr bestand über das, was Wesen und Substanz des Christentums ist. Der fortschreitenden Erosion an den Rändern entsprach die Aufspaltung im Inneren beziehungsweise der Kampf für die Einheit.

So wurde denn die soziale Bewegung im deutschen Katholizismus schließlich überspielt von den Auseinandersetzungen über die Definition der **päpstlichen Unfehlbarkeit 1870**, deren Opportunität Ketteler ebenso heftig und ebenso erfolglos bekämpfte wie der Großteil des deutschen und französischen Episkopats und die denn auch zur Abspaltung der Altkatholischen Kirche und zur Modernismus-Krise führte. Und doch ging es auch Ketteler und dem deutschen Episkopat strategisch bei ihrem Engagement von Anfang an primär um die Kirche, um die Freiheit, Unabhängigkeit und Selbständigkeit der katholischen Kirche gegenüber dem absolutistischen Staat (und dem protestantischen Preußen) und deshalb um die Sammlung und Mobilisierung der Gläubigen – und erst sekundär um Sozialpolitik. Die innerkirchlichen und staatskirchlichen Fragen – Papst und Kirchenstaat vor allem – überschatteten in der Zeit des Vatikanum I wieder die gesellschaftlichen Probleme, die Frage nach der Unfehlbarkeit des Papstes überlagerte die Frage nach dem Sozialen.

So wundert es nicht, daß es zu einer ersten **lehramtlichen Soziallehre** erst kommen konnte, als der Kirchenstaat endlich untergegangen und der reaktionäre Unfehlbarkeitspapst Pius IX. gestorben war. Während das Kommunistische Manifest von Marx und Engels schon im Jahre 1848 verkündet wurde, wird erst 1892 die erste Sozialenzyklika eines Papstes veröffentlicht, **Leos XIII.**, der schon vorher die konservativen französischen Katholiken zur Versöhnung mit ihrer Republik förmlich gedrängt hatte. Titel: »Rerum novarum cupidi« (»Nach Neuheiten Gierende«).[163] Kritisch nach allen Seiten bejaht die Enzyklika gegen den Liberalismus die regulierende Staatsintervention sowie gegen den Sozialismus das Privateigentum. Ja, zum erstenmal entwickelt dieser Papst in der Nachfolge Kettelers und französischer Sozialkonservativer eine offizielle »kirchliche Soziallehre«, die sich freilich erneut (wie dann auch noch die zweite Sozialenzyklika »Quadragesimo anno« Pius' XI., 1931!) am rückwärtsgewandten Leitbild einer »berufsständischen Ordnung« (P III!) unter bestimmendem Einfluß der Kirche orientierte.

(4) **Neuinterpretationen des Christentums:** Natürlich gab es mit der Zeit in allen Industrieländern soziale Reformen; die Frage für Christen war nur, wie weit sie gehen durften. Impulse der Aufklärung aufnehmend, versuchten zumeist Einzelne oder kleine Gruppen, das Christentum im Hinblick auf die Erfordernisse des Industriezeitalters nicht nur zu adaptieren, sondern neu zu definieren und zu praktizieren. Zumeist geschah dies im Sinn einer konkreteren Zuwendung zu der so schnell und stark sich verändernden diesseitigen Welt, der in ihrer sozialen Not unbedingt geholfen werden sollte. Man denke etwa an **Robert Owens** Genossenschaftsinitiative oder an **William Lovetts** Chartistenbewegung für ein allgemeines Wahlrecht. Doch war mit diesen theoretisch-praktischen Neuinterpretationen bei der vielgestaltigen gesellschaftlichen Wirklichkeit beinahe notwendig ein Pluralismus in kirchlicher Ordnung, Theologie und Frömmigkeit gegeben, der im Protestantismus – im Kampffeld zwischen aufgeklärt-rationalen Vertretern von Freiheit, Gerechtigkeit, Brüderlichkeit (P V) und biblizistisch-orthodoxen Gegnern der Revolution (P IV) – leicht zur Bildung weiterer, unter sich verschiedener und sich oft gegenseitig ausschließender Parteiungen, Gruppen und Grüppchen führte. Verkündigung des Evangeliums oder Sozialarbeit – was ist das wahre Christentum? Bisweilen wurde dieser Reflexionsprozeß geradezu als Auflösung des Christentums angesehen statt als Ausdruck der Kraft eines Glaubens, der auch in einer so veränderten gesellschaftlichen Wirklichkeit sich wieder neu auszugestalten suchte.

Eines mußte jedoch bedenklich stimmen: Wo immer es im 19. Jahrhundert zu Neuanfängen und geistigen Aufbrüchen kam – das gilt nicht nur für den wenig staatsfrommen römischen Katholizismus, sondern auch für Protestantismus und Anglikanismus, die sich zum Teil noch mehr an Staat und Monarchen anlehnten –, da wurden sie von den Kirchenleitungen beargwöhnt, gebremst und oft unterdrückt. Warum? Einheit und Geschlossenheit der Kirche erschien in stürmischer Zeit mehr denn je als höchstes Gut, welches die Ausgrenzung aller anderen Auffassungen als der offiziellen zu verlangen schien. Daß mit solchen innerkirchlichen Auseinandersetzungen um das wahre Christentum unendlich viel Kraft vergeudet wurde, die man dringend für die glaubwürdige Verkündigung des Evangeliums und entsprechende Praxis in der Welt gebraucht hätte, zeigte sich besonders deutlich in Konfrontation mit jener neuen Bewegung in der Arbeiterschaft, der weithin die Zukunft gehörte:

(5) **Konfrontation mit dem Sozialismus:** Testfall für alle Kirchen in den Industriegesellschaften bildete zunehmend die Einstellung nicht nur zum Liberalismus, sondern zum **Sozialismus**, ob dieser nun marxistisch-

revolutionär (kommunistisch) oder sozialdemokratisch-evolutionär (revisionistisch) geprägt war. Natürlich war der mit dem Marxismus verbundene Atheismus für die Kirchen nicht akzeptabel; doch hätte gerade dieser Atheismus, weil er (wie ich anderswo ausgeführt habe[164]) von den Kirchen weithin selber produziert worden war, durchaus Anlaß zur kritischen Selbstreflexion sein können. Doch an theologischer Selbstkritik war man ebensowenig interessiert wie an »revolutionären« praktischen Aktionen.

Zwar hatten etwa die Nonkonformisten **Englands** am Anfang noch entschieden eine sozialpolitische Initiative wie die für die Ärmsten der Armen wichtige »Liga gegen die Getreidegesetze« (»anti-corn-league« 1836) mitgetragen. Aber auch sie hatten sich später immer mehr angepaßt, haben ihren kirchlichen Charakter (sie waren ja jetzt zumeist »Freikirchen«), die Autorität ihres geistlichen Amtes gegenüber den Laien und auch die Ordnung im Staat betont, was die Übernahme kapitalistischer Methoden durch aufgestiegene Gemeindeglieder leichter rechtfertigen ließ. Alles in allem auch hier keine wirkliche Strukturreform, sondern schließlich eine Anpassung an die Bedürfnisse des oberen Mittelstandes, die zu einer Domestizierung und Verflachung des englischen Nonkonformismus führte.

Auch in **Deutschland** haben sich die Kirchen so weit von der Arbeiterschaft entfernt, daß die zwischen 1850 und 1875 unter Ferdinand Lasalle, Wilhelm Liebknecht und August Bebel heranwachsende Arbeiterpartei mit den Kirchen von vornherein nichts zu tun haben wollte. Dazu kam, daß atheistische und materialistische Denkweisen bedrohlich um sich griffen; zahlreich die Autoren, welche die Ergebnisse sowohl der inzwischen ausgebauten kritischen Geschichtswissenschaft wie der florierenden exakten Naturwissenschaft gegen Kirche und Christentum ausbeuteten. Man denke nur an Darwins Evolutionstheorie, die zuerst in England und dann in ganz Europa wegen ihres Widerspruchs zum biblischen Schöpfungsbericht und wegen ihrer angeblichen Herabwürdigung des Menschen eine Schockwirkung sondergleichen hervorrief.

Es läßt sich ja auch nicht bestreiten: Wiewohl sich zumindest in der deutschen protestantischen Theologie die orthodoxe Hochflut jetzt zurückbildete und man sich unter dem Eindruck der modernen Geschichtswissenschaft freieren theologischen Anschauungen zuwandte, politisch-religiös gesehen ging es den meisten Führern der offiziellen Kirchen noch immer zunächst um die Kirche. Konkret: Bei allen Bestrebungen zur inneren Erneuerung und gesellschaftlichen Aktion konzentrierte man sich primär darauf, die der Kirche Entfremdeten durch ein kirchliches **Rechristianisierungsprogramm** wieder in die alte ständisch-korporative Gesellschaftsordnung zu reintegrieren (gegen den modernen Parteienstaat die

Erneuerung der Berufsstände und Forderung von Ständeparlamenten[165]). So sollte die Kirche alle sozialen Schichten und Stände in Harmonie zusammenhalten und geistig prägen durch eine Gesinnung der Liebe und des gegenseitigen Dienstes. Und obwohl man bei diesem idealistischen Rechristianisierungsunternehmen unter Bürgertum wie Proletariat Mißerfolg um Mißerfolg erlebte und kaum gegen die religiöse Gleichgültigkeit, gegen die Ablehnung der Kirche, gegen Agnostizismus und Atheismus ankam: Man wollte nicht einsehen (und der Papst am Ende des 20. Jahrhunderts, der, wie wir hörten, erneut von einer »Reevangelisierung« = »Rekatholisierung« Europas träumt, hat es immer noch nicht begriffen), daß es sich bei einer solchen Politik der Reintegration in ein früheres Paradigma (ob P III oder P IV) um Selbsttäuschung handelt.

Insofern kann ich Martin Greschats Schlußfolgerung nur zustimmen: »Dieser theoretische und faktische Gegenentwurf gegen die Moderne, der in umfassender Weise vom Katholizismus entfaltet und in pragmatischer Hinsicht ebenso vom Protestantismus getragen und mitverantwortet wurde, beharrte also im wesentlichen darauf, daß die Kirche bei sich selbst bleiben müsse, daß sie sich auf ihr in der Offenbarung gegründetes Wesen zu konzentrieren habe: um von diesem Ursprung her die Gesellschaft mit ihrem Geist zu durchdringen und zu leiten.« Und dies bedeutete: »Die Kirchen akzeptierten im Grunde höchstens partiell, niemals grundsätzlich die Realität des gesellschaftlichen Wandels, also die moderne Welt. Sie sahen wohl die ganze Welt davon betroffen, aber nicht sich selbst. Diese Abständigkeit von der Wirklichkeit gab den Kirchen auf der einen Seite überall den Mut und das gute Gewissen, sich weiterhin als über den Parteien, über allen Gegensätzen stehend zu begreifen. Die gleiche Tatsache begründete dann freilich auch in einem erheblichen Ausmaß die wachsende Wirkungslosigkeit dieser Theologie und dieses Mutes innerhalb der modernen europäischen Industriegesellschaft.«[166]

Daß die von offizieller Kirche und Theologie vertretene traditionelle Auffassung, die Gesellschaft müsse sich im Entscheidenden von der Kirche her bestimmen lassen, nicht mehr tragfähig war, zeigte sich vielleicht nirgendwo deutlicher als in dem, was man fälschlich verkürzt die »Frauenfrage« nennt.

Die neue Situation der Frau

Blickt man auf die analysierten revolutionären Schübe der modernen Zeit zurück, so macht man bezüglich der Situation der Frau folgende Beobachtungen:

(1) Die **philosophische Revolution** und die aus ihr folgende Atmosphäre der Vernünftigkeit ist zweifellos dafür verantwortlich, daß der auch noch im reformatorischen Paradigma virulente Hexenwahn, von dem wir ausführlich berichtet haben, sich im Laufe des 17./18. Jahrhunderts auflöste. Zugleich gab es seit dem 17. Jahrhundert in gehobenen Schichten, ausgehend von Frankreich, »femmes savantes«, hochgebildete Frauen, die zu Leitbildern für Adel und Bürgertum wurden; Salons solcher Damen bildeten Treffpunkte der kulturellen Intelligenz. Doch über die wirkliche Gleichrangigkeit von Mann und Frau in Theorie und Praxis besagt das noch wenig. Und wie fest zementiert das traditionelle Rollenverständnis war, zeigt die Tatsache, daß selbst die **intellektuelle** philosophische oder literarische **Elite** daran kaum etwas änderte (manche wie Descartes, Spinoza, Leibniz und Kant waren ja auch unverheiratet). Für Kant verkörpert die Frau vor allem »das Schöne«, der Mann dagegen »das Erhabene«; »mühsames Lernen oder peinliches Grübeln« würden »die Reize schwächen, wodurch sie (die Frauen) ihre große Gewalt über das andere Geschlecht ausüben«[167]. Selbst für Rousseau, der mit seinem Erziehungsroman »Émile« so sehr die Erziehungstheorien der Folgezeit beeinflussen sollte, ist das Mann-Frau-Verhältnis eine Herrschaftsbeziehung; nur so viel Bildung brauche die Frau, wie dies dem Mann gefalle. Und Friedrich Schiller – darin von Goethe kaum unterschieden – wies in seinem berühmten, im Bürgertum des 19./20. Jahrhunderts so ungemein wirkungsvollen »Lied von der Glocke« der Frau ein für allemal die Rolle im stillen Innenraum des »Hauses« zu, während er den Mann allein »ins feindliche Leben« hinausschickte. Aus den in dieser Zeit nun entstehenden Zeitungen, Zeitschriften und dem Theater können die Frauen sich immerhin eine gewisse moderne Bildung aneignen.

Es war die frühe **romantische Bewegung**, die hier **Gegenakzente** setzte, die Geschlechterrollen neu bestimmte, die Einheit von Geistigkeit und Sinnlichkeit in der Liebe voll bejahte und die geglückte Beziehung zwischen Mann und Frau in freier Selbstverwirklichung als Voraussetzung für ein erfülltes Leben erkannte. **Friedrich Schlegel** ist hier zu nennen, aber auch **Friedrich Schleiermacher**, der wie kein anderer Theologe die Theologie der Geschlechter vorangebracht und die Bedeutung des Zusammenwirkens männlicher und weiblicher Kräfte in der christlichen Gemeinde betont hat. Doch die Schwäche all der romantischen Neuansätze, die in der Atmosphäre der Restauration im öffentlichen Leben ohnehin kaum zum Tragen kamen, liegt auf der Hand: Die ökonomischen und rechtlichen Lebensbedingungen der Masse der Frauen in der heraufkommenden Industriegesellschaft blieben im Dunkeln. Auch das umfangreiche Werk von **Johann Jakob Bachofen** »Das Mutterrecht« (1861)[168], das an Schlegel anknüpft und eine vorstaatliche mutterrechtliche Gesellschaftsform meint historisch aufweisen zu können, abgelöst erst später durch eine Periode des Vaterrechts (Patriarchat), war keineswegs als eine Unterstützung der rechtlich-politischen Emanzipation der Frau gedacht. Was immer von der Hypothese eines frühen Matriarchats in diesem aus verschiedenen Gründen viel angefeindeten Buch zu halten ist: Erst sehr viel später wurden sich Kulturhistoriker und Kulturphilosophen bewußt, wie sehr die Frau in den vergangenen Jahrtausenden (selbst in der Bibel!) gegenüber dem Mann hintangesetzt, ja wie oft sie instrumentalisiert und dominiert worden war.

(2) Die **politische Revolution** brachte sowohl in Amerika wie in Frankreich die Erklärung der **Menschenrechte**, die »eigentlich« auch die Frauen hätte umfassen sollen. Doch wurden diese Menschenrechte – da im Englischen wie im Französischen »homme« / »man« sowohl »Mensch« wie »Mann« heißen kann! – schon bald als reine Männerrechte gedeutet, insbesondere was das Wahlrecht, das Eigentums-, Koalitions- und Rederecht betraf. Dabei hatten doch in der Französischen Revolution engagierte Frauen in den neu entstehenden revolutionären Frauenvereinen unter der Führung von Olympe de Gouges und Rosa Lacombe schon 1791 eine eigene »Erklärung der Rechte der Frau und Bürgerin« verfaßt und dort in Art. 10 etwa das Recht auf Redefreiheit gefordert mit der Begründung: »Die Frau hat das Recht, das Schafott zu besteigen. Sie muß gleichermaßen das Recht haben, die (Redner-) Tribüne zu besteigen« (in England forderte zum erstenmal 1792 Mary Wollstonecraft die Bürgerrechte der Frau).[169] Doch der ganz und gar männlich dominierte Nationalkonvent in Paris verurteilte solche Bestrebungen. Man wollte zwar den König des Landes loswerden, den König im Haus aber keineswegs entthronen. So hielt man an der rechtlichen Abhängigkeit der Frau vom Mann, Vater oder Ehemann, fest und gestand den Frauen nur indirekte Bürgerrechte zu.

So mußten denn die Frauen weitgehend bis zum Ende des Ersten Weltkrieges warten, bis ihnen die führenden Industrieländer das Wahlrecht – die Hauptforderung der frühen Frauenbewegung – zugestanden: noch vor dem Krieg Neuseeland (schon 1893), Finnland, Norwegen und Dänemark, dann 1917 die Niederlande und die Sowjetunion, 1919 Deutschland, 1920 die USA, 1928 Großbritannien (Frankreich wird erst 1944 und die Schweiz 1971 folgen!). Aber man beachte: Auch die verfassungsmäßige Fixierung der Gleichberechtigung brachte selbstverständlich noch längst nicht die Gleichrangigkeit im familiären und beruflichen Bereich und oft auch noch nicht einmal die aktive Mitarbeit einer größeren Zahl von Frauen in Parteien, Parlamenten und Regierungen – vom Rechts- und Erziehungswesen sowie der Industrie ganz zu schweigen.

(3) Die **industrielle Revolution** hatte aber schon im 19. Jahrhundert die Stellung der Frau bereits tiefgreifender verändert als alle früheren geschichtlichen Entwicklungen, freilich zunächst mehr negativ. Es waren die neuen technologischen Bedingungen der Produktionsprozesse, welche eine Teilnahme der Frauen am Arbeitsprozeß notwendig machten. Spinnen, Stricken, Wirken, Sticken, Weben, aber auch andere Aufgabenbereiche verlagerten sich völlig ungeplant außer Haus, in die Fabriken und in die Städte. Viele Frauen verloren so häusliche Aufgaben, Erwerbsquellen und Mitsprache und wurden bei wachsendem Arbeitskräftebedarf zu billigeren und in manchem geschickteren Konkurrentinnen der Männer im Erwerbsleben. Gerade so aber gerieten sie in ein neues Abhängigkeitsverhältnis und oft in krasse Not, während die Familie als Lebens- und Arbeitsgemeinschaft zerfiel.

Gleichzeitig begannen jedoch auch die Bestrebungen zur Gleichstellung der Frau gegenüber dem Mann. Es waren allerdings nicht die Kirchen, die hier vorangingen, sondern Liberale und besonders **Sozialisten**, welche die Situation der Frau unter den Produktionsbedingungen einer Industriegesellschaft grundsätzlich reflektierten, scharf analysierten und mit einer leidenschaftlichen Kritik an der bürgerlichen Gesellschaft verbanden. So ist es kein Zufall, daß schon in das **Kommunistische Manifest** von 1848 auch ein Abschnitt über die Situation der Frau aufgenommen wurde. Auf den Vorwurf aus der bürgerlichen Gesellschaft, die Kommunisten wollten die »Weibergemeinschaft« einführen, antworten Marx und Engels in ihrem Dokument mit aller Schärfe: »Der Bourgeois sieht in seiner Frau ein bloßes Produktionsinstrument. Er hört, daß die Produktionsinstrumente gemeinschaftlich ausgebeutet werden sollen, und kann sich natürlich nichts anderes denken, als daß das Los der Gemeinschaftlichkeit die Weiber gleichfalls treffen wird. Er ahnt nicht, daß es sich eben darum handelt, die Stellung der Weiber als bloßer Produktionsinstrumente aufzuheben. Übrigens ist nichts lächerlicher als das hochmoralische Entsetzen unserer Bourgeois über die angebliche offizielle Weibergemeinschaft der Kommunisten. Die Kommunisten brauchen die Weibergemeinschaft nicht einzuführen, sie hat fast immer existiert. Unsere Bourgeois, nicht zufrieden damit, daß ihnen die Weiber und Töchter ihrer Proletarier zur Verfügung stehen, von der offiziellen Prostitution gar nicht zu sprechen, finden ein Hauptvergnügen darin, ihre Ehefrauen wechselseitig zu verführen. Die bürgerliche Ehe ist in Wirklichkeit die Gemeinschaft der Ehefrauen. Man könnte höchstens den Kommunisten vorwerfen, daß sie an der Stelle einer heuchlerisch versteckten eine offizielle, offenherzige Weibergemeinschaft einführen wollten. Es versteht sich übrigens von selbst, daß mit der Aufhebung der jetzigen Produktionsverhältnisse auch die aus ihnen hervorgehende Weibergemeinschaft, d. h. die offizielle und nichtoffizielle Prostitution, verschwindet.«[170]

Darum also ging es Marx und Engels, der Gedanken L. H. Morgans und Bachofens aufnahm und nachdrücklich die Möglichkeit der Ehescheidung ohne Ehescheidungsprozeß verteidigte: Die Stellung der Frau als ein »bloßes Produktionsinstrument« radikal zu verändern und ihr unter den Bedingungen einer arbeitsteiligen Industriegesellschaft gleiche Rechte und eine gleiche Würde wie dem Mann zukommen zu lassen.[171] Der zentrale Gedanke der sozialistischen Interpretation der Frauenemanzipation war dabei: Die revolutionäre Befreiung des Proletariats bringt gleichsam von selbst auch die Befreiung der Frau. So konnte man es auch im Buch von August Bebel (1840-1913) über »Die Frau und der Sozialismus« (1883)[172] nachlesen, das mit seinen Dutzenden von Auflagen die Haltung der Sozialisten und Kommunisten zur Frauenfrage künftig prägen sollte. Aber auch im Kontext des Sozialismus einschließlich der Sozialdemokratie dauerte es lange, bis man Illusionen über eine Gleichzeitigkeit von Sozial- und Geschlechterrevolution verloren hatte. Waren doch auch die »Herren« Sozialisten (bis in die Studentenbewegung der 68er Zeit hinein) rasch bei der Hand, die gesellschaftliche Ausbeutung zu geißeln, ohne die Ausbeutung in der eigenen Familie mitzuthematisieren.

Natürlich wurde auch von **nichtsozialistischer** Seite die Frauenemanzipation vorangetrieben. So fand schon im Jahr 1848 in den USA ein Frauenkongreß statt, der die Anerkennung der Frauen als gleichberechtigte Bürgerinnen forderte. In Großbritannien begann die politische Emanzipationsbewegung nach 1860. Es war der Philosoph John Stewart Mill, der 1867 im britischen Parlament den ersten Antrag auf Verleihung des aktiven Wahlrechts für Frauen stellte. In Deutschland wurde 1865 der Allgemeine Deutsche Frauenverein gegründet, der sich vorwiegend mit Fragen der Frauenarbeit und Frauenbildung beschäftigte; auch Bürgertöchter standen jetzt vielfach unter dem Druck zur Erwerbsarbeit und drängten in die höheren Bildungsanstalten. Uns aber interessiert hier programmgemäß mehr die Frage nach dem Christentum: Wie haben Theologie und Kirche auf die neue Situation für Frauen im 19. Jahrhundert reagiert?

Haben die Kirchen die Frauenemanzipation gehemmt oder gefördert?

Zumindest dreierlei dürfte allgemein feststehen:

– Die in verschiedenen Ländern zu verschiedenen Zeiten aufbrechenden vielfältigen Frauenbewegungen fanden am Anfang auch in den Kirchen kaum Unterstützung.

– Gerade auch das Kommunistische Manifest von 1848 zeigte in den ersten Jahrzehnten in den Kirchen kaum Wirkungen; die berufstätige Frau entsprach nicht dem traditionellen christlichen Leitbild.

– Die mit großer Verspätung einsetzenden kirchlichen Bemühungen um Frauenemanzipation erreichten kaum die Schicht der Industriearbeiterin, sondern blieben auf das bürgerliche Milieu beschränkt.

Während es jedoch im Rahmen früherer Paradigmen noch leichter war, über Stellung und Rolle »der« Frau zu reden, so ist dies im Rahmen des modernen Paradigmas bei der Vielgestaltigkeit der nationalen Verhältnisse beinahe unmöglich. Am einheitlichsten ist die Situation noch in den **katholisch-romanischen Ländern**, wo die römische Kirchenleitung ihren Widerstand gegen die Moderne recht effektiv auch auf die Emanzipationsbestrebungen der Frauen ausdehnte. Auch der im Vergleich zu seinem Vorgänger aufgeschlossenere Papst Leo XIII. fühlte sich gedrängt, noch 1885 in der Enzyklika »Immortale Dei« unter wörtlicher Zitation Augustins (vgl. P III) »den Mann zum Vorgesetzten des Weibes« zu erklären: Unterworfen seien die Frauen »in keuschem und treuem Gehorsam ihren Männern, nicht zur Befriedigung der Wollust, sondern zur Fortpflanzung des Menschengeschlechtes und zum gemeinsamen Leben in der Familie«[173]. Zwar verurteilte derselbe Papst dann in seiner bereits zitierten Sozialenzyklika »Rerum novarum« (1891) nicht nur allgemein die maßlose Ausbeutung der Arbeiter durch Arbeitgeber, welche die Menschen wie Sachen behandeln, sondern auch die Schwerstarbeit für Kinder und Frauen. Aber begründet wird dies damit, daß das weibliche Geschlecht »geboren« sei »für die häuslichen Arbeiten«, die eine »kräftige Schutzwehr der weiblichen Würde« darstellten und »naturgemäß günstig für die Kindererziehung und das Gedeihen der Familie« seien.[174]

Gebunden an die antik-mittelalterliche Naturrechtslehre (vgl. P III) sehen so auch die Päpste der Folgezeit noch bis Pius XII. die Frau ausschließlich von ihrer »natürlichen Veranlagung« als Mutter her, die sie nun einmal an Familie und Herd binde. So vermögen sie gar nicht wahrzunehmen, worin die durchgehende Benachteiligung, oft Unterdrückung der Frau aufgrund der Vorrangstellung des Mannes besteht und was die eigentliche Herausforderung der Moderne ausmacht. »Aus historisch entwickelten Rollenverhältnissen und biologischen Fakten leitete eine neuscholastisch orientierte Wesens- und Naturrechtsphilosophie ›das Wesen der Frau‹ ab und machte dieses wiederum zum normativen Bestimmungsgrund für weibliches Verhalten«, so stellt der katholische Sozialethiker Stephan Pfürtner fest und sieht den Grund für dieses in der Praxis höchst verderbliche Theoriedefizit in der »unzureichenden Kommunikation von Theologie und Kirchenleitung mit den damaligen kritischen Bewegungen in Kirche und Gesellschaft«: »Die emanzipatorisch wegweisenden Ideen aus der bürgerlichen und sozialistischen Frauenbewegung wurden im Katholizismus kaum ernst genommen oder weitgehend abgewehrt.«[175] Eine Wende sollten in der Tat erst **Johannes XXIII.** mit der Enzyklika »Pacem in terris« (1963!) und das Zweite Vatikanische Konzil bringen, was auch für die katholischen Frauenbünde sich befreiend auswirkte, wenngleich die (zunächst unentschiedene, dann negativ entschiedene) Frage der Empfängnisverhütung sich als eine Dauerbelastung erwies und als ein Grund zur Auswanderung von Millionen Frauen aus der Kirche.[176]

Die Situation der Frau in den **modernen protestantischen Ländern** ist sehr viel komplexer, wird aber in der neuesten Forschung zunehmend historisch aufgearbeitet – gegen alles Verschweigen der Rolle der Frauen auch in der protestantischen Kirchengeschichte. 1985 wählte denn auch jener in den USA erschienene Sammelband zum Thema »Women in Protestant History« den Titel »Triumph Over Silence«.[177] Dies gilt auch für den deutschen Raum, auf den wir uns hier aus Platzgründen beschränken müssen, der aber doch in vieler Hinsicht für protestantische Länder exemplarische Bedeutung haben dürfte.[178]

Impulse von einzelnen emanzipierten Frauen zu Beginn des 19. Jahrhunderts, einer Rachel von Varnhagen-Levin, Karoline von Günderrode oder Bettina von Arnim-Brentano, wurden zunächst kaum beachtet, ja trafen innerkirchlich eher auf Reserve und Kritik. So war es kein Wunder, daß sich Vertreterinnen der frühen Frauenbewegung in Deutschland vor 1848 (Fanny Lewand, Malwida von Meysenburg, Luise Otto) wie auch der späten Frauenbewegung (vor allem Helene Lange, die Vorsitzende des neugegründeten »Bundes deutscher Frauenvereine« 1894) von der Kirche abwandten: »Vom Christentum enttäuscht, fanden die meisten nie wieder den Weg in eine christliche Gemeinschaft zurück.«[179]

Und doch ging die Frauenbewegung an den protestantischen Kirchen nicht spurlos vorüber. Kirchlich gebundene Frauen wurden erst aktiver mit Entstehung und Ausbau der **protestantischen Diakoniebewegung** (neben dem genannten Hinrich Wichern führend vor allem Theodor Fliedner und Wilhelm Löhe). Diese verschaffte Frauen nicht nur in

Anknüpfung an frühchristliche Gemeindemodelle ein kirchliches Amt (Diakonin); sie bot auch Mädchen aus sozial geschwächten und durch den Industrialisierungsprozeß verarmten Familien Aufgaben, in denen sie ihre Fähigkeiten ausbilden und auch als Unverheiratete Verantwortung übernehmen konnten. Männer und Frauen konnten in solchen freien Vereinen zusammenarbeiten, ohne das übliche Über- und Unterordnungsschema. Nicht zuletzt Schleiermacher und sein Verständnis von Religion standen im Hintergrund, wo es um ein Kirchenverständnis ging, das dem Zusammenwirken von Mann und Frau einen wichtigen Platz zuwies.

Doch selbst in den Diakonissen-Gemeinschaften haben protestantische Männer-»Hierarchen« den Vorrang des Mannes in wichtigen Entscheidungen und in der Vertretung nach außen mit rechtlichen Mitteln zu wahren gewußt. Einflüsse aus den von Priester-Männern dominierten katholischen Frauenkongregationen sind dabei durchaus zu spüren. Unter diesen Umständen wurde jegliches Interesse der Diakonissen (und der vielen Pfarrfrauen) an der Gleichberechtigung der Frau in der Gesellschaft von vornherein unterbunden. Zunächst nur auf karitative Aufgaben beschränkt (»Verein für Armen- und Krankenpflege«, 1832 in Hamburg, gegründet von Amalie Sievekink), setzte sich diese innerprotestantische Frauenbewegung nach der Revolution von 1848 auch dafür ein, daß Mädchen und Frauen Schul- und Berufsausbildung erhielten, um für gesellschaftlich-staatliche Funktionen vorbereitet zu sein. Es war die dem Christlichen Sozialismus nahestehende Ökonomin Dr. Elisabeth Gnauck-Kühne, die dann auf einem evangelisch-sozialen Kongreß 1895 für die Frauen statt Barmherzigkeit Gerechtigkeit forderte und viele Männer zum Umdenken brachte.

Die neuere Geschichte von Frauen, die als Christinnen in Deutschland gesellschaftliche Verantwortung erstrebten, war nun allerdings bis in allerneueste Zeit viel zu wenig erforscht, zumal aus der Perspektive von Frauen selbst. Im Institut für ökumenische Forschung der Universität Tübingen wurde deshalb – wir haben im Zusammenhang der Kirchenväterzeit (P II) schon darüber berichtet – im Rahmen des **Forschungsprojekts »Frau und Christentum«** nicht nur die Situation der Frau in den ersten vier christlichen Jahrhunderten, sondern auch die Situation von Christinnen im 19. und 20. Jahrhundert erforscht. Eine Studie, vorgelegt von der Historikerin Doris Kaufmann, ist das Ergebnis dieser Forschungen: »Frauen zwischen Aufbruch und Reaktion. Protestantische Frauenbewegung in der ersten Hälfte des 20. Jahrhunderts«[180]. Diese Studie hat gerade für unsere Frage wichtige Ergebnisse zutage gefördert, auf die ich hier hinweisen möchte. Denn insbesondere für die Geschichte der evangelischen Frauen bewährte sich ein Absehen von vorherrschenden Denkrastern, wie zum Beispiel die Unterteilung der Gesellschaft in einen öffentlichen und einen privaten Bereich, wo der erste als Wirkungsstätte der Männer, der zweite als Wirkungsstätte der Frauen gedacht wird. Gerade im Rahmen der Kirche kam es nämlich – und das ist ein wichtiges Forschungsergebnis des Projektes – zu vielfältigen Grenzüberschreitungen dieser als getrennt gedachten Bereiche und zum »Eindringen« von Frauen in den »öffentlichen Männerraum Kirche«. Das gilt gerade für den 1899 gegründeten **Deutsch-Evangelischen Frauenbund**, der als soziale Bewegung, eingebunden in sein zeitgenössisches Umfeld, Hauptgegenstand der Forschung von Doris Kaufmann wurde.

Gezeigt werden konnte: Unter Bezugnahme auf eine eigene Auslegung der biblischen Anthropologie der Geschlechter und deren Aufgabenbestimmung kämpften die Frauen in dieser Organisation um neue Bewegungsräume und Kompetenzen in kirchlichen Institutionen und evangelischen Großorganisationen (z. B. Innere Mission und später auch Weltmission) – und dies **gegen** nicht unerhebliche **innerprotestantische und kirchliche Widerstände**. Unverdrossen forderten sie das kirchliche und kommunale Stimmrecht sowie bezahlte Tätigkeit in der gemeindlichen Sozialarbeit. Doch auch gesamtgesellschaftlich versuchten diese evangelischen Frauen, das (Macht-)Verhältnis der Geschlechter zu ändern, indem sie die herrschenden sittlichen Normen in der Frage der Prostitution unter Bezugnahme auf die Forderungen des Evangeliums angriffen.

So hat denn diese (parteipolitisch eher konservative!) protestantische Gruppe, der es durchaus um eine umfassende Neubestimmung des Platzes der Frauen im Staat ging, vor dem Hintergrund der allgemeinen interkonfessionellen Frauenbewegung für die Gesamtheit der evangelischen Frauen **erhebliche Erfolge** erkämpft und zu deren »Emanzipation« wesentlich beitragen können. Zwar erlangten die evangelischen Frauen das geforderte kirchliche und kommunale Wahlrecht erst im Gefolge der (von ihnen abgelehnten) Umwälzung von 1918. Aber noch vor 1918 konnten sie eigene Ausbildungsstätten (Soziale Frauenschulen) etablieren, eigene sozialarbeiterische Projekte (Heime für gefährdete Frauen, ledige Mütter) unterhalten, politisches Auftreten üben und die evangelische Öffentlichkeit an Rednerinnen und weibliche Kongreßmitglieder gewöhnen. Diese Organisation eröffnete kirchentreuen protestantischen Frauen überhaupt erstmals die Möglichkeit, über die bis zur Jahrhundertwende allein übliche ehrenamtliche Arbeit in Gemeinde und Diakonie hinaus sich für Frauenrechte einzusetzen, ohne dabei den religiösen Rahmen verlassen zu müssen. Im Gegenteil: Der Deutsch-Evangelische Frauenbund versuchte die christliche Botschaft selbst zum Ausgangspunkt seines Frauenengagements zu machen. In den 1920er Jahren sollten diese Bemühungen Früchte tragen, aber auch Enttäuschungen bringen; doch über die Zeitenwende des Ersten Weltkriegs wollen wir hier nicht hinausgehen.

Es darf freilich nicht verschwiegen werden, was die Untersuchung von Doris Kaufmann für die Geschichte der evangelischen Frauenbewegung selbst noch in der ersten Hälfte des 20. Jahrhunderts ebenfalls aufzeigt: Es gelangen zwar **individuelle Emanzipationsprozesse**, die ihren Ausgang in dem Anspruch nahmen, mit der »frauenbefreienden Kraft des Evangeliums« Ernst zu machen. Doch blieben solche Erfahrungen von Stärke und Durchsetzungsfähigkeit beschränkt auf Protestantinnen **mittelständisch-bürgerlicher und adeliger Schichten**. So konnte auch der Evangelische Frauenbund in seinem politischen und sozialen Handeln die Gebundenheit an die Interessen dieser Schichten – trotz aller proklamierter überparteilicher, christlich begründeter Frauensolidarität – letztlich nicht abstreifen. Die evangelische Frauenbewegung wollte und konnte eine allgemeine christlich, sozial und politisch grenzüberschreitende Wirkung nicht erreichen.

Man mußte schon bis nach dem Zweiten Weltkrieg warten, ja bis in die 60er und 70er Jahre des 20. Jahrhunderts hinein, bis gesamtgesellschaftlich und gesamtkirchlich ein neuer Diskurs über Gleichberechtigung und Partnerschaft zwischen Mann und Frau unter Berücksichtigung der Verschiedenheit der Geschlechter in Gang kommen konnte. Eine neue Generation von Frauen wächst heran, die entschiedener als frühere Generationen darauf besteht: Christin sein und gesellschaftliche Emanzipation sind nicht länger ein Widerspruch. Das Evangelium enthält genügend Impulse, daß die Frau sich nicht nur allgemein ihrer eigenen Würde vergewissern kann, sondern auch ihrer eigenen Rechte auf Mitbestimmung und Partizipation in allen Bereichen von Kirche und Gesellschaft, die in nichts denen von Männern nachstehen. Diese neue Generation wird für ihr Selbstbewußtsein als Christinnen ein neues Wort kreieren: **»Feministische Theologie«**. Dies will sagen: Frauen übernehmen nicht länger unbefragt theologische Entwürfe von Männern, leben in ihrem Glauben nicht länger von geliehenen Erfahrungen, die Männer gemacht haben, sondern entdecken ihre eigene Erfahrungswirklichkeit und beginnen, Subjekte ihrer eigenen Theologie zu werden. Erst hier wird eine Theologie getrieben werden, die das aufgreift, was Elisabeth Moltmann-Wendel einmal so umschrieben hat: »Nicht nur die Freiheit, von der man herkommt (die Rechtfertigung), sondern auch die Freiheit, auf die man zugeht, sollte betont werden. Das hieße: Offenheit für neue Rollen und Lebensstile, für Gesellschaftsveränderung und alle Arten von Kooperation. Auch das Menschenrecht, das aus der Rechtfertigung kommt, hat für viele noch eine unerfüllte Zukunft.«[181]

Doch so viele Chancen waren von Kirche und Theologie verpaßt worden, und so wenig waren die modernen Tendenzen von den Kirchenleitungen unterstützt worden, daß bisher nur eine Minderheit von Frauen von der christlichen Neuinterpretation der Rolle der Frau in Kirche und Gesellschaft erreicht wurde, wiewohl doch gerade die Frauen lange Zeit vor Ort die sehr viel stärkere Stütze der Kircheninstitution darstellten als die Männer. Nicht zuletzt in der Frauenfrage zeigt sich heute, wie sehr unterdessen die Säkularisierung in der modernen Welt um sich gegriffen hat, eine Säkularisierung, die ja schon vor Jahrhunderten begonnen hatte, in neuester Zeit aber zum Massenphänomen geworden ist.

Säkularisierung, Individualisierung und Pluralisierung der Religion

An sich hätte es zu keiner Krise des Christentums kommen müssen: Im neuen Zeitalter der Vernunft hätte sich die Kirche mit den heraufkommenden Mächten der Moderne – mit der neuen Philosophie, Naturwissenschaft und Technologie, mit Demokratie und schließlich auch der Industrialisierung – durchaus konstruktiv auseinandersetzen können, statt sich ihnen aggressiv entgegenzustemmen und sich überall mit den konservativen Schichten der europäischen Gesellschaft zu identifizieren. Wir haben den Begriff der mit der Kulturrevolution der Aufklärung durchbrechenden **Säkularisierung** (»Verweltlichung«), der Selbstbestimmung (Emanzipation) und Weltbemächtigung (Entzauberung), bereits analysiert. Die damit gegebene Ausdifferenzierung und Verselbständigung bestimmter gesellschaftlicher Lebensbereiche aus der Religion war durchaus sinnvoll und brauchte keineswegs das Verschwinden von Religion zu bedeuten. Die Kirche hätte die Bereiche von Philosophie, Naturwissenschaft, Wirtschaft, Politik, Recht, Erziehung und Kultur freigeben und selbständig werden lassen können, ohne zu versuchen, sie unter ihrer mittelalterlichen (oder auch reformatorischen) Dominanz zu behalten. Eine »**Säkularität**« (= »Weltbejahung«) aus christlichem Glauben heraus wäre möglich gewesen. Doch da vor allem die katholische Kirche diese Chancen nicht erkannte, brach denn nach der Aufklärung mit der Französischen Revolution zum erstenmal in der Geschichte Europas eine aggressiv-antikirchliche, ja, antireligiöse Weltanschauung durch.

Daß vom christlichen Glauben her, wenn man vom Ursprung her

dachte, im Prinzip gegen das Selbständigwerden, die »Autonomie« der weltlichen Bereiche von Philosophie und Naturwissenschaft bis zu Kunst und Kultur nichts einzuwenden war und daß man auch in dieser »weltlich« gewordenen, »säkularen« Welt durchaus auch als glaubender Mensch und Christ leben konnte, zeigte die ganz **andere historische Erfahrung der Vereinigten Staaten mit der Religion**. Schon Alexis de Tocqueville hatte bei seinem Besuch Amerikas in den 30er Jahren des 19. Jahrhunderts mit Erstaunen festgestellt, wie groß da die Frömmigkeit sei, wie sehr viel besser sich die Denominationen frei vom Staat hatten entfalten können und wie jedermann sich völlig frei für seine Kirche entscheiden könne. Hier also gab es in einer pluralen kirchlichen Situation ein frei praktiziertes Christentum. Hier gab es Kirchen, die sich selber finanzierten und die nicht wenige soziale Funktionen in der amerikanischen Gesellschaft übernommen hatten.

In Europa aber dominierte im 19. Jahrhundert bis hin zum Ersten Weltkrieg weithin die im 17. Jahrhundert aufgebrochene und im 18. Jahrhundert sich durchsetzende wenig christentumsfreundliche rationalistisch-humanistische Weltanschauung der Aufklärung, der zufolge die Geschichte der Menschen im steten Aufstieg begriffen ist, wobei dem wissenschaftlich-technischen Fortschritt der moralische Fortschritt angeblich entspricht. Daß das Christentum unter der Lawine der Verweltlichung aller Lebensbereiche verschwinden würde, nahmen in der Zeit der Französischen Revolution nicht wenige an. Und daß Religion durch die Macht des Rationalisierungs- und Entzauberungsprozesses aufgelöst würde, galt für viele Soziologen von Auguste Comte bis zu Max Weber in unserem Jahrhundert als sicher. Breitete sich das Bewußtsein der Abwesenheit Gottes in der Welt nicht ständig mehr aus? Angesichts der **immer mächtigeren modernen Strömungen** konzentrierte sich der konservative Protestantismus auf die wörtlich verstandene Bibel (Fundamentalismus: P IV), während der römische Katholizismus, wie wir ebenfalls sahen, seine Organisationsstrukturen nicht nur in bisher unerhörter Weise zentralisierte und bürokratisierte, sondern auch sakralisierte (Infallibilismus: P III). So konnte sich auf beiden Seiten eine antimodern-defensive Frömmigkeit von oft hoher Emotionalität entwickeln.

So ist es denn nicht zu verwundern, daß es den Kirchen nicht gelang, die kritischen Intellektuellen zu gewinnen, und erst recht nicht, in das sich unheimlich rasch ansammelnde Industrieproletariat der Städte vorzudringen. Nicht nur die bürgerlichen Liberalen, sondern auch die proletarischen Sozialisten teilten zumeist die aufgeklärte rationalistische Ideologie, die dem Christentum gleichgültig, wenn nicht direkt feindlich gegenüberstand. Und nicht nur die politische Ideologie, auch die Naturwissenschaft (die Darwinsche Evolutionstheorie vor allem) favorisierten einen Glauben an Vernunft und Wissenschaft, Fortschritt und Demokratie, Nation und Humanität, der sich nur allzu leicht mit religiöser Indifferenz, mit Agnostizismus oder gar ausdrücklichem Atheismus verband. Säkularisierung bedeutet hier also nicht eine aus dem christlichen Glauben heraus gelebte Säkularität, sondern einen ideologischen **Säkularismus**, der die traditionelle Religion als Entfremdung des Menschen von sich selbst verachtet und deshalb alles Religiöse intellektuell und politisch bekämpft.

Doch selbst für gläubige Christen war das Christentum jetzt nicht mehr eine alles bestimmende Größe, sondern eine Größe unter anderen. Statt vom Christentum war jetzt ohnehin öfter die Rede von Religion, von den Religionen. Aber auch die Religion (als objektive Institution) oder Religiosität (als subjektive Haltung) bestimmte nicht mehr das Ganze des Menschenlebens, sondern war in der menschlichen Gesellschaft ein Sonderbereich geworden, der für das Individuum mehr oder weniger relevant sein konnte. Religion bildete zusammen mit der Wissenschaft, dem Rechtswesen, der Politik, der Kunst ein »Subsystem« im großen gesellschaftlichen Gesamtgefüge. Naturerklärung, Geschichtsverständnis, das Alltagsleben und die Sprache waren jetzt immer weniger religiös geprägt, sie waren »weltlich«, »säkular« geworden. Man unterschied nun in der europäischen Gesellschaft ganz allgemein zwischen Kirchennahen, Religionsoffenen, Gleichgültigen und Säkularisierten.

Zwei Faktoren freilich zwingen zur Differenzierung bei der allgemeinen Säkularisierungsthese. Zum einen: Die **Säkularisierung** hat eine nicht zu übersehende **Kehrseite**. Früher fühlte sich der Mensch trotz notorischer Schwierigkeiten mit der Religion vom Kindes- bis zum Greisenalter von den traditionell religiös begründeten Strukturen gehalten und getragen: von denen des Familienlebens und Wohnens angefangen über die des Arbeitens und Feierns bis zu denen der Politik, des Staates und der Kirche. Und gerade die Kirchen mit ihren Deutungsmustern und Lebensformen prägten des Menschen Alltag. Nun aber werden die Menschen zunehmend – wie es auf den Spuren der Existenzphilosophie die Pädagogik unserer Tage formuliert – »zum Regisseur ihres eigenen Lebens«: »Sie erfahren sich auf sich geworfen, sie sind sich selbst Stoff und Aufgabe. Sie sehen sich herausgefordert zu wählen; sie können wählen, sie müssen wählen, sie müssen sich ausweisen vor sich und anderen in dem, was sie gewählt haben; sie sind zuständig und verantwortlich in dem, wie sie sich gewählt haben« (H. Thiersch[182]). Aber erst in unseren Tagen macht sich die Pädagogik ernsthaft Gedanken über die nicht nur positiven Folgen dieser beispiellosen **Individualisierung** des Lebens: »Diese Situation offener Lebensmöglichkeiten provoziert die Frage nach Lebenssinn.«[183] Die noch sehr viel schwierigere und grundlegendere Frage aber schließt sich an: **Woher der Lebenssinn** in einer Welt, die säkularisiert, »entzaubert« ist und in der sich der Mensch vielfach so fremd und heimatlos fühlt? Wie verhindern, daß aus einer Entkirchlichung und Entchristlichung nicht schließlich Religionsverlust und am Ende ein praktischer Nihilismus folgen?

Zum zweiten: Nach neueren Untersuchungen ist es durchaus fraglich, ob sich die westliche Gesellschaft in einem unaufhaltsamen Prozeß der Säkularisierung befinde; von einem Verschwinden der Religion jedenfalls kann keine Rede sein.[184] Alle Prognosen von Soziologen und Politologen gingen hier in die Irre.[185] Faktisch blieb Religion trotz aller Säkularisierung und der Gleichgültigkeit vieler präsent. Ein Großteil der Menschen blieb nämlich auch in Europa religiös und kirchlich sozialisiert. Auch in europäischen Ländern also scheint es weniger um einen Abbau als um eine Transformation der Religion zu gehen, eben um eine religiöse Individualisierung und **Pluralisierung**. Auf dem Hintergrund eines gesellschaftlichen, kulturellen und ästhetischen jetzt auch ein ethisch-religiöser Pluralismus: »Zum ersten Mal in der modernen Religionsgeschichte reicht der Pluralismus bis auf die Ebene des Individuums hinab und nimmt damit eine neue Qualität an.« So der Soziologe und Theologe Karl Gabriel, der fortfährt: »In eine massenkulturelle und marktförmige Sozialform hineingedrängt, werden die religiösen Traditionen für den einzelnen unmittelbar zugänglich, verlieren ihre Schicksalhaftigkeit und werden zu Gegenständen des individuellen Selegierens und Auswählens.«[186] Dabei können sowohl von der Individualisierung wie der Pluralisierung der Religion produktive und destruktive Wirkungen ausgehen. Fragen für die Nachmoderne legen sich hier nahe.

Fragen für die Zukunft

• Die **Individualisierung von Religion** gibt dem Menschen angesichts vielfach erstarrter religiöser Institutionen die Möglichkeit, auch im religiösen Bereich selbständig zu wählen; sie läßt ihn seinen eigenen Weg zum ureigenen Lebensglück suchen und verspricht ihm eine autonome, selbstbestimmte Subjektivität.

Auch wenn man vom christlichen Glauben her nichts Grundsätzliches gegen Selbsterfahrung, Selbstfindung, Selbstbestimmung und Selbstverwirklichung einwenden muß: Besteht nicht die Gefahr, daß die Selbstverwirklichung zur Selbstüberschätzung und zur autistischen Selbstbezogenheit führt, weil sie abgekoppelt wird von der Selbstverantwortung und Weltverantwortung, von der Verantwortung für die Mitmenschen und für die Gesellschaft, so daß eine Entsolidarisierung und Isolierung oder auch eine Anpassung an die allgemeine Zeitstimmung die Folge ist? Religiosität ja, aber religiöses Engagement nein?

- Die **Pluralisierung von Religion** eröffnet den Menschen nach der Aufhebung der exklusiven christlichen Monopolstellung neue geistige Perspektiven und religiöse Möglichkeiten: eine Ausweitung, Bereicherung und Vertiefung der eigenen Religiosität durch die Einsichten, Symbole, ethischen Forderungen und meditativen Praktiken anderer Religionen und alternativer Bewegungen.

Auch wenn gegen die faktische Pluralität von Religionen und Deutungssystemen vom christlichen Glauben her heute nichts Grundsätzliches mehr einzuwenden ist: Daß die Wahrheit zur Wahl gestellt ist, kann zur Ablösung aller Verbindlichkeit durch Befindlichkeit und Beliebigkeit führen. Besteht so nicht die Gefahr, daß Menschen auf dem freien Markt religiöser Möglichkeiten eine ganz auf ihre Bedürfnisse ausgerichtete Privatreligion aus wahrhaft religiösen, parareligiösen und pseudoreligiösen Elementen zusammenbasteln: eine mitunter höchst labile Mischung aus Gottesglaube und Okkultismus, Auferweckungsglaube und Reinkarnationslehre, Vorsehungsglaube und Sternengläubigkeit?

Wird so das Christentum am Ende nicht zum bloßen Steinbruch für eine Weltanschauung der Beliebigkeit? Bleibt »Gott« so noch der Unverfügbare, oder wird er zum Manipulationsobjekt wechselnder religiöser Bedürfnisse? Ja, kann durch solche Pluralisierung der Zersplitterung und Fragmentierung der modernen Gesellschaft Einhalt geboten werden?

8. Die Krise der Moderne

Mit der Analyse der großen revolutionären Schübe, von der philosophisch-wissenschaftlich-technologischen zur politischen und schließlich zur industriellen Revolution, mit der Herausarbeitung der großen Leitideen Vernunft, Fortschritt, Nation und allen ihren Implikationen für die Gesellschaft wie den Einzelnen dürfte das moderne Paradigma in seiner Genesis, seinen konstitutiven Momenten sowie seinen Auswirkungen auf das Christentum für unsere Zwecke rekonstruiert sein. Und so wenig es notwendig war, die späteren Phasen der übrigen Paradigmen im Detail zu beschreiben, so wenig ist dies auch bei der Moderne notwendig: all die Wechsel der diplomatischen Fronten und politischen Allianzen; all die zahllosen Kriege der modernen Großmächte in Europa und in anderen Kontinenten; all die unerhörten Fortschritte der Physik, Chemie, Biologie und Medizin, aber auch der Philologie, der Historie, der Sozialwissenschaften und der Künste vom Roman bis zur Oper; schließlich das Wachstum der Bevölkerung, der Ausbau des Verkehrswesens, die Ausweitung der Produktion, aber auch die immer bedrohlichere Entwicklung der sozialen Frage und die wachsenden internationalen Spannungen und so vieles, was bereits anklang … Der um die Zeit des Ersten Weltkrieges immer offenkundiger werdenden **Krise** der Moderne müssen wir uns jetzt zuwenden.

Die zwiespältigen Ergebnisse

Seit sich die Moderne ihrer selbst bewußt geworden ist, gibt es auch die Versuche, sich über die Moderne kritisch Klarheit zu verschaffen: von der »Querelle des anciens et des modernes« über die progressiven oder konservativen Interpretationen der Großen Revolution wie der Großen Restauration bis hin zu den vom Zusammenbruch des Ersten Weltkriegs direkt oder indirekt ausgelösten (zumeist recht pessimistischen) Diagnosen von Georg Simmel und Max Weber, von Siegfried Kracauer und Walter Benjamin, von Theodor W. Adorno und Max Horkheimer, und zuletzt von Michel Foucault, Jean-François Lyotard, Jürgen Habermas, Anthony Giddens und Stephen Toulmin.[187] Ihnen fast allen ging mit seiner radikalen Moderne-Kritik voraus der Theologe **Karl Barth** – ein eigenes Porträt findet sich in »Große christliche Denker«[188] –, der das nach-moderne Paradigma von Theologie initiiert hat.

Sicher ist, daß die Moderne denkenden Menschen nach all den Umbruchserfahrungen heute in einem anderen Licht erscheint, als diese sich selber erschienen ist:

- Nicht zu bestreiten sind nach wie vor die grandiosen Errungenschaften, welche die Moderne mit ihren Revolutionen in Wissenschaft und Philosophie, Technologie und Industrie, Staat und Gesellschaft hervorgebracht hat: ein noch nie dagewesener **Innovationsschub** für Millionen von Menschen zweifellos.

- Unabweisbar sind aber auch die kritischen Fragen an diese Moderne und ihre Leitwerte Vernunft, Fortschritt, Nation, die eine ebenfalls noch nie dagewesene existentielle **Gefährdung der Menschheit** zur Folge hatten.

Durch die Aufklärung selber wurden einige tragende Grundannahmen der Aufklärung erschüttert, und die aufklärerische Selbstgewißheit hat sich verflüchtigt. »Dialektik der Aufklärung« hat man dies im Anschluß an Horkheimer-Adorno genannt.[189] **Dialektik der Moderne** überhaupt (Liberalismus **und** Sozialismus inklusive!) müßte man nennen, was uns heute die Resultate der Moderne als weithin ambivalent ansehen läßt:

– Es gab einen Fortschritt der **wissenschaftlichen Forschung** auf allen Gebieten. Aber wo blieb der gleichzeitige **moralische Fortschritt**, der den Mißbrauch der Wissenschaft (etwa in Physik, Chemie und Biologie) zu verhindern vermochte?

– Es entwickelte sich eine hocheffiziente weltumspannende **Großtechnologie**. Aber nicht im gleichen Maße die **geistige Energie**, welche die allenthalben fühlbaren Risiken der Technologie unter Kontrolle zu bringen vermochte.

– Es kam zu einer weltweit expandierenden und operierenden **Ökonomie**. Was aber sind die Ressourcen der **Ökologie**, um gegen die ebenfalls weltweite Naturzerstörung der Industrialisierung anzukommen?

– Im Verlauf einer komplexen Entwicklung hat sich auch in vielen außereuropäischen Ländern langsam **Demokratie** durchgesetzt. Jedoch nicht durchgesetzt hat sich eine **Moralität**, die den massiven Machtinteressen der verschiedenen Machtmenschen und Machtgruppen entgegenwirken kann.

Was diese Krise des modernen Paradigmas und seiner Leitwerte Vernunft, Fortschritt, Nation betrifft, so dürfte dies heute weithin Konsens finden (und damit haben wir nun die in »Projekt Weltethos« programmatisch vorgetragenen Gedanken eingeholt): Erschüttert ist der Glaube an die Vernunft, an den Fortschritt, an die großen modernen Ideologien des Nationalismus, Liberalismus und Sozialismus.

Kritik an Leitwert I: Vernunft

Erschüttert erscheint heute die moderne Verabsolutierung der Vernunft, **der Vernunftglaube**. Keine Frage: Eine Neubegründung der Philosophie auf der Basis der Vernunft war unumgänglich, und eine aufklärende Vernunftkritik an Adel und Kirche, Staat und Religion war vom 18. Jahrhundert aufwärts dringend und hatte schließlich auch die Selbstkritik der Vernunft zur Folge (Kants Kritiken). Nur Unvernünftige reden auch heutzutage grundsätzlich gegen Vernünftigkeit und Wissenschaftlichkeit. Denn auch in der postmodernen Geschichtsepoche bleiben von der Atomphysik bis zur Astrophysik, von der Mikrobiologie bis zur Genetik und zur Medizin die mathematisch-naturwissenschaftlichen Methoden und die Ideale von Klarheit, Effizienz und Sachlichkeit unentbehrlich.

Aber: Der Mensch lebt nicht von der Vernunft allein. Und der Menschengeist kann mehr als nur rechnen und messen, analysieren und rationalisieren. Schon gleich bei der Begründung der modernen Philosophie hat der Mathematiker, Physiker und Philosoph Blaise Pascal gegen Descartes' Überschätzung der Vernunft und sein Streben nach einer an der Mathematik orientierten Universalwissenschaft angemahnt, daß zusammen mit der Vernunft auch Wollen und Fühlen, Phantasie und Gemüt, Emotionen und Passionen ihr Eigenrecht haben: mit dem methodisch-rationalen Denken (Descartes' »esprit de géometrie«) auch das **intuitiv-ganzheitliche Erkennen, Erspüren, Erfühlen, Erfahren** (Pascals »esprit de finesse«).[190] Und auf dem Höhepunkt der Aufklärung hat Schleiermacher mit seinen romantischen Freunden bekanntlich auf die grundlegende Wichtigkeit der Erfahrung, die kognitive Bedeutung von Gefühlen, die Dimension der Innerlichkeit aufmerksam gemacht.

Und so fragten und fragen Kritiker der Moderne zu Recht: Sollen Methoden und Wissenschaft nicht statt Selbstzweck Mittel zur Vermenschlichung des Menschen sein? Reichen Mathematisierung, Quantifizierung und Formalisierung aus, um die Welt des Qualitativen und spezifisch menschliche Phänomene wie Lachen, Musik, Kunst, Leid, Liebe in all ihren Dimensionen zu erfassen? Gibt es neben dem Allgemeinen der verständlichen Aussagen nicht das von der Vernunft nie völlig einzufangende Besondere: das unmittelbare Erlebnis, die authentische Erfahrung, das Glück des erfüllten Augenblicks? Müssen Fragen der menschlichen Psyche und Gesellschaft, Fragen des Rechts, der Politik, der Historie, Fragen der Ästhetik und Religion nicht auch nach einer eigenen, ihrem Objekt entsprechenden Methodik und eigenen Stil behandelt werden?

Die immer mehr sich selbst absolut setzende, alles zur Legitimation zwingende Vernunft (verbunden mit der Freiheit der Subjektivität), die keine Tradition respektiert, in keinen Kosmos eingebunden ist und der nichts heilig ist, zersetzte sich in der Folge selbst. Die Selbstsicherheit der Vernunft – Voraussetzung für die Weltbemächtigung – erwies sich als eine

Selbsttäuschung. Die »instrumentelle« Vernunft wird heutzutage von einem ganzheitlichen Ansatz her allenthalben hinterfragt und ihrerseits zur Legitimation gezwungen. Die oberste Richterin von gestern wird zur Angeklagten heute.[191] Die alles entzaubernde Vernunft erscheint selber entzaubert. Auch in der Naturwissenschaft, welche die Welt lange als eine gut geölte Maschine ansah und so gewollt und ungewollt die Grundlagen zur Ausbeutung und Zerstörung der Natur lieferte, setzt sich – seit Einsteins allgemeiner Relativitätstheorie, Heisenbergs Quantenmechanik und der Entdeckung der Elementarteilchen, welche die Trennung zwischen beobachtendem Subjekt und beobachtetem Objekt in Frage stellte – ein mehr holistisches Denken und damit ein Paradigmenwechsel gegenüber der klassischen mechanistischen Physik der Moderne durch.[192] Statt der Beherrschung der Natur drängt sich ein »neuer Bund« (Ilya Prigogine[193]) des Menschen mit der Natur auf. So hat die Vernunft ihre exklusive paradigmatische Leitfunktion verloren, sie muß sie mit der Natur teilen. Und der Fortschritt?

Kritik an Leitwert II: Fortschritt

Erschüttert erscheint auch die moderne Verabsolutierung des Fortschritts, **der Fortschrittsglaube**. Gewiß: Auch in der postmodernen Geschichtsepoche können und dürfen wir auf weiteren wissenschaftlich-technologischen Fortschritt hoffen, auf den besonders die unterentwickelten Länder angewiesen sind. Doch – das »Machet euch die Erde untertan!« im biblischen Schöpfungsbericht (Gen 1,28) meint die verantwortungsbewußte Nutzung und Pflege der Natur und nicht deren skrupellose Ausbeutung und progressive Zerstörung.

Zu Recht fragten und fragen Kritiker der Moderne: War es nicht die problematische Leistung gerade des modernen Menschen, sich rational über die Natur zu erheben und sie sich mit seinen Fähigkeiten verfügbar zu machen, die da überzogen wurde? War es nicht die typisch moderne Überhebung des rational denkenden Menschen, des Rechners, Planers, Machers und Profiteurs, welche für die unabsehbaren ökologischen Schäden und die **Zerstörung unserer natürlichen Lebensgrundlagen** verantwortlich ist? Eine Zerstörung, die weder in altisraelischer noch in neutestamentlicher Zeit, weder im Mittelalter noch in der Reformationszeit, sondern eben **erst in der Moderne ein Problem** wurde. Was »Fortschritt« schien, ist in vielen Fällen in sein Gegenteil umgeschlagen.

In der Tat: Der ewige, allmächtige, allgültige Fortschritt, dieser große **Gott der Moderne** mit seinen strengen Geboten »Du sollst immer mehr, immer besser, immer schneller«, hat sein fatales **Doppelgesicht** enthüllt. Der Fortschrittsglaube hat seine Glaubwürdigkeit verloren. Der Überholungszwang der Moderne kommt vielen Menschen unheimlich vor. Was Vor-Denker zu Beginn unseres Jahrhunderts schon begriffen hatten, ist am Ende dieses Jahrhunderts ins allgemeine Bewußtsein getreten: Wirtschaftlicher »Fortschritt«, als Selbstzweck praktiziert, hatte verheerende Folgen von globalem Ausmaß. Wissenschaftler haben dies oft verharmlosend als »Nebeneffekte« des Wissenschaftsfortschritts bezeichnet, Ökonomen als »externe Effekte« des Wirtschaftswachstums. In Wirklichkeit aber handelt es sich durchaus um immanente Effekte ersten Ranges (wenngleich zeitlich zweiter und dritter Ordnung), welche die Zerstörung der natürlichen Umwelt des Menschen und damit auch eine soziale Destabilisierung großen Stils zur Folge hatten.

Der Preis, den wir für diese Art Fortschritt zahlen, wird uns täglich in den Medien vor Augen geführt: Ressourcenknappheit, Verkehrsprobleme, Umweltverschmutzung, Zerstörung des Waldbestandes, saurer Regen, Treibhauseffekt, Ozonloch, Klimaveränderung, Müllmisere, Bevölkerungsexplosion, Massenarbeitslosigkeit, Unregierbarkeit, internationale Schuldenkrise, Dritte-Welt-Probleme, Überrüstung, Atomtod ... Größte Triumphe und größte Katastrophen der Technik liegen so schrecklich nahe beisammen. Ob die ständig wachsende Menschheit mit diesen täglich wachsenden Problemen fertig wird? Man braucht kein melancholischer Katastrophenprophet und penetranter Miesmacher zu sein, um festzustellen: Es droht der gegenwärtigen Fortschrittsgesellschaft die – langsame oder auch plötzliche – Selbstzerstörung. Der moderne Fortschrittsmythos selber erscheint »entzaubert«. Auch der Fortschritt hat seine unbestrittene paradigmatische Leitfunktion verloren. Und die Nation?

Kritik an Leitwert III: Nation

Erschüttert erscheint seit dem Ersten Weltkrieg die moderne Verabsolutierung der Nation, jener mit der Moderne aufkommende **Nationalismus**. Er darf zumindest in der Europäischen Gemeinschaft seit dem furchtbaren gegenseitigen Abschlachten der Nationen im Ersten und Zweiten Weltkrieg als überwunden gelten, auch wenn bis heute nationale Ambitionen und Rivalitäten bleiben und es heute in Ländern unter früherer kommunistischer Zwangsdiktatur zu letzten Zuckungen des Nationalismus kommt. Kompromittiert sind aber auch die beiden schließlich den Nationalismus überlagernden typisch modernen Großideologien des **Liberalismus**, der keine soziale Gerechtigkeit zu schaffen vermochte, und des **Sozialismus**, der die individuelle Freiheit knebelte. Kompromittiert auch die damit verbundenen antagonistischen Gesellschaftssysteme **Kapitalismus und Kommunismus.** Gewiß: Es sind wahrhaftig nicht alle Anliegen des Liberalismus und des Sozialismus erledigt, weltweit gesehen am allerwenigsten. Individuelle Freiheit und soziale Gerechtigkeit bleiben für allzuviele Menschen unseres Globus' – in Afrika, Lateinamerika und Asien besonders – unerfüllte Verheißungen.

Aber zu Recht fragten und fragen Kritiker der Moderne: Als alles erklärende und alles lösende Ideologien sind Liberalismus wie Sozialismus überholt. Diese Begriffe sind ohnehin zu beliebigen Worthülsen geworden. Faktisch hat sich der klassische Kapitalismus durch sozialistische Strukturelemente korrigiert, während der klassische Sozialismus (Marxismus) sich als unkorrigierbar erwiesen hat. Das Wort »Sozialismus« (er trug schon immer kollektivistische Züge) ist unter Weitblickenden längst ersetzt durch freiheitliche »Sozial-Demokratie«, der Begriff »Kapitalismus« aber (er war schon immer individualistisch-ausbeuterisch orientiert) ersetzt durch »soziale Marktwirtschaft«! Jenseits von sozialistischer Planwirtschaft und kapitalistischer Marktwirtschaft arbeiten jetzt verschiedene Kräfte auf eine sozial verträgliche und ökologisch regulierte Marktwirtschaft hin, in der zwischen Kapitalinteressen (Effizienz, Gewinn) einerseits und Sozial- wie Ökointeressen andererseits immer wieder neu ein Ausgleich versucht wird. Praktisch bewegen wir uns mit dem staatlich abgesicherten freiheitlichen Sozialstaat in den Industriestaaten auf ein Mischsystem hin, wobei sich in den Industriestaaten allenthalben der Umbruch zu einer Ent-industrialisierung (in Richtung auf eine Dienstleistungsgesellschaft) abzeichnet. Auch dies ein Symptom dafür, daß die Welt in ein neues Paradigma eingetreten ist, ein **postkapitalistisches und postsozialistisches** und – in diesem Sinn! – ein **nach-modernes Paradigma öko-sozialer Marktwirtschaft.**

Fehlreaktionen: Ultramodernismus, Postmodernismus, Traditionalismus

Der Streit um das Ende der Moderne ist ein Streit um die Bewertung der Moderne und damit auch ein Streit um Gegenwart und Zukunft unseres Globus. Gedanken, die ich bereits in »Projekt Weltethos« skizziert habe, müssen nun auch in diesem Kontext eingebracht werden.

(1) Kein Weg aus der Krise der Moderne ist der **Ultramodernismus.** Denn angesichts der beschriebenen welthistorischen Entwicklung hat es wenig Sinn, schlicht eine Steigerung, Potenzierung, Modernisierung der Moderne zu propagieren. Die Aufklärung hat nun einmal die Barbarei

und die unerhörten Verbrechen gegen die Menschlichkeit, bei denen zahllose große und kleine Mithelfer mitmachten, nicht verhindern können. Und es war nicht die Vernunft, die sich ja nur zu leicht anzupassen wußte, die zum Widerstand befähigte, sondern die persönliche Überzeugung von Werten, Haltungen und Maßstäben. Die aufgeklärten **Ultramodernisten** wollen jedoch den Epochenbruch nicht wahrhaben. Er hat stattgefunden mit den beiden Weltkriegen, mit Holocaust, Gulag und Atombombe, mit dem Zusammenbruch von Faschismus und Nazismus, mit der Erschütterung von Kolonialismus und Kommunismus, mit der Krise von Kapitalismus und Sozialismus. Immer noch gibt es Leute, die sich nicht mit dem totalen Fiasko der sozialistischen DDR abfinden wollen. Sie wollen auch keine Konsequenzen ziehen aus der Tatsache, daß das immer wieder angekündigte Ende der Religion und des Todes Gottes nicht eingetreten ist und daß das weitverbreitete Ignorieren der Religion in Sozialwissenschaften und Sozialphilosophie ein Irrtum war.

Erstaunlich, daß ein so prominenter Vertreter dieser **Ultramoderne** wie der deutsche Philosoph **Jürgen Habermas** nur gegen die »Postmoderne« der französischen »Postmodernisten« polemisiert, ohne sich über den Epochenumbruch in unserem Jahrhundert und einen vernünftigen Sinn des Wortes »Post-Moderne« oder besser »Nach-Moderne« (Verlegenheitswort, so lange sich für die neue Epoche nicht ein konkreteres Wort durchsetzt) Gedanken zu machen.[194] Ein progressives Vorurteil für das (damals) Neue läßt doch nur zu leicht übersehen, daß auch der Modernismus (Novismus) Traditionalismus werden kann und daß auch ein solcher Modernismus wenig zur Lösung der epochalen Krise beizutragen vermag. Man muß sich doch fragen: Läßt sich denn die Vernunft einfach durch Vernunft sanieren? Lassen sich die Grunddefizienzen der modernen Wissenschaft und die Großschäden der Technik bloß durch noch mehr Wissenschaft, mehr Technik beheben, wie die »unnachgiebigen Aufklärer« (in merkwürdiger Koalition mit manchen Technokraten und Politikpragmatikern) meinen? Naturwissenschaft und Technik können überkommenes Ethos auflösen, können aber unseren bisherigen Erfahrungen nach kein neues Ethos hervorbringen. Und der »vernünftige Diskurs«, der eine utopische ideale Kommunikationsgesellschaft voraussetzt, dürfte allein kaum in der Lage sein, eine neue Ethik zu begründen.

Natürlich stellt sich die Frage, ob manche, die für sich den Begriff Postmoderne ablehnen, weil sie (wie der Verfasser dieses Buches) nicht »Postmodernisten« sein wollen, nicht **faktisch doch aufgeklärte Nach-Moderne** sind. So etwa der Münchner Soziologe Ulrich Beck, der zunächst außerordentlich kritisch die moderne Gesellschaft als eine »Risikogesellschaft«[195] beschreibt, die in eine große ökologische, soziale und politische Katastrophe münden könnte, und der, um Pessimismus und Fatalismus entgegenzuwirken, eine Theorie »reflexiver Modernisierung«[196] entwickelt, weil das klassische Modernisierungsmodell nicht mehr greife und eine weitergehende Modernisierung die Grundlagen der Industriegesellschaft in Frage stelle. Hier wird die Moderne faktisch in eine Nach-Moderne (im strengen Sinn!) hinein überschritten.

(2) Kein Weg aus der Krise ist auch der **Postmodernismus**. Denn der »**Postmodernismus**« proklamiert zwar ein Ende der Moderne, hat aber als Alternative nur »radikalen Pluralismus« oder Relativismus anzubieten: Wahrheit, Gerechtigkeit, Menschlichkeit im Plural, so, unter Berufung auf J.-F. Lyotard[197], Wolfgang Welsch[198]. Was hier aber als »Postmoderne« beschrieben wird, sind im Grunde Kennzeichen einer schon um die Jahrhundertwende beobachtbaren desintegrierten **Spätmoderne** (P V). Denn sollen etwa Beliebigkeit, Buntheit, die Mischung von allem und jedem, die Anarchie der Denkrichtungen und Stile, das ästhetisch-literarische Collageprinzip, das methodologische »Anything goes«, das moralische »Alles was Spaß macht«, soll dieses und ähnliches die Dilemmata der Moderne überwinden können? Hier wird doch aus der Not des mangelnden Konsensus die Tugend der Beliebigkeit gemacht. Aber die Moderne in ihren Widersprüchen wird auf diese Weise nicht wirklich überwunden, sondern nur noch einmal in überdrehter Form wiederholt. Zumindest insofern trifft die konservative Kritik an der Moderne[199] auch die »postmodern« getarnten Spätmodernen. Wie eine totalitäre Einheit ohne Vielfalt, so ist auch eine relativistische Vielfalt ohne Einheit kaum der Weg in eine bessere Zukunft.[200]

(3) Kein Weg aus der Krise ist schließlich auch der **Anti-Modernismus**. Denn Traditionalisten, in der **katholischen Kirche** vor allem, wollen schlicht am mittelalterlichen römisch-katholischen Paradigma festhalten, in welchem sie Macht und Einfluß besaßen. Deshalb mußten sie selbstverständlich nicht nur gegen die Reformation, sondern erst recht gegen die Aufklärung sein. Ihre ebenso selbstgerechte wie simplistische Geschichtsideologie behauptet bis heute, dem Abfall von Papst und Kirche (mit der Reformation) hätte notwendigerweise der Abfall von Christus (im 18. Jahrhundert) und von Gott (im 19. Jahrhundert) und so schließlich der Absturz ins Chaos (im 20. Jahrhundert) folgen müssen. Kein Wunder, daß prominente Vertreter dieser **Gegenmoderne** für das Mittelalter (P III) mehr Sympathien empfinden als für die Reformation und die Moderne. Zwar bedient man sich, etwa zur Propaganda, moderner Spitzentechnologie und gibt sich auf Gebieten, wo es die Kirche nichts kostet,

gar »postmodern«, befindet sich aber mentalitätsmäßig und argumentativ im Mittelalter. Ein konservatives Vorurteil für das Alte, die »gute alte Zeit«, wie man es natürlich in allen Konfessionen und Religionen und auch bei Politikern verschiedener Parteien finden kann!

Kein Wunder, daß solch prinzipielle Antimodernisten eine programmatische Gegen-Aufklärung und kirchlich-politische Restauration in aller Form propagieren, sie aber als »Re-evangelisierung« verschleiern. Während die Postmodernisten den Pluralismus zur Beliebigkeit verkommen lassen, versuchen die Antimodernisten die Einheit in der Form eines klerikalen Totalitarismus durchzusetzen. Politisches Paradebeispiel: **Polen**, wo man gegen den Großteil der katholischen (!) Bevölkerung mit Hilfe eines Mediengesetzes, restriktiver Sexualmoralgesetze (von der Pille bis zur Abtreibung), Konkordat und möglichst weitgehender Ersetzung der Zivilehe durch die kirchliche Ehe, klerikalen Religionsunterricht in den Schulen und möglichst großen Einfluß der »Kirche« (Hierarchie) zu demonstrieren versuchte, was mit der »spirituellen Erneuerung Europas« wirklich gemeint ist. Mit dem Erfolg freilich, daß eine Mehrheit der Menschen selbst in Polen eine solche Politik kirchlicher Bevormundung bald schon satt bekam und die entsprechenden Parteien schon vier Jahre nach der großen europäischen Revolution wieder abwählte (1993). Mit dem Erfolg vor allem, daß sich immer größere Teile, vor allem die junge Generation, von dieser Kirche und damit dann oft auch von Christus und schließlich von Gott abwenden (weil die Kirche Gott und Christus als ihr Eigentum betrachtet hatte). Die beschriebene Säkularisierung, Individualisierung und Pluralisierung aber erweist sich allüberall als irreversibel. So wird denn die Restauration einer Vormoderne am Ende der Moderne genauso scheitern wie frühere Versuche, etwa die der reaktionären Romantiker (es gab auch nicht-reaktionäre!) im 19. Jahrhundert, und bestenfalls wieder in einer Subkultur und einem römisch-katholischen Getto enden.

Und was für den katholischen Traditionalismus galt, gilt natürlich auch von jenem **protestantischen Fundamentalismus**, der vorkopernikanisch und vordarwinisch im reformatorischen Paradigma des 16. Jahrhunderts verharren möchte. Wo die katholischen Traditionalisten gegen den »Ansturm« der Moderne zum Papst als dem »unfehlbaren« Hirten flüchten, da protestantische Fundamentalisten zur Bibel, dem »unfehlbaren« Buch.[201] Und wo die ersten ihre Ziele mit »katholischer« Politik und Inquisition durchzusetzen versuchen, da die zweiten mit elektronischen Medien und mit Apokalyptik, der Androhung des baldigen Weltendes – was (wie im Zusammenhang von P IV bemerkt) Allianzen zwischen Fundamentalisten und Kurialisten nicht ausschließt.

Ultramodernismus, Postmodernismus und Traditionalismus – also alles aussichtslose Fehlreaktionen auf die Moderne. Doch was soll positiv angestrebt werden? Zunächst grundsätzlich geantwortet: Will das Christentum sein zweites Jahrtausend überleben, so muß es,

- statt die Moderne zu verurteilen, ihren humanen Gehalt bejahen: keine römisch-katholische Subkultur! Allerdings muß es zugleich
- die inhumanen Engführungen und destruktiven Auswirkungen der Moderne bekämpfen: keine modernistischen Konzessionen und kein Ausverkauf der christlichen Substanz! So muß das Christentum also
- beide Positionen übersteigen in eine neue differenzierte pluralistisch-holistische Synthese hinein, die man im guten Sinn »nach-modern« nennen kann. Dies sei hier nur kurz skizziert.

9. Aufgaben zur Analyse der Nach-Moderne

Das Etikett ist nicht entscheidend, sondern die Sache. Ob man von »Postmoderne« und »Nachmoderne« sprechen will oder nicht: Kaum bestritten werden kann, daß wir seit dem Ersten und Zweiten Weltkrieg in eine **neue Epoche** eingetreten sind (P VI), die man nennen mag, wie man will.[202] Ich gebrauche hier »Post-Moderne« oder – um Verwechslungen mit dem Postmodernismus zu vermeiden – besser »Nach-Moderne«, und zwar als heuristischen Begriff, als Suchbegriff, um herauszufinden, was unsere Geschichtsepoche von der früheren unterscheidet.[203] **Nach-Moderne im strengen Sinn**, wie ich sie in einem folgenden Band genauer zu analysieren hoffe, will die Entwicklungen beschreiben, welche die fragwürdig gewordene Moderne wirklich hinter (»post«) sich lassen, ohne die Leistungen der Moderne kulturpessimistisch zu bestreiten. Ein Zurück zu einer uniformen Interpretation der Welt wird es dabei nicht geben. Gerade innerhalb eines wirklich nachmodernen Paradigmas wird es eine Vielheit heterogener Lebensentwürfe, Handlungsmuster, Sprachspiele, Lebensformen, Wissenschaftskonzeptionen, Wirtschaftssysteme, Sozialmodelle und Glaubensgemeinschaften geben müssen. Doch diese **Vielheit** schließt die Suche nach einem grundlegenden **Gesellschaftskonsensus** nicht aus. Ein ganz bestimmter Aspekt der modernen Problematik mußte freilich von vornherein außerhalb der Betrachtung bleiben.

Eingrenzungen der Problematik

Wir haben bei unserer Paradigmenanalyse die **Gegenwart** stets mitbedacht, haben damit aber die Gegenwart selber in ihrem Eigenprofil noch nicht analysiert. Wir haben nur so scharf wie möglich die zum Verständnis der Gegenwart unabdingbaren historischen Voraussetzungen herauszuarbeiten versucht. Der Leser wird selber gespürt haben, wie unendlich schwierig es war, gerade die im Vergleich zu früheren Epochen inhaltsreiche und überkomplexe Moderne in ihren für die paradigmatische Betrachtung notwendigen Grundzügen zu analysieren. Unvermeidlich mußten dabei methodische Eingrenzungen vorgenommen werden, Eingrenzungen nicht nur sektorieller Natur (etwa bezüglich der modernen Kunst), sondern auch geographischer Natur: zugunsten der Konzentration auf das Dominante, das die Strukturen der modernen Großkonstellation (P V) bestimmt.

Deutlich wurde zwar in unserer Betrachtung, welche epochale Bedeutung die Entdeckung, Erforschung, Eroberung und Ausbeutung der **»neuen« Kontinente** für die europäische Geschichte hatte (in den geschichtshermeneutischen Vorüberlegungen zu P IV). Dabei kam insbesondere dem religiös, politisch, ökonomisch und sozial am raschesten sich entwickelnden **Nordamerika**, der Amerikanischen Revolution und der Entwicklung neuer Kirchenformen sowie eines neuen Staats- und Gesellschaftsbildes, eine besondere Bedeutung zu; Nordamerika konnte schon wegen der angelsächsischen Schicksalsgemeinschaft und des Atlantiks als verbindender »Brücke« in unserer historisch bedingten eurozentrischen Betrachtung nicht völlig ausgeschlossen bleiben.

Aber die übrigen außereuropäischen Kontinente – also **Lateinamerika, Asien, Afrika und Ozeanien** – mußten außerhalb dieser spezifischen Betrachtung bleiben. Denn so wichtig sie allesamt unter wirtschaftlich-politischem und zum Teil auch kulturellem Aspekt waren und sind: Für das Christentum, das unser Thema ist, hatten sie zunächst nur periphere Bedeutung. Waren sie ja doch zunächst nur Objekte einer von Europa ausgehenden Kolonisierung und Missionierung, nicht aber Subjekte originärer christlicher Theologie, Spiritualität und Lebenspraxis. Dazu kam es erst in der Folge des Ersten und Zweiten Weltkrieges. Jetzt waren es vor allem die Befreiungsbewegungen in Lateinamerika und zum Teil auch in Afrika und besonders die Befreiungstheologie, die nicht nur für die eigenen Länder, sondern auch für die »Mutterländer« zum erstenmal wirkmächtige Impulse aussandten.

Mit anderen Worten: Nicht in der Vergangenheit, noch nicht einmal im späten 19. Jahrhundert, da die Welt buchstäblich unter die europäischen Großmächte aufgeteilt wurde, sondern erst in der **Gegenwart** des 20. Jahrhunderts werden diese übrigen Kontinente (Nordamerika längst weit voraus) zu eigenen weltpolitischen Akteuren und spielen eine autonome Rolle. Ja, dieses Aktivwerden der außereuropäischen Kontinente dann auch im Bereich von Christentum und Kirche ist eine sichere Indikation dafür, daß das Christentum in eine andere Gesamtkonstellation (P VI) eingetreten ist. Dies zeichnete sich schon mit dem Ende des Ersten Weltkriegs ab. Dieser hat die europäische Weltherrschaft so erschüttert, daß sie nach dem Zweiten Weltkrieg vollends zusammenbrach. All die früheren europäischen Kolonien bekamen jetzt in einer weltgeschichtlichen Bewegung sondergleichen in relativ kurzen Jahren ihre politische Unabhängigkeit von den europäischen Kolonialmächten. Deshalb darf man trotz aller bleibenden technologisch-wirtschaftlichen Abhängigkeiten doch mit Recht von einem **nachkolonialistischen und nachimperialistischen Zeitalter** sprechen. Das Paradigma der Nach-Moderne ist eben kein eurozentrisches mehr, sondern ein **polyzentrisches Paradigma** verschiedener Nationen und Religionen.

Daraus folgt: Für eine Betrachtung der religiösen Situation der Zeit verdienen die außereuropäischen Kontinente (und natürlich auch Nordamerika) eine eigene Darstellung. Diese kann sich dann allerdings nicht auf das Christentum der Gegenwart beschränken, sondern muß wieder neu einsetzen bei der allerersten Geschichte ihrer Christianisierung, die ihrerseits auf dem Hintergrund der nichtchristlichen Vorgeschichte gesehen werden muß. Kein geringes Unternehmen, aber faszinierend; ist doch der »Ende-der-Geschichte-Triumphalismus« ebenso rasch verflogen, wie er kam; über welthistorische »Langeweile« haben wir uns nicht zu beklagen, eher über eine Überfülle an Problemen.

Zentrale Problemfelder: Ökologie, Frauenfrage, Verteilungsgerechtigkeit, Religion

Nachmoderne, wie ich sie schon in »Projekt Weltethos« vorläufig zu skizzieren versuchte, meint weder nur romantisierende kosmetische Operationen in Architektur und Gesellschaft noch eine alleinseligmachende Theorie der gesellschaftlichen, wirtschaftlichen, politischen, kulturellen oder religiösen Organisation. »Nachmodern« nenne ich vielmehr alles das, was sich seit dem Ersten und Zweiten Weltkrieg in einer **neuen Weltkonstellation** geschichtlich ausformt und was, so ist zu hoffen und dafür zu arbeiten, positiv nach einem **neuen Grundkonsens** von integrierenden humanen Überzeugungen strebt, der getragen sein kann von Nichtgläubigen und Gläubigen, und zwar von den Gläubigen möglichst aller Religionen. Auf diesen Grundkonsens ist gerade die demokratische pluralistische Weltgesellschaft angewiesen, wenn sie überleben will. Das zeigt sich konkret an vier Problemfeldern.

Die moderne Entwicklung vom 17. Jahrhundert bis zum Ersten Weltkrieg hat der Christenheit mehr Probleme hinterlassen, als man hier beschreiben könnte. Vier Problemfelder aber gibt es, wo erstens der Paradigmenwechsel von der Moderne zur Nachmoderne besonders deutlich wird und sich zweitens der Christenheit in der neuen Epoche gewaltige Aufgaben stellen. Sie betreffen **verschiedene Dimensionen der Wirklichkeit:**

– die kosmische Dimension: Mensch und Natur;
– die anthropologische Dimension: Mann und Frau;
– die sozialpolitische Dimension: Arme und Reiche;
– die religiöse Dimension: Mensch und Gott.

Diesbezüglich stellen sich für die kommende Epoche nicht nur für die Christenheit, sondern auch für die anderen prophetischen Religionen ganz und gar fundamentale Fragen, die nicht auf das Ausschreiben billiger Rezepte, sondern auf orientierende Koordinaten zielen.

Fragen für die Zukunft

• Die Moderne brachte durch Wissenschaft und Technologie einen immensen Fortschritt bezüglich der **Beherrschung der Natur**.

Aber zugleich untergrub sie durch hemmungslose Ausbeutung der Natur die Lebensgrundlagen der Menschheit: verschmutzte Luft, verunreinigte Meere und Seen, vergiftete Böden, sterbende Wälder, bedrohte Fauna und Flora.

Ist also für die Nachmoderne statt der ausbeuterischen und zerstörerischen Beherrschung der Natur nicht eine **Partnerschaft mit der Natur** dringend erforderlich? Und was können die verschiedenen Religionen, die prophetischen vor allem, auf der Basis einer kosmischen Religiosität zur planetarischen Bewußtseinsänderung im Paradigma der Nachmoderne beitragen: zu einer neuen ganzheitlichen Synthese von wissenschaftlich-technischer und ethisch-religiöser Sphäre, zu einer friedlichen Symbiose aller Kreaturen und so zu einer solchen **ökologischen Dimension**?

• Die Moderne brachte durch die Etablierung der Demokratie einen einzigartigen Fortschritt in bezug auf bürgerliche Freiheiten und **Menschenrechte**: Gewissens- und Religionsfreiheit, Versammlungs-, Rede- und Pressefreiheit.

Aber zugleich unterdrückte die Moderne durch die Überordnung des Mannes nach wie vor die Rechte der anderen Hälfte der Menschheit und gewährte erst um den Ersten Weltkrieg das Wahlrecht auch den Frauen.

Ist also für die Nachmoderne statt der diskriminierenden Männerprivilegien nicht die durchgängige **Gleichrangigkeit der Frau** dringend erforderlich? Und was können die verschiedenen Religionen, die prophetischen vor allem, auf der Basis einer feministischen Religiosität zur globalen Bewußtseinsänderung im nachmodernen Paradigma beitragen: zur Verwirklichung der politischen und sozialen Menschenrechte und so zur Dimension der **Partnerschaft** von Mann und Frau?

• Die Moderne brachte durch Industrialisierung einen ungeheuren Fortschritt in bezug auf den **Wohlstand** großer Massen, wie er bisher in der Menschheitsgeschichte noch nie erreicht wurde.

Aber zugleich führte sie zu einem erschreckenden Antagonismus von armen und reichen Schichten innerhalb der modernen Gesellschaften sowie von armen und reichen Ländern global gesehen.

Ist also für die Nachmoderne statt des Nord-Süd-Konflikts nicht die internationale **Verteilungsgerechtigkeit** für alle Völker und Menschen dringend geboten? Und was können die verschiedenen Religionen, die prophetischen vor allem, auf der Basis einer neuen befreienden Religiosität zur weltweiten Bewußtseinsänderung und zu einer solchen **sozialen** Dimension im nachmodernen Paradigma beitragen?

• Die Moderne, ihre Natur- und Humanwissenschaft, war philosophisch gerechtfertigt, wenn sie sich auf die **Erfahrungswirklichkeit** konzentrierte, und ging methodisch einwandfrei vor, wenn sie Gott, der ja nicht wie andere Objekte empirisch konstatiert und analysiert werden kann, notwendig aus dem Spiel ließ.

Aber die moderne Natur- und Humanwissenschaft hat ihre Resultate zunehmend so generalisiert, daß für einen Glauben an eine letzte geistige Wirklichkeit (»ultimate reality«) kaum etwas übrig blieb und der Gottesglaube schließlich praktisch weithin durch Wissenschaftsglaube ersetzt wurde. Die methodisch berechtigte Beschränkung auf unseren Erfahrungshorizont hatte oft die Überheblichkeit eines skeptischen Nichtswissens oder die eines Alles-besser-Wissens bezüglich metaempirischer Fragen zur Folge.

Ist also für die Nachmoderne nicht wieder neu eine Öffnung für das Ganze und Tiefste der Wirklichkeit dringend geboten? Kann angesichts der modernen Orientierungslosigkeit die Frage nach letzten-ersten Sinngebungen und Maßstäben, Werten und Normen und damit überhaupt einem letzten Sinn-Grund von vornherein abgewiesen werden? Vor neuem Horizont also eine neue Offenheit einer möglichen umgreifenden **allerersten-allerletzten geistigen Wirklichkeit**, die wir in der jüdisch-christlich-islamischen Tradition Gott nennen, die, weil nicht konstatierbar und analysierbar, auch nicht logisch ausschließbar und nicht manipulierbar, wohl aber glaubwürdig und indirekt erfahrbar ist? Und was können die verschiedenen Religionen, die prophetischen vor allem, auf der Basis einer multikonfessionellen Religiosität zur globalen Bewußtseinsänderung und zu einer solchen **ökumenischen** Dimension im nachmodernen Paradigma beitragen?

Auch die ersten drei Fragenfelder sind keineswegs nur ökonomischer, politischer, sozialer, sondern sind zutiefst ethischer und religiöser Natur. Und diesen muß sich die Menschheit in dieser Zeit des Epochenübergangs ausdrücklich stellen. Allerdings: Wenn so am Ende der Moderne die Rede doch wieder auf Religion, auf die Religionen, kommt und diese Religionen in der Moderne offensichtlich nicht untergegangen, sondern allen Untergangsprognosen zum Trotz vielfach mit neuer Kraft, in traditionellen und unkonventionellen Formen, wieder aufgelebt sind, dann stellt sich für manche Zeitanalytiker die eher bedrohliche Frage: Werden es nicht gerade die großen **Religionen** sein, die in der nachmodernen Zeit wieder neu **Konflikte** kreieren, legitimieren, inspirieren?

Drei Chancen für eine neue Weltordnung

Wir sahen: Im Rahmen des modernen Paradigmas, konkret im Zuge der Französischen Revolution, wurden die **Kriege der Fürsten** zu Kriegen **der Nationen**. Mit dem Ende der Moderne aber wurden die Kriege der Nationen zu Kriegen **der Ideologien**. Man bedenke:

– 1918 schon hatte sich unserem Jahrhundert eine **erste Chance** geboten, die mit dem Ersten Weltkrieg zusammengebrochene Welt der nationalistischen Moderne durch eine neue friedvollere globale Weltordnung und

einen »Völkerbund« (1920) aufzufangen. Dies verhinderten jedoch die allesamt in der Moderne gründenden Ideologien des Faschismus, Kommunismus, Nationalsozialismus und Japanismus. Sie haben sich im nachhinein auch für ihre Anhänger als katastrophale Fehlentwicklungen erwiesen und die ganze Welt um Jahrzehnte zurückgeworfen. Statt zu einer neuen Weltordnung kam es zu einem Welt-Chaos!
– 1945 wurde dann (aufgrund der Obstruktion der stalinistischen Sowjetunion) die **zweite** Chance für eine neue Weltordnung verpaßt: »Vereinte Nationen« (1945). Statt zu einer neuen Weltordnung aber kam es zu einer Welt-Teilung!
– 1989 kamen all diese reaktionären Ideologien (miteingeschlossen die eines selbstgerechten Antikommunismus) an ein Ende; die Zeit der Großideologien scheint vorbei. Wiederum wurde eine neue Weltordnung propagiert, ohne freilich etwas für ihre Realisierung zu tun. Die Kriege (nach dem Golfkrieg der Balkankrieg und die Kriege in Afrika) ließen Ernüchterung einkehren. Ist also diese **dritte** Chance bereits wieder vertan? Statt einer neuen Weltordnung jetzt eine neue Welt-Unordnung?

Man fragt sich: Gibt es überhaupt »die Völkergemeinschaft«, oder gibt es doch nur eine Assoziation egoistischer souveräner Nationen? Eine neue Weltunordnung könne vermieden werden, wenn man nur nicht »idealistisch« vorgeht, sagen die einen. Denn Weltordnung gäbe es nur durch jene »Realpolitik«, welche die nationalen Interessen unbehindert von allzuvielen »moralischen Gefühlen« kühl kalkuliert und durchsetzt. Hauptvertreter in Theorie und Praxis: der kenntnisreiche und gewandte Politiker und Politologe **Henry Kissinger**, der solche »Realpolitik« jahrelang praktizierte und auch jetzt wieder in seinem neuesten Buch **»Diplomacy«**[204] eloquent propagiert. In der Tat: Der frühere Sicherheitsberater und Außenminister Präsident Nixons bewundert weniger amerikanische Politiker wie Jefferson und Franklin, die um eine Balance von Idealen und Interessen bemüht waren, als vielmehr europäische Machtpolitiker wie Richelieu, Metternich und Bismarck. Ironisch stellt Kissinger fest, keine andere Nation außer den Vereinigten Staaten habe je ihren Anspruch zu internationaler Führung auf ihrem Altruismus begründet. Der von ihm beratene Präsident Nixon wird denn auch als erster »realistischer« Präsident seit Theodore Roosevelt (Hauptvertreter der amerikanischen Expansionspolitik!) gelobt, während die Friedensbewegung gegen den Vietnamkrieg auch heute noch abschätzig kommentiert wird.

Ob aber nicht auch die von den genannten historischen Figuren betriebene »Realpolitik« längst ins Zwielicht geraten ist, wie unsere Darlegungen deutlich gemacht haben? Die Nixonsche »Realpolitik« jedenfalls führte zwar zur längst fälligen Öffnung gegenüber China, aber auch – aus wahltaktischen Gründen – zur Verlängerung des Vietnamkriegs um vier Jahre (Kosten: 20 492 tote Amerikaner und rund 160 000 tote Südvietnamesen) und zu seiner Ausdehnung auf Kambodscha (mit ungezählten Toten)[205]; Folge: immer heftigere Proteste in der Öffentlichkeit und Paranoia im Weißen Haus, am Ende Watergate und Rücktritt ... Und hat schließlich nicht gerade auch das moralische Trauerspiel der doppelzüngigen westlichen »Realpolitik« am Golf und in Jugoslawien die politische Glaubwürdigkeit der USA, EU und UNO schwer erschüttert, eine Politik, die das Leiden von Hunderttausenden von Menschen unnötig verlängert?

Man wird deshalb Walter Isaacson, dem kritischen Biographen Kissingers, folgen können, wenn er einerseits seinen »Respekt« für Kissingers »Brillanz als Analytiker« betont, andererseits aber seine »Reserven« äußert gegenüber der »niederen Priorität«, die Kissinger den »Werten« zuschreibe, welche die amerikanische Demokratie zu einer solch mächtigen internationalen Kraft gemacht hätten.[206] Angesichts der Spannung zwischen moralischen Idealen und nationalen Interessen stehe Kissinger gegen die »Idealisten«, welche die Verbreitung moralischer Werte für die entscheidende Motivationskraft der Nationen halten, auf der Seite jener »Realisten«, welche nationale Interessen, Macht und Glaubwürdigkeit anstreben. Aber hat es die amerikanische Demokratie nicht gerade ausgezeichnet, daß sie die Verfolgung nationaler Interessen immer auch mit der Propagierung von Werten und Idealen verband? Ist die amerikanische Außenpolitik je ganz von moralischen, letztlich religiös verankerten Werten und Idealen losgekoppelt worden? Müssen also Interessen und Ideale notwendig Gegensätze sein? Es läge doch im Interesse gerade einer realistischen Politik für diese reale Welt, daß sie über Ideen und Visionen aus ihren selbstproduzierten Krisen herausfindet.

Krieg der Zivilisationen?

Aber werden Kriege nicht auch in Zukunft unvermeidlich sein? Ja, aber die Kriege in einer neuen Weltepoche werden nicht mehr Kriege der Ideologien, sondern primär **Kriege der Zivilisationen** sein! Dies jedenfalls ist die gegenwärtig vieldiskutierte These des Direktors des Instituts für strategische Studien an der Harvard Universität **Samuel P. Huntington**, entwickelt in seinem aufsehenerregenden Essay »The Clash of Civilizations?«[207]. Zusammenprall der **Zivilisationen**: Darunter versteht Huntington im Anschluß an **Arnold Toynbee**[208] die Regionen und Nationen übergreifenden »Kulturkreise«. Diese sind definiert sowohl durch die objektiven Elemente Sprache, Geschichte, Religion, Sitten, Institutionen wie durch die subjektive Selbstidentifikation der Menschen. Huntington zufolge gibt es heutzutage acht »Zivilisationen« (mit möglichen Sub-Zivilisationen): die westliche, konfuzianische, japanische, islamische, hinduistische, slawisch-orthodoxe, lateinamerikanische und afrikanische. Zu erwarten seien also in Zukunft politische, wirtschaftliche und militärische Konflikte etwa zwischen der islamischen Zivilisation und dem Westen oder der konfuzianisch-asiatischen Zivilisation und dem Westen, verbunden unter Umständen mit einer »islamisch-konfuzianischen Connection«, wie sie schon jetzt beim ständigen Waffenfluß aus China und Nordkorea nach Nahost sichtbar sei. »Der nächste Weltkrieg, wenn es einen gibt, wird ein Krieg zwischen Zivilisationen sein.«[209]

Huntington wurde in der bisher vor allem in Amerika geführten Diskussion[210] vorgeworfen, politisch-wirtschaftliche Konflikte von vornherein als ethnisch-kulturelle Konflikte zu interpretieren und sie religiös aufzuladen (wie der unreligiöse Saddam Hussein dies im Golfkrieg im nachhinein in zynischer Taktik versucht hat). Hier ist zu differenzieren: Selbstverständlich wird in den allermeisten Konflikten – von Berg Karabach über den Golfkrieg und Bosnien bis nach Kaschmir – nicht in erster Linie um Zivilisation und Religion gekämpft, sondern um Territorien, Rohstoffe, Handel und Geld, also für wirtschaftliche, politische und militärische Machtinteressen. Aber Huntington hat recht: Für territoriale Auseinandersetzungen, politische Interessen und wirtschaftliche Konkurrenz bilden die ethnisch-religiösen Rivalitäten die ständig gegebenen **untergründigen Strukturen**, von denen her die politisch-wirtschaftlich-militärischen Konflikte jederzeit gerechtfertigt, inspiriert und verschärft werden können. Die großen Zivilisationen scheinen mir zwar nicht geradezu das **dominierende Paradigma** für die weltpolitischen Auseinandersetzungen der neuen Weltepoche zu bilden, mit dem Huntington das Kalte-Krieg-Paradigma und das Erste-Zweite-Dritte-Welt-Schema abgelöst haben möchte, wohl aber die auf keinen Fall zu vernachlässigende, ständig mitgegebene **kulturelle Tiefendimension** aller Antagonismen und Konflikte der Völker.

Dabei würde man bezüglich dieser kulturellen Dimension besser noch mehr von den großen **Religionen** (und deren verschiedenen Paradigmen!) ausgehen, **statt** von den oft schwer abgrenzbaren **Zivilisationen**. Auch Huntington zieht ja, wenn er von einer islamischen, hinduistischen, konfuzianischen oder slawisch-orthodoxen Zivilisation spricht, faktisch die Religionen zur Bestimmung der Zivilisationen heran. Doch sehe ich dabei zwei Schwierigkeiten:

– Kann man, wie dies schon Toynbee tat, die **orthodoxe Christenheit** als eigene Zivilisation von der »westlichen« absetzen? Ein Großteil der slawisch-orthodoxen Osteuropäer und auch Russen wird zu Recht dagegen protestieren, daß sie nicht zum europäischen »Westen« gehören sollen; sind doch westliche und slawisch-orthodoxe Christenheit, wie unsere ganze Darstellung zeigt, keineswegs zwei völlig verschiedene Religionen oder Zivilisationen, sondern »nur« zwei Paradigmen der einen und selben Christenheit (P II und P III). Diese haben sich zwar im zweiten Jahrtausend auseinanderentwickelt, eine künftige Versöhnung aber ist keineswegs auszuschließen.

– Kann man die westlich-nordamerikanische und die **lateinamerikanische Zivilisation** so stark voneinander absetzen? Beide Kontinente wurden fast gleichzeitig politisch, wirtschaftlich und kulturell (unter grausamer Ausschaltung der eingeborenen Indiobevölkerung!) von Europa her christlich geprägt. Nur daß für Lateinamerika das lateinisch-katholische Paradigma (P III), für Nordamerika aber das angelsächsisch-protestantische Paradigma (P IV) und schon bald auch das aufgeklärte moderne Paradigma (P V) maßgebend wurden.

Recht zu geben freilich ist Samuel Huntington in zwei entscheidenden Punkten:

- Den **Religionen** ist (so schon Toynbee) gegen alle Oberflächenpolitiker und -politologen, welche die Tiefendimension weltpolitischer Konflikte übersehen, eine **grundlegende Rolle** in der Weltpolitik zuzuschreiben: »In der modernen Welt ist die Religion eine zentrale, vielleicht **die** zentrale Kraft, die Menschen motiviert und mobilisiert … Was letztlich zählt für Menschen ist nicht politische Ideologie oder ökonomisches Interesse. Glaubensüberzeugung (faith) und Familie, Blut und Glaubenslehre (belief) sind das, womit sich Menschen identifizieren und wofür sie kämpfen und sterben.«[211]
- Religionen wachsen (anders als Toynbee meinte) nicht zu einer einzigen Einheitsreligion aus christlichen, muslimischen, hinduistischen und buddhistischen Elementen im Dienst einer menschlichen Einheitsgesellschaft zusammen. Vielmehr ist realistisch auch mit ihrem **Konfliktpotential** als Rivalen zu rechnen: »Die Nationen werden die mächtigsten Akteure in Weltangelegenheiten sein, aber die Hauptkonflikte der Weltpolitik werden sich zwischen Nationen und Gruppen verschiedener Zivilisationen abspielen.«[212]

In der Tat: Wer nicht geschichtsblind ist, dem wird aufgefallen sein, daß die modernen Staatsgrenzen in Osteuropa (zum Teil auch in Afrika) zu verblassen scheinen vor jenen **uralten Grenzen**, die von Völkerschaften, Religionen und Konfessionen einmal gezogen wurden: zwischen Armenien und Aserbeidschan, zwischen Georgien und Rußland, der Ukraine und Rußland und eben auch zwischen den verschiedenen Völkerschaften in Jugoslawien. Auch für die **Zukunft** ist Huntington zufolge mit **Zivilisationskonflikten** zu rechnen: »Solche Konflikte drohen auch in Zukunft, ja es ist zu befürchten: Die wichtigsten Konflikte der Zukunft werden entlang der kulturellen Schuldlinien (cultural fault lines), die diese Zivilisationen voneinander trennen, ausbrechen.«[213] Warum? Nicht nur **aus geopolitischen Gründen**: weil die Welt immer kleiner, die Interaktionen zwischen den Menschen verschiedener Zivilisationen immer zahlreicher und die Bedeutung der regionalen ökonomischen Blöcke immer wichtiger werden. Sondern auch aus kultur- und **religionspolitischen Gründen**: weil (1) die Unterschiede zwischen den Zivilisationen nicht nur real, sondern grundlegend, oft uralt und allumfassend von der Kindererziehung wie der Staatsauffassung bis hin zum Natur- und Gottesverständnis sind; weil (2) viele Menschen wegen der durch den ökonomisch-sozialen Modernisierungsprozeß bewirkten kulturellen Entfremdung und Enttäuschung über den Westen sich schließlich doch wieder auf ihre religiösen Wurzeln besinnen; weil (3) die kulturellen Charakteristika und Unterschiede der Menschen weniger veränderlich und aufgebbar sind als politische und ökonomische (ein Aserbeidschaner kann kein Armenier werden und umgekehrt) und weil noch viel mehr als die Volkszugehörigkeit die Religion die Menschen scharf und ausschließlich unterscheidet: »Eine Person kann halb-französisch und halb-arabisch und gleichzeitig Bürger zweier Länder sein. Es ist aber schwierig, halb-katholisch und halb-muslimisch zu sein.«[214] Die Religion spielt gerade bei religiös verwandten Völkern (H. D. S. Greenway: »Kin-Country syndrome«) – etwa zwischen orthodoxen Serben, Russen und Griechen – eine nicht zu vernachlässigende Rolle.

Länder mit großen Bevölkerungsanteilen aus verschiedenen Zivilisationen wie die frühere Sowjetunion oder das frühere Jugoslawien können an solchen Konflikten zerbrechen. Andere Länder wie die Türkei, Mexiko und Rußland, die kulturell zwar einigermaßen einheitlich sind, aber doch innerlich uneins, zu welcher Zivilisation sie gehören (»torn countries«, »zerrissene Länder«), werden bei einer notwendigen kulturellen Neuorientierung in allergrößte Schwierigkeiten geraten. Sieht nun aber angesichts solcher möglicher Konflikte auch von Zivilisationen und Religionen die Zukunft der Menschheit nicht reichlich düster aus? Wie soll man auf diese Situation reagieren?

Die Alternative: Frieden zwischen den Religionen

Nicht ganz zu Unrecht hat man Huntington einen tiefen Pessimismus und sogar einen unverantwortlichen Fatalismus vorgeworfen; wenn Konflikte in Zukunft primär Konflikte zwischen Zivilisationen seien, dann seien diese sozusagen naturgegeben und deshalb auch gar nicht vermeidbar; dann sei die Zukunft der Menschen der ständige, endlose Krieg. Ja, zur »**kommenden Anarchie**«, die uns aufgrund von »Knappheit, Verbrechen, Überbevölkerung, Tribalismus und Krankheit« der politische Publizist Robert D. Kaplan in einem aufsehenerregenden düsteren Artikel des Atlantic Monthly prognostiziert[215], käme dann schließlich unvermeidlich auch noch der Dritte Weltkrieg der Zivilisationen, der zum Ende unserer Menschheit führen müßte. Gibt es dazu keine Alternative?

Auch Huntington ist der Meinung, daß diese **Konflikte der Zivilisationen vermieden** werden müßten. Und dies nicht nur durch kurzfristige Strategien. Längerfristig sei denjenigen nichtwestlichen Zivilisationen entgegenzukommen (»accommodate«), die ihre traditionellen Werte und Kulturen beibehalten und sich doch modernisieren wollen und deren ökonomische und militärische Stärke zweifellos noch zunehmen wird. Diese Langzeit-Strategie erfordert Huntington zufolge mehr als die Aufrechterhaltung der ökonomischen und militärischen Stärke des Westens, um die eigenen Interessen zu schützen. Huntingtons ganze Analyse gipfelt in der für einen Politologen ungewöhnlichen Forderung (sie wurde unterdessen auch vom Präsidenten der EU-Kommission Jacques Delors aufgenommen[216]), »ein tieferes Verständnis der grundlegenden religiösen und philosophischen Annahmen zu entwickeln, die den anderen Zivilisationen zugrundeliegen, und der Weisen (›ways‹), wie Leute in ihren Zivilisationen ihre Interessen sehen«: »Dies wird eine Anstrengung erfordern, die Elemente an Gemeinsamkeit zwischen den westlichen und den anderen Zivilisationen zu identifizieren.«[217] Aber bei diesem einen Satz blieb's …

Wir aber können uns in unserem Projekt »Zur religiösen Situation der Zeit« bestärkt fühlen, das ja unter dem Leitsatz steht: »Kein Weltfriede ohne Religionsfriede«. Denn wir verfolgen mit diesem Projekt genau die Strategie, die den »Clash of Civilizations« verhindern soll. Wir gehen davon aus: **»Ohne Frieden zwischen den Religionen Krieg zwischen den Zivilisationen. Kein Frieden unter den Religionen aber ohne Dialog zwischen den Religionen. Kein Dialog zwischen den Religionen ohne Grundlagenforschung in den Religionen.«**

Die Analysen des Politologen können durch die des Theologen zum Teil bestätigt, müssen jedoch zum Teil differenziert werden:

– Erkennt man, daß die westliche und die östliche Christenheit nicht zwei Religionen/Zivilisationen, sondern zwei allerdings sehr verschiedene Konstellationen, **zwei Paradigmen** (P II und P III) des einen Christentums darstellen, deren Annäherung und Verständigung durch Johannes XXIII., das Vatikanum II und Patriarch Athenagoras von Konstantinopel schon weit vorangetrieben war, dann erkennt man auch: Gerade durch eine **ökumenische Verständigung der Kirchen** (in Jugoslawien, in der Ukraine, zwischen Rom und Moskau) hätte die Verständigung zwischen den Volksgruppen vorbereitet werden können (warum soll, was zwischen Franzosen und Deutschen möglich war, etwa zwischen Serben und Kroaten unmöglich sein?).
– Arbeitet man heraus, daß selbst zwischen **zwei Religionen** wie etwa Christentum und Islam, die historisch in ständiger Konfrontation standen, doch zahlreiche Gemeinsamkeiten des Glaubens und noch mehr des Ethos bestehen, dann braucht man die Hoffnung nicht aufzugeben: Die natürlich immer gegebenen Spannungen zwischen Religionen und Zivilisationen müssen keineswegs notwendig zum Clash, gar zum militärischen Zusammenprall führen. Frieden ist möglich (warum soll nicht auch eine Verständigung wie zwischen Israelis und Palästinensern so auch zwischen Armeniern und Aserbeidschanern, Indern und Pakistanis möglich sein?).
– Versucht man **bei jeder Religion die verschiedenen Paradigmen** (das ursprüngliche, das alte, das »mittelalterliche«, das moderne) herauszuarbeiten, die sich, vom Ursprung abgesehen, zumeist allesamt bis heute erhalten haben: so erkennt man besser, daß die fundamentalistische Option nirgendwo die einzige ist, sondern daß sich in allen großen Religionen (und in Judentum, Christentum und Islam ganz besonders) **mehrere Optionen** anbieten, von denen zumindest einige die Verständigung erleichtern; faktisch ist heute jede Religion unausweichlich mit der Moderne konfrontiert, mit moderner Wissenschaft, Technologie, Industrie, Demokratie und Kultur überhaupt.

Der welthistorische Streit zwischen Macht und Moral

Kennten sich westliche **Politiker, Diplomaten und Juristen** bei den anderen Religionen besser aus, dann wären sie nicht nur verhandlungsfähig, sondern **dialogfähig**. Sie wären dann bei internationalen Verhandlungen und Konferenzen wie etwa der letzten Menschenrechtskonferenz in Wien gegenüber chinesischen Kommunisten (und anderen autokratischen asiatischen Regierungen) nicht in Verlegenheit, sondern könnten darauf aufmerksam machen: **Menschenrechte sind durchaus nicht etwas exklusiv**

Westliches; der Begriff »jen« etwa, das »Humanum«, ist ein ganz und gar zentraler Begriff der chinesischen Tradition, von dem her sich für die heutige Zeit sehr wohl jene Menschenrechte begründen lassen, welche allüberall in Asien und in Afrika eine gewaltige Resonanz haben und die auf Dauer nicht gewaltsam unterdrückt werden können.[218] Schon Konfuzius war ja der Überzeugung, eine Regierung könne am ehesten auf das Militär, zur Not auch auf Nahrung, am wenigsten aber auf jenes Vertrauen verzichten, das ihr das Volk entgegenbringt.[219] Und daß die Menschenrechte von China, Tibet, Burma und Thailand über Indonesisch-Westirian und die Philippinen bis nach Kenia und zum Kongo eine tiefe Sehnsucht der Regierten gegenüber den Regierenden zum Ausdruck bringen, dürfte doch wohl nicht zu bestreiten sein. Die »Dissidenten« sind gerade keine winzige Minderheit! Jene Millionen, welche die tapfere Friedensnobelpreisträgerin Aung San Sun Kyi in Burma durch freie Wahlen mobilisieren konnte, könnte bei Meinungsfreiheit auch ein Mann wie Wei Jingsheng in China aktivieren.[220]

Aber gewiß: Es lassen sich die Menschenrechte für nichtwestliche Völker besser als nur vom westlichen Naturrechtsdenken von deren eigenen ethnisch-religiösen Traditionen her begründen. Und würde man sich im Westen in anderen religiös-kulturellen Traditionen besser auskennen, dann würde man auch verstehen, warum viele Asiaten, die dem Westen offen gegenüberstehen und eine Modernisierung bejahen, doch dem **westlichen Wertesystem skeptisch gegenüberstehen**. So wollen viele besonders den schrankenlosen Individualismus (ohne Rücksicht auf die Gemeinschaft) und die zügellose Freiheit (mit allen damit verbundenen Erscheinungen westlicher Dekadenz) nicht übernehmen, vielmehr legen sie wie eh und je Gewicht auf starke Familien, intensive Erziehung, strenge Arbeit, Sparsamkeit, Anspruchslosigkeit und auf nationales Teamwork.[221]

Doch bricht hier immer wieder die große, höchst praktische Frage auf: Steht das Ethos im großen welthistorischen **Streit zwischen Macht und Moral** nicht von vornherein auf verlorenem Posten, wie die Machiavellisten unter Politikern und Pressekommentatoren uns immer wieder glauben machen wollen? Ist, wer die Einhaltung bestimmter humaner »Werte« auch in der Außenpolitik fordert, ein naiver »Prediger« und der, der die Politik rein auf »Interessen« aufbaut, ein kühler »Stratege«? Vertragen sich Politik und Moral in der Regel nur so lange, wie keine gewichtigen Interessen tangiert werden? Erweisen sich nicht gerade Handelsinteressen in jedem Fall als stärker denn politisch moralische Postulate? Merkwürdig, daß man solch angeblich realistische Postulate noch vorträgt, nachdem selbst die so zynisch mit »Realpolitik« operierenden osteuropäischen kommunistischen Diktaturen schließlich vor moralischen Postulaten der eigenen Bevölkerung kapitulieren mußten!

Nein, Politik und Moral schließen sich nicht von vornherein aus, und was etwa gegenüber dem südafrikanischen Apartheidsstaat richtig war, kann gegenüber der kommunistischen Diktatur in China nicht von vornherein falsch sein. Es gibt durchaus einen Mittelweg zwischen »Predigen« und »Realpolitik«, den Weg einer **politischen Verantwortungsethik**. Das heißt: Eine verantwortungsethisch bestimmte **Menschenrechtspolitik** (etwa der USA gegenüber China) müßte die realen **Bedingungen kühl kalkulieren, unter denen sie überhaupt erfolgreich sein kann**. Konkret:

– Eine Regierung, von kundigen Experten beraten, muß schon im Vorfeld realistisch überlegen, welche Instrumente sie zur Durchsetzung von Menschenrechtsforderungen überhaupt zur Verfügung hat; idealistische Forderungen unter Druck zurückziehen zu müssen, fördert leider den politischen Zynismus nach innen und außen, den man überwinden wollte.

– Die Regierung muß mit einer Stimme sprechen (Finanz- und Wirtschaftsministerium dürfen nicht anders reden als das Außenministerium).

– Die einflußreichen Wirtschaftskreise (»business community«) sollten sich bei Wirtschaftsverhandlungen nicht den Menschenrechtsverächtern auch noch anbiedern, sondern ebenfalls (auf ihre eigene diskrete Weise) auf der Notwendigkeit der Beachtung moralischer Kriterien bestehen.

– Die Regierung sollte bei allen unumgänglichen Handelsabkommen immer wieder öffentlich und nichtöffentlich unterstreichen, daß ihr die moralischen Gesichtspunkte von erstrangiger Bedeutung sind und bleiben und daß ohne sie eine echte Völkerfreundschaft nicht zu realisieren ist.

– Eine Regierung sollte die andere auf deren eigene (oft nicht eingehaltene) Gesetze (Folter verletzt auch chinesisches Recht!) aufmerksam machen und die Menschenrechte als universale (und nicht nur westliche) Werte und Normen zur Geltung bringen.

Freilich: Ob der Westen die Werte auch lebt, die er dem »Rest der Welt« oft predigt? Dies alles führt uns zu einer letzten Frage, die in der bisherigen Diskussion um Huntington zu kurz kam, zur Frage des Ethos angesichts der heute allenthalben grassierenden Orientierungslosigkeit.

Orientierungslosigkeit – ein Weltproblem

Woran soll der Mensch sich halten – in jedem Fall und überall? Das **Orientierungsvakuum** ist ein Weltproblem:

– im früheren **Sowjetblock** nach dem Zusammenbruch des Kommunismus allüberall und unter der Decke auch im nach wie vor oppressiven

kommunistischen **China**: »Zurechtkommen mit diesem moralischen und geistigen Vakuum ist ein Problem nicht nur für China, sondern für alle Zivilisationen« (Liu Binyan[222]);
– in den **Vereinigten Staaten**, wo die Bevölkerung seit 1960 um 41 % zugenommen hat, die Gewaltverbrechen aber um 560 %, die alleinstehenden Mütter um 419 %, die Ehescheidungen um 300 %, die Kinder, die bei einem Elternteil aufwachsen, um 300 %[223] und der Tod durch Schußwaffe nach Unfällen die zweithäufigste Todesursache ist (4 200 erschossene Teenager 1990);
– in **Europa**, wo nach der Ermordung eines 2jährigen Kindes durch zwei 10jährige in Liverpool selbst »Der Spiegel« in einer Coverstory den »Orientierungsdschungel« und die in der Kulturgeschichte beispiellose Enttabuisierung beklagt: »Die jüngste Generation muß mit einer Werteverwirrung zurechtkommen, deren Ausmaß kaum abzuschätzen ist. Klare Maßstäbe für Recht und Unrecht, Gut und Böse, wie sie noch in den fünfziger und sechziger Jahren von Eltern und Schulen, Kirchen und manchmal auch von Politikern vermittelt wurden, sind für sie kaum noch erkennbar.«[224]

Was der hellsichtigste Kritiker (nicht Überwinder) der Moderne, **Friedrich Nietzsche**, schon im 19. Jahrhundert heraufkommen sah, den Menschen **»jenseits von Gut und Böse«**, nur seinem »Willen zur Macht« verpflichtet[225], den »Tod Gottes« und die Erschütterung der »ganzen europäischen Moral«, scheint im 20. Jahrhundert fatale Wirklichkeit geworden: nicht nur in Schreckensgestalten wie Stalin und Hitler, nicht nur im Holocaust, im Archipel Gulag und in zwei Weltkriegen mit der Atombombe am Ende, sondern auch im Alltag, in den sich häufenden unerhörten Skandalen führender Politiker, Wirtschaftsleute und Gewerkschaftler unserer Industrienationen oder in der Egozentrik, Konsumorientiertheit, Gewalttätigkeit und Fremdenfeindlichkeit so vieler gerade junger Menschen.

Soll in einer neu heraufkommenden Weltkonstellation ein Überleben der Menschheit auf unserem Planeten überhaupt noch weiterhin gewährleistet sein, so braucht es dringend einen universalen **Grundkonsens an humanen Überzeugungen**. Die Frage, Jahrtausende alt, ist auch in unserer Zeit unabweisbar: Warum soll der Mensch **Gutes tun und nicht Böses**? Warum steht der Mensch eben doch nicht »jenseits von Gut und Böse«, warum ist er doch nicht nur seinem Willen zur Macht, zum Erfolg, Reichtum, Konsum, Sex verpflichtet?[226] Elementare Fragen sind oft die allerschwierigsten – und vieles, Sitten, Gesetze und Gebräuche, vieles, was durch die Jahrhunderte selbstverständlich war, weil durch religiöse Autorität abgesichert, versteht sich heute überall auf der Welt keineswegs mehr von selbst. Ein weltweiter Dialog, ein globaler Dialog, ist bereits in Gang gesetzt worden, der zu einem Konsens über gemeinsame Werte, Maßstäbe und Grundhaltungen, zu einem Weltethos führen soll.

Denn die grundsätzliche Frage ist: Warum soll der Mensch – als Individuum, Gruppe, Nation, Religion verstanden – sich nicht bestialisch, rein triebhaft, sondern menschlich, wahrhaft menschlich, also **human** benehmen? Und warum soll er dies **unbedingt**, das heißt: in jedem Fall tun? Und warum sollen dies **alle** tun, und soll keine Schicht, Clique oder Gruppierung, kein Staat und keine Partei ausgenommen sein? Die Frage nach einer sowohl unbedingten (kategorischen) wie universalen (globalen) Verpflichtung – das ist die Grundfrage einer jeden Ethik in einer Zeit, die von zunehmenden wissenschaftlich-wirtschaftlichen Globalisierungstendenzen (man denke nur an den internationalen Finanzmarkt oder das Satellitenfernsehen) geprägt ist.

Daß hier ein Fundamentalproblem gerade der nun auch von Osteuropa übernommenen **modernen Demokratie** liegt, über das man nicht selbstgerecht moralisieren, wohl aber selbstkritisch nachdenken sollte, dürfte evident sein. Der freiheitlich-demokratische Rechtsstaat, der sich zur Gewissens- und Religionsfreiheit bekennt, muß von seinem Selbstverständnis her weltanschaulich neutral sein, muß verschiedene Religionen und Konfessionen, Philosophien und Ideologien dulden. Doch soll dieser Staat bei all dem gerade keinen Lebenssinn und Lebensstil dekretieren, wenn er seine weltanschauliche Neutralität nicht verletzen will. Ist nicht hier ganz offensichtlich das Dilemma jedes modernen demokratischen Staatswesens, ob in Europa, Amerika, Indien oder Japan, begründet?

Menschen verspüren normalerweise das unausrottbare Verlangen, sich an etwas zu halten, sich auf etwas zu verlassen. In der so unübersehbar komplexen technologischen Welt sowie in den Irrungen und Wirrungen ihres privaten Lebens möchten sie gerne einen Standpunkt haben, einer Leitlinie folgen, über Maßstäbe verfügen, über eine Zielvorstellung. Kurz, Menschen spüren das unausrottbare Verlangen, so etwas wie eine **ethische Grundorientierung** zu besitzen.

Alle Erfahrungen aber zeigen: Der Mensch kann nicht durch immer mehr Gesetze und Vorschriften verbessert werden, freilich auch nicht allein nur durch Psychologie und Soziologie. Im Kleinen wie im Großen ist man ja mit derselben Situation konfrontiert: Sachwissen ist noch kein Sinnwissen, Reglementierungen sind noch keine Orientierungen, und Gesetze sind noch keine Sitten. Auch das **Recht braucht ein moralisches Fundament**! Und die Sicherheit in unseren Städten und Dörfern läßt sich nicht einfach mit Geld (und mehr Polizei und Gefängnissen) kaufen. Die ethische Akzeptanz der Gesetze (die vom Staat mit Sanktionen versehen und mit Gewalt durchgesetzt werden können) ist Voraussetzung jeglicher politischer Kultur. Was nützen den einzelnen Staaten oder Organisationen, ob der EU, den USA, der GUS oder der UNO, immer neue Gesetze, wenn ein Großteil der Menschen oder mächtige Gruppierungen oder Einzelne gar nicht daran denken, sie auch einzuhalten, und ständig genügend Mittel und Wege finden, um verantwortungslos die eigenen oder kollektiven Interessen durchzusetzen? »Quid leges sine moribus«, heißt ein römisches Diktum: Was sollen Gesetze ohne Sitten!?

Für ein verbindliches und verbindendes Weltethos

Gewiß: Alle Staaten der Welt haben eine Wirtschafts- und Rechtsordnung, aber in keinem Staat der Welt wird sie funktionieren ohne einen ethischen Konsens, ohne den ethischen Willen ihrer Staatsbürgerinnen und Staatsbürger, aus dem der demokratische Rechtsstaat lebt. Schon in der Französischen Revolution wollten manche ursprünglich mit den Menschen-Rechten auch die Menschen-Pflichten formuliert haben. Auch die internationale Staatengemeinschaft hat bereits transnationale, transkulturelle, transreligiöse Rechtsstrukturen geschaffen (ohne die internationale Verträge ja purer Selbstbetrug wären). Aber eine neue Weltordnung bedarf zu ihrem Bestand eines **Minimums an gemeinsamen Werten, Maßstäben und Grundhaltungen**, eines – bei aller Zeitgebundenheit – verbindenden und verbindlichen Ethos für die gesamte Menschheit, kurz, eines Weltethos.

Es war das **Parlament der Weltreligionen**, das in Chicago am 4. September 1993 eine **»Erklärung zum Weltethos«**[227] verabschiedet hat, die zum erstenmal in der Geschichte der Religionen einen minimalen Grundkonsens eben bezüglich verbindlicher Werte, unverrückbarer Maßstäbe und persönlicher Grundhaltungen formuliert hat. Ein ethischer Grundkonsens, der

– von allen Religionen trotz ihrer »dogmatischen« Differenzen bejaht werden und
– auch von Nicht-Glaubenden mitgetragen werden kann.

Das heißt nun selbstverständlich nicht, daß ein solches Weltethos das spezifische Ethos der verschiedenen Religionen überflüssig machen würde. Das Weltethos ist kein Ersatz für die Bergpredigt oder auch die Tora, den Koran, die Bhagavadgita, die Reden des Buddha oder die Sprüche des Konfuzius. Im Gegenteil: Gerade diese uralten und für Milliarden von

Menschen wichtigen »Heiligen Texte« können einem Weltethos eine solide Begründung und überzeugende Konkretisierung geben. Denn das Weltethos hat zwar eine allen Religionen gemeinsame Außenperspektive, hat aber zugleich eine für jede Religion spezifische Innenperspektive:

– Die Welt der Religionen läßt sich sozusagen von **außen** her betrachten: In dieser (religionswissenschaftlichen) Außenperspektive gibt es verschiedene Heilswege zu dem einen Ziel, **viele** wahre Religionen, die sich gegenseitig befruchten und ergänzen können, die aber trotz aller »dogmatischer« Differenzen im Ethos ein Minimum an gemeinsamen Werten, Maßstäben und Grundhaltungen aufweisen. Das Weltethos ist zu finden, nicht zu erfinden.

– Doch zugleich (und ohne Widerspruch zur ersten Perspektive) läßt sich die Welt der Religionen von **innen** her betrachten, für mich vom christlichen Glauben her. Und in dieser Innenperspektive gibt es für mich als Christen (analog natürlich auch für den Juden, den Muslimen und alle anderen) nur die **eine** wahre Religion: Das ist für mich das Christentum, insofern es den einen wahren Gott, wie er sich in Jesus Christus kundgetan hat, bezeugt, wie ich dies am Anfang als das »Wesen des Christentums« darzulegen versuchte. Diese eine wahre Religion schließt jedoch Wahrheit in anderen Religionen keineswegs aus. Ja, gerade im Blick auf das Ethos findet der christliche Glaube auch bei den anderen Religionen ähnliche elementare Werte, Maßstäbe und Grundhaltungen, so daß christlicher Glaube einem Weltethos nicht nur nicht widerspricht, sondern dieses aus seinem spezifischen Blickwinkel abstützt, unzweideutig begründet und konkretisierend vertieft (vgl. die folgenden beiden Tafeln »Die Religionen und das Weltethos« und »Weltethos – christliche Innenperspektive«).

Die Religionen und das Weltethos

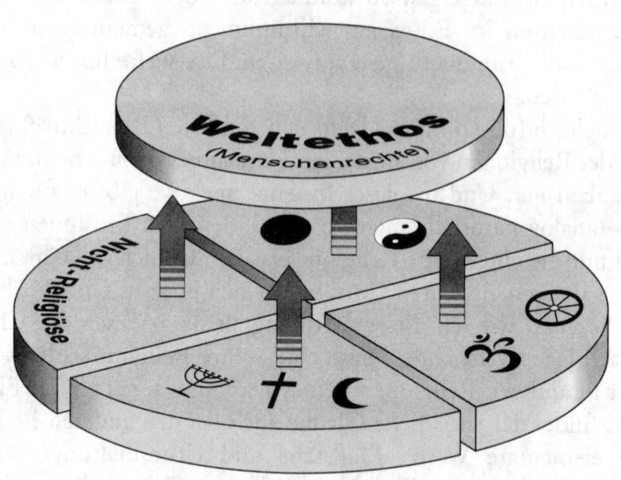

Nahöstlich-prophetische Religionen

- Judentum
- Christentum
- Islam

Indisch-mystische Religionen

- Hinduismus
- Buddhismus

Fernöstlich-weisheitliche Religionen

- Konfuzianismus/Taoismus
- Japanische Religionen

Natur- und Stammesreligionen

Religionen der Naturvölker in Afrika, Asien, Ozeanien und Amerika

Weltethos

Christliche Innenperspektive

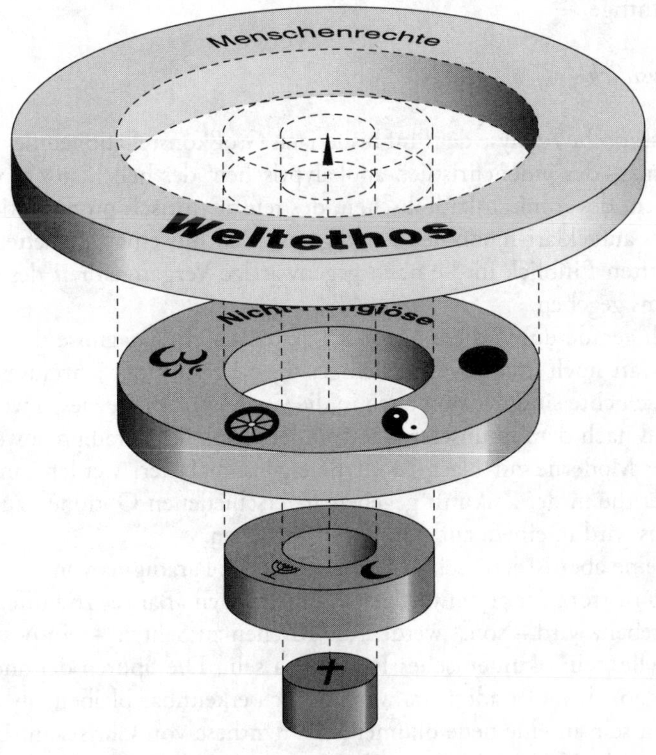

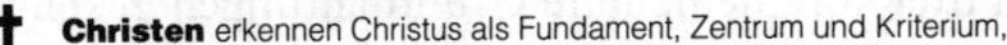

Christen erkennen Christus als Fundament, Zentrum und Kriterium,

vereint mit **Juden** und **Muslimen** im Glauben an den einen Gott Abrahams,

in Zusammenarbeit mit allen Menschen, **religiösen** und **nichtreligiösen**:

das **Weltethos** als Verpflichtung und Hoffnung!

Kein Epilog

Dieses Buch neigt sich seinem Ende zu. Aber wir sind mit der Sache noch längst nicht am Ende. Und diese Sache heißt: Analyse der religiösen Situation der Zeit. Dafür haben wir uns den Weg durch die Geschichte gebahnt und auch schon das Tor zur Gegenwart geöffnet. Deshalb kann dieses Buch um der Sache willen keinen Epilog, keinen Abgesang, kein Nach-Wort erhalten. Bestenfalls einen Blick nach vorn. Ein Vor-Wort für das Künftige.

Ein Ausblick

Die historische Analyse der fünf bisherigen Großkonstellationen des Christentums – des judenchristlich-apokalyptischen, des hellenistisch-byzantinischen, des römisch-katholischen, des reformatorisch-protestantischen und des aufgeklärt-modernen Paradigmas – hat uns einen vertieften und geschärften Einblick in die noch gegenwärtige **Vergangenheit** des Christentums gegeben.

Doch gerade durch diese historisch-systematische Diagnose der in der Gegenwart noch immer wirkenden geistigen Kräfte einer jahrtausendealten Geschichte sind wir stets auch in die **Gegenwart** eingewiesen worden: Sie muß nach dem in unserem Jahrhundert erfolgten Paradigmenwechsel von der Moderne zur Nach-Moderne eigens analysiert werden, um von dort her die in der **Zukunft** gegebenen verschiedenen Optionen zu sichten. Das wird in einem anderen Band geschehen.

Das eine aber ist jetzt schon sicher: Das neue Paradigma von Christentum, so ist trotz der gegenwärtigen ökumenischen »Baisse« zu hoffen und anzustreben, wird – sonst werden die Kirchen zu Sekten! – ein postkonfessionelles, ein **ökumenisches Paradigma** sein. Die Spuren der anderen »konfessionellen« Paradigmata werden noch erkennbar bleiben, aber aufgehoben sein in eine neue ökumenische Synthese von Christsein. Dieses wird künftig nicht mehr durch drei antagonistische Konfessionen, sondern durch drei komplementäre Grundhaltungen gekennzeichnet sein:

- Wer ist **orthodox**? Die Analyse von P II ließ es deutlich werden: Wem besonders an der »rechten Lehre«, der wahren Lehre, gelegen ist. Konkret: an jener **Wahrheit**, die, weil Gottes Wahrheit, nicht dem Belieben Einzelner (Christen, Bischöfe, Kirchen) ausgeliefert sein soll, die vielmehr durch die getreue **Überlieferung** der gesamten Kirche an immer wieder neue Generationen kreativ weitergegeben und gelebt werden soll.

- Wer ist **katholisch**? Die Analyse von P III hat es gezeigt: Wem besonders an der katholischen, das heißt **ganzen**, allgemeinen, umfassenden, gesamten Kirche gelegen ist. Konkret: an der in allen Brüchen sich durchhaltenden **Kontinuität** von Glaube und Glaubensgemeinschaft in der Zeit und in ihrer **Universalität** im Raum.
- Wer ist **evangelisch**? Die Analyse von P IV konnte zeigen: Wem in allen kirchlichen Traditionen, Lehren und Praktiken besonders am ständigen Rückgriff auf das **Evangelium** (Schrift) gelegen ist. Konkret: an der ständigen praktischen **Reform** nach der Norm dieses Evangeliums.

Doch damit ist schon deutlich geworden: Richtig verstanden schließen sich heute »orthodoxe«, »katholische« und »evangelische« Grundhaltungen keineswegs mehr aus. Heute kann auch der geborene Orthodoxe oder Katholik wahrhaft evangelisch, heute kann der geborene Protestant und Katholik wahrhaft orthodox, heute kann der geborene Protestant und Orthodoxe wahrhaft katholisch gesinnt sein. Leben nicht bereits jetzt zahllose Christen überall in der Welt – trotz der Widerstände in den kirchlichen Apparaten – faktisch eine vom Evangelium her zentrierte echte Ökumenizität? Wahres Christsein bedeutet heute ökumenisches Christsein.

Die Aufgaben für eine ökumenische Theologie sind geblieben, riesige Aufgaben, die es in einem weiteren Band zu behandeln gilt. Und den Einzelnen kann da leicht Schwindel befallen. Denn was sind für das Christentum in unserer Zeit die Herausforderungen der Gegenwart und was die Möglichkeiten der Zukunft? Ich wage es, diese bleibenden Aufgaben im folgenden schematisch zu benennen, auch wenn ich (trotz beträchtlicher Vorarbeiten) keine Gewißheit habe, daß sich alles, wie hier angegeben, auch durchführen läßt; weiß man doch immer erst am Ende des Weges, was wirklich gangbar ist. Deshalb – mit allen Vorbehalten – eine **vorläufige Skizze** (von mir oder anderen) noch zu leistender Aufgaben:

Was sind **die Herausforderungen der Gegenwart**? Folgende Thematik wäre hier zu behandeln:

Polyzentrisches Christentum in einer polyzentrischen Welt

- Afrika – eine theologische Herausforderung
- Asien – Erfolge und Scheitern des Christentums
- Lateinamerika – ein Kontinent zwischen Verzweiflung und Hoffnung
- Nordamerika – religiöser Pluralismus als Chance der Bewährung

Was sind **die Möglichkeiten der Zukunft?** Folgende Thematik wäre hier zu behandeln:

Chancen für eine christlichere Christenheit

- Die Wiedergeburt der östlichen Orthodoxie
- Die Erneuerung der katholischen Kirche
- Die Reformation der Reformation
- Chancen des Christentums in der Dritten Welt

Perspektiven für eine friedlichere Weltökumene

- Christentum und Judentum
- Christentum und Islam
- Christentum und Hinduismus
- Christentum und Buddhismus
- Christentum und Konfuzianismus

Neue Synthesen

- Religion und Kosmos (Theologie und Naturwissenschaft)
- Religion und Psyche (Theologie und Psychotherapie)
- Religion und Polis (Theologie und Politik)
- Religion und Kultur (Theologie und Ästhetik)

Eine Religiosität für die Menschheit

- Mensch und Natur: kosmische Religiosität
- Mann und Frau: ganzheitliche Religiosität
- Reiche und Arme: befreiende Religiosität
- Meine Religion und andere Religionen: ökumenische Religiosität

Aber es werden nun manche doch schon am Ende dieses Buches fragen: Wird denn das Christentum im dritten Jahrtausend noch so viel wie bisher bedeuten, wird es noch so viel Kraft und Geist aufbringen können? Ich komme jetzt auf die Frage des Anfangs zurück: Muß man – im Blick auf die Herausforderungen des dritten nachchristlichen Jahrtausends – am Christentum nicht verzweifeln?

Das Geheimnis des Christentums

Wenn wir am Ende dieser historischen Bilanzierung auf die in verschiedenen Strängen verlaufende dramatische Geschichte des Christentums zurückblicken, wenn wir uns noch einmal vergegenwärtigen, was wir alles über das judenchristlich-apokalyptische, das hellenistisch-griechisch-russische, das römisch-katholische, das reformatorisch-protestantische und schließlich das modern-aufgeklärte Paradigma gehört haben, so wird man mir zumindest dies zugestehen: Ich habe die Abweichungen von der Ur-Kunde, vom Ursprung, vom ursprünglich guten Wesen, ich habe all die grauenhaften Fehlentwicklungen und Dekadenzerscheinungen, die monströsen Verbrechen und Laster der christlichen Repräsentanten keineswegs verschwiegen, sondern immer klar angesprochen. Es ist nicht nötig, nochmals die Judenverfolgungen und die Ketzerjagden zu erwähnen, die »Heiligen« Kriege und die Hexenverbrennungen, die Religionskriege und all die anderen im Namen des Christentums angerichteten Verbrechen. Aber zugleich habe ich deutlich zu machen versucht, daß die Geschichte des Christentums keinesfalls einfach als eine Geschichte von Schurken und Verbrechern, als eine »Kriminalgeschichte« erzählt werden kann, sondern daß sie sachgemäß erzählt werden muß als eine Geschichte, in der das Wesen des Christentums trotz allen Unwesens immer wieder durchbricht.

Und so geht einem die Frage nicht aus dem Kopf: Warum hat dieses Christentum trotz all des Unchristlichen in seiner Geschichte immer wieder überlebt? Denn wie ein großer Strom, der irgendwo bescheiden beginnt und sich immer wieder neu in die sich hebende Landschaft eingeschnitten hat, hat sich diese Religion ja immer wieder in neue Kulturlandschaften eingefügt. Sie hat dabei gewaltige Abstürze erlebt und Umwälzungen durchgemacht, ja oft selber neue welthistorische Umschichtungen ausgelöst. Aber ob man dabei nicht auch den Strom von Güte, Barmherzigkeit, Hilfsbereitschaft, Fürsorge sehen muß, der von der Quelle, vom Evangelium her durch die Geschichte fließt? Zugegeben: Unendlich viel Geschiebe, Geröll, Schlamm und Abfall haben sich dabei auf dem langen Weg durch die Jahrhunderte angesammelt. Aber ist das Quellwasser des Ursprungs wirklich völlig verdorben worden, wie viele sagen? Wie aber kommt es dann, daß das Wesen des Christentums sich nicht verlor, sondern immer wieder erkennbar wurde: Jesus Christus und seine Sache als Orientierung, Maßstab, Lebensmodell für das konkrete Leben des Einzelnen und der Glaubensgemeinschaft, für die Beziehungen sowohl zum Mitmenschen, zur menschlichen Gesellschaft wie schließlich zu Gott?

Seltsam: Immer wieder war es der **Geist des Nazareners**, der auch bei versagenden Personen, Institutionen und Konstitutionen sich durchzusetzen vermochte, wo immer nicht nur Worte gemacht, sondern ganz praktisch Nachfolge geschah; denn die Wahrheit des Christentums ist ja nicht nur Erkenntniswahrheit, sondern Lebenswahrheit. Wie also kommt es, daß weder heidnische Kaiser noch »christliche« Diktatoren, weder machtgierige Päpste noch finstere Inquisitoren, weder verweltlichte Bischöfe noch fanatische Theologen diesen Geist auszulöschen vermochten? Warum konnte die Hierarchie die Diakonie, die Dogmatik die Nachfolge Christi nie völlig überspielen? Was mag an diesem Geist sein, daß er in allen Jahrhunderten in einer Bewegung sondergleichen immer wieder Menschen motiviert, ja ergriffen hat, all die kulturellen, gesellschaftlichen, politischen, kurz: paradigmatischen Verfestigungen aufzubrechen und die urchristlichen Ideale einer Liebe zum Nächsten und Fernsten ernst zu nehmen? Seltsames Geheimnis der Geschichte: Altkirchliche Mönche und Heilige finden sich da neben Hoftheologen und Hofbischöfen, ein Franz von Assisi neben Innozenz III. und Bonifaz VIII., ein Martin Luther neben Leo X., eine Katharina von Siena und eine Teresa von Avila neben Großinquisitoren, ein Blaise Pascal inmitten des französischen Absolutismus, ein Bischof Ketteler in einer Zeit der Verdrängung der sozialen Frage, ein Karl Barth, ein Dietrich Bonhoeffer und ein Alfred Delp im Widerstand gegen das verbürgerlichte Kulturchristentum und den Nationalsozialismus – von Gestalten in unseren Tagen wie Johannes XXIII., Willem Visser't Hooft, Martin Luther King, Helder Camara und Mutter Teresa ganz zu schweigen.

All diese bekannten Namen stehen nur stellvertretend für die zahllosen Unbekannten, deren Namen in keiner Kirchengeschichte verzeichnet sind und die dennoch die verborgene Kraft des Christentums ausmachen, seine wahre Geistgeschichte! Jene Glaubensbewegung der zahllosen Unbekannten durch Jahrhunderte, die sich an den Werten, Maßstäben und Haltungen des Mannes aus Nazaret orientieren; die von ihm gelernt haben, daß diejenigen selig sind, die arm sind vor Gott, die keine Gewalt anwenden, die hungern und dürsten nach der Gerechtigkeit, die barmherzig sind, Frieden stiften und um der Gerechtigkeit willen verfolgt werden; die von ihm gelernt haben, Rücksicht zu nehmen und zu teilen, vergeben zu können und zu bereuen, Schonung und Verzicht zu üben und Hilfestellung zu geben. Sie zeigen es bis auf den heutigen Tag, daß das Christentum, wo es sich wirklich nach seinem Christus richtet und sich von ihm die Kraft geben läßt, eine geistige Heimat, ein Zuhause des Glaubens, der Hoffnung und der Liebe zu bieten vermag. Sie zeigen immer wieder im Alltag der Welt, daß oberste Werte, unbedingte Normen, tiefste Motivationen und höchste Ideale gelebt werden können. Ja, daß von der Tiefe ihres Christus-Glaubens her gerade auch Leid und Schuld, Verzweiflung und Angst überwunden werden können. Nein, dieser Glaube an Christus ist keine bloße Vertröstung auf ein Jenseits, sondern eine Basis für Protest und Widerstand gegen Unrechtsverhältnisse hier und heute, getragen und gestärkt von einer unstillbaren Sehnsucht nach dem »ganz Anderen«.

Zugegeben: Für Kriminologen und Pathologen des Christentums ist diese oft verborgene Christentumsgeschichte ebenso uninteressant wie für bestimmte Journalisten, die der Tagessensation nachhetzen. Ist es doch sehr viel leichter, von einem Bischofsskandal oder einer Papstreise zu berichten als von Pfarrern oder Pfarrerinnen vor Ort in den Gemeinden, die sich im Dienst an jungen und alten Menschen aufreiben und die diesen ihren Dienst auch noch frohen Herzens und aufrechten Ganges tun. Es sind aber gerade diese Frauen und Männer, ob ordiniert oder nicht, die die Sache Jesu Christi weitertragen. Ja, es gab immer wieder Zeiten, wie wir sahen, da vom wahren Christentum im Leben und Treiben der Hierarchen und Theologen wenig zu beobachten war, wo aber noch immer jene zahllosen meist unbekannten Christen (»kleine Leute«, aber auch immer einige Bischöfe, Theologen und besonders Gemeindepfarrer und Ordensleute) da waren, die den Geist Jesu Christi wachhielten.

Was ist das für ein Geist, was für eine Kraft, die da überall am Werk ist? Alles nur Zufall? Alles nur Schicksal? Alles nur strukturelle Konstellation? Nein, für den glaubenden Christen ist hier zweifellos mehr im Spiel. Für ihn ist deutlich, daß es sich bei diesem wirkmächtigen Geist Jesu Christi nicht um einen unheiligen Menschengeist, sondern um den Heiligen Geist, den Geist, die Kraft und Macht **Gottes** handelt: Gottes Geistesgegenwart im Herzen der Glaubenden und so auch in der Glaubensgemeinschaft. Dieser Geist sorgt dafür, daß über das Christentum nicht nur geredet, geforscht, informiert und doziert wird, sondern daß es mit dem Herzen erfahren, erlebt und auch wirklich im Leben gelebt und verwirklicht wird – recht und schlecht, wie es halt so der Menschen Art ist, und im Vertrauen auf diesen Geist Gottes. Und deshalb dürfen sich die Christen darauf verlassen, daß das Christentum auch im dritten Jahrtausend nach Christus eine Zukunft hat, daß dieser Geist- und Glaubensgemeinschaft eine eigene Art von »Unfehlbarkeit« eignet, die nicht darauf beruht, daß irgendwelche Autoritäten in bestimmten Situationen keine Fehler machen und Irrtümer begehen, sondern daß trotz aller Fehler und Irrtümer, Sünden und Laster die Gemeinschaft der Glaubenden durch den Geist in der Wahrheit Jesu Christi gehalten wird.

Auf seltsame Weise fühlt man sich erinnert an den berühmten Rat des Pharisäers Gamaliel, eines Zeitgenossen Jesu, der ein beim ganzen Volk angesehener jüdischer Gesetzeslehrer war. Dieser soll – so jedenfalls berichtet die Apostelgeschichte – nach der Verhaftung der Apostel im

»Hohen Rat« zu Jerusalem über solche Christen gesagt haben: »Ist dies Vorhaben oder dies Werk von Menschen, so wird's untergehen; ist es aber von Gott, so könnt ihr sie nicht vernichten – damit ihr nicht dasteht als solche, die gegen Gott streiten wollen« (Apg 5,38f).

Anmerkungen

Es wurden folgende Abkürzungen verwendet:

EncRel The Encyclopedia of Religion, hrsg. v. M. Eliade, Bd. I-XVI, New York 1987.

LThK Lexikon für Theologie und Kirche, hrsg. v. J. Höfer – K. Rahner, Bd. I-X, Freiburg 1957ff.

TRE Theologische Realenzyklöpädie, hrsg. v. G. Krause – G. Müller, Bd. I-XVII, Berlin 1977ff.

Was dieses Buch will

1 Für weitere Detailinformationen vgl. die entsprechenden Abschnitte in den großen **historischen Gesamtdarstellungen:**
1. in den **Weltgeschichten: L. Halphen – P. Sagnac** (Hrsg.), Peuples et civilisations. Histoire générale, Bd. I-XX, Paris 1926-37. **A. J. Toynbee,** A Study of History, Bd. I-XII, Oxford 1934-61. **F. Valjavec** (Hrsg.), Historia Mundi, Bd. I-X, Bern 1952-61. **M. Crouzet** (Hrsg.), Histoire générale des civilisations, Bd. I-VII, Paris 1953-57. **P. Renouvin** (Hrsg.), Histoire des relations internationales, Bd. I-VIII, Paris 1953-58. **G. Mann – A. Heuß** (Hrsg.), Propyläen Weltgeschichte, Bd. I-XI, Berlin 1961-65. **H. Franke** u. a (Hrsg.), Saeculum Weltgeschichte, Bd. I-VII, Freiburg 1965-75. Fischer Weltgeschichte, Bd. 1-36, Frankfurt 1966-81. **R. Boutruche – P. Lemerle** (Hrsg.), Nouvelle Clio. L'Histoire et ses problèmes, Paris 1966ff. **D. Hay** (Hrsg.), A General History of Europe, Bd. I-XII, Neuausgabe London 1987. **T. Schieder** (Hrsg.), Handbuch der europäischen Geschichte, Bd. I-VII, Stuttgart 1968-92.
2. in den **Kirchengeschichten: J. Lortz,** Geschichte der Kirche in ideengeschichtlicher Betrachtung, Münster 1935, 21. neubearb. Aufl. in 2 Bänden 1962/64. **A. Fliche – V. Martin** (Hrsg.), Histoire de l'église depuis les origines jusqu'à nos jours, Bd. I-XXI, Paris 1946-52. Pelican/Penguin History of the Church, Bd. I-VII, London 1961-92. **H. Jedin** (Hrsg.), Handbuch der Kirchengeschichte, Bd. I-VI,2, Freiburg 1962-73. **K. D. Schmidt – E. Wolf** (Hrsg.), Die Kirche in ihrer Geschichte. Ein Handbuch, Bd. Iff, Göttingen 1962ff. **L. J. Rogier – R. Aubert – M. D. Knowles** (Hrsg.), Geschichte der Kirche, Bd. I-V, Zürich 1971-75. **H. Gülzow – H. Lehmann** (Hrsg.), Christentum und Gesellschaft, Bd. I-XV, Stuttgart 1980ff. (bisher erschienen vier Bände) **M. Greschat** (Hrsg.), Gestalten der Kirchengeschichte, Bd. I-XII, Stuttgart 1981-85. **M. Mollat du Jourdin – A. Vauchez,** Histoire du christianisme des origines à nos jours , Paris 1990ff; dt.: Die Geschichte des Christentums. Religion – Politik – Kultur, hrsg. v. N. Brox, O. Engels, G. Kretschmar, K. Meier, H. Smolinsky, Freiburg 1991ff (bisher vier Bände).

3. in den **Dogmen- und Theologiegeschichten: A. v. Harnack**, Lehrbuch der Dogmengeschichte, Bd. I-III, Tübingen [4]1909-10. **F. Loofs**, Leitfaden zum Studium der Dogmengeschichte, hrsg. v. K. Aland, Bd. I-II, Halle 1951/53. **M. Schmaus** u. a. (Hrsg.), Handbuch der Dogmengeschichte, Freiburg 1956ff. **R. Seeberg**, Lehrbuch der Dogmengeschichte, Bd. I-IV/2, Darmstadt 1959. **J. Pelikan**, The Christian Tradition. A History of the Development of Doctrine, Bd. I-III, Chicago 1971-78.

Für die historische Orientierung halfen mir immer wieder **K. Heussi**, Kompendium der Kirchengeschichte, Tübingen 1956, [12]1960, und **Der Große Ploetz**, Auszug aus der Geschichte von den Anfängen bis zur Gegenwart, Würzburg [31]1991.

A. Die Frage nach dem Wesen

A I. »Wesen« und »Unwesen« des Christentums

1 Weil die in diesem Buch vorgetragene Konzeption, wie schon in der Einleitung angemerkt, das Endprodukt eines langen, über Jahrzehnte gereiften Denkweges ist, sollen die Strukturelemente, die diese Konzeption tragen, hier durchaus erkennbar sein. Dem Leser wird somit deutlich, daß es sich um eine bewährte Gesamtsicht handelt. In den Anmerkungen wird deshalb jeweils auf frühere Schriften verwiesen. Sie sind nicht Ausweis einer ritualmäßigen Selbstzitation, sondern Dokumente des geschilderten Weges.

2 Vgl. **T. B. Macaulay**, Über die römisch-katholische Kirche, bearbeitet von T. Creizenach, Frankfurt 1854, S. 1f. Den vorliegenden Text hat Macaulay bereits im Jahr 1840 bei der Besprechung einer englischen Übersetzung von Ranke's Geschichte der Päpste veröffentlicht.

3 Vgl. **H. Küng**, Das Judentum, München 1991 (im folgenden zitiert mit »Judentum«), Kap. 2-A I,6: Der fatale Antisemitismus eines Katholiken: Adolf Hitler.

4 **K. Adam**, Das Wesen des Katholizismus, Düsseldorf 1924, [12]1949, S. 17.

5 **Ders.**, Deutsches Volkstum und katholisches Christentum, in: Theologische Quartalschrift 114 (1933), S. 40-63, Zit. S. 41. 58.

6 **Ders.**, Das Wesen des Katholizismus, S. 249.

7 **H. de Lubac**, Méditation sur l'Église, Paris 1953.

8 **H. U. von Balthasar**, Sponsa Verbi, Einsiedeln 1961.

9 **G. von le Fort**, Hymnen an die Kirche, München 1924.

10 Vgl. **H. Küng**, Wahrhaftigkeit. Zur Zukunft der Kirche, Freiburg 1968, Teil A: Wahrhaftigkeit eine Grundforderung an die Kirche.

11 Vgl. **E. Drewermann**, Kleriker. Psychogramm eines Ideals, Olten 1989.

12 **F. Nietzsche**, Der Antichrist. Fluch auf das Christentum, in: Werke in drei Bänden, Bd. II, München 1955, S. 1161-1235, Zit. S. 1234f.

13 Vgl. **K. Deschner**, Kriminalgeschichte des Christentums, Bd. I-IV, Reinbek 1986-94, Zit. Bd. I, S. 11.

14 **K. Deschner**, Kriminalgeschichte, Bd. I, im Klappentext.

15 Vgl. **H. Küng**, Existiert Gott? Antwort auf die Gottesfrage der Neuzeit, München 1978, Neuausgabe 1981 (im folgenden zitiert mit »Existiert Gott?«), Teil D: Nihilismus – Konsequenz des Atheismus.

16 Vgl. **ders.**, Die Kirche, Freiburg 1967, Neuausgabe München 1977 (im folgenden zitiert mit »Kirche«), Teil C: Die Grundstruktur der Kirche.

17 So schon in **ders.**, Strukturen der Kirche, Freiburg 1962, Neuausgabe München 1987 (im folgenden zitiert mit »Strukturen«), Kap. VII: Das Petrusamt in Kirche und Konzil. Vgl. **ders.**, Kirche, Kap. E II, 3; **ders.**, Unfehlbar? Eine Anfrage, Einsiedeln 1970; erweiterte Neuausgabe: Unfehlbar? Eine unerledigte Anfrage, München 1989 (im folgenden zitiert mit »Unfehlbar?«).

18 »Denn die Geschichte derer, die ich beschreibe, hat mich zu ihrem Feind gemacht.« **K. Deschner**, Kriminalgeschichte, Bd. I, S. 53.

19 Daß Deschners Geschichtsschreibung vom Inhaltlichen wie vom Formalen her in vielfacher Weise anzufechten ist, zeigte eine Fachtagung von Historikern und Theologen: vgl. **H. R. Seeliger**, Kriminalisierung des Christentums? Karlheinz Deschners Kirchengeschichte auf dem Prüfstand, Freiburg 1993 (vgl. die wichtigen Korrekturen bezüglich Konstantin, Julian, Athanasios, Ambrosius, Augustin, Leo I. und besonders den Beitrag von G. Denzler über die Kritik am Papsttum).

20 **H. Deschner**, Écrasez l'infâme oder Über die Notwendigkeit, aus der Kirche auszutreten, in: ders., Opus Diaboli. Fünfzehn unversöhnliche Essays über die Arbeit im Weinberg des Herrn, Reinbek 1987, S. 115-129.

21 Vgl. zum folgenden **H. Küng**, Kirche, Teil A: Die wirkliche Kirche.

22 Vgl. die Antwort von **K.-J. Kuschel**, Ist das Christentum inhuman? Kritische Anmerkungen zu einer Streitschrift, in: Herder-Korrespondenz 46 (1992), S. 222-226, auf das jegliche historisch-kritische Hermeneutik vermissende Buch des Psychologen **F. Buggle**, Denn sie wissen nicht, was sie glauben. Oder warum man redlicherweise nicht mehr Christ sein kann. Eine Streitschrift, Reinbek 1992.

23 Mit Berufung auf zahlreiche jüdische Gelehrte der Vergangenheit und Gegenwart habe ich in meinem Buch »Das Judentum« als christlicher Theologe in ökumenischem Geist versucht, das in all den verschiedenen epochalen Paradigmen sich findende »Wesen« des Judentums bewußt zu machen.

A II. »Christentum« im Widerstreit

1 **L. Feuerbach**, Vorlesungen über das Wesen der Religion (gehalten 1848/49 in Heidelberg), in: Gesammelte Werke, hrsg. v. W. Schuffenhauer, Bd. VI, Berlin 1967, S. 30f.

2 Vgl. zu diesem Abschnitt **H. Küng**, Existiert Gott?, Kap. C I: Gott – eine Projektion des Menschen? Ludwig Feuerbach.

3 **L. Feuerbach**, Das Wesen des Christentums (1841), hrsg. von W. Schuffenhauer, Bd. I-II, Berlin 1956, S. 408; vgl. Vorwort S. 6.

4 **Ders.**, Das Wesen des Christentums, S. 41.

5 **Ders.**, Notwendigkeit einer Reform der Philosophie (1842), in: Sämtliche

Werke, hrsg. v. W. Bolin – F. Jodl, Bd. II, Stuttgart 1904, S. 218f.

6 Vgl. **A. v. Harnack,** Das Wesen des Christentums, Leipzig 1900.

7 **Ders.**, Lehrbuch der Dogmengeschichte, Bd. I-III, Tübingen 1885-1898, [4]1909-10, Neudruck der 4. Aufl., Darmstadt 1980.

8 **Ders.**, Das Wesen des Christentums, S. 4.

9 **K.-J. Kuschel**, Geboren vor aller Zeit? Der Streit um Christi Ursprung, München 1990, S. 60.

10 **A. v. Harnack**, Das Wesen des Christentums, S. 4.

11 Vgl. **E. Troeltsch**, Die Absolutheit des Christentums und die Religionsgeschichte, Tübingen 1902.

12 Vgl. **ders.**, Was heißt »Wesen des Christentums«? (1903), in: Gesammelte Schriften, Bd. II, Tübingen 1913, [2]1922, Neudruck Aalen 1962.

13 Vgl. **H. Hoffmann**, Die Frage nach dem Wesen des Christentums in der Aufklärungstheologie, in: Harnack-Ehrung, Leipzig 1921, S. 353-365.

14 **R. Schäfer**, Art. Christentum, Wesen des, in: Historisches Wörterbuch der Philosophie, hrsg. v. J. Ritter, Bd. I, Darmstadt 1971, Sp. 1008-1016, Zit. Sp. 1012.

15 Vgl. **H. Wagenhammer**, Das Wesen des Christentums. Eine begriffsgeschichtliche Untersuchung, Mainz 1973.

16 Vgl. **ders.**, Das Wesen des Christentums, bes. S. 121-123. 140-143. Keineswegs überzeugend ist freilich angesichts des vom Verfasser herbeigebrachten Materials aus der protestantischen Theologie die Behauptung, daß »man die Formel ›Wesen des Christentums‹ nicht als Bildung des Protestantismus werten« könne (S. 254; vgl. S. 165), daß sie vielmehr »ihre Heimat in dem alten neuplatonischen und gnostisch-hermetischen Traditionsstrom« habe (S. 165; vgl. S. 254). Weil Wagenhammers »anspruchsvolle theologische Stilisierung zu summarischen Behauptungen und steilen Thesen führt« (so der Kieler Historiker H. J. Birkner in seiner Besprechung in der Theologischen Literaturzeitung 102 (1977), Sp. 376-378, Zit. Sp. 377), vermag diese Arbeit trotz ihres Materialreichtums und trotz zahlreicher differenzierter Detailanalysen nur wenig zur Klärung der Sachfrage nach dem Wesen des Christentums beizutragen. Diesbezüglich ist hilfreicher **J. Werbick**, Vom entscheidend und unterscheidend Christlichen, Düsseldorf 1992, der den christlichen Weg zwischen Aufklärung und Fundamentalismus abzustecken versucht.

17 Vgl. **H. Wagenhammer**, Das Wesen des Christentums, S. 50-54.

18 Vgl. **J. Locke**, The Reasonableness of Christianity, as Delivered in the Scriptures, London 1695; dt.: Vernünftigkeit des biblischen Christentums, Gießen 1914.

19 Vgl. **J. Toland**, Christianity not Mysterious: or, a Treatise Shewing, that there is Nothing in the Gospel Contrary to Reason, not Above it: and that no Christian Doctrine can be Properly Call'd a Mystery, London 1696, Neuausgabe New York 1978; dt.: Christentum ohne Geheimnis, Gießen 1908.

20 Vgl. **M. Tindal**, Christianity as Old as the Creation: or, the Gospel, a Republication of the Religion of Nature, London 1730, Neuausgabe New York 1978; dt.: Beweis, daß das Christenthum so alt als die Welt sey, nebst Herrn Jacob Fosters Widerlegung desselben, Frankfurt 1741.

21 Vgl. **M. Schmaus**, Vom Wesen des Christentums, Augsburg 1947. Schmaus betont zwar: »die Mitte des Christentums ist Christus« (S. 185). Was aber schließt der Schmaus'sche Christus mit ein? Unter vielem anderem Problematischen auch dies: »Christus also hat das Papsttum gestiftet ... Der weittragendste Ausdruck der obersten Leitung der Kirche durch den Papst ist die päpstliche Unfehlbarkeit. Wenn sie auch erst durch das vatikanische Konzil im Jahre 1869 in aller Form von der Kirche festgestellt wurde, so war der Glaube an sie dennoch von Anfang an, wenn auch lange Zeit in einer unentwickelten Form, vorhanden« (S. 196f).

22 Vgl. **R. Guardini**, Das Wesen des Christentums, Würzburg [3]1949. Auch Guardini stellt die zentrale Bedeutung der Person Christi für das Christentum zwar eindrücklich heraus, vereinnahmt sie aber von vornherein für sein römisch-katholisches Kirchenverständnis, das jede Kritik an der Kirche von Christus her im Grunde ausschließt: »Christus steht nicht im Irgendwo, ›absolut‹, sondern hat seinen Ort und ist auf eine Ordnung bezogen. Die Kirche ist die geschichtlich fortgehende Wirklichkeit, auf welche Christus bezogen ist; der richtig gebaute Raum, in welchem seine Gestalt wesensgemäß gesehen und sein Wort voll gehört werden kann ... Vollständig genommen lautet also die Formel: Ein Inhalt ist christlich, sofern er durch Christus in der Kirche gegeben ist« (S. 33).

23 Vgl. Apg 11,26. Vgl. **E. Peterson**, Christianus, in: Frühkirche, Judentum und Gnosis, Freiburg 1959, S. 64-87.

24 Vgl. Gal 1,13.

25 **Ignatios von Antiochien**, An die Magnesier 10,1.

26 **Ders.**, An die Magnesier 10,3; vgl. **ders.**, An die Römer 3,3; An die Philadelphier 6,1.

27 Vgl. **A. Blaise**, Dictionnaire latin-français des auteurs chrétiens, Turnhout 1954, S. 556. Statt des Fremdworts »Christianismus« wurde dann im Lateinischen vielfach das Wort »Christianitas« gebraucht, das erst mit der Zeit auf die Bedeutung der »Christenheit« eingeschränkt wurde.

28 Vgl. **Josephus Flavius**, Antiquitates 20,9,1 mit 18,3,3.

29 **Plinius**, Brief 96.

30 **Tacitus**, Annalen 15,44. Vgl. **J. B. Bauer**, Tacitus und die Christen (Ann. 15,44), in: Gymnasium. Zeitschrift für Kultur der Antike und humanistische Bildung, 64 (1957), S. 497-503.

B. Das Zentrum

B I. Grundgestalt und Urmotiv

1 Vgl. zum folgenden **H. Küng**, Christ sein, München 1974, Neuausgabe 1993 (im folgenden zitiert mit »Christ sein«), Kap. B I, 1: Der Christus.

2 Vgl. **ders.**, Christ sein, Kap. C I, 3: Emigration? (wichtig die Publikationen von H. Bardtke, O. Betz, F. Bruce, M. Burrows, G. R. Driver, A. Dupont-Sommer, H. Haag, J. Hempel, J. Jeremias, J. Maier, C. Rabin, K. Schubert,

G. Vermes, Y. Yadin).

3 Vgl. **M. Baigent – R. Leigh**, The Dead Sea Scrolls Deception, London 1991; dt.: Verschlußsache Jesus. Die Qumranrollen und die Wahrheit über das frühe Christentum, München 1991. **B. E. Thiering**, Jesus and the Riddle of the Dead Sea Scrolls. Unlocking the Secrets of His Life Story, San Francisco 1993. **R. Eisenman – M. Wise**, The Dead Sea Scrolls Uncovered, Shaftesbury/Dorset 1992; dt.: Jesus und die Urchristen. Die Qumran-Rollen entschlüsselt, München 1993.

4 Die Relativierung naturwissenschaftlicher Analysen zeigt auf **J. B. Bauer**, Der »Elfenbeinturm« oder Forschung als Kommunikation, in: K. Freisitzer u. a. (Hrsg.), Tradition und Herausforderung. 400 Jahre Universität Graz, Graz 1985, S. 423-430.

5 Vgl. **G. Grönbold**, Jesus in Indien. Das Ende einer Legende, München 1985 (propagiert wurde diese Legende vor allem von N. Notowitsch 1894 und in jüngerer Zeit von S. Obermeier u. a.).

6 Solche unseriöse »Enthüllungsbücher« über Jesus analysiert kritisch **J. Dirnbeck**, Die Jesus-Fälscher. Ein Original wird entstellt, Augsburg 1994.

7 Zur Kritik der Qumran-Sensationsliteratur vgl. **J. H. Charlesworth** (Hrsg.), Jesus and the Dead Sea Scrolls, New York 1992. **O. Betz – R. Riesner**, Jesus, Qumran und der Vatikan. Klarstellungen, Gießen 1993. **K. Berger**, Qumran und Jesus. Wahrheit unter Verschluß?, Stuttgart 1993. **H. Stegemann**, Die Essener, Qumran, Johannes der Täufer und Jesus. Ein Sachbuch, Freiburg 1993. Vgl. auch das Themenheft Qumran von »Bibel und Kirche« 48 (1993), Nr. 1, und hier besonders die Beiträge von J. A. Fitzmyer und H.-J. Fabry.

Der oben zitierte evangelische (früher katholische) Heidelberger Neutestamentler **Klaus Berger** versucht sich neuerdings in der »Frankfurter Allgemeinen Zeitung« mit arrogant-ignoranten Verrissen theologischer Publikationen von Fachkollegen interessant zu machen (so auch bezüglich »Große christliche Denker«). Er hätte allen Anlaß, bescheidener aufzutreten, nachdem er eine frühmittelalterliche jüdische Schrift in neutestamentliche Zeit verlegt hat. Berger gab nämlich 1989 eine, durch zwei Teileditionen (von A. E. Harkavy und S. Schechter 1902-1904) vollständig bekannte »Weisheitsschrift aus der Kairoer Geniza« wahrheitswidrig als »Erstedition« heraus, die »kaum einen wirklichen Fortschritt gegenüber den Veröffentlichungen Harkavys und Schechters« darstellt – so der evangelische Tübinger Alttestamentler **Hans Peter Rüger.** In seiner eigenen vorbildlichen Untersuchung und Neuedition des Textes (»Die Weisheitsschrift aus der Kairoer Geniza. Text, Übersetzung und philologischer Kommentar«, Tübingen 1991; Zit. S. 2), deren Erscheinen Berger durch seinen Verlag mit Prozeßandrohung zu verhindern suchte, konnte Rüger nachweisen (S. 1-19), daß es sich bei der »superlinear punctuation« gerade »nicht, wie Berger angibt, um die palästinische, sondern um die sog. einfache babylonische Punktuation« handelt; daß der »Konsonantentext der Handschrift an zahlreichen Stellen« von Berger »falsch gelesen« sei; daß »die babylonischen Vokalzeichen nicht selten mißverstanden« worden seien; daß »auch die Übersetzung Bergers nicht immer zuverlässig« sei; daß die Schrift nicht wie Berger annimmt »um 100 n. Chr.« entstanden ist, sondern frühestens nach der

»Wende vom 6. zum 7. Jh. n. Chr.«, wahrscheinlich aber erst im »12. Jh. n. Chr.«; daß der von Berger angenommene Entstehungsort Ägypten mehr als unwahrscheinlich ist; daß »die Weisheitsschrift aus der Kairoer Geniza nicht« – wie Berger annimmt – »ein vielleicht letzter Versuch (ist), realistische Ansätze hellenistischer Philosophie mit traditionell jüdischem weisheitlichem Dualismus zu verbinden«, sondern als »ein Produkt des mittelalterlichen jüdischen Neuplatonismus« angesehen werden muß. Daß es sich bei der »Weisheitsschrift« nicht um einen Text um 100, sondern um eine frühmittelalterliche rabbinische Schrift handelt, wurde schon von S. Schechter angenommen und unterdessen von allen Fachgelehrten, christlichen wie jüdischen, bestätigt. Vgl. bes. **E. Fleischer**, The Proverbs of Sa'id ben Babshad, Jerusalem 1990, S. 241-263, und **G. Veltri**, Theologische Rundschau 57 (1992) S. 405-430. Die wissenschaftliche Uneinsichtigkeit Bergers und sein (auch anderwärts zu belegendes) Unvermögen, Texte historisch adäquat einzuordnen und zu interpretieren, disqualifizieren den flotten Schreiber Berger als Rezensenten wissenschaftlicher Publikationen von Fachkollegen.

8 Zu den konkreten Unterschieden zwischen der Qumran-Gemeinschaft und der jesuanischen Jüngergemeinschaft vgl. **H. Küng**, Christ sein, Kap. C I, 3: Bei Jesus gab es keine Absonderung von der Welt, keine Zweiteilung der Wirklichkeit, keinen Gesetzeseifer, keinen Asketismus, keine hierarchische Ordnung und keine Ordensregel.

9 Vgl. **ders.**, Christ sein, Kap. C VI, 1: Grenzen der Entmythologisierung.

10 Jo 14,6.

B II. Die zentralen Strukturelemente

1 1 Kor 12,4-6.

2 Vgl. **H. Küng**, Christentum und Weltreligionen. Hinführung zum Dialog mit Islam, Hinduismus und Buddhismus (mit **J. van Ess**, **H. v. Stietencron**, **H. Bechert**), München 1984 (im folgenden zitiert mit »Weltreligionen«); **ders.**, Christentum und Chinesische Religion (mit **J. Ching**), München 1988 (im folgenden zitiert mit »Chinesische Religion«). Die in diesen beiden Büchern entwickelte Konzeption der typisch prophetischen Religion, wie sie vom Typus der indisch-mystischen wie dem der chinesisch-weisheitlichen unterschieden ist, sehe ich bestätigt bei **G. T. Sheppard** – **W. E. Herbrechtsmeier**, Art. Prophecy, in: EncRel, Bd. XII, S. 8-14. Nach einer Analyse von fünf Charakteristika von Propheten kommen sie zum Schluß: »The founding prophets are distinct from others who founded major religious traditions (such as Buddhism, Jainism, Confucianism, and Taoism). The founders of these traditions originating in India and China were not divinely chosen messengers bearing a revealed message to humankind, but rather teachers and sages who had developed new philosophic insight and practical discipline as a way of addressing religious problems« (S. 10).

3 Vgl. dazu die neueste Abraham-Studie von **K.-J. Kuschel**, Der Streit um Abraham. Was Juden, Christen und Muslime trennt – und was sie eint, München

1994. Hier eine eindrucksvolle Aufarbeitung der Abraham-Traditionen in Judentum, Christentum und Islam sowie ein glänzendes Plädoyer für eine abrahamische Ökumene.

4 Zum **Gesetz** vgl. **H. Küng**, Judentum, Kap. 1-B I,2: Sinai: Bund und Gesetz; Kap. 3-B: Lebenskonflikte und die Zukunft des Gesetzes.

5 Vgl. Ex 19 - Num 10.

6 Vgl. Ex 34,28; Dt 4,13; 10,4.

7 Vgl. Ex 20,2-17; Dt 5,6-21.

8 Zum **Gottesbild der Hebräischen Bibel** vgl. nach den älteren Theologien des Alten Testaments von **W. Eichrodt**, **L. Köhler**, **O. Procksch**, **E. Jacob**, **G. v. Rad**, **T. C. Vriezen** vor allem **G. Fohrer**, Theologische Grundstrukturen des Alten Testaments, Berlin 1972. **W. Zimmerli**, Grundriß der Alttestamentlichen Theologie, Stuttgart 1972. **J. L. McKenzie**, A Theology of the Old Testament, New York 1974. **M. Rose**, Der Ausschließlichkeitsanspruch Jahwes. Deuteronomische Schultheologie und die Volksfrömmigkeit in der späten Königszeit, Stuttgart 1975. **H. Vorländer**, Mein Gott. Die Vorstellungen vom persönlichen Gott im Alten Orient und im Alten Testament, Neukirchen 1975. **H.W. F. Saggs**, The Encounter with the Divine in Mesopotamia and Israel, London 1978. **C. Westermann**, Theologie des Alten Testaments in Grundzügen, Göttingen 1978. **O. Keel** (Hrsg.), Monotheismus im alten Israel und seiner Umwelt, Fribourg 1980. **S. Kreuzer**, Der lebendige Gott. Bedeutung, Herkunft und Entwicklung einer alttestamentlichen Gottesbezeichnung, Stuttgart 1983. **B. Andrade**, Encuentro con Dios en la historia. Estudio de la concepción de Dios en el Pentateuco, Salamanca 1985. **J. Vermeylen**, Le Dieu de la promesse et le Dieu de l'alliance. Le dialogue des grandes intuitions théologiques de l'Ancien Testament, Paris 1986. **A. D. Clarke – B. W. Winter** (Hrsg.), One God, one Lord in a World of Religious Pluralism, Cambridge 1991. Bezüglich der verschütteten weiblichen Aspekte des jüdischen Gottesbildes, die aber (zumindest nach der Grundentscheidung am Ende des 6. Jahrhunderts v. Chr.) doch nicht als Gegengröße, Partnerin, Göttin Jahwes akzeptiert werden, vgl. die mit Abbildungen vor allem von Stempelsiegeln reich dokumentierte Arbeit von **O. Keel – C. Uehlinger**, Göttinnen, Götter und Gottessymbole. Neue Erkenntnisse zur Religionsgeschichte Kanaans und Israels aufgrund bislang unerschlossener ikonographischer Quellen, Freiburg 1992. Vgl. auch **E. S. Gerstenberger**, Jahwe – ein patriarchaler Gott? Traditionelles Gottesbild und feministische Theologie, Stuttgart 1988, und **M. S. Smith**, The Early History of God. Yahweh and the Other Deities in Ancient Israel, San Francisco 1990 (bes. Kap. III).

9 Vgl. Jes 63,7-64,11.

10 Vgl. Gen 1,27.

11 Vgl. **H. Küng**, Judentum, Kap. 1-A II,7: Der Bund mit Noach: Menschheitsbund und Menschheitsethos.

12 Vgl. **ders.**, Judentum, Kap. 1-B I: Die zentralen Strukturelemente.

13 Neuere Literatur zum **historischen Jesus** und zur neutestamentlichen **Christologie: G. Bornkamm**, Jesus von Nazareth, Stuttgart 1956. **O. Cullmann**, Die Christologie des NT, Tübingen 1957. **N. Perrin**, Rediscovering the Teaching

of Jesus, New York 1967. **E. Schweizer**, Jesus Christus in vielfältigen Zeugnissen des NT, Gütersloh 1968, [5]1976. **H. Braun**, Jesus. Der Mann aus Nazareth und seine Zeit, Stuttgart 1969. **C. H. Dodd**, The Founder of Christianity, New York 1970. **F. Hahn**, Christologische Hoheitstitel. Ihre Geschichte im frühen Christentum, Göttingen 1974. **C. F. D. Moule**, The Origin of Christology, Cambridge 1977. **J. D. G. Dunn**, Christology in the Making. A New Testament Inquiry into the Origins of the Doctrine of the Incarnation, Philadelphia 1980. **J. Riches**, Jesus and the Transformation of Judaism, London 1980. **J. Blank**, Der Jesus des Evangeliums. Entwürfe zur biblischen Christologie, München 1981. **E. P. Sanders**, Jesus and Judaism, Philadelphia 1985. **W. Simonis**, Jesus von Nazareth. Seine Botschaft vom Reich Gottes und der Glaube der Urgemeinde. Historisch-kritische Erhellung der Ursprünge des Christentums, Düsseldorf 1985. **P. Fredriksen**, From Jesus to Christ. The Origins of the New Testament Images of Jesus, New Haven 1988. **M. de Jonge**, Christology in Context. The Earliest Christian Response to Jesus, Philadelphia 1988. **E. Richard**, Jesus: One and Many. The Christological Concept of New Testament Authors, Wilmington 1988. **J. Gnilka**, Jesus von Nazaret. Botschaft und Geschichte, Freiburg 1990. **J. D. Crossan**, The Historical Jesus. The Life of a Mediterranean Jewish Peasant, San Francisco 1991. **N. A. Dahl**, Jesus the Christ. The Historical Origins of Christological Doctrine, Minneapolis 1991. **J. P. Meier**, A Marginal Jew. Rethinking the Historical Jesus, Bd. I, New York 1991. **R. Schnackenburg**, Die Person Jesus Christi im Spiegel der vier Evangelien, Freiburg 1993. Kapitel über den historischen Jesus finden sich natürlich auch in den neueren systematischen Christologien von **L. Boff, O. González de Cardedal, J. J. González Faus, W. Kasper, F.-W. Marquardt, J. Moltmann, K. H. Ohlig, W. Pannenberg, C. H. Ratschow, E. Schillebeeckx, P. Schoonenberg, J. L. Segundo, J. Sobrino.** Einen Überblick über die Forschung bieten **W. G. Kümmel**, Dreißig Jahre Jesusforschung (1950-1980), Königstein 1985, sowie **A. J. Hultgren**, New Testament Christology. A Critical Assessment and Annotated Bibliography, New York 1988.

14 Jo 14,28.

15 Lk 18,19.

16 Vgl. **K.-J. Kuschel**, Geboren vor aller Zeit? Der Streit um Christi Ursprung, München 1990, S. 500-502.

17 Zum Verständnis der **Kreuzes** vgl. **H. Kessler**, Die theologische Bedeutung des Todes Jesu. Eine traditionsgeschichtliche Untersuchung, Düsseldorf 1970. **H. Cohn**, The Trial and Death of Jesus, London 1972. **S. K. Williams**, Jesus' Death as Saving Event. The Background and Origin of a Concept, Missoula/Mont. 1975. **W. H. Kelber** (Hrsg.), The Passion in Mark. Studies on Mark 14-16, Philadelphia 1976. **M.-L. Gubler**, Die frühesten Deutungen des Todes Jesu. Eine motivgeschichtliche Darstellung aufgrund der neueren exegetischen Forschung, Fribourg 1977. **F. Zehrer**, Das Leiden Christi nach den vier Evangelien. Die wichtigsten Passionstexte und ihre hauptsächlichen Probleme, Wien 1980. **M. Limbeck** (Hrsg.), Redaktion und Theologie des Passionsberichtes nach den Synoptikern, Darmstadt 1981. **D. Flusser**, Last Days of Jesus in Jerusalem. A Current Study of the Easter Week, Tel Aviv 1980; dt.: Die

letzten Tage Jesu in Jerusalem. Das Passionsgeschehen aus jüdischer Sicht. Bericht über neueste Forschungsergebnisse, Stuttgart 1982. **G. Friedrich**, Die Verkündigung des Todes Jesu im Neuen Testament, Neukirchen 1982. **J. D. Crossan**, The Cross that Spoke. The Origins of the Passion Narrative, San Francisco 1988. **K. Grayston**, Dying, We Live. A New Enquiry into the Death of Christ in the New Testament, Oxford 1990. **G. Barth**, Der Tod Jesu Christi im Verständnis des Neuen Testaments, Neukirchen 1992.

18 Zur Problematik der **Auferweckung** vgl. neben den aufgeführten Jesus-Büchern und Christologien die Monographien von **K. Berger**, Die Auferstehung des Propheten und die Erhöhung des Menschensohnes. Traditionsgeschichtliche Untersuchungen zur Deutung des Geschickes Jesu in frühchristlichen Texten, Göttingen 1976. **J. Kremer**, Die Osterevangelien. Geschichten um Geschichte, Stuttgart 1977. **F. Zehrer**, Die Auferstehung Jesu nach den vier Evangelien. Die Osterevangelien und ihre hauptsächlichen Probleme, Wien 1980. **R. H. Smith**, Easter Gospels. The Resurrection of Jesus According to the Four Evangelists, Minneapolis 1983. **H. Hendrickx**, The Resurrection Narratives of the Synoptic Gospels, London 1984. **P. Perkins**, Resurrection: New Testament Witness and Contemporary Reflection, New York 1984. **H. Kessler**, Sucht den Lebenden nicht bei den Toten. Die Auferstehung Jesu Christi in biblischer, fundamentaltheologischer und systematischer Sicht, Düsseldorf 1985. **H. F. Bayer**, Jesus' Predictions of Vindication and Resurrection. The Provenance, Meaning and Correlation of the Synoptic Predictions, Tübingen 1986. **G. O'Collins**, Jesus Risen. An Historical, Fundamental and Systematic Examination of Christ's Resurrection, New York 1987 **P. Hoffmann** (Hrsg.), Zur neutestamentlichen Überlieferung von der Auferstehung Jesu, Darmstadt 1988. **W. L. Craig**, Assessing the New Testament Evidence for the Historicity of the Resurrection of Jesus, Lewiston / N.Y. 1989.

19 Vgl. **M. Hengel**, »Setze dich zu meiner Rechten!«. Die Inthronisation Christi zur Rechten Gottes und Ps 110,1, in: M. Philonenko (Hrsg.), Le Trône de Dieu, Tübingen 1994, S. 108-194.

20 **Ders.**, »Setze dich zu meiner Rechten!«, S. 191.

21 Vgl. Jes 53.

22 Zum **neutestamentlichen Ethos** vgl. **K. H. Schelkle**, Theologie des Neuen Testaments, Bd. III: Ethos, Düsseldorf 1970. **D. Wendland**, Ethik des Neuen Testaments. Eine Einführung, Göttingen 1970. **H.-J. T. Sanders**, Ethics in the New Testament. Change and Development, Philadelphia 1975. **J.-F. Collange**, De Jésus à Paul. L'éthique du Nouveau Testament, Genf 1980. **B. Gerhardsson**, The Ethos of the Bible, Philadelphia 1981. **W. Schrage**, Ethik des Neuen Testaments, Göttingen 1982, ^{2}1989. **R. F. Collins**, Christian Morality. Biblical Foundations, Notre Dame 1986. **R. Schnackenburg**, Die sittliche Botschaft des Neuen Testaments, Bd. I-II, Freiburg 1986-88. **S. Schulz**, Neutestamentliche Ethik, Zürich 1987. **E. Lohse**, Theologische Ethik des Neuen Testaments, Stuttgart 1988. **W. Marxsen**, »Christliche« und christliche Ethik im Neuen Testament, Gütersloh 1989. **H. Merklein** (Hrsg.), Neues Testament und Ethik, Freiburg 1989. **H. Schürmann**, Studien zur neutestamentlichen Ethik, hrsg. v. T. Söding, Stuttgart 1990.

23 Vgl. Kol 3,18-4,1.
24 Phil 4,8.
25 Tugendkataloge: Gal 5,22f; Lasterkataloge: Röm 1,29-31; 1 Kor 6,9f; 2 Kor 12,20f; Gal 5,19-21.
26 Vgl. zum folgenden **E. Käsemann**, An die Römer, Tübingen 1973; [4]1980.
27 Zum biblischen **Geistverständnis** vgl. neben den einschlägigen Lexikonartikeln (bes. **E. Schweizer** im Theologischen Wörterbuch des Neuen Testaments) und Abschnitten in den neutestamentlichen Theologien (bes. **R. Bultmann**) folgende neuere Arbeiten: **I. Hermann**, Kyrios und Pneuma, München 1961. **J. D. G. Dunn**, Jesus and the Spirit. A Study of the Religious and Charismatic Experience of Jesus and the First Christians as Reflected in the New Testament, London 1975. **B. Lindars – S. S. Smalley** (Hrsg.), Christ and Spirit in the New Testament, Cambridge 1973. **M. E. Isaacs**, The Concept of Spirit. A Study of Pneuma in Hellenistic Judaism and its Bearing on the New Testament, London 1976. **E. Schweizer**, Heiliger Geist, Stuttgart 1978. **M.-A. Chevallier**, Souffle de Dieu. Le Saint-Esprit dans le Nouveau Testament, Bd. I-III, Paris 1978-91. **H.-J. Kraus**, Heiliger Geist. Gottes befreiende Gegenwart, München 1986. Dazu kommen zahlreiche Abhandlungen über den Heiligen Geist bei Paulus und Johannes. Systematische Monographien haben dem Heiligen Geist gewidmet: **H. U. v. Balthasar**, **H. Berkhof**, **L. Bouyer**, **J. Comblin**, **Y. Congar**, **M. Dupny**, **F. X. Durwell**, **P. Evdokimov**, **B. J. Hilberath**, **J. Moltmann**, **H. Mühlen**, **C. Schütz**, **H. Thielicke**, **E. Timiadis**, **M. Welker**. Zu den zwischen den christlichen Kirchen umstrittenen Fragen vgl. das von **J. Moltmann** und **H. Küng** hrsg. Themenheft von »Concilium« 15 (1979), Heft 10: Heiliger Geist im Widerstreit.
28 1 Kor 15,45.
29 2 Kor 3,17.
30 Phil 1,19; vgl. Röm 8,9; Gal 4,6; 2 Kor 3,18.
31 Vgl. Gen 1,2.
32 Jo 3,8.
33 Jo 16,13.
34 Vgl. 1 Kor 12,28. Zu den **Propheten nach Christus** vgl. **G. Dautzenberg**, Urchristliche Prophetie. Ihre Erforschung, ihre Voraussetzungen im Judentum und ihre Struktur im ersten Korintherbrief, Stuttgart 1975. **U. B. Müller**, Prophetie und Predigt im Neuen Testament. Formgeschichtliche Untersuchungen zur urchristlichen Prophetie, Gütersloh 1975. **P. S. Minear**, To Heal and to Reveal. The Prophetic Vocation According to Luke, New York 1976. **J. Panagopoulos** (Hrsg.), Prophetic Vocation in the New Testament and Today, Leiden 1977. **E. E. Ellis**, Prophecy and Hermeneutic in Early Christianity. New Testament Essays, Tübingen 1978. **D. E. Aune**, Prophecy in Early Christianity and the Ancient Mediterranean World, Grand Rapids 1983. **W. A. Grudem**, The Gift of Prophecy in the New Testament and Today, Westchester/Ill. 1988. **A. Clark Wire**, The Corinthian Women Prophets. A Reconstruction through Paul's Rhetoric, Minneapolis 1990. **M. E. Boring**, The Continuing Voice of Jesus. Christian Prophecy and the Gospel Tradition, Louisville 1991.
35 Vgl. Eph 2,20.

36 Vgl. **H. Küng – J. van Ess**, Weltreligionen, Kap. A I: Muhammad und der Koran: Prophetie und Offenbarung.
37 Vgl. **K. Jaspers**, Die maßgebenden Menschen, München 1964, [4]1971.
38 Vgl. **H. Küng – J. van Ess**, Weltreligionen, Kap. A IV: Der Islam und die anderen Religionen. Jesus im Koran.
39 1 Kor 2,2.
40 Vgl. Jo 14,6.
41 Vgl. Jo 6,35. 48. 51.
42 Vgl. Jo 8,12.
43 Vgl. Jo 10,7.
44 Vgl. Jo 15,1. 5.
45 Vgl. Jo 10,11.
46 Vgl. **E. Käsemann**, Liturgische Formeln im NT, in: Die Religion in Geschichte und Gegenwart, Bd. II, Tübingen 1958, S. 993-996. **G. Bornkamm**, Formen und Gattungen im NT, in: Die Religion in Geschichte und Gegenwart, Bd. II, S. 999-1005. Für die Glaubensbekenntnisse: **O. Cullmann**, Die ersten christlichen Glaubensbekenntnisse, Zürich 1943, [4]1949. **K. H. Schelkle**, Die Passion Jesu in der Verkündigung des Neuen Testaments, Heidelberg 1949, S. 247-275. **J. N. D. Kelly**, Early Christian Creeds, London 1950; dt.: Altchristliche Glaubensbekenntnisse, Göttingen [3]1972.
47 Von den frühesten und bekanntesten 1 Kor 12,3.
48 Zum Beispiel 1 Kor 8,6.
49 Zum Beispiel 1 Kor 15,3-5; Röm 1,3f.
50 Vgl. Mt 28,19; 2 Kor 13,13.
51 Vgl. 1 Pet 3,18-20; vgl. dazu **H. Küng**, Christ sein, Kap. C V,I: Legenden?
52 Vgl. **ders.**, Credo. Das Apostolische Glaubensbekenntnis – Zeitgenossen erklärt, München 1992 (im folgenden zitiert mit »Credo«).
53 Vgl. zur ganzen Problematik **ders.**, Unfehlbar?, S. 117f.
54 Vgl. Mk 1,16-20; Mt 4,18-22.
55 Vgl. Mt 7,21.
56 Vgl. **J. Gründel – H. van Oyen**, Ethik ohne Normen? Zu den Weisungen des Evangeliums, Freiburg 1970. **A. Auer**, Autonome Moral und christlicher Glaube, Düsseldorf 1971. **D. Mieth**, Die Situationsanalyse aus theologischer Sicht, in: Moral, hrsg. von A. Hertz, Mainz 1972, S. 13-33. **W. Korff**, Norm und Sittlichkeit. Untersuchungen zur Logik der normativen Vernunft, Mainz 1973. **B. Schüller**, Die Begründung sittlicher Urteile. Typen ethischer Argumentation in der katholischen Moraltheologie, Düsseldorf 1973. **F. Böckle**, Fundamentalmoral, München 1977. Zum Überblick über die neuere exegetische und ethische Diskussion vgl. **R. Dillmann**, Das Eigentliche der Ethik Jesu. Ein exegetischer Beitrag zur moraltheologischen Diskussion um das Proprium einer christlichen Ethik, Mainz 1984.
57 Zur **Nachfolge Jesu** vgl. neben der exegetischen Literatur **D. Bonhoeffer**, Nachfolge, München [2]1940. **K. Barth**, Kirchliche Dogmatik, Bd. IV, 2, § 66,3, Zürich 1955. **E. Larsson**, Christus als Vorbild, Uppsala 1962. **A. Schulz**, Nachfolgen und Nachahmen, München 1962. **G. Bouwmann**, Folgen und Nachfolgen im Zeugnis der Bibel, Salzburg 1965. **H. D. Betz**, Nachfolge und

Nachahmung Jesu Christi im Neuen Testament, Tübingen 1967. **M. Hengel**, Nachfolge und Charisma, Berlin 1968. **H. Merklein**, Die Gottesherrschaft als Handlungsprinzip. Untersuchung zur Ethik Jesu, Würzburg 1978.

58 Vgl. **H. Küng**, Christ sein, Kap. C III, 1: Das veränderte Bewußtsein.

59 **M. K. Gandhi**, zit. bei M. M. Thomas, The Acknowledged Christ of the Indian Renaissance, Madras 1976, S. 200.

60 Zur **Bergpredigt** vgl. neben den genannten Jesus-Büchern, den neutestamentlichen Theologien und Kommentaren zu Mt 5-7 folgende neuere Monographien: **W. D. Davies**, The Setting of the Sermon on the Mount, Cambridge 1964; **ders.**, Die Bergpredigt. Exegetische Untersuchungen ihrer jüdischen und frühchristlichen Elemente, München 1970. **G. Eichholz**, Auslegung der Bergpredigt, Neukirchen 1965. **H.-T. Wrege**, Die Überlieferungsgeschichte der Bergpredigt, Tübingen 1968. **P. Pokorný**, Der Kern der Bergpredigt. Eine Auslegung, Hamburg 1969. **G. Miegge**, Il Sermone sul monte. Commentario esegetico, Turin 1970. **E. Schweizer**, Die Bergpredigt, Göttingen 1982. **H. Hendrickx**, The Sermon on the Mount, London 1984. **G. Strecker**, Die Bergpredigt. Ein exegetischer Kommentar, Göttingen 1984. **C. Bauman**, The Sermon on the Mount. The Modern Quest for its Meaning, Macon/Ga. 1985. **H. D. Betz**, Studien zur Bergpredigt, Tübingen 1985. **T. L. Donaldson**, Jesus on the Mountain. A Study in Matthean Theology, Sheffield 1985. **A. Kodjak**, A Structural Analysis of the Sermon on the Mount, Berlin 1986. **G. Lohfink**, Wem gilt die Bergpredigt? Beiträge zu einer christlichen Ethik, Freiburg 1988.

61 Vgl. **H. Küng**, Judentum, Kap. 2-B II,3: Ein frommer Pharisäer?

62 Vgl. Mt 5,18f.

63 Vgl. **W. Trilling**, Das wahre Israel. Studien zur Theologie des Matthäus-Evangeliums, München 1964, Kap. 9: Die Gesetzesfrage nach Mt 5,17-20.

64 Vgl. Mt 5,39-41.

65 Vgl. Lk 6,43f; Mt 7,16. 18.

66 Vgl. **H. Küng**, Judentum, Kap. 2-B VII: Jüdische Selbstkritik im Licht der Bergpredigt?

67 Vgl. Mt 5,41.

68 Vgl. Mt 5,40.

69 Vgl. Mt 5,39.

70 Vgl. Ex 20,2-17; Dt 5,6-21.

71 Vgl. Mt 5,20.

72 Vgl. Röm 13,8-10.

73 **T. S. Kuhn**, The Structure of Scientific Revolutions, Chicago 1962; dt.: Die Struktur wissenschaftlicher Revolutionen, Frankfurt [2]1976, korr. Zit. S. 186.

74 Vgl. **H. Küng**, Theologie im Aufbruch. Eine ökumenische Grundlegung, München 1987, Neuausgabe 1992 (im folgenden zitiert mit »Theologie«), Kap. B II-IV. C I; ebenso **ders.**, Projekt Weltethos, München 1990, Neuausgabe 1992 (im folgenden zitiert mit »Weltethos«), Teil C.

75 **S. Kierkegaard**, Einübung im Christentum (1850), in: Gesammelte Werke, 26. Abt., Düsseldorf 1955, S. 34.

C. Geschichte

C I. Das jüdisch-apokalyptische Paradigma des Urchristentums

1 **J. Le Goff – R. Chartier – J. Revel** (Hrsg.), La nouvelle histoire, Paris 1978; dt.: Die Rückeroberung des historischen Denkens. Grundlagen der Neuen Geschichtswissenschaft, Frankfurt 1990, Zit. J. Le Goff, S. 28.

2 Einen guten Einblick für deutsche Leser gibt die Aufsatzsammlung: **L. Febvre**, Das Gewissen des Historikers, hrsg. v. U. Raulff, Berlin 1988. Über die Geschichtsschreibung Marc Blochs, Lucien Febvres, dann Fernand Braudels und schließlich der »dritten Generation« informiert sympathisch und kritisch der Cambridger Historiker **P. Burke**, The French Historical Revolution. The Annales School, 1929-89, Cambridge 1990; dt.: Offene Geschichte. Die Schule der »Annales«, Berlin 1991. **Dr. Christa Dericum** hat das Verdienst, in verschiedenen Aufsätzen die deutsche Öffentlichkeit immer wieder auf die neuere französische Geschichtsschreibung aufmerksam gemacht zu haben (vgl. z. B. Die Zeit vom 9. Dez. 1988).

3 Marc Bloch wurde als Widerstandskämpfer 1944 von der Gestapo verhaftet und ermordet.

4 Vgl. **J. Le Goff**, Die Rückeroberung, S. 8.

5 Vgl. **ders.**, Die Rückeroberung, S. 37, vgl. S. 18.

6 Vgl. **M. Weber**, Die protestantische Ethik und der Geist des Kapitalismus, in: Gesammelte Aufsätze zur Religionssoziologie, Bd. I, Tübingen 1920, S. 17-206. Vgl. das Gespräch mit **J. Le Goff**, in: Die Zeit vom 12. April 1991.

7 Vgl. **H. Jedin** (Hrsg.), Handbuch der Kirchengeschichte, Bd. I-VII, Freiburg 1962-1979.

8 Vgl. **A. Fliche – V. Martin**, Histoire de L'Église. Depuis les origines jusqu'à nos jours, Bd. I-XXI, Paris 1934-1952.

9 Vgl. **M. Mollat du Jourdin – A. Vauchez**, Histoire du christianisme des origines à nos jours , Paris 1990, die, von der französischen Mentalität und Forschungslage geprägt, in der deutschen Ausgabe jedoch von einem deutschen Herausgeberteam besonders bezüglich der Anmerkungen ergänzt wird; dt.: Die Geschichte des Christentums. Religion – Politik – Kultur, hrsg. v. N. Brox, O. Engels, G. Kretschmar, K. Meier, H. Smolinsky, Freiburg 1991. Bisher erschienen drei Bände.

10 Vgl. **H. Gülzow – H. Lehmann**, Christentum und Gesellschaft, Stuttgart 1980ff; von den 14 geplanten Bänden sind bisher 4 erschienen.

11 Symptomatisch für den Wandel auch in der katholischen Kirchengeschichtsschreibung das von **J. Köhler** moderierte Themenheft der Theologischen Quartalschrift 173 (1993), Heft 4: »Theoriedefizite der Kirchengeschichte?« mit aufschlußreichen Beiträgen von **U. Altermatt, A. Holzem, A. Angenendt, G. de Rosa.**

12 Grundlegende Geschichtskategorien wie Ereignisse, Zyklen, Epochen, Strukturen, Zeiten untersucht **K. Pomian**, L'ordre du temps, Paris 1984.

13 **J. Le Goff**, Die Rückeroberung, S. 38.

14 **Ders.**, Die Rückeroberung, S. 9.

15 Vgl. **ders.**, Storia e memoria, Turin 1977; dt.: Geschichte und Gedächtnis, Frankfurt 1992, Kap. I: Vergangenheit / Gegenwart, Zit. S. 47.

16 Zur Soziologie der **Urgemeinde** vgl. **M. Weber**, Gesammelte Aufsätze zur Religionssoziologie, Bd. III: Das antike Judentum, Tübingen 1920, besonders Nachtrag: Die Pharisäer, S. 401-442. Vor allem **G. Theißen**, Studien zur Soziologie des Urchristentums, Tübingen [3]1989, bes. Teil II: Evangelien; allerdings darf das Bild des »Wanderpredigers« Jesus nicht nur von einem Traditionsstrang her (im wesentlichen Logienquelle Q) entworfen werden. Vgl. für den weiteren gesellschaftlichen und politischen Kontext **E. Stambaugh – D. L. Balch**, The New Testament and Its Social Environment, Philadelphia 1986; dt.: Das soziale Umfeld des Neuen Testaments, Göttingen 1992. Zur Entstehung der Kirche **H. Küng**, Kirche, Kap. B: Unter der kommenden Gottesherrschaft (Lit.!). Weitere theologische Arbeiten zur Urgemeinde: **P. V. Dias**, Vielfalt der Kirche in der Vielfalt der Jünger, Zeugen und Diener, Freiburg 1968; **ders.**, Kirche. In der Schrift und im 2. Jahrhundert, Freiburg 1974. **G. Hasenhüttl**, Charisma. Ordnungsprinzip der Kirche, Freiburg 1969. **J. J. Becker u. a.**, Die Anfänge des Christentums. Alte Welt und neue Hoffnung, Stuttgart 1987 (bes. die Beiträge von **J. Becker**, **C. Colpe** u. **K. Löning**). **M. Hengel**, The 'Hellenization' of Judaea in the First Century after Christ, London 1989. **L. Schenke**, Die Urgemeinde. Geschichtliche und theologische Entwicklungen, Stuttgart 1990. **J. Roloff**, Die Kirche im Neuen Testament, Göttingen 1993.

17 Vgl. Apg 4,32; vgl. 4,34f; 2,44f.

18 Vgl. Mt 5,3; Lk 6,20.

19 **B. Brecht**, Die Dreigroschenoper, in: Gesammelte Werke, Bd. 2, Frankfurt 1967, S. 457.

20 Vgl. Mt 6,33.

21 Vgl. Gal 2,10; Röm 15,26. Vgl. **L. E. Keck**, The Poor among the Saints in Jewish Christianity and Qumran, in: Zeitschrift für Neutestamentliche Wissenschaft 57 (1966), S. 54-78. Ob sie deshalb statt »zielstrebige Missionare« als sozial entwurzelte »urchristliche Wandercharismatiker« geradezu »Außenseiter« und »anderen zweifelhaften Vagabunden zum Verwechseln ähnlich«, von »ortsansässigen Sympathisanten« unterstützt, waren, wie **G. Theißen**, Studien, bes. S. 100f, voraussetzt, erscheint mir aufgrund der Quellen doch fraglich zu sein.

22 Vgl. Apg 4,36f; 5,1-11. Sollte das von **B. Pixner** ausgegrabene Tor aus neutestamentlicher Zeit das bei Flavius Josephus genannte »Tor der Essener« sein und die bis ins 1./2. Jahrhundert zurückgehende Lokaltradition vom ersten Versammlungsort der Christen auf dem Zionsberg (eine judenchristliche Synagoge?) stimmen, dann hätten Essener und Urchristen sozusagen Tür an Tür gelebt. Vgl. **B. Pixner**, Wege des Messias und Stätten der Urkirche. Jesus und das Judenchristentum im Licht neuer archäologischer Erkenntnisse, Gießen 1991. **R. Riesner**, Das Jerusalemer Essenerviertel und die Urgemeinde, im angekündigten Bd. II. 26. 2 des Handbuchs »Aufstieg und Niedergang der römischen Welt (ANRW)«.

23 Vgl. Lk 5,11. Vgl. **H. Braun**, Jesus. Der Mann aus Nazareth und seine Zeit, Stuttgart 1969, S. 104-113; **M. Hengel**, Eigentum und Reichtum in der frü-

hen Kirche. Aspekte einer frühchristlichen Sozialgeschichte, Stuttgart 1973, Kap. 3: Verkündigung Jesu.

24 Apg 4,32; vgl. 4,34f; 2,44f.

25 Vgl. Apg 6,1-6.

26 So differenziert zur Gütergemeinschaft **L. Schenke**, Die Urgemeinde, S. 90-94.

27 Vgl. **H. Küng**, Judentum, Kap. 1-C III,8: Die Apokalyptiker als Warner und Deuter der Zeit; dort Hinweise auf die Werke zur Apokalyptik von **O. Plöger, C. Rowland, D. Hellholm, G. W. E. Nickelsburg – M. E. Stone, J. J. Collins, M. Goodman, P. D. Hanson.**

28 Vgl. **H. Küng**, Christ sein, Kap. C II,1: Apokalyptischer Horizont. Guter Überblick über die neuere Forschung bei: **K.-J. Kuschel**, Geboren vor aller Zeit? Der Streit um Christi Ursprung, München 1990, S. 290-297.

29 Vgl. oben Kap. B II,2: Die zentrale Leitfigur.

30 Vgl. Mk 9,1 par; 13,30 par; Mt 10,23.

31 Vgl. Mk 13,4-6. 32 par; Lk 17,20f.

32 Das hat neu in Erinnerung gerufen **E. Käsemann**, Exegetische Versuche und Besinnungen, Bd. II, Göttingen 1964, S. 82-131.

33 Vgl. Mk 13.

34 Vgl. als jüngste historisch-psychologische Rekonstruktionsversuche **C. Colpe**, Die älteste judenchristliche Gemeinde, in: J. Becker, Die Anfänge, S. 59-79, und **L. Schenke**, Die Urgemeinde, S. 11-23.

35 Vgl. Apg 2,22-36.

36 Vgl. Apg 2.

37 Eine hohe Sensibilität für »the enduring Jewish character of Christianity« zeigt mit sehr viel exegetischem Sachwissen der britische Exeget **J. D. G. Dunn**, The Parting of the Ways. Between Christianity and Judaism and their Significance for the Character of Christianity, London 1991. Vgl. auch **H. Küng**, Judentum, Kap. 2-B III,4: Was Juden und Christen gemeinsam bleibt.

38 Vgl. Apg 15,1; Gal 5,2f.

39 Vgl. Mt 24,20.

40 Vgl. Kol 2,16.

41 Vgl. Gal 2,12f; Apg 21,20-26.

42 Vgl. Mt 5,23; Apg 2,46; 3,1.

43 Vgl. dazu die aufschlußreiche Analyse frühchristlicher Frömmigkeit von **L. W. Hurtado**, One God, One Lord. Early Christian Devotion and Ancient Jewish Monotheism, Philadelphia 1988.

44 Vgl. **H. Küng**, Kirche, Kap. C III,1: Eingegliedert durch die Taufe (Lit.!).

45 Anders Jo 3,22 (Jesus taufte), korrigiert in 4,2 (nicht er, die Jünger!).

46 Mk 16,15f gehört zum Nachtragskapitel; Jo 3,5 ist unsicher bezeugt; der Matthäus-Schluß in seiner trinitarischen Form geht auf eine Gemeindeüberlieferung bzw. Gemeindepraxis zurück.

47 Vgl. Mk 1,9-11 par.

48 Vgl. Mk 1,4; zur Bestätigung durch Jesus vgl. Mk 11,27-33.

49 Besonders 1 Kor 12,13; Röm 6,3; vgl. Apg 9,18.

50 Vgl. Apg 2,38; 8,16; 10,48.

51 Vgl. 1 Kor 1,13-15; Gal 3,27; Röm 6,3. Vgl. **L. Hartman**, »Auf den Namen des Herrn Jesus«. Die Taufe in den neutestamentlichen Schriften, Stuttgart 1992.

52 Mt 28,19.

53 Vgl. **H. Küng**, Kirche, Kap. C III,2: Geeint durch die Mahlgemeinschaft (Lit.!).

54 Vgl. Apg 2,46.

55 Vgl. 1 Kor 11,23-25; Mk 14,22-25; Mt 26,26-29; Lk 22,15-20.

56 Vgl. 1 Kor 11,23-25. Dies wird von Paulus eindeutig bezeugt schon für den Beginn seiner Missionstätigkeit in Korinth in den vierziger Jahren, wo er sich auf eine Tradition berufen hat, die ihm zufolge auf den Herrn selber zurückgeht.

57 Vgl. nach der klassischen Untersuchung von **J. Jeremias**, Die Abendmahlsworte Jesu, Göttingen [3]1960, jetzt **E. Mazza**, L'anafora eucaristica. Studi sulle origini, Rom 1992.

58 Vgl. 1 Kor 11,20.

59 »Eucharistia« zuerst gebraucht in der Didache 9, 10 und bei Ignatios und Justin.

60 Vgl. 1 Kor 16,22.

61 Vgl. **H. Küng**, Kirche, Kap. B III: Die endzeitliche Heilsgemeinde; Kap. C: Die Grundstruktur der Kirche (Lit.!).

62 Vgl. **E. Stagg – F. Stagg**, Woman in the World of Jesus, Philadelphia 1978. **E. Moltmann-Wendel**, Ein eigener Mensch werden. Frauen um Jesus, Gütersloh 1980. **F. Quéré**, Les femmes de l'Evangile, Paris 1982. **J. Blank**, Frauen in den Jesusüberlieferungen, in: G. Dautzenberg – H. Merklein – K. Müller (Hrsg.), Die Frau im Urchristentum, Freiburg 1983, S. 9-91 (hier auch Beiträge über die Mutter Jesu und über Frauen als Osterzeuginnen). **B. Witherington**, Women in the Ministry of Jesus. A Study of Jesus' Attitudes to Women and Their Roles as Reflected in His Earthly Life, Cambridge 1984.

63 Vgl. 1 Kor 7. Vgl. dazu den Beitrag von **H. Merklein** in Kap. VII des oben angegebenen Sammelbandes »Die Frau im Urchristentum«.

64 **E. Schüssler Fiorenza**, In Memory of Her. A Feminist Theological Reconstruction of Christian Origins, New York 1983; dt.: Zu ihrem Gedächtnis … Eine feministisch-theologische Rekonstruktion der christlichen Ursprünge, Mainz 1988, S. 183.

65 **Dies.**, Zu ihrem Gedächtnis, S. 186. Zu den Grenzen des »Argumentum e silentio« vgl. die kritischen Anmerkungen von **S. Heine**, Brille der Parteilichkeit. Zu einer feministischen Hermeneutik, in: Evangelische Kommentare 23 (1990), S. 354-357.

66 **E. Schüssler Fiorenza**, Zu ihrem Gedächtnis, S. 186.

67 **Dies.**, Zu ihrem Gedächtnis, S. 189.

68 **Dies.**, Zu ihrem Gedächtnis, S. 165f.

69 Lk 4,32.

70 Vgl. Mk 3,16; Jo 1,42.

71 Vgl. Mk 8,29; 9,5; 10,28; 11,21.

72 Vgl. Mk 3,16; Mt 10,2; Lk 6,14; Apg 1,13.

73 Vgl. Mk 8,27-33.
74 Vgl. Lk 22,28. 31f.
75 Vgl. 1 Kor 15,5; Lk 24,34.
76 Die klassische evangelische Darstellung zur **Petrusfrage** stammt von **O. Cullmann**, Petrus. Jünger, Apostel, Märtyrer. Das historische und das theologische Petrusproblem, Zürich 1952. Zum **neuen katholischen Konsens** in der Petrusfrage vgl. zunächst die wegweisenden Arbeiten **A. Vögtle**, Messiasbekenntnis und Petrusverheißung. Zur Komposition Mt 16,13-23 par (1957/58), abgedruckt in: Das Evangelium und die Evangelien. Beiträge zur Evangelienforschung, Düsseldorf 1971, S. 137-170. **B. Rigaux**, Der Apostel Petrus in der heutigen Exegese, in: Concilium 3 (1967), S. 585-600. Dann insbesondere die Arbeiten von **J. Blank**, Neutestamentliche Petrustypologie und Petrusamt, in: Concilium 9 (1973), S. 173-179. **R. Pesch**, Die Stellung und Bedeutung Petri in der Kirche des Neuen Testaments. Zur Situation der Forschung, in: Concilium 7 (1971), S. 240-253. **W. Trilling**, Zum Petrusamt im Neuen Testament. Traditionsgeschichtliche Überlegungen anhand von Matthäus, 1 Petrus und Johannes, in: Theologische Quartalschrift 151 (1971), S. 110-133. Die Übereinstimmung unter diesen drei katholischen Autoren wird herausgearbeitet von **H. Küng**, in: Fehlbar? Eine Bilanz, Zürich 1973 (im folgenden zitiert mit »Fehlbar?«), S. 405-414. Manche Bestätigung auch bei **R. E. Brown – K. P. Donfried – J. Reumann** (Hrsg.), Peter in the New Testament. A Collaborative Assessment by Protestant and Roman Catholic Scholars, Minneapolis 1973; dt.: Der Petrus der Bibel. Eine ökumenische Untersuchung, Stuttgart 1976.
Vgl. des weiteren **A. Brandenburg – H. J. Urban** (Hrsg.), Petrus und Papst. Evangelium, Einheit der Kirche, Papstdienst, Bd. I-II, Münster 1977f. **L. Sartori** u. a., Il servizio di Pietro. Appunti per una riflessione interconfessionale, Turin 1978. **T. V. Smith**, Petrine Controversies in Early Christianity. Attitudes towards Peter in Christian Writings of the First Two Centuries, Tübingen 1985. **S. Benko**, Pagan Rome and the Early Christians, Bloomington 1984. **C. P. Thiede** (Hrsg.), Das Petrusbild in der neueren Forschung, Wuppertal 1987. **M. Maccarrone** (Hrsg.), Il primato del Vescovo di Roma nel primo millennio: ricerche e testimonianze, Rom 1989. **C. C. Caragounis**, Peter and the Rock, Berlin 1990. **W. R. Farmer – R. Kereszty**, Peter and Paul in the Church of Rome. The Ecumenical Potential of a Forgotten Perspective, New York 1990. **A. J. Nau**, Peter in Matthew. Discipleship, Diplomacy, and Dispraise … with an Assessment of Power and Privilege in the Petrine Office, Collegeville/Minn. 1992. Vgl. auch **R. Pesch**, Simon-Petrus. Geschichte und geschichtliche Bedeutung des ersten Jüngers Jesu Christi, Stuttgart 1980.
77 Vgl. Mt 16,17-19.
78 Vgl. Mt 16,17-19; Lk 22,31f; Jo 21,1-19.
79 Vgl. Gal 2,9.
80 Vgl. Apg 1-12.
81 Gal 2,8.
82 Gal 2,8.
83 Vgl. Gal 2,11f; Apg 15,7.

84 Vgl. 1 Kor 1-12.
85 So der katholische Exeget **J. Blank**, Neutestamentliche Petrustypologie, S. 177.
86 Vgl. **Klemensbrief** 5,4.
87 Vgl. **Ignatios**, An die Römer, 4,3.
88 Papal Primacy and the Universal Church, in: **R. E. Brown** u. a., Peter, S. 149-186, Zit. S. 156. Die neueste katholische Untersuchung von **O. B. Knoch** kommt zum Ergebnis, daß aus dem Klemensbrief die Überzeugung der römischen Gemeinde spricht, »als Ort des Wirkens und vor allem des Sterbens der führenden Apostel Petrus und Paulus eine einmalige Autorität zu besitzen, und zwar in Hinsicht auf die Wahrung des apostolischen Erbes, nicht aber als Inhaberin eines rechtlichen und autoritativen Vorranges über alle anderen christlichen Gemeinden« (Im Namen des Petrus und Paulus: Der Brief des Klemens Romanus und die Eigenart des römischen Christentums, in: Aufstieg und Niedergang der römischen Welt (ANRW). Geschichte und Kultur Roms im Spiegel der neueren Forschung, Teil II, Bd. 27.1, hrsg. v. W. Haase, Berlin 1993, S. 3-54, zit. S. 12). Zum Petrusgrab vgl. **E. Kirschbaum**, Die Gräber der Apostelfürsten. St. Peter und St. Paul in Rom, Frankfurt 1957, [3]1974. Wichtig hier das Nachtragskapitel von **E. Dassmann**, wo die Behauptungen der römischen Archäologin M. Guarducci durch die Bedenken von E. Kirschbaum »auf das Maß von Überlegungen zurückgeschraubt« werden: »So ist die Auseinandersetzung bisher unentschieden und wird es in Zukunft wohl auch bleiben …« (S. 243. 245).
89 **P. Hoffmann**, Das Erbe Jesu und die Macht in der Kirche. Rückbesinnung auf das Neue Testament, Mainz 1991, S. 43f. Hoffmann verweist auf **M. N. Ebertz**, Die Bürokratisierung der katholischen »Priesterkirche«, in: P. Hoffmann (Hrsg.), Priesterkirche, Düsseldorf 1987, S. 132-163.
90 Vgl. Mk 6,3 par; Mt 13,55.
91 Vgl. Apg 12,1-3. Vgl. auch 1 Thess 2,14f.
92 Vgl. Mk 3,20f.
93 Vgl. Mk 6,1-3.
94 Vgl. 1 Kor 15,7; Gal 1,19.
95 Vgl. zu **Jakobus** unter den neuesten Veröffentlichungen vor allem **M. Hengel**, Jakobus der Herrenbruder – der erste »Papst«?, in: Glaube und Eschatologie. Festschrift W. G. Kümmel, Tübingen 1985, S. 71-104. **E. Ruckstuhl**, Art. Jakobus, in: TRE, Bd. XVI, S. 485-488. Umfassend schließlich die Darstellung von **W. Pratscher**, Der Herrenbruder Jakobus und die Jakobustradition, Göttingen 1987.
96 Vgl. **Josephus**, Antiquitates, XX,9,1.
97 Vgl. Apg 21,28; 24,6.
98 **M. Hengel**, Jakobus, S. 74.
99 Vgl. **H. Küng**, Judentum, Kap 2-B IV, 5: Die Exkommunikation der Christen.
100 So **K. Wengst**, Bedrängte Gemeinde und verherrlichter Christus. Der historische Ort des Johannes-Evangeliums als Schlüssel zu seiner Interpretation, Neukirchen 1981. Vgl. **G. Reim**, Studien zum alttestamentlichen Hintergrund des Johannesevangeliums, Cambridge 1974. Vgl. die ausführlich begründete These von **M. Hengel**, der das Corpus Johanneum einem einzigen überragenden

Theologen und Schulhaupt zuschreibt: Die johanneische Frage. Ein Lösungsversuch, Tübingen 1993, bes. Kap. IV.

101 Vgl. Jo 7,2-10.

102 Vgl. **H. Küng**, Judentum, Kap 2-B IV, 5: Die Exkommunikation der Christen.

103 **K. Wengst**, Bedrängte Gemeinde, S. 58. Vgl. auch **R. E. Brown**, The Community of the Beloved Disciple. The Life, Loves and Hates of an Individual Church in New Testament Times, New York 1979, dt.: Ringen um die Gemeinde. Der Weg der Kirche nach der Johanneischen Schrift, Salzburg 1982.

104 Vgl. **C. Dietzfelbinger**, Der ungeliebte Bruder. Der Herrenburder Jakobus im Johannesevangelium, in: Zeitschrift für Theologie und Kirche 89 (1992), S. 377-403.

105 Vgl. Jo 9,22; 12,42; 16,2.

106 Jo 19,38; vgl. 9,22; 12,42.

107 **C. Dietzfelbinger**, Der ungeliebte Bruder, S. 399.

108 Vgl. Jo 14,6.

109 Jo 5,18.

110 Jo 10,33.

111 Jo 1,14.

112 **M. Theobald**, Die Fleischwerdung des Logos. Studien zum Verhältnis des Johannesprologs zum Corpus des Evangeliums und zu 1 Joh, Münster 1988, S. 490.

113 Vgl. Jo 1,4.

114 Vgl. zu dieser Entwicklung **L. Abramowski**, Der Logos in der altchristlichen Theologie, in: C. Colpe u. a. (Hrsg.), Spätantike und Christentum. Beiträge zur Religions- und Geistesgeschichte der griechisch-römischen Kultur und Zivilisation der Kaiserzeit, Berlin 1992, S. 189-201.

115 **L. Goppelt**, Theologie des Neuen Testaments, hrsg. v. J. Roloff, Göttingen 1976, [3]1980, S. 634.

116 **H. Conzelmann**, Grundriß der Theologie des Neuen Testaments, München 1967, [2]1968, S. 375.

117 Vgl. **K.-J. Kuschel**, Geboren vor aller Zeit? Der Streit um Christi Ursprung, München 1990.

118 Vgl. **ders.**, Geboren vor aller Zeit?, S. 500-506.

119 Mit Recht schreibt der katholische Exeget **Rudolf Schnackenburg** in seinem »Johannesevangelium«, Bd. I, Freiburg 1965, S. 446: »Nicht eine feststehende mythologische Spekulation über einen vom Himmel herabsteigenden und dorthin wieder aufsteigenden Erlöser ist der Grund der johanneischen Christologie; vielmehr führte der Wunsch, die Heilsmacht des christlichen Erlösers zu begründen, zu einer stärkeren Hervorhebung seiner Präexistenz, so daß nun sein Weg deutlicher ›oben‹ beginnt und sich dorthin wieder zurückwendet.«

120 **K.-J. Kuschel**, Geboren vor aller Zeit?, S. 503.

121 Vgl. Jo 10,30. 38.

122 Vgl. **K. H. Schelkle**, Theologie des Neuen Testaments, Bd. II: Gott war in Christus, Düsseldorf 1973, S. 215.

123 Vgl. **J. Gnilka**, Johannesevangelium, Würzburg 1983, S. 86.

124 Vgl. **F. Mussner**, Ursprünge und Entfaltung der neutestamentlichen Sohnes-

christologie, in: L. Scheffczyk (Hrsg.), Grundfragen der Christologie heute, Freiburg 1976, S. 77-113, bes. S. 110.

125 Jo 14,9.

126 **K.-J. Kuschel**, Geboren vor aller Zeit?, S. 502.

127 **Ders.**, Geboren vor aller Zeit?, S. 502.

128 **Ders.**, Geboren vor aller Zeit?, S. 502.

129 Vgl. 1 Kor 3,11.

130 Vgl. Phil 2,21: »Denn alle suchen ihren Vorteil, nicht die Sache Jesu Christi«. Vgl. 1 Kor 7,32-34: »die Sache des Herrn«.

131 Vgl. **K.-J. Kuschel**, Geboren vor aller Zeit?, S. 310-396.

132 Vgl. Phil 2,6-11.

133 **K.-J. Kuschel**, Geboren vor aller Zeit?, S. 393f.

134 Vgl. Gal 4,4.

135 **B. van Iersel**, »Sohn Gottes« im NT, in: Concilium 18 (1982), S. 182-193, Zit. S. 189f. Bestätigt wird dies durch die neueste, bisher gründlichste exegetische Studie von **J. Habermann**, Präexistenzaussagen im Neuen Testament, Bern 1990, S. 422.

136 Vgl. Apg 2,22-36.

137 Der ursprüngliche Text 1 Jo 5,7f spricht vom Geist, vom Wasser (= Taufe) und vom Blut (= Herrenmahl), die »übereinstimmen« (Einheitsübersetzung) oder die »auf eins gehen« (beide Sakramente sind Zeugnis aus der Kraft des einen Geistes). Zur Interpretation vgl. **R. Bultmann**, Die drei Johannesbriefe, Göttingen 1967, S. 83f.

138 Vgl. **H. Denzinger**, Enchiridion Nr. 2198.

139 Apg 7,55f.

140 2 Kor 13,13.

141 Vgl. Jo 14,16.

142 **Eusebios**, Kirchengeschichte, III,27,3.

143 **Eusebios**, Kirchengeschichte, III,5,3a.

144 Nach **M. Joël** (1883) und dann **E. Schwartz, S. G. F. Brandon** und **J. Munck** mit Differenzierungen vor allem **G. Lüdemann**, Paulus, der Heidenapostel, Bd. II: Antipaulinismus im frühen Christentum, Göttingen 1983, S. 265-286: Die Nachfolge der Jerusalemer Urgemeinde. Analyse der Pella-Tradition. Neuestens hat die Dissertation von **J. Verheyden** mit redaktionsgeschichtlicher Methode beweisen wollen, daß Eusebios (von dem Epiphanios abhängig ist) die Pella-Notiz aus (antijüdischen) geschichtstheologischen Motiven selber entworfen habe: De vlucht van den Christenen naar Pella. Onderzoek van het getuigenis van Eusebius en Epiphanius, Brüssel 1988.

145 Mit Bezugnahme auf die judenchristlichen Pseudoklementinen (Recognitiones 37,39) und Lk 21 und im Anschluß an die für Historizität plädierenden Historiker **E. Meyer** und **M. Simon** hat **J. Wehnert** die Argumente Verheydens hermeneutisch, historisch und exegetisch zerpflückt: Die Auswanderung der Jerusalemer Christen nach Pella – historisches Faktum oder theologische Konstruktion?, in: Zeitschrift für Kirchengeschichte 102 (1991), S. 231-255. Vgl. **C. Koester**, The Origin and Significance of the Flight to Pella Tradition, in: The Catholic Biblical Quarterly 51 (1989), S. 90-106 (Auseinandersetzung

vor allem mit **G. Lüdemann**).

146 **J. Wehnert**, Die Auswanderung, S. 252.

147 **Eusebios**, Kirchengeschichte IV, 5, 1-4. Zur komplexen Frage der Verwandtschaft Jesu vgl. **R. Bauckham**, Jude and the Relatives of Jesus in the Early Church, Edinburgh 1990. Zu dem hier herangezogenen Judas-Brief vgl. **R. Heiligenthal**, Zwischen Henoch und Paulus. Studien zum theologiegeschichtlichen Ort des Judasbriefes, Tübingen 1962.

148 Wertvolle Hinweise erhielt ich von Professor **James Robinson**, Neutestamentler, führender Gnosisforscher und Direktor des Institute for Christianity and Antiquity in Claremont/Cal. anläßlich eines Gastsemesters an unserem Institut für ökumenische Forschung.

149 Einen Eindruck von der intensiven Detailarbeit der wichtigsten Forscher auf diesem Gebiet gibt schon die Festschrift »Judéo-Christianisme« (in: Recherches de science religieuse 60 (1972), S. 1-323), die **J. Daniélou** gewidmet wurde, der schon früh eine »Théologie du Judéo-Christianisme. Histoire des doctrines chrétiennes avant Nicée«, Bd. I, Paris 1958, veröffentlichte. Zur Geschichte des Judenchristentums grundlegend **H.-J. Schoeps**, Theologie und Geschichte des Judenchristentums, Tübingen 1949. Für die einzelnen judenchristlichen Gruppierungen, wie sie in den patristischen (nichtgnostischen) Quellen erscheinen (Kerinthianer, Ebioniten, Nazoräer, Symmachianer, Elkesaiten), bieten das Material ziemlich vollständig **A. F. J. Klijn – G. J. Reinink**, Patristic Evidence for Jewish-Christian Sects, Leiden 1973. Von **Klijn** auch die erste umfassende Studie der judenchristlichen Evangelientradition (samt Texten und Kommentaren): Jewish-Christian Gospel Tradition, Leiden 1992. Vgl. auch **R. A. Pritz**, Nazarene Jewish Christianity. From the End of the New Testament Period Until its Disappearance in the Fourth Century, Jerusalem 1988. Die historische Entwicklung rekonstruiert auf neuestem Forschungsstand **G. Strekker**, Art. Judenchristentum, in: TRE, Bd. XVII, S. 310-325; vgl. **ders.**, Zum Problem des Judenchristentums, Nachtrag I zu W. Bauer, Rechtgläubigkeit und Ketzerei im ältesten Christentum, Tübingen [2]1964, S. 245-287. Unter dem Gesichtspunkt des Antipaulinismus untersucht die einzelnen judenchristlichen Dokumente **S. Légasse**, La polémique antipaulinienne dans le judéo-christianisme hétérodoxe, in: Bulletin de Littérature Ecclesiastique 90 (1989), S. 5-22. 85-100. Unter archäologischem Gesichtspunkt vgl. **B. Bagatti**, Alle origini della chiesa, Bd. I: Le comunità giudeo-cristiane, Rom 1986 (Bd. II handelt von den heidenchristlichen Gemeinden). Für die ältere Literatur siehe **F. Manns**, Bibliographie du judéo-christianisme, Jérusalem 1979. Didaktisch geschickt aufbereitet findet sich das Material sowohl bezüglich der »konservativen« wie der »liberalen« Judenchristenheit bei **T. Carran**, Forgetting the Root. The Emergence of Christianity from Judaism, New York 1986.

150 Die Hypothese freilich von einer Q-Gemeinde, die von Jesu Kreuzigung nichts gehört haben soll, erscheint mir angesichts des sensationellen Ereignisses, der Kürze der Distanzen und der zahlreichen Kommunikationsmöglichkeiten mehr als unwahrscheinlich. Dies gilt auch von den jüngsten Mutmaßungen von **B. L. Mack**, The Lost Gospel. The Book of Q and Christian Origins, San Francisco 1993.

151 Vgl. neben Klijn **W. R. Stegner**, Narrative Theology in Early Jewish Christianity, Louisville 1989.
152 Vgl. **J. L. Martyn**, The Law-Observant Mission to Gentiles: The Background of Galatians; in: Scottish Journal of Theology 38 (1985), S. 307-324; **ders.**, Paul and His Jewish-Christian Interpreters, in: Union Seminary Quarterly Review 42 (1988), S. 1-15.
153 Vgl. Gal 1,6-9; 3,1-2. 5; 4,17.
154 Vgl. Gal 3,6-29.
155 Vgl. **A. Acerbi**, L'ascensione di Isaia: cristologia e profetismo in Siria nei primi decenni del II secolo, Mailand [2]1989.
156 Pseudoklementinische Recognitiones 1,33-71. Dazu – nach **H. Waitz, O. Cullmann, E. Schwartz, H.-J. Schoeps** – vor allem **G. Strecker**, Das Judentum in den Pseudoklementinen, Berlin 1957, [2]1981.
157 Diese Interpretation wurde erarbeitet von **R. E. van Voorst**, The Ascents of James: History and Theology of a Jewish-Christian Community, Atlanta 1989, bes. S. 163-180.
158 Vgl. **Hieronymus**, Über berühmte Männer 3; vgl. **ders.**, In Jes 40,9-11. Dazu **G. Strecker**, Art. Judenchristentum, S. 312 und 321.
159 Darauf weist mit Nachdruck hin **C. Colpe**, Das Siegel der Propheten. Historische Beziehungen zwischen Judentum, Judenchristentum, Heidentum und frühem Islam, Berlin 1990, S. 166f.
160 Vgl. **Ignatios**, An die Magnesier 8-10.
161 Vgl. **Irenäus**, Wider die Häresien I, 26,2; III, 15,1; V, 1,3.
162 Vgl. **Justin**, Dialog mit dem Juden Tryphon 48,3f; 49,1.
163 **Epiphanios**, Panarion 29. Hinweise finden sich auch bei Hieronymus und Augustin.
164 Vgl. **J. Hadot**, La formation du dogme chrétien des origines à la fin du 4e siècle, Charleroi 1990, S. 5f.
165 Vgl. Mk 4,41; Lk 7,49; 8,25.
166 Vgl. Jo 1,46.
167 **G. Strecker**, Art. Judenchristentum, S. 323.
168 Vgl. **Chrysostomos**, Predigten gegen die Juden, in: Patrologia Graeca, Bd. 48, S. 843-942.
169 In einer späteren Untersuchung möchte ich darauf näher eingehen. Zumindest indirekte Bestätigung fand ich bei **F. Heyer**, Die Kirche Äthiopiens, Berlin 1971, S. 222f. **E. Isaac**, A New Text-critical Introduction to Mashafa Berhan, Leiden 1973 (aus diesem bedeutenden äthiopischen Buch erschließt der Verfasser zwei Parteien: die judaisierende Christenheit und die koptisch-monophysitische).
170 Vgl. **S. Weil**, Symmetry Between Christians and Jews in India. The Cnanite Christians and the Cochin Jews of Kerala, in: T. A. Timberg, Jews in India, New Delhi 1986, S. 182-194. **J. Kollaparambil**, The Babylonian Origin of the Southists Among the St. Thomas Christians, Rom 1992.
171 Der Kölner Mani-Kodex (Inventar Nr. 4780) wurde 1975/81 veröffentlicht und kommentiert von **A. Henrichs** und **L. Koenen**. Es liegt jetzt eine Standardausgabe vor von **L. Koenen** und **C. Roemer**: Der Kölner Mani-Kodex.

Abbildungen und diplomatischer Text, Bonn 1985.

172 **A. Böhlig**, Vorwort, in: **L. Cirillo** (Hrsg.), Codex Manichaicus Coloniensis. Atti del Simposio Internazionale 1984, Cosenza 1986 (hier besonders wichtig die Beiträge von J. Maier, K. Rudolph, G. Strecker, L. Cirillo, A. F. J. Klijn). Zum **Manichäismus** vgl. vor allem **K. Rudolph**, Die Gnosis. Wesen und Geschichte einer spätantiken Religion, Leipzig 1977, Göttingen [3]1990. **G. Widengren** (Hrsg.), Der Manichäismus, Darmstadt 1977. **H.-C. Puech**, Sur le manichéisme et autres essais, Paris 1979. **E. Rose**, Die manichäische Christologie, Wiesbaden 1979.

173 Vgl. **H. Küng**, Weltreligionen, Kap. A IV,2: Jesus als Gottesknecht.

174 **A. Schlatter**, Geschichte der ersten Christenheit, Gütersloh 1926, S. 367f.

175 Vgl. **A. v. Harnack**, Lehrbuch der Dogmengeschichte, Bd. II, Tübingen [4]1909, Neudruck Darmstadt 1964, S. 529-538.

176 Vgl. **H.-J. Schoeps**, Theologie (unter Aufnahme der Arbeiten von **C. Clemen**, **T. Andrae** und **H. H. Schaeder**), S. 342: »Und somit ergibt sich als Paradox wahrhaft weltgeschichtlichen Ausmaßes die Tatsache, daß das Judenchristentum zwar in der christlichen Kirche untergegangen ist, aber im Islam sich konserviert hat und in einigen seiner treibenden Impulse bis in unsere Tage hineinreicht.«

177 **C. Buck**, Bericht vor der American Academy of Religion, in: Abstracts AAR/SBL 1983.

178 **G. Strecker**, Art. Judenchristentum, S. 323.

179 Vgl. zu dieser Frage **C. Buck**, Exegetical Identification of the Sabi'un«, in: Muslim World 73, 1982, S. 95-106. **G. Quispel**, The Birth of the Child. Some Gnostic and Jewish Aspects, in: Jewish and Gnostic Man (= Eranos Lectures 3), Dallas 1986, S. 3-26. Zu den **Elkesaiten** als judenchristliche Propagandisten vgl. – nach **A. v. Harnack** und der frühen Monographie von **W. Brandt** (1912) – jetzt **G. P. Luttikhuizen**, The Revelation of Elchasai. Investigations into the Evidence for a Mesopotamian Jewish Christian Apocalypse of the Second Century and its Reception by Judeo-Christian Propagandists, Tübingen 1985 (das ursprünglich aramäisch geschriebene apokalyptische Offenbarungsbuch eines mesopotamischen Juden des 2. Jh. wurde ein Jahrhundert später von syrischen Judenchristen zur religiösen Propaganda in christlichen Kirchen Palästinas und Roms gebraucht).

180 Vgl. **J. Wellhausen**, Reste arabischen Heidentums, Berlin [2]1927, S. 231-233.

181 Vgl. **C. Colpe**, Das Siegel der Propheten, S. 237f.

182 Sure 33,40.

183 Vgl. **Tertullian**, Adversus Judaeos, VIII,12. Richtige Lesart mit C. Colpe: »Signaculum omnium prophetarum«, nicht »prophetiarum« (Prophezeiungen), wie E. Kroymann (in Corpus Scriptorum Ecclesiasticorum Latinorum Bd. 70 und in Corpus Christianorum Series Latina Bd. II/2, S. 1361) konjiziert (im Widerspruch zu S. 1383: »prophetarum«).

184 Vgl. **C. Colpe**, Das Siegel der Propheten, S. 28-34.

185 **Ders.**, Das Siegel der Propheten, S. 238.

186 **Ders.**, Das Siegel der Propheten, S. 169f.

187 Vgl. **S. Pines**, The Jewish Christians of the Early Centuries of Christianity

According to a New Source; in: Proceedings of the Israel Academy of Sciences and Humanities 2 (1968), S. 237-309. S. Pines war es auch, der Colpe auf den Sozomenos-Text aufmerksam gemacht hat.

188 Vgl. auch **C. Colpe**, Das Siegel der Propheten, S. 171f.

189 **C. Schedl**, Muhammad und Jesus, Freiburg 1978, S. 565f.

190 Vgl. dazu **H. Küng**, Weltreligionen, Kap. A I,2: Muhammad – ein Prophet? Der Koran – Wort Gottes?

191 **A. Schlatter**, Geschichte der ersten Christenheit, S. 367f.

192 Vgl. Röm 1,3-4; Apg 2,36; Phil 2,9-10; 1 Tim 3,16; 1 Pet 3,21; Jo 3,14. Interessante Aussagen über die judenchristliche Theologie, die aber im einzelnen allzu schwach belegt sind, macht der Franziskaner **E. Testa**, The Faith of the Mother Church. An Essay on the Theology of the Judeo-Christians, Jerusalem 1992. Vgl. z. B. zur Trinität: »The Judeo-Christians believed in a Trinity of subordinationist type: in only the Father as God most high, in the Son as an Angel, but as a divine being, in the Spirit/Ruah as an Angel/Mother« (S. 225).

C II. Das ökumenisch-hellenistische Paradigma des christlichen Altertums

1 **T. S. Kuhn**, The Structure of Scientific Revolutions, Chicago 1962; dt.: Die Struktur wissenschaftlicher Revolutionen, Frankfurt [2]1976, S. 175.

2 **Ders.**, The Structure (Postscriptum 1969); deutsche Übersetzung, S. 186 hier korrigiert.

3 Zu Antiochien vgl. **J. P. Meier – R. Brown**, Antioch and Rome. New Testament Cradles and Catholic Christianity, New York 1983. **J. E. Stambaugh – D. L. Balch**, The New Testament in Its Social Environment, Philadelphia 1986; dt.: Das soziale Umfeld des Neuen Testaments, Göttingen 1992, S. 141-145.

4 Vgl. Apg 11,19-26.

5 Apg 11,26.

6 Vgl. **G. Theißen**, Studien zur Soziologie des Urchristentums, Tübingen [3]1989, S. 100f.

7 Vgl. Gal 2,11-21.

8 Vgl. **H. Küng**, Judentum, Kap. 2-B V,1-2: Der umstrittene Paulus; die kongeniale Transformation. Zur **Paulusforschung** vgl. die frühen wichtigen Aufsätze von **R. Bultmann, K. Holl, H. Lietzmann, A. Oepke, R. Reitzenstein, A. Schlatter, A. Schweitzer**, gesammelt von **K. H. Rengstorf**, Das Paulusbild in der neueren deutschen Forschung, Darmstadt 1964. Zur Orientierung über die faktisch kaum übersehbare Forschungslage vgl. die **Forschungsberichte** von **H. Hübner**, Paulusforschung seit 1945. Ein kritischer Literaturbericht, in: Aufstieg und Niedergang der Römischen Welt. Geschichte und Kultur Roms im Spiegel der neueren Forschung, hrsg. v. W. Haase und H. Temporini, Bd. II. 25.4, Berlin 1987, S. 2649-2840 (dort auch ausführliche Beiträge zum neuesten Interpretationsstand der einzelnen Paulusbriefe). **O. Merk**, Paulus-Forschung 1936-1985, in: Theologische Rundschau 53 (1988), S. 1-81. Zur Ein-

führung in Person und Werk des Apostels Paulus vgl. neben den Einleitungen ins Neue Testament unter den neueren kritischen Arbeiten bes. **M. Dibelius**, Paulus, 2. Aufl. hrsg. v. G. Kümmel, Berlin 1956. **P. Seidensticker**, Paulus, der verfolgte Apostel Jesu Christi, Stuttgart 1965. **G. Bornkamm**, Paulus, Stuttgart 1969. **E. Käsemann**, Paulinische Perspektiven, Tübingen 1969. **O. Kuss**, Paulus. Die Rolle des Apostels in der theologischen Entwicklung der Urkirche, Regensburg 1971. **K. Stendahl**, Der Jude Paulus und wir Heiden. Anfragen an das abendländische Christentum, München 1976. **F. F. Bruce**, Paul, Apostle of the Free Spirit, Exeter 1977. **E. P. Sanders**, Paul and Palestinian Judaism, Philadelphia 1977; **ders.**, Paul, the Law, and the Jewish People, Philadelphia 1983; **ders.**, Paul, Oxford 1991. **J. C. Beker**, Paul the Apostle. The Triumph of God in Life and Thought, Edinburgh 1980. **K. H. Schelkle**, Paulus. Leben – Briefe – Theologie, Darmstadt 1981. **G. Lüdemann**, Paulus und das Judentum, Bd. I-II, München 1983. **W. A. Meeks**, The First Urban Christians. The Social World of the Apostle Paul, New Haven, 1983; dt.: Christentum und Stadtkultur. Die soziale Welt der paulinischen Gemeinden, München 1992. **H. Räisänen**, Paul and the Law, Tübingen 1983. **G. Theißen**, Psychologische Aspekte paulinischer Theologie, Göttingen 1983. **F. Watson**, Paul, Judaism and the Gentiles. A Sociological Approach, Cambridge 1986. **J. Becker**, Paulus. Der Apostel der Völker, Tübingen 1989. **E. Biser**, Paulus. Zeuge, Mystiker, Vordenker, München 1992. **P.-G. Klumbies**, Die Rede von Gott bei Paulus in ihrem zeitgeschichtlichen Kontext, Göttingen 1992.

9 Vgl. **A. F. Segal**, Paul the Convert. The Apostolate and Apostasy of Saul the Pharisee, New Haven 1990. Zu **Paulus von jüdischer Seite** und im **jüdisch-christlichen Dialog** vgl. ferner an neuerer Literatur **S. Sandmel**, The Genius of Paul. A Study in History, New York 1958. **H.-J. Schoeps**, Paulus. Die Theologie des Apostels Paulus im Lichte der jüdischen Religionsgeschichte, Tübingen 1959. **S. Ben-Chorin**, Paulus. Der Völkerapostel in jüdischer Sicht, München 1970. **M. Barth** u. a., Paulus – Apostat oder Apostel? Jüdische und christliche Antworten, Regensburg 1977. **F. Mußner**, Traktat über die Juden, München 1979. **P. Lapide – P. Stuhlmacher**, Paulus – Rabbi und Apostel. Ein jüdisch-christlicher Dialog, Stuttgart 1981. **P. von der Osten-Sacken**, Grundzüge einer Theologie im christlich-jüdischen Gespräch, München 1982; **ders.**, Evangelium und Tora. Aufsätze zu Paulus, München 1987. **F.-W. Marquardt**, Die Gegenwart des Auferstandenen bei seinem Volk Israel. Ein dogmatisches Experiment, München 1983. **E. Biser** u. a., Paulus – Wegbereiter des Christentums. Zur Aktualität des Völkerapostels in ökumenischer Sicht, München 1984. **L. Swidler** u. a., Bursting the Bonds? A Jewish-Christian Dialogue on Jesus and Paul, New York 1990.

10 Vgl. 1 Kor 9,19-23; 1 Kor 8; Röm 14.

11 Vgl. dazu die Studie von **W. Thüsing**, Per Christum in Deum. Studien zum Verhältnis von Christozentrik und Theozentrik in den paulinischen Hauptbriefen, Münster 1965.

12 Die Legitimierung der gesetzesfreien heidenchristlichen Gemeinden ist, wie in der Exegese allgemein anerkannt, der soziologische Hintergrund der paulinischen Gesetzeskritik.

13 So etwa leider auch **E. L. Ehrlich** in seiner Rezension von »Das Judentum«, in: Die Weltwoche vom 13. Feb. 1992. Vgl. zur Debatte **H. Häring – K.-J. Kuschel**, Hans Küng. Neue Horizonte des Glaubens und Denkens. Ein Arbeitsbuch, Kap. V: Dialog mit dem Judentum, München 1993.

14 Vgl. **E. Käsemann**, Amt und Gemeinde im NT, in: Exegetische Versuche und Besinnungen I, Göttingen 1960, S. 109-134. Zum **Charisma** weiter **M. Hengel**, Nachfolge und Charisma. Eine exegetisch-religionsgeschichtliche Studie zu Mt 8,21f und Jesu Ruf in die Nachfolge, Wien 1968. **G. Hasenhüttl**, Charisma. Ordnungsprinzip der Kirche, Freiburg 1969. **U. Brockhaus**, Charisma und Amt. Die paulinische Charismenlehre auf dem Hintergrund der frühchristlichen Gemeindefunktionen, Wuppertal 1972. **J. Hainz**, Ekklesia – Strukturen paulinischer Gemeinde-Theologie und Gemeinde-Ordnung, Regensburg 1972.

15 Die Unterschiede zwischen palästinischer und paulinischer Gemeindeordnung untersuchte systematisch schon **E. Schlink**, Der kommende Christus und die kirchlichen Traditionen, Göttingen 1961, S. 160-195. Zur Diskussion mit E. Käsemann, H. Diem, E. Schlink und K. H. Schelkle vgl. **H. Küng**, Strukturen, Kap. VI, 3-5.

16 Vgl. 1 Kor 12,28; in 12,29 bezeichnenderweise nicht wiederholt; vgl. auch Röm 12,8.

17 Aufgrund der exegetischen Forschung habe ich diese höchst komplexen Verhältnisse und Entwicklungen schon dargelegt in: Kirche, Kap E II,2: Die diakonische Struktur.

18 Vgl. Phil 1,1.

19 1 Kor 1,5. 7.

20 Vgl. Apg 20,28: hier mehrere Bischöfe.

21 Vgl. Didache 13-15, bes. 14,1; 15,1f.

22 Vgl. Apg 11,27; 13,1-3; 21,10f.

23 1 Thess 5,12.

24 Vgl. 1 Kor 16,15f.

25 Gal 3,27f. Zur neuerdings vielbehandelten Frage der **Frau im Neuen Testament** (vgl. auch Kap. C I,4: Die Bedeutung der Frauen) gibt es bereits eine 90seitige Bibliographie: **I. M. Lindboe**, Women in the New Testament. A Select Bibliographie, Oslo 1990. Neben der in Kap. C I mehrfach zitierten Arbeit von **E. Schüssler Fiorenza**, Zu ihrem Gedächtnis, vgl. vor allem **O. Bangerter**, Frauen im Aufbruch. Die Geschichte einer Frauenbewegung in der Alten Kirche. Ein Beitrag zur Frauenfrage, Neukirchen 1971. **E. M. Tetlow**, Women and Ministry in the New Testament, New York 1980. **R. Rieplhuber**, Die Stellung der Frau in den neutestamentlichen Schriften und im Koran, Altenberge 1986. **B. Witherington**, Women in the Earliest Churches, Cambridge 1988; **ders.**, Women and the Genesis of Christianity, Cambridge 1990. **B. Bowman Thurston**, The Widows. A Women's Ministry in the Early Church, Minneapolis 1989. **N. Baumert**, Antifeminismus bei Paulus? Einzelstudien, Würzburg 1992; **ders.**, Frau und Mann bei Paulus. Überwindung eines Mißverständnisses, Würzburg 1992. **C. S. Keener**, Paul, Women and Wives. Marriage and Women's Ministry of the Letters of Paul, Peabody/Mass. 1992.

26 Vgl. Röm 16,1-16.
27 Zu den Titeln »diákonos« und »prostátis« vgl. **E. Schüssler Fiorenza**, Zu ihrem Gedächtnis, S. 218-220.
28 Vgl. Röm 16,7.
29 **U. Wilckens**, Der Brief an die Römer, Bd. III, Zürich 1982, S. 135.
30 Vgl. 1 Thess 5,12; Röm 16,6. 12.
31 Phil 4,2f.
32 Vgl. Röm 16,3; 1 Kor 16,19; Apg 18,2; 18,18f; 18,26.
33 Vgl. 1 Kor 16,19; 2 Tim 4,19.
34 1 Kor 11,5.
35 Eph 2,20.
36 **E. Schüssler Fiorenza**, Zu ihrem Gedächtnis, S. 235.
37 Vgl. dazu **M. Küchler**, Schweigen, Schmuck und Schleier. Drei neutestamentliche Vorschriften zur Verdrängung der Frauen auf dem Hintergrund einer frauenfeindlichen Exegese des Alten Testaments im antiken Judentum, Fribourg 1986.
38 Vgl. 1 Kor 11,3.
39 Vgl. 1 Kor 14,34f.
40 1 Tim 2,11f.
41 Vgl. Röm 16,7. Ausführlich hat dies untersucht: **B. Brooten**, »Junia ... hervorragend unter den Aposteln« (Röm 16,7), in: **E. Moltmann-Wendel** (Hrsg.), Frauenbefreiung. Biblische und theologische Argumente, München 1978, S. 148-151. **V. Fabrega**, War Junia(s), der hervorragende Apostel (Röm 16,7), eine Frau?, in: Jahrbuch für Antike und Christentum 27/28 (1984/85), S. 47-64. Von den neueren Kommentaren zum Römerbrief hat sich der von **U. Wilckens** den hier vorgetragenen Argumenten geöffnet (Der Brief an die Römer, S. 135).
42 Vgl. **R. Albrecht**, Das Leben der heiligen Makrina auf dem Hintergrund der Thekla-Traditionen. Studien zu den Ursprüngen des weiblichen Mönchtums im vierten Jahrhundert in Kleinasien, Göttingen 1986, Kap. 5.
43 Vgl. Joh 19,25-27.
44 Vgl. Mk 16,9-11; Joh 20,11-18.
45 Vgl. **E. Moltmann-Wendel**, Ein eigener Mensch werden. Frauen um Jesus, Gütersloh 1980, Kap. 3: Maria Magdalena.
46 Vgl. z. B. Tit 1,5. 7.
47 Vgl. 1 Thess 5,19.
48 Zu den neutestamentlichen **Propheten** vgl. oben Kap. B II,3. Zu den **Lehrern** vgl. **U. Neymeyer**, Die christlichen Lehrer im 2. Jh. Ihre Lehrtätigkeit, ihr Selbstverständnis und ihre Geschichte, Leiden 1989. Zur Bedeutung der Propheten und Lehrer in der Kirche damals und heute vgl. **H. Küng**, Kirche, Kap. E II,2: Die diakonische Struktur.
49 Hier noch immer maßgebend **H. v. Campenhausen**, Kirchliches Amt und geistliche Vollmacht in den ersten drei Jahrhunderten, Tübingen 1953.
50 Zur römischen Stadtgemeinde vgl. **S. Benko**, Pagan Rom and the Early Christians, Bloomington 1984. **P. Lampe**, Die stadtrömischen Christen in den ersten beiden Jahrhunderten. Untersuchungen zur Sozialgeschichte, Tübingen

1987, [2]1989.

51 Zu **Ignatios** vgl. **H. Paulsen**, Ignatius von Antiochien, in: M. Greschat (Hrsg.), Gestalten der Kirchengeschichte, Bd. I, Stuttgart 1984, S. 38-50 (dort Hinweise auf die früheren Darstellungen von H.-W. Bartsch, T. Baumeister, K. Bommes, P. Meinhold, H. Paulsen, H. Schlier und T. Zahn).

52 Vgl. **M. Hengel**, Jakobus der Herrenbruder – der erste »Papst«?, in: Glaube und Eschatologie. Festschrift W. G. Kümmel, Tübingen 1985, S. 71-104, Zit. S. 103.

53 Vgl. Klemensbrief 5,4.

54 Vgl. schon Röm 1,8.

55 Vgl. **Ignatios**, An die Römer IV,3.

56 Vgl. **ders.**, An die Römer, Eingang.

57 Vgl. **Irenäus**, Gegen die Häresien III,3,2f.

58 **P. Hoffmann**, Das Erbe Jesu und die Macht in der Kirche. Rückbesinnung auf das Neue Testament, Mainz 1991, S. 64f.

59 Zum **Christentum in hellenistisch-römischer Zeit** vgl. neben den allgemeinen Kirchengeschichten und Lexikonartikeln folgende neuere Monographien: **A. v. Harnack**, Die Mission und Ausbreitung des Christentums in den ersten drei Jahrhunderten, Bd. I-II, Leipzig [4]1924. **R. Bultmann**, Das Urchristentum im Rahmen der antiken Religionen, Hamburg 1962. **F. C. Grant**, Roman Hellenism and the New Testament, Edinburgh 1962. **A. D. Nock**, Early Gentile Christianity and its Hellenistic Background, New York 1964; **ders.**, Essays on Religion and the Ancient World, hrsg. v. Z. Stewart, Bd. I-II, Oxford 1972. **A. Toynbee** (Hrsg.), The Crucible of Christianity. Judaism, Hellenism and the Historical Background to the Christian Faith, London 1969. **M. Simon**, La civilisation de l'antiquité et le Christianisme, Paris 1972. **R. A. Markus**, Christianity in the Roman World, London 1974. **T. Christensen**, Christus oder Jupiter. Der Kampf um die geistigen Grundlagen des Römischen Reiches, Göttingen 1981 (dän. Original 1970). **M. Sordi**, I Cristiani e l'Impero Romano, Mailand 1983. **S. Benko**, Pagan Rome and the Early Christians, Bloomington 1984. **R. MacMullen**, Christianizing the Roman Empire (A.D. 100-400), New Haven 1984. **R. H. Nash**, Christianity and the Hellenistic World, Grand Rapids 1984. **M. Whittaker**, Jews and Christians. Graeco-Roman Views, Cambridge 1984. **R. L. Wilken**, The Christians as the Romans Saw Them, New Haven 1984. **J. Herrin**, The Formation of Christendom, Princeton/N.J. 1987. **E. G. Weltin**, Athens and Jerusalem. An Interpretative Essay on Christianity and Classical Culture, Atlanta 1987. Für die heidnischen wie jüdischen Quellen zum frühen Christentum vgl. die Textsammlungen von: **C. K. Barrett**, The New Testament Background. Selected Documents, London 1956; dt.: Die Umwelt des Neuen Testaments. Ausgewählte Quellen, Tübingen 1959. **J. Leipoldt – W. Grundmann** (Hrsg.), Umwelt des Urchristentums, Berlin 1966/67, Bd. I: Darstellung des neutestamentlichen Zeitalters, Bd. II: Texte zum neutestamentlichen Zeitalter. **H. C. Kee**, The New Testament in Context. Sources and Documents, Englewood Cliffs/N.J. 1984. – Zu den Anfängen christlicher Kunst vgl. **P. du Bourguet**, Early Christian Art, Amsterdam 1971; dt.: Die frühe christliche Kunst, Stuttgart 1973.

60 **E. Gibbon**, The History of the Decline and Fall of the Roman Empire, Bd. I-VII, Neuausgabe London 1897, Bd. I, S. 1.

61 Vgl. **Plinius**, Brief 96. Die wichtigsten frühen Texte von Heiden über Christen bei **W. Den Boer** (Hrsg.), Scriptorum paganorum I-IV saec. de Christianis testimonia, Leiden 1965. Vgl. ferner **L. Herrmann**, Chrestos. Témoignages païens et juifs sur le christianisme au premier siècle, Brüssel 1970. **F. F. Bruce**, Jesus and Christian Origins Outside the New Testament, London 1974; dt.: Außerbiblische Zeugnisse über Jesus und das frühe Christentum, Gießen 1991.

62 Zu den **Verfolgungen** vgl. **R. M. Grant**, The Sword and the Cross, New York 1955. **E. R. Dodds**, Pagan and Christian in an Age of Anxiety. Some Aspects of Religious Experience from Marcus Aurelius to Constantine, Cambridge 1965; dt.: Heiden und Christen in einem Zeitalter der Angst. Aspekte religiöser Erfahrung von Mark Aurel bis Konstantin, Frankfurt 1985. **W. H. C. Frend**, Martyrdom and Persecution in the Early Church, Oxford 1965. **P. R. Coleman-Norton**, Roman State and Christian Church. A Collection of Legal Documents to A.D. 535, Bd. I, London 1966. **J. Moreau**, La persécution du Christianisme dans l'Empire romain, Paris 1956; dt.: Die Christenverfolgung im Römischen Reich, Berlin ²1971. **J. M. Robinson – H. Koester**, Trajectories through Early Christianity, Philadelphia 1971; dt.: Entwicklungslinien durch die Welt des frühen Christentums, Tübingen 1971. **P. Keresztes**, Imperial Rome and the Christians, Bd. I-II, Lanham/Md. 1989.

63 Einen vorzüglichen Einblick in die der christlichen Literatur, Kirche und Gesellschaft gewidmete kaum übersehbare Forschungsarbeit geben die Forschungsberichte »Christliche Antike«, die in der Nachfolge von H. Rahner der Grazer Patrologe **J. B. Bauer** im Anzeiger für die Altertumswissenschaft (Innsbruck) in den Jahren 1960, 1965, 1970, 1975 und 1991 veröffentlicht hat (auf einzelne Aufsätze kann ich im Rahmen dieser Paradigmenanalyse nur in Ausnahmefällen hinweisen).

64 Zu den **»Apostolischen Vätern«** zählt man neben den Ignatianischen Briefen den Polykarp- und den Barnabas-Brief, die Didaché (die »Lehre« der Apostel, eine erste Kirchenordnung) und die Apokalypse des Hirten des Hermas.

65 Zu **Justin** vgl. neben den klassischen Dogmengeschichten (A. v. Harnack, F. Loofs, R. Seeberg), den neueren (J. Pelikan, C. Andresen) und Patrologien (B. Altaner, J. Quasten) **C. Andresen**, Logos und Nomos. Die Polemik des Kelsos wider das Christentum, Berlin 1955, 4. Teil: Kelsos und Justin. **H. v. Campenhausen**, Die griechischen Kirchenväter, Stuttgart 1955, Kap. 1: Justin. **A. v. Harnack**, Geschichte der altchristlichen Literatur bis Eusebius, 2. erweiterte Aufl. Leipzig 1958, Teil I/1, S. 99-114; Teil II/1, S. 274-284. **P. Prigent**, Justin et l'Ancien Testament, Paris 1964. **H. Chadwick**, Early Christian Thought and the Classical Tradition. Studies in Justin, Clement and Origen, Oxford 1966; **ders.**, The Early Church, Harmondsworth 1967; dt.: Die Kirche in der antiken Welt, Berlin 1972, Kap. 4: Justin und Irenäus. **L. W. Barnard**, Justin Martyr. His Life and Thought, Cambridge 1967. **E. F. Osborn**, Justin Martyr, Tübingen 1973; **ders.**, The Beginning of Christian Philosophy, Cambridge 1981, dt.: Anfänge christlichen Denkens. Justin, Irenäus, Tertullian, Klemens, Düsseldorf 1987; **ders.**, The Emergence of Christian Theology,

Cambridge 1993. Für wertvolle Anregungen zu diesem Abschnitt bin ich Professor Eric Osborn (University of Melbourne) herzlich dankbar.

66 Vgl. **Justin**, Apologie I,46.

67 Vgl. **ders.**, Apologie I,46.

68 Jo 1,1f.

69 Vgl. **Justin**, Apologie II,13.

70 Jo 1,9.

71 Jo 1,14.

72 Vgl. **Justin**, Apologie II,13.

73 Die Argumente der Christentumsgegner hat der amerikanische Patrologe **R. L. Wilken** (Yale University) analysiert: The Christian as the Romans Saw Them, New Haven 1984. Zu **Julian Apostata** die wichtigsten historischen Aufsätze seit 1892 gesammelt bei **R. Klein** (Hrsg.), Julian Apostata, Darmstadt 1978. Zu Julians geistigem Profil vgl. **P. Athanassiadi-Fowden**, Julian and Hellenism. An Intellectual Biography, Oxford 1981. Für das zeitgenössische Pro et contra vgl. **S. N. C. Lieu** (Hrsg.), The Emperor Julian Panegyric and Polemic. Claudius Mamertinus, John Chrysostom, Ephrem the Syrian, Liverpool 1986.

74 Dies hat schon für das lukanische Doppelwerk überzeugend herausgearbeitet der Bultmann-Schüler **H. Conzelmann**, Die Mitte der Zeit. Studien zur Theologie des Lukas, Tübingen 1954. ^{3}1960.

75 Ein anderer Bultmann-Schüler meinte aufgrund dieses neutestamentlichen Befundes zur katholischen Kirche konvertieren zu müssen: vgl. **H. Schlier**, Die Zeit der Kirche. Exegetische Aufsätze und Vorträge, Freiburg 1955, ^{2}1958.

76 Vgl. zur Diskussion **H. Küng**, Kirche im Konzil, Freiburg 1963, ^{2}1964, Kap. D 1: Der Frühkatholizismus im Neuen Testament als kontroverstheologisches Problem. Aufgearbeitet wird die gesamte Problematik von **H.-J. Schmitz**, Frühkatholizismus bei Adolf von Harnack, Rudolph Sohm und Ernst Käsemann, Düsseldorf 1977.

77 Die **Gnosisforschung** wurde im 19. Jahrhundert begründet durch den Tübinger Kirchenhistoriker F. C. Baur (1835), erhielt entscheidende Impulse für die Kirchen- und Dogmengeschichte durch A. v. Harnack und A. Hilgenfeld, dann auch durch die religionsgeschichtliche Schule von W. Bousset, R. Reizenstein und R. Bultmann. Grundlegend für die neuere Forschung: **H. Jonas**, Gnosis und spätantiker Geist, Teil I: Die mythologische Gnosis, Göttingen 1934, ^{3}1964; Teil II,1: Von der Mythologie zur mystischen Philosophie, Göttingen 1954, ^{2}1966. Die beste und knappste Gesamtdarstellung von Wesen, Lehre, Geschichte und Wirkung der Gnosis findet sich bei **K. Rudolph**, Die Gnosis. Wesen und Geschichte einer spätantiken Religion, Leipzig 1977, Göttingen ^{3}1990. Vgl. des weiteren **E. Peterson**, Frühkirche, Judentum und Gnosis. Studien und Untersuchungen, Freiburg 1959, Darmstadt 1982. **N. Brox**, Offenbarung, Gnosis und gnostischer Mythos bei Irenäus von Lyon. Zur Charakteristik der Systeme, Salzburg 1966; **ders.**, Erleuchtung und Wiedergeburt. Aktualität der Gnosis, München 1989. **A. Böhlig**, Mysterion und Wahrheit. Gesammelte Beiträge zur spätantiken Religionsgeschichte, Leiden 1968; **ders.**, Gnosis und Synkretismus. Gesammelte Aufsätze zur spätantiken Religionsgeschichte, Teil I-II, Tübingen 1989. **W. Eltester** (Hrsg.), Christen-

tum und Gnosis, Berlin 1969. **M. Krause** (Hrsg.), Essays on the Nag Hammadi Texts in Honour of Alexander Böhlig, Leiden 1972. **E. Pagels**, The Johannine Gospel in Gnostic Exegesis. Heracleon's Commentary on John, Nashville 1973; **dies.**, The Gnostic Paul. Gnostic Exegesis of the Pauline Letters, Philadelphia 1975; **dies.**, The Gnostic Gospels, New York 1979; dt.: Versuchung durch Erkenntnis. Die gnostischen Evangelien, Frankfurt 1981. **K.-W. Tröger** (Hrsg.), Gnosis und NT. Studien aus Religionswissenschaft und Theologie, Berlin 1973; **ders.** (Hrsg.), Altes Testament – Frühjudentum – Gnosis. Neue Studien zu »Gnosis und Bibel«, Gütersloh 1980; **ders.**, Das Christentum im zweiten Jahrhundert, Berlin 1988. **K. Rudolph** (Hrsg.), Gnosis und Gnostizismus, Darmstadt 1975. **A. Orbe**, Cristología gnóstica. Introducción a la soteriologia de los siglos II y III, Bd. I-II, Madrid 1976. **B. Aland** (Hrsg.), Gnosis. Festschrift Hans Jonas, Göttingen 1978. **K. Koschorke**, Die Polemik der Gnostiker gegen das kirchliche Christentum. Unter besonderer Berücksichtigung der Nag-Hammadi-Traktate »Apokalypse des Petrus« (NHC VII,3) und »Testimonium Veritatis« (NHC IX,3), Leiden 1978. **B. Layton** (Hrsg.), The Rediscovery of Gnosticism. Proceedings of the International Conference on Gnosticism at Yale New Haven, Connecticut, March 28-31, 1978, Bd. I-II, Leiden 1980f.; **ders.**, The Gnostic Scriptures, Garden City/N.Y. 1987. **P. Perkins**, The Gnostic Dialogue. The Early Church and the Crisis of Gnosticism, New York 1980. **C. Colpe**, Art. Gnosis II (Gnostizismus), in: Reallexikon für Antike und Christentum, Bd. XI, Stuttgart 1981, S. 538-659. **A. J. M. Wedderburn** (Hrsg.), The New Testament and Gnosis. Essays in Honor of R. McL. Wilson, Edinburgh 1983. **K. Berger – R. McL. Wilson**, Art. Gnosis und Gnostizismus, in: TRE, Bd. XIII, S. 519-550. **W. Schmithals**, Neues Testament und Gnosis, Darmstadt 1984. **J. Taubes** (Hrsg.), Religionstheorie und Politische Theologie, Bd. II: Gnosis und Politik, Paderborn 1984. **C. W. Hedrick – R. Hodgson, Jr.** (Hrsg.), Nag Hammadi, Gnosticism, and Early Christianity, Peabody/Mass. 1986. **G. Quispel**, Art. Gnosticism from Its Origins to the Middle Ages, in: EncRel, Bd. V, S. 566-574. **J. Dart**, The Jesus of Heresy and History. The Discovery and Meaning of the Nag Hammadi Gnostic Library, San Francisco 1988. – Für Durchsicht dieses Kapitels und zahlreiche Anregungen danke ich meinem Tübinger Kollegen, dem Gnosisspezialisten **Alexander Böhlig**, Professor für Sprachen und Kulturen des Christlichen Orients.

78 Vgl. **Irenäus**, Entlarvung und Widerlegung der falschen Gnosis, vor allem Buch I und II (meist zitiert als »Adversus haereses« = »Gegen die Häresien«). Dazu kamen im 18./19. Jahrhundert einige wenige gnostische Manuskripte in koptischer Sprache.

79 Erste Verdienste um die wissenschaftliche Erschließung erwarben sich mit den Direktoren des Koptischen Museums in Alt-Kairo die Religionswissenschaftler J. Doresse, G. Quispel und H.-C. Puech. In den letzten 40 Jahren veröffentlichten Spezialisten aus allen möglichen Ländern rund 4 000 Bücher, Artikel und Rezensionen über die Nag-Hammadi-Texte. Vgl. **D. M. Scholer**, Nag Hammadi Bibliography 1948-1969, Leiden 1971 (ab 1971 mit Fortsetzungen in der Zeitschrift Novum Testamentum). Dem unermüdlichen Einsatz des

Direktors des Institute for Antiquity and Christianity in Claremont/Cal., **J. M. Robinson**, ist die elfbändige Facsimile-Edition der 13 Nag-Hammadi-Codices zu verdanken, erschienen in Leiden 1972-1984. Unter Robinsons Leitung erschien auch die Gesamtübersetzung ins Englische in einem Band: The Nag Hammadi Library in English, Leiden 1977, [3]1988; Robinsons »Introduction« (S. 1-26) bietet einen Überblick über die verwirrende Fundgeschichte der Texte. Vgl. dazu auch **E. Pagels**, Versuchung, S. 3-39.

80 Vgl. **K.-J. Kuschel**, Geboren vor aller Zeit? Der Streit um Christi Ursprung, München 1990, S. 168-173 (zu Bultmanns Gnosis-Verständnis) und S. 312-320 (zum Verhältnis Neues Testament – Gnosis).

81 Zum **Manichäismus** vgl. die neueste synthetische Darstellung von **A. Böhlig**, Art. Manichäismus, in: TRE, Bd. 22, S. 25-45. Vgl. **ders.**, Mani und Platon – ein Vergleich, in: A. v. Tangerloo – S. Giversen (Hrsg.), Manichaica selecta, Löwen 1991, S. 19-34.

82 Das hat vor allem **R. Bultmann** in seinen verschiedenen Werken herausgearbeitet – besonders in »Das Urchristentum im Rahmen der antiken Religionen«, Zürich 1949. Vgl. auch die obengenannten Veröffentlichungen von **E. Pagels**.

83 **K. Koschorke**, Die Polemik der Gnostiker, S. 237.

84 Vgl. **K.-W. Tröger**, Einführung. Zum gegenwärtigen Stand der Gnosis- und Nag-Hammadi-Forschung, in: ders. (Hrsg.), Altes Testament, S. 29.

85 So **E. Pagels**, Versuchung, S. 32.

86 Dies die Umschreibung, welche mehrere Teilnehmer auf dem Kongreß über die »Ursprünge des Gnostizismus« 1966 in Messina in thesenhafter Form vorgestellt haben. Zit. bei **K. Rudolph**, Die Gnosis, S. 65f.

87 Vgl. **H. Jonas**, Gnosis, bes. Teil I, und **R. Bultmann**, Das Urchristentum.

88 Dies hebt besonders **E. Pagels**, Versuchung, Kap. V, hervor.

89 **K. Rudolph** hat die höchst verwickelten gnostischen Christologien im Rahmen der gnostischen Erlösungs- und Erlöserlehre analysiert, in: Die Gnosis, S. 132-186.

90 **Ders.**, Die Gnosis, S. 166.

91 **Ders.**, Die Gnosis, S. 169.

92 Zitat bei **ders.**, Die Gnosis, S. 182f, aus der »Zweiten Lehre des großen Seth« (Nag Hammadi Codex VII,2). Zum **Motiv des Lachens** in der Geschichte des Christentums (auch unter Bezugnahme auf gnostisches Material) vgl. die glänzende Studie meines Tübinger Kollegen **K.-J. Kuschel**, Lachen. Gottes und der Menschen Kunst, Freiburg 1994.

93 **K. Rudolph**, Die Gnosis, S. 170.

94 **Irenäus**, Gegen die Häresien III,17,4.

95 Vgl. **H. Küng**, Menschwerdung Gottes. Eine Einführung in Hegels theologisches Denken als Prolegomena zu einer künftigen Christologie, Freiburg 1970, Neuausgabe München 1989 (im folgenden zitiert mit »Menschwerdung«), Kap. V,4: Christus aufgehoben im Wissen.

96 Zur Rolle der Frau im Raum der Gnosis vgl. **A. Jensen**, Gottes selbstbewußte Töchter. Frauenemanzipation im frühen Christentum?, Freiburg 1992, S. 367-371.

97 **E. Pagels**, Versuchung, S. 202. Die positiven und negativen Aspekte des Weib-

lichen in den verschiedenen gnostischen Schriften kommt in den neuesten einschlägigen Publikationen deutlich zum Ausdruck: vgl. **J. Jacobsen Buckley**, Female Fault and Fulfilment in Gnosticism, Chapel Hill / N.C. 1986. **K. L. King** (Hrsg.), Images of the Feminine in Gnosticism, Philadelphia 1988.

98 Zur Erklärung vgl. **H. Küng**, Credo.

99 Umstritten waren lange auch Apg, Jak, Heb, 3 Jo, 2 Pet (die vermutlich späteste Schrift des NT). Nicht aufgenommen umgekehrt wurden die Akten des Paulus und der Thekla.

100 Vgl. **Irenäus**, Gegen die Häresien III,4,1; vgl. III,3,2f (über die römische Kirche).

101 1 Pet 12,5; vgl. Offb 1,6.

102 Mk 12,17.

103 Vgl. Röm 13,1-7.

104 **P. Brown**, Antiquité tardive; in: P. Ariès – G. Duby, Histoire de la vie privée, Bd. I, Paris 1985, S. 225-299; dt.: Geschichte des privaten Lebens, Bd. I, hrsg. v. P. Veyne, Frankfurt 1989; Zit. frz. Ausgabe S. 252 (alle Zitate aus diesem Werk in eigener Übersetzung, da deutsche Übersetzung ungenau).

105 **H. Chadwick**, Die Kirche in der antiken Welt, S. 75.

106 Vgl. **ders.**, Art. Humanität, in: Reallexikon für Antike und Christentum, Stuttgart 1993, Bd. XVI, S. 663-711, bes. S. 707f. Eine wichtige Ergänzung im Hinblick auf die Konformität zwischen Kirche und römischer Gesellschaft und die entscheidende Bedeutung der städtischen Oberschicht für das Wachstum der Kirche bietet **W. Wischmeyer**, Von Golgatha zum Ponte Molle. Studien zur Sozialgeschichte der Kirche im dritten Jahrhundert, Göttingen 1992.

107 Vgl. **W. Bauer**, Rechtgläubigkeit und Ketzerei im ältesten Christentum, Tübingen 1934, 2. erweiterte Ausgabe hrsg. von G. Strecker, Tübingen 1964.

108 Als exemplarisch gilt noch heute die faire historische Monographie **A. v. Harnacks**, Marcion, das Evangelium vom fremden Gott (1920). Mit Anhang: Neue Studien zu Marcion, Darmstadt [3]1960. Neuere Monographien von **J. Knox**, Marcion and the New Testament. An Essay in the Early History of the Canon, Chicago 1942. **E. C. Blackman**, Marcion and his Influence, London 1948. Vgl. auch die knappe Zusammenfassung von **K. Beyschlag**, Marcion von Sinope, in: Gestalten der Kirchengeschichte, Bd. I, Stuttgart 1984, S. 69-81.

109 Diese Schriften von **Perpetua, Proba, Egeria** und **Eudokia** sind jetzt in einem Band gesammelt, mit Einleitungen und Anmerkungen versehen von **P. Wilson-Kastner** u. a. (Hrsg.), A Lost Tradition. Women Writers of the Early Church, Washington 1981.

110 **K. Thraede**, Art. Frau, in: Reallexikon für Antike und Christentum, Bd. VIII, Stuttgart 1972, Sp. 197-269, Zit. Sp. 240f. Zur Frau in der Antike einschließlich des frühen Christentums vgl. **G. Duby – M. Perrot** (Hrsg.), Storia delle donne in occidente, Bd. I (hrsg. v. P. Schmitt Pantel), Rom 1990; dt.: Geschichte der Frauen, Bd. I, Frankfurt 1993 (hier ein schöner Überblick über Frauen im frühen Christentum von **M. Alexandre**).

111 Am Institut für Ökumenische Forschung der Universität Tübingen wurde unter meiner Leitung und unter Beratung von **Dr. Elisabeth Moltmann-Wendel**

das Forschungsprojekt »Frau und Christentum« durchgeführt, in großzügiger Weise unterstützt von der Stiftung Volkswagenwerk. Es bestand aus zwei Teilprojekten: »Sexualität, Ehe und Alternativen zur Ehe in den ersten vier christlichen Jahrhunderten« (bearbeitet von **Dr. Anne Jensen**) und »Christin sein in Kirche und Gesellschaft des 20. Jahrhunderts« (bearbeitet von **Dr. Doris Kaufmann**). Die Forschungsergebnisse liegen mittlerweile in zwei Monographien vor: **D. Kaufmann**, Frauen zwischen Aufbruch und Reaktion. Protestantische Frauenbewegung in der ersten Hälfte des 20. Jahrhunderts, München 1988. **A. Jensen**, Gottes selbstbewußte Töchter. Frauenemanzipation im frühen Christentum?, Freiburg 1992.

112 Für die Problematik der **Frau im frühen Christentum** sind noch immer grundlegend die Arbeiten von **A. v. Harnack**, Die Mission und Ausbreitung des Christentums in den ersten drei Jahrhunderten, Leipzig [4]1924, S. 589-611, und seinem Schüler **L. Zscharnack**, Der Dienst der Frau in den ersten Jahrhunderten der christlichen Kirche, Göttingen 1902. In diesem Zusammenhang sei hingewiesen auf die wichtigen Arbeiten (genaue Literaturangaben im Literaturverzeichnis von A. Jensen) über die Ordination der Frau in der alten Kirche (**R. Gryson**) bzw. die Ordinationsverweigerung (**I. Raming**), dann die nun in verschiedenen Sprachen vorhandenen kommentierten »Quellensammlungen« über die Rolle der Frau in der frühen Christenheit (**O. Bangerter**, **J. Beaucamp, M. Ibarra Benlloch, J. Laporte, C. Mazzucco**, **C. Militello**, **S. Tunc**) und vor allem die Pionierarbeiten amerikanischer Feministinnen (**E. Castelli, E. Clark, R. Kraemer, J. A. McNamara, R. Radford Ruether**).

113 Vgl. **A. Jensen**, Gottes selbstbewußte Töchter, Kap. I: Frauen in den Kirchengeschichten: Die Entwicklung zur Männerkirche.

114 Vgl. **dies.**, Gottes selbstbewußte Töchter, Kap. II: Frauen im Martyrium: Mutige Bekennerinnen.

115 Vgl. **dies.**, Gottes selbstbewußte Töchter, Kap. III: Frauen in der Verkündigung: Charismatische Prophetinnen.

116 Vgl. **dies.**, Gottes selbstbewußte Töchter, Kap. IV: Erlösung durch Erkenntnis: Kluge Lehrerinnen.

117 **K. Thraede**, Art. Frau, Sp. 244f.

118 Zu den neuesten Auseinandersetzungen vgl. **B. Hübener – H. Meesmann** (Hrsg.), Streitfall Feministische Theologie, Düsseldorf 1993.

119 Vgl. Gal 3,28.

120 **P. Brown**, Antiquité, S. 256.

121 **H. Chadwick**, Die Kirche in der antiken Welt, S. 75.

122 Zu **Origenes** vgl. die ältere Literatur bei **B. Altaner – A. Stuiber**, Patrologie. Leben, Schriften und Lehre der Kirchenväter, Freiburg [7]1966, § 55. Vgl. ferner **A.v. Harnack**, Der kirchengeschichtliche Ertrag der exegetischen Arbeiten des Origenes, Teil I-II, Leipzig 1918/19; **ders.**, Geschichte der altchristlichen Literatur bis Eusebius, 2. erweiterte Auflage Leipzig 1958, Teil I/1, S. 332-405; Teil II/2, S. 26-54. **J. Daniélou**, Origène, Paris 1948. **H. de Lubac**, Histoire et Esprit. L'intelligence de l'Ecriture d'après Origène, Paris 1950; dt.: Geist aus der Geschichte. Das Schriftverständnis des Origenes, Einsiedeln 1968; **ders.**, Recherches dans la foi. Trois études sur Origène, saint Anselme et la philoso-

phie chrétienne, Paris 1979. **H. v. Campenhausen**, Die griechischen Kirchenväter, Stuttgart 1955, Kap. 4: Origenes. **H. Crouzel**, Théologie de l'Image de Dieu chez Origène, Paris 1956; **ders.**, Origène et la »Connaissance mystique«, Paris 1961; **ders.**, Origène et la philosophie, Paris 1962; **ders.**, Origène, Paris 1985. **M. Harl**, Origène et la fonction révélatrice du Verbe incarné, Paris 1958. **H. Kerr**, The First Systematic Theologian. Origen of Alexandria, Princeton/N.J. 1958. **R. P. C. Hanson**, Allegory and Event. A Study of the Sources and Significance of Origen's Interpretation of Scripture, London 1959. **P. Nemeshegyi**, La Paternité de Dieu chez Origène, Tournai 1960. **W. Jaeger**, Early Christianity and Greek Paideia, Cambridge/Mass. 1961; dt.: Das frühe Christentum und die griechische Bildung, Berlin 1963. **G. Gruber**, ZOE. Wesen, Stufung und Mitteilung des wahren Lebens bei Origenes, München 1962. **K.-O. Weber**, Origènes der Neuplatoniker, München 1962. **R. Gögler**, Zur Theologie des biblischen Wortes bei Origenes, Düsseldorf 1963. **H. Chadwick**, Early Christian Thought and the Classical Tradition. Studies in Justin, Clement and Origen, Oxford 1966. **J. Rius-Camps**, El dinamismo trinitario en la divinización de los seres racionales según Orígenes, Rom 1970. **P. Kübel**, Schuld und Schicksal bei Origenes, Gnostikern und Platonikern, Stuttgart 1973. **W. Gessel**, Die Theologie des Gebetes nach ›De Oratione‹ von Origenes, Paderborn 1975. **P. Nautin**, Origène. Sa vie et son œuvre, Paris 1977. **L. Lies**, Wort und Eucharistie bei Origenes. Zur Spiritualisierungstendenz des Eucharistieverständnisses, Innsbruck 1978; **ders.**, Origenes' Eucharistielehre im Streit der Konfessionen. Die Auslegungsgeschichte seit der Reformation, Innsbruck 1985. **ders.**, Origenes' »Peri Archón«: eine undogmatische Dogmatik. Einführung und Erläuterung, Darmstadt 1992. **U. Berner**, Origenes, Darmstadt 1981. **J. C. Smith**, The Ancient Wisdom of Origen, Lewisburg/USA 1992. Neueste Ergebnisse der Origenes-Forschung (Geschichte, Exegese, Philosophie und Theologie) finden sich in dem von **R. J. Daly** hrsg. Dokumentenband vom 5. Internationalen Origenes-Kongress (Origeniana quinta, Löwen 1992) und wird auch Bd. II.27.4 von Aufstieg und Niedergang der römischen Welt (ANRW), hrsg. v. **W. Haase** – **H. Temporini**, bieten.

123 **C. Kannengiesser**, Origenes, Augustin und der Paradigmenwechsel in der Theologie, in: **H. Küng** – **D. Tracy** (Hrsg.), Theologie – wohin? Auf dem Weg zu einem neuen Paradigma, Zürich 1984, S. 151-167, Zit. S. 154.

124 Vgl. **Origenes**, Von den Prinzipien, Vorrede. Die maßgebende Ausgabe der vor allem in lateinischer Übersetzung erhaltenen Ausgabe erstellte **P. Koetschau** in Bd. 22 der Reihe der »Griechischen christlichen Schriftsteller der ersten drei Jahrhunderte« (Leipzig 1913). Auf deren Grundlage erstellten **H. Görgemanns** u. **H. Karpp** eine korrigierte und mit Anmerkungen versehene griechisch-lateinisch-deutsche Ausgabe: Origenes, Vier Bücher von den Prinzipien, Darmstadt 1976.

125 **H. Görgemanns** – **H. Karpp**, Origenes, Vier Bücher von den Prinzipien, S. 17.

126 Vgl. **Origenes**, Von den Prinzipien, Vorrede, 10.

127 **Ders.**, Gegen Kelsos III,28.

128 Vgl. **ders.**, Von den Prinzipien, IV,2,4-6. Wie gewaltig auch nur die erhalten gebliebenen exegetischen Arbeiten des Origenes über den Hexateuch, die hi-

storischen, poetischen und prophetischen Bücher der Hebräischen Bibel und zum Neuen Testament sind, zeigt der Überblick bei **A. v. Harnack**, Geschichte der altchristlichen Literatur, Teil I/1, S. 343-377.

129 **C. Kannengiesser**, Origenes, S. 160 (eigene Übersetzung des englisch-sprachigen Originals).

130 **A. v. Harnack**, Dogmengeschichte (Kurzfassung), Tübingen [6]1922, S. 154.

131 Vgl. Kap. B II,4.: Gemeinsame Kurzformeln des Glaubens.

132 **F. Loofs**, Leitfaden zum Studium der Dogmengeschichte, Halle [5]1951, S. 97.

133 Vgl. Apg 2,14-40.

134 Röm 1,3f.

135 **Ignatios**, An die Magnesier VI,1.

136 **Ders.**, An die Epheser VII,2 (Übersetzung A. M. Ritter).

137 Vgl. **Theophilos**, An Autolykos II,15.

138 Vgl. **Tertullian**, Adversus Praxean 12,6f.

139 Zur Geschichte des Begriffs vgl. **H. Dörrie**, Hypóstasis. Wort- und Bedeutungsgeschichte, in: Nachrichten von der Akademie der Wissenschaften in Göttingen aus dem Jahre 1955, philologisch-historische Klasse, Göttingen 1955, S. 35-92. **H. Köster**, Art. Hypóstasis, in: Theologisches Wörterbuch zum Neuen Testament, Stuttgart 1969, Bd. VIII, S. 571-588. **J. Hammerstaedt**, Art. Hypostasis, in: Reallexikon für Antike und Christentum, Bd. XVI, Stuttgart 1993, S. 986-1035.

140 Vgl. zur Interpretation **A. M. Ritter**, Dogma und Lehre in der Alten Kirche, in: Handbuch der Dogmen- und Theologiegeschichte, hrsg. v. C. Andresen, Bd. I, Göttingen 1982, S. 99-283, bes. S. 127-129.

141 Die Hauptlinien der christologischen Entwicklung habe ich früher historisch-systematisch aufzuzeigen versucht: **H. Küng**, Menschwerdung, Exkurs I: Der Weg zur klassischen Christologie. Diese Ausführungen basieren vor allem auf den frühen dogmengeschichtlichen Untersuchungen von **A. Grillmeier**, **A. Gilg**, **J. Liébaert** und **B. Skard**. Vgl. die neueren Untersuchungen von **L. Bouyer**, Le fils éternel. Théologie de la Parole de Dieu et Christologie, Paris 1974; dt.: Das Wort ist der Sohn. Die Entfaltung der Christologie, Einsiedeln 1976. **M. G. Fouyas**, The Person of Jesus Christ in the Decisions of the Ecumenical Councils. A Historical and Doctrinal Study with the Relevant Documents Referring to the Christological Relations of the Western, Eastern and Oriental Churches, Addis Ababa 1976. **A. Grillmeier**, Jesus der Christus im Glauben der Kirche, Bd. I-II, Freiburg 1979-90. **B. Studer**, Dominus Salvator. Studien zur Christologie und Exegese der Kirchenväter, Rom 1992.

142 Gute Zusammenfassung der Lehre des Arius bei **A. M. Ritter**, Art. Arianismus, in: TRE, Bd. III, S. 692-719.

143 Vgl. **H.-G. Opitz** (Hrsg.), Urkunden zur Geschichte des arianischen Streites 318-328, Berlin 1934f. Ein neueres, gründliches Werk zu dem immer wieder neu von Historikern beackerten arianischen Streit stammt von **R. P. C. Hanson**, The Search for the Christian Doctrine of God. The Arian Controversy 318-381, Edinburgh 1988. Zum weiteren kirchengeschichtlichen Kontext **R. Lorenz**, Das vierte Jahrhundert (Der Osten), Göttingen 1992.

144 In dieser Formulierung wurde Arius schließlich auf dem Konzil von Nikaia

(325) verurteilt. Vgl. **H. Denzinger**, Enchiridion Nr. 54. Zum Ursprung und zur Interpretation dieser umstrittenen Formel vgl. das Handbuch der Dogmen- und Theologiegeschichte, hrsg. v. C. Andresen, Bd. I, Göttingen 1982, S. 144-151.

145 Vgl. **F. Dinsen**, Homoousios. Die Geschichte des Begriffs bis zum Konzil von Konstantinopel 381, Diss. Kiel 1976.

146 Sehr erhellend die Analyse von **M. Wiles**, The Philosophy in Christianity. Arius and Athanasius, in: G. Vesey (Hrsg.), The Philosophy in Christianity, Cambridge 1989, S. 41-52.

147 Vgl. **M. Tetz**, Art. Athanasius von Alexandrien, in: TRE, Bd. IV, S. 333-349. **C. Kannengiesser**, Athanase d'Alexandrie, évêque et écrivain. Une lecture des traités »Contre les Ariens«, Paris 1983.

148 **Athanasios**, Über die Menschwerdung des Logos und dessen leibliche Erscheinung unter uns, 54. Vgl. **C. Kannengiesser**, Le Verbe de Dieu selon Athanase d'Alexandrie, Paris 1990.

149 Vgl. zu **Nikaia** neben den Konzilsgeschichten (vor allem C. J. v. Hefele – H. Leclercq) und Dogmengeschichten bes. **I. Ortiz de Urbina**, Nicéa y Constantinoplá, Vitoria 1969; dt.: Nizäa und Konstantinopel, Mainz 1964.

150 Vgl. **H. Denzinger**, Enchiridion Nr. 54.

151 **K. Bringmann**, Tradition und Neuerung. Bemerkungen zur Religionsgesetzgebung der christlichen Kaiser des 4. Jahrhunderts, in: Reformatio et reformationes (FS L. Graf zu Dohna), Darmstadt 1989, S. 13-28, Zit. S. 21. Vgl. auch **R. Lorenz**, Das vierte Jahrhundert, S. 201f.

152 Vgl. **H. Küng**, Judentum, S. 195-200.

153 Vgl. dazu **H. Schreckenberg**, Die christlichen Adversus-Judaeos-Texte und ihr literarisches und historisches Umfeld (1.-11. Jh.), Frankfurt 1982. **A. L. Williams**, Adversus Judaeos. A Bird's-Eye View of Christian Apologiae until the Renaissance, Cambridge 1935. **S. G. Wilson** (Hrsg.), Anti-Judaism in Early Christianity, Bd. II: Separation and Polemic, Waterloo 1986.

154 Vgl. **H. Küng**, Judentum, Kap. 2-B IV: Die Geschichte einer Entfremdung.

155 **Meliton von Sardes**, zit. in: K. H. Rengstorf – S. v. Kortzfleisch (Hrsg.), Kirche und Synagoge. Handbuch zur Geschichte von Christen und Juden. Darstellung mit Quellen, Bd. I, Stuttgart 1968, München 1988, S. 73.

156 **G. Stemberger**, Juden und Christen im Heiligen Land. Palästina unter Konstantin und Theodosius, München 1987, S. 46.

157 Vgl. des **Chrysostomos** acht antijüdische Predigten, in: Patrologia Graeca, Bd. 48, S. 843-942 – ein Arsenal für antijüdische Hetzkampagnen.

158 Vgl. neben den Konzilien- und Dogmengeschichten **I. Ortiz de Urbina**, Nizäa und Konstantinopel. **W.-D. Hauschild**, Die Pneumatomachen. Eine Untersuchung zur Dogmengeschichte des 4. Jhs., Diss. Hamburg 1967. **K. Lehmann – W. Pannenberg** (Hrsg.), Glaubensbekenntnis und Kirchengemeinschaft. Das Modell des Konzils von Konstantinopel (381), Freiburg 1982. **N. Silanes** u. a., El Concilio de Constantinopla I y el Espíritu Santo, Salamanca 1983.

159 Vgl. **H. Denzinger**, Enchiridion Nr. 86. Vgl. **A.-M. Ritter**, Das Konzil von Konstantinopel und sein Symbol. Studien zur Geschichte und Theologie des Zweiten Ökumenischen Konzils, Göttingen 1965. Auf die Problematik des

späteren lateinischen Zusatzes »filioque« (der von dem Vater »und dem Sohn« hervorgeht) werde ich später eingehen.

160 Dies ist die in differenzierter Auseinandersetzung (vor allem mit A.-M. Ritter) vorgetragene Hypothese von **L. Abramowski**, Was hat das Nicaeno-Constantinopolitanum (C) mit dem Konzil von Konstantinopel 381 zu tun?, in: Theologie und Philosophie 67 (1992), S. 481-513.

161 Vgl. neben den Konzilien- und Dogmengeschichten **P.-T. Camelot**, Éphèse et Chalcédoine, Paris 1962; dt.: Ephesus und Chalcedon, Mainz 1963.

162 Vgl. neben den älteren Konzilien- und Dogmengeschichten vor allem **A. Grillmeier – H. Bacht**, Das Konzil von Chalkedon, Bd. I-III, Würzburg 1951-54. **P.-T. Camelot**, Ephesus und Chalcedon.

163 Vgl. **H. Denzinger**, Enchiridion Nr. 148.

164 Vgl. **J. Alberigo** u. a. (Hrsg.), Conciliorum oecumenicorum decreta, Freiburg 1962, S. 28.

165 **A. v. Harnack**, Lehrbuch der Dogmengeschichte, Bd. II, S. 397.

166 **J. Liébaert**, Christologie. Von der Apostolischen Zeit bis zum Konzil von Chalcedon (451), in: Handbuch der Dogmengeschichte, hrsg. v. M. Schmaus – A. Grillmeier, Bd. III, Freiburg 1965, S. 1-127, Zit. S. 127.

167 **K. Rahner**, Chalkedon – Ende oder Anfang?, in: A. Grillmeier – H. Bacht, Das Konzil von Chalkedon. Geschichte und Gegenwart, Bd. III, Würzburg 1954, S. 3-49. Und **L. Abramowski**, die in der dritten ihrer »Drei christologischen Untersuchungen«, Berlin 1981, »synapheía« und »asýnchytos hénosis« als Bezeichnung für trinitarische und christologische Einheit akribisch untersucht hat, meint zum Schluß, man könne die Dialektik der vier berühmten Adverbien »für ein höchst unbefriedigendes Ergebnis halten« und unsere theologische »Aufgabe heute (sei) entgegengesetzt«: »Der Mensch Jesus ist uns in jedem Falle geblieben; und es kommt darauf an, von der Verbindlichkeit seiner Botschaft und der Autorität seiner Person angesichts des allgemeinen Atheismus so zu reden, daß es möglich wird, auf eine neue Weise von Gott zu sprechen« (S. 109). Zum Platz Jesu in der folgenden Kulturgeschichte vgl. **J. Pelikan**, Jesus through the Centuries. His Place in the History of Culture, New Haven 1985; dt.: Jesus Christus. Erscheinungbild und Wirkung in 2000 Jahren Kulturgeschichte, Zürich 1986.

168 Eine eingehende Darstellung finden die nicht-chalkedonischen Kirchen beim koptischen Gelehrten **A. S. Atiya**, A History of Eastern Christianity, London 1968.

169 Vgl. in diesem Band Teil A und B.

170 Selbst sonst akribisch arbeitende Dogmengeschichtler scheinen mir – im Gegensatz zu ihren klassischen Vorbildern (v. Harnack, Loofs, Seeberg) – allzu ängstlich um Orthodoxie bemüht, wenn sie über diese dogmengeschichtliche Entwicklung ein klares Urteil abgeben sollen. **K. Beyschlag** etwa erkennt zwar, »daß das Trinitarische Dogma sich heute … selbst unter Theologen nur noch blasser Unbeliebtheit, wo nicht gänzlicher Verständnislosigkeit« erfreue, schiebt das aber ohne einen Anflug von Selbstkritik einfach dem Zeitgeist zu. Beyschlag meint sogar, es könne »beim Trinitarischen Dogma … um eine Neubegründung der einst von Origenes geschaffenen christlichen Weltanschau-

ung« gehen, »in der **Gott** – nun aber in trinitarischer Wesensfülle … als Inbegriff einer universalen christlichen **Kultur** erkannt wird«. Grundriß der Dogmengeschichte, Bd. 1, Darmstadt 1982, S. 275. Andere, wie **A. M. Ritter**, glauben, wo sie den »Sinn« des trinitarischen Dogmas erklären sollten, vom »kostbarsten christlichen Offenbarungsgut« reden zu dürfen, gestehen aber im selben Atemzug zu, daß dieses Dogma »für allerlei Mißverständnisse anfällig blieb« und »selbst keine unmittelbare Aussagekraft besaß«. Seltsam: das »kostbarste christliche Offenbarungsgut« – ohne unmittelbare Aussagekraft? Ja, ohne den Widerspruch zu merken, fährt der gleiche Dogmengeschichtlicher fort: »Abweisend für die religiöse Vorstellung wie den philosophischen Begriff letztlich überfordernd, schien es (das Dogma) das ›Geheimnis der Dreifaltigkeit‹ (mysterium trinitatis) auf die logische Absurdität 3 = 1 hinauslaufen zu lassen.« Hat man sich einmal so deutlich in Widersprüche verwickelt, rettet einen auch die Beschwörung von Martin Luther nicht, welche gleich im nächsten Satz folgt (Handbuch der Dogmen- und Theologiegeschichte, Bd. 1, Göttingen 1982, S. 213f). Eine kritische Rückbesinnung auf das Neue Testament wäre dem Historiker angemessener und dem reformatorischen Ordnungsruf »sola scriptura« getreuer gewesen. Allzu wenig beachtet wurde bisher in der Dogmengeschichte, wie bewußt oder unbewußt etwa »adaptianische« oder andere Schrifttexte zugunsten der orthodoxen Auffassung zurechtgebogen und gar verändert wurden; dies wurde zum erstenmal systematisch untersucht von **B. D. Ehrman**, The Orthodox Corruption of Scripture. The Effect of Early Christological Controversies on the Text of the New Testament, Oxford 1993.

171 Zur **Geschichte des byzantinischen Reiches und der orthodoxen Kirche** vgl. **G. Ostrogorsky**, Geschichte des byzantinischen Staates, München 1940, [3]1963. **H. Berkhof**, De kerk en de keizer, een studie over het onstaan van de Byzantinistische en de theocratische staatgedachte in de vierde eeuw, Amsterdam 1946; dt.: Kirche und Kaiser. Eine Untersuchung der Entstehung der byzantinischen und theokratischen Staatsauffassung im vierten Jahrhundert, Zollikon 1947. **G. Every**, The Byzantine Patriarchate 451-1204, London 1947. **W. de Vries**, Der christliche Osten in Geschichte und Gegenwart, Würzburg 1951; **ders.**, Orthodoxie und Katholizismus. Gegensatz oder Ergänzung?, Freiburg 1965. **F. Dölger – A. M. Schneider**, Byzanz, Bern 1952. **G. Zananiri**, Histoire de l'église byzantine, Paris 1954. **H.-G. Beck**, Kirche und theologische Literatur im byzantinischen Reich, München 1959; **ders.**, Geschichte der orthodoxen Kirche im byzantinischen Reich, Göttingen 1980. **A. Michel**, Die Kaisermacht in der Ostkirche (843-1204), Darmstadt 1959. **J. Meyendorff**, L'église orthodoxe hier et aujourd'hui, Paris 1960; dt.: Die orthodoxe Kirche gestern und heute, Salzburg 1963; **ders.**, Orthodoxie et Catholicité, Paris 1965. **K. Onasch**, Einführung in die Konfessionskunde der orthodoxen Kirchen, Berlin 1962. **A. Schmemann**, The Historical Road of Eastern Orthodoxy, London 1963. **T. Ware**, The Orthodox Church, Harmondsworth 1963. **J. M. Hussey** (Hrsg.), The Cambridge Medieval History, Bd. IV: The Byzantine Empire, Teil I-II, Cambridge 1966f. **S. Runciman**, Byzanz. Von der Gründung bis zum Fall Konstantinopels, München 1969. **D. Obolensky**, The Byzantine Commonwealth. Eastern Europe, 500-1453, London 1971. **P. Kawe-**

rau, Das Christentum des Osten, Stuttgart 1972; **ders.**, Ostkirchengeschichte, Bd. I-IV, Löwen 1982-84. **F. G. Maier** (Hrsg.), Byzanz, Frankfurt 1973. **A. Guillou**, La civilisation byzantine, Paris 1974. **D. A. Zakythinos**, Byzantine Istoria 324-1071, Athen 1972; dt.: Byzantinische Geschichte 324-1071, Wien 1979. **C. Mango**, Byzantium. The Empire of New Rome, London 1980. **W. Nyssen – H.-J. Schulz – P. Wiertz** (Hrsg.), Handbuch der Ostkirchenkunde, Bd. I, Düsseldorf 1984, 2. Teil: Die geschichtliche Entwicklung der Ostkirchen. **A. Ducellier**, Byzance et le monde orthodoxe, Paris 1986; dt.: Byzanz. Das Reich und die Stadt, Frankfurt 1990. **G. Dagron – P. Riché – A. Vauchez**, Évêques, moines, et empereurs (642-1054), Paris 1993; dt.: Bischöfe, Mönche und Kaiser (642-1054), Freiburg 1994, Teil I-II.
Für die genaue Durchsicht der Kapitel C II, 8-12 schulde ich Dank Frau Prof. Dr. **Fairy v. Lilienfeld** und Prof. Dr. **Ludolf Müller**, zwei exzellenten Kennern der östlichen Orthodoxie, die mir durch zahllose Einzelkorrekturen und Anregungen einen großen Dienst erwiesen haben.

172 **G. Ostrogorsky**, Geschichte des byzantinischen Staates, S. 22.

173 **A. Schmemann**, The Historical Road, S. 199.

174 Vgl. **P. Ariès – G. Duby**, Histoire de la vie privée, Bd. I, Paris 1985; dt.: Geschichte des privaten Lebens, Bd. I, hrsg. v. P. Veyne, Frankfurt 1989.

175 Für die Zeit von Julian Apostata bis ins 5. Jh. untersucht dies eindrücklich: **A. Quacquarelli**, Reazione pagana e trasformazione della cultura (fine IV secolo d. C.), Bari 1986.

176 **P. Brown**, Antiquité tardive; in: P. Ariès – G. Duby, Histoire, Bd. I, S. 225-299, Zit. frz. Ausgabe S. 265 (alle Zitate aus diesem Werk in eigener Übersetzung aus dem Französischen, da deutsche Übersetzung ungenau). Vgl. **ders.**, The Making of Late Antiquity, Cambridge/Mass. 1978; dt.: Die letzten Heiden. Eine kleine Geschichte der Spätantike, Berlin 1986.

177 **Ders.**, Antiquité tardive, S. 265.

178 Vgl. **ders.**, Antiquité tardive, S. 265-273.

179 Vgl. **R. A. Markus**, The End of Ancient Christianity, Cambridge 1990.

180 Zur verchristlichten Kaiserideologie Konstantins vgl. folgende neuere Arbeiten: **F. Heim**, La théologie de la victoire de Constantin à Théodose, Paris 1992. **R. Leeb**, Konstantin und Christus. Die Verchristlichung der imperialen Repräsentation unter Konstantin dem Großen als Spiegel seiner Kirchenpolitik und seines Selbstverständnisses als christlicher Kaiser, Berlin 1992.

181 Vgl. **G. Ruhbach**, Die politische Theologie Eusebs von Caesarea, in: ders. (Hrsg.), Die Kirche angesichts der Konstantinischen Wende, Darmstadt 1976, S. 236-258.

182 Vgl. **F. Dölger**, Regesten der Kaiserurkunden des Oströmischen Reiches von 565-1453, Teil I-V, München 1924-65.

183 **Ders.** im Vorwort zu: A. Michel, Die Kaisermacht in der Ostkirche.

184 Vgl. den knappen Überblick bei **A. Raes**, Art. Liturgie, VI, B: Einzeltypen, in: LThK, Bd. VI, S. 1087-1091. Ferner **C. Detlef – G. Müller**, Geschichte der orientalischen Nationalkirchen, Göttingen 1981.

185 Vgl. Klemensbrief 40,6.

186 Vgl. **Origenes**, Jeremia-Kommentar 11,3.

187 1 Petr 2,10.
188 Vgl. **H. Küng**, Kirche, Kap. E I,2: Alle Christen als königliche Priesterschaft.
189 Diese Anregung verdanke ich der Professorin **Fairy von Lilienfeld**, die wohl kompetenteste Kennerin der östlichen Orthodoxie in der Evangelischen Kirche Deutschlands.
190 **H.-G. Beck**, Byzantinisches Erotikon, München 1986, S. 202f.
191 Zum **östlichen Mönchtum** vgl. **I. Smolitsch**, Russisches Mönchtum. Entstehung, Entwicklung und Wesen 988-1917, Würzburg 1953. **K. S. Frank**, Angelikos Bios, Münster 1964; **ders.**, Grundzüge der Geschichte des christlichen Mönchtums, Darmstadt 1975; **ders.** (Hrsg.), Askese und Mönchtum in der alten Kirche, Darmstadt 1975. **U. Ranke-Heinemann**, Das frühe Mönchtum. Seine Motive nach den Selbstzeugnissen, Essen 1964. **D. J. Chitty**, The Desert a City. An Introduction to the Study of Egyptian and Palestinian Monasticism under the Christian Empire, Oxford 1966. **B. Lohse**, Askese und Mönchtum in der Antike und in der alten Kirche, München 1969. **L. Bouyer**, La vie de S. Antoine. Essai sur la spiritualité du monachisme primitif, Bégrolles-en-Mauges [2]1977. **P. Canivet**, Le monachisme syrien selon Théodoret de Cyr, Paris 1977. **F. v. Lilienfeld**, Spiritualität des frühen Wüstenmönchtums, Erlangen 1983.
192 Vgl. **H. Küng**, Weltreligionen, Kap. C II,2.
193 **Klemens von Alexandrien**, Stromata 1,15.
194 Buddha als Bodhisattva: manichäisch Bodisaf, arab. Yudasaf, georgisch Jodasaph, griech. Joasaph, lat. Josaphat. Der Buddha schließlich verehrt als christlicher Heiliger: für den großen kanadischen Religionswissenschaftler **W. C. Smith**, Towards a World Theology. Faith and the Comparative History of Religion, London 1981, S. 9, einer der Belege für seine These von der »einen religiösen Geschichte der Menschheit«.
195 Vgl. **B. Lohse**, Askese und Mönchtum, Kap. 1-2.
196 Vgl. die verschiedene Wertung dieses uns heute befremdenden Phänomens bei **U. Ranke-Heinemann**, Das frühe Mönchtum, und **K. S. Frank**, Angelikos Bios.
197 Vgl. zum Folgenden mit Berufung auf die Apophtegmata Patrum (Aussprüche der Wüstenväter), **P. Brown**, Die letzten Heiden, S. 115-138.
198 Vgl. Mt 19,16-24.
199 Vgl. **P. Canivet**, Le monachisme syrien, Kap. VI: Les moines thaumaturges.
200 Vgl. den hilfreichen, mit vielen Texten illustrierten Überblick über Glaubenswelt und Kultur der ägyptischen Urchristen von **E. Brunner-Traut**, Die Kopten. Leben und Lehre der ägyptischen Christen in Geschichte und Gegenwart, München 1991.
201 So die Umschreibung des Mönchtums durch den Kirchengeschichtler **K. Baus**, Art. Koinobitentum, in: LThK, Bd. VI, S. 368.
202 Vgl. Mk 1,12f. Bei Mattäus (4,1-11) und Lukas (4,1-13) wird dies breit entfaltet.
203 So Mt 19,12 von den »Eunuchen (Entmannte) um des Himmelreiches willen« (nach manchen Exegeten ein Zusatz des Mattäus).
204 Vgl. 1 Kor 7 (bes. 7,7); 9,5.

205 Gelesen werden die Apophtegmata patrum, Abbas Dorotheos, Pseudo-Makarios, Johannes Klimakos, Barsanu phios und Johannes u. a. (Mitteilung von F. v. Lilienfeld).

206 Zum **Bilderstreit** vgl. **G. Ostrogorsky**, Geschichte des byzantinischen Staates, Kap. III: Das Zeitalter der ikonoklastischen Krise (711-843). **L. Ouspensky – W. Lossky**, Der Sinn der Ikonen, Bern 1952. **J. Kollwitz**, Art. Bild III, in: Reallexikon für Antike und Christentum, Bd. II, Stuttgart 1954, S. 318-341. **H. J. Rothemund**, Ikonenkunst. Ein Handbuch, München 1954. **W. Felicetti-Liebenfels**, Geschichte der byzantinischen Ikonenmalerei. Von ihren Anfängen bis zum Ausklange unter Berücksichtigung der Maniera Greca und der italo-byzantinischen Schule, Olten 1956; **ders.**, Geschichte der russischen Ikonenmalerei in den Grundzügen dargestellt, Graz 1972. **E. Benz**, Geist und Leben der Ostkirche, Hamburg 1957, Kap. 1: Die orthodoxe Ikone. **G. Lange**, Bild und Wort. Die katechetischen Funktionen des Bildes in der griechischen Theologie des sechsten bis neunten Jahrhunderts, Würzburg 1969. **L. W. Barnard**, The Graeco-Roman and Oriental Background of the Iconoclastic Controversy, Leiden 1974. **C. v. Schönborn**, L'icône du Christ. Fondements théologiques élaborés entre le Ier et le IIe Concile de Nicée (325-787), Fribourg 1976; neubearbeitete dt. Ausgabe: Die Christus-Ikone. Eine theologische Hinführung, Schaffhausen 1984. **S. Gerö**, Byzantine Iconoclasm During the Reign of Leo III, with Particular Attention to the Oriental Sources, Louvain 1973; **ders.**, Byzantine Iconoclasm During the Reign of Constantine V, with Particular Attention to the Oriental Sources, Louvain 1977. **A. Bryer – J. Herrin** (Hrsg.), Iconoclasm. Papers given at the Ninth Spring Symposium of Byzantine Studies (University Birmingham, March 1975), Birmingham 1977. **H.-G. Beck**, Geschichte der orthodoxen Kirche im byzantinischen Reich, Göttingen 1980, Kap. III: Das Zeitalter des Ikonoklasmus. **J. Irmscher** (Hrsg.), Der byzantinische Bilderstreit. Sozialökonomische Voraussetzungen – ideologische Grundlagen – geschichtliche Wirkungen, Leipzig 1980. **D. Stein**, Der Beginn des byzantinischen Bilderstreites und seine Entwicklung bis in die 40er Jahre des 8. Jahrhunderts, München 1980. **H. G. Thümmel – W. v. Loewenich**, Art. Bilder IV-V, in: TRE, Bd. VI, S. 525-546; **H. G. Thümmel**, Bilderlehre und Bilderstreit. Arbeiten zur Auseinandersetzung über die Ikone und ihre Begründung vornehmlich im 8. und 9. Jahrhundert, Würzburg 1991; **ders.**, Die Frühgeschichte der ostkirchlichen Bilderlehre. Texte und Untersuchungen zur Zeit vor dem Bilderstreit, Berlin 1992. **A. Grabar**, L'Iconoclasme byzantin. Le dossier archéologique, Paris 1984. **W. Nyssen – H.-J. Schulz – P. Wiertz** (Hrsg.), Handbuch der Ostkirchenkunde, Bd. I, 2. Teil: Die geschichtliche Entwicklung der Ostkirchen. **A. Ducellier**, Byzanz, S. 288-298. **V. Cândea**, Art. Iconoclasm, in: EncRel, Bd. VII, S. 1f. **J. Wohlmuth** (Hrsg.), Streit um das Bild. Das 2. Konzil von Nizäa (787) in ökumenischer Perspektive, Bonn 1989. **H.-D. Döpmann**, Die Ostkirchen vom Bilderstreit bis zur Kirchenspaltung 1054, Leipzig 1990. **L. Müller**, Die Dreifaltigkeitsikone des Andréj Rubljów, München 1990. **J. Pelikan**, Imago Dei. The Byzantine Apologia for Icons, Princeton 1990. – Einen Gesamtüberblick über die byzantinische Kunst bietet mit über 1000 Illustrationen **É. Coche de la Ferté**, L'Art

de Byzance, Paris 1982; dt.: Byzantinische Kunst, Freiburg 1982.
207 Vgl. **E. Benz**, Geist und Leben der Ostkirche, S. 11.
208 Vgl. **A. Ducellier**, Byzanz, S. 288-298.
209 **S. Gero**, Leo III., S. 129.
210 Vgl. **ders.**, Leo III., S. 127.
211 Vgl. **C. Mango** in seiner Einleitung zum Sammelband von A. Bryer – J. Herrin, S. 1-6. Mango meint, man könne gar vom Ikonoklasmus als einem »Semitic movement« (S. 6) sprechen. Vgl. auch **V. Cândea**, Art. Iconoclasm, S. 1.
212 Vgl. **G. Ostrogorsky**, Geschichte des byzantinischen Staates, S. 181.
213 So mit weitreichenden Konsequenzen für das heutige Verständnis von Kirche und Kunst **C. v. Schönborn**, Die Christus-Ikone, im Schlußwort S. 226.
214 Vgl. **S. Gerö**, Leo III., S. 129.
215 **H.-G. Beck**, Geschichte der orthodoxen Kirche, S. 69f.
216 Vgl. **H. Denzinger**, Enchiridion Nr. 302-304. 306-308.
217 **A. Grabar**, L'Iconoclasme byzantin, S. 301f.
218 Zur sehr komplizierten Herstellung und zur vielschichtigen Symbolik der Ikonen vgl. bes. **L. Ouspensky – W. Lossky**, Der Sinn der Ikonen, S. 11-56. **P. Evdokimov**, L'Art de l'icône. Théologie de la beauté, Paris 1972. **W. Felicetti-Liebenfels**, Geschichte der russischen Ikonenmalerei, S. 1-12. **L. Ouspensky**, La théologie de l'Icône dans l'Eglise Orthodoxe, Paris 1980. **G. Distante** (Hrsg.), La legittimità del culto delle icone. Oriente e Occidente riaffermano insieme la fede cristiana, Bari 1988. Zur historischen Kritik vgl. **H. G. Thümmel**, Die Theorie der Ikone. Die ostkirchliche Bilderlehre, in: Theologische Literaturzeitung 116 (1991), Sp. 641-649.
219 Vgl. **F. v. Lilienfeld**, Art. Hesychasmus, in: TRE, Bd. XV, S. 282-289.
220 Vgl. Mt 27,51; Heb 10,19.
221 Vgl. **A. Jensen**, Die Zukunft der Orthodoxie. Konzilspläne und Kirchenstrukturen, Zürich 1986.
222 Vgl. **A. v. Harnack**, Dogmengeschichte, Bd. II, Freiburg 1888, 4. erweiterte Auflage Tübingen 1909 (Nachdruck Darmstadt 1980), S. 490.
223 Vgl. **A. Schmemann**, The Historical Road, S. 214.
224 Vgl. **G. Ostrogorsky**, Geschichte des byzantinischen Staates, S. 200.
225 **A. Michel**, Die Kaisermacht in der Ostkirche, S. 166: »Die Epanagoge stellt einen einmaligen, und zwar vergeblichen Versuch dar, der Kirche ihre Freiheit im abendländischen Sinne zu erkämpfen, eine ›bloße Episode von zeitgeschichtlicher Bedingtheit‹ (H. F. Schmid)«.
226 **A. Schmemann**, The Historical Road, S. 220.
227 Zur Entwicklung einer **slawisch-byzantinischen Christenheit** vgl. neben den Werken zur byzantinischen Geschichte vor allem **F. Dvornik**, Byzantine Missions Among the Slaws. SS. Constantine-Cyril and Methodios, New Brunswick 1970. **L. Waldmüller**, Die ersten Begegnungen der Slawen mit dem Christentum und den christlichen Völkern vom VI. bis VIII. Jahrhundert. Die Slawen zwischen Byzanz und Abendland, Amsterdam 1976. **S. W. Swierkosz-Lenart**, Le origini e lo sviluppo della cristianità slavo-bizantina, Rom 1992. **G. Dagron – P. Riché – A. Vauchez**, Bischöfe, Mönche und Kaiser, Teil IV. Zu den äußerst verwickelten und wechselhaften Beziehungen von Byzanz zu den

slawischen Völkern vgl. **A. Ducellier**, Byzanz.

228 Zum Ringen zwischen kirchenslawisch-byzantinischer Liturgie und Tradition und der lateinischen auf dem Gebiet von Böhmen, Mähren und Pannonien viele wertvolle Informationen (trotz des prekären Erscheinungsdatums!) bei **E. Winter**, Tausend Jahre Geisteskampf im Sudetenraum. Das religiöse Ringen zweier Völker, Salzburg 1938.

229 Zur **Geschichte des Christentums in Rußland** vgl. neben den bereits zitierten Werken zur Orthodoxen Kirche (bes. J. Meyendorff, A. Schmemann, T. Ware) die kommentierte Dokumentensammlung von **P. Hauptmann – G. Stricker** (Hrsg.), Die Orthodoxe Kirche in Rußland. Dokumente ihrer Geschichte (860-1980), Göttingen 1988 (im folgenden zitiert als »Dokumente«). Vgl. weiter die Monographien von **N. Zernov**, The Russians and Their Church, London 1945; **ders.**, The Russian Religious Renaissance of the Twentieth Century, London 1963. **G. P. Fedotov**, The Russian Religious Mind, Bd. I-II, Cambridge/Mass. 1946/66; **ders.** (Hrsg.), A Treasury of Russian Spirituality, London 1950. **A. M. Ammann**, Abriss der ostslawischen Kirchengeschichte, Wien 1950. **H. Schaeder**, Moskau das dritte Rom, Darmstadt [2]1957. **P. Kovalevsky**, Saint Serge et la spiritualité russe, Paris 1958. **N. Struve**, Les Chrétiens en U.R.S.S., Paris 1963. **J. Chrysostomus**, Kirchengeschichte Rußlands der neuesten Zeit, Bd. I-III, München 1965-68. **K. Onasch**, Grundzüge der russischen Kirchengeschichte, Göttingen 1967. **M. Klimenko**, Ausbreitung des Christentums in Rußland seit Vladimir dem Heiligen bis zum 17. Jahrhundert. Versuch einer Übersicht nach russischen Quellen, Berlin 1969. **H.-D. Döpmann**, Die russische orthodoxe Kirche in Geschichte und Gegenwart, Wien 1977. **P. C. Bori – P. Bettiolo**, Movimenti religiosi in Russia prima della rivoluzione (1900-1917), Brescia 1978. **J. W. Cunningham**, A Vanquished Hope. The Movement for Church Renewal in Russia, 1905-1906, New York 1981. **A. Poppe**, The Rise of Christian Russia, London 1982. **K. C. Felmy** u. a. (Hrsg.), Tausend Jahre Christentum in Rußland. Zum Millenium der Taufe der Kiever Rus', Göttingen 1988. **Pitirim v. Volokolamsk** (Hrsg.), Die russische orthodoxe Kirche, Berlin 1988. **P. Bushkovitch**, Religion and Society in Russia. The Sixteenth and Seventeenth Centuries, Oxford 1992.

Zur **Jahrtausendfeier der russischen Kirche 1988** erschienen eine ganze Reihe weiterer Sammelbände von Kolloquien an verschiedenen Institutionen: Universität Tübingen (Hrsg. R.-D. Kluge – H. Setzer); Université de Paris X-Nanterre (D. Obolensky u. a.); University of London (Hrsg. G. A. Hosking); University of Oregon (Hrsg. A. Leong); Fondazione Georgio Cini, Venedig (Hrsg. S. Graciotti); Ostkirchliches Institut, Regensburg (Hrsg. A. Rauch – P. Imhof); UNESCO, Paris (Hrsg. Y. Hamant); USSR Academy of Sciences, Moskau (Hrsg. P. N. Fedoseyef). Zugleich fand die Geschichte der russischen Kirche neue Darstellungen durch **M. Garzaniti, F. House, J.-C. Roberti**.

230 Vgl. **L. Müller**, Die Taufe Rußlands. Die Frühgeschichte des russischen Christentums bis zum Jahre 988, München 1987, S. 9-16. Von Ludolf Müller herausgegeben und kommentiert sind auch die wichtigsten dokumentarischen Quellen wie solche erzählenden Charakters vom Beginn der russischen Kirche um 860 – wichtig besonders der Bericht des großen Patriarchen Photios über

die Gründung der russischen Kirche – in: Dokumente Nr. 1-25. Zur Andreaslegende in Byzanz, wo sie zur Zeit des Photios als Legitimation gegen die mit Petrus argumentierenden römischen Ansprüche dienen sollte, vgl. **F. Dvornik**, The Idea of Apostolicity in Byzantium and the Legend of the Apostle Andrew, Cambridge/Mass. 1958.

231 Vgl. **L. Müller**, Die Taufe Rußlands, S. 111-116.

232 Vgl. **G. Fedotov**, The Russian Religious Mind, Bd. I, S. 412.

233 Es handelt sich um die Metropoliten Hilarion (1051-1054) und Klemens von Smolensk (1147-1155).

234 Zum **Ost-West-Schisma** vgl. die verschiedenen Artikel von **V. Grumel** in Échos d'Orient, Paris 1933-40. **M. Jugie**, Le schisme byzantin. Aperçu historique et doctrinal, Paris 1941. **F. Dvornik**, The Photian Schism. History and Legend, Cambridge 1948; **ders.**, The Idea of Apostolicity in Byzantium and the Legend of the Apostle Andrew, Cambridge/Mass. 1958; **ders.**, Byzance et la primauté romaine, Paris 1964; dt.: Byzanz und der römische Primat, Stuttgart 1966. **Y. Congar**, Neuf cents ans après. Notes sur le »Schisme oriental«, Paris 1954. **S. Runciman**, The Eastern Schism. A Study of the Papacy and the Eastern Churches During the XIth and XIIth Centuries, Oxford 1955. **G. Denzler**, Das sog. Morgenländische Schisma im Jahre 1054, in: Münchner theologische Zeitschrift 17 (1966), S. 24-46; **ders.**, Das Morgenländische Kirchenschisma im Verständnis von Päpsten und ökumenischen Konzilien des Mittelalters, in: Münchner theologische Zeitschrift 20 (1969), S. 104-117.

235 **J. Meyendorff**, Rom und die Orthodoxie – Autorität oder Wahrheit?, in: Catholica 31 (1977), S. 352-368, Zit. S. 354.

236 **F. Dvornik**, Byzanz und der römische Primat, S. 159f; dt. Übersetzung von mir korrigiert: statt »Reformatoren«, »Reformer (des 11. Jh.s)«.

237 **Ders.**, Byzanz und der römische Primat, S. 9.

238 Vgl. **H.-G. Beck**, Geschichte der orthodoxen Kirche, Kap. IV,1: Ignatios und Photios.

239 Vgl. **H. Denzinger**, Enchiridion Nr. 277.

240 Zum »filioque« vgl. **L. Vischer** (Hrsg.), Geist Gottes – Geist Christi. Ökumenische Überlegungen zur Filioque-Kontroverse, Frankfurt 1981.

241 **F. Dvornik**, Byzanz und der römische Primat, S. 165.

242 Vgl. **H.-G. Beck**, Geschichte der orthodoxen Kirche, Kap. V,1: Kaiserliche Politik und Eigenwege der Patriarchen.

243 Die neueste gründliche Untersuchung von **B. Roberg**, Das Zweite Konzil von Lyon (1274), Paderborn 1990, bezeichnet dieses Unionskonzil als »eine vertane Chance«: »Die Begegnung mit der Orthodoxie, die das zentrale Thema des Konzils hätte werden können und werden müssen, wurde als Aufgabe nicht begriffen oder gar bewältigt« (S. 384). Zum Konzil Ferrara – Florenz vgl. **J. Gill**, The Council of Florence, Cambridge 1959; **ders.**, Constance et Bâle-Florence, Paris 1965. **G. Alberigo** (Hrsg.), Christian Unity. The Council of Ferrara-Florence 1438/39 - 1989, Löwen 1991 (hier vor allem die kritischen Überlegungen H. Chadwicks).

244 **A. Ducellier**, Byzanz, S. 12f.

245 **A. Ducellier** hat dies mit seinem Team in der ganzen ökonomisch-sozial-

politisch-militärisch-kulturellen Vielschichtigkeit durch die verschiedenen Epochen hindurch glänzend analysiert.

246 Vgl. **S. Runciman**, The Fall of Constantinople 1453, Cambridge 1965; dt.: Die Eroberung von Konstantinopel 1453, München 1966.

247 Vgl. die obengenannte Literatur zur Geschichte des Christentums in der Kiewer Periode.

248 Vgl. zur russischen Kirche unter der Tatarenherrschaft Dokumente Nr. 26-57 (kommentiert von **F. v. Lilienfeld – E. Bryner**).

249 Vgl. Dokumente Nr. 28. 26.

250 **G. Florovsky**, Ways of Russian Theology, Bd. I, Belmont/Mass. 1979, S. 3. Vgl. auch zu einem gewissen Obskurantismus in der russischen Mentalität **ders.**, Aspects of Church History, Vaduz 1987, S. 186-191.

251 **A. Schmemann**, The Historical Road, S. 305.

252 **Ders.**, The Historical Road, S. 308.

253 Zur Rolle des Metropoliten Isidor im Zusammenhang des Konzils von Ferrara-Florenz und zur Wahl von Byzanz unabhängiger Metropoliten vgl. Dokumente Nr. 58-66 (kommentiert von **F. v. Lilienfeld – E. Bryner**).

254 Tatsächlich war Isidor von Eugen IV. zum »Legatus a latere« für die »Provinzen Litauen, Livland und ganz Rußland« sowie die »Städte, Diözesen, Gebiete und Orte Polens« ernannt worden mit allen römischen Vollmachten »zur Ausrottung der Häresien, zur Erhöhung und Vermehrung des katholischen Glaubens« und »zur Bewahrung der Autorität des Apostolischen Stuhles« (vgl. Dokumente Nr. 60).

255 Zu den folgenden Ereignissen in der autokephalen Metropolie von Moskau und ganz Rußland vgl. Dokumente Nr. 67-92 (kommentiert von **F. v. Lilienfeld – E. Bryner**).

256 Vgl. Dokumente Nr. 67.

257 Dokumente Nr. 253.

258 Zur russischen Kirche unter den ersten zehn Patriarchen (1589-1700) vgl. Dokumente Nr. 93-104 (kommentiert von **P. Hauptmann**). **M. Batisweiler** u. a. (Hrsg.), Der Ökumenische Patriarch Jeremias II. von Konstantinopel und die Anfänge des Moskauer Patriarchates, Erlangen 1991 (hier auch weitere Aufsätze zur Geschichte des Moskauer Patriarchates).

259 Vgl. Dokumente Nr. 73 (Josif) und Nr. 75 (Vassian, Schüler Nils). Vgl. **F. v. Lilienfeld**, Nil Sorskij und seine Schriften. Die Krise der Tradition im Rußland Ivans III., Berlin 1963.

260 Wie sehr man zur Rechtfertigung des autokratischen Systems immer wieder auf Byzanz zurückgriff, im übrigen aber Realpolitik nach innen und außen betrieb, zeigt **H. Neubauer**, Car und Selbstherrscher. Beiträge zur Geschichte der Autokratie in Rußland, Wiesbaden 1964. Daß die russische Autokratie nicht mit asiatischer Despotie gleichgesetzt werden darf, aber sich auch vom liberaleren westlichen Absolutismus unterschied, zeigt **H.-J. Torke**, Die staatsbedingte Gesellschaft im Moskauer Reich. Zar und Zemlja in der altrussischen Herrschaftsverfassung 1613-1689, Leiden 1974.

261 Eine differenzierte Würdigung der oft nur einseitig negativ gesehenen türkischen Herrschaft findet sich bei **T. H. Papadopoullos**, Studies and Documents

Relating to the History of the Greek Church and People under Turkish Domination, Brüssel 1952. **S. Runciman**, The Great Church in Captivity. A Study of the Patriarchate of Constantinople from the Eve of the Turkish Conquest to the Greek War of Independence, Cambridge 1968; dt.: Das Patriarchat von Konstantinopel vom Vorabend der türkischen Eroberung bis zum griechischen Unabhängigkeitskrieg, München 1970. **A. Ducellier**, Byzanz, in seinem Abschlußkapitel (zusammen mit J.-P. Arrignon) über das Schicksal der orthodoxen Kultur.

262 Vgl. **E. Amburger**, Geschichte des Protestantismus in Rußland, Stuttgart 1961.

263 Vgl. **G. E. Zachariades**, Tübingen und Konstantinopel. Martin Crusius und seine Verhandlungen mit der Griechisch-Orthodoxen Kirche, Göttingen 1941. **EKD** (Hrsg.), Wort und Mysterium. Der Briefwechsel über Glauben und Kirche 1573 bis 1581 zwischen den Tübinger Theologen und dem Patriarchen von Konstantinopel, Witten 1958. **C. N. Tsirpanlis**, The Historical and Ecumenical Significance of Jeremias II's Correspondence with the Lutherans (1573-1581), Kingston 1982. **D. Wendebourg**, Reformation und Orthodoxie. Der ökumenische Briefwechsel zwischen der Leitung der Württembergischen Kirche und Patriarch Jeremias II. von Konstantinopel in den Jahren 1573-1581, Göttingen, 1986. In dieser umfassenden Studie auch eine genaue Analyse der theologischen Streitfragen.

264 **D. Wendebourg**, Reformation, S. 334.

265 Vgl. neben der Darstellung von **G. A. Hadjiantoniou**, Protestant Patriarch. The Life of Cyril Lucaris (1572-1638), Patriarch of Constantinople, Richmond/Va. 1961, vor allem die auf der Erschließung neuer Quellen beruhende genaue historische Analyse von **G. Hering**, Ökumenisches Patriarchat und europäische Politik 1620-1638, Wiesbaden 1968.

266 Diesen »grand design« hat herausgearbeitet **P. Meyendorff**, Russia, Ritual, and Reform: the Liturgical Reforms of Nikon in the 17th Century, New York 1991. Daß Patriarch Nikon entgegen der vorherrschenden Meinung keine prinzipielle Überordnung der geistlichen Macht über die weltliche anstrebte, weist überzeugend auf **C. Hemer**, Herrschaft und Legitimation im Rußland des 17. Jahrhunderts. Staat und Kirche zur Zeit des Patriarchen Nikon, Frankfurt 1979.

267 Vgl. **P. Hauptmann**, Altrussischer Glaube. Der Kampf des Protopopen Avvakum gegen die Kirchenreformen des 17. Jahrhunderts, Göttingen 1963. **N. Lupinin**, Religious Revolt in the XVIIth Century: The Schism of the Russian Church, Princeton/N.J. 1984.

268 Vgl. **T. Riplinger**, Die ukrainisch-bjelorussische Variante des byzantinisch-orthodoxen Paradigmas. Der Eigenweg der orthodoxen Kirche im polnisch-litauischen Staatsverband vom 14. bis zum 17. Jh. als Modell einer zeitgenössischen Erneuerung des orthodoxen Kirchentums (MS). Weiteres in **I. Vlasovsky**, Outline History of the Ukrainian Orthodox Church, Bd. I-II, New York 1974-79. **I. Moncak**, Florentine Ecumenism in the Kyivan Church, Rom 1987. **A. Jobert**, De Luther à Mohila. La Pologne dans la crise de la Chrétienté 1517-1648, Paris 1974.

269 Statt wie schon in Byzanz »seit Erschaffung der Welt« mit Jahresbeginn am

1. September jetzt »nach Christi Geburt« mit Jahresbeginn am 1. Januar. Der gregorianische Kalender wurde auch von Peter nicht eingeführt.

270 Zur russisch-orthodoxen Kirche im Jahrhundert der Kirchenreform Peters des Großen (1700-1801) siehe Dokumente Nr. 105-145 (kommentiert von **R. Stupperich**). Dazu neben den zahllosen Biographien Peters des Großen zu seiner Kirchenreform **I. Smolitsch**, Geschichte der russischen Kirche 1700-1917, Bd. I-II, Leiden 1964, Berlin 1990. **J. Cracraft**, The Church Reform of Peter the Great, London 1971. **A. V. Muller**, The Spiritual Regulation of Peter the Great, Seattle 1972.

271 Vgl. Dokumente Nr. 115. Daß in dieser Zeit der Begriff des **Antichrist** – in Rußland schon immer mit dem Papst verbunden – auf Zar Peter (und die folgenden Zaren bis hin zu Stalin) übertragen wurde, weist auf **C. G. de Michelis**, I nomi dell'avversario. Il »papa-anticristo« nella cultura russa, Turin 1989.

272 Auch diesen wichtigen Gesichtspunkt verdanke ich **F. v. Lilienfeld**.

273 So übersetzt **F. v. Lilienfeld**.

274 Zum Staatskirchentum und Ansätzen zur Erneuerung vgl. Dokumente Nr. 146-205 (kommentiert von **K. C. Felmy – G. Simon**).

275 Vgl. **L. Tolstoj**, Kurze Darlegung des Evangelium (russ. Original), Leipzig 1892; **ders.**, Worin besteht mein Glaube?, Moskau 1884, dt. Neuausgabe Leipzig 1902. Sehr aufschlußreich für die Auseinandersetzung der modernen russischen Intellektuellen mit dem Protestantismus, für die das Suchen nach Wahrheit eine Häresie gegen das Dogma von der Kirche ist, die Untersuchung von **L. Müller**, Russischer Geist und evangelisches Christentum. Die Kritik des Protestantismus in der russischen religiösen Philosophie und Dichtung im 19. und 20. Jahrhundert, Witten 1951.

276 Vgl. **H. Küng**, Dichtung und Religion, München 1985, Kap. »F. M. Dostojewski – Religion im Widerstreit der Religionslosigkeit«.

277 Vgl. **W. Solowjew**, Die Rechtfertigung des Guten. Eine Moralphilosophie. Deutsche Gesamtausgabe, Bd. V, München 1976. Dazu **L. Müller**, Das religionsphilosophische System Vladimir Solovjevs, Berlin 1956. **H. Gleixner**, Vladimir Solov'evs Konzeption vom Verhältnis zwischen Politik und Sittlichkeit. System einer sozialen und politischen Ethik, Frankfurt 1978; **ders.**, Die ethische und religiöse Sozialismuskritik des Vladimir Solov'ev. Texte und Interpretation, St. Ottilien 1986.

278 Vgl. **J. Oswalt**, Kirchliche Gemeinde und Bauernbefreiung. Soziales Reformdenken in der orthodoxen Gemeindegeistlichkeit Rußlands in der Ära Alexanders II., Göttingen 1975. Zur späteren Erneuerungsbewegung, deren Hauptanliegen die Emanzipation der Kirche von der Staatskontrolle war, vgl. **J. W. Cunningham**, A Vanquished Hope. The Movement for Church Renewal in Russia, 1905-1906, Crestwood/N.Y. 1981.

279 Vgl. **E. Benz**, Geist und Leben der Ostkirche, Kap. IX-XII. **J. Oswalt**, Kirchliche Gemeinde und Bauernbefreiung. Soziales Reformdenken in der orthodoxen Gemeindegeistlichkeit Rußlands in der Ära Alexander II., Göttingen 1975.

280 **G. Petrow**, zitiert bei E. Benz, Geist und Leben der Ostkirche, S. 132f (dieser Text findet sich leider nicht im Dokumenten-Band).

281 Zur russisch-orthodoxen Kirche im Sowjetstaat (seit 1917) vgl. Dokumente

Nr. 210-371 (kommentiert von **R. Rössler**).

282 **W. I. Lenin**, Sozialismus und Religion, in: ders., Über die Religion. Eine Auswahl, Berlin 1981, S. 39-44, Zit. S. 40.

283 Zur **orthodoxen Theologie und Kirche** vgl. neuere Monographien **E. Benz**, Geist und Leben der Ostkirche. **S. Boulgakoff**, L'Orthodoxie, Paris 1958. **M.-J. Le Guillou**, L'esprit de l'orthodoxie grecque et russe, Paris 1961; dt.: Vom Geist der Orthodoxie. Christliche Überlieferung in Griechenland und Rußland, Aschaffenburg 1963. **T. Ware**, The Orthodox Church; **ders.**, The Orthodox Way, New York 1979; dt.: Der Aufstieg zu Gott. Glaube und geistliches Leben nach ostkirchlicher Überlieferung, Freiburg 1983. **N. v. Arseniew**, Die russische Frömmigkeit, Zürich 1964. **O. Clément**, Byzance et le christianisme, Paris 1964. **A. Schmemann**, Introduction to Liturgical Theology, London 1966; **ders.**, Church, World, Mission. Reflections on Orthodoxy in the West, Crestwood/N.Y. 1979. **R. Stupperich** (Hrsg.), Die Russische Orthodoxe Kirche in Lehre und Leben, Witten 1966. **E. Timiadis**, Lebendige Orthodoxie. Eine Selbstdarstellung der Orthodoxie im Kreise der christlichen Kirchen, Nürnberg 1966. **G. Florovsky**, Bible, Church, Tradition: An Eastern Orthodox View, Belmont/Mass. 1972; **ders.**, Creation and Redemption, Belmont/ Mass. 1976; **ders.**, Ways of Russian Theology, Bd. I-II, Belmont/Mass. 1979. **J. Meyendorff**, Byzantine Theology. Historical Trends and Doctrinal Themes, Fordham 1974. **V. Lossky**, Orthodox Theology. An Introduction, Crestwood/N.Y. 1978. **A. Kallis**, Orthodoxie: Was ist das?, Mainz 1979. **V. Peri**, La »Grande Chiesa« Bizantina. L'ambito ecclesiale dell'Ortodossia, Brescia 1981. **B. Sartorius**, Die orthodoxe Kirche (frz. Original 1973), Stuttgart 1981. **D. Staniloae**, Orthodoxe Dogmatik, Bd. I-II (rumän. Original), Gütersloh 1984/90; **ders.**, Le génie de l'Orthodoxie. Introduction, Paris 1985. **K. C. Felmy**, Die Orthodoxe Theologie der Gegenwart. Eine Einführung, Darmstadt 1990.

284 Einen historisch-systematischen Überblick über Liturgie, Sakramente, Zeitrechnung, Kirchenmusik und Ikonographie bietet der 2. Band des Handbuchs der Ostkirchenkunde, hrsg. v. W. Nyssen – H.-J. Schulz – P. Wiertz, Düsseldorf 1989.

285 **E. Benz**, Geist und Leben der Ostkirche, S. 175.

C III. Das römisch-katholische Paradigma des Mittelalters

1 Auch protestantische Historiker wie Albert Hauck († 1918), Heinrich Boehmer († 1926), Hans v. Schubert († 1931) und Hermann Dörries († 1977) haben wesentlich zur Aufwertung des Mittelalters beigetragen.

2 Auch katholische Historiker wie Ignaz Döllinger († 1890), Albert Erhard († 1940), Franz Dölger († 1940), Joseph Lortz († 1975) und ihre Schüler haben entscheidend dazu beigetragen, diese römisch-katholische Fixiertheit auf das Mittelalter zu überwinden.

3 **A. Angenendt**, Das Frühmittelalter. Die abendländische Christenheit von 400-900, Stuttgart 1990, S. 42. Als allgemein verständliche Einführung in die Geschichte des Mittelalters mit reichen Literaturangaben für dieses unübersehba-

re Gebiet ist noch immer hilfreich **H. Zimmermann**, Das Mittelalter, Bd. I-II, Braunschweig 1975/79. Hilfreich auch **H. Fuhrmann**, Einladung ins Mittelalter, München 1987.

4 So haben dies die großen Kirchenrechtshistoriker Paul Hinschius († 1898), Ulrich Stutz († 1937) und H. E. Feine († 1965) dargestellt.

5 Dies herauszuarbeiten wurden deutsche Profan-, Kirchen-, Dogmenhistoriker im 19. Jahrhundert nicht müde.

6 Vgl. **T. Klauser**, Der Übergang der römischen Kirche von der griechischen zur lateinischen Liturgiesprache, in: Jahrbuch für Antike und Christentum, Erg. Bd. III (1974), S. 184-194.

7 **H. v. Campenhausen**, Lateinische Kirchenväter, Stuttgart 1960, S. 35.

8 Zu **Augustin** (354-430) vgl. die ältere Literatur bei **B. Altaner – A. Stuiber**, Patrologie. Leben, Schriften und Lehre der Kirchenväter, Freiburg [7]1966, § 102. Vgl. neben den noch immer wichtigen älteren (A. v. Harnack, F. Loofs, R. Seeberg) und den neueren (C. Andresen, K. Beyschlag, J. Pelikan, M. Schmaus – A. Grillmeier) dogmengeschichtlichen Handbüchern folgende neuere Monographien und Gesamtdarstellungen: **É. Gilson**, Introduction a l'étude de saint Augustin, Paris 1929, [4]1969; dt.: Der heilige Augustin. Eine Einführung in seine Lehre, Hellerau 1930. **H.-I. Marrou**, Saint Augustin et la fin de la culture antique, Paris 1938, [4]1958; dt.: Augustinus und das Ende der antiken Bildung, Paderborn 1981; **ders.**, Saint Augustin et l'augustinisme, Paris 1955, [8]1973; dt.: Augustinus in Selbstzeugnissen und Bilddokumenten, Reinbek 1958. **F. van der Meer**, Augustinus de Zielzorger, Utrecht 1947; dt.: Augustinus der Seelsorger. Leben und Wirken eines Kirchenvaters, Köln 1951. **A. Zumkeller**, Das Mönchtum des heiligen Augustinus, Würzburg 1950, [2]1968. **T. J. van Bavel**, Recherches sur la Christologie de saint Augustin. L'humain et le divin dans le Christ d'après saint Augustin, Fribourg 1954. **J. J. O'Meara**, The Young Augustine. The Growth of St. Augustine's Mind up to his Conversion, London 1954, [2]1980. **R. W. Battenhouse** (Hrsg.), A Companion to the Study of St. Augustine, New York 1955. **M. Löhrer**, Der Glaubensbegriff des hl. Augustinus in seinen ersten Schriften bis zu den Confessiones, Einsiedeln 1955. **A. D. R. Polman**, Het woord gods bij Augustinus, Kampen 1955. **R. Schneider**, Seele und Sein. Ontologie bei Augustin und Aristoteles, Stuttgart 1957. **G. Strauss**, Schriftgebrauch, Schriftauslegung und Schriftbeweis bei Augustin, Tübingen 1959. **H. v. Campenhausen**, Lateinische Kirchenväter, Stuttgart 1960, Kap. 6: Augustin. **C. Eichenseer**, Das Symbolum Apostolicum beim heiligen Augustinus, mit Berücksichtigung des dogmengeschichtlichen Zusammenhangs, St. Ottilien 1960. **C. Andresen** (Hrsg.), Zum Augustin-Gespräch der Gegenwart, Bd. I-II, Darmstadt 1962/81. **P. Brown**, Augustine of Hippo. A Biography, Berkeley 1967; dt.: Augustinus von Hippo. Eine Biographie, Frankfurt 1973. **A. Mandouze**, Saint Augustin. L'aventure de la raison et de la grâce, Paris 1968. **C. Boyer**, Essais anciens et nouveaux sur la doctrine de saint Augustin, Mailand 1970. **R. A. Markus**, Saeculum. History and Society in the Theology of St. Augustine, Cambridge 1970. **E. TeSelle**, Augustine the Theologian, London 1970. **J. Brechtken**, Augustinus doctor caritatis. Sein Liebesbegriff im Widerspruch von Eigennutz und selbstloser Güte

im Rahmen der antiken Glückseligkeits-Ethik, Meisenheim 1975. **W. Geerlings**, Christus Exemplum. Studien zur Christologie und Christusverkündigung Augustins, Mainz 1978. **R. E. Meagher**, An Introduction to Augustine, New York 1978. **W. Wieland**, Offenbarung bei Augustinus, Mainz 1978. **A. Schindler**, Art. Augustin, in: TRE, Bd. IV, S. 645-698. **K. Flasch**, Augustin. Einführung in sein Denken, Stuttgart 1980. **A. Pincherle**, Vita di Sant' Agostino, Bari 1980. **H. Fries**, Augustinus, in: H. Fries – G. Kretschmar (Hrsg.), Klassiker der Theologie, Bd. I, München 1981, S. 104-129. **P. Muñoz Vega**, Introducción a la síntesis de San Agustín, Quito 1981. **H. Chadwick**, Augustine, Oxford 1986; dt.: Augustin, Göttingen 1987. **P. Guilloux**, El alma de San Agustín, Madrid 1986. **M. Vannini**, Invito al pensiero di Sant'Agostino, Mailand 1989. Zahlreiche neuere Monographien – von V. J. Bourke, A. Campodonico, N. Fischer, J. A. García-Junceda, A. di Giovanni, G. Santi, A. Schöpf – behandeln Augustins »Philosophie«. Für die kritische Durchsicht bes. der patristischen Kapitel und wertvolle Anregung danke ich herzlich meinem Grazer Kollegen Prof. Dr. **Johannes B. Bauer**.

9 Vgl. **S. Rose**, The Place of Blessed Augustine in the Orthodox Church, Platina 1983. **M. Azkoul**, The Influence of Augustine of Hippo on the Orthodox Church, Lewiston/N.Y. 1990; programmatisch schon in der Einführung: »He is also responsible, in large measure for the division between East and West; and, indeed, even for the Occident's loss of the patristic spirit … He is surely not the apex of the patristic tradition; in fact, he was the beginning of something new.«

10 **H.-I. Marrou**, Augustinus und das Ende der antiken Bildung, S. 489-495 (Präzisierungen), Zit. S. 495.

11 Vgl. **B. Altaner**, Augustinus und die griechische Patristik, in: Texte und Untersuchungen 83 (1967), S. 316-331, Zit. S. 321.

12 Zu Augustins **Kirchenverständnis** vgl. **F. Hofmann**, Der Kirchenbegriff des hl. Augustinus in seinen Grundlagen und in seiner Entwicklung, München 1933. **J. Ratzinger**, Volk und Haus Gottes in Augustins Lehre von der Kirche, München 1954. **S. J. Grabowski**, The Church. An Introduction to the Theology of St. Augustine, St. Louis/Mo. 1957. **É. Lamirande**, L'Église céleste selon saint Augustin, Paris 1963; **ders.**, Études sur l'ecclésiologie de saint Augustin, Ottawa 1969. **R. Crespin**, Ministère et sainteté. Pastorale du clergé et solution de la crise donatiste dans la vie et la doctrine de saint Augustin, Paris 1965. **Y. Congar**, L'Église. De saint Augustin à l'époque moderne, Paris 1970. **W. Simonis**, Ecclesia visibilis et invisibilis. Untersuchungen zur Ekklesiologie und Sakramentenlehre in der afrikanischen Tradition von Cyprian bis Augustinus, Frankfurt 1970. **P. Borgomeo**, L'Église de ce temps dans la prédication de saint Augustin, Paris 1972. **S. Folgado Florez**, Dinamismo católico de la Iglesia en San Agustín, Madrid 1977. **A. Giacobbi**, La Chiesa in S. Agostino, Rom 1978. **F. Genn**, Trinität und Amt nach Augustinus, Einsiedeln 1986.

13 **Augustin**, Sermo 112,8. Zur Frage der Gewaltanwendung vgl. **E. L. Grasmück**, Coercitio. Staat und Kirche im Donatistenstreit, Bonn 1964, bes. S. 240-250.

14 **P. Brown**, Augustine of Hippo, S. 235.

15 **Ders.**, Augustine of Hippo, S. 240.

16 Zu Augustins **antipelagianischer Gnadenlehre** vgl. neben den entsprechenden Abschnitten bei **H. v. Campenhausen** und **P. Brown** die Arbeiten von **H. Jonas**, Augustin und das paulinische Freiheitsproblem. Eine philosophische Studie zum pelagianischen Streit, Göttingen 1930, [2]1965. **A. Mandouze**, Saint Augustin. L'aventure de la raison et de la grâce, Paris 1968. **J. P. Burns**, The Development of Augustine's Doctrine of Operative Grace, Paris 1980. Inspiriert von **H. Haag**, Biblische Schöpfungslehre und kirchliche Erbsündenlehre, Stuttgart 1966, lieferte **U. Baumann** die gründliche ökumenische Studie »Erbsünde? Ihr traditionelles Verständnis in der Krise heutiger Theologie«, Freiburg 1970. Eine umfassende systematische Studie über das Böse in den verschiedenen Phasen der augustinischen Theologie, die in einer entschiedenen Kritik der Erbsündenlehre kulmuniert, erarbeitete ebenfalls am Institut für ökumenische Forschung Tübingen **H. Häring**, Die Macht des Bösen. Das Erbe Augustins, Zürich 1979. Zur Geschichte der Erbsündenlehre vgl. das vierbändige Werk von **I. Gross**, Geschichte des Erbsündendogmas. Ein Beitrag zur Geschichte des Problems vom Ursprung des Übels, München 1960-72.

17 Wie sehr Augustins Erbsündenlehre auf der gesamten lateinischen Theologie lastet, zeigen die fast zahllosen neueren Monographien zur **Erbsünde** im allgemeinen: etwa von P. F. Beatrice, I. Bertinetti, J. Bur, F. Dexinger, A.-M. Dubarle, E. Elorduy, D. Fernández, M. Flick – Z. Alszeghy, G. Freund, P. Grelot, E. Kinder, K. M. Köster, G. Martelet, H. Rondet, L. Scheffczyk, K. Schmitz-Moormann, P. Schoonenberg, A. Vanneste, P. Watté, K.-H. Weger …

18 Vgl. **Augustin**, De nuptiis et concupiscentia 1,24f.

19 All das hat Einfluß auf Augustins Bibelexegese. Denn im Gegensatz zu den meisten griechischen und syrischen Autoren versteht Augustin den Augenblick der Scham nach dem ersten Sündenfall psychologisch als eine klar empfundene sexuelle Scham – Strafe für die Sünde! Die seit dem Sündenfall Adams vererbte Verderbtheit der menschlichen Natur manifestiere sich also besonders in der ständigen Störung des Sexualtriebs, der sich besonders am Anfang und auf dem Höhepunkt des Aktes, aber auch im Schlaf und in Träumen der Kontrolle des Willens entziehe (vgl. Augustin, Sermo 151; Contra Julianum Pelagianum, vor allem Buch IV.). Nicht die Sexualität an sich ist das Übel (so die Manichäer), wohl aber der Verlust der Kontrolle (so Augustin). Nein, auch das neugeborene Kind sei kein unschuldiges, sei vielmehr ein in der Sünde geborenes Kind, das, wenn es nicht ewig verdammt sein soll, der Befreiung von der Erbsünde unbedingt bedürfe! Und dieser Befreiungsakt ist die Taufe, die in jedem Fall schon dem neugeborenen Kind gespendet werden muß! Doch nicht nur der junge Mensch, auch der ältere Mensch in der Ehe hat sich Augustin zufolge im Kampf gegen die geschlechtliche Begierde um »Keuschheit« zu bemühen und gegen die immer wieder einbrechenden sexuellen Phantasien anzugehen. Machen wir uns klar: Noch nie zuvor hatte ein Autor der Antike die Sexualität so ins Licht der kühlen psychologischen Analyse gehoben ...

20 Vgl. **Augustin**, Ep. 217,V,16; Enchiridion XXIII-XXIX. Zur **Prädestinationslehre** Augustins vgl. **G. Nygren**, Das Prädestinationsproblem in der Theologie Augustins. Eine systematisch-theologische Studie, Lund 1956. Ferner die

Sammlung ausgewählter und kommentierter Texte von **J. Chéné**, La théologie de saint Augustin. Grâce et prédestination, Lyon 1961. Eine eingehende Darstellung und ausgewogene Kritik der Prädestinationsvorstellungen von Augustin, Thomas von Aquin, Luther, Calvin und Karl Barth erarbeitete ebenfalls in unserem Institut **G. Kraus**, Vorherbestimmung. Traditionelle Prädestinationslehre im Licht gegenwärtiger Theologie, Freiburg 1977.

21 1 Kor 4,7.

22 **Augustin**, In primam epistolam Joannis VII,8. Vgl. **D. Dideberg**, Saint Augustin et la première épître de saint Jean. Une théologie de l'agapè, Paris 1975.

23 Vgl. **K. E. Børresen**, Subordination et Equivalence. Nature et rôle de la femme d'après Augustin et Thomas d'Aquin, Oslo 1968, bes. Kap. I,1-3.

24 Zu **Augustins Verhältnis zur Sexualität** vor und nach seiner Bekehrung vgl. **P. Brown**, The Body and Society. Men, Women and Sexual Renunciation in Early Christianity, New York 1988; dt.: Die Keuschheit der Engel. Sexuelle Entsagung, Askese und Körperlichkeit am Anfang des Christentums, München 1991, S. 395-437. Augustin war seine Sexual- und Sündentheorie so wichtig, daß er noch als Siebzigjähriger eigens einen Brief an den Patriarchen Attikos von Konstantinopel, den Nachfolger des Johannes Chrysostomos, schrieb (dieser Brief wurde erst vor kurzem aufgefunden) und seine Position wie folgt zusammenfaßte: »Ein Trieb (gemeint ist der böse »Trieb des Fleisches«), der ganz wahllos nach erlaubten und unerlaubten Objekten brennt; und der von dem Trieb zur Ehe (»concupiscentia nuptiarum«) gezügelt wird, welcher ihm untergeordnet sein muß, welcher ihn aber von dem zurückhält, was nicht erlaubt ist … Gegen diesen Trieb, der in Spannung mit dem Gesetz des Gemüts ist, muß alle Keuschheit kämpfen: die des Ehepaars, so daß der Trieb des Fleisches recht gebraucht werden mag, und der von enthaltsamen Männern und Jungfrauen, so daß, noch besser und mit einem Kampf größeren Ruhms, er überhaupt nicht gebraucht werden sollte. Dieser Trieb, hätte er im Paradies existiert, wäre in einer wunderbaren Höhe des Friedens nie über das Gebot des Willens hinausgegangen … Er hätte sich nie dem Geist mit Gedanken an unpassende und unzulässige Freuden aufgezwungen. Er hätte nicht durch eheliche Mäßigung im Zaum gehalten oder durch asketische Mühe mit unentschiedenem Ausgang bekämpft zu werden brauchen. Wenn er einmal gefordert worden wäre, wäre er vielmehr dem Willen der Person mit aller Leichtigkeit eines aufrichtigen Gehorsamsaktes gefolgt« (zit. bei **P. Brown**, Keuschheit, S. 434).

25 Vgl. Röm 9-11; dazu **H. Küng**, Judentum, Kap. 3 B IV: Die Zukunft des Gottesvolkes.

26 **H.-I. Marrou**, Augustinus, S. 46.

27 Vgl. oben Kap. C II,6: Die Konstantinische Wende und der christologische Streit.

28 **Augustin**, Confessiones III,VI (11); vgl. Soliloquia I,I (1-6).

29 **Augustin**, De Trinitate I,III (5).

30 Zur **Trinitätslehre** Augustins vgl. **M. Schmaus**, Die psychologische Trinitätslehre des heiligen Augustinus, Münster 1927, Neudruck mit einem Nachtrag 1967. **J.-L. Maier**, Les missions divines selon saint Augustin, Fribourg 1960.

A. D. R. Polman, De leer van God bij Augustinus, Kampen 1965. **A. Schindler**, Wort und Analogie in Augustins Trinitätslehre, Tübingen 1965. **O. du Roy**, L'intelligence de la foi en la Trinité selon saint Augustin. Genèse de sa théologie trinitaire jusqu'en 391, Paris 1966. **D. Pintarič**, Sprache und Trinität. Semantische Probleme in der Trinitätslehre des hl. Augustinus, Salzburg 1983. **M. Smalbrugge**, La nature trinitaire de l'intelligence augustinienne de la foi, Amsterdam 1988.

31 Vgl. **T. de Régnon**, Études de théologie positive sur la Sainte Trinité, Bd. I-III, Paris 1892-98, bes. Bd. I, S. 339f. 362; Bd. III, S. 162-165 (der Vater als Prinzip der Gottheit).

32 **K. Rahner**, Grundkurs des Glaubens. Einführung in den Begriff des Christentums, Freiburg 1976, S. 141.

33 Vgl. **H. Denzinger**, Enchiridion Nr. 39. Vgl. **J. N. D. Kelly**, The Athanasian Creed, London 1964.

34 Vgl. **P. Brown**, Augustine of Hippo, bes. Kap. 24.

35 Vgl. **J. Moltmann**, Trinität und Reich Gottes. Zur Gotteslehre, München 1980. Scharfe Kritik an Moltmann kommt sowohl aus dem deutschsprachigen wie dem englischsprachigen Raum. Vgl. **K.-J. Kuschel**, Geboren vor aller Zeit? Der Streit um Christi Ursprung, München 1990, S. 568-582. Ebenso der Edinburgher Theologe **J. P. Mackey**, Are There Christian Alternatives to Trinitarian Thinking?, in: J. M. Byrne, The Christian Understanding of God Today, Dublin 1993, S. 66-75: »What is wrong ..., is the projection of current ideas of human relationships into the divine being, resulting in an ›immanent‹ Trinity which then, of course, becomes normative (and not merely inspiring) for the reconstruction of human relationships in civic and ecclesiastical societies« (S. 67).

36 Zu Augustins **Gottesstaat** vgl. **H. Scholz**, Glaube und Unglaube in der Weltgeschichte. Ein Kommentar zu Augustins De civitate Dei, Leipzig 1911, ^{2}1967. **E. Troeltsch**, Augustin, die christliche Antike und das Mittelalter. Im Anschluß an die Schrift »De Civitate Dei«, München 1915, Neudruck Aalen 1963. **A. A. T. Ehrhardt**, Politische Metaphysik von Solon bis Augustin, Bd. I-II, Tübingen 1952. **J. Pintard**, La sacerdoce selon saint Augustin. Le prêtre dans la cité de Dieu, Tours 1960. **R. A. Markus**, Saeculum. History and Society in the Theology of St. Augustine, Cambridge 1970. **J. van Oort**, Jeruzalem en Babylon. Een onderzoek van Augustinus' De stad van God en de bronnen van zijn leer der twee steden (rijken), Den Haag 1986. **G. Lettieri**, Il senso della storia in Agostino d'Ippona. Il »saeculum« e la gloria nel »De Civitate Dei«, Rom 1988. **D. F. Donnelly – M. A. Sherman**, Augustine's De Civitate Dei. An Annotated Bibliographie of Modern Criticism, 1960-1990, New York 1991.

37 So verläuft nun die Weltgeschichte wie die Geschichte des einzelnen Menschen Augustin zufolge in sechs Perioden, die nachgeformt sind dem Schema der Schöpfungswoche, die in der Weltgeschichte zur Weltwoche wird. Seit ihrer Schöpfung hat die Welt sechs große Weltzeiten durchgemacht. Für Augustin war so schon von der Bibel her die Vergänglichkeit von Kulturen, die Realität von Epochenbrüchen und »Paradigmenwechseln« offenkundig. Mit Jesus

Christus ist der Herr des Gottesstaates leibhaftig in der Welt erschienen – der Gottmensch als Höhepunkt der Weltgeschichte! Seither lebt die Menschheit im sechsten Tag der Weltenwoche, in der Endzeit, an deren Ende das Jüngste Gericht stehen wird. Dies kündigt sich an im Niedergang des letzten Weltstaates, des Römerreichs, das sich in der Christenverfolgung als Teufelsstaat entlarvte, dem aber jetzt doch das Verdienst zukommt, den Frieden gesichert zu haben, von dem auch der Gottesstaat profitiert. Doch bleibt Augustin auch gegenüber dem christlichen Imperium mißtrauisch, da in ihm noch immer heidnische Kräfte nachwirken (vgl. **F. G. Maier**, Augustin und das antike Rom, Stuttgart 1955). Über die Zukunft des Römerreiches (ob West- oder Ostrom) äußert sich Augustin kaum. Unumstößlich fest steht dagegen für ihn, daß das Gottesreich in dieser Erdenzeit eine empirische Gestalt besitzt: die **katholische Kirche** nämlich. Sie ist die konkrete Verkörperung, Sichtbarmachung des Gottesreiches auf Erden, ist allerdings nicht einfach identisch mit dem Gottesstaat, da ja auch in ihr noch der Weltstaat wirksam ist. Für Augustin gilt: die Auserwählten kennt Gott allein.

38 Vgl. oben Kap. C II,2: Der langsame Aufstieg des Bischofs von Rom.

39 Zum **Papsttum** vgl. neben den Standardwerken zur Papstgeschichte von **E. Caspar**, **C. Falconi**, **J. Haller**, **L. v. Pastor**, **L. v. Ranke**, **J. Schmidlin**, **F. X. Seppelt – G. Schwaiger** und den kurzen Abrissen der Papstgeschichte von **A. Franzen – R. Bäumer**, **H. Fuhrmann**, **B. Schimmelpfennig**, **W. Ullmann**, **H. Zimmermann** besonders die bisher 26 Bände umfassende Reihe von **G. Denzler** (Hrsg.), Päpste und Papsttum, Stuttgart 1971ff (einzelne wichtige Bände werden gesondert erwähnt). Ferner folgende historisch ausgerichtete Monographien und Gesamtdarstellungen: **F. Heiler**, Altkirchliche Autonomie und päpstlicher Zentralismus, München 1941. **M. Maccarrone**, Vicarius Christi. Storia del titolo papale, Rom 1952; **ders.** (Hrsg.), Il primato del vescovo di Roma nel primo millennio. Ricerche e testimonianze, Città del Vaticano 1991 (bes. die Beiträge von H. Fuhrmann und H. Zimmermann). **B. Tierney**, Foundations of the Conciliar Theory, Cambridge 1955; **ders.**, Origins of Papal Infallibility, 1150-1350. A Study on the Concepts of Infallibility, Sovereignity and Tradition in the Middle Ages, Leiden 1972; eine kurze Zusammenfassung Tierneys selbst findet sich in H. Küng (Hrsg.), Fehlbar?, S. 121-145. **W. Ullmann**, The Growth of Papal Government in the Middle Ages, London 1955; dt. Neuausgabe: Die Machtstellung des Papsttums im Mittelalter. Idee und Geschichte, Graz 1960; **ders.**, A Short History of the Papacy in the Middle Ages, London 1972; dt.: Kurze Geschichte des Papsstums im Mittelalter, Berlin 1978. **F. Kempf**, Die päpstliche Gewalt in der mittelalterlichen Welt. Eine Auseinandersetzung mit Walter Ullmann, in: Saggi storici intorno al Papato, Rom 1959, S. 117-169. **G. Barraclough**, The Medieval Papacy, London 1968. **H. Zimmermann**, Papstabsetzungen des Mittelalters, Graz 1968; **ders.**, Das Papsttum im Mittelalter. Eine Papstgeschichte im Spiegel der Historiographie, Stuttgart 1981. **F. Salvoni**, Da Pietro al Papato, Genua 1970. **G. Denzler** (Hrsg.), Das Papsttum in der Diskussion, Regensburg 1974. **G. Schwaiger** (Hrsg.), Konzil und Papst. Historische Beiträge zur Frage der höchsten Gewalt in der Kirche, München 1975; **ders.**, Päpstlicher Primat und Autorität der All-

gemeinen Konzilien im Spiegel der Geschichte, München 1977. **M. Pacaut**, La Papauté, des origines au concile de Trente, Paris 1976. **K. A. Fink**, Papsttum und Kirche im abendländischen Mittelalter, München 1981. **M. Greschat** (Hrsg.), Gestalten der Kirchengeschichte, Bd. XI-XII (Das Papsttum I-II), Stuttgart 1985. **K. Schatz**, Der päpstliche Primat. Seine Geschichte von den Ursprüngen bis zur Gegenwart, Würzburg 1990. Vgl. auch die Literatur zum Ost-West-Schisma, bes. **F. Dvornik**, Byzanz und die ungezählten systematisch-aktuellen Veröffentlichungen zum Papsttum.

40 Vgl. **Eusebios v. Caesarea**, Kirchengeschichte V, 24. Auch in dem vom Vatikanum I zitierten Zeugnis des Irenäus (Adv. Haer. III, 3,1-2) ist von keiner **rechtlichen** Verpflichtung der anderen Kirchen die Rede, mit der römischen Kirche übereinzustimmen. Die römische Kirche (vom römischen Bischof ist nicht die Rede) erscheint nicht als Trägerin eines Rechtsprimates, sondern als die wegen ihrer Doppelsukzession vornehmste (auch Irenäus bezieht sich auf Petrus und Paulus!) Hüterin der Tradition; indem man ihren Glauben feststellt, stellt man auch den aller übrigen Kirchen fest.

41 Vgl. **W. Ullmann**, Kurze Geschichte des Papsttums. Vgl. neben den Papstgeschichten schon die klarsichtige Darstellung von **F. Heiler**, Altkirchliche Autonomie, Teil II. Die wichtigsten römischen Dokumente sind nachzulesen bei **C. Mirbt – K. Aland** (Hrsg.), Quellen zur Geschichte des Papsttums und des römischen Katholizismus, Bd. I, Tübingen [6]1967.

42 **H. Chadwick**, The Early Church, Harmondsworth 1967; dt.: Die Kirche in der antiken Welt, Berlin 1972, S. 186.

43 Vgl. den die weitläufige Forschung zusammenfassenden Artikel von **Y. Congar**, Titel, welche für den Papst verwendet werden, in: Concilium 11 (1975), S. 538-544.

44 **F. Hofmann**, Der Kirchenbegriff des hl. Augustinus, S. 320f.

45 **J. Ratzinger**, Volk und Haus Gottes in Augustins Lehre von der Kirche, S. 180.

46 **Augustin**: »Wer aber wüßte nicht, daß die **kanonischen Schriften** des Alten wie des Neuen Testamentes ... vor allen nachfolgenden Schriften von Bischöfen einen derartigen Vorrang haben, daß man an ihnen nicht rütteln kann, ob ihr Inhalt wahr und echt ist; daß dagegen die **Schriften von Bischöfen**, die nach der Festlegung des Kanons geschrieben wurden, durch das weisere Wort irgendeines anderen, in dieser Sache Erfahreneren, durch die höhere Autorität anderer Bischöfe, durch eine gelehrtere Klugheit und durch Konzilien zurückgewiesen werden können, wenn in ihnen etwa in einem Punkt von der Wahrheit abgewichen ist; daß sogar **Konzilien**, die in einzelnen Gegenden oder Provinzen gehalten werden, der Autorität der Plenarkonzilien, die vom gesamten Erdkreis ausgehen, ohne alle Umschweife weichen (sine ullis ambagibus cedere); und daß selbst frühere Plenarkonzilien oft (saepe) von späteren verbessert werden (emendari), wenn durch irgendeine sachliche Erfahrung (cum aliquo experimento rerum) eröffnet wird, was verschlossen war, und erkannt wird, was verborgen war?« Augustinus, De bapt. contra Donatistas; zit. nach **F. Hofmann**, Die Bedeutung der Konzilien für die kirchliche Lehrentwicklung nach dem heiligen Augustinus, in: Kirche und Überlieferung, Freiburg 1960, S. 82. Zur »wahren (aber nicht unfehlbaren) Autorität der Konzilien« habe ich mich

aufgrund der ausgezeichneten Artikel von **H.-J. Sieben** (später als Buch: Die Konzilsidee der alten Kirche, Paderborn 1979) im selben Sinn geäußert in dem von mir herausgegebenen Band »Fehlbar?«, S. 414-422.

47 **Concilium Nicaenum I**, Can. VI-VII, in: **J. Alberigo** u. a. (Hrsg.), Conciliorum oecumenicorum decreta, Freiburg 1962, S. 8.

48 Vgl. **P. Stockmeier**, Leo I. der Große, in: M. Greschat (Hrsg.), Das Papsttum I, S. 56-69. Zur Primatsauffassung Leos vgl. **W. Ullmann**, Kurze Geschichte des Papsttums, S. 15-23. Vgl. weiter **G. Corti**, Il Papa vicario di Pietro. Contributo alla storia dell'idea papale, Bd. I, Brescia [2]1966. **P. McShane**, La Romanitas et le Pape Léon le Grand. L'apport culturel des institutions impériales à la formation des structures ecclésiastiques, Tournai 1979. **M. M. Wojtowytsch**, Papsttum und Konzile von den Anfängen bis zu Leo I. (440-461). Studien zur Entstehung der Überordnung des Papstes über Konzile, Stuttgart 1981.

49 Vgl. neben den Briefen Papst **Leos I.** verschiedene Predigten zum Jahrestag seiner Erhebung auf den Stuhl Petri, z. B. Sermo III, 1-4; IV, 2-4. Vgl. **W. Ullmann**, Gelasius I. (492-496). Das Papsttum an der Wende der Spätantike zum Mittelalter, Stuttgart 1981, bes. Kap. III: Die Petrinologie Leos des Großen.

50 Vgl. Mt 16,18; Lk 22,32; Jo 21,15-17.

51 Vgl. **A. Grillmeier – H. Bacht** (Hrsg.), Das Konzil von Chalkedon. Geschichte und Gegenwart, Bd. I-III, Würzburg 1951-54, [2]1959. Zur Sachproblematik vgl. **H. Küng**, Menschwerdung, bes. die Exkurse I-V.

52 Es ist leider bezeichnend für den Umgang der römischen Theologie mit der historischen Wahrheit, daß **H. Denzingers** Enchiridion symbolorum definitionum et declarationum (1854) auch noch in der 31. Auflage, hrsg. von **K. Rahner** (1960), zwar alles aus der frühen Kirchengeschichte zusammenkratzt, was für einen »Vorrang des römischen Stuhls« (vor allem natürlich aus dem Mund der römischen Bischöfe selbst) geäußert wurde, aber den so wichtigen Kanon 28 über Neu-Rom des Ökumenischen Konzils von Chalkedon glatt unterschlägt: der »Denzinger« – eine einzigartig tendenziöse Textsammlung! Das gilt leider auch für die von **P. Hünermann** 1991 neu hrsg. »verbesserte« und »erweiterte«, jetzt lateinisch-deutsche 37. Auflage des »Denzinger« (1706 Seiten Lehrdokumente!). Da sich trotz der anerkennenswerten ungeheuren Editions- und Übersetzungsarbeit die Tendenz des »Denzinger« nicht geändert hat, wurde denn auch der Kanon 28 von Chalkedon der Aufnahme nicht für würdig erachtet. Vgl. dagegen die vorbildliche Ausgabe »Conciliorum oecumenicorum decreta«, hrsg. v. **J. Alberigo** u. a., Freiburg 1962, wo sich auf S. 75f sowohl der griechische wie der lateinische Text des langen Kanons 28 findet (vgl. auch S. 71 Kanon 17).

53 Vgl. **W. Ullmann**, Gelasius I., bes. Kap. V-X. Daß es sich beim römischen Macht-Anspruch immer nur um einen römischen Anspruch handelte, der selbst in der Westkirche im ersten Jahrtausend nicht rezipiert wurde, zeigt eindrücklich auch **M. M. Wojtowytsch**, Papsttum und Konzile von den Anfängen bis zu Leo I.

54 Auf dem ersten Vatikanischen Konzil vor der Unfehlbarkeitsdefinition (1870) gaben diese Fälle begreiflicherweise Anlaß zu heftigen Diskussionen. Vgl. **C. Butler – H. Lang**, Das Vatikanische Konzil. Seine Geschichte von innen

geschildert in Bischof Ullathornes Briefen, München [3]1933, Kap. XIX: Die schwierige Debatte: Die Opportunität der Unfehlbarkeitserklärung. **H. Küng**, Unfehlbar?, Kap. II,3: Kritische Rückfragen; **ders.**, Fehlbar? Meine kritischen Rückfragen werden vollauf bestätigt durch **G. Kreuzer**, Die Honoriusfrage im Mittelalter und in der Neuzeit, Stuttgart 1975.

55 **Y. Congar**, L'Ecclésiologie du Haut Moyen Age. De Saint Grégoire le Grand à la désunion entre Byzance et Rome, Paris 1968, S. 159f.

56 Vgl. **J. Langen**, Das Vatikanische Dogma von dem Universal-Episcopat und der Unfehlbarkeit des Papstes in seinem Verhältnis zum Neuen Testament und der exegetischen Überlieferung, Bd. I-IV, Bonn 1871-1876.

57 Vgl. **E. Caspar**, Geschichte des Papsttums von den Anfängen bis zur Höhe der Weltherrschaft, Bd. I, Tübingen 1930, S. 115-130.

58 Text neu herausgegeben von **H. Fuhrmann**: Das Constitutum Constantini (Konstantinische Schenkung), Hannover 1968. Vgl. **ders.**, Art. Constitutum Constantini, in: TRE, Bd. VIII, S. 196-202.

59 Vgl. **L. Valla**, De falso credita et ementita Constantini donatione, dt. Übersetzung aus der Reformationszeit, hrsg. v. W. Setz, Basel 1981. Dazu vgl. **W. Setz**, Lorenzo Vallas Schrift gegen die Konstantinische Schenkung. Zur Interpretation und Wirkungsgeschichte, Tübingen 1975. Ferner **D. Maffei**, La donazione di Costantino nei giuristi medievali, Mailand 1964.

60 Vgl. **E. Caspar**, Geschichte des Papsttums, Bd. II, Tübingen 1933, S. 107-110: »Die prägnante Fassung des Fälschers hat siegreich durchgeschlagen: ›Prima sedes a nemine iudicatur‹ ist in der Folgezeit die Formel für den päpstlichen Jurisdiktionsprimat geworden« (S. 110).

61 **H. Zimmermann**, Papstabsetzungen des Mittelalters, S. 5f. Vgl. **H. Küng**, Strukturen, Kap. VII, 3: Der Konfliktsfall zwischen Papst und Kirche.

62 **H. Zimmermann**, Papstabsetzungen des Mittelalters, S. 6.

63 Lk 22,25f.

64 Vgl. **H. Küng** – nach der Grundlegung in »Die Kirche«, Kap E II,3 – Unfehlbar?; **ders.** (Hrsg.), Fehlbar? (vor allem Kap. E).

65 Vgl. **Arbeitsgemeinschaft ökumenischer Universitätsinstitute** (Hrsg.), Papsttum als ökumenische Frage, München 1979.

66 Vgl. **J. Martin**, Spätantike und Völkerwanderung, München 1987.

67 Ich halte mich für den folgenden Überblick über diesen Kulturzerfall an die ausgezeichnete Gesamtdarstellung von **A. Angenendt**, Das Frühmittelalter. Die abendländische Christenheit von 400 bis 900, Stuttgart 1990, Teil I, 3, Kap. 1: Die Dekomposition der Alten Welt.

68 Vgl. **R. Schneider**, Das Frankenreich, München 1982. **G. Dagron – P. Riché – A. Vauchez**, Évêques, moines, et empereurs (642-1054), Paris 1993; dt.: Bischöfe, Mönche und Kaiser (642-1054), Freiburg 1994, Teil III (von P. Riché).

69 **J. A. Jungmann**, Die Abwehr des germanischen Arianismus und der Umbruch der religiösen Kultur im frühen Mittelalter, in seinem Sammelband: Liturgisches Erbe und pastorale Gegenwart, Innsbruck 1960, S. 3-86, Zit. S. 3.

70 Neben Angenendts Studie siehe auch **J. A. Jungmann**, Missarum Sollemnia. Eine genetische Erklärung der römischen Messe, Bd. I-II, Wien [2]1949.

71 1 Tim 2,5.

72 Vgl. oben Kap. C II,7: Symphonie von Reich und Kirche.

73 Zu **Gregor dem Großen** vgl. zur älteren Literatur neben den entsprechenden Würdigungen in den klassischen Dogmengeschichten **B. Altaner – A. Stuiber**, Patrologie, Freiburg 7 1966. Dann neben den entsprechenden Abschnitten in den Papstgeschichten (bes. W. Ullmann) und den Geschichten des Mittelalters (bes. A. Angenendt) folgende Monographien: **O. M. Porcel,** La doctrina monastica de San Gregorio Magno y la »Regula Monachorum«, Madrid 1950. **J. P. McClain**, The Doctrine of Heaven in the Writings of Saint Gregory the Great, Washington D.C. 1956. **R. Rudmann**, Mönchtum und kirchlicher Dienst in den Schriften Gregors des Großen, St. Ottilien 1956. **C. Chazottes**, Grégoire le Grand, Paris 1958. **G. Dufner**, Die »Moralia« Gregors des Großen in ihren italienischen Volgarizzamenti, Padua 1958; **ders.**, Die Dialoge Gregors des Großen im Wandel der Zeiten und Sprachen, Padua 1968. **V. Recchia**, Gregorio Magno e la società agricola, Rom 1978. **C. Dagens**, Saint Grégoire le Grand. Culture et expérience chrétiennes, Paris 1977. **D. Hofmann**, Die geistige Auslegung der Schrift bei Gregor dem Großen, Münsterschwarzach 1968. **J. Richards**, Consul of God. The Life and Times of Gregory the Great, London 1980; dt.: Gregor der Große. Sein Leben – seine Zeit, Graz 1983. **R. A. Markus**, From Augustine to Gregory the Great. History and Christianity in Late Antiquity, London 1983. **C. Straw**, Gregory the Great. Perfection in Imperfection, Berkeley 1988. **J. Modesto**, Gregor der Große. Nachfolger Petri und Universalprimat, St. Ottilien 1989. Eine neue Bibliographie bietet **R. Godding**, Bibliografia di Gregorio Magno (1890/1989), Rom 1990.

74 Vgl. **H. Fries – G. Kretschmar**, Klassiker der Theologie, Bd. I (Von Irenäus bis Martin Luther), München 1981.

75 Vgl. **M. Greschat** (Hrsg.), Gestalten der Kirchengeschichte, Bd. XI-XII.

76 Vgl. **K. Fassmann** (Hrsg.), Die Großen der Weltgeschichte, Bd. II, Zürich 1972, S. 792-801, hier die ausgewogene Würdigung von **H.-D. Altendorf**.

77 **A. v. Harnack**, Dogmengeschichte (Kurzfassung), Tübingen 7 1991, S. 333.

78 **Ders.**, Dogmengeschichte (Kurzfassung), S. 333.

79 **U. Wickert**, Art. Gregor I., in: Religion in Geschichte und Gegenwart, Bd. II, Tübingen 1958, Sp. 1837.

80 **R. A. Markus**, Art. Gregor I., in: TRE, Bd. XIV, S. 135-145, Zit. S. 137.

81 **A. v. Harnack**, Dogmengeschichte (Kurzfassung), S. 332f.

82 Vgl. **H. Hucke**, Art. Gregor I., in: Das Große Lexikon der Musik, hrsg. von M. Honegger – G. Massenkeil, Bd. III, Freiburg 1980, S. 355f.

83 **Gregor d. Gr.**, Regula pastoralis II, VI, 22.

84 **Ders.**, Epistola XI, 64 (Ad Augustinum Anglorum episcopum).

85 Vgl. **ders.**, Epistola I, 47 (Ad Virgilium Arelatensem, et Theodorum Massiliensem episcopum).

86 **H. Denzinger** (Hrsg.), Enchiridion Nr. 1828.

87 **Gregor d. Gr.**, Epistola VIII, 30 (Ad Eulogium episcopum Alexandrinum).

88 **M. Luther**, Supputatio annorum mundi (1541. 1545), in: Werke, Bd. 53, Weimar 1920, S. 142: »Gregorius magnus ultimus Episcopus Romanae Ecclesiae, sequentes sunt Papae, id est Pontifices Romanae Curiae.«

89 **W. Ullmann**, Kurze Geschichte des Papsttums, S. 53.

90 Vgl. **H. Stieglecker**, Die Glaubenslehren des Islam, Paderborn 1956-62.

91 Vgl. **H. Pirenne**, Mahomet et Charlemagne, Paris 1937; dt.: Mahomet und Karl der Große. Untergang der Antike am Mittelmeer und Aufstieg des germanischen Mittelalters, Frankfurt 1963.

92 Vgl. **D. B. Macdonald**, Art. Djihad, in: A. J. Wensinck – J. H. Kramers (Hrsg.), Handwörterbuch des Islam, Leiden 1976, S. 112. **W. Ende**, Art. Heiliger Krieg, in: K. Kreiser – R. Wielandt (Hrsg.), Lexikon der Islamischen Welt, Stuttgart 1992, S. 122. Weitere Literatur im Zusammenhang mit den Kreuzzügen.

93 Vgl. **H. Küng**, Judentum, Kap. 1-B I: Die zentralen Strukturelemente.

94 Zum Vergleich Kreuzzüge – Dschihad siehe **A. Noth**, Heiliger Krieg und Heiliger Kampf in Islam und Christentum. Beiträge zur Geschichte und Vorgeschichte der Kreuzzüge, Bonn 1966. **K. Armstrong**, Holy War, London 1988. **P. Willemart**, Pour Jérusalem. Croisade et djihâd, 1099-1187, Paris 1988. **E. Weber – G. Reynaud**, Croisade d'hier, djihâd d'aujourd'hui. Théorie et pratique de la violence dans les rapports entre l'Occident chrétien et l'Orient musulman, Paris 1989. Der Problematik von Heiligem Krieg, Religion und Gewalt möchte ich im Zusammenhang von Bd. III meiner Trilogie (über den Islam) näher nachgehen.

95 Zur weiteren geschichtlichen Entwicklung vgl. **H. Zimmermann**, Das Mittelalter, Teil I: Von den Anfängen bis zum Ende des Investiturstreits, Braunschweig 1975.

96 Vgl. **A. de Vogüé**, Art. Benedikt von Nursia, in: TRE, Bd. V, S. 538-549. **K. S. Frank**, Benedikt von Nursia, in: M. Greschat (Hrsg.), Gestalten der Kirchengeschichte, Bd. III, Stuttgart 1983, S. 35-46. **B. Jaspert**, Die Regula Benedicti - Regula Magistri - Kontroverse, Hildesheim 1975.

97 Es gibt viele Biographien von **Karl dem Großen**, aber eine neuere, allgemein anerkannte und den wissenschaftlichen Ansprüchen genügende gibt es nicht. Zum kirchlich-theologischen Aspekt seines Wirkens vgl. **É. Amann**, L'époque carolingienne, Paris 1947. **E. Ewig** mit seinen Beiträgen, in: H. Jedin (Hrsg.), Handbuch der Kirchengeschichte, Bd. III,1, Freiburg 1966, Kap. 1-4. 10-23. **P. Classen**, Karl der Große, das Papsttum und Byzanz. Die Begründung des karolingischen Kaisertums, Sigmaringen 1988. **A. Angenendt**, Das Frühmittelalter. Die abendländische Christenheit von 400 bis 900, Stuttgart 1990. Neue Literatur auch bei **R. Schneider**, Art. Karl der Große, in: TRE, Bd. XVII, S. 644-649.

98 Vgl. die präzise Analyse der ersten päpstlichen Kaiserkrönung bei **W. Ullmann**, Kurze Geschichte des Papsttums, S. 71-82.

99 Vgl. **J. A. Jungmann**, Missarum Sollemnia, wo in Teil 1-2 die Messe im Wandel der Jahrhunderte und im Kontext der kirchlichen Gemeinde, in den Teilen 3-4 die Messe in ihrem rituellen Verlauf mit ihren einzelnen Elementen behandelt wird.

100 **H. Hucke**, Art. Gregorianischer Gesang, in: Das große Lexikon der Musik, S. 356-363, Zit. S. 357.

101 **Ders.**, Art. Gregorianischer Gesang, S. 358.

102 **Ders.**, Art. Gregorianischer Gesang, S. 362. Hier die Hinweise auf die eigenen

Arbeiten Huckes und die der anderen Gregorianik-Forscher. **Helmut Hucke** und seinen Arbeiten aus den Jahren 1954/55 verdanke ich es, daß ich schon in unseren gemeinsamen römischen Studienjahren mit der sensationellen Neuorientierung dieses musikalischen Forschungszweiges vertraut gemacht wurde.

103 **J. A. Jungmann**, Die Abwehr des germanischen Arianismus, S. 21f.

104 Nach den grundlegenden Forschungen von **P. Anciaux**, **P. Galtier** und vor allem (aufgrund vieler Vorarbeiten) **B. Poschmann**, Buße und Letzte Ölung, Freiburg 1951, siehe jetzt **H. Vorgrimler**, Buße und Krankensalbung, Freiburg [2]1978. **K.-J. Klär**, Das kirchliche Bußinstitut von den Anfängen bis zum Konzil von Trient, Frankfurt 1991 (mit besonderem Akzent auf der nicht-amtlichen Vergebung von Christen untereinander).

105 Sammlungen der Bußbücher von **H. Wasserschleben** und **H. J. Schmitz**. Vgl. **C. Vogel**, Les »Libri paenitentiales«, Turnhout 1978. Vom selben Verfasser: Le pécheur et la pénitence au moyen âge, Paris 1969.

106 **H. Vorgrimler**, Buße und Krankensalbung, S. 97.

107 **J. G. Ziegler**, Die Ehelehre der Pönitentialsummen von 1200-1350. Eine Untersuchung zur Geschichte der Moral- und Pastoraltheologie, Regensburg 1956, S. 169.

108 Vgl. für das folgende die Zusammenfassung der historischen Forschung bei **A. Angenendt**, Das Frühmittelalter, S. 345f. Zu den Einschränkungen des Ehevollzugs und der Dämonisierung des Geschlechtlichen viel Material bei **J. G. Ziegler**, Ehelehre, Teil IV.

109 Zur Kritik dieser Auffassungen von katholischer Seite: **S. H. Pfürtner**, Kirche und Sexualität, Hamburg 1972; **ders.**, Sexualfeindschaft und Macht. Eine Streitschrift für verantwortete Freiheit in der Kirche, Mainz 1992. **G. Denzler**, Die verbotene Lust. 2000 Jahre christliche Sexualmoral, München 1988.

110 Vgl. **P. Hinschius** (Hrsg.), Decretales Pseudo-Isidorianae et Capitula Angilramni, Leipzig 1863.

111 Vgl. Pseudoclementinen I, Homilien, hrsg. v. B. Rehm, in: Die griechischen christlichen Schriftsteller der ersten Jahrhunderte 42 (1953), S. 5-22.

112 Vgl. **H. Fuhrmann**, Einfluß und Verbreitung der pseudoisidorischen Fälschungen. Von ihrem Auftauchen bis in die neuere Zeit, Bd. I-III, Stuttgart 1972-74; **ders.**, Art. Constitutum Constantini, in: TRE, Bd. VIII, S. 196-202. Und scharfsinniger in der Analyse als viele Historiker der Theologe **Y. Congar**, L'ecclésiologie du haut moyen-âge. De Saint Grégoire le Grand à la désunion entre Byzance et Rome, Paris 1968, S. 226-232.

113 Vgl. **H. Fuhrmann**, Einladung ins Mittelalter, München [3]1988.

114 **Ders.**, Einladung, S. 200.

115 **Ders.**, Einladung, S. 202.

116 **Ders.**, Einladung, S. 205.

117 Der Internationale Kongreß der Monumenta Germaniae Historica München 1986, »Fälschungen im Mittelalter« (so auch der Titel der Kongreßakten, Hannover 1988) erbrachte fünf rund 750 seitige Bände mit über 150 Beiträgen, dazu 1990 ein Registerband.

118 In Erinnerung an erfreuliche und für mich hilfreiche Diskussionen in den 60er Jahren wird mein damaliger Tübinger Kollege **Horst Fuhrmann** vielleicht Ver-

ständnis aufbringen für die theologische Dringlichkeit meiner historischen wie theologischen Rückfragen.

119 **H. Fuhrmann**, Einladung, S. 210.

120 **Ders.**, Einladung, S. 214.

121 **Ders.**, Einladung, S. 221.

122 **Ders.**, Einladung, S. 219.

123 Auf die Bedeutung der »Echtheitskritik der Neuzeit«, welche »vor allem die kirchenpolitischen Machtansprüche sei es der Kirche von Byzanz oder von Rom sowie bestimmter Orden erschüttert«, macht am Ende seines Buches aufmerksam **W. Speyer**, Die literarische Fälschung im heidnischen und christlichen Altertum. Ein Versuch ihrer Deutung, München 1971, Zit. S. 312.

124 **F. X. Seppelt**, Geschichte der Päpste, Bd. II, München [2]1955, S. 238.

125 Vgl. **H. Fuhrmann**, Einladung, S. 220: »Jedes geschlossene System, jede totalitäre Gesellschaft prüft vor allem die inhaltlichen Differenzen zur amtlichen Lehrmeinung, die formale und materielle Richtigkeit ist letztlich sekundär.«

126 **Ders.**, Einladung, S. 196.

127 Vgl. **H. Küng**, Strukturen, Kap. VII,6: Fragen des menschlichen Rechtes.

128 **Y. Congar**, L'ecclésiologie du haut moyen-âge, S. 230.

129 **W. Ullmann**, Kurze Geschichte des Papsttums, S. 100f.

130 **»Saeculum obscurum«**: Nur zwei Belege für jene nicht weniger als 20 Päpste zwischen 896 und 963: Stephan VI. (896/897) hat seinen schon neun Monate im Grab ruhenden Vorgänger Formosus ausgraben und, in päpstliche Gewänder gehüllt, auf einen Thron setzen, ein Totengericht über ihn halten, ihm die Segensfinger der rechten Hand abhauen und ihn schließlich in den Tiber werfen lassen, bevor er selber von einer wütend in den Lateran eindringenden Volksmenge in den Kerker geworfen und von gedungenen Mördern erdrosselt wurde. Oder dann die Schreckensherrschaft der »Senatrix« Marozia, welche, so wird überliefert, die Geliebte eines Papstes (Sergius III.), Mörderin eines zweiten (Johannes X.) und die Mutter eines dritten (ihres unehelichen Sohnes Johannes XI.) war, den sie in der Engelsburg gefangen hielt, bis sie bei ihrer dritten Vermählung von ihrem ehelichen Sohn Alberich gefangengesetzt wurde, der von 933 bis 954 als »Dux et senator Romanorum« Rom beherrschte und dessen willenlose Werkzeuge die Päpste dieser Zeit waren.

131 Vgl. **H. Zimmermann**, Papstabsetzungen des Mittelalters, Kap. V, Anhang I+II.

132 Zur **Cluniazenser Reform** vgl. **E. Sackur**, Die Cluniacenser in ihrer kirchlichen und allgemeingeschichtlichen Wirksamkeit bis zur Mitte des 11. Jahrhunderts, Bd. I-II, Halle 1892/94, Darmstadt [2]1971. **G. de Valous**, Le monachisme clunisien des origines au XVe siècle. Vie intérieure des monastères et organisation de l'ordre, Bd. I-II, Paris 1935, [2]1970. **A. Chagny**, Cluny et son Empire, Lyon [4]1949. **K. Hallinger**, Gorze-Kluny. Studien zu den monastischen Lebensformen und Gegensätzen im Hochmittelalter, Bd. I-II, Rom 1950-51. **E. Werner**, Die gesellschaftlichen Grundlagen der Klosterreform im 11. Jahrhundert, Berlin 1953. **A. Brackmann**, Zur politischen Bedeutung der kluniazensischen Bewegung, Darmstadt 1955. **G. Tellenbach** (Hrsg.), Neue Forschungen über Cluny und die Cluniacenser, Freiburg 1959 (Beiträge von J. Wollasch, H.-

E. Mager, H. Diener). **B. Bligny**, L'Église et les ordres religieux dans le royaume de Bourgogne aux XIe et XIIe siècles, Paris 1960. **H. E. J. Cowdrey**, The Cluniacs and the Gregorian Reform, Oxford 1970. **N. Hunt** (Hrsg.), Cluniac Monasticism in the Central Middle Ages, London 1971. **N. Bulst**, Untersuchungen zu den Klosterreformen Wilhelms von Dijon (962-1031), Bonn 1973. **J. Wollasch**, Mönchtum des Mittelalters zwischen Kirche und Welt, München 1973. **H. Richter** (Hrsg.), Cluny. Beiträge zu Gestalt und Wirkung der cluniazensischen Reform, Darmstadt 1975. **R. G. Heath**, Crux imperatorum philosophia: Imperial Horizons of the Cluniac Confraternitas, 964-1109, Pittsburgh 1976. **M. Pacaut**, L'ordre de Cluny (909-1789), Paris 1986. **J. Köhler**, Politik und Spiritualität. Das Kloster Hirsau im Zentrum mittelalterlicher Reformbewegungen, München 1991.

133 Die Frage, ob die Cluniazenser gewisse Prinzipien und Methoden der Gregorianer vorausnahmen (so K. Hallinger, A. Brackmann) oder nicht (E. Sackur, G. Tellenbach), scheint mir der Oxforder Historiker **H. E. J. Cowdrey**, The Cluniacs and the Gregorian Reform, weithin geklärt zu haben, nicht zuletzt durch die zumeist vernachlässigte höchst eloquente und charakteristische Anerkennung Clunys durch Gregor VII. auf der Fastensynode 1080. In einer ersten Phase hatte das Papsttum Cluny die außerordentlich großen Freiheiten (besonders gegenüber den Bischöfen von Mâcon und den Bischöfen im allgemeinen) verschafft. Umgekehrt bildete Clunys Freiheit in der zweiten Phase das entscheidende Vorbild für die zu erkämpfende Freiheit der Kirche. Auch wenn es ein breites Spektrum verschiedener Einstellungen der Cluniazenser gab, so hat Cowdrey gegen die Tellenbach-Schule (bes. H.-E. Mager) herausgearbeitet: »In all aspects of their work, whether as concentrated upon Cluny itself or as diffused amongst those who in any significant way drew their inspiration from it, it was the general rule that the Cluniacs collaborated wholeheartedly and intimately with successive popes. In so doing, they were true to the purposes which the Cluny of Abbot Hugh set itself. Thus the reforming popes were understandably at one in their praise of Cluniac monasticism, and of its services to the Apostolic See and to the apostles to whom Cluny and the Papacy had a common dedication« (S. 267).

134 Nach Offb 2,6.

135 Nach Apg 8,18-24.

136 Benedikt IX. (als achtzehnjähriger Jüngling gewählt, moralisch verkommen): wurde in Rom abgesetzt. Silvester III. (Gegenpapst, der aber gegen eine Entschädigung von 1 000 Pfund Silber zugunsten seines Patensohnes Johannes Gratian verzichtete): in Sutri abgesetzt. Gregor VI. (Johannes Gratian, der dritte Papst innerhalb eines Jahres): mußte in Sutri über sich selbst die Absetzung verhängen und wurde verbannt.

137 Vgl. **K.-H. Kandler**, Humbert a Silva Candida, in: H. Fries – G. Kretschmar (Hrsg.), Klassiker der Theologie, Bd. I, München 1981, S. 150-164. Zu **Humbert** vgl. ferner **G. Tellenbach**, Libertas. Kirche und Weltordnung im Zeitalter des Investiturstreites, Stuttgart 1936. **A. Michel**, Die Sentenzen des Kardinals Humbert, das erste Rechtsbuch der päpstlichen Reform, Leipzig 1943; **ders.**, Die folgenschweren Ideen des Kardinals Humbert und ihr Einfluß auf

Gregor VII., in: Studi Gregoriani per la storia di Gregorio VII e della riforma Gregoriana, hrsg. v. G. B. Borino, Bd. I, Rom 1947, S. 65-92. **K.-H. Kandler**, Die Abendmahlslehre des Kardinals Humbert und ihre Bedeutung für das gegenwärtige Abendmahlsgespräch, Berlin 1971.

138 Zu **Hildebrand / Gregor VII.** (Gregorianische Reform) vgl. neben den einschlägigen Abschnitten in den Papstgeschichten **L. F. J. Meulenberg**, Der Primat der römischen Kirche im Denken und Handeln Gregors VII., Den Haag 1965. **F. Kempf**, Die Kirche im Zeitalter der gregorianischen Reform, in: H. Jedin (Hrsg.), Handbuch der Kirchengeschichte, Bd. III,1, Freiburg 1966, S. 401-461. 485-539. **G. Miccoli**, Chiesa Gregoriana, Florenz 1966. **C. Schneider**, Prophetisches Sacerdotium und heilsgeschichtliches Regnum im Dialog 1073-1077. Zur Geschichte Gregors VII. und Heinrichs IV., München 1972. **P. E. Hübinger**, Die letzten Worte Papst Gregors VII., Opladen 1973. **A. Nitschke**, Art. Gregor VII., in: Die Großen der Weltgeschichte, hrsg. v. K. Fassmann, Bd. III, Zürich 1973, S. 268-281; vgl. auch Nitschkes Aufsätze in den Studi Gregoriani, Bd. V u. IX. **R. Morghen**, Gregorio VII e la riforma della Chiesa nel secolo XI, Palermo 1974. **H. Zimmermann**, Der Canossagang von 1077. Wirkung und Wirklichkeit, Wiesbaden 1975. **J. Vogel**, Gregor VII. und Heinrich IV. nach Canossa. Zeugnisse ihres Selbstverständnisses, Berlin 1983. **G. M. Cantarella** (Hrsg.), Il Papa ed il Sovrano. Gregorio VII ed Enrico IV nella lotta per le investiture, Novara 1985. **P. G. Caron u. a.**, La preparazione della riforma Gregoriana e del pontificato di Gregorio VII, Fonte Avellana 1985. Aufschlußreich ist, wie **G. Tellenbach**, Die westliche Kirche vom 10. bis zum frühen 12. Jahrhundert, Göttingen 1988, die Voraussetzungen und Folgen der »kirchengeschichtlichen Wende« herausarbeitet. Zahlreiche Einzelaspekte der Geschichte Gregors VII. und der Gregorianischen Reform werden behandelt in der von G. B. Borino herausgegebenen Reihe von Sammelbänden: Studi Gregoriani per la storia di Gregorio VII e della riforma Gregoriana, Rom 1947ff.

139 **H. Fuhrmann**, Einladung, S. 87.

140 **Y. Congar**, Der Platz des Papsttums in der Kirchenfrömmigkeit der Reformer des 11. Jahrhunderts, in: J. Daniélou – H. Vorgrimler (Hrsg.), Sentire Ecclesiam. Das Bewußtsein von der Kirche als gestaltende Kraft der Frömmigkeit, Freiburg 1961, S. 196-217, Zit. S. 196. Ich verdanke es dem bedeutendsten Ökumeniker Frankreichs **Yves Congar**, mit dem ich während des Zweiten Vatikanums und dann in der Internationalen Zeitschrift für Theologie Concilium durch Jahrzehnte zusammenarbeiten durfte, daß er mich schon ganz früh ganz persönlich auf die Bedeutung des Umbruchs im 11. Jahrhundert aufmerksam gemacht hat. Vgl. dazu sein magistrales Werk: L'Église de saint Augustin à l'epoque moderne, Paris 1970, bes. Kap. V über »La réforme du XIe siècle (saint Grégoire VII), tournant écclesiologique«.

141 **W. Ullmann**, Kurze Geschichte des Papsttums, S. 131.

142 **Y. Congar**, Der Platz des Papsttums, S. 215.

143 Eine kritische Ausgabe der lateinischen Urfassung bietet **E. Caspar** (Hrsg.), Das Register Gregors VII., Bd. II, Fasz. 1-2, Berlin ^{2}1955, S. 201-208. Kommentar bei **K. Hofmann**, Der »Dictatus Papae« Gregors VII. Eine rechts-

geschichtliche Erklärung, Paderborn 1933.

144 Vgl. **K. Hofmann**, Der »Dictatus Papae«, S. 14-24. **Y. Congar**, Der Platz des Papsttums, S. 204. **A. Fliche**, La réforme grégorienne et la reconquête chrétienne (1057-1123), Paris 1950, S. 79

145 Vgl. **G. B. Borino**, Un'ipotesi sul »Dictatus Papae« di Gregorio VII, in: Archivio della R. Deputazione Romana di storia patria, 67 (1944), S. 237-252. Dieser Argumentation schließt sich an **K. Hofmann**, Der »Dictatus Papae« Gregors VII. als Index einer Kanonessammlung?, in G. B. Borino (Hrsg.), Studi Gregoriani, Bd. I., Rom 1947, S. 531-537 (ebenso S. Kuttner, P. Feine, P. E. Schramm, W. Ullmann u. a.).

146 Vgl. **H. Fuhrmann**, Papst Gregor VII. und das Kirchenrecht. Zum Problem des Dictatus Papae, in: Studi Gregoriani, Bd. XIII, Rom 1989, S. 123-150.

147 Gregors These von einer persönlichen **Heiligkeit des Papstes** aufgrund der Verdienste Petri konnte sich freilich nicht durchsetzen; vermutlich hätte man sie allzu leicht gegen die Legitimität eines Papstes wenden können. Stattdessen hielt man selbst in Rom an der alten Lehre fest, daß auch ein Papst häretisch werden und dann auch von der Kirche gerichtet werden könne. Selbst Gregor hatte ja nur von der irrtumsfreien römischen Kirche und nicht von einem irrtumsfreien römischen Papst gesprochen.

148 Dies gilt auch für die bereits zitierte neue lateinisch-deutsche Ausgabe des Denzinger von **P. Hünermann** ([37]1991), die für die epochale Figur Gregors VII. nur 17 Zeilen (Glaubensbekenntnis, dem Berengar von Tours abgefordert) zitiert, dafür Johannes Paul II. bis 1988 bereits rund 80 Seiten einräumt!

149 Beim vorliegenden Text handelt es sich um eine eigene Übersetzung.

150 Dies wird sehr schön dargestellt in Gregors Porträt von **A. Nitschke**, Art. Gregor VII.

151 Zum **Investiturstreit** vgl. die deutsch-lateinische Quellensammlung von **F.-J. Schmale – I. Schmale-Ott** (Hrsg.), Quellen zum Investiturstreit, Bd. I-II, Darmstadt 1978/84. Ferner **W. von den Steinen**, Canossa, Heinrich IV. und die Kirche, München 1957. **N. F. Cantor**, Church, Kingship, and Lay Investiture in England 1089-1135, Princeton/N.J. 1958. **H.-G. Krause**, Das Papstwahldekret von 1059 und seine Rolle im Investiturstreit, Rom 1960 (Studi Gregoriani VII). **H. Kämpf** (Hrsg.), Canossa als Wende. Ausgewählte Aufsätze zur neueren Forschung, Darmstadt 1963. **O. Capitani**, Immunità vescovili ed ecclesiologia in età »pregregoriana« e »gregoriana«. L'avvio alla restaurazione, Spoleto 1966. **J. Deér** (Hrsg.), Das Papsttum und die süditalienischen Normannenstaaten 1053-1212, Göttingen 1969. **J. Ziese**, Historische Beweisführung in Streitschriften des Investiturstreites, München 1972. **J. Fleckenstein** (Hrsg.), Investiturstreit und Reichsverfassung, Sigmaringen 1973. **E. Werner**, Zwischen Canossa und Worms. Staat und Kirche 1077-1122, Berlin 1973. **H. Fuhrmann**, Deutsche Geschichte im hohen Mittelalter von der Mitte des 11. bis zum Ende des 12. Jahrhunderts, Göttingen 1978, [2]1983. **M. Minninger**, Von Clermont zum Wormser Konkordat. Die Auseinandersetzungen um den Lehnsnexus zwischen König und Episkopat, Köln 1978. **K. F. Morrison** (Hrsg.), The Investiture Controversy. Issues, Ideals, and Results, New York 1978. **I. S. Robinson**, Authority and Resistance in the Investi-

ture Contest. The Polemical Literature of the Late Eleventh Century, Manchester 1978; **ders.**, The Papacy 1073-1198. Continuity and Innovation, Cambridge 1990. **R. Schieffer**, Die Entstehung des päpstlichen Investiturverbots für den deutschen König, Stuttgart 1981. **U.-R. Blumenthal**, Der Investiturstreit, Stuttgart 1982. **J. Vogel**, Gregor VII. und Heinrich IV. nach Canossa. Zeugnisse ihres Selbstverständnisses, Berlin 1983. **J. Laudage**, Priesterbild und Reformpapsttum im 11. Jh., Köln 1984; **ders.**, Der Investiturstreit. Quellen und Materialien, Köln 1989; **ders.**, Gregorianische Reform und Investiturstreit, Darmstadt 1993. **K. Pennington**, Popes and Bishops. The Papal Monarchy in the Twelfth and Thirteenth Centuries, Philadelphia 1984. **B. Szabó-Bechstein**, Libertas ecclesiae. Ein Schlüsselbegriff des Investiturstreits und seine Vorgeschichte (4.-11. Jh.), Rom 1985. **W. Goez**, Art. Investiturstreit, in: TRE, Bd. XVI, S. 237-247. **M. Stroll**, Symbols as Power. The Papacy following the Investiture Contest, Leiden 1991. **J. Miethke – A. Bühler**, Kaiser und Papst im Konflikt. Zum Verhältnis von Staat und Kirche im späten Mittelalter, Düsseldorf 1988. **C. Morris**, The Papal Monarchy. The Western Church from 1050 to 1250, Oxford 1989. **R. Somerville**, Papacy, Councils and Canon Law in the 11th-12th Centuries, Aldershot 1990. **S. Beulertz**, Das Verbot der Laieninvestitur im »Investiturstreit« 1077-1123, Hannover 1991. Über den gegenwärtigen Stand der Forschung orientiert gut **W. Hartmann**, Der Investiturstreit, München 1993.

152 Diese epochale Auseinandersetzung zwischen Papst und König wurde in all den dramatischen Phasen historisch exakt rekonstruiert vom Tübinger Papsthistoriker **J. Haller**, Das Papsttum. Idee und Wirklichkeit, Bd. II, Urach 1951, Neuausgabe Darmstadt 1962, im brillanten Kapitel über Gregor VII., S. 365-430, Zit. S. 387. Wichtige Präzisierungen aufgrund minutiöser Untersuchung der Quellenberichte bei **H. Zimmermann**, Der Canossagang.

153 **H. Fuhrmann**, Einladung, S. 83.

154 **F. X. Seppelt**, Geschichte der Päpste, Bd. III, München 1956, S. 321.

155 Ich fühle mich bei dieser Analyse der **dominanten** Strukturen (es gibt selbstverständlich immer entgegenstehende Faktoren) bestätigt durch **Y. Congar**, Die Lehre von der Kirche. Von Augustinus bis zum abendländischen Schisma, Freiburg 1971, der über die »ekklesiologische Wende« im 11. Jh. schreibt: »Die lateinische Ekklesiologie ihrerseits folgte dem Weg, den wir aufzeigen werden: die Entfaltung der päpstlichen Autorität, Verrechtlichung, Klerikalisierung, Herausforderung der weltlichen Macht, was die Kirche dahin brachte, sich selbst als Macht zu verstehen« (S. 60f).

156 **M. Maccarrone**, I fondamenti »petrini« del primato romano in Gregorio VII, in: Studi Gregoriani, Bd. XIII, Rom 1989, S. 55-122, Zit. S. 122: »... beatum Petrum, apostolorum principem, esse omnium christianorum patrem et primum post Christum pastorem, sanctamque Romanam aecclesiam omnium aecclesiarum matrem et magistram«.

157 Zu **Innozenz III.** vgl. die Artikel in: LThK (**F. Kempf**). EncRel (**K. Pennington**). TRE (**G. Schwaiger**). Ferner **C. E. Smith**, Innocent III Church Defender, Baton Rouge 1951. **F. Kempf**, Papsttum und Kaisertum bei Innocenz III. Die geistigen und rechtlichen Grundlagen seiner Thronstreitpolitik, Rom

1954; **ders.**, Innocenz III., in: M. Greschat (Hrsg.), Das Papsttum I. Von den Anfängen bis zu den Päpsten in Avignon, Stuttgart 1985, S. 196-207. **H. Tillmann**, Papst Innocenz III., Bonn 1954. **H. Wolter**, Das Papsttum auf der Höhe seiner Macht (1198-1216), in: H. Jedin (Hrsg.), Handbuch der Kirchengeschichte, Bd. III/2, Freiburg 1968, Kap. 18-24. **H. Roscher**, Papst Innocenz III. und die Kreuzzüge, Göttingen 1969. **M. Maccarrone**, Studi su Innocenzo III, Padua 1972. **C. R. Cheney**, Pope Innocent III and England, Stuttgart 1976. **M. Laufs**, Politik und Recht bei Innozenz III. Kaiserprivilegien, Thronstreitregister und Egerer Goldbulle in der Reichs- und Rekuperationspolitik Papst Innozenz' III., Köln 1980. **W. Imkamp**, Das Kirchenbild Innozenz' III. (1198-1216), Stuttgart 1983.

158 **Y. Congar**, Titel, welche für den Papst verwendet werden, in: Concilium 11 (1975) S. 538-544; Zit. S. 541. Hier noch mehr zur Monopolisierung der Titel.

159 Zit. nach **F. Kempf**, Innozenz III., S. 197.

160 Überall meinte Innozenz als »Stellvertreter Christi«, des »Königs der Könige, Herrscher der Herrschenden, Priester auf ewig nach der Ordnung des Melchisedechs« hineinregieren und sich einmischen zu dürfen – und dies mit oft geradezu abenteuerlicher biblischer Begründung. Im göttlichen Thron der Apokalypse (4,6-11) etwa vermag er den Heiligen Stuhl zu sehen und in den vier Wesen um den Thron die vier Patriarchate, dazu bereit, wie Mägde der Herrin zu dienen. »Wie weit derartige exegetische Eskapaden die Zeitgenossen beeindruckt haben, läßt sich nicht mehr ermessen, sicherlich sind jedoch die Grundprinzipien, die Innozenz für den päpstlichen Jurisdiktionsprimat in aller Klarheit dargelegt und energisch in die Praxis umgesetzt hat, zu bleibender Geltung gelangt und erst durch das Zweite Vatikanische Konzil von ihrer Einseitigkeit befreit worden«, so **F. Kempf** SJ (Kirchenhistoriker an der Gregoriana), Innozenz III., S. 198.

161 **W. Imkamp**, Das Kirchenbild Innocenz' III. (1198-1216), Stuttgart 1983, S. 324.

162 **Ders.**, Das Kirchenbild, S. 324.

163 Zum 4. Laterankonzil siehe die Dekrete bei **J. Alberigo** u. a. (Hrsg.), Conciliorum oecumenicorum decreta, Freiburg 1962, S. 203-247. Zur Geschichte der Lateransynoden vgl. **R. Foreville**, Latran I, II, III et Latran IV, Paris 1965; dt.: Lateran I-IV, Mainz 1970. **H. Wolter**, Das Papsttum, Kap. 22.

164 Vgl. Constitutiones 67-70.

165 Vgl. **H. Küng**, Judentum, Kap. I-C IV,8: Christliche Judenverfolgungen und ihre »Gründe«. Aufschlußreich der Antijudaismus anläßlich der Papstwahl des aus einer jüdischen Familie stammenden Anaklet: vgl. **M. Stroll**, The Jewish Pope. Ideology and Politics in the Papal Schism 1130, Leiden 1987.

166 Das Decretum Gratiani bildet den ersten Teil des Corpus Iuris Canonici, Ausgabe v. **E. Friedberg** (1879), Bd. I, Nachdruck Graz 1955. Vgl. zu Gratian und zum klassischen kanonischen Recht **J. Gaudemet**, La formation du droit canonique médiéval, London 1980. **S. Kuttner**, Gratian and the Schools of Law, 1140-1234, London 1983 und die betreffenden Abschnitte in den kirchlichen Rechtsgeschichten von **H. E. Feine**, **W. M. Plöchl**.

167 Das ungeheure Ausmaß der Zentralisierung und Juridisierung beschreibt eindrücklich **W. Ullmann**, Kurze Geschichte des Papsttums, Kap. X: Zentralismus und Kurie.

168 Bis heute gibt es denn etwa an der Päpstlichen Universität Gregoriana neben der philosophischen und der theologischen Fakultät eine eigene kirchenrechtliche Fakultät (und an der Universität München ein eigenes kanonistisches Institut mit Promotionsrecht).

169 **Bernhard von Clairvaux**, De consideratione libri quinque ad Eugenium III., lib. IV, cap. 3.

170 Vgl. **Bernhard von Clairvaux**, De consideratione III., lib. IV, cap. 3.

171 Kurial gesinnte Bischöfe werden davon dispensiert, sich an die vom Zweiten Vatikanischen Konzil feierlich festgelegte Altersgrenze von 75 Jahren zu halten, während konziliar gesinnte Bischöfe mit 75 Jahren unbedingt gehen müssen.

172 Bernhards strenger, »ritterlicher«, zentralistischer Zisterzienserorden (der erste Orden im strengen Sinn mit 500 Konventen am Ende des zwölften Jahrhunderts) hatte das hocharistokratische Cluny, welches sich zu einem reichen, wohlorganisierten landbesitzenden Konzern mit bestem Agrarland überall in Europa entwickelt hatte, in der geistigen Führung abgelöst, war aber weniger auf direkte politische Aktionen aus als auf geistliche asketisch-mystische Vertiefung (Kreuzesmeditation). Nach dem völligen Mißlingen des Zweiten Kreuzzuges, zu dem Bernhard von Clairvaux persönlich aufgerufen hatte, und dessen Tod 1153 kam es in Europa zu einer Reaktion gegen die Herrschaft des Klerus.

173 Gegen Barbarossa, der die alte Position des deutschen Kaisers wiedergewinnen wollte, und gegen seine drei aufeinanderfolgenden Gegenpäpste konnte sich **Alexander III.**, auch wenn er lange Jahre nach Frankreich ausweichen mußte, doch nach Barbarossas Niederlage gegen die Lombarden (Verrat Heinrichs des Löwen!) als rechtmäßiger Papst durchsetzen. Den zweitmächtigsten Herrscher Europas, Heinrich II. von Anjou-Plantagenet, der über England und den größeren Teil von Frankreich gebot, zwang er, sich auf dem Grab von dessen Todfeind, Erzbischof Thomas Becket von Canterbury, der von normannischen Rittern ermordet worden war, der Geißelbuße zu unterziehen, um vom päpstlichen Bann wegen dieses »Mordes in der Kathedrale« losgesprochen zu werden. Nach langen Jahren der Verbannung gewann Alexander auch die Herrschaft über Rom wieder und feierte triumphierend die dritte ökumenische Lateransynode von 1179, wo er zur Vermeidung künftiger Schismen zuallererst die (bis heute geforderte) Zweidrittelmehrheit für Papstwahlen beschließen ließ. Die Heiligsprechungen, seit Ende des 10. Jhs. in der Befugnis der Päpste, behält er exklusiv dem Papst vor. In Alexanders Pontifikat fällt etwa ein Fünftel aller uns bekannten päpstlichen Dekretalen vor 1200. Seine fast viereinhalbtausend Dekretalen setzten Gratians Rechtstheorie in lebendiges, erzwingbares Recht um. Kein Wunder, daß auch dieser politische Papst in Rom nicht beliebt war, Rom wegen der papstfeindlichen Stimmung bald wieder verlassen mußte und in Civitas Castellana starb.

174 **F. Kempf**, Innocenz III., S. 198. Kempf, der zumindest Gregor VII. einen »monistischen Impetus« zuschreibt, gibt sich dann viel (wenig überzeugende)

apologetische Mühe, Innozenz' weltpolitische Ambitionen, die anders als die Gregors realpolitisch-diplomatisch waren, mit einer »weitgehenden Anerkennung des Autonomieanspruchs der weltlichen Herrscher« in einer »Spannungseinheit« zu verbinden (S. 200); auf derselben apologetischen Linie liegt die obengenannte Dissertation seines Schülers L. F. J. Meulenberg zu Gregor VII., in zugegebenem Widerspruch zu den führenden Forschern A. Fliche, E. Voosen, G. Tellenbach, J. Haller, R. Morghen und W. Ullmann. Kempfs verschiedentlich vorgetragene Interpretation wurde schon früh von **H. Barion** in der Zeitschrift für Rechtsgeschichte, Kanonist. Abt. 46 (1960), S. 481-501, der Kritik unterzogen. Vgl. **J. Hallers** großes Innozenz-Kapitel: Das Papsttum. Idee und Wirklichkeit, Bd. III, Urach 1952, Neuausgabe Darmstadt 1962, S. 296-480, und **H. E. Feine**, Kirchliche Rechtsgeschichte. Die katholische Kirche, Köln [4]1964, § 27-30. Im allerneuesten Forschungsbericht (1993) hält **W. Hartmann**, Investiturstreit, S. 96, gegen Kempf an Ullmanns Einschätzung fest, »daß Gregor VII. eine Vorherrschaft des Papsttums auch in weltlichen Dingen anstrebte und daß diese Vorstellung über Innozenz III. bis zu Bonifatius VIII. nachwirkte«.

175 **H. E. Feine**, Rechtsgeschichte, S. 300. Innozenz III. betrachtete prinzipiell alle weltlichen Herrscher als päpstliche Lehensträger, die er einsetzen und, wenn geboten, auch wieder absetzen konnte. Ein Mann von überragender Intelligenz, der um eine scholastisch-juristische Argumentation nie verlegen war, verstand es auch zu begründen und durch Dekretalen festzuschreiben, daß dem Papst zwar nicht direkt ein Mitspracherecht bei der Wahl des deutschen Königs zukomme, wohl aber die an die Erfüllung bestimmter Bedingungen geknüpfte Verleihung der Kaiserwürde, die eine »apostolische« Gnade sei. Im deutschen Thronstreit erreichte er durch geschickte Diplomatie von den verschiedenen Kombattanten ein Zugeständnis um das andere, um so »die Freiheit der Kirche« von aller politischer Gewalt nicht nur zu fordern, sondern auch – den Kompromiß des Wormser Konkordats weit überholend – zu gewährleisten.

176 Die beklagten Zerfallserscheinungen sind vielfach Gegenstand der meist von Klerikern stammenden mittelalterlichen Parodie. Vgl. **P. Lehmann**, Die Parodie im Mittelalter, Stuttgart [2]1963, bes. S. 25-93 (»Die kritisierende, streitende und triumphierende Parodie«). Unter den 24 ausgewählten parodistischen Texten im Anhang findet sich auch das berühmte Geldevangelium.

177 Jer 48,10. Dieser Prosa-Vers fällt formal wie inhaltlich aus dem Rahmen des Gedichts heraus und ist nach Meinung mancher Exegeten als Gefühlsausbruch eines Lesers zu verstehen, in dem der spätere Haß gegen Moab eine solch scharfe Form angenommen hat. Vgl. **A. Weiser**, Das Buch des Propheten Jeremia. Kap. 25,15-52,34, Göttingen 1955, S. 405f.

178 Zu den **Kreuzzügen** vgl. **C. Erdmann**, Die Entstehung des Kreuzzugsgedankens, Stuttgart 1935, Nachdruck 1955. **S. Runciman**, A History of the Crusades, Bd. I-III, Cambridge 1951-54; dt.: Geschichte der Kreuzzüge, Bd. I-III, München 1957-60. **J. Richard**, Le Royaume latin de Jérusalem, Paris 1953; **ders.**, Croisades et etats latins d'Orient. Points de vue et documents, Aldershot 1992. **K. M. Setton** u. a. (Hrsg.), A History of the Crusades, Bd. I-VI, Philadelphia 1955-89; **ders.**, The Papacy and the Levant (1204-1571), Bd. I-IV,

Philadelphia 1976-84. **A. Waas**, Geschichte der Kreuzzüge, Bd I-II, Freiburg 1956. **F. Gabrieli** (Hrsg.), Storici arabi delle crociate (1957); dt.: Die Kreuzzüge aus arabischer Sicht, Zürich 1973. **H. E. Mayer**, Geschichte der Kreuzzüge, Stuttgart 1965, [7]1989; **ders.**, Kreuzzüge und lateinischer Osten, London 1983. **E. Sivan**, L'Islam et la Croisade. Idéologie et propagande dans les réactions musulmanes aux Croisades, Paris 1968. **J. Prawer**, Histoire du royaume latin de Jérusalem (Original hebr.), Bd. I-II, Paris 1969f. **M. Purcell**, Papal Crusading Policy. The Chief Instruments of Papal Crusading Policy and Crusade to the Holy Land from the final loss of Jerusalem to the fall of Acre 1244-1291, Leiden 1975. **T. P. Murphy** (Hrsg.), The Holy War, Columbus 1976. **R. C. Schwinges**, Kreuzzugsideologie und Toleranz. Studien zu Wilhelm von Tyrus, Stuttgart 1977. **E.-D. Hehl**, Kirche und Krieg im 12. Jahrhundert. Studien zu kanonischem Recht und politischer Wirklichkeit, Stuttgart 1980. **L. Riley-Smith – J. Riley-Smith**, The Crusades. Idea and Reality, 1095-1274, London 1981. **R. Pernoud**, Les hommes de la Croisade, Paris 1982. **P. Rousset**, La croisade. Histoire d'une idéologie, Lausanne 1983. **B. Z. Kedar**, Crusade and Mission. European Approaches towards the Muslim, Princeton 1984. **E. Siberry**, Criticism of Crusading 1095-1274, Oxford 1985. **J. Riley-Smith**, The First Crusade and the Idea of Crusading, London 1986; **ders.**, The Crusades. A Short History, London 1987. **R. Chazan**, European Jewry and the First Crusade, Berkeley 1987. **A. Dupront**, Du Sacré. Croisades et pèlerinages, images et langages, Paris 1987. **R. Delort** (Hrsg.), Les croisades, Paris 1988. **J. A. Brundage**, The Crusades, Holy War and Canon Law, Hampshire 1991. **P. J. Cole**, The Preaching of the Crusades to the Holy Land, 1095-1270, Cambridge 1991. **S. Schein**, Fideles Crucis. The Papacy, the West, and the Recovery of the Holy Land, 1274-1314, Oxford 1991. **J. Flori**, La première croisade. L'Occident chrétien contre l'Islam, Brüssel 1992. **B. N. Sargent-Baur** (Hrsg.), Journeys Toward God. Pilgrimage and Crusade, Kalamazoo 1992. »›Militia Christi‹ e Crociata nei secoli XI-XIII« bildete auch die Thematik einer Studienwoche in Mendola (Akten veröffentlicht: Mailand 1992).

179 Vgl. **Bernhard von Clairvaux**, De laude novae militiae ad milites templi, in: Opera omnia, Paris 1862, Bd. I, Sp. 921-940.

180 Einen wichtigen Beitrag zur Mentalitätsgeschichte dieser Zeit liefert der französische Historiker **J. Flori**, La première croisade, der im Teil über die »Ideologien« (S. 107-217) die verschiedenen Elemente der sich jetzt in Auseinandersetzung mit dem Islam bildenden »idéologie occidentale« (S. 231-238) genau herausarbeitet.

181 Schon der **Erste Kreuzzug** geht zurück auf den Aufruf eines Papstes, Urbans II., der auf der Synode von Clermont 1095 auf eine Bitte des byzantinischen Kaisers Alexios I. Komnenos zur Unterstützung gegen die Türken Adel und Ritterschaft Frankreichs – jüngere, kräftige Männer – zu einem Wallfahrtsgelübde aufgefordert hat mit dem Ziel einer doppelten Befreiung von den Muslimen: der östlichen Christen und des Heiligen Grabes des Erlösers. Vermutlich war der Papst selber überrascht, daß seinem Aufruf rund 90 000 Kreuzfahrer (doch nur etwa 8 Prozent Adlige und Ritter) folgten, die, stark dezimiert, erstaunlicherweise am 15. Juli 1099 Jerusalem eroberten. Es war dies

der einzige Kreuzzug, der das militärische Ziel erreichte und Kreuzfahrerstaaten begründete: das Königreich Jerusalem und die feudalen Lehensstaaten Antiochien, Odessa und Tripolis, die sofort Gegenstand von Querelen unter den europäischen Mächten waren.

182 Dies wird schön herausgearbeitet von **J. Riley-Smith**, The First Crusade.

183 Im Stedinger Kreuzzug des Bremer Erzbischofs gegen die eigenen Bauern (zur Eintreibung des kirchlichen Zehnten), in den Kreuzzügen des Papsttums gegen Kaiser Friedrich II. und nachher gegen dessen Sohn Konrad IV. ebenso wie in den Kriegen gegen die böhmischen Hussiten. Im übrigen haben die Päpste, wie **S. Schein**, Fideles crucis, aufweist, den Gedanken eines neuen Kreuzzugs zur Eroberung des Heiligen Landes noch lange (so Clemens V. und das Konzil von Vienne 1311/12) weiterverfolgt.

184 Vgl. **E. Siberry**, Criticism of Crusading.

185 So faßte bereits während des Zweiten Vatikanums der Wiener Pastoraltheologe **M. Pfliegler** die deutsche Eingabe zusammen in einem kritischen Vorreiter der nachkonziliaren katholischen Zölibatskritik-Literatur »Der Zölibat«, die ich in der Reihe »Theologische Meditationen« (Einsiedeln 1965) veröffentlichte; ihr folgten dann eine ganze Reihe zölibatskritischer Veröffentlichungen, etwa von **F. Leist** (1968) und **A. Antweiler** (1969). Das historische Standardwerk zu dieser Frage schrieb der katholische Bamberger Kirchenhistoriker **G. Denzler**, Das Papsttum und der Amtszölibat, Bd. I-II, Stuttgart 1973/76; Kurzfassung: Die Geschichte des Zölibats, Freiburg 1993. In diesem Werk sind nicht nur die kirchlichen Dokumente zitiert, die dem Klerus den Zölibat im Zusammenhang mit der Gregorianischen Reform aufoktroyieren, sondern auch die ungeheuerliche Diskriminierung von damals noch legitimen Priesterfrauen; man lese die pathologisch zu nennenden Beschimpfungen eines Petrus Damiani (S. 58-62), um dann auch die politische Agitation seines Kardinalskollegen und dann Papst Gregors VII. (S. 64-74) besser zu verstehen. Wichtig aber auch die zahlreichen Zeugnisse von dem in Deutschland recht allgemeinen, aber schließlich doch erfolglosen Widerstand des Klerus gegen Papst und die zunächst wenigen romhörigen Bischöfe. Vgl. auch **A. L. Barstow**, Married Priests and the Reforming Papacy. The Eleventh-Century Debates, New York 1982. Für den weiteren Kontext **G. Denzler**, Die verbotene Lust. 2000 Jahre christliche Sexualmoral, München 1988.

186 Vgl. **H. Grundmann**, Ketzergeschichte des Mittelalters, Göttingen 1963. Ferner **S. Runciman**, The Medieval Manichee. A Study of the Christian Dualist Heresy, Cambridge 1947; dt.: Häresie und Christentum. Der mittelalterliche Manichäismus, München 1988. **O. Capitani** (Hrsg.), Medioevo ereticale, Bologna 1977. Dann gibt es eine umfangreiche Spezialliteratur sowohl zu den **Katharern** (O. Aceves, L. Baier, J. Blum, A. Borst, A. Brenon, J. Duvernoy, H. Fichtenau, E. Griffe, J. Lucienne, R. Nelli, D. Roché, E. Roll, M. Roquebert, G. Rottenwöhrer, C. Thouzellier, G. Wild) wie auch zu den **Waldensern** (G. Audisio, M. Firpo, G. G. Merlo, A. Molnar, M. Schneider, K.-V. Selge, C. Thouzellier, G. Tourn, V. Vinay). Ein plastisches Bild von den tatsächlichen Verhältnissen in einem südfranzösischen Dorf vermittelt aufgrund von bischöflichen Visitationsprotokollen **E. LeRoy Ladurie**, Montaillou. Ein Dorf vor

dem Inquisitor 1294 bis 1324, Frankfurt 1980.

187 **H. Grundmann**, Ketzergeschichte, S. G 31f: »Zum ersten Male wurde hier eine Gemeinschaft, die als häretische Sekte verurteilt worden war, für die Kirche zurückgewonnen, indem weitgehend ihr religiöses Streben gebilligt und durch neuartige Ordnungen geregelt wurde. Es ist ein Wendepunkt im Verhalten der Kurie zur religiösen Bewegung und zur Ketzerei. Bald darauf gelang dem Papst auch die Versöhnung mancher Waldensergruppen mit der Kirche, und diese Wendung war auch die Voraussetzung für die Entstehung der neuen Bettelorden.« Vgl. auch die Studie von **H. Grundmann**, Religiöse Bewegungen im Mittelalter. Untersuchungen über die geschichtlichen Zusammenhänge zwischen der Ketzerei, den Bettelorden und der religiösen Frauenbewegung im 12. und 13. Jahrhundert und über die geschichtlichen Grundlagen der deutschen Mystik, Berlin 1935, 2. ergänzte Aufl. Darmstadt 1961.

188 Zur **Inquisition** im Mittelalter vgl. neben den Geschichten des Kirchenrechts von **H. E. Feine**, **J. Gaudemet** und **W. M. Plöchl** und der umfangreichen Spezialliteratur zur Inquisition in Spanien, Italien und Südfrankreich **H. C. Lea**, A History of the Inquisition of the Middle Ages, Bd. I-III, New York 1887; gekürzte dt. Ausgabe: Die Inquisition, Nördlingen 1985. **L. Förg**, Die Ketzerverfolgung in Deutschland unter Gregor IX. Ihre Herkunft, ihre Bedeutung und ihre rechtlichen Grundlagen, Berlin 1932,. **J. Guiraud**, Histoire de l'Inquisition au Moyen Âge, Bd. I-II, Paris 1935/38. **J. Vincke**, Zur Vorgeschichte der spanischen Inquisition, Bonn 1941. **H. Maisonneuve**, Études sur les origines de l'Inquisition, Paris 1942, [2]1960. **C. Reviglio della Veneria**, L'inquisizione medievale ed il processo inquisitorio, Turin [2]1951. **E. van der Vekene**, Versuch einer Bibliographie der Inquisition, Luxemburg 1959; **ders.**, Bibliotheca bibliographica historiae Sanctae Inquisitionis. Bibliographisches Verzeichnis des gedruckten Schrifttums zur Geschichte und Literatur der Inquisition, Bd. I-III, Vaduz 1982-92 (7110 Titel!). **A. S. Turberville**, Medieval Heresy and the Inquisition, London 1964. **J. R. Grigulevič**, Ketzer – Hexen – Inquisitoren. Geschichte der Inquisition, 13.-20. Jh. (russ. Original 1970), Bd. I-II), Berlin 1976. **J. A. O'Brien**, The Inquisition, New York 1973. **E. Le Roy Ladurie**, Montaillou, village occitan de 1294 à 1324, Paris 1975; dt.: Montaillou. Ein Dorf vor dem Inquisitor 1294 bis 1324, Frankfurt 1980. **R. Kieckhefer**, Repression of Heresy in Medieval Germany, Philadelphia 1979. **A. Waingort Novinsky**, A Inquisição, São Paulo 1982. **G. Henningsen – J. Tedeschi** (Hrsg.), The Inquisition in Early Modern Europe. Studies on Sources and Methods, Dekalb/Ill. 1986. **E. Peters**, Inquisition, New York 1988. **A. Dondaine**, Les hérésies et l'Inquisition, XIIe-XIIIe siècles. Documents et études, Aldershot 1990. **A. C. Shannon**, The Medieval Inquisition, Collegeville/Minn. 1991.

189 Text bei **J. Alberigo** u. a. (Hrsg.), Conciliorum oecumenicorum decreta, S. 203-247, bes. Constitutio 3: De haereticis (S. 209-211). Zum 4. Laterankonzil vgl. **H. Grundmann**, Religiöse Bewegungen, Kap. II,4: Das Laterankonzil 1215.

190 Vgl. zu den Verfahren der heutigen »Heiligen Kongregation für die Glaubenslehre« die mit dieser Inquisitionsbehörde geführte Korrespondenz des Verfas-

sers in: **W. Jens** (Hrsg.), Um nichts als die Wahrheit. Deutsche Bischofskonferenz contra Hans Küng. Eine Dokumentation, München 1978. **N. Greinacher – H. Haag** (Hrsg.), Der Fall Küng. Eine Dokumentation, München 1980.

191 Die noch immer rechtlich vorgesehenen und auch ständig stattfindenden Inquisitionsverfahren sind ein Hauptgrund, weswegen der Vatikan die Menschenrechtserklärung des Europarates nicht unterschreiben darf. Die Zeitschrift »Golias« (Paris – Bruxelles), hrsg. v. C. Terras, hat in ihrer Nr. 35 (1994) ein höchst informatives, 200-seitiges Dossier über die »Nouvelle Inquisition« (dabei die Namen von 1000 »verdächtigten« Theologen aus aller Welt).

192 Zu **Dominikus** und der Armutsbewegung im 12./13. Jh. siehe v. a. das noch immer gültige Werk von **P. Mandonnet**, St. Dominique. L'idée, l'homme et l'oeuvre, posthum hrsg. v. M.-H. Vicaire, auch englisch: St. Dominic and His Work, London 1945; vgl. auch **M.-H. Vicaire**, Histoire de Saint Dominique, Bd. I-II, Paris 1957; dt.: Geschichte des hl. Dominikus, Bd. I-II, Freiburg 1961/62; **ders.**, Dominique et ces Prêcheurs, Fribourg 1977. Texte zu Dominikus hrsg. v. **V. J. Koudelka**, Die Verkündigung des Wortes, München 1989.

193 **H. Grundmann**, Ketzergeschichte, S. G 37.

194 Vgl. **H. Felder**, Die Ideale des hl. Franziskus von Assisi, Paderborn 1923.

195 Vgl. **K. Esser**, Anfänge und ursprüngliche Zielsetzungen des Ordens der Minderbrüder, Leiden 1966. Zur Geschichte des Franziskanerordens vgl. auch **T. Lombardi**, Introduzione allo studio del Francescanesimo, Assisi 1975; **ders.**, Storia del Francescanesimo, Padua 1980.

196 Vgl. **P. Sabatier**, Vie de Saint François d'Assise, Paris 1894, édition définitive 1931; dt.: **P. Sabatier – F. Renner**, Leben des hl. Franz von Assisi, St. Ottilien 1980.

197 Vgl. **E. Benz**, Ecclesia spiritualis. Kirchenidee und Geschichtstheologie der franziskanischen Reformation, Stuttgart 1934, bes. Teil III, Kap. IV,1: Die Umgestaltung der Franziskanerregel und des Franziskanerordens durch die römische Kirche.

198 Vgl. **H. Feld**, Die Totengräber des heiligen Franziskus von Assisi, in: E. Boshof (Hrsg.), Archiv für Kulturgeschichte, Bd. 68, Köln 1986, S. 319-350; **ders.**, Franziskus von Assisi als Visionär und Darsteller, in: W. Haug – D. Mieth (Hrsg.), Religiöse Erfahrung. Historische Modelle in christlicher Tradition, München 1992 , S.125-153; **ders.**, Franziskus von Assisi und seine Bewegung, Darmstadt 1994, S. 189-214. Prof. Dr. **Helmut Feld** hat dankenswerter Weise diesen Abschnitt des Buches kritisch durchgesehen und zu einigen Verbesserungen beigetragen.

199 Franz von Assisi hat neben ungezählten weniger bekannten Biographen **G. K. Chesterton** und **J. Green** und dann im Geist einer neuen befreienden Theologie **E. Balducci**, **L. Boff**, **A. Holl** und **R. Manselli** zu Biographien angeregt. Unter den neuesten wissenschaftlichen Darstellungen ragen hervor **A. Rotzetter – W.-C. van Dijk – T. Matura**, Franz von Assisi. Ein Anfang und was davon bleibt, Zürich 1981, und v. a. **G. Wendelborn**, Franziskus von Assisi. Eine historische Darstellung, Leipzig 1977, sowie eine knappe Zusammenfassung bei **U. Köpf**, Franz von Assisi, in: M. Greschat (Hrsg.), Gestalten der Kirchengeschichte, Bd. III, Stuttgart 1983, S. 282-302.

200 Mt 10,8-10.
201 Dies bedeutete für Franz freilich keine reale Identifizierung mit gesellschaftlichen (Aussätzigen, Armen) oder kirchlichen Außenseitern. Vgl. dazu **H. Feld**, Franziskus von Assisi als Visionär, S. 134-138: Nicht die Begegnung mit dem Aussätzigen, sondern das visionäre Erlebnis vor dem Crucifixus von S. Damiano ist das entscheidende Schlüsselerlebnis; mit Christus identifiziert er sich.
202 **Franz von Assisi**, Canticum fratris Solis vel Laudes Creaturarum, in: K. Esser (Hrsg.), Die Opuscula des hl. Franziskus von Assisi. Neue textkritische Edition, Grottaferrata 1976, S. 128f: »Sora nostra morte corporale« (S. 129). Kommentierte deutsche Ausgabe von **E. Hug – A. Rotzetter**, Arm unter Armen, München 1987.
203 Merkwürdig tabuisiert war freilich das Verhältnis zu den Frauen (vgl. frühere Regel Nr. 12) trotz seiner Seelenfreundschaft mit Clara, seiner treuesten Jüngerin, deren Frauengemeinschaft aber von Anfang an sehr unter kirchlichen Einschränkungen litt; vgl. **H. Feld**, Die Totengräber, S. 342-346.
204 **Franz von Assisi**, Testamentum, in: K. Esser (Hrsg.), Die Opuscula, S. 438-444: »Vivere secundum formam sancti Evangelii« (S. 439).
205 Vgl. **H. Feld**, Die Totengräber, S. 337-342.
206 Vgl. **ders.**, Die Totengräber, S. 330-337.
207 Zur Basisinformation siehe **L. Hödl**, Art. Anselm von Canterbury, in: TRE, Bd. II, S. 759-778. **M. A. Schmidt**, Anselm von Canterbury, in: M. Greschat (Hrsg.), Gestalten der Kirchengeschichte, Bd. III, S. 123-147.
208 Zum Beispiel **K. Barth**, Fides quaerens intellectum. Anselms Beweis der Existenz Gottes im Zusammenhang seines theologischen Programms (1931), Zürich 1981 (Gesamtausgabe, Akademische Werke, Bd. II).
209 Vgl. **H. Küng**, Große christliche Denker, Kap. IV: Thomas von Aquin: Universitätswissenschaft und päpstliche Hoftheologie. Die neuere Literatur zu **Thomas von Aquin** fußt auf den sorgfältigen Forschungen der Neothomisten wie J. Berthier, P. Castagnoli, H. Denifle, F. Ehrle, M. Grabmann, P. Mandonnet, A. Walz. Die beste historische Einführung in das Werk des Thomas bietet nach wie vor der Franzose **M.-D. Chenu**, Introduction à l'étude de saint Thomas d'Aquin, Paris 1950; verbesserte dt. Ausgabe: Das Werk des hl. Thomas von Aquin, Graz 1960; vgl. auch **ders.**, Saint Thomas d'Aquin et la théologie, Paris 1959; dt.: Thomas von Aquin in Selbstzeugnissen und Bilddokumenten, Hamburg 1960. Eine gründliche kritische Biographie auf neuestem historischem Wissensstand veröffentlichte der Amerikaner **J. A. Weisheipl**, Friar Thomas d'Aquino. His Life, Thought and Works, New York 1974; dt.: Thomas von Aquin. Sein Leben und seine Theologie, Graz 1980. Die aufschlußreichste neuere theologische Einführung vor heutigem Zeithorizont (und ständig konfrontiert mit der protestantischen Theologie) hat der deutsche Theologe und frühere Dominikaner **O. H. Pesch** veröffentlicht: Thomas von Aquin. Grenze und Größe mittelalterlicher Theologie. Eine Einführung, Mainz 1988, [2]1989. An weiterer wichtiger neuer Literatur vgl. **J. Pieper**, Hinführung zu Thomas von Aquin. Zwölf Vorlesungen, München 1958. **S. Pfürtner**, Luther und Thomas im Gespräch. Unser Heil zwischen Gewißheit und Gefährdung, Heidelberg 1961. **J. B. Metz**, Christliche Anthropozentrik. Über die Denk-

form des Thomas von Aquin, München 1962. **M. Seckler**, Das Heil in der Geschichte. Geschichtstheologisches Denken bei Thomas von Aquin, München 1964. **E. Gilson**, Le thomisme. Introduction à la philosophie de saint Thomas d'Aquin, Paris 1965, [6]1983. **U. Kühn**, Via caritatis. Theologie des Gesetzes bei Thomas von Aquin, Göttingen 1965. **H. Vorster**, Das Freiheitsverständnis bei Thomas von Aquin und Martin Luther, Göttingen 1965. **L. Oeing-Hanhoff** (Hrsg.), Thomas von Aquin 1274/1974, München 1974. **W. Mostert**, Menschwerdung. Eine historische und dogmatische Untersuchung über das Motiv der Inkarnation des Gottessohnes bei Thomas von Aquin, Tübingen 1978. **A. Zimmermann** (Hrsg.), Thomas von Aquin. Werk und Wirkung im Licht neuerer Forschungen, Berlin 1988.

210 Codex Iuris Canonici (1917), Can. 1366, § 2.

211 Das leider auch vom Vatikanum II nicht letztlich geklärte Verhältnis von Schrift »und« (»una cum«) Tradition – Gleichordnung oder Unterordnung der Tradition? – kommt zum Ausdruck in Can. 252, §3 des neuen CIC von 1983, der aber keine exklusive Festlegung auf Thomas von Aquin enthält: »Lectiones habeantur theologiae dogmaticae, verbo Dei scripto una cum sacra Traditione semper innixae, quarum ope alumni mysteria salutis, s. Thoma praesertim magistro, intimius penetrare addiscant ...«

212 Nicht zitiert werden Origenes, natürlich die Reformatoren und orthodoxe und protestantischen Autoren. Nur 5mal wird zitiert Johannes XXIII. (weniger als die Enzyklika »Humani generis« = 6mal); Pius XII. dagegen 28mal.

213 Vgl. **J. LeGoff**, Les intellectuels au moyen age, Paris 1957; dt.: Die Intellektuellen im Mittelalter, Stuttgart 1986.

214 **Thomas von Aquin**, Summa contra gentiles, I,2. Thomas zitiert hier Hilarius de trinitate 1,37.

215 Vgl. **E. Schillebeeckx**, Der Kampf an verschiedenen Fronten: Thomas von Aquin, in: H. Häring – K.-J. Kuschel (Hrsg.), Gegenentwürfe. 24 Lebensläufe für eine andere Theologie, München 1988, S. 53-67, Zit. S. 53-55.

216 Vgl. **Bonaventura**, De reductione artium ad theologiam; dt.: Die Zurückführung der Künste auf die Theologie, München 1961.

217 Vgl. **Thomas von Aquin**, Summa theologiae, I q. 1-26.

218 Vgl. **ders.**, Summa theologiae, I q. 27-43.

219 Hier geht es um die Abwehr von Schwierigkeiten gegen christliche Glaubenswahrheiten, vor allem Trinität, Inkarnation, Erbsünde, Sakramente und Auferstehung.

220 **Ders.**, Summa contra gentiles, I,2.

221 Zur prophetischen Verkündigung **Joachims von Fiore** und zur franziskanischen Bewegung vgl. **H. Grundmann**, Studien über Joachim von Fiore (1927), Darmstadt 1966. **E. Buonaiuti**, Gioacchino da Fiore. I tempi, la vita, il messaggio, Rom 1931. **E. Benz**, Ecclesia spiritualis. Kirchenidee und Geschichtstheologie der franziskanischen Reformation. Stuttgart 1934. **A. Crocco**, Gioacchino da Fiore, Neapel 1960; **ders.**, Gioacchino da Fiore e il Gioachimismo, Neapel [2]1976. **G. Wendelborn**, Gott und Geschichte. Joachim von Fiore und die Hoffnung der Christenheit, Wien 1974. **H. Mottu**, La manifestation de l'Esprit selon Joachim de Fiore. Herméneutique et théologie de l'histoire,

d'après le »Traité sur les Quatre Evangiles«, Neuchâtel 1977. **B. McGinn**, The Calabrian Abbot. Joachim of Fiore in the History of Western Thought, New York 1985. **J. Moltmann**, Christliche Hoffnung: Messianisch oder transzendent? Ein theologisches Gespräch mit Joachim von Fiore und Thomas von Aquin, in: ders., In der Geschichte des dreieinigen Gottes. Beiträge zur trinitarischen Theologie, München 1991, S. 131-155. Neuere Monographien behandeln speziell die Polemik des Thomas gegen Joachim (M. Gigante, J. I. Saranyana, W. Schachten), andere die Nachwirkungen Joachims (G. Hartvelt, H. de Lubac, R. B. Moynihan, M. Reeves, D. C. West).

222 **Thomas von Aquin**, Summa theologiae, I-II q. 106, a. 4.

223 Die These von **M. Seckler** zum geschichtstheologischen Denken bei Thomas von Aquin, derzufolge das christianisierte neuplatonische Egreß-Regreß-Schema eine tragende »thomanische Geschichts- und Weltformel« (S. 32) enthalte, berücksichtigt zu wenig, daß Thomas über das rudimentäre Geschichtsdenken seiner Zeit nicht wesentlich hinauskommt. Dazu **O. H. Pesch**, Thomas von Aquin, S. 314 richtig: »Die Geschichtstheologie des Thomas besteht darin, daß er im üblichen Sinne keine hat.«

224 Vgl. **Thomas von Aquin**, Summa theologiae, I q. 65-74.

225 Vgl. **ders.**, Summa theologiae, I-II q. 90-105.

226 Vgl. **ders.**, Summa theologiae, III q. 35-45.

227 Meinem Kollegen und Thomas-Spezialisten im Institut für ökumenische Forschung, Dr. **Thomas Riplinger**, verdanke ich es, daß er mich schon am Anfang meiner Paradigmenuntersuchungen auf diese Problematik aufmerksam gemacht hat.

228 Vgl. **Bonaventura**, Itinerarium mentis in Deum; dt.: Pilgerbuch der Seele zu Gott, München 1961.

229 Thomas teilt mit Origenes und Augustin die Auffassung, daß die Zahl der Prädestinierten im voraus festgelegt und relativ klein sei (die meisten verfehlen ihr Ziel). Doch akzeptiert er nicht die einschränkende Interpretation, die Augustin von dem im Neuen Testament ausdrücklich bezeugten allgemeinen Heilswillen Gottes (vgl. 1 Tim 2,4) gibt: Gott wolle das Heil aller, die faktisch gerettet werden oder er wolle das Heil für Menschen aus allen Ständen. Stattdessen unterscheidet er zwischen Gottes vorausgehendem und nachfolgendem Willen: »Gott will vorausgehend, daß jeder Mensch gerettet wird, aber nachfolgend, gemäß der Forderung seiner Gerechtigkeit, will er, daß manche verdammt werden« (Summa theologiae, I q. 19, a. 6 ad. 1). Vgl. zur ganzen Problematik **G. Kraus**, Vorherbestimmung. Traditionelle Prädestinationslehre im Licht gegenwärtiger Theologie, Freiburg 1977, Kap. 2: Thomas von Aquin.

230 **M.-D. Chenu**, Das Werk des hl. Thomas von Aquin, S. 49f.

231 **Ders.**, Das Werk des hl. Thomas von Aquin, S. 51.

232 Vgl. zum Schicksal dieses großen Dominikaners, »maître en théologie et en humanité«, solidarischer theologischer Begleiter der »Mission de France« und der Arbeiterpriester nach dem 2. Weltkrieg, den erschütternden Bericht von **F. Leprieur**, Quand Rome condamne. Dominicains et prêtres-ouvriers, Paris 1989.

233 **M.-D. Chenu**, Das Werk des hl. Thomas von Aquin, S. 50.

234 Vgl. oben Kap. C III,2: Paradigmenwechsel in der Trinitätslehre.
235 Vgl. die Kritik bei **H. Küng**, Christ sein, Kap. C VI,2: Gestorben für uns.
236 Vgl. **Thomas von Aquin**, Summa theologiae, I-II q. 109-114.
237 Vgl. **ders.**, Summa theologiae, I-II q. 113.
238 Vgl. **ders.**, Summa theologiae, I-II q. 110, a. 1; vgl. q. 116.
239 Vgl. zum Gnadenverständnis **H. Küng**, Rechtfertigung. Die Lehre Karl Barths und eine katholische Besinnung, Einsiedeln 1957, Neuausgabe München 1986, Kap. 27: Gnade als Gnädigkeit.
240 Diese Fragen werden longe lateque behandelt bei **H. Küng**, Existiert Gott?, Hauptteil A: Vernunft oder Glaube?
241 **Thomas von Aquin**, Contra errores Graecorum, Pars II, cap. 32-35; die Fälschungen werden auch in neueren katholischen Kommentaren, wie etwa in dem mit einer ausgezeichneten Einleitung versehenen von R. A. Verardo (Opuscula theologica, ed. Marietti, Rom 1954), freimütig vermerkt und behandelt. Grundlegend dafür sind die Forschungen von **F. H. Reusch**, Die Fälschungen in dem Tractat des heiligen Thomas von Aquin gegen die Griechen, München 1889.
242 **Thomas von Aquin**, Contra errores Graecorum, Pars II, cap. 36. Thomas stützt sich in diesem für die päpstliche Lehrautorität grundlegenden Artikel auf Zitate aus Kyrills »Liber thesaurorum«, die er einem anonymen »Libellus de processione Spiritus Sancti« entnimmt, der zu einem großen Teil aus Fälschungen, Erdichtungen und falschen Zuschreibungen besteht. Auch die Zitate bezüglich des Papsttums – so wissen wir heute – sind gefälscht: »Es ist erklärlich, daß Thomas aus dem Libellus gerade diejenigen Sätze exzerpiert hat, die für die Begründung seiner Sätze über den Primat geeignet waren; das sind aber nach dem Gesagten meist Sätze, die entweder gefälscht oder durch Fälschungen interpoliert sind«, **F. H. Reusch**, Die Fälschungen, S. 733.
243 Vgl. **Thomas von Aquin**, Summa theologiae, II-II q. 1, a. 10. Vgl. dazu **Y. Congar**, Saint Thomas Aquinas and the Infallibility of the Papal Magisterium (Summa theol., II-II q. 1, a.10), in: The Thomist 38 (1974), S. 83-105, abgedruckt in: ders., Thomas d'Aquin, London 1984, Aufsatz VIII.
244 Zur **politischen Philosophie** des Thomas vgl. **T. Gilby**, The Political Thought of Thomas Aquinas, Chicago 1958. **P. Veysset**, Situation de la politique dans la pensée de St. Thomas d'Aquin, Paris 1981. **M. Villey**, Questions de saint Thomas sur le droit et la politique. Ou le bon usage des dialogues, Paris 1987.
245 Vgl. **Thomas von Aquin**, Summa theologiae, I-II q. 95-97.
246 Zu der im 13. Jahrhundert mit der Missionstätigkeit der Franziskaner und Dominikaner in Spanien und Nahost einsetzenden neuen Phase der islamisch-christlichen Auseinandersetzung vgl. den Überblick bei **L. B. Hagemann**, Christentum und Islam zwischen Konfrontation und Begegnung, Altenberge 1983, S. 73-82.
247 **M.-D. Chenu**, Thomas von Aquin, S. 86-88.
248 Zu dieser Schrift im Kontext des Religionsdialogs vgl. **L. B. Hagemann**, Missionstheoretische Ansätze bei Thomas von Aquin in seiner Schrift »De rationibus fidei«, in: A. Zimmermann (Hrsg.), Thomas von Aquin, S. 459-483.
249 Zur Diskussionslage vgl. **N. Daniel**, Islam and the West. The Making of an

Image, Edinburgh 1958. **A.-T. Khoury**, La controverse contre l'Islam, Paris 1969; dt.: Der theologische Streit der Byzantiner mit dem Islam, Paderborn 1969; **ders.**, Les théologiens byzantins et l'Islam. Textes et auteurs (VIIIe-XIIIe s.), Paris ^{2}1969; **ders.**, Polémique byzantine contre l'Islam (VIIIe-XIIIe s.), Leiden ^{2}1972; **ders.**, L'Apologétique byzantine contre l'Islam (VIIIe-XIIIe s.), Altenberge 1985. – Wie dramatisch ein echter Dialog mit dem Islam werden konnte, zeigte ein christlicher Gelehrter, Ali at-Tabari, der sich mit 70 Jahren zum Islam bekehrte und dies mit zwei apologetischen Werken, die auf die Bibel selber zurückgehen, durch möglichst wörtliche Schriftexegese zu begründen versucht. Dazu **O. H. Schumann**, Der Christus der Muslime. Christologische Aspekte in der arabisch-islamischen Literatur, Güterlsoh 1972, erw. Aufl. Köln ^{2}1988, S. 32-47.

250 Vgl. **H. Küng**, Judentum, Kap. 1-C IV,8: Christliche Judenverfolgungen und ihre »Gründe«.

251 Vgl. **Thomas von Aquin**, Summa theologiae, I q. 92, a. 1-4.

252 Vgl. **ders.**, Summa theologiae, II-II q. 177, a. 2. Schon früher auf die Androzentrie und die vielfältige Minderwertigkeit der Frau bei Thomas von Aquin aufmerksam gemacht hat **A. Mitterer**, Mann und Weib nach dem biologischen Weltbild des hl. Thomas und dem der Gegenwart, in: Zeitschrift für katholische Theologie 57 (1933), S. 491-556; **ders.**, Die Zeugung der Organismen, insbesondere des Menschen nach dem Weltbild des hl. Thomas von Aquin und dem der Gegenwart, Wien 1947.

253 **Thomas von Aquin**, Summa theologiae, I q. 92, a. 1.

254 Bei **A. Blaise** (Hrsg.), Lexicon latinitatis medii aevi, Turnhout 1975, findet sich für »occasionatus«: 1. causé occasionnellement, 2. imparfait, manqué. Vgl. auch **A. Mitterer**, Mas occasionatus oder zwei Methoden der Thomasdeutung, in: Zeitschrift für katholische Theologie 72 (1950), S. 80-103.

255 Vgl. **Thomas von Aquin**, Sentenzen-Kommentar, IV d. 25, q. 2, qla. 1, ad 4.

256 Vgl. **Thomas von Aquin**, Summa theologiae, Supplementum q. 39, a. 1.

257 Die **Laienpredigt** war damals angesichts der Ketzerbewegungen ohnehin ein ausgesprochenes Reizthema. Ein Predigt- und Lehramt gar für **Frauen**, eine »Gnade der Rede der Weisheit und der Wissenschaft«, von ihnen »publice« gebraucht, nein, da spricht sich Thomas dagegen aus, und dies mit speziellen Argumenten (vgl. Summa theologiae, II-II q. 177, a. 2):
– Vor allem wegen der Bedingtheit des weiblichen Geschlechts, dem Manne untertan zu sein: Lehren als öffentliches Amt in der Kirche sei Sache der Vorgesetzten (»praelati«) und nicht der Untergebenen; zu diesen gehöre die Frau nun einmal wesentlich aufgrund ihres Geschlechts (also nicht nur akzidentiell wie der einfache Priester, der immerhin Mann ist);
– dann aber auch wegen der Männer, deren Sinne nicht durch predigende Frauen zur Wollust gereizt werden sollen (Wollust = »concupiscentia« oder die »libido« ist seit Augustin ein penetrantes Thema!);
– schließlich würden Frauen sich gemeinhin in Sachen Weisheit ohnehin nicht so auskennen, daß man ihnen angemessen eine öffentliche Lehraufgabe anvertrauen könnte.

258 Vgl. **K. E. Børresen**, Subordination et équivalence. Nature et rôle de la femme

d'après Augustin et Thomas d'Aquin, Oslo 1968; engl.: Subordination and Equivalence. The Nature and Role of Woman in Augustine and Thomas Aquinas, Washington 1981; **dies.**, Die anthropologischen Grundlagen der Beziehung zwischen Mann und Frau in der klassischen Theologie, in: Concilium 12 (1976), S. 10-17; **dies.** (Hrsg.), Image of God and Gender Models in Judaeo-Christian Tradition, Oslo 1991. **K. E. Børresen** – **K. Vogt**, Women's Studies of the Christian and Islamic Traditions. Ancient, Medieval and Renaissance Foremothers, Dordrecht 1993. Dr. **Kari Børresen** (Universität Oslo) danke ich herzlich für die Durchsicht dieses und anderer Abschnitte über die Frau und ihre wertvollen Anregungen.

259 In bezug auf die Frau bleiben (auch nach Børresen) bedeutsame **Unterschiede zwischen Augustin und Thomas**. Nicht nur daß Augustin ohne eine genaue physiologische Theorie auskommt, Thomas aber ausdrücklich auf der Physiologie des Aristoteles aufbaut, die verantwortlich ist für seine eigentümlichen Aussagen über die Frau. Darüber hinaus gilt: Thomas hat aufgrund seiner weniger pessimistischen Einstellung zur Schöpfungswirklichkeit durchaus eine positivere Einstellung zur Geschlechtlichkeit:
– Anders als Augustin vertritt Thomas schon für die ursprüngliche (»paradiesische«) Schöpfungswirklichkeit keine dualistische Anthropologie: Das sinnliche Empfinden des Leibes gehört wesentlich zum Menschen, und Geschlechtsverkehr hätte es auch ohne Sünde unter »paradiesischen« Verhältnissen gegeben: »Die naturgemäße Befriedigung wäre, da sie ganz und gar von der Vernunft beherrscht gewesen wäre, folglich noch größer als die Lust, welche jetzt mit dem Geschlechtsakt verbunden ist« (**K. E. Børresen**, Die anthropologischen Grundlagen, S. 12, mit Bezug auf Summa theologiae, I q. 98, a. 1. 2).
– Anders als Augustin hat Thomas keine fast zwanghafte Angst vor der durch die Erbsünde angeblich verdorbenen Sexualität und deren irrationalen Charakter: Er vermeidet die augustinische Identifizierung von Erbsünde mit sexueller Begehrlichkeit (concupiscentia, libido): »Indem er unterscheidet zwischen der Zeugung (bei welcher der väterliche Same als Instrumentalursache bei Übertragung der Erbsünde wirkt) und der Begehrlichkeit, welche normalerweise die geschlechtliche Vereinigung begleitet, welche aber **keinen** ursächlichen Faktor darstellt, löst er sich aus dieser Tradition« (S. 13, mit Bezug auf Summa theologiae, I-II q. 82, a. 3; q. 85, a. 1).
– Anders als Augustin sieht Thomas die Sexualität und ihre ungeordnete Begehrlichkeit in der Ehe nicht nur gerechtfertigt durch das Gut der Fruchtbarkeit (als ob die ideale eheliche Liebe in einer enthaltsamen Liebe bestünde): »Nicht nur die Intention der Fruchtbarkeit, sondern auch der Gebrauch der Ehe als Heilmittel (der Konkupiszenz) machen das sexuelle Tun frei von Sünde« (S. 15, mit Bezug auf Summa theologiae, Supplementum q. 41, a. 3; q. 42, a. 2; q. 49, a. 5).
J. B. Bauer macht mich auf das thomasische Insistieren, auf die »ligatio rationis in concubitu conjugali« aufmerksam: S. theol., I-II q. 34, a. 1 ad 1; q. 37, a. 1 ad 2; q. 72, a. 2 ad 4; II-II q. 150, a. 4 ad 3; q. 153 a. 2.

260 Vgl. **Y. Congar**, Valeur et portée oecumeniques des quelques principes hermeneutiques de Saint Thomas d'Aquin, in: Revue des sciences philosophique et

théologique 57 (1973), S. 611-626, abgedruckt in: ders., Thomas d'Aquin, Aufsatz IX.

261 Ob man freilich zwischen Scholastik und Gotik, zwischen scholastischer Methode und den Prinzipien der klassischen französischen Kathedralarchitektur eine innere Beziehung von Ursache und Wirkung feststellen kann – so **E. Panofsky**, Gothic Architecture and Scholasticism, Latrobe/Penn. 1951; dt.: Gotische Architektur und Scholastik. Zur Analogie von Kunst, Philosophie und Theologie im Mittelalter, Köln 1989 –, ist mehr als fraglich.

262 Vgl. **A. J. Gurjewitsch**, Das Weltbild des mittelalterlichen Menschen (russ. Original 1972) München 1980.

263 Vgl. **G. Duby** (Hrsg.), Histoire de la vie privée, Bd. II: De l'Europe féodale à la Renaissance, Paris 1985; dt.: Geschichte des privaten Lebens, Bd. II: Vom Feudalzeitalter zur Renaissance, Frankfurt 1990. Vgl. auch die Feudalismus-Analyse von **G. Duby**: Les trois ordres ou l'imaginaire du féodalisme, Paris 1978; dt.: Die drei Ordnungen. Das Weltbild des Feudalismus, Frankfurt 1981.

264 Vgl. **J. LeGoff** (Hrsg.), L'uomo medievale, Rom 1987; dt.: Der Mensch des Mittelalters, Frankfurt 1989.

265 Vgl. **J. Bumke**, Höfische Kultur. Literatur und Gesellschaft im hohen Mittelalter, Bd. I-II, München 1986.

266 Vgl. **R. Imbach**, Laien in der Philosophie des Mittelalters. Hinweise und Anregungen zu einem vernachlässigten Thema, Amsterdam 1989 (behandelt werden vor allem Lull und Dante).

267 Vgl. **A. de Libera**, Penser au Moyen Âge, Paris 1991.

268 Vgl. **A. Borst**, Die Katharer, Stuttgart 1953.

269 Vgl. **ders.**, Barbaren, Ketzer und Artisten. Welten des Mittelalters, München 1988.

270 Vgl. **J. LeGoff**, La Naissance du Purgatoire, Paris 1981; dt.: Die Geburt des Fegefeuers. Vom Wandel des Weltbildes im Mittelalter, München 1990.

271 Vgl. **P. Ariès**, Essais sur l'histoire de la mort en occident du moyen-âge à nos jours, Paris 1975; dt.: Studien zur Geschichte des Todes im Abendland, München 1976; **ders.**, L'homme devant la mort, Paris 1977; dt.: Geschichte des Todes, München 1980. **N. Ohler**, Sterben und Tod im Mittelalter, Zürich 1990. Und als Gegenstück: **P. Ariès**, L'enfant et la vie familiale sous l'ancien régime, Paris 1960; dt.: Geschichte der Kindheit, München 1975, und **S. Shahar**, Childhood in the Middle Ages, London 1990; dt.: Kindheit im Mittelalter, München 1991.

272 Vgl. oben Kap. C III, 4: Was an Glaubenssubstanz bewahrt wurde.

273 Vgl. als neuere Einführung in die Problematik mit reichen Literaturangaben **M. Mollat**, Les Pauvres au Moyen Âge. Étude sociale, Paris 1978; dt.: Die Armen im Mittelalter, München 1984.

274 Als Einführung (mit Blick auch auf die Araber und den Islam) vgl. **H. Schipperges**, Die Kranken im Mittelalter, München 1990 (Lit.).

275 Zur **Frau** im Mittelalter vgl. **T. Vogelsang**, Die Frau als Herrscherin im hohen Mittelalter. Studien zur »consors regni« Formel, Göttingen 1954. **M. Bernards**, Speculum virginum. Geistigkeit und Seelenleben der Frau im Hochmittelalter,

Köln 1955. **G. Koch**, Frauenfrage und Ketzertum im Mittelalter. Die Frauenbewegung im Rahmen des Katharismus und des Waldensertums und ihre sozialen Wurzeln (12.-14. Jahrhundert), Berlin 1962. **I. Raming**, Der Ausschluß der Frau vom priesterlichen Amt. Gottgewollte Tradition oder Diskriminierung? Eine rechtshistorisch-dogmatische Untersuchung der Grundlagen von Kanon 968 § 1 des Codex Iuris Canonici, Köln 1973. **J. M. Ferrante**, Woman as Image in Medieval Literature from the Twelfth Century to Dante, New York 1975. **E. Power**, Medieval Women, Cambridge 1975; dt.: Als Adam grub und Eva spann, wo war da der Edelmann? Das Leben der Frau im Mittelalter, Berlin 1984. **M. Bogin**, The Women Troubadours, New York 1976. **B. A. Carroll** (Hrsg.), Liberating Women's History. Theoretical and Critical Essays, Urbana 1976. **F. Gies – J. Gies**, Women in the Middle Ages, New York 1978. **A. Wolf-Graaf**, Frauenarbeit im Abseits. Frauenbewegung und weibliches Arbeitsvermögen, München 1981. **A. Kuhn – J. Rüsen** (Hrsg.), Frauen in der Geschichte, Bd. II, Düsseldorf 1982f. **P. Ketsch**, Frauen im Mittelalter. Quellen und Materialien, Bd. I: Frauenarbeit im Mittelalter, Bd. II: Frauenbild und Frauenrechte in Kirche und Gesellschaft, Düsseldorf 1983f. **A. M. Lucas**, Women in the Middle Ages. Religion, Marriage and Letters, Brighton 1983. **I. Ludolphy**, Art. Frau (V): Alte Kirche und Mittelalter, in: TRE, Bd. XI, S. 436-441. **E. Ennen**, Frauen im Mittelalter, München 1984, [4]1991. **D. Herlihy**, Medieval Households, Cambridge/Mass. 1985. **M. C. Howell**, Women, Production, and Patriarchy in Late Medieval Cities, Chicago 1986. **M. B. Rose** (Hrsg.), Women in the Middle Ages and the Renaissance. Literary and Historical Perspectives, Syracuse 1986. **B. Frakele – E. List – G. Pauritsch** (Hrsg.), Über Frauenleben, Männerwelt und Wissenschaft. Österreichische Texte zur Frauenforschung, Wien 1987. **A. Kuhn**, Art. Mittelalter, in: Frauenlexikon. Traditionen, Fakten, Perspektiven, hrsg. v. A. Lissner – R. Süssmuth – K. Walter, Freiburg 1988, Sp. 749-760. **S. Shahar**, Die Frau im Mittelalter, Königstein 1988. **F. Bertini** u. a., Medioevo al femminile, Bari 1989. **G. Duby – M. Perrot**, Storia delle donne in occidente, Bd. II (hrsg. v. C. Klapisch-Zuber), Rom 1990; dt.: Geschichte der Frauen, Bd. II: Mittelalter, Frankfurt 1993. **J. B. Holloway – C. S. Wright – J. Bechtold** (Hrsg.), Equally in God's Image. Women in the Middle Ages, New York 1990. **C. Opitz**, Evatöchter und Bräute Christi. Weiblicher Lebenszusammenhang und Frauenkultur im Mittelalter, Weinheim 1990. **C. Walker Bynum**, Fragmentation and Redemption. Essays on Gender and the Human Body in Medieval Religion, New York 1991. **B. Lundt** (Hrsg.), Auf der Suche nach der Frau im Mittelalter. Fragen, Quellen, Antworten, München 1991. **R. Pernoud**, Leben der Frauen im Hochmittelalter (frz. Original), Pfaffenweiler 1991. **K. E. Børresen – K. Vogt**, Women's Studies (wichtig hier besonders der Forschungsüberblick von K. E. Børresen, S. 13-127). Besonders verdienstvoll die von **E. Gössmann** herausgegebene Quellensammlung: Archiv für philosophie- und theologiegeschichtliche Frauenforschung, (bisher) 4 Bde., München 1984-88.

276 Vgl. oben Kap. C II, 4: Emanzipation der Frau durch das Christentum?

277 Vgl. oben Kap. C III, 6: Privatbeichte und sexualmoralischer Rigorismus.

278 **J. LeGoff**, L'imaginaire médiéval. Essais, Paris 1985, S. 123.

279 Man fragt sich zum Beispiel, was damals die »Munt« (Vormundschaft) konkret bedeutet habe, unter der die Frauen allein wegen ihres Geschlechts gestellt waren. Was hat diese Geschlechtsvormundschaft zuerst des Vaters, dann des Ehemannes bedeutet? Hat sie der Frau noch irgendwelche Rechts- und Handlungsfreiheit gelassen? Und wie war es mit einer germanischen Sonderform wie der undotierten, muntfreien »Friedelehe«, in welcher der Mann keine hausherrliche Gewalt über die Frau erwarb? Wie sah es im langobardischen (und vielleicht auch im fränkischen und angelsächsischen) Bereich aus? Konnten da die Frauen noch im siebten Jahrhundert nicht ihr Vermögen selbständig verwalten, nutzen und mehren? Ja, hat nicht gerade in den bäuerlichen Haushalten des Frühmittelalters ein partnerschaftliches Verhältnis von Mann und Frau vorgeherrscht, wobei ein Urteil deshalb schwierig ist, weil man aufgrund der vorwiegend männlichen Quellen besser über die rechtliche Position der Frau im Mittelalter Bescheid weiß als über ihre soziale Stellung?

280 **E. Ennen**, Frauen im Mittelalter, S. 108.

281 **Dies.**, Frauen im Mittelalter, S. 108.

282 **A. Kuhn**, Art. Mittelalter, Sp. 753f.

283 Vgl. **M. C. Howell**, Women.

284 **A. Kuhn**, Art. Mittelalter, Sp. 758f.

285 Vgl. **U. Baumann**, Die Ehe – ein Sakrament?, Zürich 1988.

286 Vgl. **R. Kieckhefer**, Repression of Heresy in Medieval Germany, Philadelphia 1979, Kap. 3: The War against Beghards and Beguines. Einen Niedergang weiblicher Klosterkultur vom späten 12. Jh. an stellt fest **P. D. Johnson**, Equal in Monastic Profession. Religious Women in Medieval France, Chicago 1991.

287 **E. Ennen**, Frauen im Mittelalter, S. 245. Vgl. **M. Schmidt – K. E. Børresen**, Art. Theologin (I-II), in: E. Gössmann u. a. (Hrsg.), Wörterbuch der Feministischen Theologie, Gütersloh 1991, S. 396-415.

288 Vgl. das Porträt von **E. Gössmann**, Hildegard von Bingen, in: M. Greschat (Hrsg.), Gestalten der Kirchengeschichte, Bd. III, S. 224-237 (Lit.).

289 Zur **Mystik** vgl. neben älteren, noch immer wichtigen Werken (vor allem die im Neudruck vorliegenden von C. Butler, J. Bernhart, W. Preger) **L. Bouyer** u. a. (Hrsg.), Histoire de la spiritualité chrétienne, Bd. I-III, Paris 1960-66. **K. Ruh** (Hrsg.), Altdeutsche und altniederländische Mystik, Darmstadt 1964; **ders.**, Geschichte der abendländischen Mystik, Bd. I-II, München 1990/93. **L. Cognet**, Introduction aux mystiques rhéno-flamands, Paris 1968; dt.: Gottes Geburt in der Seele. Einführung in die deutsche Mystik, Freiburg 1980. **F.-W. Wentzlaff-Eggebert**, Deutsche Mystik zwischen Mittelalter und Neuzeit. Einheit und Wandlung ihrer Erscheinungsformen, Berlin [3]1969. **A. M. Haas – H. Stirnimann**, Das »Einig Ein«. Studien zu Theorie und Sprache der deutschen Mystik, Fribourg 1980. **J. Sudbrack** (Hrsg.), Zeugen christlicher Gotteserfahrung, Mainz 1981; **ders.**, Mystik. Selbsterfahrung – kosmische Erfahrung – Gotteserfahrung, Mainz 1988. **G. Ruhbach – J. Sudbrack** (Hrsg.), Große Mystiker. Leben und Wirken, München 1984; **dies.** (Hrsg.), Christliche Mystik. Texte aus zwei Jahrtausenden, München 1989. **R. Beyer**, Die andere Offenbarung. Mystikerinnen des Mittelalters, Bergisch Gladbach 1989. **B. McGinn**, The Foundations of Mysticism, New York 1991. **P. Dinzelbacher**,

Mittelalterliche Frauenmystik, Paderborn 1993.

290 Zur Einführung siehe **D. Mieth**, Meister Eckhart, in: M. Greschat (Hrsg.), Gestalten der Kirchengeschichte, Bd. IV, Stuttgart 1983, S. 124-154 (Lit.); vgl. **ders.**, Gescheitert und doch fruchtbar: Gründe und Hintergründe des Prozesses gegen Meister Eckhart (ca. 1260-1327/28), in: H. Häring – K.-J. Kuschel (Hrsg.), Gegenentwürfe. 24 Lebensläufe für eine andere Theologie, München 1988, S. 81-95.

291 Vgl. **O. Karrer**, Art. Mystik (IV), in: LThK, Bd. VII, Sp. 734-741.

292 Vgl. **F. Gils**, Jésus Prophète d'après les Evangiles Synoptiques, Löwen 1957. **R. Schnackenburg**, Die Erwartung des »Propheten« nach dem NT und den Qumran-Texten, in: Texte und Untersuchungen 73 (1959), S. 622-639. **F. Schnider**, Jesus der Prophet, Fribourg 1973.

293 Joh 14,9.

294 Vgl. **F. Heiler**, Das Gebet. Eine religionsgeschichtliche und religionspsychologische Untersuchung, München [5]1969, S. 255-258.

295 Vgl. **K. Ruh**, »Le miroir des simples âmes« der Marguerite Porete (1975) in: Kleine Schriften, Bd. II, Berlin 1984, S. 212-236; **ders.**, Meister Eckhart. Theologe, Prediger, Mystiker, München 1985, S. 95-114.

296 Vgl. **E. Gössmann**, Die Geschichte und Lehre der Mystikerin Marguerite Porete (gest. 1310), in: H. Häring – K.-J. Kuschel (Hrsg.), Gegenentwürfe, S. 69-79. Vgl. weitere Arbeiten zu Porete bei **K. E. Børresen – K. Vogt**, Women's Studies, S. 70-72.

297 Vgl. zur Vertiefung **H. Küng**, Weltreligionen, Kap. B I,2.

298 Zur Geschichte der Marienverehrung vgl. **G. Miegge**, La Vergine Maria. Saggio di storia del dogma, Torre Pellice 1950; dt.: Die Jungfrau Maria. Studie zur Geschichte der Marienlehre, Götingen 1962. **W. Tappolet** (Hrsg.), Das Marienlob der Reformatoren. M. Luther, J. Calvin, H. Zwingli, H. Bullinger, Tübingen 1962. **W. Delius**, Geschichte der Marienverehrung, München 1963. **H. Graef**, Maria. Eine Geschichte der Lehre und Verehrung, Freiburg 1964.

299 Vgl. **H. Denzinger**, Enchiridion Nr. 111a. **G. Galbiati**, Il Concilio di Efeso. Alle origini dei dogmi e del culto di Maria nel tormentato clima del Concilio di Efeso, tappa miliare per l'avvento della mariologia, Genua 1977. **S. Benko**, The Virgin Goddess. Studies in the Pagan and Christian Roots of Mariology, Leiden 1993.

300 Vgl. **K.-J. Kuschel** (Hrsg.), Und Maria trat aus ihren Bildern. Literarische Texte, Freiburg 1990.

301 Zum fehlenden biblischen Fundament der Mariendogmen vgl. den Aufsatz des katholischen amerikanischen Exegeten **J. McKenzie**, Die Mutter Jesu im Neuen Testament, in: E. Moltmann-Wendel – H. Küng – J. Moltmann (Hrsg.), Was geht uns Maria an? Beiträge zur Auseinandersetzung in Theologie, Kirche und Frömmigkeit, Gütersloh 1988, S. 23-40. Daß die beiden neueren dogmatischen Formulierungen über Maria auf »hinfälligen anthropologischen Voraussetzungen« gründen, führt **K. E. Børresen**, Maria in der katholischen Theologie, im selben Sammelband S. 72-87, aus. Diese Spezialistin der Dogmen- und Theologiegeschichte vertritt »die These, daß diese Formulierungen ihren Sinn verlieren und buchstäblich unverständlich werden, sobald ihre

Aprioris nicht mehr festgehalten werden. Wenn diese mariozentrischen Aussagen nicht mehr durch die augustinische Lehre von der durch väterliche Zeugung übertragenen Erbsünde oder die klassische Lehre von der abgeschiedenen unsterblichen vernünftigen Seele in ihrer Erwartung des auferstandenen Leibes gestützt sind, bleiben sie im leeren Raum bloßer Vermutungen hängen« (S. 81). In dem hier genannten Sammelband finden sich auch die im folgenden zitierten Beiträge von international anerkannten Fachleuten aus jüdischer und feministischer, aus kritischer und traditionsbewußter Sicht gesammelt, die einen Überblick über den heutigen marianischen Diskussionsstand geben.

302 **C. J. M. Halkes**, Maria – inspirierendes oder abschreckendes Vorbild für Frauen?, in: E. Moltmann-Wendel u. a. (Hrsg.), Was geht uns Maria an?, S. 113-130, Zit. S. 114.

303 Vgl. **E. Drewermann**, Kleriker. Psychogramm eines Ideals, Freiburg 1989, bes. Kap. II, B, 2 d..

304 **J. Moltmann**, Gibt es eine ökumenische Mariologie?, in: E. Moltmann-Wendel u. a. (Hrsg.), Was geht uns Maria an?, S. 15-22, Zit. S. 15. Vgl. hier auch **S. Ben-Chorin**, Die Mutter Jesu in jüdischer Sicht, S. 40-50.

305 Lk 1,48.

306 Vgl. Mk 3,20f.

307 Zum biblischen Befund vgl. neben dem zitierten Aufsatz von **J. McKenzie** die Gemeinschaftsstudie der protestantischen und römisch-katholischen Gelehrten **R. E. Brown – K. P. Donfried – J. A. Fitzmyer – J. Reumann** (Hrsg.), Mary in the New Testament. A Collaborative Assessment by Protestant and Roman Catholic Scholars, Philadelphia 1978; dt.: Maria im Neuen Testament. Eine ökumenische Untersuchung, Stuttgart 1981.

308 Vgl. **M. Warner**, Alone of all her Sex. The Myth and the Cult of the Virgin Mary, London 1976.

309 Darauf legt aus feministischer Sicht mit Recht Gewicht **C. J. M. Halkes**, Maria.

310 Zur Frage der Jungfrauengeburt vgl. **H. Küng**, Credo, Kap. II: Jesus Christus: Jungfrauengeburt und Gottessohnschaft. – Zur Frage der Präexistenz Christi siehe oben Kap. C I,5: Präexistenz des Logos im Johannesevangelium.

311 Vgl. Lk 1,38; 2,34f.

312 Lk 1,52.

313 Von einer Geliebten oder gar Ehefrau Jesu – Stoff für Romane, Musicals und Trivialschriftsteller – jedoch ist im Neuen Testament auch nicht einmal andeutungsweise die Rede, im Gegenteil. Die verdrängte »magdalenische« Freundschaftstradition hebt gegenüber der überbetonten »marianischen« Mutter-Tradition mit vollem Recht hervor **Elisabeth Moltmann-Wendel** (Tübingen), der ich manche Anregungen verdanke und die früher als andere im deutschen Sprachraum die feministischen Anliegen in kritisch-konstruktiver Weise verfochten hat: Maria oder Magdalena – Mutterschaft oder Freundschaft, in: dies. u. a. (Hrsg.), Was geht uns Maria an?, S. 51-59.

314 Gal 5,1.

315 2 Kor 3,17.

316 Gal 3,27f.

317 Vgl. **C. Mirbt – K. Aland**, Quellen zur Geschichte des Papsttums und des römischen Katholizismus, Bd. I, Tübingen [6]1967, S. 457 (in den »Denzinger« nicht aufgenommen!).

318 Vgl. **W. Ullmann**, Kurze Geschichte des Papsttums, S. 254.

319 Vgl. **F. X. Seppelt – G. Schwaiger**, Geschichte der Päpste, Bd. IV, München [2]1957, S. 53f: »Ist so die Frage, ob Bonifaz ein Ketzer war, zu verneinen, so kann man sich dem Eindruck nicht verschließen, daß sein Selbstbewußtsein und sein Machtgefühl sich gelegentlich in Formen geäußert haben, die pathologischen Charakter tragen und die man nur als Anzeichen von Cäsarenwahnsinn deuten kann. Man denke an jene theatralische Szene, die uns durch einen durchaus glaubwürdigen aragonesischen Gesandtschaftsbericht überliefert ist, da Bonifaz vor Bischöfen und Kardinälen in wechselnder Gewandung als Papst und Kaiser auftrat und ausrief: ›Ich bin Papst, ich bin Kaiser‹.«

320 Vgl. **H. Denzinger**, Enchiridion Nr. 469. Die eigentliche ideologische Basis bildet mit vielen Zitaten der Papalist **Aegidius Romanus**, De ecclesiastica potestate, hrsg. v. R. Scholz, Weimar 1929. Für Aegidius stammt alles »dominium« auf Erden vom Papst.

321 Vgl. **J. Huizinga**, Herfsttij der Middeleeuwen. Studie over levens- en gedachtenvormen der veertiende en vijftiende eeuw in Frankrijk en de Nederlanden, Haarlem 1919; dt.: Herbst des Mittelalters. Studien über Lebens- und Geistesformen des 14. und 15. Jhs. in Frankreich und den Niederlanden, Stuttgart 1987.

322 Die neueste Darstellung stammt von **B. Guillemain** in dem von **M. Mollat du Jourdin – A. Vauchez** hrsg. Bd. VI der »Histoire du christianisme des origines à nos jours« mit dem Titel »Un temps d'épreuves (1274-1449)«, Paris 1990; dt.: Die Geschichte des Christentums. Religion – Politik – Kultur, mit dem Titel »Die Zeit der Zerreißproben (1274-1449)«, Freiburg 1991, Teile I,1 und III,1-2. Eigenwillig wird die Periode mit dem 2. Konzil von Lyon 1274 und der für kurze Zeit vereinbarten Kirchenunion eingeleitet und der ganze historische Stoff anhand dreier dogmatischer Kategorien (Einheit, Heiligkeit und Katholizität) in drei Teilen abgehandelt. Man vermißt dabei die Apostolizität und damit das Ursprungskriterium.

323 Den Konflikt zwischen den beiden geistigen Strömungen – »die eine hierokratisch und papalistisch, die andere das Kirchenvolk und eine Laiengesellschaft favorisierend« – arbeitet heraus **Y. Congar**, L'Église. De saint Augustin à l'époque moderne, Paris 1970, Kap. IX.

324 Vgl. **Dante Alighieri**, La Divina Commedia (entstanden um 1307-1321); dt.: Die göttliche Komödie, München 1986, Inferno, 19. Gesang.

325 Vgl. **ders.**, De monarchia libri tres (um 1310); dt.: Monarchia (zweisprachig), Stuttgart 1989.

326 Vgl. **Marsilius von Padua**, Defensor pacis (1324); dt.: Der Verteidiger des Friedens, zweisprachig, hrsg. von H. Kusch, Bd. I-II, Berlin 1958.

327 Vgl. **Wilhelm von Ockham**, Dialogus (zwischen 1332 und 1349); dt.: Dialogus. Auszüge zur politischen Theorie, hrsg. v. J. Miethke, Darmstadt 1992.

328 Vgl. **B. Tierney**, Origins of Papal Infallibility, 1150-1350. A Study on the Concepts of Infallibility, Sovereignity and Tradition in the Middle Ages, Lei-

den 1972. Eine kurze Zusammenfassung seiner Ergebnisse hat Tierney gegeben in dem von mir hrsg. Band »Fehlbar?«, S. 121-145: Ursprünge der päpstlichen Unfehlbarkeit.

329 Pauls VI. Enzyklika »Humanae vitae« über die Geburtenregelung (1968) wird in dramatischer Weise zeigen, wie ein Papst sich durch die irreformablen (weil ex magisterio ordinario infalliblen) Lehren der Vorgänger gebunden sieht und zur Korrektur eines Irrtums unfähig wird.

330 Zitiert und interpretiert von **B. Tierney**, Origins of Papal Infallibility, S. 186-196.

331 Vgl. **O. Prerovsky**, L'elezione di Urbano VI e l'insorgere dello scisma d'occidente, Rom 1960.

332 Vgl. **H. Küng**, Strukturen, Kap. VII,3: Der Konfliktsfall zwischen Papst und Kirche. Neben Tod und Verzicht sind Geisteskrankheit (amentia), Häresie und Schisma die fünf Gründe, deretwegen ein Papst sein Amt verliert.

333 Vgl. **F. Bliemetzrieder**, Das Generalkonzil im großen abendländischen Schisma, Paderborn 1904.

334 Vgl. **A. Hauck**, Die Rezeption und Umbildung der allgemeinen Synode im Mittelalter, in: Historische Vierteljahrschrift 10 (1907), S. 465-482.

335 Vgl. **M. Seidlmayer**, Die Anfänge des großen abendländischen Schismas. Studien zur Kirchenpolitik insbesondere der spanischen Staaten und zu den geistigen Kämpfen der Zeit, Münster 1940.

336 Vgl. **B. Tierney**, Foundations of the Conciliar Theory, Cambridge 1955. Tierney stellt drei große Perioden der Entwicklung der konziliaren Ideen fest: 1. Periode: Dekretistische Theorien über die Leitung der Kirche (1140-1220); 2. Periode: Papalismus und kanonistische Korporationslehre im 13. Jahrhundert; 3. Periode: Die konziliaren Ideen im 14. Jahrhundert. Vgl. auch **R. Bäumer** (Hrsg.), Die Entwicklung des Konziliarismus. Werden und Nachwirken der konziliaren Idee, Darmstadt 1976. **H. Schneider**, Der Konziliarismus als Problem der neueren katholischen Theologie. Die Geschichte der Auslegung der Konstanzer Dekrete von Febronius bis zur Gegenwart, Berlin 1976. **C. M. D. Crowder**, Unity, Heresy and Reform, 1378-1460. The Conciliar Response to the Great Schism, London 1977. **A. C. Leopardi**, Il conciliarismo. Genesi e sviluppo, Bari 1978. **R. N. Swanson**, Universities, Academics and the Great Schism, Cambridge 1979. **G. Alberigo**, Chiesa conciliare. Identità e significato del conciliarismo, Brescia 1981. **H. Schneider**, der die Diskussion um die Konstanzer Dekrete bis in die Ära des Zweiten Vatikanischen Konzils untersucht hat, stellt am Ende fest: »Eine historisch vollauf befriedigende Interpretation der Konstanzer Dekrete steht noch aus« (S. 339).

337 **Tertullian**, De paenitentia 13,6-7: »... et ipsa repraesentatio totius nominis Christiani magna veneratione celebratur.« Vgl. zur weiteren Tradition von Athanasios bis Johannes XXIII., für den das Zweite Vatikanum »la grande riunione del popolo cristiano« ist, **H. Küng**, Strukturen, Kap. III,2: »Es (= das ökumenische Konzil) ist wirklich Repräsentation des ökumenischen Konzils aus göttlicher Berufung (= Kirche)«. Im nachhinein ist aufschlußreich, wie **J. Ratzinger** 1962 die in meiner Tübinger Antrittsvorlesung (1960) herausgearbeitete These: »Die ganze Kirche erscheint als das eine große Konzil Got-

tes und der Welt« für sich als Autor in Anspruch nimmt (wiewohl bei ihm von **Kirche** als »Konzil« vorher nie die Rede war), er dann aber in einer auffälligen Verengung die Kollegialität der **Kirche** auf die Kollegialität der Bischöfe reduzieren will, um so die Kollegialität sowohl der Gemeinden wie der Gesamtkirche zu übersehen. Von daher ist man auch nicht erstaunt, daß er die Unfehlbarkeit der Kirche schlicht und einfach aus der Unfehlbarkeit des Gotteswortes ableitet. Ist es wirklich so einfach, wie Ratzinger damals geschrieben hat: »Denn aus der Tatsache, daß Kirche Gegenwart des göttlichen Wortes und mit ihm der göttlichen Wahrheit in dieser Welt ist, ergibt sich ihre grundsätzliche Unfehlbarkeit ganz von selbst«? Die für viele merkwürdige Wandlung des »progressiven« Konzilstheologen von 1962 zum »regressiven« Großinquisitor der nachkonziliaren Zeit ist von solchen (und ähnlichen) Ausführungen her doch nicht so ganz unbegreiflich. Vgl. zu dieser »vorkonziliaren« Kontroverse zwischen Ratzinger und mir in Strukturen, Kap. VI,5: Repräsentation der Ämter und Gemeinden, S. 198-200.

338 Da Martin V. nach dem Konzil von Konstanz in seinen Erlassen alle drei früheren Obedienzien gleich behandelte (mit leichter Bevorzugung der Pisaner Linie, also Johannes' XXIII.) und weder ein späterer Papst noch ein Konzil die Frage der Legitimität der drei konkurrierenden Päpste je entschieden hat, hätte sich Angelo Roncalli in unserem Jahrhundert eigentlich Johannes XXIV. nennen müssen.

339 Zur Geschichte des **Konzils von Konstanz** vgl. die Literatur bei **K. A. Fink**, Art. Konzil von Konstanz, in: LThK, Bd. VI, Sp. 501-503; **ders.**, Papsttum und Kirche im abendländischen Mittelalter, München 1981 (bes. Teil I über die Kirchenverfassung). **P. de Vooght**, Les pouvoirs du Concile et l'autorité du Pape au Concile de Constance. Le décret Haec Sancta Synodus du 6 avril 1415, Paris 1965. Meinem früheren Tübinger Kollegen **Karl August Fink** und dem Benediktiner **P. de Vooght** verdanke ich für die Klärung dieser Problematik wesentliche Anregungen, die ich in »Strukturen«, Kap. VII,4, aufgenommen habe und die auch durch die neueste Arbeit von **W. Brandmüller**, Das Konzil von Konstanz 1414-1418, Bd. I, Paderborn 1991, nicht überholt sind.

340 **P. Hünermann** zitiert in seiner erweiterten Denzinger-Ausgabe zwar rund 15 Seiten von »Irrtümern« des John Wyclif und des Jan Hus (samt Fragebogen), die zentralen Konzils-Dekrete aber unterschlägt auch er und zitiert nur im kleingedruckten Vorspann einen (unvollständigen) Satz aus dem Dekret »Haec sancta«, um dann ohne Rücksicht auf die neueste Forschung die anachronistische Behauptung zu wiederholen, in welchem Umfang der Papst das Konzilsdekret bestätigt habe, sei umstritten. Dabei ergibt sich schon aus der von ihm zitierten (Nr. 1247f) Bulle »Inter cunctas« vom 22. Februar 1418, daß Papst Martin V. von den Häretikern die Anerkennung aller Konstanzer Dekrete gefordert hat (zur Interpretation **F. X. Funk** und **P. de Vooght**, zit. v. H. Küng, Strukturen, S. 251). Alles in allem ein erneuter Beleg dafür, daß es sich bei dem Enchiridion des Würzburger Dogmatikers Heinrich Denzinger trotz allen historischen Aufwands in den neuesten Ausgaben nicht um ein unvoreingenommenes, historisches Quellenwerk (vgl. dagegen das genannte Konzilien-Enchiridion von **J. Alberigo** u. a., Conciliorum oecumenicorum decre-

ta, Freiburg 1962), sondern um ein Produkt im Dienst der römischen Schultheologie und Kirchenpolitik handelt.

341 Ich übersetze hier nach der Ausgabe von **J. Alberigo**, S. 385.

342 Vgl. in derselben Ausgabe, S. 414f.

343 **K. A. Fink**, Art. Konzil von Konstanz, Sp. 503. Grundlegend bleibt die Arbeit von **B. Hübler**, Die Constanzer Reformation und die Concordate von 1418, Leipzig 1867, die von den neueren Forschungen von F. X. Funk, P. de Vooght und K. A. Fink bestätigt wird.

344 **W. Ullmann**, Kurze Geschichte des Papsttums, S. 297.

345 Vgl. **H. Jedin**, Geschichte des Konzils von Trient, Bd. I, Freiburg [2]1951, S. 52: »›Execrabilis‹ war der erste große Schlag des Restaurationspapsttums gegen den Konziliarismus. Er hat nicht die erhoffte Wirkung gehabt. Die Bulle stieß in Frankreich und Deutschland auf starken Widerstand und wurde außerhalb Roms nur sporadisch anerkannt.« Vgl. zur damaligen Diskussion, bes. zwischen Cajetan und J. Almain, **O. de la Brosse**, Le pape et le concile. La comparaison de leurs pouvoirs à la veille de la Réforme, Paris 1965.

346 **H. Denzinger**, Enchiridion Nr. 740.

347 Vgl. **R. Bäumer**, Art. Lateran-Synoden, in: LThK, Bd. VI, Sp. 818: »Von den Gegnern des Papstes wurde es als unfreies Konzil bezeichnet. Noch auf dem Konzil von Trient fand es keine allgemeine Anerkennung.« **O. de la Brosse** u. a., Latran V et Trente, Paris 1975; dt.: Lateran V und Trient, 1. Teil, Mainz 1978.

348 Vgl. **R. Bellarmin**, De conciliis, liber II, cap. 17, in: Opera omnia, Paris 1870, Bd. II.

349 Vgl. **J. Michelet**, Histoire de France, Bd. VII: Renaissance, Paris 1835.

350 Vgl. **J. Burckhardt**, Die Kultur der Renaissance in Italien, Basel 1860.

351 **J. LeGoff**, Pour un long Moyen-Âge, in: L'imaginaire médiéval, S. 9-13, Zit. S. 8f.

352 Vgl. **S. Schüller-Piroli**, Borgia. Die Zerstörung einer Legende. Die Geschichte einer Dynastie, Olten 1963; **dies.**, Die Borgia-Päpste Kalixt III. und Alexander VI., Wien 1979; **dies.**, Die Borgia-Dynastie. Legende und Geschichte, Bd. I-II, München 1980/82 (eine Rehabilitierung, von der genannten Autorin im Buch von 1979 merkwürdigerweise verschwiegen, hat schon sehr viel früher versucht der Italo-Kubaner **O. Ferrara**, El Papa Borgia, Madrid [4]1952; dt.: Alexander VI. Borgia, Zürich 1957). Bei aller berechtigten Herausarbeitung der politischen Bedeutung Alexanders VI. für die italienische Politik bleibt anzumerken: Natürlich gilt es – und das haben auch die früheren Historiker nicht völlig versäumt – zwischen »Legende und Geschichte« zu unterscheiden, wie dies Pflicht eines jeden Historikers sein muß. Nichts also gegen eine »Ehrenrettung« Alexanders, der wie jeder Mensch seine guten Seiten und Qualitäten – juristische Kenntnisse, administrative Fähigkeiten, politisches Geschick und Rednergabe – besaß, dessen Verbrechen und Verkommenheit aber auch der so papstfreundliche Ludwig Freiherr von Pastor nicht leugnen konnte. Es mag erwiesen sein, daß dem kinderreichen Alexander zu Unrecht Blutschande mit seiner Tochter Lucrezia unterstellt wurde, daß dessen Sohn Cesare seinen Bruder tatsächlich nicht ermordet hat usw. und daß man in Rom

eine »schwarze Legende« gestrickt hat, vor allem weil er Spanier und nicht Italiener und Römer war. Aber soll es eine Rehabilitation sein, wenn der Borgia-Papst skrupellos die »Staatsräson des Papsttums« sich zu eigen machte und bei der Verfolgung seines Zieles so unmoralisch wie jeder andere Renaissancefürst vorging? Ein absolut politischer und deshalb zeitgemäßer, ja, in seiner unmoralischen Individualität gar moderner Papst, der seiner Zeit voraus war? Soll aller Nepotismus und alle Familienpolitik, soll auch die verschlagenste Diplomatie und skrupellose Bündnispolitik gerechtfertigt sein, wenn dieser so politische und so zeitgemäße Papst dafür die Freiheit des päpstlichen Stuhles durch eine Gleichgewichtspolitik erreichte? Wenn man vom moralischen Standpunkt absieht, dann läßt sich selbstverständlich auch die dreimalige Verheiratung der Papsttochter Lucrezia ebenso rechtfertigen wie die Versorgung seiner übrigen sieben Kinder, die er von verschiedenen Mätressen hatte. Wenn man vom moralischen Standpunkt absieht … Immerhin wurde dieser Nachfolger Petri »erst im elften Jahr seiner ereignis- und erfolgreichen Papstherrschaft« ermordet, bemerkt mit Genugtuung schon im Vorwort die Verfasserin, die den Borgia-Papst statt wie früher dämonisiert, jetzt verharmlost zu einem Papst, dem »der moralische Konflikt zwischen seinen geistlichen und weltlichen Bindungen und Interessen sein Leben lang völlig verborgen« war und der »in fast unvorstellbarer Naivität überzeugt« war, seine »religiösen Pflichten aufs Beste zu erfüllen« (Borgia, S. 145).

353 Vgl. **H. Jedin**, Katholische Reform oder Gegenreformation? Ein Versuch zur Klärung der Begriffe, Luzern 1946.

354 Zur **Gegenreformation** bzw. Katholischen Reform vgl. die Darstellungen in den Handbüchern der Geschichte und die entsprechenden Lexikonartikel (hervorzuheben besonders **G. Maron** in der TRE). Für den Kontext der Paradigmenanalyse sind wichtig: **J. Lortz**, Die Reformation in Deutschland, Bd. I-II, Freiburg 1940, Neuausgabe 1982. **L. Cristiani**, L'Église à l'époque du concile de Trente, Paris 1948. **K. Eder**, Die Kirche im Zeitalter des konfessionellen Absolutismus (1555-1648), Freiburg 1949. **P. Janelle**, The Catholic Reformation, Milwaukee 1949. **G. Schreiber** (Hrsg.), Das Weltkonzil von Trient. Sein Werden und Wirken, Bd. I-II, Freiburg 1951. **H. Daniel-Rops**, L'Église de la Renaissance et de la Réforme, Bd. II: Une ère de renouveau: La Réforme catholique, Paris 1955. **K. Bihlmeyer – H. Tüchle**, Kirchengeschichte, Bd. III: Die Neuzeit und die neueste Zeit, Paderborn [15]1956. **R. G. Villoslada – B. Llorca**, La Iglesia en la época del Renacimiento y de la Reforma católica, Madrid 1960, [2]1967. **L. Willaert**, Après le concile de Trente. La Restauration catholique 1563-1648, Paris 1960. **J. Delumeau**, Naissance et affirmation de la Réforme, Paris 1965; **ders.**, Le Catholicisme entre Luther et Voltaire, Paris 1971. **H. Jedin**, Kirche des Glaubens – Kirche der Geschichte. Ausgewählte Aufsätze und Vorträge, Bd. I-II, Freiburg 1966. **E. Iserloh – J. Glazik – H. Jedin**, Reformation, katholische Reform und Gegenreformation, Freiburg 1967 (Handbuch der Kirchengeschichte, Bd. IV). **E. W. Zeeden**, Das Zeitalter der Gegenreformation, Freiburg 1967; **ders.** (Hrsg.), Gegenreformation, Darmstadt 1973; **ders.**, Konfessionsbildung. Studien zur Reformation, Gegenreformation und katholischen Reform, Stuttgart 1985. **A. G. Dickens**, The

Counter Reformation, London 1968. **R. De Maio**, Riforme e miti nella Chiesa del Cinquecento, Neapel 1973. **M. Bendiscioli**, Dalla Riforma alla Controriforma, Bologna 1974. **M. R. O'Connell**, The Counter Reformation 1559-1610, New York 1974. **K. D. Schmidt**, Die katholische Reform und die Gegenreformation, Göttingen 1975. **H. Lutz**, Reformation und Gegenreformation, München 1979. **S. Zoli**, La Controriforma, Florenz 1979. **P. Chaunu**, Église, culture et société. Essais sur Réforme et Contre-Réforme (1517-1620), Paris 1981. **A. D. Wright**, The Counter-Reformation. Catholic Europe and the Non-Christian World, New York 1982. **M. Heckel**, Deutschland im konfessionellen Zeitalter, Göttingen 1983. **M. Hroch – A. Skybová**, Die Inquisition im Zeitalter der Gegenreformation (tschech. Original), Stuttgart 1985. **C. Brovetto** u. a., La spiritualità cristiana nell'età moderna, Rom 1987. **J. W. O'Malley** (Hrsg.), Catholicism in Early Modern History. A Guide to Research, St. Louis 1988. **J. L. Bouza Álvarez**, Religiosidad contrarreformista y cultura simbólica del Barroco, Madrid 1990. **W. Seibrich**, Gegenreformation als Restauration. Die restaurativen Bemühungen der alten Orden im Deutschen Reich von 1580 bis 1648, Münster 1991. **H. R. Schmidt**, Konfessionalisierung im 16. Jahrhundert, München 1992. Dazu kamen noch verschiedene Spezialuntersuchungen über die Gegenreformation in einzelnen europäischen Ländern und Regionen.

355 Vgl. **H. Jedin**, Katholische Reform und Gegenreformation, in: E. Iserloh u. a., Reformation, 2. Teil. **M. Venard** (Hrsg.), Le temps des confessions (1530-1620/30), Paris 1992; dt.: Die Zeit der Konfessionen (1530-1620/30), Freiburg 1992, bes. Teil I, Kap. 5 (daneben Übersicht über die einzelnen Länder).

356 **L. v. Pastor** widmet dem Übergangspapst Paul III. in seiner Papstgeschichte den eindrücklichen Band V, ohne ihn wie seine Vorgänger schon im Titel als Papst »im Zeitalter der Renaissance« oder wie seine Nachfolger als Papst »im Zeitalter der katholischen Reformation und Restauration« zu kennzeichnen.

357 Text bei **C. Mirbt – K. Aland**, Quellen, Nr. 814.

358 Text bei **C. Mirbt – K. Aland**, Quellen, Nr. 817. Zur Geschichte des Jesuitenordens vgl. **J. E. Vercruysee**, Art. Jesuiten, in: TRE, Bd. XVI.

359 Text bei **C. Mirbt – K. Aland**, Quellen, Nr. 816.

360 Vgl. **Paul IV.**, Bulle »Cum ex apostolatus officio« 1559, Text bei **C. Mirbt – K. Aland**, Quellen, Nr. 842 (von Paul IV. wird im »Denzinger« bezeichnenderweise kein einziges Dokument angeführt).

361 Vgl. zum **Konzil von Trient** – neben der Aktensammlung Concilium Tridentinum der Editio Goerresiana – das Standardwerk von **H. Jedin**, Geschichte des Konzils von Trient, Bd. I-IV/2, Freiburg 1949-75. Vgl. auch **O. de la Brosse** u. a., Latran V et Trente, Paris 1975; dt.: Lateran V und Trient, Teil I-II, Mainz 1978/87. **R. Bäumer** (Hrsg.), Concilium Tridentinum, Darmstadt 1979. **J. M. Rovira Belloso**, Trento. Una Interpretación teológica, Barcelona 1979. **A. Duval**, Des sacrements au concile de Trente, Paris 1985. **J. Bernhard – L. Lefebvre – F. Rapp**, L'époque de la Réforme et du Concile de Trente, Paris 1989.

362 Die Glaubensdekrete finden sich in **H. Denzinger**, Enchiridion, und in **J. Alberigos** Konziliensammlung, die Reformdekrete nur bei Alberigo.

363 So **H. Jedin**, Katholische Reform und Gegenreformation, S. 449f. 658.
364 **H. Lutz**, Reformation und Gegenreformation, stellt fest: »Nicht nur in dogmatischer, auch in kirchenorganisatorischer und pastoraler Hinsicht war in vielen Fragen, die Luther gestellt oder vom christlichen Humanismus übernommen hatte, das Steuer auf pure Abwehr gestellt« (S. 69). Deshalb ist zu prüfen, »welcher terminologische Rahmen der Gesamtheit alter und neuer Fragen zur Wirkweise des Katholizismus nach Luther vielleicht besser entsprechen könnte als der Jedinsche Doppelbegriff«; Lutz bekommt »den Eindruck nicht los, daß manches von den komplexen kirchlichen und kulturellen Wandlungen sich in das Modell des Jedinschen Doppelbegriffes nicht recht einordnen läßt« (S. 155f).
365 Vgl. **H. R. Schmidt**, Konfessionalisierung, S. 67f.
366 Vgl. **H. Denzinger**, Enchiridion Nr. 864 (Kanon 8 zur Taufe).
367 Vgl. **ders.**, Enchiridion Nr. 792a-843. Dazu **H. Küng**, Rechtfertigung.
368 **H. Denzinger**, Enchiridion Nr. 783.
369 Vgl. **ders.**, Enchiridion Nr. 844.
370 Vgl. oben Kap. C II,2: Charismatische Kirche bei Paulus.
371 Die Zahl der **Sakramente** hängt von der **Begriffsbestimmung** dessen ab, was als Sakrament bezeichnet wird. Ursprünglich das Geldpfand, dann der Fahneneid oder der Weiheakt; später christlich – in Verbindung mit dem griechischen »mysterion« – die Glaubensgeheimnisse der Trinität, der Inkarnation, des Werkes Christi, auch einzelne Tatsachen seines Lebens, der Sinn der Evangelien oder eben einzelne christliche Kulthandlungen. Von der Begriffsbestimmung hing es dann insbesondere ab, welche konkreten Kultakte Sakramente genannt, eben unter den Sakramentsbegriff subsumiert wurden: ob nur Taufe und Abendmahl oder auch die Ordination, die Königssalbung, die Nonnenweihe oder die Ehe. Je weniger bestimmt der Inhalt eines Begriffs, um so weiter der Umfang – das ist eine alte Einsicht der aristotelischen Logik –, und umgekehrt. Je bestimmter also der Sakramentsbegriff, um so weniger Sakramente: 30 (Hugo von St. Viktor) oder 12 (Petrus Damiani) oder 7 (Petrus Lombardus, die großen Scholastiker und dann das Konzil von Trient) oder 6 (Pseudo-Dionysios) oder 5 (die Summa sententiarum, die Schule Anselms von Laon und Wilhelms von Champeaux) oder 4 (die frühmittelalterlichen Theologen, welche Taufe und Chrisma, Leib und Blut besonders rechneten) oder 3 (Isidor von Sevilla) oder 2 (eine breite Tradition von den frühen Vätern bis zu den Reformatoren).
372 Vgl. zu Taufe und Eucharistie **H. Küng**, Kirche, Kap. C III, 1-2.
373 Vgl. **H. Jedin**, Geschichte des Konzils von Trient, Bd. II, S. 326: »Auffallend bleibt, daß die Frage nach der geschichtlichen Entstehung der Siebenzahl auch nicht andeutungsweise gestellt worden ist. Man begnügt sich mit dem Hinweis auf die in der Heiligen Schrift gegebenen Analogien (Offb. 1,16; 5,1; Ex. 25,3 u. ä.), übersah aber, daß sie sich in den Konzilsentscheidungen und in der Literatur der Väterzeit nicht finden und daß es über ein Jahrtausend gedauert hat, bis die Gleichartigkeit der seit der Urkirche geübten sakramentalen Riten mit den beiden Hauptsakramenten Taufe und Eucharistie erkannt wurde.«
374 Vgl. **H. Denzinger**, Enchiridion Nr. 989.

375 Vgl. **ders.**, Enchiridion Nr. 994-1000.
376 **H. R. Schmidt**, Konfessionalisierung, S. 25f.
377 **Ders.**, Konfessionalisierung, S. 41.
378 Von ebenfalls wesentlicher Bedeutung, wenn auch auf recht verschiedene Weise: die Führer der kurialen Reform wie Pius V. und Carlo Borromeo, Kardinal Fisher und die englischen Märtyrer, die Jesuiten Petrus Canisius, Robert Bellarmin, Franz Borgia, Aloysius Gonzaga, Stanislaus Kostka, die spanischen Mystiker und Ordensreformer Johannes vom Kreuz, Johannes von Gott und Petrus von Alcántara, schließlich die französischen Geistesmänner Franz von Sales und Vinzenz von Paul, Bérulle, Fénelon, Bourdaloue und Massilon, Pascal und in der kirchlichen Wissenschaft Petavius, die Mauriner und die Bollandisten ... eine Fülle bekannter Namen, die für eine große Zahl weniger bekannter stehen.
379 Vgl. Zusammenfassung bei **E. W. Zeeden**, Das Zeitalter der Glaubenskämpfe 1555-1648 (Gebhardts Handbuch der deutschen Geschichte, Bd. II, [9]1970, S. 118-239).
380 Vgl. den großartig illustrierten Band von **Y. Bottineau**, L'art baroque, Paris 1986; dt.: Die Kunst des Barock, Freiburg 1986.
381 Vgl. **H. Wölfflin**, Renaissance und Barock. Eine Untersuchung über Wesen und Entstehung des Barockstils in Italien, München 1888.
382 Vgl. **H. Küng**, Credo, S. 18-20. 52-54. 163-165. 207-212.
383 Vgl. **H. Jedin**, Katholische Reform und Gegenreformation, 41. Kapitel: »Die erneuerte Scholastik ...«.
384 Vgl. **ders.**, Katholische Reform und Gegenreformation, 42. Kapitel: Der Aufschwung der positiven Theologie; hier die genaueren Angaben zu den im folgenden genannten Werken.
385 Vgl. **P. Sarpi**, Istoria del Concilio Tridentino seguita dalla »Vita del Padre Paolo« di Fulgenzio Micanzio, Bd. I-II, Turin 1974. Schon zehn Jahre nach dem Erscheinen 1619 lag sie lateinisch, französisch, englisch und deutsch vor.
386 Die letzte Gesamtausgabe von **F. Suárez**, Opera omnia, Paris 1856-61; besonders wichtig für die Rechts- und Staatsphilosophie Bd. V-VI: »De legibus« (fast 1200 Seiten). Um eine Gesamtdarstellung der **Barockscholastik** hat sich, wenn man von den Theologiegeschichten absieht, bisher niemand bemüht.
387 Vgl. **Y. Congar**, L'Église, bes. Kap. X-XIV, oder von evangelischer Seite **F. Heyer**, Die katholische Kirche von 1648 bis 1870, Göttingen 1963.
388 **L. J. Rogier**, Die Kirche im Zeitalter der Aufklärung und Revolution, in: ders. u. a., Geschichte der Kirche, Bd. IV, Zürich 1966, S. 1-174, Zit. S. 29.
389 **R. Aubert**, Die katholische Kirche und die Revolution, in: H. Jedin (Hrsg.), Handbuch der Kirchengeschichte, Bd. VI,1, Freiburg 1971, S. 1-99, Zit. S. 9.
390 Vgl. zur Epoche der **Restauration** unter den Handbüchern zur Kirchengeschichte vor allem **J. Leflon**, La crise révolutionnaire 1789-1846, Paris 1951, und **R. Aubert – J. Beckmann – P. J. Corish – R. Lill**, Kirche zwischen Revolution und Restauration, Freiburg 1971 (Handbuch der Kirchengeschichte, Bd. VI,1).
391 **F.-X. Kaufmann**, Kirche begreifen. Analysen und Thesen zur gesellschaftlichen Verfassung des Christentums, Freiburg 1979; **ders.**, Religion und Modernität.

Sozialwissenschaftliche Perspektiven, Tübingen 1989.

392 **K. Gabriel**, Die neuzeitliche Gesellschaftsentwicklung und der Katholizismus als Sozialform der Christentumsgeschichte, in: K. Gabriel – F.-X. Kaufmann (Hrsg.), Zur Soziologie des Katholizismus, Mainz 1980, S. 201-225.

393 **K. Gabriel**, Christentum zwischen Tradition und Postmoderne, Freiburg 1992, S. 165.

394 Geradezu ein Schulbeispiel für diese Entwicklung bildete der Schweizer Katholizismus im Kontext des neu entstehenden liberalen Bundesstaates, wie dies vorbildlich analysiert wurde von **U. Altermatt**, Der Weg der Schweizer Katholiken ins Ghetto, Zürich 1972; **ders.**, Katholizismus und Moderne. Zur Sozial- und Mentalitätsgeschichte der Schweizer Katholiken im 19. und 20. Jahrhundert, Zürich ²1991.

395 Vgl. **R. Reinhardt** (Hrsg.), Tübinger Theologen und ihre Theologie. Quellen und Forschungen zur Geschichte der Katholisch-theologischen Fakultät Tübingen, Tübingen 1977.

396 Vgl. **ders.**, Die Katholisch-theologische Fakultät Tübingen im ersten Jahrhundert ihres Bestehens. Faktoren und Phasen der Entwicklung, in: ders. (Hrsg.), Tübinger Theologen, S. 1-42.

397 Wie wenig das Vorgehen gegen Hermes sachlich begründet und wie sehr es formalrechtlich anfechtbar war, zeigt die Untersuchung des römischen Prozesses durch **H. H. Schwedt**, Das römische Urteil über Georg Hermes (1775-1831). Ein Beitrag zur Geschichte der Inquisition im 19. Jahrhundert, Freiburg 1980.

398 Vgl. **H. Denzinger**, Enchiridion Nr. 1700-1780.

399 **Ders.**, Enchiridion Nr. 1780.

400 Vgl. **H. Küng**, Unfehlbar?; **ders.** (Hrsg.), Fehlbar?

401 Vgl. **A. B. Hasler**, Pius IX. (1846-78), Päpstliche Unfehlbarkeit und 1. Vatikanisches Konzil. Dogmatisierung und Durchsetzung einer Ideologie, Bd. I-II, Stuttgart 1977; **ders.**, Wie der Papst unfehlbar wurde. Macht und Ohnmacht eines Dogmas, München 1979. **G. Thils**, Primauté et infaillibilité du Pontife Romain à Vatican I. Et autres études d'ecclésiologie, Löwen 1989.

402 Zum **Vatikanum I** vgl. neben den frühen Werken von **J. Friedrich**, Geschichte des Vatikanischen Konzils, Bd. I-III, Bonn 1867-1887 (aus alt-katholischer Sicht) sowie **T. Granderath**, Geschichte des Vatikanischen Konzils, Bd. I-III, hrsg. von K. Kirch, Freiburg 1903-1906 (aus kurialer Sicht) besonders die einen lebendigen Eindruck vom dramatischen Konzilsablauf und einzelner Interventionen liefernde Darstellung von **C. Butler – H. Lang**, Das Vatikanische Konzil. Seine Geschichte von innen geschildert in Bischof Ullathornes Briefen, München ³1933. Diese Darstellung, gründend auf der Veröffentlichung von Ullathornes Briefen 1930 durch C. Butler, wäre zu vergleichen mit den neuerdings von **L. Pásztor** editierten Tagebüchern eines italienischen Bischofs und Historikers: Il Concilio Vaticano I. Diario di Vincenzo Tizzani (1869-1870), Bd. I-II, Stuttgart 1991f. Dazu die überlegen beurteilende Geschichte des Konzils des Löwener Kirchenhistorikers **R. Aubert**, Vatikanum I, Paris 1964; dt. Mainz 1965; vom selben Verfasser, Le Pontificat de Pie IX, Paris 1952. Vgl. auch **C. Langlois**, Unfehlbarkeit – eine neue Idee des 19. Jahr-

hunderts, in: **H. Küng** (Hrsg.), Fehlbar?, S. 146-160. Auf Untersuchungen zu verschiedenen Spezialaspekten (Offenbarung, Glaubensbegründung, Kirche und Staat) oder Personen (Döllinger, Bischöfe) kann hier nicht eingegangen werden.

403 Vgl. **H. Denzinger**, Enchiridion Nr. 1781-1820. Vgl. oben Kap. C III,9: Die Kraft der Vernunft und die Wende der Theologie.

404 Zum **Antimodernismus** vgl. **R. Marlé** (Hrsg.), Au cœur de la crise moderniste. Le dossier inédit d'une controverse. Lettres de M. Blondel, H. Bremond, F. v. Hügel, A. Loisy …, Paris 1960. **P. Scoppola**, Crisi modernista e rinnovamento cattolico in Italia, Bologna 1961. **É. Poulat**, Histoire, dogme et critique dans la crise moderniste, Paris 1962; **ders.**, Modernistica. Horizons, physiognomies, débats, Paris 1982. **L. Bedeschi**, La Curia romana durante la crisi modernista. Episodi e metodi di governo, Parma 1968; **ders.**, Interpretazioni e sviluppo del Modernismo cattolico, Mailand 1975. **M. Ranchetti**, The Catholic Modernists. A Study of the Religious Reform Movement 1864-1907, London 1969. **O. Schroeder**, Aufbruch und Mißverständnis. Zur Geschichte der reformkatholischen Bewegung, Graz 1969. **A. R. Vidler**, A Variety of Catholic Modernists, Cambridge 1970. **R. García de Haro**, Historia teologica del modernismo, Pamplona 1972. **O. Köhler**, Bewußtseinsstörungen im Katholizismus, Frankfurt 1972. **G. Maron**, Die römisch-katholische Kirche von 1870 bis 1970, Göttingen 1972. **J. Greisch – K. Neufeld – C. Theobald**, La crise contemporaine. Du modernisme à la crise des herméneutiques, Paris 1973. **E. Weinzierl** (Hrsg.), Der Modernismus. Beiträge zu seiner Erforschung, Graz 1974. **G. Schwaiger** (Hrsg.), Aufbruch ins 20. Jahrhundert. Zum Streit um Reformkatholizismus und Modernismus, Göttingen 1976. **A. Hastings** (Hrsg.), Bishops and Writers. Aspects of the Evolution of Modern English Catholicism, Cambridge 1977. **N. Trippen**, Theologie und Lehramt im Konflikt. Die kirchlichen Maßnahmen gegen den Modernismus im Jahre 1907 und ihre Auswirkungen in Deutschland, Freiburg 1977. **B. Greco**, Ketzer oder Prophet? Evangelium und Kirche bei dem Modernisten Ernesto Buonaiuti (1881-1946), Zürich 1979. **T. M. Loome**, Liberal Catholicism, Reform Catholicism, Modernism. A Contribution to a New Orientation in Modernist Research, Mainz 1979. **C. Tresmontant**, La crise moderniste, Paris 1979. **P. Colin** u. a., Le Modernisme, Paris 1980. **G. Daly**, Transcendence and Immanence. A Study in Catholic Modernism and Integralism, Oxford 1980. **L. R. Kurtz**, The Politics of Heresy. The Modernist Crisis in Roman Catholicism, Berkeley 1986.

405 Vgl. **H. Küng**, Judentum, Kap. 2-A II,5: Ein Papst, der schwieg: Pius XII.

406 Nach Deut 6,4.

407 Vgl. Concilium 11 (1975), Heft 10.

408 **W. Kasper**, Bleibendes und Veränderliches im Petrusamt, in: Concilium 11 (1975), S. 525-531, Zitat S. 529.

409 Diesen Vorschlag zur ökumenischen Lösung der Primatsfrage habe ich schon vorgetragen in: Kirche, Kap. E II,3.

410 Vgl. **Arbeitsgemeinschaft ökumenischer Universitätsinstitute** (Hrsg.), Papsttum als ökumenische Frage, Mainz 1979. **R. Leuze**, Art. Papst, Papsttum

(2. systematisch-ökumenisch), in: Evangelisches Kirchenlexikon, Bd. III, Göttingen 1992, Sp. 1027-1033.

411 Alle Dokumente der Auseinandersetzung finden sich in den entsprechenden Dokumentationen: **W. Jens** (Hrsg.), Um nichts als die Wahrheit. Deutsche Bischofskonferenz contra Hans Küng. Eine Dokumentation, München 1978. **N. Greinacher – H. Haag** (Hrsg.), Der Fall Küng. Eine Dokumentation, München 1980.

412 Freilich haben systemkonforme katholische Theologen in aller Welt (und nicht weniger protestantische Mitläufer) das von Rom angestrebte Totschweigen des Kritikers (»damnatio memoriae«) brav mitgemacht. Nur ein Beispiel für viele: **K. Schatz** SJ hat eine (mäßig) apologetische Abhandlung zum römischen Primat geschrieben unter dem Titel: »Der päpstliche Primat. Seine Geschichte von den Ursprüngen bis zur Gegenwart«, Würzburg 1990. Darin verschweigt er von Anfang bis Ende die mit meinem Namen verbundenen Publikationen, die kritischen Anfragen (insbesondere bezüglich des Konzils von Konstanz und des Vaticanum I) ebenso wie die weltweite Diskussion. Er hält sich an das Rezept, das mir schon als Student der damalige Studienpräfekt der Päpstlichen Universität Gregoriana, C. Boyer SJ, in bezug auf kritische katholische Theologen (damals de Lubac, Rahner, Bouillard, Congar u. a.) auf den Weg gegeben hat und an das ich mich nie gehalten habe: »Sie dürfen solche Autoren lesen, aber niemals zitieren!« Derselbe Verfasser hat eben eine zweibändige Konzilsgeschichte »Vatikanum I. 1869-1870«, Paderborn 1992/93, veröffentlicht (schon im Vorwort ein allgemeines Verdikt über das Werk von A. B. Hasler, um sich dafür eine ernsthafte Auseinandersetzung mit dem allzu früh Verstorbenen zu schenken). Auf den dritten Band über die Definition des Primats und der Unfehlbarkeit des Papstes braucht man nicht mehr gespannt zu sein. Ein jüngstes positives Gegenbeispiel allerdings ist der Band des Jesuiten **H. J. Sieben**, Katholisches Konzilsidee im 19. und 20. Jahrhundert, Paderborn 1993. Der Verfasser geht hier sachlich und fair referierend auf meinen »neuen Ansatz« zu einer »Theologie des Konzils« ebenso ein wie auf meine »Anfrage« bezüglich der päpstlichen Unfehlbarkeit und die daraus entstandene Diskussion. Für die Geschichte des Konzils insgesamt hält man sich nach wie vor am besten an die Darstellung des Konzils durch **R. Aubert**, die auch Schatz als »nach wie vor unüberholt« bezeichnet (Vorwort Bd. I).

413 Nach einer großen Umfrage von »Le Monde«, »La Vie« und »L'Actualité religieuse dans le monde«, durchgeführt durch drei führende Religionssoziologen (G. Michelat, J. Sutter und J. Potel) aus dem Jahre 1994 richten sich in Frankreich 83 % der Bevölkerung in moralischen Fragen allein nach ihrem Gewissen und nur 1 % (ein Prozent!) nach der Lehre der Kirche. Vgl. den zusammenfassenden Bericht von A. Woodrow (»Le Monde«), in: »The Tablet« vom 21. 5. 1994. Nach dem Allensbacher Jahrbuch der Demoskopie Bd. 9 vom Jahre 1993 fühlen sich in Deutschland an wichtige Entscheidungen des Papstes nur noch 16 % der Katholiken gebunden (von den 16-29jährigen sogar nur 3 %!), 70 % aber würden sich über solche Entscheidungen hinwegsetzen, von den 16-29jährigen sogar 86 %. Ähnliche Zahlen ließen sich aus anderen europäischen Ländern (ein dramatisches Absinken der Kirchenautorität auch in Polen!) bei-

bringen wie auch aus den Vereinigten Staaten und Kanada.

414 Zur **»evangelischen Katholizität«** wurde gerade jetzt eine ausgezeichnete Untersuchung erarbeitet vom evangelischen Theologen **R. Becker**, Hans Küngs Modell einer »evangelischen Katholizität« als der »wahren Katholizität«, Diss. Osnabrück 1994.

C IV. Das protestantisch-evangelische Paradigma der Reformation

1 Vgl. die wegweisenden Arbeiten von **B. Moeller**, Reichsstadt und die Reformation, Gütersloh 1962; **ders.**, Deutschland im Zeitalter der Reformation, Göttingen 1977, [2]1981, und von **E. W. Zeeden**, Die Entstehung der Konfessionen. Grundlagen und Formen der Konfessionsbildung im Zeitalter der Glaubenskämpfe, München 1965; **ders.**, Konfessionsbildung. Studien zur Reformation, Gegenreformation und katholischen Reform, Stuttgart 1985. Für die Durchsicht des Kap. C IV danke ich herzlich dem Reformationshistoriker Prof. Dr. **Friedhelm Krüger** (Universität Osnabrück).

2 Vgl. **H. Küng**, Judentum, Kap. 1-CII,2: Die epochalen Leistungen Davids als König.

3 Vgl. **L. v. Ranke**, Deutsche Geschichte im Zeitalter der Reformation, Bd. I-VI, Neuausgabe von P. Joachimsen, München 1925/26.

4 Zur **Lutherdeutung** vgl. **A. Herte**, Das katholische Lutherbild im Bann der Lutherkommentare des Cochläus, Bd. I-III, Münster 1943. **J. Hessen**, Luther in katholischer Sicht, Bonn 1947. **E. W. Zeeden**, Martin Luther und die Reformation im Urteil des deutschen Luthertums, Bd. I-II, Freiburg 1950/52. **H. Stephan**, Luther in den Wandlungen seiner Kirche, Berlin [2]1951. **H. Bornkamm**, Luther im Spiegel der deutschen Geistesgeschichte. Mit ausgewählten Texten von Lessing bis zur Gegenwart, Göttingen 1955, [2]1970. **R. Stauffer**, Le catholicisme à la découverte de Luther. L'évolution des recherches catholiques sur Luther de 1904 au 2me concile du Vatican, Neuchâtel 1966. **Wandlungen des Lutherbildes**, Würzburg 1966 (bes. die Beiträge von E. Iserloh, W. v. Loewenich, H. Jedin, F. W. Kantzenbach). **A. Hasler**, Luther in der katholischen Dogmatik. Darstellung seiner Rechtfertigungslehre in den katholischen Dogmatikbüchern, München 1968. **B. Lohse**, Lutherdeutung heute, Göttingen 1968. **W. Beyna**, Das moderne katholische Lutherbild, Essen 1969. **O. H. Pesch**, Ketzerfürst und Kirchenlehrer. Wege katholischer Begegnung mit Martin Luther, Stuttgart 1971. **H. F. Geißer** (u. a.), Weder Ketzer noch Heiliger. Luthers Bedeutung für den ökumenischen Dialog, Regensburg 1982. **K. Lehmann** (Hrsg.), Luthers Sendung für Katholiken und Protestanten, München 1982. **G. Maron**, Das katholische Lutherbild der Gegenwart. Anmerkungen und Anfragen, Göttingen 1982. **B. Moeller** (Hrsg.), Luther in der Neuzeit. Wissenschaftliches Symposion des Vereins für Reformationsgeschichte, Gütersloh 1983.

5 Zu **Martin Luther** und zur **Reformation in Deutschland** vgl. neben wichtigen älteren Werken (bes. H. Grisar, R. Hermann, K. Holl, J. K. Köstlin – G. Kawerau, L. v. Ranke, O. Scheel): **G. Ritter**, Luther. Gestalt und Tat, München

1925, [6]1959. **L. Febvre**, Un destin: Martin Luther, Paris 1928; dt.: Martin Luther. Religion als Schicksal, Frankfurt 1976. **J. Lortz**, Die Reformation in Deutschland, Bd. I-II, Freiburg 1940, Neuausgabe 1982. **R. H. Bainton**, Here I Stand. A Life of Luther, New York 1950; dt.: Martin Luther, Göttingen [7]1980; **ders.**, The Reformation of the Sixteenth Century, Boston 1952, [3]1985. **K. A. Meissinger**, Der katholische Luther, München 1952. **E. H. Erikson**, Young Man Luther. A Study in Psychoanalysis and History, London 1958; dt.: Der junge Mann Luther. Eine psychoanalytische und historische Studie, München 1958. **H. J. Iwand**, Gesammelte Aufsätze, Bd. I-II, München 1959/80. **F. Lau**, Luther, Berlin 1959. **M. Lienhard**, Martin Luther. Un temps, une vie, un message, Paris 1959, [3]1991. **F. Lau – E. Bizer**, Reformationsgeschichte Deutschlands bis 1555, Göttingen 1964. **J. Delumeau**, Naissance et affirmation de la Réforme, Paris 1965. **R. Friedenthal**, Luther. Sein Leben und seine Zeit, München 1967. **E. Iserloh – J. Glazik – H. Jedin**, Reformation, Katholische Reform und Gegenreformation, Freiburg 1967. **R. Stupperich**, Geschichte der Reformation, München 1967. **R. García-Villoslada**, Martín Lutero, Bd. I-II, Madrid 1973. **A. G. Dickens**, The German Nation and Martin Luther, London 1974. **R. Marius**, Luther, Philadelphia 1974. **H. Bornkamm**, Luther. Gestalt und Wirkungen. Gesammelte Aufsätze, Gütersloh 1975 (hier ausführliche Kritik der These Eriksons); **ders.**, Martin Luther in der Mitte seines Lebens. Das Jahrzehnt zwischen dem Wormser und dem Augsburger Reichstag, hrsg. v. K. Bornkamm, Göttingen 1979. **P. Chaunu**, Le temps des Réformes. Histoire religieuse et système de civilisation. La Crise de la chrétienté. L'Éclatement (1250-1550), Paris 1975; **ders.**, Église, culture et société. Essais sur Réforme et Contre-Réforme (1517-1620), Paris 1981. **H. A. Oberman**, Werden und Wertung der Reformation. Vom Wegestreit zum Glaubenskampf, Tübingen 1977; **ders.**, Luther. Mensch zwischen Gott und Teufel, Berlin 1981; **ders.**, Die Reformation. Von Wittenberg nach Genf, Göttingen 1986. **H. Lutz**, Reformation und Gegenreformation, München 1979. **E. Iserloh**, Geschichte und Theologie der Reformation im Grundriß, Paderborn 1980; **ders.**, Kirche – Ereignis und Institution. Aufsätze und Vorträge, Bd. II: Geschichte und Theologie der Reformation, Münster 1985. **P. Manns**, Martin Luther. Ketzer oder Vater im Glauben?, Hannover 1980. **M. Brecht**, Martin Luther, Bd. I-III, Stuttgart 1981-87. **B. Lohse**, Martin Luther. Eine Einführung in sein Leben und sein Werk, München 1981, [2]1983. **W. v. Loewenich**, Martin Luther. Der Mann und das Werk, München 1982. **J. M. Todd**, Luther. A Life, London 1982. **H. Junghans** (Hrsg.), Leben und Werk Martin Luthers von 1526 bis 1546, Bd. I-II, Berlin 1983. **H. Löwe – C.-J. Roepke** (Hrsg.), Luther und die Folgen. Beiträge zur sozialgeschichtlichen Bedeutung der lutherischen Reformation, München 1983. **H. D. Rix**, Martin Luther. The Man and the Image, New York 1983. **G. Vogler** (Hrsg.), Martin Luther. Leben, Werk, Wirkung, Berlin 1983. **G. Wendelborn**, Martin Luther. Leben und reformatorisches Werk, Berlin 1983. **J. M. Kittelson**, Luther the Reformer. The Story of the Man and his Career, Minneapolis 1986. **R. Schwarz**, Luther, Göttingen 1986; bezüglich Luthers Vita halte ich mich an das seine früheren Forschungen zusammenfassende Werk des verdienten Lutherforschers. **R. W.**

Scribner, The German Reformation, Atlantic Highland/N.J. 1986. **H. Zahrnt**, Martin Luther. Reformator wider Willen, München 1986.

6 Dies hat von katholischer Seite als erster unvoreingenommen herausgearbeitet **J. Lortz**, Die Reformation in Deutschland, Bd. I, S. 1-144. Eine neuere umfassende Darstellung bietet **P. Chaunu**, Le temps des Réformes, bes. Kap. IV-V.

7 Zur **Theologie** Luthers vgl. neben zahlreichen wichtigen Einzeluntersuchungen etwa zur Rechtfertigungslehre (A. Peters, O. H. Pesch, M. Seils, H. Vorster): **J. Lortz**, Die Reformation als religiöses Anliegen heute. Vier Vorträge im Dienste der Una Sancta, Trier 1948. **H. Bornkamm**, Luthers geistige Welt, Gütersloh [2]1953. **R. Hermann**, Gesammelte Studien zur Theologie Luthers und der Reformation, Göttingen 1960; **ders.**, Gesammelte und nachgelassene Werke, Bd. I-II, hrsg. v. H. Beintker u. a., Göttingen 1967/81. **P. Althaus**, Die Theologie Martin Luthers, Gütersloh 1962. **B. A. Gerrish**, Grace and Reason. A Study in the Theology of Luther, Oxford 1962. **S. Pfürtner**, Luther und Thomas im Gespräch, Heidelberg 1963. **G. Ebeling**, Luther. Einführung in sein Denken, Tübingen 1964; **ders.**, Lutherstudien, Bd. I-III, Tübingen 1971-85. **L. Pinomaa**, Sieg des Glaubens. Grundlinien der Theologie Luthers, bearb. u. hrsg. v. H. Beintker, Göttingen 1964. **F. Gogarten**, Luthers Theologie, Tübingen 1967. **H. J. McSorley**, Luthers Lehre vom unfreien Willlen nach seiner Hauptschrift De Servo Arbitrio im Lichte der biblischen und kirchlichen Tradition, München 1967. **H. G. Koenigsberger** (Hrsg.), Luther. A Profile, London 1973. **T. Beer**, Der fröhliche Wechsel und Streit. Grundzüge der Theologie Luthers, Leipzig 1974. **H. J. Iwand**, Luthers Theologie, hrsg. v. J. Haar, München 1974. **L. Grane**, Modus loquendi theologicus. Luthers Kampf um die Erneuerung der Theologie 1515-1518 (dän. Original), Leiden 1975. **R. Weier**, Das Theologieverständnis Martin Luthers, Paderborn 1976. **D. Olivier**, La foi de Luther. La cause de l'Evangile dans l'Eglise, Paris 1978; dt.: Luthers Glaube. Die Sache des Evangeliums in der Kirche, Stuttgart 1982. **O. H. Pesch**, Hinführung zu Luther, Mainz 1982. **G. Scharffenorth**, Den Glauben ins Leben ziehen … Studien zu Luthers Theologie, München 1982. **J. Atkinson**, Martin Luther. Prophet to the Church Catholic, Exeter 1983. **G. Brendler**, Martin Luther. Theologie und Revolution, Berlin 1983.

8 Vgl. **H. Küng**, Katholische Besinnung auf Luthers Rechtfertigungslehre heute, in: Theologie im Wandel. Festschrift zum 150-jährigen Bestehen der Katholisch-Theologischen Fakultät an der Universität Tübingen 1817-1967, München 1967, S. 449-468.

9 Vgl. **H. Denifle**, Die abendländischen Schriftausleger bis Luther über Justitia Dei (R 1,17) und Justificatio, Mainz 1905.

10 Vgl. **O. H. Pesch**, Zwanzig Jahre katholische Lutherforschung, in: Lutherische Rundschau 16 (1966), S. 392-406. In seiner Einführung zu Luthers Theologie (1983) hat Pesch die Auseinandersetzung in vorbildlicher Weise durchgeführt.

11 Vgl. **H. Küng**, Rechtfertigung.

12 Daß die **Rechtfertigungslehre nicht mehr kirchentrennend** ist, wurde bestätigt:
a) durch das Verständigungsdokument des Lutherischen Weltbundes und des römischen Einheitssekretariats »Das Evangelium und die Kirche« (»Malta-

Bericht«) 1972, in: H. Meyer – H. J. Urban – L. Vischer (Hrsg.), Dokumente wachsender Übereinstimmung. Sämtliche Berichte und Konsenstexte interkonfessioneller Gespräche auf Weltebene 1931-1982, Paderborn 1983, S. 248-271, bes. Nr. 26-30;
b) durch das Dokument des Ökumenischen Arbeitskreises der (nach dem Besuch Johannes Pauls II. in der Bundesrepublik Deutschland vom November 1980 gebildeten) Gemeinsamen Ökumenischen Kommission »Lehrverurteilungen – kirchentrennend?«, Bd. I: Rechtfertigung, Sakramente und Amt im Zeitalter der Reformation und heute, hrsg. v. K. Lehmann – W. Pannenberg, Freiburg 1986, bes. S. 35-75;
c) durch ein Gutachten des Vatikanischen Einheitsrates vom 15. Dezember 1992, welches ausdrücklich feststellt, »daß die Canones 1-32 zum Rechtfertigungsdekret (von Trient) die lutherische Lehre, wie sie in den Bekenntnisschriften festgelegt ist, nicht treffen«. Eine »weitreichende Übereinstimmung« wurde auch in der Eucharistielehre festgestellt. Vgl. den Bericht in der Herder-Korrespondenz 47 (1993), S. 176.

13 Vgl. **M. Luther**, Von den guten Werken (1520), in: D. Martin Luthers Werke. Kritische Gesamtausgabe (im folgenden zitiert mit »WA«), Bd. VI, S. 196-276.

14 Vgl. **ders.**, An den christlichen Adel deutscher Nation von des christlichen Standes Besserung (1520), in: WA VI, S. 381-469.

15 Vgl. **ders.**, De captivitate Babylonica ecclesiae praeludium (1520), in: WA VI, S. 484-573.

16 Vgl. **ders.**, Von der Freiheit eines Christenmenschen (1520), in: WA VII, S. 12-38; lat.: M. Lutheri tractatus de libertate christiana, in: WA VII, S. 49-73.

17 **Ders.**, Von der Freiheit eines Christenmenschen, S. 21.

18 Hier in eigener Übersetzung Luthers zusammenfassendes Votum seiner Rede: vgl. die »Verhandlungen mit D. Martin Luther auf dem Reichstage zu Worms (1521)«, in: WA VII, S. 814-887, Zit. S. 838; der berühmte Satz »Ich kann nicht anders, hier stehe ich« ist nicht authentisch. Zum historischen Kontext vgl. **F. Reuter** (Hrsg.), Der Reichstag zu Worms von 1521. Reichspolitik und Luthersache, Worms 1971; hier zu Luthers Votum besonders **K.-V. Selge**, Capta conscientia in verbis Dei, Luthers Widerrufsverweigerung in Worms, S. 180-207.

19 Dies wird heute auch von katholischer Seite zugegeben: vgl. **W. Trilling**, Antichrist und Papsttum. Reflexionen zur Wirkungsgeschichte von 2 Thess 2,1-10a, in: Bonner Biblischer Beitrag 53 (1980), S. 251-271.

20 Vgl. **S. Pfürtner**, Die Paradigmen von Thomas von Aquin und Martin Luther. Bedeutet Luthers Rechtfertigungsbotschaft einen Paradigmenwechsel?, in: H. Küng – D. Tracy (Hrsg.), Theologie – wohin? Auf dem Weg zu einem neuen Paradigma, Gütersloh 1984, S. 168-192.

21 Vgl. **G. Ebeling**, Luther.

22 Vgl. **ders.**, Art. Hermeneutik, in: Religion in Geschichte und Gegenwart, Bd. III, Tübingen 1959, S. 242-262.

23 So interpretiert richtig **U. Baumann**, Die Ehe – ein Sakrament? Zürich 1988, S. 29-44, bes. S. 33f.

24 Vgl. **T. S. Kuhn**, The Structure of Scientific Revolutions, Chicago 1962; dt.: Die Struktur wissenschaftlicher Revolutionen, Frankfurt ²1976.

25 Vgl. **H. Küng**, Theologie, Kap. B II, 5: Wie entsteht Neues? Parallelen aus Naturwissenschaft und Theologie.

26 Vgl. **T. S. Kuhn**, Die Struktur wissenschaftlicher Revolutionen, Kap. XII: Die Lösung der Revolutionen.

27 **O. H. Pesch**, Hinführung zu Luther, S. 44.

28 **H. Zahrnt**, Der Zeitgenosse, in: H. J. Schultz (Hrsg.), Luther kontrovers, Stuttgart 1983, S. 26-40, Zit. S. 35.

29 Kuhns Buch erwähnt diesen entscheidenden Punkt, der ihm viel Kritik einbrachte, nur am Rande: Auch in der Naturwissenschaft gehe es um »das gleiche Paket Daten wie vorher«, die allerdings »in ein neues System gegenseitiger Beziehung gestellt werden« (S. 98).

30 Bezeichnend ist, daß Kuhn bis auf die allerletzten Seiten dieses Wort vermeidet (vgl. S. 182).

31 Vgl. **L. Wittgenstein**, Tractatus logico-philosophicus (1921, ²1933), in: ders., Schriften I, Frankfurt 1960, S. 7-83, Zit. S. 82.

32 Vgl. **H. Küng**, Existiert Gott?, Kap. E II: Grundmißtrauen oder Grundvertrauen?; Kap. F IV,3: Der Gottesglaube als letztlich begründetes Grundvertrauen.

33 Erstaunlicherweise haben selbst so ausgezeichnete Kenner des Spätmittelalters wie der frühere Tübinger Reformationshistoriker **H. A. Oberman** die Sprengkraft etwa von Erasmus' »Enchiridion militis Christiani« (Handbüchlein des christlichen Soldaten« 1503), das zum theologischen Bestseller auch in Übersetzungen wurde, unterschätzt und es als »das langweiligste Buch in der Geschichte der Frömmigkeit« bezeichnet (Luthers Reformatorische Ontdekkingen, in: Maarten Luther. Feestelijke Herdenking van zijn Vijfhonderdste Geboortedag, Amsterdam 1983, S. 11-34, Zit. S. 31).

Auffällig ist nur, daß Erasmus auch bei bestimmten katholischen Kirchenhistorikern keine gute Presse hat, gern in seiner Bedeutung verschwiegen oder dann negativ abgestempelt wird. Man lese nur im katholischen Lexikon für Theologie und Kirche den Erasmus-Artikel des katholischen Münsteraner Reformationshistorikers **E. Iserloh** (Art. Erasmus, in: LThK, Bd. III, S. 955-957), der es noch anno 1984/85 für ein wichtiges Anliegen hält, eine ganze Sammlung zweitrangiger antilutherischer Kontroverstheologen unter dem Titel »Katholische Theologen der Reformationszeit« (Bd. I-II, Münster 1984-85) der Öffentlichkeit zu präsentieren – natürlich ohne Erasmus einzuschließen, der unmittelbar vor der Reformation im Zenith seines Ruhmes (»Doctor universalis«, »Fürst der Wissenschaft« und »Beschützer der ehrlichen Theologie« genannt) stand und seinesgleichen unter »katholischen Theologen« gar nicht hatte. Iserlohs Umgang mit Erasmus (ganz auf der Linie seines Lehrers Joseph Lortz) ist typisch für eine konfessionalistisch römisch-katholische Kirchengeschichtsschreibung: Psychologisierend und moralisierend wird die (schließlich dem Zölibatszwang zuzuschreibende!) dunkle Herkunft des Erasmus – er, das uneheliche Kind mit ungewissem Geburtsdatum aus einer Verbindung des Priesters Rotger Gerard mit einer Arzttochter, mit circa 14 Jahren Vollwaise und von den Vormünden ins Kloster gesteckt – ausgebeutet: »Der Makel seiner

Geburt, den er nie verwand, und das Fehlen von Familie und Heim erklären bei ihm weithin Unrast, argwöhnisches Ausweichen, Angst, sich festzulegen, Empfindlichkeit und Geltungsbedürfnis.« Vorsicht also vor diesem Mann! Das dogmatische Verdikt des Historikers am Ende, hier des Zitierens nicht wert, wird so schon an der Wiege vorbereitet. Gerechtigkeit ist Erasmus schließlich doch auch von katholischen Theologen – es sei verwiesen auf die Arbeiten von **F. X. Funk**, später **A. Auer**, **R. Padberg** u. a. – widerfahren.

34 So **C. Augustijn**, Erasmus von Rotterdam. Leben – Werk – Wirkung, München 1986, S. 27. Auf den Spuren der frühen kongenialen Erasmus-Biographie von **Johan Huizinga** aus dem Jahre 1923 hat dieser heute vielleicht beste Erasmus-Spezialist, ebenfalls Niederländer, die so kontrastierende deutsche, französische und englische Forschung – Erasmus, der unentschlossene Anti-Luther, der rationalistische Frühaufklärer, der klassische Humanist – in dieser seiner Erasmus-Biographie aufgenommen, an die man sich bezüglich der wichtigsten historischen Fakten und Umstände getrost halten kann.

35 Vgl. **Erasmus v. Rotterdam**, Enchiridion (1503), in: Ausgewählte Schriften, hrsg. v. W. Welzig, Darmstadt 1968, Bd. I, S. 55-375.

36 Vgl. **R. H. Bainton**, Erasmus of Christendom, New York 1969; dt.: Erasmus, Reformer zwischen den Fronten, Göttingen 1972, S. 67.

37 **C. Augustijn**, Erasmus, S. 46.

38 Vgl. **Erasmus v. Rotterdam**, Lob der Torheit (1511), in: Ausgewählte Schriften, Bd. II, Darmstadt 1975, S. 1-211.

39 Vgl. **ders.**, Adagia (1500, erw. Ausg. 1515), in: Ausgewählte Schriften, Bd. VII, Darmstadt 1972, S. 357-633.

40 Vgl. **ders.**, Querela pacis (1516), in: Ausgewählte Schriften, Bd. V, Darmstadt 1968, S. 359-451.

41 Vgl. **ders.**, Institutio Principis Christiani (1515), in: Ausgewählte Schriften, Bd. V, Darmstadt 1968, S. 111-357.

42 **Ders.**, Opera omnia, Leidener Ausgabe, Bd. V 140 C.

43 Vgl. **F. Krüger**, Humanistische Evangelienauslegung. Desiderius Erasmus von Rotterdam als Ausleger der Evangelien in seinen Paraphrasen, Tübingen 1986.

44 **Ders.**, Opera omnia, Amsterdamer Ausgabe, Bd. IV-3, S. 753-756. 768-771.

45 Vgl. **A. Renaudet**, Etudes Erasmiennes (1521-1529), Paris 1939.

46 Vgl. **L. Bouyer**, Autour d'Erasme. Etudes sur le christianisme des humanistes catholiques, Paris 1955.

47 Vgl. **F. Heer**, Die Dritte Kraft. Der europäische Humanismus zwischen den Fronten, Frankfurt 1959.

48 **Ders.**, Die Dritte Kraft, S. 7. Wie sehr erasmisches Erbe sich gerade bei den humanistisch orientierten Führern der Reformation durchhalten konnte, hat **F. Krüger** für den Straßburger Reformator nachgewiesen: Bucer und Erasmus. Eine Untersuchung zum Einfluß des Erasmus auf die Theologie Martin Bucers (bis zum Evangelien-Kommentar von 1530), Wiesbaden 1970.

49 Vgl. **M. U. Edwards**, Luther's Last Battles. Politics and Polemics 1531-46, Ithaca 1983.

50 Interessant der Kontrast in der Bewertung der Reformation durch den Mediävisten **G. Tellenbach**, der die Kontinuität mit dem Mittelalter betont, und

dem Reformationshistoriker **P. Meinhold**, der mit der Reformation schon ein geradezu modernes Reformprogramm für den Neubau der Gesellschaft realisiert sieht, beide im selben Band V der Saeculum Weltgeschichte, hrsg. von H. Franke u. a., Freiburg 1970, S. 206-208. 417-422. Vgl. damit die abgewogenen Wertungen des Cambridger Historikers **R. W. Scribner**, The German Reformation, Atlantic Highland/N.J. 1986, S. 55-63.

51 Vgl. **E. W. Zeeden**, Katholische Überlieferungen in den lutherischen Kirchenordnungen des 16. Jahrhunderts, Münster 1959.

52 Über die pädagogischen Erfolge der lutherischen Reformation gehen die Meinungen der Historiker weit auseinander. Vgl. zur negativen These v. **G. Strauss** und der Gegenthese von **J. Kittelson** u. a. über den Erfolg der lutherischen Konfessionalisierung den Bericht von **H. R. Schmidt**, Konfessionalisierung im 16. Jahrhundert, München 1992, S. 63-67.

53 Vgl. **G. Franz** (Hrsg.), Beamtentum und Pfarrerstand 1400-1800, Limburg 1972 (Aufsätze über die verschiedenen deutschen Territorien).

54 Vgl. **M. Luther**, Wider das Papsttum zu Rom, vom Teufel gestiftet (1545), in: WA 54, S. 195-299.

55 Es war zuerst **E. Troeltsch**, Die Soziallehren der christlichen Kirchen und Gruppen, Tübingen 1912, der die Nonkonformisten als legitime evangelische Bewegung zu legitimieren versuchte durch die Unterscheidung des Typus »Sekte« (als auf freiwilligem Beitrittsbeschluß basierende Glaubensgemeinschaft) vom Typus »Kirche« (als sakramentaler Heilsanstalt). Einen umfassenden Überblick über das **»Schwärmertum«** und die ganzen radikalen Strömungen der Reformation (Täufer, Spiritualisten und evangelische Rationalisten) gibt **G. H. Williams**, The Radical Reformation, Philadelphia 1962, 3. überarbeitete Auflage Kirksville/Mo. 1992. Eine aufschlußreiche modernisierte Textsammlung bietet **H. Fast** (Hrsg.), Der linke Flügel der Reformation. Glaubenszeugnisse der Täufer, Spiritualisten, Schwärmer und Antitrinitarier, Bremen 1962. Ebenso **R. van Dülmen** (Hrsg.), Das Täuferreich zu Münster 1534-1535. Berichte und Dokumente, München 1974.

56 Eine Aufwertung des oft vernachlässigten Andreas Rudolff-Bodenstein aus Karlstadt/Franken unternimmt **C. A. Pater**, Karlstadt as the Father of the Baptist Movements. The Emergence of Lay Protestantism, Toronto 1984.

57 Vgl. **R. Wohlfeil** (Hrsg.), Der Bauernkrieg 1524-26. Bauernkrieg und Reformation, München 1975 (bes. Wohlfeils Einleitung und Nachwort).

58 Vgl. **M. Luther**, Ermahnung zum Frieden auf die 12 Artikel der Bauernschaft in Schwaben (1525), in: WA 18, S. 279-334.

59 Vgl. **M. Luther**, Wider die mörderischen und räuberischen Rotten der Bauern (1525), in: WA 18, S. 344-361. Im ersten Wittenberger Druck erschien die Schrift als Anhang zu Luthers »Ermahnung zum Frieden auf die zwölf Artikel der Bauernschaft in Schwaben«, und zwar in der Formulierung: »Auch wider die räuberischen und mörderischen Rotten der anderen Bauern«. Luther hatte zum Frieden mahnen wollen. Erst auf seiner Reise durch Thüringen ist er vom bäuerlichen Aufruhr so schockiert, daß er wohl noch auf der Reise den »Anhang« produziert (gegen die »anderen« also aufrührerischen Bauern). Später wurde dann der »Anhang« separat publiziert und erhielt so seine besondere

Schärfe, ohne allerdings auf den Gang der Dinge Einfluß zu nehmen, da die Schriften Luthers erst erschienen, als der Aufstand schon niedergeschlagen war.

60 Vgl. **F. Engels**, Der deutsche Bauernkrieg (1850), in: K. Marx – F. Engels, Gesamtausgabe, Bd. X, Berlin 1977, S. 367-443 (Vergleich zwischen Luther und Müntzer, S. 383-393).

61 Vgl. **E. Bloch**, Thomas Münzer als Theologe der Revolution (1921), Frankfurt 1962.

62 Zuverlässige modernisierte Sammlungen von Müntzers Schriften und Briefen wurden herausgegeben von **G. Wehr** (1989) und **R. Bentzinger – S. Hoyer** (1990).

63 Vgl. **T. A. Brady**, Turning Swiss. Cities and Empire 1450-1550, Cambridge 1985. Seine Konklusion: Turning Swiss – A Lost Dream (S. 222-230).

64 Vgl. **H. S. Bender**, C. Grebel c. 1498-1526. The Founder of the Swiss Brethren Sometimes Called Anabaptists, Goshen/Ind. 1950.

65 Eine ebenso informative wie knappe Geschichte der nonkonformistischen religiösen Bewegungen von der Wittenberger Bewegung (Karlstadt) bis zum radikalen Pietismus und zugleich einen fair wertenden Überblick über die Probleme und Tendenzen der Forschung gibt der Hamburger Historiker **H.-J. Goertz**, Religiöse Bewegungen in der frühen Neuzeit, München 1993 (Lit.!).

66 So in seiner sozialgeschichtlichen Zwischenbilanz **H.-J. Goertz**, Die Täufer. Geschichte und Deutung, München 1980, [2]1988; **ders.**, Religiöse Bewegungen, S. 86 (hier Hinweise auf Bestätigung dieser These durch andere Täufer-Forscher wie W. Klaassen, R. Klötzer, C. A. Snyder, J. M. Stayer).

67 Vgl. **M. Luther**, Von den Schleichern und Winkelpredigern (1532), in: WA 30, S. 510-527.

68 Vgl. den Forschungsbericht von **H. R. Schmidt**, Konfessionalisierung, Teil B.

69 Vgl. **H. Küng**, Judentum, Kap. 1-C V,2: Auch Luther gegen die Juden.

70 Zu **Huldrych Zwingli** vgl. neben den älteren Arbeiten von O. Farner und A. Rich: **W. Köhler**, Huldrych Zwingli, Leipzig 1943, neu hrsg. v. E. Koch 1983. **C. Gestrich**, Zwingli als Theologe. Glaube und Geist beim Zürcher Reformator, Zürich 1967. **M. Haas**, Huldrych Zwingli und seine Zeit. Leben und Werk des Zürcher Reformators, Zürich 1969. **G. W. Locher**, Huldrych Zwingli in neuer Sicht. Zehn Beiträge zur Theologie der Zürcher Reformation, Zürich 1969; **ders.**, Die Zwinglische Reformation im Rahmen der europäischen Kirchengeschichte, Göttingen 1979; **ders.**, Zwingli und die schweizerische Reformation, Göttingen 1982. **F. Büsser**, Huldrych Zwingli. Reformation als prophetischer Auftrag, Göttingen 1973. **G. R. Potter**, Zwingli, Cambridge 1976. **W. H. Neuser**, Die reformatorische Wende bei Zwingli, Neukirchen 1977. **F. E. Sciuto**, Ulrico Zwingli. La vita – il pensiero – il suo tempo, Neapel 1980. **U. Gäbler**, Huldrych Zwingli. Eine Einführung in sein Leben und sein Werk, München 1983. **H. Veldman**, Huldrych Zwingli. Hervormer van kerk en samenleving, Goes 1984. **A. Ziegler**, Zwingli. Katholisch gesehen, ökumenisch befragt, Zürich 1984. **J. V. Pollet**, Huldrych Zwingli, Fribourg 1985; **ders.**, Huldrych Zwingli. Biographie et théologie, Genf 1988; **ders.**, Huldrych Zwingli et le zwinglianisme. Essai de synthèse historique et théologique mis à jour d'après les recherches récentes, Paris 1988. **W. P. Ste-**

phens, The Theology of Huldrych Zwingli, Oxford 1986; **ders.**, Zwingli. An Introduction to his Thought, Oxford 1992. **P. Winzeler**, Zwingli als Theologe der Befreiung, Basel 1986. **B. Hamm**, Zwinglis Reformation der Freiheit, Neukirchen 1988.

71 Vgl. **W. H. Neuser**, Die reformatorische Wende bei Zwingli.

72 Vgl. **G. W. Locher**, Die Zwinglische Reformation.

73 Vgl. **W. H. Neuser**, Zwingli und der Zwinglianismus, in C. Andresen (Hrsg.), Handbuch der Dogmen- und Theologiegeschichte, Bd. II, Göttingen 1980, S. 167-238, bes. S. 167-176.

74 Vgl. **H. Zwingli**, Von Erkiesen und Freiheit der Speisen (1522), in: Zwingli Hauptschriften, hrsg. v. F. Blanke – O. Farner – R. Pfister, Bd. I, Zürich 1940, S. 5-57.

75 Vgl. **ders.**, Auslegen und Begründen der Schlußreden (1523), in: Zwingli Hauptschriften, Bd. III-IV, Zürich 1947-52.

76 Zu **Jean Calvin** vgl. **F. Büsser**, Calvins Urteil über sich selbst, Zürich 1950. **F. Wendel**, Calvin. Sources et évolution de sa pensée religieuse, Paris 1950; dt.: Calvin. Ursprung und Entwicklung seiner Theologie, Neukirchen 1968. **W. F. Dankbaar**, Calvijn, zijn weg en werk, Nijkerk 1957, [2]1982; dt.: Calvin, sein Weg und sein Werk, Neukirchen 1959. **E. Pfisterer**, Calvins Wirken in Genf. Neu geprüft und in Einzelbildern dargestellt, Neukirchen 1957. **J. Makkinnon**, Calvin and the Reformation, New York 1962. **A. Ganoczy**, Le jeune Calvin. Genèse et évolution de sa vocation réformatrice, Wiesbaden 1966. **W. Neuser**, Calvin, Berlin 1971. **T. H. L. Parker**, John Calvin. A Biography, London 1975. **W. J. Bouwsma**, John Calvin. A Sixteenth-Century Portrait, Oxford 1988. **R. S. Wallace**, Calvin, Geneva and the Reformation. A Study of Calvin as Social Reformer, Churchman, Pastor and Theologian, Edinburgh 1988. **A. E. McGrath**, A Life of John Calvin. A Study in the Shaping of Western Culture, Oxford 1990; dt.: Johann Calvin. Eine Biographie, Zürich 1991.

77 **J. Calvin**, Institutio religionis christianae (Ausgabe 1559) IV, 2,6, in: Corpus reformatorum, Bd. 30, Braunschweig 1864, Sp. 772.

78 **W. F. Dankbaar**, Calvin, S. 85.

79 **T. H. L. Parker**, John Calvin, S. XI.

80 Zu **Johann Calvins Denken** vgl. **W. Niesel**, Die Theologie Calvins, München 1938. **T. H. L. Parker**, The Oracles of God. An Introduction to the Preaching of John Calvin, London 1947; **ders.**, Calvin's Doctrine of the Knowledge of God, Edinburgh 1952, überarb. Aufl. 1969; **ders.**, Calvin's New Testament Commentaries, London 1971; **ders.**, Calvin's Old Testament Commentaries, Edinburgh 1986. **H. Schroten**, Christus, de Middelaar, bij Calvijn. Bijdrage tot de leer van de zekerheid des geloofs, Utrecht 1948. **T. F. Torrance**, Calvin's Doctrine of Man, London 1949; dt.: Calvins Lehre vom Menschen, Zollikon 1951; **ders.**, The Hermeneutics of John Calvin, Edinburgh 1988. **E. A. Dowey**, The Knowledge of God in Calvin's Theology, New York 1952. **H. Berger**, Calvins Geschichtsauffassung, Zürich 1955. **C. Calvetti**, La filosofia di Giovanni Calvino, Mailand 1955. **J. F. Jansen**, Calvin's Doctrine of the Work of Christ, London 1956. **W. Krusche**, Das Wirken des Heiligen Geistes nach

Calvin, Göttingen 1957. **R. S. Wallace**, Calvin's Doctrine of the Christian Life, Edinburgh 1959. **J. Moltmann** (Hrsg.), Calvin-Studien 1959, Neukirchen 1960. **L. G. M. Alting van Geusau**, Die Lehre der Kindertaufe bei Calvin, gesehen im Rahmen seiner Sakraments- und Tauftheologie. Synthese oder Ordnungsfehler?, Mainz 1963. **K. Reuter**, Das Grundverständnis der Theologie Calvins unter Einbeziehung ihrer geschichtlichen Abhängigkeiten, Neukirchen 1963. **R. J. Mooi**, Het kerk – en dogmahistorisch element in de werken van Johannes Calvijn, Wageningen 1965. **E. D. Willis**, Calvin's Catholic Christology. The Function of the So-called Extra Calvinisticum in Calvin's Theology, Leiden 1966. **D. Schellong**, Das evangelische Gesetz in der Auslegung Calvins, München 1968; **ders.**, Calvins Auslegung der synoptischen Evangelien, München 1969. **H. Scholl**, Der Dienst des Gebetes nach Johannes Calvin, Zürich 1968; **ders.**, Calvinus Catholicus. Die katholische Calvinforschung im 20. Jahrhundert, Freiburg 1974. **H. Schützeichel**, Die Glaubenstheologie Calvins, München 1972. **T. Stadtland**, Rechtfertigung und Heiligung bei Calvin, Neukirchen 1972. **W. Balke**, Calvijn en de doperse Radikalen, Amsterdam 1973; dt.: Calvin und die Täufer. Evangelium oder religiöser Humanismus?, Minden 1985. **F. Wendel**, Calvin et l'humanisme, Paris 1976. **W. S. Reid** (Hrsg.), John Calvin. His Influence in the Western World, Grand Rapids 1982. **J. D. Douglass**, Women, Freedom, and Calvin, Philadelphia 1985. **M. Potter Engel**, John Calvin's Perspectival Anthropology, Atlanta 1988. **C. J. Sommerville**, The Secularization of Early Modern England. From Religious Culture to Religious Faith, Oxford 1992.

81 **J. Calvin**, Institutio religionis christianae (Ausgabe 1559) I, 1,1, in: Corpus reformatorum, Bd. 30, Sp. 31.

82 Vgl. **ders.**, Institutio religionis christianae (Ausgabe 1536) I, in: Corpus reformatorum, Bd. 29, Braunschweig 1869, Sp. 42-55.

83 Einen raschen Überblick über die Gesamtkonzeption wie über die Detailfragen der letzten Ausgabe der Institutio verschafft die von **O. Weber** übersetzte und bearbeitete deutsche Ausgabe: Unterricht in der christlichen Religion, Neukirchen 1955 (1057 S. + Register).

84 Vgl. **G. Kraus**, Vorherbestimmung. Traditionelle Prädestinationslehre im Licht gegenwärtiger Theologie, Freiburg 1977, Kap. IV: Johannes Calvin.

85 Merkwürdigerweise fehlt dieser durch Bolsec veranlaßte Consensus Genevensis de aeterna Dei praedestinatione von 1552 auch in der fast 1000seitigen Ausgabe von **E. F. K. Müller**, Bekenntnisschriften der reformierten Kirche, Leipzig 1903. Man findet ihn in der Collectio confessionum von **H. A. Niemeyer**, Leipzig 1840.

86 Bolsec rächte sich bekanntlich an Calvin mit einer höchst kritischen, aber in vielen Angriffen heute nicht mehr zu verifizierenden Biographie »Vie de Calvin« (1577). Daß die Bolsec-Affäre noch heute eine heftige Kontroverse unter Calvinanhängern und -forschern auslösen kann, zeigt die Debatte zwischen **F. C. Roberts** und **P. C. Holtrop**, in: Perspectives. A Journal of Reformed Thought, Dezember 1993, S. 9-12.

87 **J. Calvin**, Institutio religionis christianae (Ausgabe 1559) III, 21,5, in: Corpus reformatorum, Bd. XXX, Sp. 683.

88 Vgl. zu diesem Problemkomplex die kritische Studie von **W. Groß – K.-J. Kuschel**: »Ich schaffe Finsternis und Unheil!«. Ist Gott verantwortlich für das Übel?, Mainz 1992, bes. S. 85-90.

89 Vgl. **Ignatius von Loyola**, Exercicios spirituales (1548); dt.: Die Exerzitien, Einsiedeln 1954. Der problematischste Teil des Exerzitienbüchleins ist das Ende: die 18 Regeln zum »Fühlen in der Kirche«, bes. Regel 13.

90 **J. Calvin**, Institutio religionis christianae (Ausgabe 1559) III, 14,18, in: Corpus reformatorum, Bd. 30, Sp. 576.

91 Vgl. **M. Weber**, Die protestantische Ethik und der Geist des Kapitalismus (erste Fassung 1904/06), in: Gesammelte Aufsätze zur Religionssoziologie, Bd. I, Tübingen 1920, S. 17-206.

92 Vgl. **J.-F. Bergier**, Genève et l'économie européenne de la Renaissance, Paris 1963; **ders.**, Zu den Anfängen des Kapitalismus – Das Beispiel Genf, Köln 1972; **ders.**, Wirtschaftsgeschichte der Schweiz. Von den Anfängen bis zur Gegenwart, Zürich 1983, 2. aktualisierte Aufl. 1990.

93 **Ders.**, Zu den Anfängen des Kapitalismus, S. 21.

94 Vgl. **A. E. McGrath**, A Life of John Calvin, Kap. XI. **A. Biéler**, La pensée économique et sociale de Calvin, Genf 1959; **ders.**, L'Humanisme social de Calvin, Genf 1961. **M. Miegge – L. Corsani – U. Gastaldi**, Protestantesimo e capitalismo da Calvino a Weber. Contributi ad un dibattito, Turin 1983. **G. Poggi**, Calvinism and the Capitalist Spirit. Max Weber's Protestant Ethic, Amherst 1983.

95 Vgl. **G. Jellinek**, Die Erklärung der Menschen- und Bürgerrechte (1895, [4]1927), in: R. Schnur (Hrsg.), Zur Geschichte der Erklärung der Menschenrechte, Darmstadt 1974 (mit Diskussionsbeiträgen von E. Boutmy u. a.). **H. Lutz** (Hrsg.), Zur Geschichte der Toleranz und Religionsfreiheit, Darmstadt 1977 (bes. Aufsatz v. L. Moore).

96 Zu **Calvins Kirchenverständnis** vgl. **A. Ganoczy**, Calvin, théologien de l'Eglise et du ministère, Paris 1964; **ders.**, Ecclesia ministrans. Dienende Kirche und kirchlicher Dienst bei Calvin, Freiburg 1968. **K. McDonnell**, John Calvin, the Church, and the Eucharist, Princeton 1967. **B. C. Milner**, Calvin's Doctrine of the Church, Leiden 1970. **L. Schümmer**, L'ecclésiologie de Calvin à la lumière de l'Ecclesia Mater. Son apport aux recherches ecclésiologiques tendant à exprimer l'unité en voie de manifestation, Bern 1981. **E. A. McKee**, Elders and the Plural Ministry. The Role of Exegetical History in Illuminating John Calvin's Theology, Genf 1988.

97 Vgl. **H. Höpfl**, The Christian Polity of John Calvin, Cambridge 1982, S. 103-127. Vgl. ferner **R. C. Hancock**, Calvin and the Foundations of Modern Politics, Ithaca 1989.

98 Die grundlegenden Dokumente der reformierten Kirchen – wichtig außerhalb Genf der Heidelberger Katechismus und die schottischen, belgischen und kurpfälzischen Bekenntnisse oder Kirchenordnungen – finden sich in einer deutschen Neuausgabe bei **W. Niesel** (Hrsg.), Bekenntnisschriften und Kirchenordnungen der nach Gottes Wort reformierten Kirche, Zürich 1938. Vgl. dazu **P. Jacobs**, Theologie reformierter Bekenntnisschriften, Neukirchen 1959.

99 Zu **Calvins Abendmahlsverständnis** vgl. **R. S. Wallace**, Calvin's Doctrine of

the Word and Sacrament, Edinburgh 1953. **H. Grass**, Die Abendmahlslehre bei Luther und Calvin. Eine kritische Untersuchung, Gütersloh 1954. **G. P. Hartvelt**, Verum corpus. Een studie over een centraal hoofdstuk uit de avondmaalsleer van Calvijn, Delft 1960. **J. Rogge**, Virtus und Res. Um die Abendmahlswirklichkeit bei Calvin, Berlin 1965. **K. McDonnell**, John Calvin.

100 Vgl. **R. Hooker**, Of the Laws of Ecclesiastical Polity, Bd. I-V (1593-97), Neuausgabe in zwei Bänden, London 1981.

101 Genau dies illustrieren durch einen facettenreichen Textband **A. Duke – G. Lewis – A. Pettegree**, Calvinism in Europe 1540-1610. A Collection of Documents, Manchester 1992.

102 Vgl. **G. W. Locher**, Calvin. Anwalt der Ökumene, Zollikon 1960.

103 Zur **Reformation in England** bleibt grundlegend die einseitige, aber faktenreiche Geschichte der englischen Reformation von **J. Foxe**, Actes and Monuments of these Latter and Perillous Dayes (1563), populär unter dem Titel: »The Book of Martyrs« ([4]1583, Neuausgabe in 8 Bänden, New York 1965). Die neuere klassische Darstellung schrieb **A. G. Dickens**, The English Reformation, London 1964. Revisionen an diesem Bild, besonders bezüglich der vorreformatorischen Zeit und des Tempos der Durchsetzung der Reformation in England, nimmt vor **C. Haigh** (Hrsg.), The English Reformation Revised, Cambridge 1987 (S. 1-33 die wichtigste neue Literatur). Seither sind erschienen: **R. Cust – A. Hughes** (Hrsg.), Conflict in Early Stuart England. Studies in Religion and Politics 1603-1642, London 1989. **D. Loades**, Politics, Censorship and the English Reformation, London 1991. **J. Spurr**, The Restoration Church of England, 1646-1689, New Haven 1991.

104 **C. Haigh**, The English Reformation Revised, S. 209.

105 Zum **Anglikanismus** vgl. **P. E. More – F. L. Cross** (Hrsg.), Anglicanism. The Thought and Practice of the Church of England, Illustrated from the Religious Literature of the Seventeenth Century, London 1935. **J. W. C. Wand** (Hrsg.), The Anglican Communion. A Survey, Oxford 1948; **ders.**, Anglicanism in History and Today, London 1961. **S. Neill**, Anglicanism, Harmondsworth 1958, Oxford [4]1977; **ders.**, Art. Anglikanische (Kirchen-) Gemeinschaft, in: TRE, Bd. II, S. 713-723. Für die Durchsicht dieses Abschnitts über den Anglikanismus danke ich herzlich Dr. **John Bowden** (London).

106 Die Werke von **Th. Cranmer** wurden hrsg. v. **H. Jenkyns** und **J. E. Cox**. Zu seinem Leben und Werk vgl. **G. W. Bromiley**, Thomas Cranmer Theologian, London 1956. **J. Ridley**, Thomas Cranmer, Oxford 1962. **P. Brooks**, Thomas Cranmer's Doctrine of the Eucharist. An Essay in Historical Development, London 1965; **ders.**, Cranmer in Context. Documents from the English Reformation, Cambridge 1989. **G. R. Elton**, Art. Cranmer, in: TRE, Bd. VIII, S. 226-229. **M. H. Shepperd**, Art. Cranmer, in: EncRel, Bd. IV, S. 137-138. **M. Johnson** (Hrsg.), Thomas Cranmer. A Living Influence for 500 years, Durham 1990.

107 Vgl. **J. I. Tellechea Idigoras**, Fray Bartolomé Carranza y el Cardenal Pole. Un navarro en la restauración católica de Inglaterra (1554-1558), Pamplona 1977; **ders.**, Art. Carranza, in: LThK, Bd. II, S. 957; **ders.**, Fray Bartolomé Carranza. Documentos históricos, Bd. Iff, Madrid 1962ff.

108 Vgl. **J. Jewel**, Apologia Ecclesiae Anglicanae (1562); engl.: An Apologie, or aunswer in defence of the Church of England, concerninge the state of Religion used in the same, London 1562, Neudruck Amsterdam 1972.
109 Vgl. **R. Hooker**, Of the Laws of Ecclesiastical Polity.
110 Zu **John Knox** vgl. **J. S. McEwen**, The Faith of John Knox, London 1961. **J. Ridley**, John Knox, Oxford 1968. **W. Stanford Reid**, Trumpeter of God. A Biography of John Knox, New York 1974. **D. Shaw** (Hrsg.), John Knox. A Quatercentenary Reappraisal, Edinburgh 1975.
111 Vgl. **F. J. Bremer**, Art. Puritanism, in: EncRel, Bd. XII, S. 102-106 (Lit.!).
112 **Oliver Cromwells** Briefe und Reden wurden hrsg. v. **W. C. Abbot.** Die klassische Biographie bleibt **C. H. Firth**, Oliver Cromwell and the Rule of the Puritans in England, Oxford 1900, Neuausgabe London 1947. Für die neuere Literatur vgl. **M. Ashley**, Art. Oliver Cromwell, in: The New Encyclopaedia Britannica, Bd. XVI, Chicago 1987, S. 875-879.
113 Vgl. die Textsammlung klassischer anglikanischer Autoren: **P. E. More – F. L. Cross**, Anglicanism.
114 Vgl. 39 Articles of Religion, Nr. 6 (normalerweise zu finden in den heutigen Ausgaben des »Book of Common Prayer«).
115 Die klassische Biographie stammt von **R. W. Chambers**, Thomas More, London 1935; dt.: Thomas More. Ein Staatsmann Heinrichs des Achten, München 1946; sie wurde in vielem korrigiert von **E. E. Reynolds**, The Field is Won. The Life and Death of Saint Thomas More, Milwaukee 1968.
116 Vgl. **F. Baker**, Art. Methodist Churches, in: EncRel, Bd. IX, S. 493-495.
117 Vgl. **ders.** (auch Herausgeber der auf 35 Bände geplanten Werke John Wesleys), Art. Wesley Brothers, in: EncRel, Bd. XV, S. 370f. Die 5-bändige Standardbiographie stammt von J. S. Simon; neuere Biographien von F. Baker, M. Schmidt, C. E. Vulliamy.
118 Vgl. **G. F. Moede**, The Office of Bishop in Methodism. Its History and Development, Zürich 1964. **J. K. Mathews**, Set apart to Serve. The Meaning and Role of Episcopacy in the Wesleyan Tradition, Nashville/Tenn. 1985.
119 Anglikanische Kirchen haben mit folgenden Episkopalkirchen volle kirchliche Gemeinschaft aufgenommen (Abendmahlsgemeinschaft und Teilhabe an der Bischofsweihe): mit der Alt-Katholischen Kirche Europas, mit der Polnischen Katholischen Nationalkirche in den USA, mit der Schwedischen und der Finnischen Kirche, mit der Unabhängigen Philippinischen Kirche, mit der reformierten Syrischen Mar-Thoma-Kirche in Indien. In eine neue Kirchenunion mit anderen Kirchen haben sich integriert die anglikanischen Provinzen von Südindien, Nordindien, Pakistan und Bangladesch. Doch haben anglikanische Besucher in diesen Kirchen Anspruch auf volle Mitgliedschaft, da diese an den Kernpunkten der anglikanischen Kirche ausdrücklich festhalten.
120 **G. Scharffenorth**, Im Geist Freunde werden … Die Beziehung von Mann und Frau bei Luther im Rahmen seines Kirchenverständnisses, in: dies., Den Glauben ins Leben ziehen … Studien zu Luthers Theologie, München 1982, S. 122-202, Zit. S. 162.
121 **Dies.**, Im Geist Freunde werden, S. 174.
122 **Dies.**, Im Geist Freunde werden, S. 162.

123 **M. Luther**, Welche Personen verboten sind zu ehelichen (1522) in: WA X/2, S. 263-266, Zit. S. 266.
124 Vgl. **ders.**, An die Ratsherren aller Städte deutschen Lands, daß sie christliche Schulen aufrichten und halten sollen, in: WA XV, S. 9-53.
125 Vgl. **E. Reichle**, Art. Reformation, in: A. Lissner – R. Süssmuth – K. Walter (Hrsg.), Frauenlexikon. Traditionen, Fakten, Perspektiven, Freiburg 1988, Sp. 927-934. Im europäischen Kontext untersucht die Frage **R. H. Bainton**, Women of the Reformation, Bd. I: In Germany and Italy, Bd. II: In France and England, Bd. III: From Spain to Scandinavia, Minneapolis 1971-77.
126 Vgl. Kap. C III,10: Frauen im Mittelalter.
127 Vgl. **I. Ludolphy**, Art. Frau (VI. Reformationszeit), in: TRE, Bd. XI, S. 441-443. **S. E. Ozment**, When Fathers Ruled. Family Life in Reformation Europe, Cambridge/Mass. 1983. **L. Roper**, The Holy Household. Women and Morals in Reformation Augsburg, Oxford 1989.
128 Vgl. **J. Dempsey Douglass**, Women, Freedom, and Calvin, Philadelphia 1985.
129 Vgl. **R. L. Greaves** (Hrsg.), Triumph over Silence. Women in Protestant History, London 1985.
130 Vgl. **P. Crawford**, Women and Religion in England 1500-1720, London 1993.
131 Vgl. **M. P. Hannay**, Silent but for the Word. Tudor Women as Patrons, Translators and Writers of Religious Works, Kent 1985.
132 **P. Crawford** widmet ihnen ein ganzes Kapitel.
133 Vgl. **M. Kobelt-Groch**, Aufsässige Töchter Gottes. Frauen im Bauernkrieg und in den Täuferbewegungen, Frankfurt 1993.
134 Vgl. die Würdigung durch die katholische Theologin **A. Jensen**, Im Kampf um Freiheit in Kirche und Staat: Die »Mutter des Quäkertums«, Margaret Fell, in: H. Häring – K.-J. Kuschel (Hrsg.), Gegenentwürfe. 24 Lebensläufe für eine andere Theologie, München 1988, S. 169-180.
135 **P. Crawford**, Women and Religion, S. 138.
136 **Dies.**, Women and Religion, S. 139.
137 **Dies.**, Women and Religion, S. 139.
138 **R. L. Greaves** (Hrsg.), Triumph over Silence, S. 12.
139 Es gibt bereits zahlreiche Detailuntersuchungen zur **Hexenverfolgung** in bestimmten Regionen (B. Ankarloo: Schweden; G. Bader: Schweiz; W. Behringer: Südostdeutschland; G. Bonomo: Italien; F. Byloff: Österreich; P. F. Byrne: Irland; G. Henningsen: Baskenland; C. Larner: Schottland; A. Macfarlane: England; R. Mandrou: Frankreich; H. C. E. Midelfort: Südwestdeutschland; E. W. Monter: Frankreich und Schweiz; J. Tazbir: Polen; R. Zguta: Rußland). Für Deutschland gibt einen Überblick über den heutigen Stand der Forschung **G. Schormann**, Hexenprozesse in Deutschland, Göttingen 1981 (vom selben Verfasser auch ein vorzüglicher Überblick im Art. Hexen, in: TRE, Bd. XV, S. 297-304); dazu die informative Dokumentation von **W. Behringer** (Hrsg.), Hexen und Hexenprozesse in Deutschland, München 1988, [2]1993. Weitere neuere Literatur zu diesem Thema: **N. C. Cohn**, Europe's Inner Demons. An Enquiry Inspired by the Great Witch-Hunt, London 1975. **R. Kieckhefer**, European Witch Trials. Their Foundations in Popular and Learned Culture, 1300-1500, London 1976. **H. Döbler**, Hexenwahn. Die Geschichte einer Ver-

folgung, München 1977. **M. Hammes**, Hexenwahn und Hexenprozesse, Frankfurt 1977. **C. Honegger** (Hrsg.), Die Hexen der Neuzeit. Studien zur Sozialgeschichte eines kulturellen Deutungsmusters, Frankfurt 1978. **C. Ginzburg**, I Benandanti. Stregoneria e culti agrari tra Cinquecento e Seicento, Turin 1966; dt.: Die Benandanti. Feldkulte und Hexenwesen im 16. und 17. Jahrhundert, Frankfurt 1980. **E. Wisselinck**, Hexen. Warum wir so wenig von ihrer Geschichte erfahren und was davon auch noch falsch ist, München 1986. **R. van Dülmen** (Hrsg.), Hexenwelten. Magie und Imagination vom 16.-20. Jahrhundert, Frankfurt 1987. **G. Schwaiger** (Hrsg.), Teufelsglaube und Hexenprozesse, München 1987. **H. Weber**, Kinderhexenprozesse, Frankfurt 1991.

140 **H. Haag**, Vor dem Bösen ratlos?, München 1978, S. 164; vgl. auch **H. Haag – K. Elliger**, Teufelsglaube, Tübingen 1974, Kap. »Die Hexen«.

141 Vgl. z. B. **Thomas von Aquin**, Summa theologiae II-II, q. 93, a. 2.

142 Vgl. **J. Sprenger – H. Institoris**, Malleus maleficarum (1487); zum erstenmal (in drei Teilen) ins Deutsche übertragen und eingeleitet von J. W. R. Schmidt, Berlin 1906, Nachdruck 1974. Daß die den Hexen vorgeworfenen Obszönitäten und Perversionen eine gewisse Ersatzbefriedigung für sexuelle Wünsche waren, die den Christen (und besonders den zölibatären Priestern) verboten waren, ist nicht nur eine psychologisierende Hypothese, sondern wird gerade in diesem Buch ad oculos demonstriert: Seitenweise wird darüber räsoniert, »Ob die Hexen die Zeugungskraft oder den Liebesgenuß verhindern können« (I,127-136) oder »Ob die Hexen durch gauklerische Vorspiegelung die männlichen Glieder behexen« (I,136-145), und anhand mehrerer Beispiele wird berichtet »Über die Art, wie sie die männlichen Glieder wegzuhexen pflegen« (II,78-87).

143 Der lateinische Originaltext der Bulle findet sich bei **C. Mirbt – K. Aland**, Quellen zur Geschichte des Papsttums und des römischen Katholizismus, Bd. I, Tübingen [6]1967, S. 282f.

144 **G. Schormann** Art. Hexen, Zit. S. 303 (Hervorhebung von mir).

145 **C. Honegger**, Art. Hexen, in: A. Lissner – R. Süssmuth – K. Walter (Hrsg.), Frauenlexikon, Sp. 491-500, Zit. Sp. 498 (Hervorhebung von mir).

146 Vgl. **F. von Spee**, Cautio criminalis, seu de processibus contra sagas (1631); dt.: Cautio criminalis oder Rechtliche Bedenken wegen der Hexenprozesse, Weimar 1939.

147 Vgl. die historisch-theologische Analyse dieser innerprotestantischen Lehrstreitigkeiten bei **B. Lohse**, Dogma und Bekenntnis in der Reformation: Von Luther bis zum Konkordienbuch, in: C. Andresen (Hrsg.), Handbuch der Dogmen- und Theologiegeschichte, Bd. II, Göttingen 1980, S. 1-164, bes. S. 102-138. Wie die Barockscholastik, so hat auch die lutherische Orthodoxie keine große Gesamtdarstellung gefunden.

148 **E. W. Zeeden**, Die Entstehung der Konfessionen, S. 9f.

149 **Ders.**, Die Entstehung der Konfessionen, S. 179.

150 **Ders.**, Die Entstehung der Konfessionen, S. 179.

151 Es wird in der evangelischen Theologie ausgesprochen beklagt, daß die vielfach als »öde« angesehene nachreformatorische Zeit der Orthodoxie – von der Theologie abgesehen – in der historischen Forschung lange kaum genügend

Aufmerksamkeit gefunden hat. Einen guten Überblick über den gegenwärtigen Forschungsstand gibt **H. R. Schmidt**, Konfessionalisierung im 16. Jh., München 1992. Aus mehr französischer Perspektive bietet sehr viel Material sowohl zum Phänomen der Bekenntnisse wie zum Leben der Christen der Band von **M. Venard** (Hrsg.), Le temps des confessions (1530-1620/30), Paris 1992; dt.: Die Zeit der Konfessionen (1530-1620/30), Freiburg 1992.

152 Der Begriff stammt von **G. Oestreich**, Geist und Gestalt des frühmodernen Staats, Berlin 1969, S. 187-197. Zur Bestimmung der Konfessionalisierung als Teil der Sozialdisziplinierung des Absolutismus die Übersicht bei **H. R. Schmidt**, Konfessionalisierung, S. 94-98 (Sozialdisziplinierung – der Kampf gegen die Volkskultur. Lit.!).

153 Zu den **lutherischen Bekenntnisschriften** vgl. die Standardausgabe der Bekenntnisschriften der evangelisch-lutherischen Kirche, hrsg. vom Deutschen Evangelischen Kirchenausschuß im Gedenkjahr der Augsburgischen Konfession, Göttingen 1930, [10]1986. Zur Theologie der lutherischen Bekenntnisschriften vgl. **E. Schlink**, Theologie der lutherischen Bekenntnisschriften, München 1940, [3]1948. **F. Brunstäd**, Theologie der lutherischen Bekenntnisschriften, Gütersloh 1951. **H. Fagerberg**, Die Theologie der lutherischen Bekenntnisschriften von 1529 bis 1537, Göttingen 1965.

154 **B. Lohse**, Dogma und Bekenntnis in der Reformation, S. 163.

155 Vgl. **J. Gerhard**, Loci theologici (1610-1622), Bd. I-IX, Tübingen 1639.

156 Man denke nur an die fruchtbare Auseinandersetzung mit dem reformierten Leidener Systematiker **Johannes Coccejus** (Koch aus Bremen), der die Dogmatik nicht mehr nach Glaubensartikeln (»loci«), sondern nach den biblischen Bundschließungen (»Föderaltheologie«) eingeteilt hat.

157 Vgl. oben Kap. C III,12: Gegen-Reformation: Zurück zum mittelalterlichen Paradigma.

158 Zu den **reformierten Bekenntnisschriften** vgl. oben Kap. C IV,6: Der konsequent reformatorische, »reformierte« Protestantismus. Zur Entwicklung der Theologie der reformierten Orthodoxie (von den calvinistischen Aristotelikern über die calvinistischen Ramisten, Schüler von Petrus Ramus, bis zur Föderaltheologie des Johannes Coccejus und zur Synode von Westminster vgl. **W. H. Neuser**, Dogma und Bekenntnis in der Reformation: Von Zwingli und Calvin bis zur Synode von Westminster, in: C. Andresen (Hrsg.), Handbuch der Dogmen- und Theologiegeschichte, Bd. II, S. 165-352, bes. S. 306-352.

159 Vgl. **E. W. Zeeden**, Die Entstehung der Konfessionen, S. 181.

160 Vgl. **H. Lutz**, Reformation und Gegenreformation, München 1982, S. 66.

161 Vgl. **A. Feil**, Metzler Musik Chronik vom frühen Mittelalter bis zur Gegenwart, Stuttgart 1993, S. 171-173, mit Erläuterungen S. 174-300.

162 **Ders.**, Metzler Musik Chronik, S. 173.

163 **H. Lehmann**, Das Zeitalter des Absolutismus. Gottesgnadentum und Kriegsnot, Stuttgart 1980. Vgl. die Textsammlung von **W. Zeller** (Hrsg.), Der Protestantismus des 17. Jahrhunderts, Bremen 1962.

164 Vgl. **P. Nicolai**, Freudenspiegel des ewigen Lebens (1599), Neudruck Soest 1963.

165 Vgl. **J. Arndt**, Vier Bücher vom wahren Christentum, Bd. I-IV, Braunschweig/

Magdeburg 1606-10.

166 Zur Geschichte und zum Verständnis des **Pietismus** gibt es Spezialveröffentlichungen zu einzelnen Gestalten wie Spener, Francke, Arnold, Zinzendorf und einzelnen Regionen. Es sei verwiesen vor allem auf die jetzt im Erscheinen begriffene Geschichte des Pietismus, hrsg. von **M. Brecht** u. a., Bd. I: Der Pietismus vom siebzehnten bis zum frühen achtzehnten Jahrhundert, Göttingen 1993 (drei weitere Bände folgen). Ferner **G. Küntzel – M. Hass** (Hrsg.), Die politischen Testamente der Hohenzollern nebst ergänzenden Aktenstükken, Bd. I-II, Leipzig 1911. **E. Hirsch**, Geschichte der neueren Evangelischen Theologie im Zusammenhang mit den allgemeinen Bewegungen des europäischen Denkens, Bd. II, Gütersloh 1951. **A. Langen**, Der Wortschatz des deutschen Pietismus, Tübingen 1954. **W. Zeller** (Hrsg.), Der Protestantismus des 17. Jahrhunderts, Bremen 1962. **F. E. Stoeffler**, The Rise of Evangelical Pietism, Leiden 1965. **H. Weigelt**, Pietismus-Studien, Bd. I, Stuttgart 1965. **F. W. Kantzenbach**, Orthodoxie und Pietismus, Gütersloh 1966. **H. Lehmann**, Pietismus und weltliche Ordnung in Württemberg vom 17. bis zum 20. Jahrhundert, Stuttgart 1969; **ders.**, Das Zeitalter des Absolutismus. **M. Schmidt**, Wiedergeburt und neuer Mensch, Witten 1969; **ders.**, Pietismus, Stuttgart 1972; **ders.**, Der Pietismus als theologische Erscheinung, Göttingen 1984. **J. Wallmann**, Philipp Jakob Spener und die Anfänge des Pietismus, Tübingen 1970, [2]1986; **ders.**, Der Pietismus, Göttingen 1990. **H. Leube**, Orthodoxie und Pietismus. Gesammelte Studien, Bielefeld 1975. **M. Greschat** (Hrsg.), Zur neueren Pietismusforschung, Darmstadt 1977; **ders.** (Hrsg.), Orthodoxie und Pietismus, Stuttgart 1982. **E. Beyreuther**, Geschichte des Pietismus, Stuttgart 1978; **ders.**, Frömmigkeit und Theologie. Gesammelte Aufsätze zum Pietismus und zur Erweckungsbewegung, Hildesheim 1980. **M. Scharfe**, Die Religion des Volkes. Kleine Kultur- und Sozialgeschichte des Pietismus, Gütersloh 1980. **T. Baumann**, Zwischen Weltveränderung und Weltflucht. Zum Wandel der pietistischen Utopie im 17. und 18. Jahrhundert, Lahr 1991. **E. M. Laine** (Hrsg.), Der Pietismus in seiner europäischen und außereuropäischen Ausstrahlung, Helsinki 1992. Eine hilfreiche Textsammlung bieten **M. Schmidt – W. Janasch**, Das Zeitalter des Pietismus, Bremen 1965.

167 Vgl. **K. Deppermann**, Der englische Puritanismus, in: M. Brecht u. a. (Hrsg.), Der Pietismus, S. 11-55.

168 Vgl. **E. C. McKenzie**, British Devotional Literature and the Rise of German Pietism, Bd. I-II, Diss. St. Andrews 1984.

169 Vgl. **J. van den Berg**, Die Frömmigkeitsbestrebungen in den Niederlanden, in: M. Brecht u. a. (Hrsg.), Der Pietismus, S. 57-112.

170 Vgl. **P. J. Spener**, Pia desideria: oder Hertzliches Verlangen Nach Gottgefälliger Besserung der wahren Evangelischen Kirchen sampt einigen dahin einfältig abzweckenden Christlichen Vorschlagen (1676), neu hrsg. von K. Aland, Berlin [3]1964.

171 Vgl. die genaue Analyse dieser theologischen, kirchenrechtlichen und kirchenpolitischen, staats- und machtpolitischen Aspekte der brandenburgisch-preußischen Politik bei **H. Lehmann**, Das Zeitalter des Absolutismus, Kap. II,7:

Territorialismus und Pietismus.

172 Vgl. **K. Deppermann**, August Hermann Francke, in: M. Greschat (Hrsg.), Orthodoxie und Pietismus, Stuttgart 1982, S. 241-260. Ferner **C. Hinrichs**, Preußentum und Pietismus. Der Pietismus in Brandenburg-Preußen als religiös-soziale Reformbewegung, Göttingen 1971.

173 In **Süddeutschland** nahm der Pietismus eine selbständige Entwicklung gegenüber dem Hallenser Pietismus: Der maßvolle und volkstümliche **Pietismus Württembergs** hielt sich frei von Verstiegenheiten (Bußkrampf), bewahrte den Kontakt mit der wissenschaftlichen Theologie und fand so auch bei der Kirchenleitung Sympathien (Erlaubnis von privaten Erbauungsversammlungen, »Stunden«); einflußreich waren der spekulative Biblizist Johann Albrecht Bengel und der Theosoph Friedrich Christoph Ötinger. – Im Nordwesten aber hatte der **reformierte Pietismus**, beeinflußt vom englischen Puritanismus wie vom asketischen Geist Calvins selbst, seinen Einflußbereich unter der maßgebenden Führung des Utrechter Professors Gisbert Voetius. In alle Konfessionen hinein aber wirkte der reformierte Mystiker Gerhard Tersteegen in Mühlheim/Ruhr inspirierend.

174 Vgl. **G. Beyreuther**, Sexualtheorien im Pietismus, Med. Diss. München 1963, in: Werkausgabe, Bd. II über Zinzendorf, Hildesheim 1975.

175 Vgl. zur Stellung der **Frau** im Pietismus mit einer schönen Würdigung von Graf und Gräfin Zinzendorf bei **G. Scharffenorth – E. Reichle**, Art. Frau VII (Neuzeit), in: TRE, Bd. XI, S. 446-450.

176 Vgl. **G. Arnold**, Unparteiische Kirchen- und Ketzer-Historie, vom Anfang des Neuen Testaments bis auf das Jahr Christi 1688, Bd. I-IV, Frankfurt 1699-1700, [2]1729, Neudruck Hildesheim 1967.

177 Zu den **Erweckungsbewegungen** vgl. **E. Hirsch**, Geschichte der neuern evangelischen Theologie, Bd. III, Gütersloh 1951, Kap. 33: Die Aufspaltung der westeuropäischen evangelischen Theologie in gegensätzliche Richtungen. **E. Staehelin**, Von der protestantischen Orthodoxie zu den Erweckungsbewegungen, in: Historia Mundi, Bd. VII, Bern 1957, S. 227-248. **O. Weber – E. Beyreuther** (Hrsg.), Die Stimme der Stillen. Ein Buch zur Besinnung aus dem Zeugnis von Pietismus und Erweckungsbewegung, Neukirchen 1959; **ders.**, Die Erweckungsbewegung, Göttingen 1963. **É. G. Léonard**, Histoire générale du Protestantisme, Bd. III: Déclin et Renouveau (XVIIIe-XXe Siècle), Paris 1964. **D. Lotz**, »The Evangelization of the World in this Generation«: The Resurgence of a Missionary Idea among the Conservative Evangelicals, Hamburg 1970. **D. B. Rutman** (Hrsg.), The Great Awakening. Event and Exegesis, Huntington/N.Y. 1977. **U. Gäbler**, Auferstehungszeit. Erweckungsprediger des 19. Jh., München 1991. **W. R. Ward**, The Protestant Evangelical Awakening, Cambridge 1992.

178 Deshalb wird in der von **M. Brecht** u. a. herausgegebenen großen Geschichte des Pietismus der dritte Band den Erweckungsbewegungen bis hin zur Gegenwart gewidmet sein.

179 Zur vorläufigen Orientierung vgl. die klassische Untersuchung von **S. E. Ahlstrom**, A Religious History of the American People, New Haven 1972.

180 Vgl. **C. G. Finney**, Lectures on Revivals of Religion, New York 1835, neu hrsg.

v. W. G. McLoughlin, Cambridge/Mass. 1960.

181 Nach 1780 entwickelten sich schließlich auch in den Kirchen Schottlands und Englands Erweckungsbewegungen, die sich dem Rationalismus und der wachsenden Säkularisierung in Kirche, Theologie und öffentlichem Leben entgegenstemmten. Dabei zeigte diese Erneuerungsbewegung ein sehr breites Spektrum zwischen der anglikanischen **Oxford-Bewegung** (J. Keble, E. Pusey, J. H. Newman), die eine katholische hochkirchliche Frömmigkeit anstrebte, und der **Heilsarmee** (William und Catherine Booth), die ohne Interesse an Ritus und Sakrament im Sinne der frohmachenden Botschaft Jesu sich ganz auf christliche Sozialtätigkeit konzentrierte, auf die Heilung von Trinkern, Erziehung von Waisen, Fürsorge für Arme und Obdachlose in unseren großen Städten.

182 Vgl. den Überblick bei **G. A. Benrath – W. J. Hollenweger**, Art. Erweckung/Erweckungsbewegungen, in: TRE, Bd. X, S. 205-227.

183 Zum **Fundamentalismus** vgl. besonders die als Teil I und III der fünfbändigen interreligiösen Studie »The Fundamentalism Project« erschienenen Untersuchungen von **M. E. Marty – R. S. Appleby** (Hrsg.), Fundamentalisms Observed, Chicago 1991; Fundamentalisms and the State. Remaking Polities, Economies, and Militance, Chicago 1993. Zum **amerikanischen Fundamentalismus** vgl. **N. F. Furniss**, The Fundamentalist Controversy, 1918-1931, New Haven 1954. **E. R. Sandeen**, The Roots of Fundamentalism. British and American Millenarianism 1800-1930, Chicago 1970. **J. Barr**, Fundamentalism, London 1977; dt.: Fundamentalismus, München 1981. **G. M. Marsden**, Fundamentalism and American Culture. The Shaping of Twentieth-Century Evangelicalism: 1870-1925, New York 1980. **W. Joest**, Art. Fundamentalismus, in: TRE, Bd. XI, S. 732-738. **N. T. Ammerman**, Bible Believers. Fundamentalists in the Modern World, New Brunswick 1987. **R. J. Neuhaus – M. Cromartie** (Hrsg.), Piety and Politics. Evangelicals and Fundamentalists Confront the World, Washington D.C. 1987. **D. Lecourt**, L'Amérique entre la Bible et Darwin, Paris 1992.

184 Text bei **E. R. Sandeen**, The Roots of Fundamentalism, S. 273.

185 Vgl. die Belege bei **G. Ebeling**, Art. Hermeneutik, in: Die Religion in Geschichte und Gegenwart, Bd. III, Tübingen 1959, Sp. 242-262, bes. Sp. 251f.

186 So **M. E. Marty** in seiner Einführung zu dem von J. Moltmann und mir hrsg. Themenheft der Internationalen Zeitschrift für Theologie Concilium über »Fundamentalismus als ökumenische Herausforderung«, 28 (1992), Heft III: Was ist Fundamentalismus? Theologische Perspektiven, S. 199 (in diesem Heft Beiträge von jüdischen, christlichen und muslimischen Autoren).

187 Vgl. **S. Tromp**, De sacrae scripturae inspiratione, Rom [5]1953.

188 Vgl. 1. Johannesbrief 5,7; dazu **H. Denzinger**, Enchiridion Nr. 2198.

189 Vgl. **P. Hebblethwaite**, Ist der Papst ein Fundamentalist? und **H. Küng**, Wider den römisch-katholischen Fundamentalismus der Zeit, beide in: Concilium 28 (1992), S. 254-260 und S. 274-280. Wie dringend die Problematik des Fundamentalismus im Gegenwartskatholizismus geworden ist, zeigt die immer größere Zahl von Buchveröffentlichungen: **J. Niewiadomski** (Hrsg.), Eindeutige Antworten? Fundamentalistische Versuchung in Religion und Gesell-

schaft, Thaur 1988. **K. Kienzler** (Hrsg.), Der neue Fundamentalismus. Rettung oder Gefahr für Gesellschaft und Religion?, Düsseldorf 1990. **T. F. O'Meara**, Fundamentalism. A Catholic Perspective, New York 1990. **H. Hemminger** (Hrsg.), Fundamentalismus in der verweltlichten Kultur, Stuttgart 1991. **H. Kochanek** (Hrsg.), Die verdrängte Freiheit. Fundamentalismus in den Kirchen, Freiburg 1991. **S. H. Pfürtner**, Fundamentalismus. Die Flucht ins Radikale, Freiburg 1991. **R. Schermann** (Hrsg.), Katholischer Fundamentalismus. Häretische Gruppen in der Kirche?, Regensburg 1991. **J. Werbick** (Hrsg.), Offenbarungsanspruch und fundamentalistische Versuchung?, Freiburg 1991.

190 **J. Neusner**, Worin besteht die Herausforderung des heutigen jüdischen Fundamentalismus?, in: Concilium 28 (1992) S. 229-231, Zit. S. 231.

191 Für den **interreligiösen Vergleich** wichtig sind neben den von **M. E. Marty – R. S. Appleby** hrsg. Bänden die Untersuchungen von **B. B. Lawrence**, Defenders of God. The Fundamentalist Revolt against the Modern Age, San Francisco 1989. **T. Meyer**, Fundamentalismus. Aufstand gegen die Moderne, Reinbek 1989; **ders.** (Hrsg.), Fundamentalismus in der modernen Welt. Die Internationale der Unvernunft, Frankfurt 1989. **M. Riesebrodt**, Fundamentalismus als patriarchalische Protestbewegung. Amerikanische Protestanten (1910-28) und iranische Schiiten (1961-79) im Vergleich, Tübingen 1990. **G. Kepel**, La Revanche de Dieu. Chretiens, juifs et musulmans à la reconquête du monde, Paris 1991; dt.: Die Rache Gottes. Radikale Moslems, Christen und Juden auf dem Vormarsch, München 1991. **B. Misztal – A. Shupe** (Hrsg.), Religion and Politics in Comparative Perspective. Revival of Religious Fundamentalism in East and West, London 1992.

192 Vgl. **G. Hole**, Fundamentalismus – Dogmatismus – Fanatismus. Psychiatrische Perspektiven, in: Concilium 28 (1992), S. 213-221.

193 Vgl. **H. Küng**, Judentum, Kap. 1-A II,6: Adam und der Universalismus der Hebräischen Bibel.

194 Vgl. **G. Müller-Fahrenholz**, Was ist heute Fundamentalismus? Sozialpsychologische Perspektiven, in: Concilium 28 (1992), S. 208-212.

195 Ein jüngstes eindrucksvolles Beispiel einer solchen Theologie: **K.-J. Kuschel**, Streit um Abraham. Was Juden, Christen und Muslime trennt – und was sie eint, München 1994. Dieses Buch bildet die Vorstufe zu einer umfassenden kritischen biblischen Theologie der Religionen.

196 Vgl. **H. Küng**, Judentum, Kap. 2-C II,5: Tradition und Reform im Konflikt: Louis Jacob.

197 In dieser historisch ausgerichteten Darstellung des Fundamentalismus soll die Thematik nicht weiter vertieft werden (mehr dazu im zweiten Teilband von »Das Christentum«).

198 Zur Problematik des jüdischen Fundamentalismus vgl. **J. Neusner**, Worin besteht die Herausforderung des heutigen jüdischen Fundamentalismus?; und **S. E. Karff**, Wie soll man dem heutigen jüdischen Fundamentalismus begegnen?, in: Concilium 28 (1992), S. 232-236.

199 Zur Problematik des islamischen Fundamentalismus vgl. **E. Elshahed**, Worin besteht die Herausforderung des islamischen Fundamentalismus?, in: Con-

cilium 28 (1992), S. 237-242; und **M. S. Abdullah**, Wie soll man dem islamischen Fundamentalismus begegnen?, in: Concilium 28 (1992), S. 243-248.

200 **J. Moltmann**, Fundamentalismus und Moderne, in: Concilium 28 (1992), S. 269-273, Zit. S. 269.

201 **Ders.**, Fundamentalismus und Moderne, S. 272.

C V. Das vernunft- und fortschrittsorientierte Paradigma der Moderne

1 Zu konkreten Fragen der **Moderne** – von Architektur bis Zeitung – gibt es ungezählte Arbeiten. Zur Moderne als solche aber schweigen selbst so angesehene Lexika wie LThK, RGG und TRE. Zur Begriffsgeschichte wichtig der Artikel von **H. U. Gumbrecht**, Art. Modern, Modernität, Moderne, in: O. Brunner u. a. (Hrsg.), Geschichtliche Grundbegriffe, Bd. IV, Stuttgart 1978, S. 93-131. Zur philosophischen Begriffsentwicklung vgl. **R. Piepmeier**, Art. Modern, die Moderne, in: J. Ritter – K. Gründer (Hrsg.), Historisches Wörterbuch der Philosophie, Bd. VI, Darmstadt 1984, Sp. 54-62. Eine religionswissenschaftliche Analyse des Begriffs bietet **J. F. Wilson**, Art. Modernity, in: Enc Rel, Bd. X, S. 17-22.

2 Vgl. zum folgenden **R. Bubner**, Paradigmawechsel – einige kontinentale Perspektiven, in: H. Küng – D. Tracy (Hrsg.), Das neue Paradigma von Theologie. Strukturen und Dimensionen, Zürich 1986, S. 19-28.

3 Vgl. **H. Küng**, Theologie im Aufbruch. Eine ökumenische Grundlegung, München 1987, Kap. C I,2: Die Frage der Epochenschwellen.

4 Vgl. oben Kap. C III,11: Renaissance – ein neues Paradigma?

5 Vgl. dazu den zweiten Band meiner Studie zum Christentum.

6 Natürlich wird die **Moderne** in allen weltgeschichtlichen Serien und Handbüchern zumeist in mehreren Bänden behandelt, ebenso in allen Geschichten der Philosophie, der Wissenschaft, der Wirtschaft, der Kultur. Es wäre wenig sinnvoll, zu den einzelnen dem Zeitgenossen verhältnismäßig gut bekannten Etappen und Sektoren ausgedehnte bibliographische Angaben mitzugeben. Wichtiger als die Anhäufung von Tatsachen und Büchern war mir die kompakte Gesamtschau und scharfsichtige Charakterisierung des modernen Paradigmas. Bei der historischen Orientierung leisteten mir gute Dienste für die allgemeine Faktengeschichte: Der Große Ploetz. Auszug aus der Geschichte von den Anfängen bis zur Gegenwart (1863), Freiburg [31]1991, und für die Kirchengeschichte **K. Heussi**, Kompendium der Kirchengeschichte, Tübingen [12]1960.

7 Vgl. z. B. **J. Kunisch**, Absolutismus. Europäische Geschichte vom Westfälischen Frieden bis zum Ende des Ancien Régime, Göttingen 1986, bes. Forschungsüberblick S. 179-202. Zum Westfälischen Frieden vgl. **H. Lutz**, Reformation und Gegenreformation, München 1979, 113-116.

8 Vgl. **H. Lehmann**, Das Zeitalter des Absolutismus. Gottesgnadentum und Kriegsnot, Stuttgart 1980, Kap. III,1: Ursachen, Erscheinungsformen und Folgen der großen Krise des 17. Jahrhunderts, gibt einen Überblick über die diesbezügliche Forschungslage und die bisherigen Ergebnisse.

9 Vgl. den Forschungsbericht von **H. Duchhardt**, Das Zeitalter des Absolutis-

mus, München 1989, S. 155-159 (hier auch ein guter Überblick über Quellen und Literatur in den verschiedenen Ländern und Einzelbereichen).

10 Vgl. **H. Küng**, Judentum, Kap. 1-C V,4: Das Judentum an der Schwelle zur Moderne.

11 Vgl. **J. Bodin**, Les six livres de la République, Paris 1583; dt.: Sechs Bücher über den Staat, hrsg. v. P. C. Mayer-Tasch, Bd. I-II, München 1981/86.

12 Vgl. **T. Hobbes**, Leviathan or the Matter, Form and Power of a Commonwealth, Ecclesiastical and Civil (1651); dt.: Leviathan oder Stoff, Form und Gewalt eines kirchlichen und bürgerlichen Staates, hrsg. von I. Fetscher, Frankfurt 1984.

13 Vgl. **N. Machiavelli**, Il Principe (1532); dt.: Der Fürst, »Il Principe«, hrsg. v. R. Zorn, Stuttgart 1955. Besonders am Kap. 18 »Inwieweit Herrscher ihr Wort halten sollen«, wo die Politik in ihren »Eigengesetzlichkeiten« von ethischen Bindungen völlig abgekoppelt erscheint, scheitern die Apologeten des »Realisten« Machiavelli, der ja keineswegs nur konstatiert, sondern taktische Anweisungen geben will.

14 Vgl. **V.-L. Tapié**, Art. Louis XIV., in: Encyclopaedia Universalis, Bd. II, Paris 1985, S. 259-265.

15 Vgl. oben Kap. C III,3: Der Anspruch des Bischofs von Rom auf Herrschaft.

16 Vgl. **G. Oestreich**, Geist und Gestalt des frühmodernen Staates, Berlin 1969, S. 187-197.

17 Die diesbezüglichen Forschungsergebnisse faßt gut zusammen **H. Duchhardt**, Das Zeitalter des Absolutismus, S. 74-78.

18 Zu diesem Tagesablauf vgl. **P. Erlanger**, Louis XIV, Paris 1965, S. 334f; dt.: Ludwig XIV. Das Leben eines Sonnenkönigs, Frankfurt 1976, S. 231f.

19 Vgl. **H. Denzinger**, Enchiridion Nr. 1322-1326.

20 **P. Goubert**, Louis XIV et vingt millions de Français, Paris 1966; dt.: Ludwig XIV und zwanzig Millionen Franzosen, Berlin 1973; zit. nach der frz. Ausgabe S. 241f.

21 Vgl. **F. Bacon**, Nova Atlantis (1627); dt.: Neu-Atlantis, in: Der utopische Staat, hrsg. v. K. J. Heinisch, Reinbek 1960, S. 171-215.

22 Vgl. **S. Toulmin**, Cosmopolis. The Hidden Agenda of Modernity, New York 1990; dt.: Kosmopolis. Die unerkannten Aufgaben der Moderne, Frankfurt 1991.

23 Vgl. **N. Copernicus**, De revolutionibus orbium coelestium libri VI (1543), kritische Neuausgabe Hildesheim 1984; dt.: Über die Kreisbewegungen der Weltkörper, 1. Buch, hrsg. v. G. Klaus, Berlin 1959.

24 Vgl. **G. Galilei**, Dialogo (1632); dt.: Dialog über die beiden hauptsächlichen Weltsysteme, das ptolemäische und das kopernikanische, hrsg. v. R. Sexl – K. v. Meyenn, Darmstadt 1982.

25 Vgl. **ders.**, Brief an B. Castelli vom 21. Dezember 1613, in: Opere, Bd. V, Florenz 1965, S. 281-288.

26 Vgl. **I. Newton**, Philosophiae naturalis principia mathematica, London 1687, [3]1726, Neuausgabe in 2 Bd., Cambridge/Mass. 1972; dt.: Mathematische Grundlagen der Naturphilosophie, Hamburg 1988.

27 Vgl. **W. Jens**, Eine deutsche Universität. 500 Jahre Tübinger Gelehrtenrepu-

blik, München 1977, S. 106f.

28 Vgl. **T. Campanella**, La Città del Sole (1602); lat.: Civitas solis (1623); dt.: Sonnenstaat, in: Der utopische Staat, hrsg. v. K. J. Heinisch, Reinbek 1960, S. 111-169.

29 Gegen das in der katholischen Kirchengeschichtsschreibung im Falle Galilei immer noch nicht ausgestorbene »blinde Apologetentum« – neues Paradebeispiel **W. Brandmüller**, Galilei und die Kirche oder Das Recht auf Irrtum, Regensburg 1982 – wendet sich mit Recht **G. Denzler**, Der Fall Galilei und kein Ende, in: Zeitschrift für Kirchengeschichte 95 (1984), S. 223-233.

30 Vgl. **R. Descartes**, Le monde ou le traité de la lumière, Paris 1664.

31 Vgl. **ders.**, Discours de la méthode pour bien conduire la raison, et chercher la verité dans les sciences. Plus la dioptrique, les météores et la géometrie, qui sont des essais de cette méthode, Leyden 1637.

32 **G. W. F. Hegel**, Vorlesungen über die Geschichte der Philosophie, Bd. III (Sämtliche Werke. Jubiläumsausgabe in zwanzig Bänden, hrsg. v. H. Glockner, Bd. XIX), Stuttgart 1928, S. 328.

33 Zur intensiveren Auseinandersetzung mit René Descartes vgl. **H. Küng**, Existiert Gott?, Kap. A I: Ich denke, also bin ich? René Descartes (dort auch Literatur).

34 Vgl. **S. Toulmin**, Kosmopolis, bes. Kap. 3: Das moderne Weltbild. Aus diesem Grund möchte ich anders als Toulmin, wie im Zusammenhang von P III dargelegt, nicht schon die Renaissance als Moderne bezeichnen, da, wie Toulmin selber ausführt, einige ihrer Vertreter (Montaigne) zwar eine praktische Vernünftigkeit, aber nicht die typisch moderne Rationalität an den Tag legten.

35 **J. Habermas**, Der philosophische Diskurs der Moderne. Zwölf Vorlesungen, Frankfurt 1985, S. 30. Zu bedenken freilich die Kritik bei **S. Toulmin**, Kosmopolis, S. 277: »Er (Habermas) bezeichnet als ›Modernisierung‹ die Emanzipationsbewegung, die mit der Französischen Revolution begann und in Kants universalistischer Theorie der Ethik eine Rationalisierung erfuhr … Für Habermas besteht also das Kennzeichen der Moderne nicht in einer Berufung auf eine rationalistische Theorie, sondern in der Verpflichtung auf eine egalitäre Praxis.«

36 Vgl. **I. Kant** in seiner Vorrede zur zweiten Auflage der »Kritik der reinen Vernunft«, in: Werke in sechs Bänden, hrsg. von W. Weischedel, Darmstadt 1956-64 (= Werke), Bd. II, S. 20-41, bes. S. 25.

37 Vgl. **ders.**, Kritik der reinen Vernunft (1781: Werke, Bd. II); Kritik der praktischen Vernunft (1788: Werke, Bd. IV); Kritik der Urteilskraft (1790: Werke, Bd. V).

38 **Ders.**, Kritik der reinen Vernunft (Werke, Bd. II), S. 33.

39 **Ders.**, Kritik der reinen Vernunft (Werke, Bd. II), S. 694.

40 **Ders.**, Kritik der reinen Vernunft (Werke, Bd. II), S. 563f.

41 Zur intensiveren Auseinandersetzung mit Immanuel Kant vgl. **H. Küng**, Existiert Gott?, Kap. F III,2: Mehr als die reine Vernunft: Immanuel Kant (dort auch Literatur).

42 **B. Pascal**, Pensées, Nr. 180 (zit. nach der als Band 34 in der »Bibliothèque de la Pléiade« erschienenen kritischen Ausgabe von **J. Chevalier**, Paris 1954).

43 Vgl. zur Geschichte des Begriffs **H. U. Gumbrecht**, Art. Modern, in: Geschichtliche Grundbegriffe. Historisches Lexikon zur politisch-sozialen Sprache in Deutschland, Bd. IV, Stuttgart 1978, S. 99-131. »Modernus« (von modo) = »neu«, im Gegensatz zu »antiquus« = »alt«.
44 Vgl. **H. Küng**, Existiert Gott?, Hauptteil A: Vernunft oder Glaube?.
45 Vgl. **Montesquieu**, De l'esprit des lois, Bd. I-II, Genf 1748, Neuausgabe v. G. Truc, Paris 1949; dt.: Vom Geist der Gesetze, Bd. I-II, Tübingen 1951.
46 Vgl. **M. Diderot – M. d'Alembert** (Hrsg.), Encyclopédie, ou Dictionnaire raisonné des sciences, des arts et des métiers, par une Société de gens de lettres, Bd. 1-35, Paris 1751-80.
47 Vgl. **S. Toulmin**, Kosmopolis, Teil 1.
48 **B. Pascal**, Pensées, Nr. 264.
49 Vgl. **R. Koselleck**, Art. Fortschritt, in: Geschichtliche Grundbegriffe, Bd. II, Stuttgart 1975, S. 351-423.
50 Vgl. oben Kap. C IV,8: Warum der Hexenwahn?
51 Für das Folgende vgl. **H. Küng**, Existiert Gott?, Kap. G I,1: Die vielen Namen des einen Gottes; **ders.**, Christentum und Chinesische Religion, München 1988, Kap. IV, 2 (im folgenden zit. mit »Chinesische Religion«).
52 Vgl. **L. v. Pastor**, Geschichte der Päpste seit dem Ausgang des Mittelalters, Bd. XV, Freiburg [8]1961, S. 284-354. 440f. 729-732.
53 Selbst ein so papstfreundlicher Geschichtsschreiber wie Freiherr Ludwig von Pastor kommentiert diese Vorgänge nicht ohne kritischen Unterton: »Allein eine Entscheidung von unabsehbarer Tragweite war mit dem Ritenverbot gefallen. Den chinesischen Christen wurden Dinge verboten, die nach ihrer Auffassung als Forderung von Anstand und guter Lebensart galten, und sie wurden verboten im Gegensatz zur Erklärung des Kaisers K'ang-hsi und der chinesischen Gelehrten« (Bd. XV, S. 309). 1710 wurde dies alles gegen Einspruch der chinesischen Apostolischen Vikare und Jesuiten durch ein neues Dekret der römischen Inquisition bestätigt und verschärft; und die damalige Exkommunikationsandrohung gegen alle Autoren von Veröffentlichungen über Riten und Ritenstreit wurde bis heute nicht formell zurückgezogen.
54 Vgl. **J. Ching – W. G. Oxtoby**, Moral Enlightenment. Leibniz and Wolff on China, Nettetal 1992.
55 Vgl. **C. Wolff**, Oratio de Sinarum philosophia practica, Frankfurt 1726; dt.: Rede über die praktische Philosophie der Chinesen, hrsg. v. M. Albrecht, Hamburg 1985.
56 Vgl. **G. E. Lessing**, Nathan der Weise. Ein dramatisches Gedicht in fünf Aufzügen (1779), in: Werke, Bd. I, München 1982, S. 593-735.
57 Vgl. oben Kap. C IV,9: Vom »Inneren Licht« zum »Licht der Vernunft«.
58 **I. Kant**, Beantwortung der Frage: Was ist Aufklärung? (1783), in: Werke, Bd. VI, S. 53-61, Zit. S. 53.
59 **E. Troeltsch**, Die Aufklärung (1897), in: Gesammelte Schriften, Bd. IV, Tübingen 1925, S. 338-374, Zit. S. 339.
60 Vgl. oben Kap. C III,9: Problematische Trennung von Vernunft und Glauben.
61 Zur **Säkularisierung** vgl. **F. Gogarten**, Verhängnis und Hoffnung der Neuzeit. Die Säkularisierung als theologisches Problem, Stuttgart 1953. **H. Cox**, The

Secular City, New York 1965; dt.: Stadt ohne Gott, Stuttgart 1966. **H. Lübbe**, Säkularisierung. Geschichte eines ideenpolitischen Begriffs, Freiburg 1965. **H. Blumenberg**, Säkularisierung und Selbstbehauptung (erweiterte u. überarbeitete Neuausgabe v. »Die Legitimität der Neuzeit«, erster und zweiter Teil), Frankfurt 1974. **R. K. Fenn**, Toward a Theory of Secularization, Ellington/ Conn. 1978. **D. Martin**, A General Theory of Secularization, Oxford 1978. **R. N. Bellah – P. E. Hammond**, Varieties of Civil Religion, San Francisco 1980. **H.-H. Schrey** (Hrsg.), Säkularisierung, Darmstadt 1981. **H. Zabel – W. Conze – H.-W. Strätz**, Art. Säkularisation, Säkularisierung, in: Geschichtliche Grundbegriffe, Bd. V, Stuttgart 1984, S. 789-829. **H. Meyer**, Religionskritik, Religionssoziologie und Säkularisation, Frankfurt 1988. Neuere kritische Werke zur Säkularisationsthese folgen später.

62 Vgl. **M. Greiffenhagen**, Art. Emanzipation, in: Historisches Wörterbuch der Philosophie, Bd. II, Darmstadt 1972, S. 448f; **ders.**, Ein Weg der Vernunft ohne Rückkehr. Ist die Emanzipation in eine neue Phase getreten?, in: Die Zeit vom 22. Juni 1973.

63 Vgl. **M. Weber**, Die protestantische Ethik und der Geist des Kapitalismus, in: Gesammelte Aufsätze zur Religionssoziologie, Bd. I, Tübingen 1920, S. 17-206.

64 Vgl. oben Kap. C IV,9: Konfessionalismus und Traditionalismus.

65 Als »Übergangstheologen« galten die Lutheraner J. F. Buddeus, C. M. Pfaff, der Kirchengeschichtler J. L. v. Mosheim und sein Schüler J. P. Miller und die beiden Walch (Vater u. Sohn) oder dann auch die reformierten Schweizer S. Werenfels, J. F. Osterwald und der jüngere Turrettini.

66 Als »Wolffianer« galten: I. G. Canz, J. Carpov, S. J. Baumgarten, zu denen noch manche Katholiken zu zählen wären.

67 Als »Neologen« galten die Namen J. F. W. Jeremias, J. J. Spalding, F. Nicolai, C. F. Bahrdt, denen sich mit einigen Nuancen auch die Historiker J. S. Semler, J. A. Ernesti und I. D. Michaelis beigesellt hatten.

68 Vgl. in dieser Entwicklung zwar einseitig, aber doch noch immer bedenkenswert **K. Barth**, Die protestantische Theologie, Zürich [2]1952, S. 115-152.

69 **A. Schweitzer**, Geschichte der Leben-Jesu-Forschung, Tübingen [2]1913, S. 4; zur weiteren Entwicklung vgl. besonders S. 13-48.

70 Vgl. **H. S. Reimarus**, Von dem Zwecke Jesu und seiner Jünger, Braunschweig 1778, § 4.

71 Vgl. **ders.**, Von dem Zwecke Jesu, § 5-7.

72 Vgl. **ders.**, Von dem Zwecke Jesu, § 8-18.

73 Vgl. **ders.**, Von dem Zwecke Jesu, § 29-30.

74 Vgl. **ders.**, Von dem Zwecke Jesu, § 31.

75 Vgl. **J.-J. Rousseau**, Émile ou de l'éducation, Bd. I-IV, Amsterdam 1762, kommentierte Neuausgabe v. P. Richard, Paris 1951; dt.: Emil oder über die Erziehung, Bd. I-II, Paderborn 1958/61.

76 Vgl. **D. F. Strauss**, Das Leben Jesu, kritisch bearbeitet, Bd. I-II, Tübingen 1835/36.

77 Um die Wende zum 20. Jahrhundert wußte man gut Bescheid nicht nur über die verschiedenen Quellen des Pentateuchs und die wirkliche Geschichte der

Stämme Israels (Julius Wellhausen), sondern auch über die zeitliche Priorität des Markusevangeliums, das zusammen mit einer Quelle Q den Großevangelien von Mattäus und Lukas als Vorlage gedient haben muß (»synoptische Frage«).

78 Vgl. **F. C. Baur**, Lehrbuch der christlichen Dogmengeschichte, Stuttgart 1847, [3]1867; **ders.**, Geschichte der christlichen Kirche, Bd. I-V, Tübingen 1853-63.

79 Vgl. **A. v. Harnack**, Lehrbuch der Dogmengeschichte, Bd. I-III, Tübingen [4]1909, Neudruck Darmstadt 1964.

80 Die Ergebnisse dieser Forschung sind nicht zu übersehen:
Die **Textkritik** hat für die Erforschung der Evangelien den Wortlaut der biblischen Schriften in der ältesten erreichbaren Gestalt durch äußere und innere Kritik, sprachliche und sachliche Erwägungen sowie Heranziehung der Textgeschichte mit größtmöglicher Genauigkeit und Annäherung festgestellt.
Die **Literaturkritik** hat die literarische Integrität der Schriften untersucht. Sie hat die Differenzen in den vorausgesetzten rechtlichen, religiösen und gesellschaftlichen Zuständen, in Sprache, Chronologie und geschichtlichen Angaben, in den theologischen und moralischen Auffassungen herausgestellt. Sie hat durch Quellenunterscheidung der mündlichen und schriftlichen Traditionen die eventuellen Vorlagen unter später eingearbeitetem Material erhellt. Sie hat Alter, Herkunft, Adressatenkreis und literarische Eigenart der neutestamentlichen Schriften bestimmt. Sie hat sie in literaturvergleichenden Verfahren mit der zeitgenössischen jüdischen und hellenistischen Literatur konfrontiert und in ihrer Besonderheit beschrieben.
Die **Form- und Gattungskritik** hat die Frage nach dem Sitz im Leben der Gemeinde und des Einzelnen, nach der literarischen Gattung, nach dem Rahmen der kleinen literarischen Einheiten, nach der ursprünglichen Form gestellt und hat so die historische Verläßlichkeit wie den Traditionsgehalt neu zu bestimmen versucht.
Die **Traditionsgeschichte** hat den vorliterarischen Prozeß zu durchleuchten unternommen, hat die ältesten Hymnen, liturgischen Fragmente, Rechtssätze usw. analysiert, hat sie mit Gottesdienst, Predigt, Katechese und Gemeindeleben in Verbindung gebracht und so die für die Entstehung der Kirche entscheidenden Anfänge und das erste Studium ihrer Entwicklung aufzudecken versucht.

81 Vgl. **F. Schleiermacher**, Kurze Darstellung des theologischen Studiums zum Behuf einleitender Vorlesungen (1811), hrsg. v. H. Scholz, Leipzig [3]1910.

82 Vgl. **ders.**, Über die Religion. Reden an die Gebildeten unter ihren Verächtern, Berlin 1799; in ihrer ursprünglichen Gestalt mit fortlaufender Übersicht des Gedankenganges neu hrsg. v. R. Otto, Göttingen [6]1967 (im folgenden zitiert nach der Seitenzählung der ursprünglichen Ausgabe).

83 Den Einfluß Fichtes auf Schleiermacher hat (einseitig) herausgearbeitet **E. Hirsch**, Geschichte der neueren evangelischen Theologie im Zusammenhang mit den allgemeinen Bewegungen des europäischen Denkens, Bd. IV, Gütersloh 1960, bes. S. 500-520.

84 **F. Schleiermacher**, Über die Religion, S. 1. 4.

85 **Ders.**, Über die Religion, S. 50.

86 **Ders.**, Über die Religion, S. 53.
87 Vgl. **ders.**, Über die Religion, S. 133.
88 **Ders.**, Über die Religion, S. 50.
89 Vgl. **G. Ebeling**, Luther und Schleiermacher, in: Lutherstudien, Bd. III, Tübingen 1985, S. 405-427.
90 Vgl. **G. W. F. Hegel**, Vorrede zu Hinrichs' Religionsphilosophie (1822), in: Werkausgabe, Bd. XI, Frankfurt 1970, S. 42-67, bes. S. 58.
91 Vgl. **F. Schleiermacher**, Monologen. Eine Neujahrsgabe (1800), in: KGA, Bd. I. 3, S. 1-61.
92 Vgl. **K. Barth**, Nachwort zu: Schleiermacher-Auswahl, hrsg. v. H. Bolli, München 1968, S. 307 .
93 Vgl. **P. Seifert**, Die Theologie des jungen Schleiermacher, Gütersloh 1960, Zit. S. 15.
94 Vgl. **F. Hertel**, Das theologische Denken Schleiermachers untersucht an der ersten Auflage seiner Reden »Über die Religion«, Zürich 1965, Bes. § 4-6. Sowohl Seifert wie Hertel relativieren (gegen Hirsch) den Einfluß Fichtes.
95 Vgl. **H.-J. Birkner**, Theologie und Philosophie. Einführung in Probleme der Schleiermacher-Interpretation, München 1974, S. 43f. Vgl. zu dieser Problematik auch die Diskussion zwischen **H. W. Frei, S. W. Sykes und R. T. Thiemann**, in: **J. O. Duke – R. F. Streetman**, Barth and Schleiermacher. Beyond the Impasse?, Philadelphia 1984, S. 65-113.
96 **K. Barth**, Die protestantische Theologie im 19. Jahrhundert. Ihre Vorgeschichte und ihre Geschichte, Zürich [2]1952, S. 411.
97 Vgl. **E. Brunner**, Die Mystik und das Wort. Der Gegensatz zwischen moderner Religionsauffassung und christlichem Glauben dargestellt an der Theologie Schleiermachers, Tübingen 1924.
98 Vgl. **K. Barth**, Nachwort, S. 308.
99 **F. Schleiermacher**, Über die Religion, S. 51.
100 **Ders.**, Über die Religion, S. 51.
101 **Ders.**, Über die Religion, S. 125.
102 **Ders.**, Über die Religion, S. 286.
103 **Ders.**, Über die Religion, S. 282.
104 Vgl. **ders.**, Über die Religion, S. 287.
105 **Ders.**, Über die Religion, S. 287.
106 Vgl. **H. Küng**, Judentum, Kap. 1-C V,6: Der erste moderne Jude: Moses Mendelssohn.
107 **F. Schleiermacher**, Über die Religion, S. 291.
108 **Ders.**, Über die Religion, S. 302.
109 **Ders.**, Über die Religion, S. 302.
110 **Ders.**, Über die Religion, S. 302f.
111 **K. Barth**, Nachwort, S. 308.
112 Vgl. **F. Schleiermacher**, Die Weihnachtsfeier. Ein Gespräch, Halle 1806, 2. Aufl. Berlin 1826.
113 **Ders.**, Die Weihnachtsfeier, S. 130.
114 **Ders.**, Die Weihnachtsfeier, S. 146.
115 Vgl. **ders.**, Der christliche Glaube nach den Grundsätzen der evangelischen

Kirche im Zusammenhange dargestellt, Bd. I-II, Berlin 1821-22, zweite umgearbeitete Auflage Berlin 1830-31. Die im Text angegebenen Paragraphen beziehen sich auf Schleiermachers Erstauflage der »Glaubenslehre«, in: KGA, Bd. I. 7,1-2.

116 **Anselm von Canterbury**, Proslogion, I; **ders.**, De fide trinitatis et de incarnatione verbi, II.

117 Vgl. **F. Schleiermacher**, Das Leben Jesu. Vorlesungen an der Universität zu Berlin im Jahr 1832, hrsg. v. K. A. Rütenik, Berlin 1864 (Sämtliche Werke, Bd. I. 6).

118 Vgl. **K. Barth**, Nachwort, S. 309.

119 Die folgenden Zitate beziehen sich auf die Neuausgabe der zweiten umgearbeiteten Auflage der »Glaubenslehre« von M. Redeker, Bd. I-II, Berlin [7]1960.

120 **F. Schleiermacher**, Glaubenslehre, Bd. II, S. 459.

121 **Ders.**, Glaubenslehre, Bd. II, S. 469.

122 **Ders.**, Glaubenslehre, Bd. II, S. 43.

123 **Ders.**, Glaubenslehre, Bd. II, S. 57.

124 **Ders.**, Glaubenslehre, Bd. II, S. 57.

125 **Ders.**, Glaubenslehre, Bd. II, S. 57.

126 **Ders.**, Glaubenslehre, Bd. II, S. 58.

127 **Ders.**, Glaubenslehre, Bd. II, S. 58.

128 **D. Lange**, Neugestaltung christlicher Glaubenslehre, in: ders. (Hrsg.), Friedrich Schleiermacher 1768-1834. Theologe – Philosoph – Pädagoge, Göttingen 1985, S. 85-105, Zit. S. 101.

129 **F. Schleiermacher**, Der christliche Glaube, Berlin [7]1960 (hrsg. v. M. Redeker), Bd. II, S. 58.

130 Vgl. **ders.**, Über die Glaubenslehre. Zweites Sendschreiben an Lücke, in KGA, Bd. I. 10, S. 343.

131 **Ders.**, Der christliche Glaube, Berlin [7]1960 (hrsg. v. M. Redeker), Bd. II, S. 48.

132 Ich selber habe eine solche in »Christ sein« (1974) vorgelegt.

133 Vgl. **M. Junker**, Das Urbild des Gottesbewußtseins. Zur Entwicklung der Religionstheorie und Christologie Schleiermachers von der ersten zur zweiten Auflage der Glaubenslehre, Berlin 1990, S. 210f.

134 Vgl. **D. Lange**, Historischer Jesu, S. 170.

135 Vgl. **T. Schieder**, Friedrich der Große. Ein Königtum der Widersprüche, Frankfurt 1983.

136 Zu **Französischer Revolution und Kirche** vgl. – neben den allgemeinen Revolutionsgeschichten – **A. Latreille**, L'Église catholique et la Révolution française. Le pontificat de Pie VI et la crise française (1775-1799), Paris 1946. **C. Ledré**, L'Église de France sous la Révolution, Paris 1949. **M. Zywczynski**, Die Kirche und die Französische Revolution, Leipzig 1953 (polnische Originalausgabe Warschau 1951). **H. Maier**, Revolution und Kirche. Studien zur Frühgeschichte der christlichen Demokratie (1789-1901), Freiburg 1959, [5]1988. **J. McManners**, The French Revolution and the Church, London 1969. **D. Menozzi**, Cristianesimo e Rivoluzione francese, Brescia 1977. **M. Vovelle**, Breve storia della rivoluzione francese, Rom 1979; dt.: Die Französische Revo-

lution. Soziale Bewegung und Umbruch der Mentalitäten, München 1982; **ders.**, La révolution contre l'Église. De la Raison à l'Être Suprême, Brüssel 1988. **P. Christophe**, 1789, les prêtres dans la révolution, Paris 1986. **T. Tackett**, Religion, Revolution, and Regional Culture in Eighteenth-Century France. The Ecclesiastical Oath of 1791, Princeton 1986. **P. Pierrard**, L'Église et la Révolution (1789-1889), Paris 1988. **B. Plongeron** (Hrsg.), Pratiques religieuses. Mentalités et spiritualités dans l'Europe révolutionnaire (1770-1820), Turnhout 1988. **J. Chaunu** (Hrsg.), Droits de l'Église et Droits de l'Homme. Pie VI et les évêques français, Limoges 1989. **P. Colin** (Hrsg.), Les catholiques français et l'héritage de 1789. D'un centenaire à l'autre 1889-1989, Paris 1989. **V. Schubert** (Hrsg.), Die Französische Revolution. Wurzeln und Wirkungen, St. Ottilien 1989. **S. Desan**, Reclaiming the Sacred. Lay Religion and Popular Politics in Revolutionary France, Ithaca 1990. **G. Cholvy**, La religion en France de la fin du XVIIIe à nos jours, Paris 1991.

137 Vgl. **E.-J. Sieyès**, Qu'est-ce que le Tiers État?, ohne Ort 1789; dt.: Was ist der Dritte Stand?, in: E.-J. Sieyès, Politische Schriften 1788-1790, Darmstadt 1975, S. 117-195. Die drei berühmten programmatischen Fragen gleich am Anfang: »1. Was ist der Dritte Stand? **Alles**. 2. Was ist er bis jetzt in der politischen Ordnung gewesen? **Nichts**. 3. Was verlangt er? **Etwas zu sein**.«

138 Vgl. **E. Weis**, Vorwort zu **F. Furet**, Zur Historiographie der Französischen Revolution heute, München 1989.

139 Von einem »konservativen Bewußtwerdungsprozeß, welcher den Revolutionskritikern und -gegnern erst eine gewisse gesellschaftliche Massenbasis verschaffte«, spricht **R. Reichardt** im Anschluß an die Untersuchung von **T. Tackett**, Die Stadteliten und der Priestereid von 1791, in: R. Koselleck – R. Reichardt, Die Französische Revolution als Bruch des gesellschaftlichen Bewußtseins, München 1988, S. 579-605. Es sei in diesem Zusammenhang auf die wichtige Serie deutscher Revolutionsforschung hingewiesen, die von **R. Reichardt** und **E. Schmitt** herausgegeben wird: Ancien Régime, Aufklärung und Revolution.

140 Vgl. **Papst Pius VI.**, Breve Quod aliquantum (10. 3. 1791), zusammen mit dem Breve Charitas (13. 4. 1791), hrsg. v. M.-N.-S. Guillon, Collection générale des brefs et instructions de Notre Très-Saint Père le Pape Pie VI, Bd. I-II, Paris 1798 (übersetzt bei J. Chaunu, Droits de l'Église).

141 Vgl. **A. de Condorcet**, Esquisse d'un tableau historique des progrès de l'esprit humain, Paris 1794.

142 Vgl. **J. de Maistre**, Considérations sur la France, Basel 1797; dt.: Betrachtungen über Frankreich, Lausanne 1991.

143 Der Freiburger Historiker **E. Schulin**, Die Französische Revolution, München 1988, 1. Teil, zeigt in seinem souveränen Überblick über 200 Jahre Revolutionsgeschichtsschreibung überzeugend, wie nach dem Zweiten Weltkrieg und dem Vichy-Regime die lange stark vertretene konservative Richtung der Interpretation (noch immer in der Académie Française beheimatet) in der Öffentlichkeit nur noch wenig vertreten wurde. In der Nachkriegszeit herrschte dann fast allein die sozialistisch-marxistische Interpretation, an der Sorbonne repräsentiert seit 1959 vor allem durch **A. Soboul**, Précis de l'histoire de la révoluti-

on française, Paris 1962; dt.: Die Große Französische Revolution. Ein Abriß ihrer Geschichte (1789-1799), Frankfurt 1973, [4]1983. Diese ist aber nun in allerletzter Zeit (doch schon vor 1989!) abgelöst durch die (an der VIème Section der Ecole Pratique des Hautes Etudes beheimatete) strukturgeschichtlich-liberale Schule. Deren großer Repräsentant **F. Furet** hat zusammen mit **D. Richet** die heute maßgebende Darstellung der Französischen Revolution 1955/1966 veröffentlicht: **F. Furet – D. Richet**, La Révolution, Bd. I-II, Paris 1965/66; dt.: Die Französische Revolution, München 1968. **F. Furet**, Penser la Révolution française, Paris 1978; dt.: Vom Ereignis zum Gegenstand der Geschichtswissenschaft, Frankfurt 1980; **ders.** (Hrsg.), L'eredità della Rivoluzione francese (1988); frz.: L'héritage de la révolution française, Paris 1989.

144 Vgl. **F. Furet – M. Ozouf**, Dictionnaire critique de la Révolution Française, Paris 1988, S. 162, mit Berufung auf **D. Greer**, The Incidence of the Terror during the French Revolution. A Statistical Interpretation, Cambridge/Mass. 1935.

145 Zum Folgenden vgl. vor allem die das Material neu sichtende historische und statistische Untersuchung von **M. Vovelle**, La révolution contre l'Église.

146 Die zwischen A. Aulard und A. Mathiez um die Wende zum 20. Jh. eröffnete Kontroverse, ob der Übergang vom Kult der Vernunft zum Kult des Höchsten Wesens (»Être Suprême«) ein Widerruf und radikaler Bruch oder aber ein beinahe unbemerkter Übergang sei, findet auch bei **M. Vovelle**, La révolution contre l'Église, S. 155-192, keine eindeutige Antwort.

147 **D. Menozzi**, Die Bedeutung der katholischen Reaktion auf die Revolution, in: Internationale Zeitschrift für Theologie »Concilium« 25 (1989), S. 51-58, Zit. S. 54. 57. Dieses Heft 1/1989 von »Concilium«, hrsg. v. C. Geffré u. J.-P. Jossua, bietet für die Thematik »1789: Französische Revolution und Kirche« eine bestens informierende Bilanz aus heutiger theologischer Sicht.

148 **B. Plongeron**, Die Geburt einer republikanischen Christenheit (1789-1801): Abbé Grégoire, in: Concilium 25 (1989), S. 19-28, Zit. S. 24. Wie wenig sich indes bestimmte Hierarchen mit der Französischen Revolution ausgesöhnt haben, zeigt die Tatsache, daß sich noch nach 200 Jahren (am 12. 12. 1989, der 200-Jahr-Feier der Revolution) der Erzbischof von Paris, Kardinal Lustiger, geweigert hat, an der »Céremonie Républicaine« der Überführung von Abbé Grégoire ins Panthéon teilzunehmen.

149 **J. Comby**, Freiheit, Gleichheit, Brüderlichkeit. Grundsätze für eine Nation und für eine Kirche, in: Concilium 25 (1989), S. 13-19, Zit. S. 18.

150 Vgl. **E. Burke**, Reflections on the Revolution in France, London 1790; dt.: Betrachtungen über die Französische Revolution, Bd. I-II, hrsg. v. F. Gentz, Berlin 1793-94.

151 Vgl. **C. L. v. Haller**, Die Restauration der Staats-Wissenschaft oder Theorie des natürlich-geselligen Zustands, der Chimäre des künstlich-bürgerlichen entgegengesetzt, Bd. I-VI, Winterthur 1816-34. Programmatisch schreibt Haller schon in der Vorrede: »Die rechtmäßigen Throne sind hergestellt: wir wollen auch die rechtmäßige Wissenschaft wieder auf den Thron heben, diejenige die im Dienst des obersten Herren steht, von deren die ganze Schöpfung zeugt, daß sie die wahre sei« (Bd. I, S. IIIf).

152 Vgl. **F. J. v. Stahl**, Die Philosophie des Rechts nach geschichtlicher Ansicht, Bd. I-II,2, Heidelberg 1830-37.

153 Vgl. **L.-G.-A. de Bonald**, Théorie du pouvoir politique et religieux dans la société civile …, Bd. I-III, Konstanz 1796.

154 Vgl. **J. de Maistre**, Du Pape, Paris 1819; dt.: Vom Pabst, Bd. I-II, Frankfurt 1822; schon das 1. Kap. des 1. Buches handelt von der »Unfehlbarkeit« in der geistlichen Ordnung, die der »Souveränität« in der weltlichen Ordnung entspreche.

155 Vgl. **F. R. de Chateaubriand**, Génie du Christianisme ou beautés de la religion chrétienne, Bd. I-V, Paris 1802; dt.: Der Geist des Christentums, hrsg. v. J. F. Schneller – J. König, Bd. I-II, Freiburg 1856.

156 Vgl. zur technischen Entwicklung bes. in England **E. Hobsbawm**, The Age of Revolution, London 1962; dt.: Europäische Revolutionen, München 1978, Kap. 9: Einer industriellen Welt entgegen; **ders.**, Industry and Empire. An Economic History of Britain since 1750 (1969); dt.: Industrie und Empire. Britische Wirtschaftsgeschichte seit 1750, Bd. I-II, Frankfurt 1969.

157 Vgl. zur Diskussion dieses Begriffs **W. W. Rostow** (Hrsg.), The Economics of Take-off into Sustained Growth, London 1963.

158 **C. M. Cipolla**, Die Industrielle Revolution in der Weltgeschichte, in: K. Borchardt, Die Industrielle Revolution in Deutschland, München 1972, S. 7-21, Zit. S. 18f.

159 Vgl. besonders **A. Smith**, The Theory of Moral Sentiments, London 1759; dt.: Theorie der ethischen Gefühle, Bd. I-II, hrsg. v. W. Eckstein, Leipzig 1926.

160 Vgl. **A. Smith**, An Inquiry into the Nature and Causes of the Wealth of Nations, Bd. I-II, London 1776; dt.: Untersuchung über die Natur und die Ursachen des Nationalreichtums, Bd. I-IV, Breslau 1794-96.

161 Vgl. **K. Marx – F. Engels**, Manifest der Kommunistischen Partei, in: K. Marx. Frühe Schriften, hrsg. v. H.-J. Lieber – P. Furth, Darmstadt 1971, Bd. II, S. 813-858.

162 Vgl. **M. Greschat**, Das Zeitalter der Industriellen Revolution. Das Christentum vor der Moderne, Stuttgart 1980 (hier Lit. zur industriellen Revolution in den verschiedenen Ländern). **G. Besier**, Religion – Nation – Kultur. Die Geschichte der christlichen Kirchen in den gesellschaftlichen Umbrüchen des 19. Jahrhunderts, Neukirchen 1992.

163 **Leo XIII.**, Rerum novarum cupidi (1892), in: Acta Apostolicae Sedis 23 (1890/91), S. 641-670; dt.: Nach Neuerungen Süchtige, in: E. Marmy (Hrsg.), Mensch und Gemeinschaft in christlicher Schau, Dokumente, Fribourg 1945, Nr. 510-571.

164 Vgl. **H. Küng**, Existiert Gott?, Kap. CII,3: Kein Zurück hinter Marx.

165 Die »berufsständische Ordnung« ist noch 1931 der Leitwert der zweiten Sozialenzyklika »Quadragesimo anno« (= 40 Jahre nach »Rerum novarum«) Pius' XI. Versuche der Realisierung eines »Ständestaates« in Österreich 1934-38 und ständestaatliche Korporativkammern in Portugal, Spanien und Italien.

166 **M. Greschat**, Das Zeitalter der Industriellen Revolution, S.236.

167 Vgl. **I. Kant**, Beobachtungen über das Gefühl des Schönen und Erhabenen (1764), in: Werke, Bd. I, S. 821-884, Zit. S. 851f.

168 Vgl. **J. J. Bachofen**, Das Mutterrecht. Eine Untersuchung über die Gynaikokratie der alten Welt nach ihrer religiösen und rechtlichen Natur, Stuttgart 1861.

169 Erklärung der Rechte der Frau und Bürgerin, Text nach **H. Schröder – T. Sauter**, Zur politischen Theorie des Feminismus. Die Deklaration der Rechte der Frau und Bürgerin von 1791, in: Aus Politik und Zeitgeschichte, Beilage zur Wochenzeitung Das Parlament 48 (1977), S. 29-54, Zit. 51. Vgl. **L. Doormann**, Ein Feuer brennt in mir. Die Lebensgeschichte der Olympe de Gouges, Weinheim 1993.

170 **K. Marx – F. Engels**, Manifest der Kommunistischen Partei, S. 838f.

171 Vgl. **F. Engels**, Der Ursprung der Familie, des Privateigentums und des Staats. Im Anschluß an Lewis H. Morgan's Forschungen, Zürich 1884.

172 Vgl. **A. Bebel**, Die Frau in der Vergangenheit, Gegenwart und Zukunft, Zürich 1879 (späterer Titel: Die Frau und der Sozialismus).

173 **Leo XIII.**, Rundschreiben »Immortale Dei« (1885), in: E. Marmy (Hrsg.), Mensch und Gemeinschaft, Nr. 833-907, Zit. Nr. 867.

174 **Leo XIII.**, Rundschreiben »Rerum novarum« (1891), in: E. Marmy (Hrsg.), Mensch und Gemeinschaft, Nr. 510-571, Zit. Nr. 551.

175 **S. H. Pfürtner**, Soziallehre, katholische, in: Frauenlexikon. Traditionen, Fakten, Perspektiven, hrsg. v. A. Lissner – R. Süssmuth – K. Walter, Freiburg 1988, Sp. 1051-1059, Zit. Sp. 1053.

176 Nach einer Umfrage des Allenbacher Instituts für Demoskopie zum Thema »Frau und Kirche« aus dem Jahre 1993 ist in den vergangegen 10 Jahren der Prozentsatz derjenigen katholischen Frauen, die eine »enge Beziehung« zu ihrer Kirche bejahen, von 40% auf 25% abgesunken (in den evangelischen Kirchen freilich ähnlich). Mehr Sympathie hat die Kirche am Ort: 43% aller Katholikinnen und 76% der kirchlich orientierten Frauen erklären, »gute Erfahrungen« mit ihren Pfarrgemeinden gemacht zu haben, 69% bzw. 80% haben von ihrem Pfarrer »eine gute Meinung«.

177 Vgl. **R. L. Greaves** (Hrsg.), Triumph over Silence. Women in Protestant History, Westport/Conn. 1985.

178 Im Folgenden halte ich mich an den ausgezeichneten Überblick von **G. Scharffenorth – E. Reichle** in den Artikeln »Frau« (Neuzeit) und »Frauenbewegung«, in: TRE, Bd. XI, S. 443-467. 471-481. Viel Material auch bei **M. Perrot** (Hrsg.), Histoire de la vie privée, Bd. IV: De la Révolution à la Grande Guerre, Paris 1987; dt.: Geschichte des privaten Lebens, Bd. IV: Von der Revolution zum Großen Krieg, Frankfurt 1992, bes. Kap. II und IV.

179 **E. Moltmann-Wendel**, Christentum und Frauenbewegung in Deutschland, in: **dies.**, (Hrsg.) Frauenbefreiung. Biblische und theologische Argumente, München 1978 (zweite, stark veränderte Aufl. von »Menschenrechte für die Frau«, München 1974), S. 13-77, Zit. S. 25.

180 Vgl. **D. Kaufmann**, Frauen zwischen Aufbruch und Reaktion. Protestantische Frauenbewegung in der ersten Hälfte des 20. Jahrhunderts, München 1988.

181 **E. Moltmann-Wendel**, Christentum und Frauenbewegung, S. 75. Einen Überblick über die wichtigsten Ereignisse, Publikationen und Autorinnen der frühen europäischen feministischen Theologie (1960-1975) – von Gertrud

Heinzelmann und Elisabeth Gössmann über Catharina Halkes, Elisabeth Schüssler-Fiorenza und Mary Daly bis hin zu Kari E. Børresen und Ida Raming (um nur die bekanntesten zu nennen) – bietet **Catharina Halkes** in ihrem Artikel »Towards a History of Feminist Theology in Europe« im Jahrbuch der Europäischen Gesellschaft für die theologische Forschung von Frauen »Feministische Theologie im europäischen Kontext«, hrsg. v. A. Esser – L. Schottroff, Kampen 1993, S. 11-37. Hier auch eine knappe Zusammenstellung der wichtigsten Aktivitäten und Publikationen des Weltrats der Kirchen seit 1945, der mit seinen Konsultationen und Veröffentlichungen – besonders »Sexism in the 1970s« von 1974 – auf evangelischer Seite entscheidend zum Durchbruch feministisch-theologischer Ansätze beigetragen hat.

182 **H. Thiersch**, Das Konfessionsmonopol und Sinnfragen in der säkularisierten Erziehung, in: G. Klosinski, Religion als Chance oder Risiko. Entwicklungsfördernde und entwicklungshemmende Aspekte religiöser Erziehung, Bern 1994, S. 42-53, Zit. S. 46. Zur Unvermeidlichkeit der Wahl in der modernen Gesellschaft vgl. **P. L. Berger**, The Heretical Imperative. Contemporary Possibilities of Religious Affirmation, New York 1979; dt.: Der Zwang zur Häresie. Religion in der pluralistischen Gesellschaft, Frankfurt 1980; **ders.**, A Far Glory. The Quest for Faith in an Age of Credulity, New York 1992.

183 **H. Thiersch**, Das Konfessionsmonopol, S. 46. In einer »Erlebnisgesellschaft« verschärfen sich diese Fragen; vgl. **G. Schulze**, Die Erlebnisgesellschaft. Kultursoziologie der Gegenwart, Frankfurt 1993.

184 Dies zeigen alle neueren empirischen Untersuchungen vom Ende des 20. Jahrhunderts, im internationalen Bereich vor allem die von 21 Forschungszentren in 16 Ländern durchgeführte Studie, von der berichtet **A. Greeley**, Religion Around the World, An International Social Survey Programme Report, Chicago 1993.

185 Zur neuesten **Diskussion über die Säkularisierungsthese** vgl. **A. M. Greeley**, Unsecular Man. The Persistence of Religion, New York 1972; **ders.**, Religious Change in America, Cambridge/Mass. 1989; **ders.**, Religion as Poetry (erscheint 1994). **J.-P. Sironneau**, Sécularisation et religions politiques, Den Haag 1982. **R. Stark – W. S. Bainbridge**, The Future of Religion. Secularization, Revival and Cult Formation, Berkeley 1985. **T. Molnar – A. de Benoist**, L'éclipse du sacré. Discours et réponses, Paris 1986. **S. Acquaviva – R. Stella**, Fine di un'ideologia: la secolarizzazione, Rom 1989. **J. K. Hadden – A. Shupe** (Hrsg.), Secularization and Fundamentalism Reconsidered, New York 1989. **S. Martelli**, La religione nella società post-moderna. Tra secolarizzazione e desecolarizzazione, Bologna 1990. **L. Oviedo Torró**, La secularización como problema. Aportaciones al análisis de las relaciones entre fe cristiana y mundo moderno, Valencia 1990. **O. Tschannen**, Les théories de la sécularisation, Genf 1992.

186 **K. Gabriel** faßt die betreffende soziologische Forschung ausgezeichnet zusammen in einer sowohl empirischen wie grundsätzlichen Analyse: Christentum zwischen Tradition und Postmoderne, Freiburg 1992, Zit. S. 150. Die neueste religionssoziologische Untersuchung wurde für die Schweiz durchgeführt von **A. Dubach – R. J. Campiche** (Hrsg.), Jeder ein Sonderfall? Religion in der

Schweiz, Zürich 1992; (hier auch Klärungen von **M. Krüggeler** zur Individualisierung von Religion).

187 Mit einigen dieser Autoren findet sich vom theologischen Standpunkt aus eine Auseinandersetzung in dem von **C. Geffré – J.-P. Jossua** hrsg. Heft von Concilium 28 (1992), Heft 6: Die Moderne auf dem Prüfstand.

188 Vgl. **H. Küng**, Große christliche Denker, Kap. VII: Karl Barth: Theologie im Übergang zur Postmoderne.

189 Vgl. **M. Horkheimer – T. W. Adorno**, Dialektik der Aufklärung. Philosophische Fragmente, Amsterdam 1947, Frankfurt 1969.

190 Vgl. **H. Küng**, Existiert Gott?, Teil A: Vernunft oder Glaube?

191 Vgl. **M. Frank**, Zwei Jahrhunderte Rationalitäts-Kritik und die Sehnsucht nach einer »Neuen Mythologie«, in seinem Essay-Band »Conditio moderna. Essays, Reden, Programm«, Leipzig 1993, S. 30-50.

192 Vgl. **F. Capra**, The Turning Point (1982); dt.: Wendezeit. Bausteine für ein neues Weltbild, Bern [6]1983.

193 Vgl. **I. Prigogine – I. Stengers**, La Nouvelle Alliance. Métamorphose de la science, Paris 1979; dt.: Dialog mit der Natur. Neue Wege naturwissenschaftlichen Denkens, München 1981. Zum naturwissenschaftlichen Hintergrund vgl. **dies.**, Das Paradox der Zeit. Zeit, Chaos und Quanten, München 1993; engl.: Time, Chaos and the Quantum. Towards the Resolution of the Time Paradox (in Vorbereitung).

194 Vgl. **J. Habermas**, Theorie des kommunikativen Handelns, Bd. I-II, Frankfurt 1981; **ders.**, Moralbewußtsein und kommunikatives Handeln, Frankfurt 1983; **ders.**, Die Neue Unübersichtlichkeit. Kleine Politische Schriften V, Frankfurt 1985; **ders.**, Der philosophische Diskurs der Moderne. Zwölf Vorlesungen, Frankfurt 1985.

195 Vgl. **U. Beck**, Risikogesellschaft. Auf dem Weg in eine andere Moderne, Frankfurt 1986.

196 Vgl. **U. Beck**, Die Erfindung des Politischen. Zu einer Theorie reflexiver Modernisierung, Frankfurt 1993.

197 Vgl. **J.-F. Lyotard**, La condition postmoderne, Paris 1979; dt.: Das postmoderne Wissen. Ein Bericht, hrsg. u. überarb. v. P. Engelmann, Graz 1986 (in den Schlußfolgerungen unsachgemäße Polemik gegen Habermas' Mühen um einen universellen ethischen Konsens, »ein veralteter und suspekter Wert«, den Lyotard zugunsten der »Gerechtigkeit« aufgeben möchte, S. 190). Vgl. dazu **M. Frank**, Die Grenzen der Verständigung. Ein Geistergespräch zwischen Lyotard und Habermas, Frankfurt 1988.

198 Vgl. **W. Welsch**, Unsere postmoderne Moderne, Weinheim [2]1988, S. 4f; vgl. S. 5: »prinzipieller Pluralismus«. Im Vorwort zur 3. Auflage (1991) weiterführende Korrekturen: Wahrung und Verteidigung der Pluralität bei allen einschneidenden Differenzen = »postmoderne Konzeption«; Ankurbelung des Oberflächen-Pluralismus und Tilgung der Pluralität = »pseudopostmoderne Konzeption« (S. XV).

199 Vgl. **R. Spaemann**, Ende der Modernität?, in: Moderne oder Postmoderne? Zur Signatur des gegenwärtigen Zeitalters, hrsg. v. P. Koslowski – R. Spaemann – R. Löw, Weinheim 1986, S. 19-40.

200 Kein Theologe hat sich intensiver und konstruktiver mit den Problemen des Pluralismus auseinandergesetzt als der systematische Theologe der University of Chicago Divinity School **D. Tracy**, Blessed Rage for Order. The New Pluralism in Theology, New York 1975; **ders.**, The Analogical Imagination. Christian Theology and the Culture of Pluralism, New York 1981; **ders.**, Plurality and Ambiguity. Hermeneutics, Religion, Hope, New York 1987; dt.: Theologie im Gespräch. Eine postmoderne Hermeneutik. Mit einer Einführung von W. G. Jeanrond, Mainz 1993. Zur Debatte zwischen Tracy und **G. Lindbeck** vgl. die Beiträge von **R. Lints** u. **S. L. Stell** in Journal of the American Academy of Religion 61 (1993), S. 655-703.

201 Daß dies nicht nur für Amerika gilt, zeigen die Publikationen der Konferenz Bekennender Gemeinschaften in Deutschland, besonders der gegen die »Unterwanderung« der Kirche durch den »modernistischen Zeitgeist« gerichtete »Aufruf der Bekenntnisbewegung ›Kein anderes Evangelium‹ zur Passions- und Osterzeit 1970 «, in: **R. Bäumer – P. Beyerhaus – F. Grünzweig** (Hrsg.), Weg und Zeugnis. Bekennende Gemeinschaften im gegenwärtigen Kirchenkampf 1965-1980, Bad Liebenzell 1980, S. 123-125.

202 Auch für **H. Rothfels**, den nach dem Zweiten Weltkrieg aus den USA zurückgekehrten führenden Tübinger Professor für Zeitgeschichte und Gründer der »Vierteljahreshefte für Zeitgeschichte«, beginnt die »Zeitgeschichte« mit dem Ende des Ersten Weltkriegs.

203 Einen umfassenden kritischen Bericht über die Diskussion um die **Postmoderne** in den verschiedenen Bereichen der Kultur und in der Theologie hat in unserem Institut für ökumenische Forschung erarbeitet **M. Schnell**, Die Herausforderung der Postmoderne-Diskussion für die Theologie der Gegenwart, Diss. Tübingen 1994.

204 Vgl. **H. Kissinger,** Diplomacy, New York 1994.

205 Vgl. **N. Sheehan**, Nixon's »Peace« Strategy had a Heavy Price in Blood, in: International Herald Tribune v. 30. April 1994. **A. Lewis**, 20492 Reasons Kissinger Was Wrong, in: International Herald Tribune v. 7. Juni 1994.

206 Vgl. **W. Isaacson**, How the World Works, in: Time Magazine vom 2. Mai 1994. Vgl. **ders.**, Kissinger, A Biography, New York 1992, S. 766: »Aber Kissingers machtorientierter Realismus und seine Konzentration auf nationale Interessen scheiterte, weil er die Rolle der Moralität zu wenig würdigte. Das geheime Bombardement und dann die Invasion von Kambodscha, das Weihnachts-Bombardement von Hanoi, die Destabilisierung von Chile – diese und andere brutale Aktionen verrieten eine gefühllose Haltung gegenüber dem, was Amerikaner gerne für die historische Grundlage ihrer Außenpolitik halten: ein Respekt für Menschenrechte, internationales Recht, Demokratie und andere idealistische Werte. Die Rückschläge, die Kissinger als Staatsmann hinnehmen mußte, und die Antagonismen, die er als Person auslöste, sind auf die spürbare Amoralität seiner geopolitischen Kalkulationen zurückzuführen. Kissingers Ansatz führte zu einer Gegenreaktion bei der Entspannung; die nationale Stimmung schwang aus zum Moralismus eines Jimmy Carter und zum ideologischen Eifer eines Ronald Reagan. Im Ergebnis erwies sich – ähnlich wie bei Metternich – Kissingers Vermächtnis als eines von Brillanz mehr als von Soli-

dität, von meisterhaften Strukturen, die aber aus Lehmziegeln ohne Stroh gebaut waren.«

207 Vgl. **S. P. Huntington**, The Clash of Civilizations?, in: Foreign Affairs 72 (1993), Nr. 3, S. 22-49.

208 Vgl. **A. Toynbee**, The Study of History, Bd. I-XII, Oxford 1934-61; dt. Zusammenfassung: Der Gang der Weltgeschichte. Aufstieg und Fall der Kulturen, Neuaufl. Stuttgart 1958.

209 **S. P. Huntington**, The Clash of Civilizations?, S. 39.

210 Vgl. die kritischen Beiträge von F. Ajami, R. L. Bartley, L. Binyan, J. J. Kirkpatrick, K. Mahbubani zu Huntington in Foreign Affairs 72 (1993), Nr. 4 (Sept./Okt.) und Huntingtons »Response« in Nr. 5 (Nov./Dez.), S. 186-194.

211 **S. P. Huntington**, Response, S. 191f. 194.

212 **Ders.**, The Clash of Civilizations?, S. 22.

213 **Ders.**, The Clash of Civilizations?, S. 25.

214 **Ders.**, The Clash of Civilizations?, S. 27.

215 Vgl. **R. D. Kaplan**, The Coming Anarchy, in: The Atlantic Monthly (Febr. 1994), S. 44-76.

216 Auch **J. Delors**, Präsident der EU-Kommission, ist der Überzeugung: »Future conflicts will be sparked by cultural factors rather than economics or ideology.« Und er warnt: »The West needs to develop a deeper understanding of the religious and philosophical assumptions underlying other civilizations, and the way other nations see their interests, to identify what we have in common« (zit. bei **S. P. Huntington**, Response, S. 194).

217 **S. P. Huntington**, The Clash of Civilizations?, S. 49.

218 Vgl. **Liu Shu-hsien**, Das Humanum als entscheidendes Kriterium aus der Sicht des Konfuzianismus, in: H. Küng – K.-J. Kuschel (Hrsg.), Weltfrieden durch Religionsfrieden, München 1993, S. 92-108. Vgl. auch **S. Heilmann**, China, der Westen und die Menschenrechte, in: China aktuell, Februar 1994, S. 145-151.

219 Vgl. **Konfuzius**, Gespräche XII,7.

220 Vgl. **A. Mnouchkine – H. G. Berger** u. a., Der Prozeß gegen den Schriftsteller Wei Jingsheng, hrsg. v. A.I.D.A. (Internationale Vereinigung zur Verteidigung verfolgter Künstler überall auf der Welt), Reinbek 1986. **Han Minzhu** (Hrsg.), Cries for Democracy. Writings and Speeches from 1989 Chinese Democracy Movement, Princeton/N.J. 1990.

221 So der Diplomat und Direktor des Instituts of Policy Studies in Singapore **T. Koh**, The 10 Values That Undergird East Asian Strength and Success, in: International Herald Tribune vom 12. Dezember 1993.

222 **Liu Binyan**, in: Foreign Affairs 72 (1993) Nr. 4, S. 21.

223 Dies die Vorhaltungen des Vizeaußenministers **K. Mahbubani** von Singapur in seiner Antwort an Huntington in: Foreign Affairs 72 (1993), Nr. 4, S. 14.

224 Vgl. Der Spiegel (1993), Nr. 9.

225 Vgl. **H. Küng**, Existiert Gott?, Kap. D I: Die Heraufkunft des Nihilismus: Friedrich Nietzsche.

226 Vgl. **W. J. Bennett**, The Book of Virtues. A Treasury of Great Moral Stories, New York 1994. Der frühere Drogenbeauftragte des amerikanischen Präsiden-

ten, der eine »vernünftige Mitte zwischen dem Freibrief für Vandalen und der Folter« vertritt, kam mit diesem Buch in Amerika auf die Bestseller-Liste. Es darf dort offensichtlich wieder von Verantwortung, Ehrlichkeit, Loyalität, Mut, Mitleid, Freundschaft, Zähigkeit und Selbstdisziplin geredet werden.

227 Vgl. **H. Küng – K.-J. Kuschel** (Hrsg.), Erklärung zum Weltethos. Die Deklaration des Parlamentes der Weltreligionen, München 1993.

Verzeichnis der Tafeln und Karten

Personenregister

A

B

D

G

H

Ein Wort des Dankes

Am Ende eines Buches, das ungewöhnliche Anstrengungen abforderte, empfinde ich eine ungewöhnliche Dankbarkeit gegenüber allen, welche die langen Mühen dieser Arbeit mitgetragen haben. Für solche Leser freilich, die (früheren Rezensionen zufolge) sich schlechterdings nicht vorstellen können, wie ein Einzelner ein so großes, komplexes Buch schreiben kann, sei hier das für mich Selbstverständliche doch einmal ausdrücklich festgehalten: Auch dieses Buch ist wie alle meine Bücher nicht von einer Equipe, sondern von mir selber Satz um Satz – mühselig genug – ausgedacht und von Hand niedergeschrieben, dann allerdings immer wieder neu von mir und anderen korrigiert worden.

Allen voran habe ich zu danken meinem Kollegen Dr. Karl-Josef Kuschel, Privatdozent an der Tübinger Katholisch-theologischen Fakultät und stellvertretender Direktor des Instituts für ökumenische Forschung, der in den vergangenen Jahren mit mir zusammen die Anliegen eines Weltethos und der interreligiösen Verständigung engagiert vertreten hat, dessen wissenschaftliche Begleitung dieses Buches Kapitel für Kapitel für mich unverzichtbar war und sich in ungezählten inhaltlichen und stilistischen Verbesserungen niedergeschlagen hat. Ein besonderer Dank gilt auch Frau Marianne Saur, welche die verschiedenen Fassungen des Manuskripts immer wieder auf Verständlichkeit hin durchgelesen hat und mir gerade dadurch eine wichtige Kontrolle war. Dank außerdem an meinen Doktoranden und Projektassistenten Dipl. theol. Stephan Schlensog, der aufgrund seiner ungewöhnlichen Doppelbegabung verantwortlich war sowohl für die Überprüfung der ungezählten Zitate und des umfangreichen Anmerkungsteils wie für die graphische Umsetzung meiner Schemata und die satztechnische Gestaltung und Herstellung des Buches. Auf diese Weise war es möglich, daß ich bis zum allerletzten Zeitpunkt noch an diesem Manuskript arbeiten konnte.

Schließlich habe ich herzlich zu danken all denjenigen, die für die technische Realisierung der ungezählten Fassungen dieses Manuskripts zuständig waren: Margarita Krause, abgelöst dann von Franziska Heller-Manthey, aber allen voran meiner persönlichen Sekretärin Eleonore Henn, ohne deren unermüdlichen Einsatz das Sekretariat nicht funktionieren würde. Für die ungewöhnlich umfangreiche Literaturbeschaffung vor allem aus der nicht genügend zu lobenden Universitätsbibliothek sowie für Textkorrekturen habe ich meinem Doktoranden Matthias Schnell zu danken. Für Textkorrekturen und Hilfe bei der Erstellung des Registers mit seinen über 2500 Namen verdient Dank (zusammen mit Stephan Schlensog und Matthias Schnell) cand. theol. Michel Hofmann. Dem Piper Verlag sei gedankt wie schon beim letzten großen Buch über »Das Judentum« für stets reibungslose, kollegiale und sachbezogene Zusammenarbeit: sowohl dem Lektorat (Ulrich Wank) und der Produktion (Hanns Polanetz) wie natürlich auch den Herren Verlegern selbst, Dr. Klaus Piper und Dr. Ernst Reinhard Piper.

Nicht genug danken aber kann ich auch jetzt wiederum der Robert-Bosch-Jubiläumsstiftung und dem Daimler-Benz-Fonds, durch deren großzügige Förderung das Forschungsprojekt »Kein Weltfriede ohne Religionsfriede« überhaupt existiert. So wurde es möglich, daß ich nicht nur die große Studie über »Das Judentum« (1991), sondern auch die beiden kleinen »Vorreiter« zu diesem Buch, »Credo. Das Apostolische Glaubensbekenntnis – Zeitgenossen erklärt« (1992) und »Große christliche Denker« (1994), vorlegen konnte. Auch der Abschlußband über den Islam wird – so hoffe ich – noch im Förderungszeitraum abgeschlossen werden.

Ein besonderes Wort des Dankes habe ich drei Kollegen gegenüber auszusprechen. Sie haben trotz vielfacher Eigenbelastung in ungewöhnlicher Kollegialität und mit bewunderswertem Einsatz das gesamte Manuskript gelesen und mir im Historischen wertvolle Anregungen gegeben: Prof. Dr. Johannes B. Bauer, Patrologe und Ökumeniker an der Universität Graz, dann Prof. Dr. Georg Denzler, Kirchenhistoriker an der Universität Bamberg, und schließlich Dr. Thomas Riplinger, der über die kritische Lektüre des Gesamtmanuskriptes hinaus mir eine wichtige Hilfe war bei der Literaturrecherche vor allem in der Universitätsbibliothek Tübingen. Darüber hinaus haben verschiedene Kolleginnen und Kollegen Teile des Manuskripts gelesen; ihnen habe ich bei den entsprechenden Kapiteln eigens gedankt.

Hans Küng